中国近现代中医药期刊续编

第二辑

医学史与保健组织

王咪咪◎主编

2020年度北京市优秀古籍整理出版扶持项目

北京科学技术出版社

图书在版编目（CIP）数据

医学史与保健组织 / 王咪咪主编. -- 北京 : 北京科学技术出版社, 2021.7
（中国近现代中医药期刊续编. 第二辑）
ISBN 978-7-5714-1481-8

Ⅰ. ①医… Ⅱ. ①王… Ⅲ. ①中国医药学—医学期刊—汇编—中国—近现代 Ⅳ. ①R2-55

中国版本图书馆CIP数据核字(2021)第049325号

策划编辑： 侍　伟　段　瑶
责任编辑： 侍　伟　王治华
文字编辑： 白世敬　刘　佳　陶　清　孙　硕　刘雪怡　吕　艳
责任校对： 贾　荣
图文制作： 北京艺海正印广告有限公司
责任印制： 李　茗
出 版 人： 曾庆宇
出版发行： 北京科学技术出版社
社　　址： 北京西直门南大街16号
邮政编码： 100035
电　　话： 0086-10-66135495（总编室）　0086-10-66113227（发行部）
网　　址： www.bkydw.cn
印　　刷： 北京捷迅佳彩印刷有限公司
开　　本： 787mm × 1092mm　1/16
字　　数： 395.16千字
印　　张： 43.5
版　　次： 2021年7月第1版
印　　次： 2021年7月第1次印刷
ISBN 978 - 7 - 5714 - 1481 - 8

定　　价： **890.00元**

《中国近现代中医药期刊续编·第二辑》编委会名单

序

2012年上海段逸山先生的《中国近代中医药期刊汇编》（下文简称“《汇编》”）出版，这是中医界的一件大事，是研究、整理、继承、发展中医药的一项大工程，是研究近代中医药发展必不可少的历史资料。在这一工程的感召和激励下，时隔七年，我所的王咪咪研究员决定效仿段先生的体例、思路，尽可能地将《汇编》所未收载的新中国成立前的中医期刊进行搜集、整理，并将之命名为《中国近现代中医药期刊续编》（下文简称“《续编》”）进行影印出版。

《续编》所选期刊数量虽与《汇编》相似，均近50种，但总页数只及《汇编》的1/4，约25000页，其内容绝大部分为中医期刊，以及一些纪念刊、专题刊、会议刊；除此之外，还收录了《中华医学杂志》1915—1949年所发行的35卷近300期中与中医发展、学术讨论等相关的200余篇学术文章，其中包括6期《医史专刊》的全部内容。值得强调的是，《续编》将1951—1955年、1957年、1958年出版的《医史杂志》进行收载，这虽然与整理新中国成立前期刊的初衷不符，但是段先生已将1947年、1948年（1949年、1950年《医史杂志》停刊）的《医史杂志》收入《汇编》中，咪咪等编者认为把20世纪50年代这7年的《医史杂志》全部收入《续编》，将使《医史杂志》初期的各种学术成果得到更好的保存和利用。我以为这将是对段先生《汇编》的一次富有学术价值的补充与完善，对中医近现代的学术研究，对中医整理、继承、发展都是有益的。医学史的研究范围不只是中国医学史，还包括世界医学史，医学各个方面的发展史、疾病史，以及从史学角度谈医学与其关系等。《续编》中收载的文章虽有的出自西医学家，但提出来的问题，对中医发展有极大的推进作用。陈邦贤先生在

《中国医学史》的自序中有“世界医学昌明之国，莫不有医学史、疾病史、医学经验史……岂区区传记遽足以存掌故资考证乎哉！”陈先生将其所研究内容分为三大类：一为关于医学地位之历史，二为医学知识之历史，三为疾病之历史。医学史的开创性研究具有连续性，正如新中国成立初期的《医史杂志》所登载的文章，无论是陈邦贤先生对医学史料的连续性收集，还是李涛先生对医学史的断代研究，他们对医学研究的贡献都是开创性的和历史性的；范行准先生的《中国预防医学思想史》《中国古代军事医学史的初步研究》《中华医学史》等，也都是一直未曾被超越或再研究的。况且那个时期的学术研究距今已近百年，能保存下来的文献十分稀少。今天能有机会把这样一部分珍贵文献用影印的方式保存下来，将是对这一研究领域最大的贡献。同时，扩展收载1951—1958年期间的《医史杂志》，完整保留医学史学科在20世纪50年代的研究成果，可以很好地保持学术研究的连续性，故而主编的这一做法我是支持的。

以段逸山先生的《汇编》为范本，《续编》使新中国成立前的中医及相关期刊保存得更加完整，愿中医人利用这丰富的历史资料更深入地研究中医近现代的学术发展、临床进步、中西医汇通的实践、中医教育的改革等，以更好地继承、挖掘中医药伟大宝库。

李经纬　九十老人

2019年11月于中国中医科学院

前言

《汇编》主编段逸山先生曾总结道，中医相关期刊文献凭藉时效性强、涉及内容广泛、对热门话题反映快且真实的特点，如实地记录了中医发展的每一步，记录了中医人每一次为中医生存而进行的艰难抗争，故而是中医近现代发展的真实资料，更是我们今天进行历史总结的最好见证。因此，中医药期刊不但具有历史资料的文献价值，还对当今中医药发展具有很强的借鉴意义。

本次出版的《续编》有五六十册之规模，所收集的中医药期刊范围，以段逸山先生主编的《汇编》未收载的新中国成立前50年中医相关期刊为主，以期为广大读者进一步研究和利用中医近现代期刊提供更多宝贵资料。

《续编》收载期刊的主要时间定位在1900—1949年，之所以不以1911年作为断代，是因为《绍兴医药学报》《中西医学报》等一批在社会上很有影响力的中医药期刊是1900年之后便陆续问世的，从这些期刊开始，中医的改革、发展等相关话题便已被触及并讨论。

在历史的长河中，50年时间很短，但20世纪上半叶的50年却是中医曲折发展并影响深远的50年。中国近代，随着西医东渐，中医在社会上逐步失去了主流医学的地位，并逐步在学术传承上出现了危机，以至于连中医是否能名正言顺地保存下来都变得不可预料。因此，能够反映这50年中医发展状况的期刊，就成为承载那段艰难岁月的重要载体。

据不完全统计，这批文献有1500万～2000万字，包括3万多篇涉及中医不同内容的学术文章。这50年间所发生的事件都已成为历史，但当时中医人所提出的问题、争论的焦点、未做完的课题一直在延续，也促使我们今天的中医人要不断地回头看，思考什么才是这些问题的答案！

中医到底科学不科学？中医应怎样改革才能适应社会需要并有益于中医的发展？120年前，这个问题就已经在社会上被广泛讨论，在现存的近现代中医药期刊中，这一类主题的文章有不下3000篇。

中医基础理论的学术争论还在继续，阴阳五行、五运六气、气化的理论要怎样传承？怎样体现中国古代的哲学精神？中医两千余年有文字记载的历史，应怎样继承？怎样整理？关于这些问题，这50年间涌现出不少相关文章，其中有些还是大师之作，对延续至今的这场争论具有重要的参考价值。

像章太炎这样知名的近代民主革命家，也曾对中医的发展有过重要论述，并发表了近百篇的学术文章，他又是怎样看待中医的？此类问题，在这些期刊中可以找到答案。

最初的中西医汇通、结合、引用，对今天的中西医结合有什么现实意义？中医在科学技术如此发达的现代社会中如何建立起自己完备的预防、诊断、治疗系统？这些文章可以给我们以启示。

适应社会发展的中医院校应该怎么办？教材应该是什么样的？根据我们在收集期刊时的初步统计，仅百余种的期刊中就有五十余位中医前辈所发表的二十余类、八十余种中医教材。以中医经典的教材为例，有秦伯未、时逸人、余无言等大家在不同时期从不同角度撰写的《黄帝内经》《伤寒论》《金匮要略》等教材二十余种，其学术性、实用性在今天也不失为典范。可由于当时的条件所限，只能在期刊上登载，无法正式出版，很难保存下来。看到秦伯未先生所著《内经生理学》《内经病理学》《内经解剖学》《内经诊断学》中深入浅出、引人入胜的精彩章节，联想到现在的中医学生在读了五年大学后，仍不能深知《黄帝内经》所言为何，一种使命感便油然而生，我们真心希望这批文献能尽可能地被保存下来，为当今的中医教育、中医发展尽一份力。

新中国成立前这50年也是针灸发展的一个重要阶段，在理论和实践上都有很多优秀论文值得被保存，除承淡安主办的《针灸杂志》专刊外，其他期刊上也有许多针灸方面的内容，同样是研究这一时期针灸发展状况的重要文献。

在中医的在研课题中，有些同志在做日本汉方医学与中医学的交流及互相影响的研究，这一时期的期刊中保存了不少当时中医对日本汉方医学的研究之作，而这些最原始、最有影响的重要信息载体却面临散失的危险，保护好这些文献就可以为相关研究提供强有力的学术支撑。

在这50年中，以期刊为载体，一门新的学科——中国医学史诞生了。中国医学史首次以独立的学科展现在世人面前，为研究中医、整理中医、总结中医、发展中医，把中医推向世界，再把世界的医学展现于中医人面前，做出了重大贡献。创建中国医学史学科的是一批忠实于中医的专家和一批虽出身西医却热爱中医的专家，他们潜心研究中医医史，并将其成果传播出去，对中医发展起到了举足轻重的作用。《古代中西医药之关系》《中国医学史》《中华医学史》《中国预防医学思想史》《传染病之源流》等学术成果均首载于期刊中，作为对中医学术和临床的提炼与总结，这种研究将中医推向了世界，也为中医的发展坚定了信心。史学类文章大都较长，在期刊上大多采用连载的形式发表，随着研究的深入也需旁引很多资料，为使大家对医学史初期的发展有一个更全面、连贯的认识，我们把《医史杂志》的收集延至1958年，为的是使人们可以全面了解这一学科的研究成果对中医发展的重要作用。《医史杂志》创刊于1947年，在此之前一些研究医学史的专家利用西医刊物《中华医学杂志》发表文章，从1936年起《中华医学杂志》不定期出版《医史专刊》。（《中华医学杂志》是西医刊物，我们已把相关的医学史文章及1936年后的《医史专刊》收录于《续编》之中。）这些医学史文章的学术性很强，但其中大部分只保存在期刊上，期刊一旦散失，这些宝贵的资料也将不复存在，如果我们不抢救性地加以保护，可能将永远看不到它们了。

上述的一些课题至今仍在被讨论和研究，这些文献不只是资料，更是前辈们一次次的发言。能保存到今天的期刊，不只是文物，更是一篇篇发言记录，我们应该尽最大的努力，把这批文献保存下来。这50年的中医期刊、纪念刊、专题刊、会议刊，每一本都给我们提供了一段回忆、一个见证、一种警示、一份宝贵的经验。这批1500万～2000万字的珍贵中医文献已到了迫在眉睫需要保护、研究和继承的关键时刻，它们大多距今已有百年，那时的纸张又是初期的化学纸，脆弱易老化，在百年的颠沛流离中能保留至今已属万分不易，若不做抢救性保护，就会散落于历史的尘埃中。

段逸山、王有朋等一批学术先行者们以高度的专业责任感，克服困难领衔影印出版了《汇编》，以最完整的方式保留了这批期刊的原貌，最大限度地保存了这段历史。段逸山老师所收载的48种医刊，其遴选标准为现存新中国成立前保留时间较长、发表时间较早、内容较完备的期刊，其体量是现存新中国成立前期刊的三分之二以上，但仍留有近三分之一的期刊未能收载出版。正如前面所述，每多保留一篇文献都是在保留一份历史痕迹，故对《汇编》未收载的期刊进行整理出版有着重要意义。北京科学技术出版社秉持传承、发展中医的责任感与使命感，积极组织协调本书的出版事宜。同时，在出版社的大力支持下，本书入选北京市古籍整理出版资助项目，为本书的出版提供了可靠的经费保障。这些都让我们十分感动。希望在大家的共同努力下，我们能尽最大可能保存好这批期刊文献。

近现代中医可以说是对旧中医的告别，也是更适应社会发展的新中医的开始，从形式上到实践上都发生了巨大的改变。这50年中医的起起伏伏，学术的争鸣，教育的改变，理论与临床的悄然变革，都值得现在的中医人反思回顾，而这50年的文献也因此变得更具现实研究意义。

《续编》即将付梓之际，恰逢全国、全球新冠肺炎疫情暴发，在此非常时期能如期出版实属难得；也借此机会向曾给予此课题大量帮助和指导的李经纬、余瀛鳌、郑金生等教授表示最诚挚的感谢。

王咪咪

2020年2月

目　录

中国近现代中医药期刊续编·第二辑

医学史与保健组织

1957年　　第1号

（第1卷 第1期）　（3月22日出版）

医学史与保健組織編輯委員会主編　　人民衛生出版社出版

編者的話

保健組織和医学史在中国医学科学内都是最弱的环节，自从去年党和政府号召向科学大进軍以后，这兩門科学的加强研究是刻不容緩的事。

由于这兩門科学的目标的一致性，特于本年集中人力物力合办一个定期刊物，以响应政府节約的号召。

本会卅年来曾成立医史学会並出版医史刊物推动了医学史的研究。虽有若干成績，但是就以往所發表論文来看，無論在質和量的方面，都远不能滿足需要，显然需要进一步提高以达到使过去为現在服务的目的。

保健組織学約相当于过去的社会衛生学，近卅年我国曾有少数学者热心調查了少数地区的居民衛生狀况和社会病的情形。但是从科学研究上来看这門科学在中国仍然是空白点，解放以后党和政府十分关心这門科学現在已在各医学院校内均成立了保健組織教研組，極其需要展开这門科学的研究，以期研究成果应用到組織人民保健事業上去。因此特向临床家，衛生学家和保健組織工作者呼吁，有計划地进行統計分析調查与自己業务相关的組織工作，統計分析工作，写出有科学論据的文章，以帮助国家衛生事業的建設。

由于保健組織在我国尚为一門新兴科学，本期特發表簡介一文，作为引玉的磚，更由于統計学是这門科学中的重要研究方法，特先發表有关衛生統計的論文。

在医学史方面，共發表論文六篇，計有总合性論文，斷代史，疾病史，專科史，名医傳和書評各一篇。其中有些文章过長，虽然忍痛裁減，但所佔篇幅，仍然过多，近似專著，誠然是一大遺憾。以后作家如能以較簡短的文章見賜，尤为欢迎。

本期为了介紹各国研究的成果，特辟文摘一欄，但因篇幅的限制，仅發表了11篇，以后無疑要加强这一欄，以便从国际上吸取經驗。

最后，本杂誌这一期的創刊，稿源不丰，諸多不能滿人之意。因此希望全国医务工作者多加指导，尤希望專家們不吝珠玉，时賜大作，使这兩門科学得到交流經驗的益处。

保健組織学簡介

錢信忠

保健組織学是一門新的科学，它研究如何把医学科学的成就最大限度地同改善人民健康的实踐結合起来。保健組織学使医务人員具有进行預防疾病的組織知識，使在优良社会制度下的保健事業充分發揮其科学性，更好地保护劳动人民的健康，保护社会主义建設的生产力。苏联、人民民主国家和我国將保健組織学列为医学的一科，列入医学教育的体系中，其目的是为了使社会主义制度下培养出来的医师，不單純是治疗疾病，而且要預防疾病。新型的医师是保衛居民健康的組織者，从广泛的意义上發揮自己的專長。

保健組織学是社会主义国家苏联的医师——謝廞什科(Н. А. Семашко)和薩拉維約夫(З. П. Соловьев)創始的。在苏联偉大的十月社会主义革命以后，由于国家保健政策的实施，医疗衛生机構網日益扩大以及政府大力支持科学研究工作等，苏联的保健事業获得輝煌的成就。根据馬列主义关于人是最宝貴的財产的理論，利用最优良的医学成就，——实現了历代卓越医师的理想——組織起来，为人类服务，由此就产生了先进的社会主义保健組織学。社会主义的保健事業标誌着人类医学历史發展的更高阶段。

过去曾經有过"社会衛生学"，倡議对社会病—結核病、性病、砂眼以及妇幼疾病、职業病等进行宣傳教育和防治工作。目前又有"社会医学"的名称。一方面他們想通过研究生活条件对人类健康的影响，把医学只是为提供技术同医学是为改善人民健康的这兩个看法之間的距离接近起来。另一方面他們也不能否認：虽然在某些国家里公共衛生和保健組織有了某些进步，但医学科学成就的应用往往受到經济或社会因素的阻碍；在資本主义社会里，特别是經济不發达的国家里，許多人都死于能够預防或治疗的疾病，許多人都在長期的、不衛生的情况下生活着，很多人在患某一种病受到治疗后又回到使他旧病复發的生活环境中。

馬克思主义者很早就揭露了社会制度对疾病的發生与發展是有决定性意义的規律。在資本主义国家里，缺少真正搞好人民保健的社会因素。他們那里存在着人剝削人的制度，生产关系和生产力的矛盾日益尖銳化，資本家为了追求最高利潤，殘酷的剝削着，毫不吝惜的消耗着劳动人民的劳动力。因此，資本主义是劳动人民健康的敌人。

在最富有的資本主义国家里，他們的医师、医院与医疗机構的数量也很不少[註]，他們也有新的科学的成就，但在私人开業与私人医院的条件下，只有資产阶級才能享受医疗，虽然在广大劳动人民中間，疾病广泛流行，但他們也得不到医疗的照顧。举例来說，在美国，1946年7,000万人（約全国人口的半数）一年的平均收入少于3,000美元，而患病30日时就需要付出住院医疗費1,000—3,000美元，因此病人不是傾家蕩产，便是不去就医而听天由命。

在資本主义国家里，統治阶級仅仅对流行病的預防負一些責任，而对劳动人民的医疗工作是微不足道的。

他們的医学科学成就和医疗机構中的仪器設备条件，同劳动人民享受医疗照顧水平低之間的矛盾，是資本主义国家不可避免的矛盾之一。这同生产力的發展与生产关系之間的矛盾是一样的。

資本主义国家的医疗机構为少数人服务的結果，降低了它对社会的保健作用，同时也降低了医师的社会地位。那里，有的医师行医为了致富，甚至有欺詐病人的不道德行为，他們对疾病比对健康更为关心。

反之，在劳动人民自己掌握了政权的国家里，由于党和政府对人民健康的关怀，就使保健

註：美国的病床达140万張，其中有70万張精神病病床，但医院病床的利用只有50%。

事業具备了充分發展的条件。在我国革命的各个历史阶段里，在革命斗爭極其紧張的时候，在物質生活極其困难的情况下，党对人民羣众与革命士兵的健康給予無限的关心。第二次革命战爭时期，在反蔣介石圍剿的斗爭中，毛主席曾亲自指导苏区衛生运动的开展，並組織了居民衛生小組与疾病作斗爭；党委領导部队的衛生管理和衛生教育，爱护伤病員，慰劳伤病員，成了苏区公民自覺的行动。抗日战爭时期，当国民党斷絕对八路軍、新四軍的供給、日本帝国主义对根据地加紧破坏扫蕩的时候，抗日根据地的居民曾經經过一段極度艰苦的生活，我們党及时的提出了生产自救的号召，毛主席發表了“組織起来”的論文，使抗日根据地的軍民，不仅克服了困难，而且开始了丰衣足食的生活。党提出了財旺必須人旺的口号，指示根据地的衛生干部，团結广大中医、反对迷信，为人民治疗疾病。中国人民推翻了帝国主义、封建主义、官僚資本主义的統治以后，建立了人民民主專政的中华人民共和国，人民的保健事業成了社会主义建設的基本任务之一。

革命的最終目的，是在不斷發展生产力的基础上，来逐步滿足人民日益增長的物質和文化生活上的需要。刘少奇同志在“八大”的政治报告中指出，胜利后，首先稳定了物价，改善了人民生活。由于强大的社会主义經济的發展，建立了对于农業、手工業、資本主义工商業进行社会主义改造的物質基础。工業总产值在第一个五年計划中，規定增加90.3%，这个規定將超額完成。这就給人民保健事業奠定了物質基础。同时指出，全国职工的平均工資，在1956年比1952年增長了33.5%。国家和企業每年实际开支的劳动保險費、职工医疗費、职工文教費和职工福利費，共約佔每年工資总額的13%左右，四年总計約44亿元。国家在过去三四年中，修建的职工宿舍共达五千几百万平方公尺。同时由于医疗防疫机構逐年增多，公費医疗及免費医疗的面逐年扩大(参閱表1、2)，有力的保护了人民的健康。

解放后，进行着衛生設备不良的旧城市的重建、新城市的建設，工業劳动条件的改善以及社会衛生管理的改进等。由于这些保証人民健康的主要条件的日益具备，傳染病的發生得以迅速下降，患病率和死亡率得以繼續減低，人口自然增加率在逐漸上升，人民的身体發育情况也显示出良好变化(参閱表3、4)。以上充分地說明了保健的国家意义。

表1　全国衛生事業主要指标

	單位	1936	解放前最高年(1947)	1949	1950	1951	1952	1953	1954	以解放前最高年为100，1954年为
医院院数	个	1,316	2,580	2,600	2,880	3,150	3,540	3,580	3,658	142
医院床位数	千張	37.0	65.8	80.0	99.8	124.1	160.3	181.1	204.8	311
疗养院院数	个	10	10	30	60	120	270	520	678	6780
疗养院床位数	千張	0.3	0.3	3.9	6.0	9.4	19.8	34.0	45.0	14989
門診部及厂矿企業保健站	个	…	…	…	1,700	2,600	5,200	6,300	7,023	…
县区衛生所	个	…	341	…	580	1,942	7,961	9,215	9,520	2792
衛生防疫队、站	个	…	50	…	137	169	263	392	406	812
妇幼保健所、站	个	—	9	9	349	1,185	2,379	4,046	3,939	43767
衛生技术人員	千人	…	…	…	780.0	890.0	1,040.0	1,150.0	1,250.0	…

摘自中华人民共和国国家統計局衛生事業統計提要 1949—1954.

社会主义国家經济与文化愈發展，物質享受愈改善，劳动人民的智力与体力愈为健全。

苏联与人民民主国家，以及我国人民保健事業，是建立在优良的社会制度上和先进的医学科学成就的基础上的。在預防与治疗疾病，保証民族繁荣，改善生活与劳动条件等方面，我們是具有極其良好的社会条件的。

由上可知，保健組織学只有在社会主义国

表 2　全国享受公费医疗人数

單位：千人

	1950	1951	1952	1953	1954
公費医疗人数	—	—	4,000.0	5,495.6	5,665.6

摘自中华人民共和国国家統計局衛生事業統計提要1949—1954

家才能得到很好的發展，而社会主义国家为了保护人民的健康就必須很好地研究保健組織学。保健組織学已成为医学科学中不可少的科目之一，並有自己的科学內容：

一、保健組織的理論：保健組織学在理論方面要研究社会科学中对人类健康有密切关系的社会条件及其規律性；要研究医学中对保护人类健康的自然規律和科学基础；要研究国家的政策与党的路綫作为保健原則方針的依据；並应用辯証唯物主义的世界观来批判資产阶級学者歪曲的伪善理論，如馬尔薩斯主义者的人口論、社会达尔文主义、反动的遺傳学与反动的种族学說的优生論。資产阶級学者是为資产阶級服务的，他們把阶級的压迫說成合理的現象，把劳动人民的飢餓、疾病、貧困、死亡当作社会与生物界的自然規律。

表 3　全国甲类傳染病情况

年份		1946	1950	1951	1952	1953	1954	1955
鼠疫对比指标	發病	100.0	34.2	17.1	7.4	3.1	1.8	0.3
(以1946年为100)	死亡	100.0	21.4	8.2	3.1	1.8	1.2	0.2
天花对比指标	發病	100.0	95.7	97.3	16.2	4.9	0.7	0.7
(以1946年为100)	死亡	100.0	95.6	83.4	10.4	1.4	0.4	0.4

表 4　北京市(城区)主要人口自然变动指标

	出生率	死亡率	人口自然增加率	人口自然增加率指数(以1950年为100)	标准化死亡率*
1950	37.0	13.7	23.3	100	14.65
1951	37.9	12.7	25.2	108.2	13.75
1952	35.0	9.3	25.7	110.3	10.78
1953	39.6	9.3	30.3	130.0	11.93
1954	43.1	7.7	35.4	151.9	10.24
1955	43.2	8.1	35.1	150.6	10.78

* 系根据瑞典每千人口年龄分組比重計算出来的。

二、保健史：研究保健事業历史發展中的科学基础，繼承民族保健历史中的宝貴遺产，發揚历史上偉大科学家保健的历史經驗，用历史的观察与發展的观点来分析人民的保健組織和医学的成果，使之能更好地結合当前保健任务。因此，保健組織与医学史这两門兄弟課程在苏联的高等医学院校內已合併于一个教学單位，共同进行着教学与研究工作。

三、居民衛生狀況：衛生統計学：研究居民健康狀況以及社会經济、自然环境、劳动生活条件、文化水平、医疗衛生机構網的力量等因素与人类健康的关系（人口学、疾病統計、居民身体教育統計）。用統計的方法来总結工作，評价成績，分析缺点，指出今后努力方向，並作为編制保健計划、預算、拟定人員編制的科学根据。

四、保健組織学研究各級医疗預防，衛生防疫等机構的种类、任务及各种保健实施的組織与工作方法，系統地論証全面的或局部的保健方針（措施），以使其同科学成就和实际工作相适应，即是說在研究保健組織的过程中必須結合我国經济文化等具体情况和医学發展的水平，以适应当前国家社会主义經济建設所急需。

保健組織学的四个部分的內容是密切联系的，相互配合为保护人民健康而服务的。如果把某一部分孤立起来研究，只能达到其狹义的目的。例如衛生統計学在保健組織学中佔着重要位置，因为它为編造国家保健計划、制定医疗衛生机構編制标准、分析居民狀况、給制定当前保健計划提供了根据。但若只是为統計而統計，就会貶低它的科学价值，变得毫无意义；故强調衛生統計为保健組織服务，發揮其更大的作用是完全必要的。因此，保健組織工作者必須学習衛生統計、用統計的数字来总結工作，評价工作質量，分析工作中的优缺点，加强保健組織工作的科学性。而衛生統計工作者同样必須学習保健組織，更正确地發揮統計方法的作用。总之，上述四个部分具有內在的联系性，構成有理論、有方法、有实踐、有史实可据的、完整的、独立的保健組織学。

苏联与我国保健事業的經驗証明，在国家与党关怀保健組織的条件下，产生了医务工作的特殊优越性，医疗机構在統一方法的基础上，完成統一的計划。使每个医生都作为保健組織工作者与本身業务的医务工作者。

很早以前，医学活动家的实踐就証明了医务衛生工作中正确組織的卓越意义。

如天才的外科学家——彼罗果夫（Н. И. Пирогов）于1864年在他所写的"野战外科学的基础"一書中，就应用自己几十年外科活动經驗，証明医院的行政和医学技术有同等重要性。他写道："依据我个人的經驗，确信野战医院要获得巨大的成就，不仅必須有科学的外科与医疗的技术，而且必須有宝貴的、好的医院行政。"由彼罗果夫所說"行政"兩字的意思，可以想見医师同时也是組織工作者。

同时也可以想見，正确的組織应該是在为病人利益的組織措施中，使医务工作者的劳动發揮更大的效果。

以医院的正确組織为例，按照衛生学和医学的要求，应包括医院的合理建筑；不同类型的医院应有适合其任务的診断、实驗仪器和技术性設备标准，医院各級人員职責分工，医院規章、制度、物質供給保証（营养、衛生技术設备、病院的衣褥及财务工作等）。

然而医疗机構仅有正确組織还很不够，因为医师与医疗机構的基本的工作內容与目的乃是关心居民健康，所以他們必須經常根据居民健康狀况的分析来决定本身任务，改善工作方式方法。因此，医生与組織工作者为了提高工作質量，除了正确的組織外，还必須掌握和应用衛生統計的方法研究居民健康狀况（發病率、出生率、死亡率等）的变动，調查居民医药救助的需要，採用最可靠、最有效的工作方法来完成預防疾病、治疗疾病的任务。

参考資料

1. 苏联保健組織，东北人民政府衛生部譯，1950.
2. Майстрах, К. В., Организация здравоохранения, Медгиз, 1956.
3. Майстрах, К. В., Родов, Я. И. Пособие к Практическим занятиям по организации здравоохранения, Медгиз, 1955.
4. 馬克思和恩格斯論保健的社会基础（人民衛生出版社）。
5. 1922 年 7 月　中国共产党第二次代表大会綱領。
6. 毛主席，　長崗乡調查。
7. 刘少奇，　第八次党代表大会政治报告。
8. 1955年文教衛生事業統計提要。

辽代植毛牙刷考

周宗岐，中华口腔科杂誌 1956 年第 3 号

著者在北京故宫博物院展出的五省出土文物中發現兩把"骨刷柄"是赤峰县大营子村辽駙馬墓的葬品。著者認为这兩把"骨刷柄"是牙刷。其理由有三：

1.　本刷柄的長度与近代牙刷相似。長度为19厘米。

2.　植毛部的長度与近代植毛牙刷相似。本刷柄植毛部約为 2.5 厘米。

3.　毛束数目亦与近代牙刷相似（有 8 个植毛孔，分兩排，孔部上下相通，有金屬絲結紮过的痕跡）。

據墓誌了解此墓为辽庆应 9 年（公元 959 年）的墓葬。看实物可知当时已能制造很合理的植毛牙刷，而外国的植毛牙刷是 15—17 世紀才有的。

（刘佐田　摘）

Л.А. Сыркин 教授等体形圖之錯誤的使用

李 光 蔭*

在我們的国家里，居民身体發育的統計研究成果，应該而且也确实能够發揮它作为評价保健工作效果与制定保健事業計划的依据的作用。同时，它也以居民身体發育水平日益上漲的鮮明事实反映出我国社会制度的优越性。因此，这項研究工作是具有極其重大意义的。

本文主要目的在于指出目前体形圖之錯誤的使用，並提出关于正确制作和使用体形圖的建議。

目前体形圖之錯誤的使用

体形圖的使用在我国已日益广泛起来。这种圖式的制作方法見之于目前普遍使用的几本保健組織学教科書，学校衛生学教科書，以及保健組織学講义和学校衛生学实習手冊。体形圖亦譯称"身体特征圖"，又譯称"身体發育断面圖"(参考文献2之第25圖，参考文献1之第51圖，参考文献3之第49圖，参考文献4之第13圖，参考文献5之体形圖)。

Г. А. Баткис 教授所編著的苏联保健組織[1]，其中"居民身体發育"一章是由Л. А.Сыркин教授編纂的。該書的衛生統計部分經我国重譯，定名为"衛生統計学"[2]。Л. А. Сыркин 教授写道："为了作个人的身体發育評价，可以建議採用那种所謂身体發育断面圖，这种圖被我們广泛地应用着，用它可以一目了然地根据附有典型平均数的主要标識来表示出个人的身体發育"。他繼續写道："在圖上各个标識对平均数M的离差用标准差及其分数来表示。这种方法是使用得很广泛的，而且能够显明地表示出上述的目的"。А. В. 莫尔科夫和 Н. А.謝麻什科兩教授合著的"学校衛生学"[3]中亦提出与Л. А. Сыркин教授同一的圖示。上海第一医学院"保健組織講义"[4]亦有与Л. А.Сыркин教授同一圖示的提出，並說明了圖的用途与用法。中国医科大学"学校衛生学課堂实習手冊"[5]中亦繪制有体形圖，除說明用途与用法外，还提到了以标准差为單位的换算方法；而且中国医大的这一体形圖是自己根据沈陽市1953年調查所得的資料中12—13岁年龄組男性的四个标識的均数和标准差繪制的。此外，还有其他医学院校的有关教研組也借用上述的教材作为自己教材的补充。更有某些衛生防疫站的学校衛生部門或其他保健机構，花費了許多精力与时間利用各年龄組的均数与标准差繪制成現成的圖示作为隨时可以評价屬于各該年龄組的个别人身体發育情況的"标准"。医学院校的学生們在校时对体形圖的原理已是"明了"，对它的用途用法亦深感兴趣，所以畢業后在衛生防疫机構，医疗預防机構中担任了职务时很自然的就用其所学了。体形圖之所以广泛地被引用起来，主要原因就在于此。

很显明，这种所謂的体形圖是根据在同質性基础上集合而成总体的均数与标准差和各个体的数理关系而制作成功的。

我們应該指出这洋制成的体形圖是不能正确解决"作个人身体發育評价"这一問題的。这种圖也不可能眞实地"表示出个人的身体發育"。因此，这种方法的使用是錯誤的。

这个方法的錯誤使用是在于进行評价个别人身体發育情況时，"标准"与被評价的个别人的身長、体重、……等記录之間並不存在有任何可比性；而且在邏輯的意义上，在如此評价的过程中人們已在不知不覺之中違反了同一律。

正确地說，除出生时及在已达到發育成熟时期各年龄阶段外，其余各年龄組(如Л.А. Сы-ркин 教授所提示的年龄分組，見参考文献1之表47，或参考文献2之表44)，因于組距(不論其为年或年及其分数)的存在，归納于任何一年龄組的各别人的記录，他們的年龄原非尽同且永远不能尽同。由这洋的年龄分組計算出来的均数乃是归納于該年龄組的人們的記录的代表的，总括的說明，其标准差乃是归納于該年龄組的变量值的变異程度的描述。均数与标准差在

* 衛生干部进修学院，北京医学院

常态分配下的数理关系，在此阶段亦只能說明分配中变量的各段落内所包括的記录的个数，在归納于这一年龄組的全部記录中所佔的比重。这一分配的形成在絕大的程度上是因于年龄組内的人，就年龄特征言，原無眞正的同質性。

試以中国医科大学学校衛生課堂实習手册[6]为例而言，其第39頁体形圖的制成是以該手册第43頁"沈陽市中小学学生及保育机構兒童身体發育資料(男)"中12—13岁年龄組的統計数字为依据的。今將这些数字摘录如下：

指　　标	年龄	人数	最小值—最大值	均数±标准誤	标准差
身長(厘米)	12—13	553	117.7—164.0	138.95±0.29	6.72
体重(公斤)	12—13	544	20.5—51.6	30.92±0.20	4.59
坐高(厘米)	12—13	544	65.2—89.0	75.50±0.15	3.47
胸圍(厘米)	12—13	540	52.1—86.3	66.28±0.16	3.73

就这一部資料說，不論哪个标識，其均数与标准差都是屬于确切年龄为12岁及大于12但小于确切13岁的被測量的人們的。用这样的資料作为評价屬于該年龄組的个别人的身体發育情况的"标准"，显然是錯誤的了。譬如說，一个人在确切年龄为12岁时（即过第12个生日的当时），以如此的"标准"来評价，即使其發育情况实际上是良好的，也会被評为不够良好或劣下的，因为發育情况是确切年龄的函数，依他的确切年龄来說，他的記录是絕对不能与年長于他的众多人的記录相比拟的。同理，若明日即將过第13个生日的人被評价，即使其身体發育，就其确切年龄言是較差的，也会被評为良好，因为这"标准"本身是由許多較他的确切年龄为小的人們的記录建立起来的。因此，同一个人自他第12个生日起在第13个生日以前，即使其身体發育情况，就其每时刻的确切年龄說，一直是良好的，將因为他被評价的日期前后不同（亦即其确切年龄不同）得到不同的評价。这样的不同的結果，在生長發育絕对速度和相对速度較大的年龄阶段將更为显然。生長發育速度較大的年龄阶段亦正是居民自己及保健工作者極端重視的年龄阶段。

Л. А. Сыркин 教授所提示的体形圖示例是以8岁男童的記录为"标准"的。按Л.А.Сыркин教授的年龄分組法，标明"8岁"的年龄組包括着7.5—8.5岁这一間距内的一切确切年龄。这样的年龄組也是有長度的时間段而不是"时刻"。因此，Л. А. Сыркин 教授所示例的体形圖方法，同中国医科大学的一样，也不能正确地評价个人的身体發育情况。

很显然，問題是在于該年龄的标識的均数和标准差永远不能是該年龄組内任一确切年龄的标識的均数和标准差。在任一年龄組内，較大的确切年龄的身体發育的标識必較大；而任一确切年龄的身体發育的标識的标准差都必較所在年龄組的該标識的标准差为小。年龄組具有寬度，是用有長度的时間表明的，而确切年龄則是無長度的"时刻"或"瞬間"。"时間"和"时刻"的区分正如几何学中綫段与点之区分。这样的評价方法正是把不同事物作比較；把不同的事物作比較是永远不会得到正确而眞实的結論的。

为正确使用体形圖的初步建議

由上可知，評价个别人的身体發育情况必須使用的"标准"应是由与各該个别人被評价的当时的确切年龄相同的确切年龄的大量記录制定出来的。为了避免被評价的个人对于上述的貌似科学的錯誤方法的不正确的信任和对自己身体發育情况發生不应有的疑慮，我們应該建議廢除目前广泛使用的这个錯誤方法；医学院校也应該停止上述教学中所用的示例；在沒有正确的举例以前，只可以从理論上說明体形圖的原理及其正确的使用。与此同时，我們应該有組織有領导地蒐集某些重要的确切年龄的身体發育标識的統計資料，並制定出符合于科学要求的各該确切年龄时的"标准"。

考慮到过生日时及嬰幼兒滿几个月时的确切年龄是重要的确切年龄，我們建議应由保健机構联系其地区内的服务对象，約定在生長發育期的居民于每年过生日时及滿几个月时前来进行身体測量。这样，在一个地区内，一年之中所累积的記录即可作为制定各生日时及各該月数时确切年龄的"标准"的資料。

当然这些"标准"本身也不是固定不变的，而是随着我国經济文化的上漲而上漲的。因此，制定第一次的"标准"以后，还須將过生日时及滿几个月时到負責的保健机構进行身体測量的这一制度繼續保持下来。这样，每年都有新的資料；我們便可以根据居民身体發育的总情况的变化，酌定每隔几年即以某一年的資料制定出以后几年的共同的新"标准"。

由这样的"标准"繪制出来的体形圖才是正确的。只有用这样繪制出来的体形圖来評价个人的身体發育情况，才能确保該个別人的記录与"标准"之間的可比性；同时，在說明該个別人的身体發育情况的过程中也是恪守着邏輯的同一律的。

各生日时确切年龄的身体發育标識的均数和标准差既能正确地解决評价过生日时的个別人身体發育情况的問題，也同样能滿足研究居民集团身体發育总情况及其規律的需要。

当然，这样蒐集資料就需要負責的保健机構与其服务对象保持密切的联系，並需要在保健机構中設立一定的部門，指定受过足够訓練的人員經常負責为过生日时前来了解自己身体發育情况的居民进行身体測量，並予以必要的指导，使他或她能在为自己身体發育的提高上有个正确的努力方向。

在保健机構網日益扩大、日益健全的我国，採用这样的蒐集資料方法来进行这項問題的研究，困难是不会多的。同时，著者确信終久亦必須以类此的方法来进行这項問題有关資料的蒐集，虽然上述的仅是一个初步的、粗略的建議。

摘 要

1. 居民身体發育的統計研究在指导保健實踐上，在反映我国社会制度的优越性上都具有重要的意义。

2. 像 Л. А. Сыркин 教授所提出的研究居民身体發育問題所用的年龄分組法，在研究居民集团身体發育总情况及其規律上是适用的。但他以及其他学者所提出的由这样年龄組的均数与标准差所繪制出来的体形圖，是不能正确地評价个別人的身体發育情况的。因为所用的"标准"与被評价的标識的变量值之間絲毫不存在有可比性，並因为在这样的評价过程中已違反了邏輯的同一律，所以他們提出的体形圖方法是錯誤的。

3. 为了正确地評价个別人的身体發育情况，保健机構可以採取本文中建議的方法，就所服务的而正在生長發育期中的对象，蒐集过生日时及滿几个月时确切年龄的身体發育資料作为制定"标准"的依据，並以如此的"标准"在个別人过生日时及滿几个月时評价其身体發育情况。这样制作的体形圖才是正确的。

参考文献

1. Баткис, Г. А., 苏联保健組織，东北人民政府衛生部出版，1956。
2. 巴特基斯，Г. А.，衛生統計学，人民衛生出版社，1955。
3. 莫尔科夫，А. В.，謝廉什科，Н. А.，学校衛生学，人民衛生出版社，1955。
4. 上海第一医学院，保健組織講义，鉛印本，1956。
5. 中国医科大学，学校衛生学課堂实習手册，油印本，1955。
6. 斯特罗果維契，邏輯，新华書店出版，1950。

烏克蘭生物化学史概論

Е. Е. 甘冶洛娃，Н. М. 包里亞柯娃，Ц. М. 斯圖特曼 著

第一分册，至十月革命时期为止 基輔，烏克蘭科学院，1954版，58頁

在概論中簡略地叙述了生化學講座的历史，描述了蛋白質、酵母、神經和肌肉組織的生化学研究，分析了 Т. И. 霍特涅夫(1818—1883)，Ф. В. 奇賀諾維赤，А. Я. 达尼列夫斯基(1838—1923)，Т. И. 包高莫洛夫(1843—1897)，Н. И. 瓦西里叶夫(1864—1900)，А. А. 沙豆維尼(1857—1919)，В. Ф. 基斯冶柯夫斯基(1841—1901)，Д. И. 庫拉也夫(1869—1908)，И. М. 柯尔巴克赤(1857—1909)，А. Г. 巴柯奇(1867—1922)，И. П. 塞尔柯夫(1833—1909)，В. Я. 达尼列夫斯基(1852—1939)，Н. В. 彼得罗夫斯基(1868—1921)，В. С. 庫列維赤(1867—1938)等人的著作。在文献目录里引証了十月革命以前祖国科学家們在烏克蘭完成的102种著作的名字。此書已为广大讀者所欢迎，有医生，生物學家，化学家以及高等学校的大學生們。書中並有祖国生物化学家們的肖像。

И. 斯洛尼姆斯卡婭 摘

（刘佐田譯自：Советское Медицинское Реферативное Обозрение, Здравоохранение, Гигиена и Санитария, История Медицины, 1956, 18, 114）

祖国医藥文化流傳海外考

王吉民編*

一、緒言

"几千年来医药是和人类最崇高美好的指标相結合，如果輕視它的宝貴遺产，也就是根本否定了全人类的努力和成就。"　馬克思

世界医学文化一般来說可分为兩大主流，一在欧洲，以希腊为中心，一在亞洲，以中国为中心。因着各地社会發展的情況不同，故演进的过程亦異。很早以前，在远古时期，因地理的关系，不能有所往来，随后，借着政治、商業、宗教、旅行等作媒介，乃得彼此交通，因而發生医藥的关系。

中国和西方正式接触，以汉代張騫通西域为始，从此，中外往还較为頻繁，文化交流，逐漸扩展。由波斯，印度，甚至罗馬，南洋等地傳来的方技和藥物，一天多于一天，观历朝的本草，新收入藥物，每加上"胡"、"番""洋"、"海"等字眼，如胡瓜、胡豆、番紅花、番木鼈、洋虫、洋桃、海棠梨、海梧子等，即知是由外国傳来的。我国是一个爱好和平的国家，又善于吸收别国的精华来丰富自己的內容，因此，形成为医藥的中心，不是無因的。同样地，我国的僧侶，旅行家和商人們也不断的向国外發展，如法显、宋云、玄奘、义淨、周达观、郑和等是其著者，其足跡远达阿拉伯、印度、越南和馬来亞。至于日本和朝鮮則因地处毗鄰，往来更密，如徐市、知聪、鑑眞等將中国医藥学傳出，便是很明显的例子。

以往学者，写外来医藥輸入我国考据一类的文章甚多(1)，很少有系統地叙述祖国医藥傳流到各国的偉大史实。其主要原因是材料缺乏，即使有一鱗半爪，亦散見各書，不易搜集。因此，人們得不到一个正确的，全面的世界医藥發展概观。兹遵照党和毛主席發揚祖国医学遺产的指示，对本題作初步的探討，深知非短期間和少数人力才力所可竣事，不过編者將个人所知，先行發表，借作抛磚引玉之意。

我国医藥發达甚早，对于疾病的認識和藥物的使用等，許多系在别国之先。可是，因为素处于封建社会，閉关自守，致有不少發明未宣揚于海外，对世界医藥未發生影响。本文所載事实，系以曾为外人所知而有文献紀录的为范圍。解放后新發掘的成就，暫不列入，俟日后写續篇时再行披露。

本篇重点系在圖表方面，选定題材，共制十幅，用彩色繪圖，或用实物攝影，配合而成。原系專为中华医学会上海分会医史博物舘画廊而制的，兹特扩充內容，詳加說明，彙註出典，改作論文，以供同仁評閱。为着从客观方面看問題，故大部分引証文献，採自外人論著，借避自我誇大之嫌。各該文献，系由原文譯載，注明作者姓名，書刊名称等，凡系外人名字和書刊，均按原文照录，以备查考。

除圖表外，再附我国医藥圖書和文物，流傳在国外的調查一章，此項文物等，現虽不敢强調其对世界医藥已有甚么一定的貢献，但外人重視我国医学而珍藏我中医典籍以供研究，則是肯定的，且其中有不少珍品系被帝国主义者盜刼而去的。应加注意，以便將来交涉时，或可供参考之用。

編者自維謭陋，参考工具書既感不足，又限于时間，不能好好地精选資料，錯漏之处，一定很多，深盼讀者，尽量批評和多多指正，不胜感幸。

二、圖表內容和說明

第一圖　中国医学在历史上的貢献簡介

"中国現时的新文化也是从古代的旧文化發展而來的，因此，我們必須尊重自己的历史，决不能割断历史。"　毛澤东（新民主主义論）

* 中华医学会上海分会医史博物舘舘長

偉大科学家巴甫洛夫說："自有人类以来，就有医疗的活动。"北京人的發現，証明中国人类是很早的，根据古代史，世界古老国家有埃及、叙利亞、印度、巴比倫和美索不达米亞等，中国也是其中之一。它有悠久的历史，优秀的文化；医药也發达很早，远在三、四千年前就已建立起来，經广大劳动人民的努力，历代都有發明；只因長期受帝国主义文化侵略的影响，陷于半封建半殖民地社会，致近代产生了割断历史，崇尚西医，輕視祖国医药遺产等錯誤观点，而不知我国医学以往有其輝煌燦爛的成就。在中世紀时期，不但是亞洲医学的中心，而且对于世界各国有过偉大的貢献，不过，后来因历史条件的限制，有一个时期停滯不前，資本主义国家利用科学和工業的發达，医药業得到有利条件，形成后来居上的趋向。

因此，我們必須急起直追，遵照党和毛主席的指示，团結中西医，学習苏联先进經驗，以辯証唯物主义与历史唯物主义观点和方法，来發揚祖国医学遺产，保障人民的健康和丰富現代医学的內容。

現根据史实編成这些圖表，希望通过这項資料使我們能够进一步認識祖国傳統的偉大成就，並且研究它，学習它，运用它，加强我們的爱国主义精神和提高学术水平，为社会主义人民健康而努力。

第二圖　中国与世界各国医药学交流的鳥瞰說明和考据

洲别	国别	开始往来年代	医药关系年代	备考
亞洲	朝鮮	公元前二世紀	958年	后周武胜軍节度巡官双冀随封册使到朝鮮，958年他建議高丽王朝仿照中国考試制度，考試內容有医科目。 开封人愼修，精医术，曾被高丽王氏王朝政府任用。
亞洲	日本	一世紀	608年	608年推古天皇遣药师惠日，倭汉直，福因等来唐習医，623年归国。 754年中国高僧鑑眞和尙与他的弟子到达日本，鑑眞精研本草学，把中国医药學同时介紹到日本。
亞洲	蒙古	公元前一世紀	13世紀	酪，酥，醍醐等乳制品輸入中国。
亞洲	菲律賓	七——九世紀	16世紀	16世紀已有中国移民，华侨作医生和木匠等等对人民有益的劳动。
亞洲	越南	公元前五世紀	14世紀	明成祖曾經下詔以訪罗致越南各方面人才到中国来，包括明經博学，練达吏事的和精于医药方脈的等等。
亞洲	柬埔寨	三世紀	13世紀	13世紀末，元代周达观随使臣到眞臘，著"眞臘風土記"，並詳述中国的水銀，銀硃，硫黃，檀香，麝香，水晶，桐油等等，在眞臘很受欢迎。
亞洲	泰国	七世紀初	15世紀	1405年郑和下西洋时，帶有医生180名。
亞洲	緬甸	二世紀	17世紀	明定国攻阿瓦不得利，乃分兵四下扫粮，絕其孔道，相持數日，城終不下，繼而瘟疫流行，明軍死亡相繼。
亞洲	馬来亞	五——六世紀	15世紀	老人用的眼鏡是在15世紀初从滿剌加傳入中国。
亞洲	印度	二世紀	五世紀	汉張騫在大夏时，已見有邛竹，蜀布諸物，問之，則称是由蜀輸往印度而入大夏的。 約公元二世紀中国的桃和梨已傳入印度，以后，印度人叫桃子为"至那你"意即从中国来的，叫梨子为"至那羅弗呾邏"意即是中国的王子。 1535年土茯苓自中国輸至印度，被视为治花柳良药。
亞洲	印度尼西亞	二世紀初	15世紀	15世紀时，郑和下西洋，帶有医生180名，並裝运麝香等到各国貿易。
亞洲	伊朗	公元前二世紀	七世紀	唐朝商人往来波斯，輸入中国的有胡麻，胡桃，菠菜等，中国傳去的有大黃，黃連等。
亞洲	阿拉伯	五世紀	九世紀	阿維森納(980—1037年)的"医典"有中国脈学記載，鴉片被介紹到中国作治病之用。

洲别	国　别	开始往来年代	医药关系年代	备　　考
亚洲	土耳其	六世紀	18世紀	18世紀人痘接种术經中亞細亚傳到土耳其
非洲	埃　及	一世紀	五世紀	唐宋时，中国和國外貿易多握在阿拉伯人手上，大糾船隻往国外，遠达印度、波斯，阿拉伯和埃及。中国以鐵器、絲、瓷、糖、大黄、酒等貨物調換象牙、珊瑚、珍珠、犀角、香料和药材等。
欧洲	罗　馬	一世紀	一世紀	中国鍊丹术系由在亞力山大城經商的中国人傳給罗馬人。 中国最早贈送給西方的植物系桃和杏，約在公元前二世紀由絲商帶至伊朗和希臘，至公元一世紀傳到罗馬。
欧洲	葡萄牙	1514年	1517年	1517 年皮来貢药剂師被聘来中国。 1548 年中国橘子傳至葡萄牙。
欧洲	西班牙	1575年	16世紀	西班牙傳教士于 1577 年来到福建，返国时帶去大批古今医药書籍。
欧洲	英　国	1636年	1650年	1650 年中国茶由澳华帶到英国。 1721 年人痘接种术經土耳其轉傳英国。 1798 年英遣使麦卡地来华，内中有医生一名。 1808 年英印度公司利凡士醫医生来中国。
欧洲	法　国	16世紀	1635年	1635 年巴黎开始学飲茶。 1735 年哈鉄氏譯“脈訣”在巴黎出版。
欧洲	德　国	16世紀	17世紀	1694 年德医甘弗氏介紹中国鍼灸术到德国。 1742 年德医开始推行人痘接种。
欧洲	荷　蘭	1604年	1610年	1610 年第一批中国茶叶由澳門运抵荷蘭。 1683 年荷蘭印度公司医生介紹中国鍼灸术到欧洲。
欧洲	俄　国	13世紀	1618年	1618 年第一次运茶旅行队經陆路到达俄罗斯。 1694 年俄国派学生来北京学習种痘术。 1767 年俄国在恰克圖設立專門委員会 檢查 华商所販药材。
美洲	美　国	1784年	1784年	1784 年美商船“中国皇后”輪第一次載西洋参来广州。 1834 年伯駕氏由美国来广州創办博济医局。

第三圖　中国医学对日本医学的影响

說明和考据

中国医药对日本影响的記載:

沙頓氏在“科学史初阶”說:

“554 年朝鮮医生把中国医学介紹至日本，据說在562年他們帶去中医書籍共29种，無疑地，日本之得到中国医学知識系約在这时期經朝鮮为媒介的(4)。”

又同書載:

“推古天皇 10年(602年)有朝鮮僧观勒来日本，把医术傳授生徒，后来，在 608 年日本派青年医生数人往中国留学，至此，日本的医学遂直接受到中国的影响(5)。”

嘉氏“世界医学史”載:

“中国医学很早就影响到日本，十数世紀以来，日本完全为中国文化所控制，因此，原有那簡單原始的医术，皆被汉医取而代之。大約在公元后四世紀，中国文化經由朝鮮滲入日本，中国医生被聘往日，又設皇汉医校，中医得到重視，約在七世紀汉医势力鼎盛。982 年丹波康賴所著“医心方”已有天花病院的記載，整个中医疗术，大受欢迎，尤其是鍼灸术为日本医家推行不遗余力(6)。”

中国医学对日本的影响最早最大且最長久，是約在公元400年初期，間接由朝鮮輸入的，富士川游在日本医学史称:

“允恭天皇 3 年 (414年) 日本向新罗 (三韓之一) 求良医，新罗王以金波汉紀武为調貢大使，医好了皇病。”

这是日本的医学史上韓方医輸日之始，而朝鮮的医学則是全部由我国傳去的。到 500 年日本旅客求得陶宏景，葛稚川部分的肘后救急方。562年中国苏州人知聪携明堂圖等 160 卷渡日，这是中国医籍輸入日本的开端。

608 年推古天皇遣药师惠日，倭汉直，福因等来唐習医，到 623 年归国，是为日本开出国留学的先例。这时中国文化的东傳已达到了相当程度，日廷一切採取唐制。因此，大宝元年(701

年)有大宝律令的頒佈,其中医药政令,多依唐制。其后,753年唐高僧揚州鑑眞和尚应邀东渡,大受日人欢迎,鑑眞才識淵博,精戒律,兼通医药,尤擅本草学,日人尊他为日本的神农。

757年日廷为整頓医学,特下令凡医生必修太素,甲乙經及本草;凡針生必修素問,針經,明堂,脈訣。至808年平城天皇命安部眞直,出云广貞等征集全国医方,編纂"大同类聚方"100卷。其后,天元5年(982年)丹波康賴依据巢氏病源候論之說,旁参隋唐方書80余家,編成"医心方"30卷,当时推为方書的府庫,系现存日本最古的医籍。考丹波康賴是中国人的后裔,其远祖原系汉灵帝第五世孙,康賴的后代多業医而享盛名,其后人元泰改姓为金保,及至元孝复改姓多紀,元孝的子名多紀元簡,中国名刘桂山,元簡有二子,長名元胤,系"医籍考"的編者,次名元堅系医科教授。近千年来,丹波氏后人多系历代名医,这是一件难得的事。

此后,日本医学皆追随中国医学的演进而变迁;在平安朝时代則取法我国宋朝的聖惠方,和剂局方,在鎌倉及南北朝时代則以金元四大家的学說为依归;迨至江戶时代,在17世紀中叶,荷蘭医学始起而代之。至是,中医在日本的势力似已告一段落[7]。

第四圖　現代制藥化学导源于中国的鍊丹术

說明和考据

鍊丹术外傳的記載:

鍊丹术的起源問題,学者言人人殊,莫衷一是,迄今尙無定論。有謂埃及是它的發源地,后傳到阿拉伯,再轉中国。但近代学者則多称系起自我国,旋流播阿拉伯轉傳欧洲。主后說者有:

汽巴"討論集"云:

"中国鍊丹术的主要思想向西推进,經印度、波斯、阿拉伯及回教的西班牙傳播全欧。在葛洪数世紀之后,他的理論和方法,有时甚至他的术語都被这些国度的鍊丹家採用。……如果我們承認鍊丹术是現代化学的前驅,那末,中国鍊丹术原来的理論,可視为制药化学最早的規程[8]。"

丁衛良氏在"中国之学庫"說:

"鍊丹术在中国已非常發达的600年后,欧洲才开始研究。据权威者称直至四世紀,在欧洲始發現之,蓋其时已与远东往来頻繁,初經拜占庭和亚力山地利亚傳入欧洲,因这兩地系交通的樞紐[9]。"

威廉斯氏"中国簡史"載称:

"欧洲之有鍊丹术系借阿拉伯通商由中国而来,是毫無疑問的。在三世紀时航海商業早为阿拉伯人所控制,后来,連往欧洲陆路也落在他們手中。黎伯氏(Liebig)有言'化学就是鍊丹',因此,中国初期鍊丹的試驗,也可說是現代化学的濫觴[10]。"

伊博恩氏云:

"鍊丹术即現代化学的先驅,無疑是起源于中国。坎伯路氏(Campbell)是研究阿拉伯医药的权威,他很明确指出鍊丹术發源于亚力山地利亚或希腊之說是無左証的。又戴維斯氏(Davis)也有同样的見解,並認为'史記'的記載系鍊丹术最早的历史文献,且肯定是公元前三、四世紀时中国的特产。道教在公元前六世紀即有找寻点金石和長生药的事,这較世界任何国家早得多。回教的該栢氏(Geber)在他的譯著中將东方鍊丹术輸入欧洲。但正如坎伯路氏所說阿拉伯人从中国吸收了多少資料,須进一步鑽研始能下結論。有充分証据証明拜占庭的希腊人和回教的阿拉伯人在中世紀初叶即已和中国交通,因此,中国道家的著述与欧西鍊丹家的术語有許多特殊的共同点可以理解,尤显著的是培根氏(Bacon)的論用硫磺和水銀等物鍊点金石之法完全和1200年前魏伯陽鍊金丹之法毫無二致[11]。"

何模也氏說:

"金屬共有七种,即金、銀、鉛、錫、銅、鉄和'Khai Sini',最后一种'Khai Sini'未曾确定是什么,就字面的意思而論系指'中国鉄',回教作家謂是中国用来制鏡的,这种鏡有治眼病的效用,患者照之可愈,又有用作制声音和諧的鐘。据劳發氏(Laufer)說这'中国鉄'实系銅、鎳、鋅混合制成,擦之光亮如銀,普通称为白銅云。[12]"

"药学四千年"云:

"該栢氏系一偉大的回教鍊丹权威,並被認为化学的始祖,他的一部分学識,可能来自东方,因据說道教曾在那里致力找寻点金石和長生药[13]。"

第五圖　中国人痘接种术为世界天花免疫的先驅

說明和考据

种痘术外傳的記載:

人痘接种术究起于何时,何人發明,迄今仍未能确定。医史学家有謂最早是在印度,但亦有許多人說起源于中国。不論誰先誰后,但有一点是大家一致公認的,即欧洲之有种痘,系由东方傳去。

查天花在中古时期很是猖獗，全世界都受其威胁，無法控制。我国在16世紀中叶即發明人痘接种术来預防，大大地减少它的鋒芒，这法不仅在国內广被採用，而且引起鄰邦的注意和仿行。在18世紀时輾轉傳至东西各国，極一时之盛，直至1796年英医貞納氏(Jenner)發明牛痘法后，才漸被廢而不用。但这古法对貞納氏偉大的發明很可能有啟發之功，后来且成为現代免疫学的开端。总之，人痘接种术，是我国医葯的輝煌成果之一，同时，对世界医学也是一大貢献。

中国种痘术的外傳最早可能是俄国。清康熙33年(1694年)，帝命設立俄罗斯舘，俄政府即派留学生来京，当时因天花流行，故学生中有專習我国种痘法和檢痘法者。关于这事在道光年間俞理初"癸巳存稿"云：

"康熙时俄罗斯遣人至中国学痘医，由撤特衙門移会理藩院衙門，在京城肄業[14]。"

有人根据此項記載因而推測种痘术系由中国傳至俄国，由俄国傳至土耳其再轉非洲，英国和欧洲大陆等。但这一推測大有問題，因国外文献从無这样类似的記載，相反的，俄国的推行种痘系由英国傳去的。他日俟資料整理就緒，当另撰文討論这問題，現在先把它傳佈至土耳其等国的記載录后：

"中国風土人民事物記"云：

"說也奇怪，像其他許多事物一样，种痘术似是由中国傳到西方的，这术約800年前中国在宋朝时已經应用。于1721年由駐君士坦丁堡的英公使夫人蒙提格氏(Lady Montague)最初介紹來英国，大概系經中亚細亚而达土耳其的，因在中国的边疆有土耳其人居住，当他們向西迁移时將这种痘术一齐帶去[15]。"

苏联教授格拉馬塞夫斯基氏說：

"約在3,000年前，印度和中国就已广泛地应用人痘接种术，約1000年后，这接种术和天花又一同傳入了埃及，18世紀中叶在英国才开始施行人痘接种，以后即普遍于全欧洲[16]。"

按：格教授所說約在3,000年前，印度和中国就已广泛地应用人痘接种术云云，未知何所根据，恐或有誤，因这个說法，向来未被人承認，想系受到韓国英神父(Father Cibot)的影响而發生錯誤的。韓氏著述中有"参閱中医古籍知3,000年来中国已有天花"一語，而后人不詳加考証即輾轉引載，格氏更改天花为种痘，以訛傳訛，如馬尔氏(Moore)的"天花史"一書，就是显著的例子，我們在"中国医史"(英文)早已指出其錯誤，謂中国古無天花，約在隋唐文献始有确实的記載，人痘接种至明朝方才發明。

英医德貞氏(J. Dudgeon)云：

"自康熙56年(1717年)有英国欽使曾駐土耳其国京，有国医种天花于其夫人，嗣后，英使夫人隨傳其术于本国，于是其法倡行于欧洲[17]。"

按上面所說有誤，被种天花者系欽使的兒子，不是其夫人。年份也有問題，据戛立森氏(Garrison)說是在1718年3月18日。欽使夫人于1721年返英，極力提倡种痘，旋获得王室的贊助，即把公主和太子等都种了。此風一長，上行下效，就有所謂种痘所和种痘專家出現，其中有一人名丁姆斯地氏(Dimsdale)者名噪一时，聲滿遐邇，俄国女帝卡德鄰氏(catharine)慕其名，于1768年以重金礼聘至聖彼得堡为女帝和太子等施种，結果良好，咸皆愉喜，这是种痘史上一段佳話。客倫典宁氏有文叙述如下：

"俄国卡德鄰女帝所以採用人痘接种的原因，不但为着本国人民有患天花者，亦因欧洲各先进国家多已实行这法。在德国由麦特蘭氏(Maitland)于1742年开始种痘，据說法国是起于1717年，六年后則成为風尚，荷蘭，丹麦，瑞士，意大利和西班牙皆競相仿行，成績好坏不等。俄女帝系一个开明統治者，故当然尽力使其国人受到这新法的福蔭[18]。"

客氏又說：

"丁氏在俄被封为男爵，內閣大臣和御医，並賞賜酬金10,000英鎊，旅費2,000鎊，年俸500鎊。他留俄数月，曾为貴族多人接种。返英后，人痘接种术在俄国有迅速的發展[19]。"

"世界医学史稿"(日文)云：

"中国或印度的种痘术，曾經傳到欧洲丹麦和法国等处，因着种法不善，材料缺乏，未能推广。至18世紀初，駐君士坦丁堡的英国大使夫人蒙提格氏返倫敦时(1717年)，适值天花流行，乃將种痘法傳于英国。1721年由卑尔史东氏(Zabidid Baylstone)(1679—1766)將种痘法傳到美国。又有史提反氏(Stephan)施种于匈牙利，但皆未能推广[20]。"

梅佐氏所著的"疾病与命运"一書中載：

"1721年在美国波士頓城天花流行，很是猖獗，有聞人馬太耳氏(C. Mather)偶見倫敦皇家学会哲学会报內載一文叙述君士坦丁堡使用人痘接种以防天花的事，該文系一个在土京开業的英国医生所写的，馬氏乃秉其生花之筆撰种痘小册，分贈各界，卑尔史东医师深表贊同，先將其六岁的兒子試种，当时虽經各方猛烈反对，但后来卒被証明有效而受拥护[21]。"

中国的鼻苗接种术于乾隆9年(1744年)傳到日本，1800年傳到朝鮮，古賀十二郎說：

“在延享元年(1744年)清人李仁山乘船停舶于日本九州長崎，他擅長詩文和繪事，又医事工作种痘科頗有心得，他把种痘术傳与長崎市名医柳隆元和堀江道元二人，蓋奉長崎松波前警备司令之命，向李氏学痘苗(如水苗，旱苗和鼻苗)接种法的傳授[22]。”

丁若鏞“麻科会通”云：

“始，李參判蓋讓氏为义州府尹时，得郑氏种痘方归以示余，余逢朴檢書齐家氏言之，朴公又得医宗金鑑中种痘要旨，傳之抱川李生員种仁氏，令以时苗試种四、五傳，遂如方書所言。李公故習于痘者，入京城，得兒犐与种，法遂得行，此东国种痘之始也，时聖上24年庚申，三月。苕溪漁者記[23]。”

第六圖　一千年前阿拉伯首先应用中国的脈学

說明和考据

脈学外傳的記載：

我国脈学在11世紀即已傳至阿拉伯，阿維森納的“医典”已經採入，但曾起了多少作用，則尙無从估計。至17世紀复由天主教神父介紹到法国，至是，广傳欧西，並將脈学名著“脈經”譯成多国文字。聂立森氏的“医学史”有載：

“天主教耶穌会卜弥格氏(Michael Boym)是第一个人著書論及中国脈學的，于1666年出版，附有銅版圖，描写这奇異的切脈方法，該書一度失傳，嗣得医学及植物學家嘉来也氏(Cleyer)于1686年重刻問世。嘉氏在1682年自著有木刻插圖关于診脈驗舌的書，又有30个銅版圖是关于中国解剖和其他医學的[24]。”

欧斯拉氏說：

“中国脈学达到高度的發展，一切診断皆集中于其变化征象，脈的分类甚多而且細致，可以压倒古代希臘和罗馬的复杂方法。其基本观点，似为人体各部各臟都有它的本脈，譬之弦綫乐器，每一弦綫各有其本身音調，因此，若經脈和諧則表示健康，如不协调則表示疾病。此种中国学說在17与18世紀傳到欧洲在傅来也爵士(Sirjohn Floyer)1707年出版的名著‘医生診脈时錶’一書中，曾有精湛的叙述[25]。”

李約瑟氏“中国科学技术史”載：

“在波斯最有权力的蒙古統治王朝Ghazan Mahmud khan之下，有一波斯医生名Rashid Al-Din Al-Hamdani (1247—1318)，他身任宰相，提倡学术，曾写过一本非凡鉅著Fami Al Tawarikh‘历史集成’，內載关于中国方面的資料很多。約在1313年他下令編纂一部中国医药百科全書，举凡脈学，解剖学，胚胎学，妇产科学，药理学等都有論及。正如沙頓氏所說，这書中的Wank Shu khu 查就是中国晋朝的名医王叔和太医令(265—317)。最重要的一种脈学書‘脈經’是他所著的。在波斯文学中，滲有这中国思想的先声，是一种有趣的記載。Adivar和Sueheyl Uenver兩氏已有詳細論文述及，系譯成土耳其文並附插圖和英文提要發表的[26]。”

同書又云：

“中国医学直到近代仍保持着固有的观点，如陰陽，五行，郁气，鍼灸和脈学等，这脈学很繁瑣复杂，其中有部分可能通过阿維森納傳到西方[27]。”

拉华尔氏的“药学四千年”載称：

“阿拉伯人对医药的注重，系基于几种因素，他們早与东方接触，足跡达到般島和中国。至于中国与阿拉伯的眞正关系，虽迄無确論，可是阿拉伯的解剖学，有部分是从中国人处学得的，因中国有一医生名扁鵲，实行屍体解剖較亚力山地利亚人为早，他苦心研究脈理，建立一种脈学，中国医家至今仍沿用之。[28]”

西欧魯氏(Charlston)的“世界药学史”亦有同样記載[29]。

第七圖　中国鍼灸术为世界特殊的医疗方法

說明和考据

鍼灸术外傳的記載：

鍼灸术是我国一种創造性的特殊治疗方法，系世界各国所沒有的，它的起源很古，即古所称的“針砭”，其有記載当始于黃帝內經，約在公元前六世紀，名医扁鵲就是当时提倡鍼灸的人。到公元后三世紀时，晋朝皇甫謐撰了一本甲乙經，这是第一部鍼灸專書，总結了晋以前的成就，奠定了这科的基础。宋朝王惟一著鍼灸圖經，鑄造銅人，这銅人模型为当时教学和考試的重要工具，貢献偉大。此后，逐步發展，不但在国內起了很大作用，而国外如朝鮮，日本，南洋羣島和欧洲都受到它的影响，下列文献是叙述它傳到各国的概况：

李濤“医学史綱”云：

“欽明天皇23年(562年)有吳人知聰携药書明堂圖等160卷到达日本[10]。”

日人富士川游“日本医学史”載：

“大化革新时，大宝元年(701年)頒行大宝令，医学教育皆分科講授，其中設有鍼科，要七年卒業，須讀甲乙經，脈經，小品方，集驗方，太素經，黃帝鍼經，明堂，流注經，新脩本草等[31]。”

日人志贺太郎云：

"在日本延宝元年(1673年)以后,有荷蘭人賴尼氏(William ten Rhyne)(1673年)、法国人克拉西氏(Jen Graset)(1689年)、布賽夫氏(Bushof)(1674年)、德国人甘弗氏(Engelbert Kampfer)(1690年)等先后到过日本,用Moxa(艾的日本名)的名称广泛的介紹到欧洲[32]。"

法人盧樸瑟氏云:

"中国鍼灸术的槪念,最初傳到欧洲系在17世紀末叶,由荷医賴尼介紹的[33]。"

王伍兩氏合著的"中国医史"記載:

"中国鍼灸术傳入欧洲,系靠一荷蘭医生賴尼氏的努力,他写了一篇論文于1683年在倫敦刊出[34]。"

富士川游"日本医学史"載称:

"1690年荷蘭科学家甘弗氏至日本傳授植物学知識,在日本三年,並学習鍼灸术,回欧洲时,以金鍼疗法介紹至欧洲,欧洲有鍼法,自此人始[35]。"

按富氏所說欧洲有鍼法自此人始一节,是不确的,因甘弗氏的論文系1694年考医学博士时所發表,比賴尼氏迟了11年。查兩氏都系荷蘭印度公司医生,賴尼氏于1674年到日本,留居二年,就回巴打威,甘弗氏于1690年到日本,留居三年,对日本医界有極大貢献。詳情載古賀十二郎著"西洋医术傳来史"。

嘉氏"世界医学史"載:

"中国鍼术約在公元前2,700年开始,保持到現在几無変更,鍼和灸可以同用,即系以艾叶粉再加少許香末在皮膚上燃燒之,这种疗法在远东用以医治百病,甚为普遍,近来西方尤其是在法国盛行研究这古法,有些作家称它極有效驗云[36]。"

德人罗迪佳氏云:

"鍼治术流傳至德国,已历数百年,惜吾人多未悉其眞正价值。德医甘弗氏于17世紀中游历中国及日本,对此种疗法曾作报导,19世紀中叶德医兼研究家錫波尔德氏(Philipp Franz V. Siebold)根据日本御医鍼治师Ihaka Sotetsu的著作,对鍼治术有甚詳尽的叙述[37]。"

鍼灸术傳到欧洲以后,虽曾一度引起法,德医界的注意,但因缺乏正确技术,不久就冷淡下去,近来始复兴起来,且得到相当进展。据刘永純氏于1948年出席法国防痨卡介苗国际会議归来报告說:在巴黎有五个医院設立金鍼門診部,有兩个金鍼学会,又出版金鍼期刊云云[38]。現欧洲許多国家推行鍼灸术,而且还組織有国际性的会議,1952年在巴黎召开大会,参加的有16国的專家350多人,1953年又在德国举行,情况比前更加热烈[39]。至鍼灸傳至日本,則甚为發达,自562年吳人知聰携帶明堂圖等書到彼邦后,历朝都有人研究,並且很有成績。最近苏联对鍼灸疗法也非常重視,且派專家到我国学習,这足以証明我国鍼灸术对广大人类的价值。

第八圖　各国翻譯的中医典籍考略

說明和考据

中医典籍各国譯本簡介:

自从鴉片战爭以后,近百年来,因受了帝国主义文化侵略的影响,致我国一部分人士有表現着輕視祖国医葯文化的情形;伪政权时代更变本加厉,非但压抑祖国医葯,甚至提出廢止中医的叫囂!幸而随着全国的解放,党和毛主席的正确英明領导,使祖国医葯文化得以重新抬头。

据調查所得,我国医葯典籍被譯成外文的(日本翻譯的未計在內),共有20种[40],凡仅以中医为題材的著述而非直譯者,皆不列入。本圖所介紹的資料,系各国医学工作者把我国医葯典籍翻譯出来,加以研究,吸收和利用。这种具体事实正足闡明祖国医葯遺产的丰富。玆將各譯本簡介如后:

1. **黃帝內經**　24卷　集体創作 Ilsa Veith 譯成英文,素問第1—34章譯出,灵樞則未譯,有詳細考証和評論占全書三分之一,譯笔暢达,排印精美,于1949年出版[41]。此外,黃雯[42]和梁伯强[43]兩氏亦曾致力于內經的翻譯,前者系英文,刊于1950年中华医学杂誌外文版第68卷1—2期。后者系德文,刊于Sudhoff's Archiv Fuer Geschichte Der Medizin Bd. 26, Heft 2. 但皆非全譯,仅擇其重要部分,詳加評註而已。

2. **医林改錯**　二卷　淸,王淸任著

德貞氏(J. Dudgeon)譯成英文,分二期刊登于1893年博医会报第7卷245面和1894年第8卷第1面,系將卷上大部分譯出,並加評註[44]。

3. **銀海精微**　二卷　唐,孙思邈輯

畢华德譯成英文,除卷下葯方外,全書譯出,刊載于1931年中华医学杂誌第17卷第1期眼科專号[45]。

4. **寿世編**　二卷　淸,尤乘輯

F. Huebotter 譯成德文,1913年在柏林出版[46]。

5. **遵生八牋**　19卷　明,高濂撰

德貞氏(J. Dudgeon)譯成英文,系节譯,書名Kung Fu, Taoist Medical Gymnastics. 1895年在天津出版[47]。

6. **衞生要术**　一卷　淸,潘霨撰

德貞氏(J. Dvdgeon)譯成英文，1895年刊行。

7. 壽身小朴 九卷 清，黄兑楣編

罗榮勛譯成德文，1930年在广州出版[48]。

8. 洗寃录 三卷 宋，宋慈撰

有荷，英，法，日四种文字譯本，荷文本是 De Grijs 譯，1863年刊于南洋巴打威[49]。英譯本是 H. A. Giles 譯，1875年先分期登載于中国評論，后于1924年全書重刊于英国王家医学会杂誌第17卷59—107面医史特輯欄[50]，另有單行本。法文有节譯本，1779年刊于巴黎[51]。俄譯本亦早出版。

9. 針灸大成 十卷 明，楊繼洲著

F. Dabry 譯成法文，系选譯，于1863年出版[52]。

10. 救荒本草 四卷 明，朱橚編

英人伊博恩(B. E. Read)譯，本書共載414种植物，譯者將其考訂学名，化学分析，並附参考文献，1946年上海雷士德医学研究院出版[53]。

11. 脈訣 四卷 高陽生著 明，張世賢編

有德，英，法三种譯本，法譯最早，为 P. Hervieu 神父所譯，文載在 Du Halde 編的"中国史地年事紀录"一書中，于1735年在巴黎首次刊行，譯者誤以此系王叔和脈經。英文本系由法文轉譯，共有二种，一为 E.Brookes 所譯，1736年出版，一为 Caves 所譯，1738年初版，1741年再版[54]。德文本系 F. Huebotter 譯，列于他所編的"中华医学"一書中，1929年在萊比錫出版[55]。

12. 瀕湖脈学 一卷 明，李时珍著

德人 F. Huebotter 所譯，列于他所編的"中华医学"一書中，詳情請參閱王吉民："德譯瀕湖脈学的小考証"，中华医史杂誌，1953年第4号[56]。

13. 張机脈学 一卷 汉，張仲景著

德人 A. Pfizmaier 譯，1866年在德国出版[57]。

14. 产育宝庆集 二卷 宋，郭稽中撰

英人 J. P. Maxwell 选譯，書共二卷，卷上有21論，已譯者18論，未譯者3論，卷下有方62，仅擇大要譯出，此文登于英国妇科杂誌34卷第3期，1927年出版[58]。

15. 达生篇 一卷 清，亟齋居士撰

J. P. Maxwell & Liu 合譯，系选譯原書中各要論，刊登于美国医史杂誌第5卷3期，1923年出版[59]。

16. 难經 一卷 战国，扁鵲撰

F. Huebotter 譯成德文，为他所編的"中华医学"中的一章，1929年刊行[60]。

17. 史記扁鵲傳 一卷 汉，司馬迁著

F. Huebotter 譯成德文，1913年在萊比錫出版[61]。

18. 史記倉公傳 一卷 汉，司馬迁著

F. Huebotter 譯成德文，1925年在日本东京出版[62]。

19. 华佗傳 一卷 清，蔣廷錫編

F. Huebotter 譯成德文，1925年在日本东京出版[63]。

20. 本草綱目 52卷 明，李时珍著

有拉丁，法，日，俄，德，英譯本，詳見第9圖。

第九圖 中国药学鉅著本草綱目对世界药学的貢献

說明和考据

李时珍和本草綱目

李时珍(1518—1593年)是明朝湖北蕲州人，他的祖父和父亲都是医生，他自己也是当代名医兼药物学家。他最大的成就，系編著"本草綱目"一書，曾参考758种書籍，費时27年始克告成。他將1800多种药物，分为16部52类，每种药物以正名为綱，下边記載了各种别名、产地、鑑别方法、制法、性狀、發明和附方等为目，綱举目張，有条不紊，誠为医药界的重要参考書，是我国药学的偉大历史成果，对科学的發展具有卓越的助力[64]。茲將各国譯本簡介如下：

1. 拉丁文譯本 第一个介紹中国本草去歐洲的是卜弥格氏，他是波蘭人，写过一本小册子，將本草綱目內几十种药物，譯成拉丁文，于1656年在維也納印行[65]，这書並有梯文諾氏(Thevenot)的法文譯本，于1696年出版[66]。

2. 法文譯本 最早譯本草綱目的是法国都哈尔德氏(Du Haldes)，1735年刊于"中国史地年事政治記录"一書，中有兩节論及药物，系由本草綱目节譯而成[67]。又黎氏(J. Roi)也曾將本草綱目一部分药物加以評註，譯为法文，書名"中国药用植物"于1942年在上海出版[68]。此外，法国学者如列彼除氏(Lepage)(1813年)，国人袁氏(Yuen)(1847年)等都有关于中国药用植物的法文著述，但皆非直譯本草綱目。

3. 日文譯本 明万歷34年即日本庆長11年(1606年)，林道春自長崎得本草綱目，献于幕府，是这書傳至日本之始。至此書譯成日文，共有兩种，一为本草綱目譯說，共20册，系小野蘭山于天明3年(1783年)刊行；一为头註国譯本草綱目，布面精裝，共15鉅册，白井光太郎等譯校，于昭和4年(1929年)刊行。此外，尙有本草圖譜一書，系岩崎常正根据本草綱目而繪，于1828年出版[69]。

4. 俄人譯本 譯者俄人畢理斯酒德氏(1833—1901年)曾任北京俄公使館医官，是一个著名研究中国本草学的权威，他的"中国植物誌"虽非直譯本草綱目，但大部分系以該書作藍本，將綱目所載主要的药物，加

以訂名，註釋，考証，是一部極有价値的作品。書共三鉅册，以英文写成，初分期發表于上海亚洲文会年报，繼而全部于1882年在倫敦出版[70]。

5. **德文譯本** 本草綱目于距今200年前傳入德国后，引起德国学者極大重視。德理斯氏与罗士氏(Dalitzsch & Ross)的合譯本于1928年出版，共14鉅册，並有精美五彩插圖[71]，此譯本並非全譯，金石等部删去，只由草木部譯起[72]。

6. **英文譯本** 伊博恩氏(B. E. Read)在米路氏(R. Mill)譯稿的基础上，將全書譯成英文，由北平博物学会分期出版，自1928年起至1941年計出版金石部，兽部，禽部，鱗部，介部，虫部等專册，草木部初稿于1949年完成，尙未刋行，中华医学会上海分会医史博物舘藏有該稿打字副本[73]。此外，史密斯氏(F. Smith)的"中国药料品物略釋"[74]，司徒柯德氏的(G. Stuart)"中国葯物草木部"[75]以及伊博恩氏編的"本草新註"等書[76]，虽非直譯本草綱目，但均取材于該書。

第十圖 各国医葯学家採用中国有效的葯物說明和考据

中葯外傳的記載：

我国地大物博，出产葯用植物很多，現尙难作精密統計，以本草綱目所載为例，已有1892种，这样丰富的葯物，堪称为世界第一。各国葯物学家早已注意到我們的宝藏，历古以来，經常加以研究，或採購应用，或选种移植，近数十年来，且用科学方法，制成新葯。至1949年为止，根据我們收集各国葯厂出品和說明書的初步約計結果，計採用中葯110多种作原料（日本占多数），制成各种制剂約計270多种，其中制成注射針剂76种。我国馳名世界的良葯，久已風行海外，本圖只將鹿茸，人参，当归，麻黄四种原装成品攝影，以示一斑。

鹿茸 外国医家皆以它为奋兴剂，但中医則用来治疗一切虛劳，腰痛，耳聾，头暈，眼矇，遺精，白帶等症。据伊博恩氏說：鈣对無管腺的正常功能有重要的作用，鹿茸含鈣極丰，因此，它能治疗疾病是可以理解的[77]。1922年內分泌学报載有一病例报告，在北京有一土郎中用龟甲虎骨和鹿茸治癒一个侏儒，病者年齡虽屆17岁，但身長只有39寸，体重仅46磅，服葯六个月后，身長增3寸，体重加12磅，这大約是鹿茸的功效[78]。苏联巴甫倫哥教授(Prof. Pavlenko)研究西伯利亞的鹿角，获得一种有效成分，名之曰"Pantokrin"(有譯作鹿茸精者)，据謂含有大量男性荷尔蒙。有許多苏联学者正在試驗它的治疗效果，証明鹿茸有强心和減輕疲乏的功效，也可加速化膿創伤的痊癒，病者服"Pantokrin"后，身心兴奋，食慾增加，並可消除腸胃病[79]。鹿茸的成品制剂在市場出現已有多年了。

人参 甘弗氏說：东方最馳名的植物，除茶树外当推人参。中国和朝鮮以人参为百病灵葯，日本民間也頗尙此，我国产量不敷需用，故历年来从朝鮮，日本和美国俱有鉅量輸入。人参价値甚昂，在昔上品皆作貢物，余則供达官貴人服用，人民無力購买。因在治疗上功能被視为万灵聖葯，故方書中配合人参的处方很多。关于它的有效成分，迄今尙無确切报告，从前欧西学者多說它的效用平凡，以往所称各种疗效，言过其实。可是，近年則有改变，且每見危急的重症，服人参而得奇效[80]。日本鹽野义葯厂早有制剂名"今則宁"(Gensenin)行銷我国。苏联近也有人参研究所的設立，这足証明中医累积的經驗是有根据的。

当归 系我国妇科要葯，主治月經不調，孕妇腹痛，产后惡露不淨，虛劳，寒热和妇女一切血症。它很早就傳到欧洲，1899年德国怡默克葯厂首先制成流膏，取名"优美露"(Eumenol)暢銷各地，后来又有葯片問世，更称便利，各国葯理学家曾屢把它化驗，仍未确定其有效成分是甚么，但在临床方面則效果显著。年来我国新葯業厂家也已制成流膏片剂，在市場出售了[81]。

麻黄 在我国有数千年历史，載在神农本草經，为历代医家所採用，日人長井長义最早以科学方法研究这葯，在1887年發現它的有效成分为一种植物鹽基鹼，名之曰"爱泛特林"(Ephedrine)。可是，未为世人所注意。迨至1925年我国北京协和医学院陈克恢把他研究的結果，發表于中华医学杂誌后，遂轟动全球[82]，各国葯厂爭来我国採購生葯，复加鑽研，数年后制造成品有片剂，針剂，运回我国推銷。这葯应用范圍頗广，对咳嗽，蕁麻疹，鼻炎，眼疾等症，都有良好效驗，尤以治哮喘病为灵，現各国都採入葯局方中了[83]。

上列四种仅举例略說，其余被採用的葯物，

为数繁多，因限于篇幅，恕不縷述了。

除药物外有兩种很普通的国产——橘和茶，它对世界人民生活方式有广泛的影响，它西傳的史蹟，是值得提出的。橘和同类品种的橙，柑等水菓，含有丙种維生素很丰富，系我国特产，在十六、七世紀傳至印度、葡萄牙、欧洲大陆和美洲。

橘子

波尔氏(D. Ball)在“中国風土人民事物記”說：

“橘子在中国南方很多，于1548年由葡萄牙人介紹到欧洲[84]”。

德貞氏(J. Dudgeon)也有同样的記載：

“橘产于中国南方，据說于前世紀(17世紀)傳到欧洲，德人取其名为 Apfelfine 意即中国苹菓或柰苹菓[85]。”

“欧人發現中国植物史”云：

“葡人有輸入橘树之功，据云印度总督卡斯特罗氏(Juano De Castro)自1545—1548年間，曾移一活橘树于里斯本。耶穌会教士李明記載中称欧洲最初橘树系由葡人自华輸入者，其时(17世紀末叶)仍植于葡京的聖罗蘭德花园中[86]。”

印度药物学家拿卡尼氏(K. M. Nadkarni)說：

“橘子肯定是葡萄牙人由中国傳入印度的，因該类植物在南中国是甚为丰收[87]。”

大公报出版的“中国的世界第一”載：

“柑橘含維他命丙，極富营养价值，橘皮一称陈皮，柑皮可榨油，橘絡等均供药用。就全世界說，中国的柑橘，种植早，品質好，产区佔世界的三分之一，产量几及世界的一半，列入世界第一，当之無愧。美国的 Sunkist 是由中国移植过去的，而品味不及中国产的柑橘之甘美[88]。”

茶种

高鈴氏“中国百科全書”云：

“中国最早关于茶的記載是在公元六世紀，在八世紀时已有茶稅的征收，于17世紀荷蘭人把茶介紹至欧洲。英国人在17世紀中叶开始飲茶，系由爪哇商人傳去。倫敦第一間茶室是于1657年創設，每磅茶叶价值由6英鎊至10英鎊。中国茶树移植錫蘭島是在1839年，从此，印度和錫蘭茶与中国茶竞爭市場，而后者乃逐漸失势[89]。”

威廉斯氏(S.W. Williams)著的“中国”有这条記載：

“茶的輸入西方各国，起初是很慢的，据一些文献記載系由荷蘭人于1591年帶来欧洲。彼普斯氏(S. Pepys)(按：是英国出名的写日記家)于1660年9月28日写道：‘我曾遣人取一杯茶——中国飲料来，这是我从未飲过的。’七年后他在日記里又写：‘回家見太太正在备茶，据药店員培林氏(Pellin)告訴她說对伤風感冒是很有效的[90]，。”

畢理斯迺德氏(E. V. Bretschneider)在“中国教务杂誌”3卷9期說：

“人所共知欧洲最初用茶，是在17世紀初叶，系由荷蘭印度公司介紹的。但欧洲学者对茶是早已認識的，如蓬提斯氏(Bontius)在‘东印度自然科学’一書中有一幅很好的茶树圖画[91]。”

“中国西方旅行家”載：

“船主挨刻保氏(Eckerberg)于1763年由中国帶一株活的茶树来瑞典，贈予林內斯氏(Linnaeus)[92]。”(按林氏系当时最著名的植物学者，他創植物分类法为后人所依据。)

卡力克氏(E. Clark)“东方化的英国”云：

“18世紀时的英国，甚至在飲食方面都受到东方的影响，……茶，咖啡，可可輸入后，社交生活方式起了很大变化，在安嚀女王(Queen Anne)統治时，倫敦有咖啡館450处，全国人几乎都飲茶[93]。”

張伯倫氏(B. H. Chamberlain)在“日本事物”說：

“茶，想是某著名法師于公元805年由中国輸入日本的。大陆的法师早已採用作为飲料，俾修禪时得以清醒，不致疲乏[94]。”

王輯五的“中国日本交通史”載：

“明菴荣西为日本禪宗之开祖，1168年入宋，巡遊天台山及育王山佛蹟，归国时攜回茶种，及天台山之新章疏60卷，喫茶之風遂傳入于日本[95]。”

又同書132頁載：

“茶道亦为宋文化移植于日本者之一，当奈良时代，茶已傳入于日本，惟仅供药用。鎌倉时代，入宋僧荣西于1196年，携茶种归国，初植之于筑前脊振山，其贈与明惠上人之茶种，亦植于京都栂尾山。栂傳栂尾山之茶，为当时日本第一产茶处，种茶之風自是始遍布于全国。1214年將軍实朝患病，荣西聞之，乃献茶于將軍。其所著‘喫茶养生記’，亦謂喫茶能养生延齡，又可解悶覺醒，为修禪之資。于是喫茶之風，遂由公卿禪僧之間，漸次推行于民众。茶道之开倡，茶会之流行，甚至賭茶豪飲以决胜負者，亦逐漸盛行于日本也。”

飲茶是我国良好的習慣，因多种腸胃病如霍乱，痢疾，伤寒等，皆由不潔的飲料而来，泡茶則水必沸，細菌尽杀，于預防衛生，大有帮助，所以外人很称讚这种習慣。孙中山的老师康德黎博士(Dr. J. Cantlie)在英国医学会演講謂中国古代深通衛生的道理，並历举我国服裝和飲茶等为証[96]。

波尔氏(D. Ball)也說：

“中国人的节制品德为世人所共知，这都是因为普遍飲茶習慣的緣故，如果西方人士肯向中国人学習，不浸淪于啤酒，就好得多[97]。”

关于中药外傳的文献，尚有不少資料，如欲进一步研究，請参閱：农艺植物考源[98]，中国植物誌[99]，欧人發現中国植物史[100]，伊朗和中国[101]，中印药物学的对比[102]，东西文化交流自然科学史[103]和中国与西方医药的关系[104]等著作。

三、中国医药文物在国外的調查

(一)美国

1. 自然历史博物館 中国猿人化石也叫"北京人"，系于1929年在北京附近的周口店發現，是世界上最重要的文化資料之一，对社会發展史和人类进化史的貢献很大。这件国宝原藏北京，迨日軍侵华时，傳已失踪，岂知是被帝国主义者窃去，現存美国自然历史博物館里。"历史教学"1952年9月号詳載其經过如下：

"1945年12月4日天津大公报曾刊載了一个消息，說是前为日軍刼夺並运到东京之'北京人'骨骼現已發現。这个消息是所謂'盟軍'最高总部發表，由'中央社'和'路透社'同时报导的。但后来国民党反动政府又宣称'盟总'接收者並非中国猿人的眞化石，而是石膏模型。我国的国宝中国猿人化石还是沒有下落。就在今年元月人民日报刊載一段报导，說是德意志民主共和国柯爾博士給楊鍾健先生来信，来信証明'北京人'标本确系美国强盗从日本搶去。柯爾博士信中說：华特生——倫敦大学生物系主任告訴他，'周口店Ⅱ'的头骨現在美国自然历史博物館里。那是魏敦瑞死前送去的。华特生上次去紐約时，看見那个标本在魏敦瑞手里。这个标本是一个美国兵由日本皇家博物院中搶掠去的。"（关于这个消息，文物参考資料2卷3期也有报导。）

2. 国会圖書館 国外圖書館藏有中文書籍的，除日本外，要推美国国会圖書館为最多，据1938年統計共有179,030册。抗战以后，伪政权借避兵燹为名，將不少古書移存該館，其增加的数量，当更为可观，其中必有善本医書是可想像的。兹录美国国会圖書館东方文献部1937年的报告如后：

"本草綱目这部名著，系李时珍所作，曾重刊多次，直到現在仍为中医和受过西方教育的医师所採用，国会圖書館藏有該書的版本很多，不独有那稀罕的金陵第一版，即1603年的第二版，1640年的第三版和以后的各版，都几乎全备[105]"。

3. 普灵斯敦大学葛思德东方藏書庫 这个藏書庫創办的起源具有一段趣史，有美国工程师葛思德氏(G. Gest)，經商發財，忽患青光眼疾，医药罔效，某年因公到北京，經美公使館海軍武官介紹，購得馬应龙眼药店祖傳秘方一剂，用后，病源虽未得根除，可是痼疾立覚頓輕，遂留款請該武官代搜購中国医籍，以便从長研究。此后，經过相当时期，購得的書，数量日增，始則以医書为范圍，繼而扩展到普通的和善本都在搜購之列，1926年將書寄存于加拿大麦奇尔大学圖書館，以供学者參研，1937年葛氏因受美国不景气所影响，不得已，遂將藏書廉价讓給美国普灵斯敦大学，成立葛思德东方藏書庫。这書庫收藏極富，共有137,000余册，余十分之八、九系中文外，尚有滿文、蒙文、藏文、日文、韓文等，善本極多，据称中国医書約有500种，其中对眼科一門，所藏尤丰。李克氏在"美国医史杂誌"有文叙述如下：

"葛思德东方藏書庫最初設于蒙德里尔阿城(加拿大)，1937年迁至普灵斯敦(美国)，藏書至1953年6月止共有137,087册，內有宋版書700册，元、明版1,700册，17世紀以前的手抄本2,000册。該書庫所藏的中医典籍，特别丰富，約共500种計2,000册，系中日兩国以外的最大宗中医藏書[106]。"

按：宋版書在国內已屬罕見，而該書庫所藏竟有700册，頗为可疑，如果实在的話，則其中宋版医書定必不少。我藏有該書庫的1929年中医書目录卡片一套，計有348种，惜均未註明版本，以致宋版問題，迄未明确。

4. 加州大学的傅氏藏書 桂氏的"中文書在美国圖書館"內称：

"加利福尼亚大学的中国書籍，肇始于傅蘭雅氏(J. Fryer)的私人藏書，其中有他在中国工作时所翻譯的科学書籍，和所用的原文名著。該項圖書原寄存于該校圖書館，以供学者參閱，及傅氏殁后，此項藏書遂成为加大永久的产業[107]。"

按：傅蘭雅氏系英国人，1863年来华，在北京同文館任外国語文教習，后在上海江南制造局翻譯館供职，翻譯格致化学等書，其中有关医学的20余种。

5. 霍布金医史研究院 該院所藏的中国医药文物有明堂圖，九針，小型銅人像，外科刀剪，医药菩薩，中国医書等，大都系前我国長沙雅礼医学院院長胡美(E.H. Hume)所收購的，除乾隆皇賞給医宗金鑑各編輯的小銅人像和千金宝要拓本尚称佳品外，其他各物，皆甚普通。霍布金大学附屬医院門診部悬有一幅神农画像，这画的来源不詳，1940年出版的胡美著"中国之医道"和嘉氏著"世界医学史"二書皆有該像的照片[108]。

6. 甘沙斯大学圖書博物館 "美国医史杂誌"1940年8卷5期載：

"甘沙斯大学圖書博物館得本城（甘沙斯）医师皮克氏（Dr. M. W. Pickard）贈送一批很好而广泛的中国医書和文物，使該館內容更加丰富[109]。"

7. 客利維倫大学圖書館 "美国医史杂誌"1940年8卷8期載：

"客利維倫大学东方医学部藏有明堂圖四幅和刀、針若干件，系由中国北京协和医学院送来的。此外，尚有中医所用的"龙骨"标本，系美国自然科學博物館所送[110]。"

8. 波士頓医学圖書館 莫詩氏的"中国医学"內載：

"照中国名著医学叢書'医宗金鑑'所临摹的鍼灸圖一套，原本印于極薄的紙上，且字跡模糊，后經华西大学医学院中文秘書陈君的指导，請画家按原本放大三倍，並將文字校正。該圖現存波士頓医學圖書館[111]。"

9. 耶魯大学医学院 巴烈德氏在1916年"美国医学会会誌"第67卷6期發表：

"彼得·伯駕氏（Peter Parker）系介紹西方医学来华的第一人，他在广州創办了博济医院，以外科手术聞名于时，他曾雇中国画师把各种奇难杂症繪成圖画，于他回美时，把这八、九十幅油画，捐贈母校（耶魯大学医学院[112]。"

侯祥川氏前数年遊美，参观耶魯大学时，見上項繪画仍保存得很好云。

（二）英国

1. 英国博物院 英国博物院藏書丰富，尽人皆知，其中医書不少，內有我国敦煌薪方卷本，甚为名貴。陈存仁氏于1953年曾到該院訪求我国失傳的医林宝籍，得見敦煌石室卷子22种，詳情载于香港港九中医师公会刊行的"中医中葯傳海外"一書中，計有五臟論，葯方殘卷，明堂圖，鍼灸圖，伤寒論，正面本草反面治方，效方記，葯效方，医方（四种），合服葯法，葯方，泡制葯法，葯方目录，医方殘卷，食疗本草，医案，古本草，佛法葯疗方，医法[113]。

2. 威尔康医史博物館圖書館 斯格里氏的"世界医史"第1册626頁有下面的一段記載：

"以医史博物来說，威尔康医史博物圖書館所藏的文物当推为最丰富和最广泛，不仅是極重要教育的中心，而且是研究的中心。該館約有20,000件物品，其中800件是圖画，还有大批相片。圖書館藏書22,000册，抄本5,000册，信扎10,000件，15世紀以前出版的書籍有612种，为全世界第二最多古典医藉書庫，而十六、十七世紀的資料更为充沛[114]。"

按：該館的中国文物甚多，十余年前曾特聘美术家張仪氏專司整理中国部分的古書和文献，历时数載，始告竣事。四年前曾聞該館准备刊行一本分类目录。想現已出版了。

3. 茄氏医院 巴慕德氏（H. Balme）"中国和現代医学"載称：

"1841年伯駕氏遊英时，携有一組極富趣味的圖画，系描写他在广州施行外科手术的事蹟，这画系一中国画家所繪贈，伯氏以之轉贈給茄氏医院，現藏于該医院的戈登博物館中[115]。"

王伍合著的"中国医史"載称：

"高利支氏乃老高氏孙（按老高氏前曾任东印度公司医官，与伯駕氏同事多年。）近任职于倫敦茄氏医院，他藏有不少医学紀录和彩画，系东印度公司的医官在澳門时所制的[116]。"

（三）意大利

国家圖書館 "本草品彙精要"一書，是明孝宗弘治16年（1406年）敕命刘文泰等所編纂的，文字簡潔精要，尤以有五彩的实物繪圖，名聞于世。可是，从未刊行，稿藏內府，曾一度失窃，后落在国务总理朱啟鈐手上，嗣后不知怎样，又告失踪。前北京圖書館館長袁同禮赴歐洲遊覽，發現本草品彙精要五彩圖原本在意大利教皇圖書館中，1953年陈存仁氏去罗馬訪求医籍时，得悉該書業已移存于意大利国家圖書館，乃往閱覽，並攝得照片48幅而归。据說，关于这書的索还，曾办过一度交涉，当第二次世界大战意大利投降后，那时中国以战胜国地位，向意大利索还庚子一役被掠去的許多古物，書籍項下有这"本草品彙精要"一書，意国把許多古物，如数归还，独留这書，不肯璧回，据称这書不是庚子时所掳的，系由山东某主教在华价購，送給教皇作为礼物者，交涉到后来，並無結果。現意国对这書大加注意，故移归国家圖書館保存云[117]。

（四）法国

巴黎国立圖書館 这圖書館所藏中医書为数不多，內有敦煌医葯卷子本5种，但其他关于中国的文、史、哲學書籍非常丰富，在法国堪称第一。因法人借着天主教耶稣会的傳教士，很早就和中国接触，故文化交流早已建立。我国医药如鍼灸、脉学、本草等皆被介紹到彼邦。因此，在法国以中医中葯为題的著述，其数量比别国为多，这項書刊散存各圖書舘，一时無从統計。柯地亚氏(H. Cordier)所輯的"中国文献目录"鉅著，內載中医著作达数百种，系研究国医在法国演进極有价值的参考資料。

（五）德国

柏林王立圖書舘　世界大战前，德国各圖書舘和各大制葯厂都藏有大量中国医書，尤以本草書籍最富。据日人白井光太郎称：本草綱目金陵第一版，在200年前荷蘭人由华携至欧洲，存于德国柏林王立圖書舘。現在怎样，則沒有消息，但本草綱目譯本，則尚有存書，系德理斯教授和他的助手罗士氏所合譯，共14巨册，內有精美五彩插圖，1928年明兴城Schreiber書店出版[118]。

（六）日本

1. 內閣文庫　鈴眞海和田利彥等把全部本草綱目譯成日文后，宣称：本草綱目金陵第一版原刊在中国早已失傳，全世界現仅存四套，日本藏其三，一在京都大森紀念文庫(卷四缺)，一在內閣文庫，一为伊藤篤太郎博士所有，其余一套則在德国柏林王立圖書舘云云[119]。但这說是不确实的，据調查所得，除上述四套外，美国国会圖書舘藏有一套，上海丁济民氏有一套，曾在1954年的李时珍文献展覽会展出，最近又在上海市科技圖書舘發現一套，本草綱目金陵第一版初刻本虽属稀罕，而上海一隅已知有兩套，祖国內不乏藏書家，其数必不只此。

2. 东京国立博物院　鍼灸銅人像系宋天聖时王惟一所鑄造，初放在北京葯王庙中，后移于清宫太医院，庚子之役后，則不知去向了。伍連德氏在"中华医学杂誌"第5卷1期載称：

"太医院西有屋数幢，規模較小，其間一幢，內藏銅人像一具，大小与活人無殊，身披黃袍，像前設長桌，上設香爐。按此像即銅人鍼灸像，原物于庚子之役为外兵掠往海外。兹所見者則較为晚出者也[120]。"

方慎盦氏在1946年9月6日新聞日报發表宋鑄銅人一文明确指出：

"前淸光緒27年，八国联軍入都，故宫宝藏，大都被掠，宋鑄銅人，藏于太医院，为日人所得。……当此胜利之日，我国瓌宝之淪落东土者，皆在完璧归赵之列，則此有关医术之宋代銅人，自宜繼踪'北京人'之后，重返祖国。"

日本东京博物院藏有銅人兩座，在1925年極东热帶医学会在东京举行第六次大会时，曾公开展出，其中一座，在其刊行的"第六回極东热帶医学会附帶展覽会，日本医学历史資料目录"有說明如下：

"編号148，銅人型(一臺)，制作年代不詳，原系江戶幕府医学舘旧存，相傳由中国渡来。"

这个銅人是否即宋代的銅人，尚無从証实，但若把上述几項紀录联系起来，詳加研究，就不难想像得它的結論了。

1951年6月苏联列宁格勒大学东方学系圖書舘，把帝俄时代所遺留的"永乐大典"11册，送还我中央文化部，1954年6月苏联列宁圖書舘又把原藏日本滿鉄圖書舘的"永乐大典"52册，送还我中央外交部[121]，1954年苏联科学院又把"永乐大典"1册，送还我科学院訪苏代表团。1955年12月德意志民主共和国格罗提渥总理把"永乐大典"3册和义和团的旗帜交还給中国人民。苏联和德意志民主共和国这种偉大的友誼，使我們大受感动，因这不是普通礼物的贈予，而是最眞摯和崇高的国际主义精神的表現和尊重中国人民历史遺产的具体事实。同时，我們不能不与帝国主义者的掠夺我国文物的举动对比一下，使敌我之分，更加明确了。

四　結　論

用圖表有系統地描写我国古代医葯的成就，怎样傳播到各国和它对世界医葯的貢献。首先詳述日本繼承中国医葯文化的傳統和其演变，繼述我国几种特殊的診疗方法：如鍊丹，种痘，診脈和鍼灸流傳海外的情况，借知在中世紀时，我国确曾执世界医学的牛耳，随介紹中医圖書的各国譯本並加以考証。在中葯方面，特提出李时珍的鉅著——"本草綱目"对葯物学的偉大貢献，又把国产葯物已被外国葯厂採用而且制成各种成品原裝攝影剪貼，証明外人怎样重視我們的宝藏。最后报导欧美和日本圖書舘或博物院所藏有我国医葯文物的調查。

逆水行舟，不进則退，医葯也不能例外。我国医葯虽曾有过光輝燦爛历史的一頁，但因故步自封和在反动統治与帝国主义文化侵略的影响下，非但得不着提高和發揚，反遭受压迫与歧視，而各国医学工作者，把我們医药学术的成果，不断的加以研究，吸收和利用，像鍊丹术，外人已發展到現代医药化学，人痘接种为牛痘接种所替代，鍼灸术則已有全国学会的設立，且出版專刊，甚至有国际大会的組織，反观我国停滞不前，相形見拙，这充分說明我們以往对祖国医药文化不仅重視不够，並且缺乏应有的認識。

最庆幸的是新中国在共产党，毛主席和人民政府領导之下，由于对人民健康的高度关怀，衛生事業在全国范圍內便出現着新的面貌，情况就完全改观了。历次全国衛生会議关于衛生工作四大原則的决定，加强中西医团結和合作，特别是在提出賀誠同志錯誤思想之后，号召我們西医学習中医，这样就为繼承、整理和發掘祖国医药文化遺产創造了有利条件。在这条件和积極地学習先进經驗的基础上，才有可能在十二年左右使我們某些科学部門赶上世界科学的水平。讓我們积極响应这个偉大的号召，滿怀着信心，大踏步地向科学进軍，为祖国人民和世界劳动人类的健康而努力吧！

承余樸罴、陈存仁、汪企張，宋大仁、李濤初、李丁隴諸同志协助搜集資料和繪圖，特此誌謝。

（本文附圖10幀略減）

参考文献

1. 参閱朱彊松，中国医学受外来的影响，實知學报，3卷1期，1943；
 朱中德，中国古代所受西方医學的體流，新中医刊，2卷6期，1939；中国医药所受印度的影响，新中医刊，2卷2期，1939；
 范行准，古代中西医药之关系，中西医药，1卷1期，1935；外药輸入史之覌察，医药导报，2卷1期，1935；汉唐以来外药輸入之史料，新医药刊，17—20期，1934；
 陈竺同，汉魏南北朝外来的医术与药物的考証，暨南学报，1卷1期；
 陆受炎，汉魏南北朝从国外傳来的医药文化，新中医药，6卷3期，1955。
2. 参閱 Wong, K. C., China's Contribution to the Science of Medicine, China Med. Journ., v. 43, n. 12, 1929; Hume, H. E., The Contributions of China to the Science and Art of Medicine, Science, April 18, 1924；范行准，中国医学在世界上的影响，科学画报，1954，11月号；科学画报編輯部，中国医学在历史上的貢献，科学画报，1954，12月号；李濤，中国医学在人类保健史上的偉大貢献，健康报，1954，8月24日；余德勲，祖国医学的發展与对世界上的貢献，新中医药，6卷3期，1955.
3. 参閱 向达，中外交通小史，商务印書館，1930；又：中西交通史，中华書局，1941；又：三宝太監下西洋，旅行家，1955，12期；伯希和，郑和下西洋考，商务印書館，1934；馮承鈞，中国南洋交通史，商务印書館，1936；張星烺，歐化东漸史，商务印書館；周一良，中国与亚洲各国和平友好的历史，上海人民出版社，1955；中西医药，1卷2期；光明日报史學，1955，12月8日；王輯五，中国日本交通史，商务印書館。
4. Sarton, G., Introduction to the History of Science, v. 1, p. 445.
5. Sarton, G., Introduction to the History of Science, v. 1, p. 462.
6. Castiglioni, A., A History of Medicine, p. 108, 1954.
7. 参閱 Fujikawa, Japanese Medicine; Wong & Wu, History of Chinese Medicine, p. 135, 1936;
 林仲昆，中国医学入日本源流考，中国医药月刊，1卷7期，1929；
 陈公梁，我国中古医学（金元四大家）与日本医学之影响，北平医刊，3卷1期，1935.
8. Alchemy in China, Ciba Symposia, v. 2, n. 7, 1940.
9. Martin, W. A., The Lore of Cathay, p. 67, 1912.
10. Williams, E. T., A Short History of China, p. 159, 1928.
11. Read, B. E., Chinese Alchemy, Chinese Medical History Special No., 1941.
12. Holmyard, E. T., Alchemy in Medieval Islam, Endeavour, v. 15, n. 55, 1955.
13. Lawall, C. H., Four Thousand Years of Pharmacy, p. 100, 1927.
14. 俞理初，癸巳存稿，卷9，查痘京章条。
15. Dyer Ball, Things Chinese, p. 700, 1925.
16. 格拉馬密夫斯基，流行病学总論。
17. Dudgeon, J., 中西見聞录 11 頁。
18. Clendening, L., Behind the Doctor, p. 215, 1933.
19. Ibid, p. 216.
20. History of Medicine, (Japanese).
21. Major, R. H., Disease and Destiny, p. 119, 1936.
22. 古賀十二郎，西洋医术傳来史，413頁。
23. 丁若鏞，麻科会通，（中国預防医学思想史引）
24. Garrison, F. H., An Introduction to the History of Medicine, p. 67, 1922.
25. Osler, W., The Evolution of Modern Medicine, 1921.
26. Needham, J., Science and Civilization in China, v. 1, p. 219, 1954.
27. Ibid, p. 219.

28. LaWall, C. H., Four Thousand Years of Pharmacy, p. 87, 1927.

29. 西欧譽,世界药学史,第3章,日本日野岩,久保寺十四夫共譯。

30. 李　濤,医学史綱,143頁,1940。

31. Fujikawa, Y., An Outline of the Medical History of Japan, p. 4, Tokyo, 1925.

32. 志鬼太郎,灸之研究,5—20頁

33. Remusat, Memoires Concernant les Chinois.

34. Wong & Wu, History of Chinese Medicine, p. 45, 1936.

35. 富士川游,日本医学史附日本医事年表。

36. Castiglioni, A., A History of Medicine, p. 105, 1946.

37. Rudger, K., Alte Heilweisen Neu Entdeckt.

38. 刘永純,中国金針治疗法在法国概况,中华医学杂誌,35卷11期,1949。

39. 陈存仁,德国医学界研究中医中药及針灸概况,存仁医学叢刊,2卷4期,1955。

40. 王吉民,西譯中医典籍重考,中华医学杂誌,22卷12期,1936。

41. Veith, I., The Yellow Emperor's Classic of Internal Medicine, Huang Ti Nei Ching Su Wen, Baltimore, 1949.

42. Wong Man, Neiching, The Chinese Canon of Medicine, Clin. Med. Journ., v. 68, n. 1/2, 1950.

43. Liang, B. K., Ueberblick ueber altenste Chinesische Lehrbuch der Medizin "Huang-ti Nei-ching", Sudhoff's Archiv fuer Geschichte der Medizin Bd. 26, Heft 2, 1933.

44. Dudgeon, J., A Modern Chinese Anatomist, China Med. Journ., v. 7, p. 245, 1893; v. 8, p. 1, 1894.

45. Pi, H. T., A Resume of an Ancient Chinese Treatise on Ophthalmology: The "Yin Hai Ching Wei", Nat. Med. Journ., v. 17, n. 1, p. 131, 1931.

46. Huebotter, F., Shou Shih Pien, Urban & Schwarzenberg, Berlin-Wein, 1913.

47. Dudgeon, J., Kung Fu, Taoist Medical Gynastics, Tientsin Press, 1895.

48. Lo, J. H., 'Schou Schen Hsiao Bu, Sun Yat-sen Universitart, Canton, Bd. 2, Heft 1, 1920.

49. De Grijs, Verhandelingen Van Het Bataviasch Genootschap Van Kunsten en Wetenschapen.

50. Giles, H. A., The Hsi Yuen Lu, Proceedings of the Royal Society of Medicine, v. 17, p. 59-107; also in pamphlet, Published by John Bale, Sons & Danielsson Ltd.

51. Memoires concernant L'historie, les sciences, les arts, les moears, les usages etc. des Chinois, p. 421-440, Paris, 1779.

52. Dabry, P., La Medecine chez les Chinois, Paris, 1863.

53. Read, B. E., Famine Herbal, Lester Chinese Medical Research Institute, 1946.

54. Du Halde, Description geographique, historique, chronologique, politique de L'Empire de la Chine, Paris, 1735.

55. Huebotter, F., Die Chinesische Medizin, p. 239-272, 1929.

56. Ibid., p. 179-193.

57. Pfizmaier, A., The Pulse-lore of Chang Ke, 1866.

58. Maxwell, J. P., A Treatise on Midwifery, Translation of, The Journal of Obstetrics and Gynaecology of the British Empire, v. 34, n. 3, 1927.

59. Maxwell & Liu, A Chinese Household Manual of Obstetrics, Annals of Medical History, v. 5, n. 3, 1923.

60. Huebotter, F., Die Chinesische Medizin, chap. Nanching, p. 195-238, Leipzig, 1929.

61. Huebotter, F., Berichte Chinesische Aertze, Archiv fuer Geschichte der Medizin, Bd. 7, Heft 2, Leipzig, 1913.

62. Huebotter, F., Zwei beruehmte Chinesische Aerzte des Altertums Chouen Yu-J, und Hoa T'ou Mitteilugen der Deutschen Gesellschaft Fuer Natur-und Volkerkunde Ostasiens, Bd. 21, Teil A., Tokyo, 1925.

63. Ibid,

64. 王吉民,李时珍文献展覽会特刊,中华医学会上海分会印行,1954。

65. Boym, M., Flora Sinensis, Vienna, 1656.

66. Thevenot, Relation des Voyages, 1696.

67. Du Halde, Description geographique, historique, chronologique, politique de L'Empire de la Chine, Paris, 1735.

68. Roi, J., Plantes Medicinales Chinoises, Shanghai, 1942.

69. 陈存仁,李时珍先生的本草綱目傳入了日本以后,中华医史杂誌,1953年總4号。

70. Bretschneider, E. V., Botanicum Sinicon, London, 1882.

71. Dalitzsch & Ross, Pflanzenbuch, T. F. Schreiber, 1928.

72. 王吉民,李时珍本草綱目外文譯本談,中华医史杂誌1953年第4号。

73. 王吉民,本草綱目譯本考証,中华医学杂誌,28卷11期,1942;及参閱(註)72

74. Smith, P., Contribution towards the Materia Medica and Natural History of China, American Presbyterian Mission Press, 1871.

75. Stuart, G., Chinese Materia Medica, Vegetable Kingdom, American Presbyterian Mission Press, 1911.

76. Read, B. E., Chinese Medicinal Plants from

Pen Ts'ao Kang Mu, Peking Natural History Bulletin, 1936.

77. Read, B. E., Ancient Medicine, Lecture given before the "Things Chinese Society" Oct. 26, 1928.

78. Journal of Endocrinology, v. 6, p. 596, 1922.

79. Liang, P. K., Chinese Medicine, Tientsin, March 20, 1934.

80. 小泉荣次郎：新本草綱目，前編1—19頁，上海医学書局，1933。

81. Wong, K. C., China's Contribution to the Science of Medicine, China Med. Journ., v. 43, n. 12, 1929.

82. Chen, K. K., Ma Huang, Chinese Materia Medica, China Med. Journ., v. 39, n. 11, 1925.

83. Wong & Wu, History of Chinese Medicine, p. 118, 1936.

84. Ball, D., Things Chinese, 1925.

85. Dudgeon, J., International Health Exhibition, Diet, Dress and Dwelling of the Chinese, 1885.

86. Bretschneider, E. V., History of European Discoveries in China, 1898.

87. Nadkarni, K. M., Indian Materia Medica, Bombay, 1927.

88. 中国的世界第一，2册81条，上海大公报出版，1951。

89. Couling, S., Encyclopoedia Sinica, p. 551, 1917.

90. Williams, S. W., The Middle Kingdom, p. 51, 1914.

91. Bretschneider, E. V., The Study and Value of Chinese Botanical Works, Chinese Recorder, v. 3, n. 9, 1871.

92. Robert, F. M., Weastern Travellers to China, p. 109, 1932.

93. Clark, B., Oriental England, p. 34, 1939.

94. Chamberlain, B. H., Things Japanese, p. 479, 1939.

95. 王輯五，中国日本交通史，111頁，商务印書舘。

96. Wong, K. C., China's Contribution to the Science of Medicine, China Med. Journ., v. 43, n. 12, 1929.

97. Ball, D., Things Chinese, art. Tea, 1925.

98. A De Candolle, Origin of Cultivated Plants, 1882.

99. Bretschneider, E. V., The Study and Value of Chinese Botanical Works, Chinese Recorder, v. 3, n. 9, 1871.

100. Bretschneider, E. V., History of European Discoveries in China, 1898.

101. Laufer, B., Sino-Iranica, Chicago, 1919.

102. Read, B. E., A Comparison of the Materia Medica of India and China, Lingnan Science Journ., v. 8, 1929.

103. Read, B. E., Contribution to Natural History from the Cultural Contacts of East and West, Peking Society of Natural History Bulletin, v. 4, part 1, p. 57, 1929-1930.

104. Hume, E. H., Relationship in Medicine Between China and the Western World, China Med. Journ., v. 39, p. 185, 1925.

105. The Library of Congress, Division of Orientalia, 1937.

106. Leake, C., The Gest Oriental Library at Princeton University, Journ. of Hist. of Med., n. 9, p. 392, 1954.

107. Kwei, C. B., Chinese Books in American Libraries, p. 31, The Leader Press, Peking, 1931.

108. Hume, E. H., The Chinese Way in Medicine, p. 150; and Bulletin of the Johns Hopkins Institute of the History of Medicine Report 1940-1941, v. 10, n. 2, 1941.

109. Bulletin of the History of Medicine, v. 8, p. 742, 1940.

110. Bulletin of the History of Medicine, v. 8, p. 1225, 1940.

111. Morse, W. R., Chinese Medicine, p. XIX, 1934, Clic Medica Series, Paul B. Hoeber.

112. Bartlett, C. J., Peter Parker, First Medical Missionary to China, Journ. Amer. Med. Assoc., v. 67, n. 6, 1916.

113. 陈存仁，中医中葯傳海外，7頁，1951。

114. Sigerist, H. E., A History of Medicine, v. 1 p. 526.

115. Balme, H., China and Modern Medicine, p. 48, foot note, 1921.

116. Wong & Wu, History of Chinese Medicine, p. 309, 1936.

117. 陈存仁，中医中葯傳海外，39 頁，1951。

118. 陈存仁，中医中葯傳海外，34 頁，1951。

119. 东京大森紀念文庫所藏本草綱目金陵第一版，白井光太郎博士題識。

120. Wu Lien-teh, The College of Imperial Physicians in Peking, Nation. Med. Journ. of China, v. 5, p. 69.

121. 文物参考資料，2卷9期，1951；1956年1,2期。

"滇南本草"的考証与初步評价

于乃义* 于蘭馥**

一、前言

远溯古代著作中詩經、楚辞、山海經、尔雅等書的紀載，只是簡單的名称而已；到有了葯物的專著"本草，"才漸次深入的綜合、分析，实地观察，区别品种，紀录形狀，辨别性能和对治的疾病。不仅如此，在各种本草中，都一致强調葯物产地的不同——比如銀州柴胡，化州橘紅，四川厚朴、貝母，云南茯苓、黃連，以及杭芍、秦归、阿膠等，很多通用有效的葯物，几乎产地与品种分不开，这更显示出对葯物研究的深度，除每一品种共同性的辨認外，具体到一定地区一定环境内的产品来研究它。某种葯物要某地产品才好，某种葯物在不同地区的生产，葯性随之而差異。又如赵学敏說："……石斛一也，今产霍山者則形小而味甘；白朮一也，今出于潛者則根斑而力大；此皆近所变产、此而不書，过时罔識……"(1)从这些方面研究、正符合于辯証發展的方法，开辟更寬闊的道路。由此、我們認識到各种本草所收葯物而外，还有很大数量在广大人民習慣中使用着，不見于著录；其中很多是有特殊疗效的葯物，有待于进一步的征集、整理、分析、研究。

在中国共产党的偉大号召和正确的政策指导下，不仅古代各种本草所傳下来的葯物知識受到重視、对区域性的民間葯物，也开始做整理研究工作。我們曾听到各地編輯区域葯物志的喜訊，最近讀到云南省衛生厅編印的"云南的葯用植物"更使我們極度的兴奋，这書虽只是輪廓的叙述，所收民間葯物还不多、但总是良好的开端、标誌着新的方向；因而使我想到明代以来流傳在云南的"滇南本草"一書，它在中国医葯史上很少被提到，在介紹全国的本草有关文献当中，也常常被人遺忘了；但这一部書，是云南妇孺皆知的，直到現在、还有一部分为草葯医生和广大劳动人民所使用；对研究祖国葯物学的参考是有益处的。这便是我們試写此文的动机。

二、明代葯物学家蘭茂与滇南本草

"滇南本草"的著者是誰？这个問題，我記得小时家中人患腹瀉，母亲叫我在庭园花盆里挖取一种叫做"合媽叶"的小草，生三棵，燒三棵，煨給病人吃，服后不久病就好了。我問母亲："是什么道理？"母亲說："合媽叶有利水作用，是蘭止庵'滇南本草'傳下来的單方。"这給我很深的印象。后来讀到云南叢書本的"滇南本草"，書前标明"嵩明蘭茂止庵著，"又清代师范的滇系中有蘭茂的小傳，叙述蘭氏著述，也提到"滇南本草"、可是其他書中、又有不同的說法。

清戴絅孙纂修的昆明县志这样說："……'滇南本草'旧傳蘭茂作，茂为明初人，其卒在正統以前，而此書自序題为崇正甲戌，其为依託可知矣。……"(2)

又清道光間阮元纂修的云南通志稿食貨志物产一門也記有："'滇南本草'旧傳蘭茂作，但茂系明正統以前人、此書自序在崇禎甲戌，其为依托可知。然二百年来滇中奉为至宝，不可遺也。故今录其書不著其名，亦以昭慎云尔。"(3)

务本堂刻本的"滇南本草"中，引用龔廷賢"寿世保元"的話，更不是蘭氏所能見到的。1943年、前云南葯物改进所等編輯"滇南本草圖譜"根据正德云南志和清代嵩明州志蘭茂傳沒有提到"滇南本草"，又根据滇南本草收有"野烟"和"玉麦鬚"，是外国傳来的，蘭茂时代不可能有此兩物的証据，更否定了蘭氏的著作权。但我訪問了很多草葯医生、据談話間，常自称是蘭氏若干傳弟子，他們的葯方也說是蘭氏傳下来的。

清吳其濬植物名实圖考中載："滇南本草題楊林驛蘭茂著，通志稿以为序作于崇禎甲戌、茂系正統以前人，定为伪託；余詳加訪求，書非一

* 云南省圖書舘参考部組長

** 云南省昆华医院妇产科副主任

圖1　蘭茂画像
昆明關应选（橡村）作
有赵藩譽蘭茂自贊和赵的題贊。
现藏云南省博物館。

种，剜鈔互異，有一种題‘正統元年識，’疑是原本也。較通志稿所录多寡懸殊，即同一物而主治各别；蓋后人增益者，並載之以备考。……”(4)

多年疑惑不解的問題，得此証据，涣然冰释了。吳其濬的植物名实圖考中引滇南本草多条，前云南药物改进所編滇南本草圖譜时，沒有詳細查考，只从吳氏所引的有一些出于現在流傳本之外，認为还有逸本，不知吳氏明明記出他所根据的多种本子，就有題为“正統元年識”的本子在內，足以消除“是否蘭氏所著”的疑問了。

根据云南方志十种和其他文献、看對与蘭氏著述，簡要叙述如下：

蘭茂；字廷秀、云南省嵩明州楊林县千戶所石羊山人。原籍河南洛陽。生于明洪武30年(1397)，卒于成化12年(1476)、享年80岁。他少年时，讀过很多書，过目成誦。20岁以后、認为混跡在利祿場中是可恥的、在他的住屋前、安上一塊“止庵”的匾額、因此人們称他为“止庵先生”。他又自号“和光道人，”“洞天風月子，”“玄壺子。”他研讀宋代濂洛关閩学派的書，也留心經济学問，却不願做官；对医道，陰陽、地理，丹青無不通曉。他的著述很多、有名的是“韻略易通”“性天風月通玄記(傳奇)”“声律發蒙”“滇南本草”“医門擥要”“玄壺集”等。这些書經过多次傳抄和刊印，現在还流傳着。还有若干著作現已失傳和詩文散稿。

从蘭茂的著述中，看出他居住家乡楊林时間較多，也往返于昆明楊林之間，和游历云南各地。楊林县即是現在嵩明县的一个大鎮，也有少数民族居住，有“小昆明”的称号。蘭茂和农民及少数民族兄弟生活在一起。他一辈子是个布衣，却为人民所愛戴。死后还盖祠堂紀念他。

蘭茂通曉医道，在正德云南志中是明白記載的，但蘭氏的医疗事跡却很少，又是什么缘故呢？我認为“滇南本草”所叙及的很多話是蘭氏弟子或再傳弟子記师說的实据。如务本堂刻“滇南本草”“蘭花双叶草”条叙明“先生聞之，往看审其性……”。“如意草”条叙明“先生以此草酒浸，名玖瑰酒……”，“独叶一枝花”条叙明“先生用此煮炁砂成宝丹……”文中所提到的“先生”应即指蘭氏說。又書內附載医案多条，有一部分也可以当作蘭氏医疗事跡看。更重要的是“滇南本草”在蘭氏以后，又經过不断积累增益、吳其濬說：“皆非一种，剜鈔互異，”它之所以丰富了地方药物文献，正是走發展的道路、不断积累、我認为蘭氏对云南药物倡首結集的功劳不可沒，但“滇南本草”的撰述，說为劳动人民的集体創作，也未始不可。

三、“滇南本草”的版本和有关文献

現在流傳較广的“滇南本草”，是云南叢書本。收在該叢書子部第15种，計三卷。書前有趙藩序說：“相傳輯云南药品者有三家：一沐國公瑛曰‘草蘭本草，’一蘭茂、一楊慎皆曰‘滇南本草。'沐楊惟傳鈔本，蘭有旧坊刻本，其中有刘千添注数条。刘不詳何时何地人。恐非蘭氏手訂矣。至新坊刻蘭本則太糅杂，且書中时称止庵先生，决为無識者竄乱止庵之書矣。惟道光中皖人孙兆蕙以同知官滇，其人習医工繪，得楊慎傳鈔本、蘭茂旧坊刻本，乃合校而彙編之，凡得410种，分載蘭楊之説，亦間附己説，自繪为圖而列之，曰'一隅本草，'其書尙可备医家之用云[5]。"

根据赵序找有关文献考查，楊慎被貶摘到云南，在蘭茂死后48年。所著"異魚圖贊"和"升庵集"叙述植物的部分，也有几种是云南的产物，但只等于文人的笔記，不是本草一类著述。至于沐琮是当时云南的統治者，明史和云南通志有他的傳記，却沒有提到医药方面。刘千添註的几条，收在云南叢書本內，倒是一个有关系的人。書中尙有註补的30条，增补的一条，的确不是一人一时的手笔。至于孙兆蕙並非皖人，而是江苏崑山人，官云南呈貢和蒙自知县。国朝書画录有他的小傳，但也沒有提到"一隅本草"的話。关于赵序中所説的沐楊孙三家的滇南本草和一隅本草，遍訪旧藏書家和熟悉云南掌故的人都不知道。赵氏只是得之傳聞，不足为确切的根据。

現存的几种"滇南本草"的本子是：云南叢書本，民国三年(1914)刻。收药物計280种，無圖。与别本校对，还是有錯字的。（圖2）

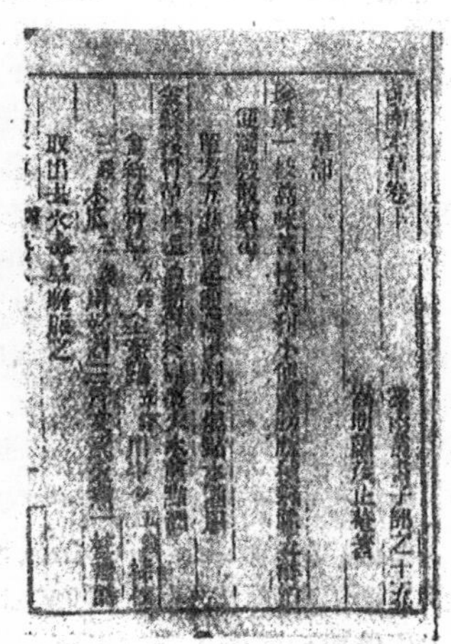

圖2　滇南本草云南叢書本書影

比叢書本刊刻較早的，是光緒丁亥13年(1887)嵩明管暄、管濬校訂昆明务本堂的刻本[6]。也分三卷，第一卷又分上下，上卷有圖，卷一下及二、三無圖。共收药物458目。書前有蘭氏自序和李文煥、周源清、管濬的序文。这就是赵藩所提到的新坊刻本，比叢書本多出药物178味，但重見12味，显見蘭茂以后的人和管氏的意見增加进去一部分，行文中沒有区别开来，是一憾事。但和其他本子对照，有一些旁的本子所沒有的重要材料，是有参考价值的。（圖3）这个本子，曾收入陈士謂所編的"基本医書集成第26种"[7]，完全依照务本堂的底本，只是卷一上的次序，前后稍有移动。

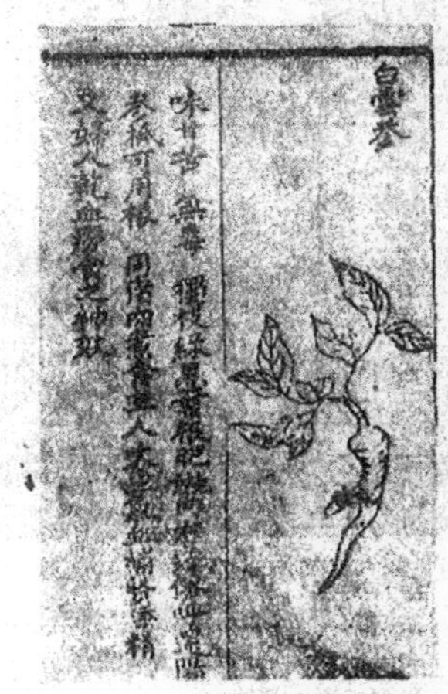

圖3　滇南本草務本堂刻本書影

此外，現在見到的抄本有三种：

云南省圖書舘藏前在昆明华世堯(允三)琴硯齋旧藏抄本一冊，計收药物184种。

昆明李繼昌先生藏旧抄本一冊，計收药物174种。

昆明張宝善同志宝翰軒所藏旧抄本一冊，計收药物135种。

以上三种抄本，有多条足以校正刻本的錯誤。

至于"滇南本草"在蘭氏生时或在明代是否有过刻本呢？上文所引吳其濬的話，已作了説明。就是有一种題作"崇禎元年識"的本子，为道光云南通志稿所引，在卷67—70食貨志物产内，計引过79条。（圖4）至于吳氏植物名实圖考所引的滇南本草，是根据多种本子，其中一本，題作"正統元年識"。圖考和圖考長編引用滇南本草計53条。吳氏不仅引用滇南本草，他还採集实物标本，作比較观察，並和其他本草与各种植物文献比对說明，尤其对于葯物的形狀气味等有較詳的补充叙述。

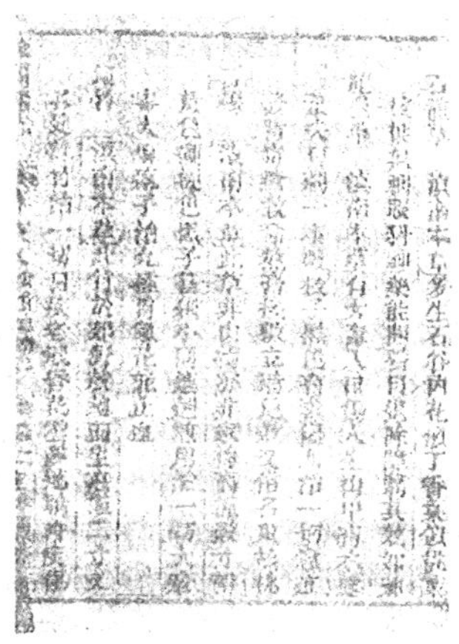

圖4　道光云南通志稿引滇南本草的書影

此外有兩部分材料，对考校"滇南本草"研究云南葯物，足供参考的：

第一部分仍是古書中的文献。較蘭氏稍后有明代謝肇淛所著滇略的产略，張志淳所著南園漫录。与吳其濬时代前后，有清代檀萃所著滇海虞衡志农部瑣录草竹新編，桂馥所著札朴，張泓所著滇南新語，和明清以来，各种云南通志，各府州县志中叙述的滇产葯物。这些散見于各种書中的葯物文献，輯录出来，和滇南本草相比对，有的給滇南本草作了印証，有的出于滇南本草之外，提供研究云南葯物以有力的線索。

四、"滇南本草"初步評价

上文征引云南通志稿中說："滇南本草……二百年来滇中奉为至宝，不可遗也。"

通志对"滇南本草"的这样說法，是反映了过去云南医界和广大人民意見的。現在就此書的特点和它产生的来历与适应人民的需要等方面，作初步的評价。

（一）滇南本草是現存本草当中較完整的区域性葯物書

"滇南本草圖譜"的弁言中，談到我国自汉迄清計有一百多种本草，但地方性的本草只有四种：就是唐李珣的海葯本草，收录广东和海外输入的葯物。唐郑虔的胡本草，專述胡人地帶所用葯物。清琉球吳繼志的質問本草，則是記述琉球群島所产葯物。此外就是滇南本草。四种当中，前兩种原書已失傳；第三种只有抄本，因此，該書編者对滇南本草，得出这样的論斷："似此專重一区域内之本草，在吾国五千年史上並不多覯；則其科学上及文化史上之价值固仍存也。"

（二）"滇南本草"紀录了一部分少数民族的医葯經驗

"滇南本草"具体的紀录了少数民族对医葯上的貢献。如：

"地卷草……'夷人'呼为石上青苔，治鼻衄效，俗呼地卷絲、作菜食，治一切跌打槍伤骨碎筋斷，服之神效。不可生用，生則破血。"

"土元参……'夷人'不識此参，常作菜用，呼为牛菜。因牛食此草而生牛黄，故曰牛生菜。"

"白地骨……'夷人'治小兒生火，調蔴油搽穴即散。又治癰瘡如神效"。

"藜……'夷人'以青藜治痨伤腫疼、叶敷瘡，皮敷發背疔瘡。"

"假苏……'夷人'以此治跌打損伤，並敷癰瘡亦效。治吐血、清目、疎風、化痰、养肌、筋骨疼痛。解酒即醒、目昏效如神。'猛龍夷人'作菜，令不染瘟疫。衆之男妇老幼从不落齿，皆呼为稳齿菜。"（圖5）

由上面所引例中"夷人""猛龍夷人"等是不限于一族一地的。又如少数民族怀念諸葛孔明，"滇南本草""韭叶云香草"一条就記有"武侯入滇，得此草以治烟瘴"的传說。至如"罗罗云香草"简直是民族名称連接到葯名上去，更为明顯。明清兩代，嵩明昆明等地少数民族很多，蘭茂或蘭茂以后的人，採訪了少数民族的經驗，記录下来，这是我国葯物学上極可宝贵的材料。

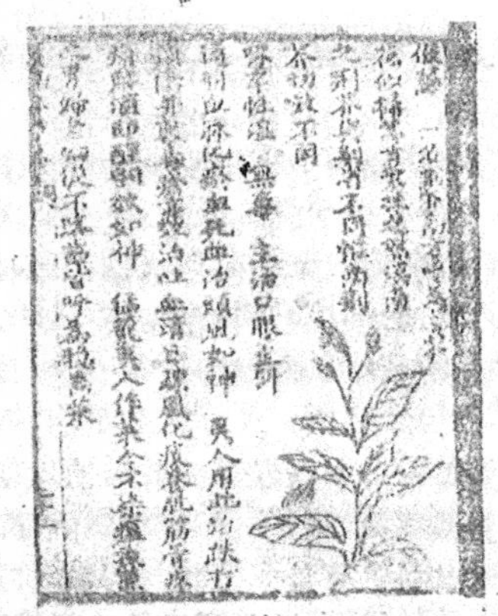

圖 5　滇南本草務本堂刻本卷一上"假苏"条。內敘及夷人医葯的經驗。

(三)滇南本草記載葯物土名的意义

我国葯物，同一品种，有多种不同的名称。在有了官修本草以后，各地使用的土名仍不統一。这对于区分品种、識别葯性、虽有一些困难；不过从另一方面看，土名是人民从实际观察，辨别葯物的形狀特征、所取的名字。"滇南本草"中所收葯物、除一部分通用葯物与其他本草名称相同而外、大部分是以土名紀录下来，並把土名詳細注在下面的。如独叶一枝花，金絲矮陀陀，牙齿草、地缨子、地卷草，牛尾参、雞骨参，五叶草，羊耳朵、千針万線草等是比拟形象而取名的。麦穗夏枯草，汞草，無花果等是依据植物的特征取名的。接骨草，透骨草，筋骨草等是从它的疗效取名的。水芹、水菖蒲、石胆草等是从它生長的自然环境而取名的。我們为着使文献与实物联系起来，如果不辨認土名、是無从下手的。

在葯物研究当中，对葯物品种及学名的鑑定、固然重要，同时也应該把土名紀录下来。如滇南本草詳載土名，不仅标誌它的来历，而且使我們与草葯医生共同研究时、有很多便利。書中又有一些葯物、具体的注明产地，如人参記載："陋山多有。"如意草"生滇南陋山。"白云参"生金沙江边有水处。"六陽草"土名老鸛草，生太华山罗汉寺"。这对于書本結合实际是很好的。

(四)从"滇南本草"的葯物方剂簡介看到它在医疗上的价值

集合"滇南本草"各种版本、連其他圖書所征引的葯物，除重复外，共計448种。照原書的分类，計草部419种，鳥部5种，兽部6种，虫部2种，鳞介部16种。附單方奇方306方，医案23条。原書对于葯性是列举說明的，仅就原文叙述，还不可能依据葯物效能作較精密的科学分类；只能作初步的分析，得出簡略的統計：計强壯剂34种(內土人参19种)。健胃剂38种。退热葯24种。(其中退虛燒劳热15种)治咳嗽吼喘葯物28种。鎮惊剂7种。止血剂18种。吐剂2种。利尿及治淋病葯物52种。治腹瀉下痢葯13种。治瘧疾葯8种。妇产科用葯共93种。(其中治崩漏症28种、通經5种、治帶下26种、治月經不調2种、催生葯6种、治乳疾14种、其他如不孕、保胎等12种)眼科用葯28种。耳鼻喉科用葯10种。舒經活絡葯44种。瘡科用葯66种。跌打損伤用葯10种。治瘰癧葯8种。驅虫葯11种。治黄疸葯3种。治痔瘡葯7种。麻風病葯3种。解毒葯3种。其他22种。在各种葯物中，有的葯兼治几种病，重列的計84种。

就这400多味葯物当中，提出文献紀录較多的几种請教李繼昌、苏朱臣先生等，他們介紹了实际經驗，举例說明如下：

(1)經过查对文献，在叙述葯性上，出于其他本草以外的葯物如甜远志，水芹，野棉花等。

甜远志：远志、本經列上品，本草綱目征引各家的說明，都沒有区别苦甜，滇南本草分远志为兩种。原文是："苦远志，味甘。微苦，性微寒。入肝脾二經。养心血鎮惊。宁心，定惊悸。散痰涎。疗五种癎症，角弓反張，惊搐，口吐痰

圖 6　甜远志圖說見植物名实圖考道光原刻本書影

涎，手足战摇，不省人事。縮小便，治赤白便濁，膏淋，滑精不止，点滴不收，奇效”。附治滑精及痲症三奇方。

上引苦远志的气味主治与本經和其他本草中的远志相同；是鎮惊祛痰要葯。但甜远志则不相同。

“甜远志，味甜。性微温。主补心肝脾腎。滋补陰血，补养精神，潤澤形体。止面寒，腹痛，止劳热咳嗽。治妇人白帶，腰痛，头眩耳鳴，男子虚損，洵为要葯。”附妇人产后蓐劳症發热出汗飲食無味單方。

吳其濬根据云南太华山所採标本說：“李时珍分大叶小叶，滇本草分苦甜，苦即小叶，甜即大叶耳”。（圖九）但李时珍虽区别远志大小叶的不同，並沒有說明甜远志不同的气味葯性。滇南本草标出甜远志治男子虚損与妇人白帶，产后蓐劳症，單方是同笋雞煮吃，它的作用是不同的。云南出产的远志，根据新纂云南通志物产考所列出产地是石屏，建水、瀘西、緬宁、祥云、保山等县。苏采臣医师使用过，他說：“苦远志折斷后有白漿，味苦。甜远志沒有白漿，滇南本草所載葯性是正确的。”

水芹菜：植物名实圖考卷三有“馬芹”一条：“馬芹，唐本草始著录。多生廢園中，高大易長，南人不敢食之。滇南水濱，高与人齐，通呼水芹。滇南本草謂主治發汗，与麻黃同功。一小兒發热月余，得一方；水芹菜，大麦芽，車前子，水煎服效。”

按滇南本草的原文說：“水芹菜味辛苦，性温，”余如圖考所引。水芹的形狀葯性近于本草綱目卷26的“馬蘄”但李时珍沒有提到它的發汗作用。水芹在云南的草葯医生是常用的，而且是有实际疗效的。

野棉花：裴鑑著中国葯用植物志載[8]“李时珍未以野棉花列入本草綱目。据吳其濬；野棉花，滇本草，味苦，性寒，有毒，下气，杀虫，小兒寸白虫蚘虫犯胃者良。”

所引滇本草与現在的本子原文相符。云南的草葯医生有“野棉花”出售，作打虫葯。裴鑑指出：“現时葯舖及業草葯者所售的所謂野棉花，其植物不屬于野棉花一种，常以与野棉花种相近者代替或混杂之。”列举了三种相近的品种，但他也說明“种类既近，葯性当也相似。”滇本草所列野棉花的葯性，还是值得重視的。

（2）經草葯医生多年使用，証明有效的葯物，举例如重蔞，矮陀陀，野煙等。

重蔞：云南叢書本作虫蔞，一名紫河車，又名独脚蓮。

按重蔞，本經列下品，名为“蚤休”。本草綱目引历代各种本草，有各种不同名称——如蚤休、螫休、紫河車、重臺、重樓金綫、三層草、七叶一枝花、草甘遂、白甘遂等。又引俗諺說：“七叶一枝花，深山是我家；癰疽如遇着，一似手拈拏”。

滇南本草对这葯的味性和消瘡利便的作用，和旁的本草所載相同。但經过云南草葯医生多年使用，使这味“深山为家的葯”，更發揮了特效。如“云南的葯用植物”第二分册所列云南白葯的原料，根据曲煥章大葯房的处方：重蔞佔52%，並叙明重蔞系植物 Paris Polyphylla Sm, Var、Yunnanensis (Fr.) H-M 的根。滇本草所列單方，如“通乳結、治小兒吹乳”的作用，旁的書沒有叙述过，也是有疗效的。

矮陀陀：“云南的葯用植物”所載云南白葯的处方原料中有独丁子7%，叙明“原植物尙待鑑定。”据苏采臣医师說：“独丁子就是矮陀陀，一名金絲矮陀陀，又名山皮条。”查道光云南通志稿卷68引滇南本草原文如下：“矮陀陀，綠叶綠梗黑根，生在朝陽之处，溪水之边，冬不凋，春不再茂。新鮮时，梗內有白漿，心細，菊花形，結黑子。年久根上結瓜。黃花有毒，不可入葯。白花第一，紫花次之，治病甚多”。

务本堂本滇南本草卷下：“山皮条，又名矮陀陀，性微温，味辛辣，微苦，有小毒，下气妇人气逆，肚腹疼痛，寬中理气，胸膈肚腹膨脹，面寒梗硬脹疼，能退男女痨燒發热，良效。附方治妇人气脹，肚腹疼痛，並止面寒梗硬脹痛，山皮条一兩微炒，猪牙皂一錢，酒大黃五分共为細末，每服二錢，热燒酒服。”

李繼昌医师所藏滇南本草抄本和張宝善同志所藏抄本卷下，比刻本多出“神应万灵丹”叙明“此葯生于朝陽之地，溪水之边，名曰万灵丹，又曰矮陀陀，又曰矮槐，又曰万年青，冬不死，夏不枯，秋不落叶，……”这些文献都可以提供今后研究的参考。

野烟：滇南本草圖譜根据植物名实圖考的野烟圖，認为野烟与烟草（淡芭菰）無異。烟草为栽种品，野烟当为栽种品之逸出者。又認为烟草不見于本草綱目，而見于倪朱謨的本草彙言，判断烟草是舶来品，輸入我国当在明末。經过詳細比对文献和諮詢中医师后，証明圖譜的說法不合事实。据苏采臣医师說："野烟是另一种野生植物，現在还採得到，与栽种的淡芭菰不能混为一談。"滇本草（务本堂本）的原文是这样的："野烟，味辛麻，有大毒，治热毒疔瘡，癰疽搭背，無名腫毒，一切热毒瘡。或喫牛馬驢騾死肉，中此惡毒，惟用此可救。补註：喫此药后，令人煩乱，不省人事，發迷一二时后，出汗方醒，不必着惊。盖此药性之惡热也。附案：昔一人生搭背，日久不潰將死，名医診視，皆言死症，俱不下药。后一人授此草，瘡潰，調治全癒，后人因名气死名医草。以單剂为末，酒合为丸，名青龙丸"。

关于治疗搭背的特效和治疗中的过程，苏医师經过多次实踐，認明滇南本草所紀載是完全符合事实的。

五、对研究"滇南本草"和云南药物的几点建議

"滇南本草"在中国药物学上，固然有价值；但要充分發揮它的作用，还有待于进一步的鑽研。首先是現存各种版本的錯字，須經校勘，如石椒叢書本作右椒草，植物名实圖考引作"石交"，又如水牛連帖叢書本作水中連帖，务本堂本作"水牛蓮贴"，此外务本堂本重复的药有12种，又各本中異物同名或異名同物有待于考究的，如沙参与金鉄鎖，白云参与白云瓜，地草果与草果药等，是否一物还不清楚。至于在其他圖書中引用的，散見多处，不經过輯录，也無法进一步的研究。

又原書叙述簡括，着重药性和治症的叙述，对形狀和气味多从略。叢書本沒有圖，务本堂本卷一上的圖說，与后兩卷体例不同，連貫不起来。圖也簡單不能滿足参考研究的需要。

滇南本草虽然是長期积累所成，也只限于清光緒間管氏弟兄編校为止。后来發現的药，沒有收进去。即以前的药，缺略也很多。重要的如樟腦、麝香、鹿茸、雞血藤等，是古籍中就已記載的貴重药品。大黄、黄連、半夏、冬虫夏草等是云南的名药，也沒有收进去，至于常山、保險子、白檜桿等一些特效药，更有待于增补。

更重要的是实物与文献不能完全連系起来。"滇南本草"中的药物，医界老前輩是懂得一部分的，如果不及时向他們学習，明确的紀录下来，就有失傳的可能。

从上举四点，我們对研究"滇南本草"或者說进一步研究云南药物提出了下列几点建議：

1. 文献的整理：1946年俞德浚教授在"八年来云南之植物学研究（1938——1945）"一文中介紹到"吳征鎰与匡可任氏对昆明植物与云南之药用植物研究尤詳。"从这一篇文內也知道吳韞珍教授畢生研究云南植物的成績，已部分採入"滇南本草圖譜"中。又提到"吳征鎰氏曾就滇南本草（云南叢書本和务本堂本）与植物名实圖考所引滇南本草之名称，以及实际採訪所得，編訂'云南药物名目'一文，后之欲繼續完成滇南本草者，当可以之为重要参考。"[11]我們認为这是基础的工作，应就滇南本草的版本和文献作一番校訂整理。

2. 与民間医生实际經驗的对照：吳其濬在介紹"藜蘆"一条說："此药吐人，方家禁用，而滇医蓄之。其根白膜層層，俗亦呼为'千張紙'，有瘋痰症則煮食之使吐其痰。"又說："藜蘆吐药，吐法、医者不复輕用，此药遂無識者。余至滇見有市此药者，始識之。"又引李时珍說："一妇人瘋癇数十年，以飢岁採草若葱狀，飽食吐涎，三日而病去。"[12]滇南本草正收有"千張紙"，但沒有談到祛痰医瘋癇的作用，中药店所售"千張紙"，药性和主治也与此不同，現在草药医生医瘋癇的药是否即"千張紙"或"藜蘆"？有待于周諮博訪，才可能解决問題。

又如最近安徽桐城农民余家志公开的治水腫方，發現一种俗称"細米草"的野生植物，經初步鑑定，学名"半边蓮"。医疗血吸虫病临床效果很好。滇南本草也有一种"半边蓮"，但又名"青牛膝"，兩者形狀不同，滇省是否也有"細米草"的"半边蓮"？急待于訪問。这些事实，說明了如果不依靠民間医生，尤其是有經驗的老医生，便無法解决文献与实踐結合的問題，也就

談不到發揮他們可掌握的特效藥物的作用。至于中医和草葯医生使用的葯物方剂不同，（如“水芹”，“甜远志”，“滇产白芷”，中医是不使用的。）进一步的交流經驗，相互溝通，也是当前急务。

3. 採集鑑定和編輯葯物标本說明：中国科学院植物研究所昆明工作站收藏極丰富的云南植物标本，俞德浚在云南經济植物調查报告中，作了初步介紹[12,13]，其中第15节葯材部分，也有簡要的說明。我們希望工作站同志把葯物部分提出成套的标本，編制說明，与草葯医生提出的葯物相对照，如有新种，鑑定加入。又盆栽的葯物，也应培植，这都是必需的研究材料。

4. 广泛征集民間医疗的單方：滇南本草所收單方虽多，但民間習慣上使用的單方为数还不少，我們建議加强宣傳，广泛征求，提供研究者的参考。如实际有效的單方，应該預以奬励，目前江苏四川各省已把民間單方彙印出来。云南省如展开征集工作，預料必有收获，这也是提高社会主义觉悟的教育。

5. 选擇葯物作化学分析与临床实驗：对中葯葯理的研究，虽然不能停滯在葯物化学分析的阶段上，但在化学分析和临床实踐中寻找出新的研究方法来，仍是重要的。过去刘紹光[14]和苏采臣等合作，將一些草葯作葯物化学分析，制为成品，如保險子，金剛散等，是有貢献的。目前我省研究机关也正进行白芨等特效葯物的化学分析和临床实驗，衛生厅所編的“云南的葯用植物”中已作了紹录介紹。我們建議应該推广这一工作，根据文献和医生已有經驗的基础上，再选擇若干葯物分工合作，作葯物化学分析与临床实驗，这是符合于又多又快又好又省的方針的。如中国科学院召开抗生素会議的时候，苏联代表做了地衣提制抗生素的报告案地衣（Lichenes）是担子菌或囊子菌与裂殖藻或綠藻共生的植物，滇南本草中的“地卷草”和“地瓔子”等就屬于地衣植物。苏采臣說“这类植物，在云南很容易採集”。我們学習苏联葯学家对中葯的研究，像 Э. С. Вязьменский 氏[15]等为我們所开辟的途徑，吸取苏联先进經驗，从草葯中提制抗生素是有希望的。进一步研究其他生葯，正是我們的任务。

六、結 束 語

1. “滇南本草”是明代云南嵩明蘭茂所編輯，經过后人不断增补的地方葯書。应該根据文献和近年来云南葯物研究的材料，整理出一部較为完善的本子，对葯物的研究上可以發揮一定的作用。

2. 过去中国医学史的著作，着重全国性部分，忽略了地方性的医葯資料，是不能够反映祖国医学遺产的全貌的。我們認为应該搜集各省、各地尤其是少数民族的医葯史料加入。如云南历史上的医葯材料就不少，而研究“滇南本草”正是一个重要环节，对云南医葯史的研究，会有帮助的。

3. 我們的学識膚淺，此文仅就文献方面作了一些說明。至于云南葯物的研究工作，在党的領导下，今后不論是文献整理、征集民間葯物方剂、採集和鑑定标本、葯物化学分析与临床实驗的任何一个題目，都需要長时期的深入鑽研，需要科学研究工作者、医务工作者、文献資料工作者和广大人民通力合作，收到巨大的成果，是可以預祝的，本篇只算是“喤引”而已。

参考文献

1. 赵学敏，本草綱目拾遺，商务重印本，1955.
2. 戴絅孙，昆明县志，卷二，光緒重刻本。
3. 阮元等，云南通志稿卷 60—70 食貨志物产引滇南本草（光緒[illegible]修云南通志所引全同）。
4. 吳其濬，植物名实圖考及長編引滇南本草，道光刻光緒补修本，1905年云南圖書館据日本明治刻本石印，商务翻印本（万有文庫本同）頁818有关滇南本草版本考証的話。
5. 蘭茂，滇南本草，云南叢書本。
6. 蘭茂，滇南本草，光緒13年务本堂刻本。
7. 關芷庵，滇南本草，1937年世界書局鉛印，收入基本医書集成。
8. 裴鑑，中国葯用植物志第一册，引滇南本草，中国科学院植物研究所，1955.
9. 谢肇淛，滇略，卷三产略，傳抄四庫全書本，據云南备征志本。
10. 張志淳，南園漫录，卷八，九，云南叢書本。
11. 檀萃，滇海虞衡志，云南圖書館刻本，又农部瑣录华竹新編未見刻本，仅校云南通志引。
12. 俞德浚，八年来云南之植物学研究，教育与科学，第二卷第二期。
13. 俞德浚，云南經済植物概論，云南农林植物研究所叢刊，第一卷第一期，1941.
14. 俞德浚，云南省之农林植物富源，教育与科学，第一卷第十期；又與征鑑，中国。
15. 刘紹光等，滇产葯材保險子之研究，中华医学杂誌25,683，1939；又云南日月大葯房第一屆出品征效录，1937.

中国瘧疾概史

龐 京 周

我所讀过的瘧疾史性質及类似的文字有四篇和一些片断。最長的一篇系从中国古代起直写至近年与外国資料並叙；一篇和某些片断是則純是中國的；又一篇則是外国瘧史的摘要；另一是瘧疾治疗演变史。各篇中一般提出問題和論断較少，講治疗的篇中还未提及常山等葯，而各文發表的年份最迟者距今也已十載。

因此我又加入些未被採用的資料而重新写成本文。缺点自然还多，希望讀者指教。

一、古代尚無医籍时期
（約公元247以前）

我国殷商西周时期沒有完整医籍留傳下来，疾病史的研究，势必借重側面記載或考古文物，可惜这些东西能搜集者不多。我国考古学近年正大大开展，預料今后当有新的發見来充实医史。

古代对病象的認識，先从外伤或局部、表面开始。其次才辨别具有明显全身症的热病，尤其是表征突出，症狀較恶的病。瘧疾寒热交作，病者战慄不耐，或者是很早能被認識的原因。

汉魏說文、釋名等字書去古未远，其解字当能代表古文之义。說文（107—125）謂："寒热休作"之病。其后玉篇謂：从疒从虐，含苛、殘、災之意，可知認为異常可怕之病。釋名（220—260）說得愈透徹："瘧，酷虐也，凡疾或寒或热耳，而此疾先寒后热，兩疾似酷虐者也"。"交作"和"先寒后热"确是原虫瘧之症象。

外国同此时期亦称瘧为 plague，無非指惡性的流行病。与今日以之専指 plague 为鼠疫者不同。

我国現有最早可考文字是殷墟甲骨文（約公元前十三、四世紀）。其中就有疥、疾、瘧等字。瘧字作𤕢形。

周禮："秋有瘧寒疾……"，禮記："孟夏之月，寒热不节，民多瘧疾………"。如此明指秋季多發之瘧与現代知識無二。

在左傳中可以看出有迅速致死的瘧疾：襄公七年（前566）"子駟使賊夜弑僖公而以瘧疾赴（即訃）于諸侯"。这种瘧疾分明是与被刺的突然死亡相似，未必是間歇一二日之瘧了。

同書昭公廿年（前552）"齐侯疥，遂痁"。历代釋痁为热瘧、大瘧者居多，至多解为危疾。惟清代臧琳經义杂記說："今人病疥亦多寒热交發，俗呼寒瘡，轉变成瘧势所固有"。① 这是化膿热的寒热交作，而历来医書拘于旧說，每多混淆。

此后临床鑑别日多，瘧名日繁，如痎（同瘖）瘧、瘅瘧、温瘧……等。瘧字在这場合似乎只是"寒热交作"之病，而在这种病之間还有症象上的区别。这是医学發展中要求进一步分析病型的自然趋势。

二、医經方葯出現的时期
（約公元前247以下）

山海經本草經的瘧葯

山海經中关于治疗瘧疾的葯物如东山經說："……有木焉，其狀如楊，赤华，其实如棗而無核……。食之不瘧。"据清郝懿行箋疏說：系"……本草經腐婢，陶註云今海边有小树，狀如卮子，莖条多曲，气作腐臭，土人呼为腐婢，用疗瘧有效，即此。"山海經还有"……其狀如櫄，其实如瓜，其味甘酸，食之已瘧"的植物。据郝氏考为白蓉。經中原有"……有木焉名曰白蓉"之句，而玉篇載"蓉，古豪切，草名，其实似瓜，食之治瘧。"此外还有"苦辛"如果按照名医别录"常山味苦辛"的說法可能就是常山。

这些葯中除白蓉，神农本草經未收外，其他各葯确在历代本草中均列入治瘧剂的。神农本草中又多了白微，蕘花、阿膠、常山等等。那时已用复方，我們正不必問它是否对瘧虫都有"特效"。例如亦有人考証"其实如棗而無核"者，实为薯蕷，薯蕷亦即山葯，以为山葯可以补益身体

---

① 参考余云岫：古代疾病名候疏义引。

而間接祛病，故名"不瘧"。其說也似可通。縱然山药也有圓形塊根的，"其实如棗"总不像山药。

古代医書內經之瘧論 山海經大致比內經为早，兩書均是集秦汉以前的資料而成，为一般所公認。最近学者以为內經中某些部分可能为汉末时增入，但全書內容不致为魏晋以后之作。其中的瘧論和刺瘧篇自应看作瘧疾的病理、治疗的最古資料。其論因、述証除散見各篇而外另作專論，足以說明当时对于瘧的重視和为患之烈。

瘧論："大寒大热交作"，"先起于毫毛欠伸，乃作寒慄、鼓頷、腰脊俱痛，寒去則內外皆热，头痛如破，渴欲冷飲"。又指出日作，間日作。

这样的描写毫無疑問是原虫瘧的症象。

关于病因則云："夏伤于暑秋生痎瘧"，"夫痎瘧皆生于風"等。治疗所述則仅是針法。如刺瘧篇："刺瘧者，必先問其病之所先發者先刺之，先头痛反重者，先刺头上及兩額眉間出血……"。又說："脉緩大虛，便宜用药，不宜用針"。这很重要，足見当时治瘧是針药並用的，有些人判断內經的时代过早，而且以为那时治病仅有針灸，尙無方剂是不确实的。此外以症象分型者如：癉瘧、寒瘧、温瘧……以及用器官来分的如：心、肝、腎、脾、胃等瘧共达十余种，而这些名称並未为汉末張仲景所完全提及，也引起清初喻嘉言的異議① 这是一个值得研究的問題。

痎瘧，被后来注家公認为間日瘧。至癉瘧則自仲景起一向描写为"但热不寒，少气煩寃，手足热而欲嘔……令人消爍肌肉"，又指为"肺素有热"，"羸瘦如瘧"，"洒洒然如瘧"且处方用阿膠等补剂。旣称如瘧，不認其为眞瘧，兼之症象極似癆病，所以首先使人想到它为結核性疾病之热是很可能的。

汉末經方的瘧疾証治 汉代的生产力、学术、文化更加發展。医药学相应地进到很高水平。可惜至今我們所留存的汉代医書只有張仲景的伤寒金匱，这是写病史者最遺憾的。

金匱要略(公元189—219)中对于瘧疾只載証二条，方六首。他還不同脉象，以不同的复方湯药来治疗不同的瘧症。其中也分作牝瘧，癉瘧、温瘧等。著名的有效药常山和蜀漆就被运用在他的复方"蜀漆散"和"鱉甲煎圓"里。后者且是全書中运用药味最多的处方。从这里也可以推想这种方剂可能也治其他間歇热。这时候外来药物早就有了，然而在仲景方中看不到明显痕跡。

張仲景述証方面最精到的是脇下成痞塊的："結为癥瘕，名曰瘧母"即今日所知之瘧疾脾腫。外国瘧史中以荷蘭画家阿尔伯杜勒在1476—1528所自繪的脾腫作为著名考証，距張氏的观察已迟一千三百年了。

外国瘧史中有人認为瘧疾是从亞洲或非洲国家傳至希腊而入欧洲的，这只好說有此可能，尙無有力的証据。至于日本人上田茂树的世界社会史中硬說我国汉末的疾病曾經傳至罗馬而其中就有瘧疾在內，未免是片面的牽强附会。

三、魏晋隋唐时期(約公元265—906)

傳染病思想和瘴与瘧的关系 这个时期文化更有高度發展。医学上已有葛洪所指的傳染病思想——"天行""时气"，兩晋的医家極少空泛之論；南北朝时药物学尤为进步；隋代論証，观察精审；唐代大一統以后，繼承前代經驗給予我們至今可考的巨大文献。

医学上的特点是道教色采很濃厚，出現了鍊丹医家，葛洪、陶宏景、孙思邈都崇尙道教。葛洪所称的"尸气""鬼气"类似今人所說的"傳染体"。辟瘟的預防药方开始制訂出来了。但同时也产生了迷信厭胜之法。这些特点反映到当时方書以及后代瘧疾的証治中都很明显。

瘴瘧与瘧疾相提並論，在肘后方中已可明显看出。这几乎是我国"地方性疾病"思想的最初文献。巢元方諸病源候論是收罗前代記录並有自己創見之書。如果把近人整理的关于古代瘴气的記載来对照一下再結合現代的科学証明②，就可知晋隋諸家在实际观察上已經确認

① 喻嘉言医門法律卷13云："如瘧病一門，巢氏病源妄分五臟，后人謂其發明內經，深信不疑，而不知瘧邪不从臟發。內經所無之理，巢氏臆言之耳。"其意謂內經以五臟命名之瘧是隋人巢元方想出来的。为他人所未道。

② 二十年前姚永政等已从土人所指瘴气患者血中証实惡性瘧原虫。

瘴与瘧的密切关系，虽然瘴还不尽是瘧，也不完全是惡性瘧。古时所以又把瘴与瘧分开論列，無非为了不敢非古，必須尊經，以致勉强把各种衍化出来的理論裝在临床实踐中真切观察到的病症上来迁就"經义"。所以虽有發展也受到了局限。巢氏病源就是如此。內經既說天时，說風寒，于是瘴就被另列一項"瘴嵐之气"。試看巢氏把瘴癘列在温病之末而其下就紧接瘧病候，在瘧病十四論中虽有新知灼見，总不得不先从足太陽講起，叙完了六經瘧，再論心瘧、肝脾、腎、胃、肺六瘧，然后又分摘內經文字而論痎瘧、痰实瘧然后山瘴瘧再論到六瘧成为十二条。其中只有山瘴瘧和痰实瘧沒有引經文而述症的。他說山瘴也是"休作有时""其病重于伤暑之瘧"。

禳咒針灸及藥物治疗　这个时代的瘧疾疗法从肘后方、千金方等代表性医籍中看，大致有以下突出点：晋代肘后方除禳法外32方中用常山者12方佔45%，比金匱多用效力較小的蜀漆(常山苗)又进一步。其次用知母、鱉甲、巴豆諸方；砒剂並不常用。对于針灸則主張多用灸法，大概是取其簡單易行不比針法需要更高的技术。唐千金方的治法与金匱、肘后的精神相类，但添了許多禳咒之法。至于千金翼則已經被公認为后人託名孙思邈的伪書，只要看它所記的据瘧鬼病因而論十二时發作各瘧，模仿素問体裁解說瘧疾之在某一时辰發作者为某种鬼所致①就知显出庸手。

外台秘要論五臟瘧与山瘴瘧甚詳，其說多採自汉隋諸書。惟其中卷13傳屍方引文仲論："傳尸病亦名痎瘧，遁注、骨蒸、伏連、殗殜"(都是結核病的古名)，足見隋唐之际显然把痎瘧二字用到所有忽寒忽热的病症上去，並不是間日瘧之專名，也就是后世不断紛爭解說以至治疗的舛誤的根源。

在近年發現的敦煌石室唐写食疗本草殘頁中有蕪荑条下說："和沙牛酪治一切⿸疒虎"，⿸疒虎字經考与瘧字有关②。再查肘后方中有"虎头杀鬼方"——辟瘟疫、瘴气的佩帶藥，后代治虛劳的"鱉血煎"里均用蕪荑，荷蘭藥鏡則說蕪荑能治間歇热。据此可知中古时候根据某些学說無論在名病上在藥物治疗上与真正原虫瘧渾淆不清的当以結核病的弛張热为最多，用鱉甲、柴胡、阿膠加常山、蜀漆者也決不是專治原虫瘧的复方而似乎是当时兼治多种"寒热交作"症候之剂。有人採用近代整体治疗的学說將这种复方的作用解說为：增强了全身抗力，使原虫得不到發育条件，从而治癒了瘧疾，恐怕还值得商討的。

沙牛酪和藥內服法，不見后代方書。頗疑来自外国。若論治瘧剂中的外来医藥或可推蕪荑为最早。但是此藥並不收入历代本草的治瘧項下。

側面史料和瘧鬼說　瘴的記載如水經注說："貢古县瘴"（即今云南蒙自箇旧一带），华陽国志說："兴古郡时有瘴"(今云南曲靖一带)。唐天宝13年(公元745)李宓等率十万人征大理丧师，疑是遇瘴。元史："刘深等以兵13000人詔還北遇瘴"。明万历24年（公元1596），以兵屯垦滇南遇瘴。明崇禎二年(公元1628)云南順宁大瘴疫③。

晋嵇含南方草本狀說："芒茅枯时，瘴疫大作，交趾（今越南）兩广皆尔也。土人呼为黃茅瘴"。唐郑熊番禺杂記說："嶺表見物自空而下……人中之即病，謂之瘴母"。唐段公路北戶录說："……多鸜鵒，凡养之者，俗忌以手頻触其背。犯者即多病，顫而卒，土人謂之鸜鵒瘴"。(按此条所述有兩个可能。一是与瘧、瘴無关的鸜鵒病 psittacosis。一是确系患有"顫"的症象之惡性瘧而土人將原因归之于鸜鵒)④。

近代学者虽已从瘴气中証实了瘧疾，但尚有多种土人所称之瘴，並非都系瘧疾。热帶还有許多或濾过性病毒疾患。就以防瘴，治瘴的方藥来看，也包含着对付多种病症的。(1163—1189)宋范成大桂海虞衡記說："瘴、兩广惟桂林無之……其中人如瘧狀……，常以附子为急須，不換金、正气散为用……八九月曰黃茅瘴；土人云黃茅瘴尤毒"。

---

① 該書卷18瘧病下云："黃帝曰：瘧鬼十二时願聞之；岐伯对曰：寅时發者獄死鬼所为，未时發者溺死鬼所为……"。

② 墨子經說下：智者若瘧疾之于⿸疒虎也。畢註⿸疒虎即瘧字。

③ 取材于中华医史杂誌1954年三期李𦖭南云南瘴气流行簡史。

④ 嵇含西晋人。郑熊說，宇雲誤作宋陆游語。段公路为段成式(酉陽杂俎作者)之子。

以上这些資料足以說明瘴气流行的地区，自晋唐以来記載确实，与吾人今日所知夏秋瘧疾流行地区相符。

另外一个突出的病因說——瘧由鬼致，实际上远出于汉代的王充論衡。但已往瘧史中提到它时都以为晋代干宝的搜神記开始，① 有人認为此說只不过是普通迷信神話，但这个說数給予后来医学上影响非常巨大而長久。由它而产生的咒瘧、逃瘧、遣鬼等办法流傳至今1600余年尙未完全絕跡，而且这些东西竟被載入唐宋正式医籍之中。

在国外也有不約而同的瘧鬼說：法国高其散(Sand George, 1804—1876)之子馬立斯散曾繪一圖，圖示古老的培雷居民認为沼澤地帶之病由鬼所致。画中表現羣农自邻邨归来，突見蘆葦叢中非男非女巨人坐于木制水閘上注視他們，而他們惊逃。此画1861年在巴黎展覽过。②

我国一般說法則云：晋代干宝病瘧而愈，从此自言能見鬼，做了一部述說神怪灵異的搜神記；其中引用了王充論衡的記載道：上古王帝顓頊三个兒子死后都变疫鬼。居江水者就是瘧鬼，使人患瘧……。这事反映古人畏瘧疾的心理和瘧之难治。在道佛教盛行之时既找不到速效方剂，因而試圖僥倖，採用符咒厭胜之法是很自然的。(按医書中所称鬼瘧並非此处所謂瘧鬼。鬼瘧只是指像結核病者虛热的瘧型)。

自从这些方法被收入唐代医籍——千金方以后，一直流傳到民間很广，不过运用起来，有的簡化，有的改变了手法，作者幼年还在苏州亲見避瘧奔跑的行为。金代名医張从正虽以儒家的立場，在他的著作中力辟瘧由鬼致之說，但自相矛盾地依然保留了咒果法③ 的治疗。此外，治瘧的丸散丹各項成方以"趁鬼""断魔""斬邪"命名者甚多，与此自有关系。

唐人詩文中也有很多关于瘧疾与瘧鬼的文献，如韓愈、杜甫等大名家的詩文应該作为信史。

杜甫詩："三年犹瘧疾，一鬼不銷亡。(詩人也随俗信鬼)隔日搜脂髓，增寒抱雪霜(久患間日瘧而瘦弱)。徒然潛隙地，有靦屢鮮妝(虽逃瘧至冷僻处还是無效，画上臉譜吓鬼，不好意思)……。④

韓愈遣瘧鬼詩："……尙奋瘧鬼威，乘烁作寒热，……医师加百毒，……灸师施艾炷(可見盛行灸法而非針)……詛师毒口牙(似專業者)……符师弄刀笔(符咒)……祖軒而父項，未沫于前徽……⑤。

唐庚侨居嶺南患瘧寄友人詩："空日一寒暑，有準如契約；(典型間日瘧)……旧聞五嶺法，有此万戶瘧。(兩广一帶甚至家家不免)……請作如是观，無病亦無葯。⑥

唐明皇的倖臣太監高力士被謫时，他正患瘧。用逃瘧的習俗躲在功臣閣下。(人跡罕到之处，亦即杜詩所謂隙地)。⑦

白乐天的避征詩所謂"未过十人二三死"也指的是西南瘴气。另外晋代陶潛、唐代元稹、皮日休还有关于瘧疾的詩文。

从这些記載中可以在不同程度上看出当时的患病率、病型、病期、治法、流行地点，避瘧厭胜諸法的效果以及人民畏瘧的心理。

四、宋金元时期(約公元960—1367)

張从正1206—1208所記关于流行的資料乃一般医籍中所不常見的。他說："余亲見泰和六年南征，至明年迴軍；是岁瘴疫杀人莫知其数，……次岁瘧疾大作……侯王官吏，上下皆病，輕者旬日重者經年"。这分明惡性瘧由南而北傳佈並帶有長期的三日瘧种的明証。在此以前陈言的三因方中开始提出"疫瘧"，"正瘧""时瘧"的区分⑧ 足見当时常有大流行和散發性、季节性等瘧。元代于1280年后远征西南，兵力

---

① 論衡訂鬼篇(卷12)引亂(周时逸亂，書已佚)曰："顓頊氏有三子生而亡去为疫鬼，一居江收为虐鬼，一居若水是为魍魎鬼，一居人宮室区隅漚庫善惊人小兒"。又解除篇(卷二、15)"……一居欧隅之間主疫病人"。

② 本文宣讀时有主張視避瘧鬼等事为一般迷信而勿予申論者，或未注意其特点，因补充数語。

③ 咒果法系对桃李杏棗栗諸果唸咒曰："吾从东方来，路逢一池水……"云云，唸一遍吹果上，唸、吹各七次令人病面东食果安睡。謂可治瘧。

④ 杜甫此詩居秦州时作。

⑤ 韓詩或謂諷詩此处亦用顓頊子瘧鬼之典，但韓愈时代可能採用王充所引，或尙能覩逸亂。

⑥ 唐庚时客惠州。

⑦ 見宋赵兴时賓退录。

⑧ 三因方1174年作。陈方之先生著傳染病学内"旧医回顧"認諸名出自清王孟英者非也。

达中东諸国，很可能使热帶瘧傳入更多，前所引刘深在湿北遇瘴即其一例。

各学派論治之不同　由临床治疗与瘧作斗爭的实踐中自必产生新的理論，但这些理論不能不受当时学术思想的束縛。

瘧疾之名由唐的外台秘要所列十五种以外又添出劳瘧、疫瘧、母瘧、鬼瘧。論証的著作虽多，总沒有离开內經关于論瘧文字的重复，其次是症名愈多，混入其他寒热病也愈多，与巢氏病源如出一轍。例如聖济总录既說："瘧發痎时，或日作，或間日乃作也。""寒、温、痺瘧，动皆該时，故日痎"。然而又說："寒热往来，夜臥盜汗"。張从正書也有："寒热往来，日晡發作"。明明把每日下午体温升高而有夜臥盜汗的結核病症象重复与古时的"痎，二日一發瘧也"反致混淆起来了。再則用文字構造的方法上解"痎"为"該时"也沒有多大意思。痎也可写成瘖，那么又当如何拍到如期發作上去呢？

值得注意的倒是和剂局方載有："一日發，間日發，一發后六七日再發"的几种病型。这么一种不得不使人疑心那时是否已观察到回归热病例了。可惜其他文字还無足够的說明，因而尙难臆断，但此种描写确不常見，其治疗方剂应可研究。①

病因学說，此时曾把目标轉向脾胃。陈师文（1102—1106）書云："食生冷之物，內伤脾胃"恐即痰实瘧的进一解，但总不得不据"外邪客于風府"的內經瘧論相印証。从此痰食、痰湿兩瘧成为重点治疗对象。凡用药力显著的常山，信石等剂总認为因刼痰而治了瘧。这个葯理机轉被承認至明清而不变。李时珍論砒剂也据此說。

众所周知的金元时代的刘、張、李、朱四大家則各随体会古書之不同，所居地域，所見病例之不同而各自發揮己見，使用不同的方葯。瘧的症型既已分至十余种，于是他們运用驅風，袪邪、刼痰、瀉火、养陰、补脾的道理，採取汗、吐、下、和、解、刼、截一系列方法，各自認为均有成績，而且也有广大的病例为对象。

这个实事，愈益說明众瘧之中，絕大部分不是今日所知之原虫瘧了。

他們的治疗法有若干是前人所未言的。一是对生活优裕的社会上層人士——膏粱之体，主張只能用温和些的葯。对劳苦人民——藜藿之体則敢于施猛攻之法。張从正說"富貴之人，劳心役智，不可驟用砒石大毒之葯"。

如果以人民性的强弱来衡量古时医者，如果以影响后学思想的角度来評价他的学說，实在"不可为訓"。正不必一味尊崇古代名家而强用什么：对不同病人的体質运用不同的整体治疗法則……为之辯护。試看这种区分貧富的处方，在汉晋唐代倒是不提的，尤其时后方更著实为乡郵僻野之民設想周至。其二宋代以来对瘧疾初起多半不主張驟用截补之葯以免成痨瘵。②后来几百年多宗此說，故"必待其二三發后，然后截之"。这里可以看出：当时已知瘧疾本非險症，为了观察清楚，确定診斷，然后用葯以免与結核等病相誤治。有人提出：是否傳統的截瘧复方确在二三發后使用，則效力更好，还待今日临床实驗。

砒剂治疗之盛行一时　宋金元时，用砒和其他金屬化合物治瘧远盛于其前代和后来几百年。如陈言的六个治疗方全部含砒。刘完素的瘧神丹、趁鬼丹都用砒。本事方中还有好多用砒的。反之汉唐瘧方中所广用的，常山、草果諸葯，那时反形減少。有的只与附子並用在防瘴剂中。柴胡、甘草、知母、烏梅虽一般均用，但其目的显非針对瘧症。

当时用的砒石——信石（产信州，化学成分黄者为二硫化砒紅者为三硫化砒），近人瘧史曾認为古时用砒即相当于現代化学疗法——如以Salvarsan治瘧之理。但笔者以为化学疗法的定义应是确認生物病原以后所产生，以化学品直接杀灭生物病原的目的，而外国以砒試治間歇热却早在17世紀，恐目的並非如此。

砒能刼痰愈瘧之理始自何时何人，还是一个应研究的問題。至于用砒的利弊如何，則明清医籍与現代医学已經給予适当答案了。

五、明清諸家致力于热病診疗时期（約公元1368—1889）

瘧疾証治論因多半散見各家著述，間有單

---

① 其方为妊娠餅子。含信砒、硃砂、定粉、金箔等金屬化合物及龙腦、麝香。又胜金圓則常山檳榔为主葯。

② 孙允賢1321年著原文：……当先發散寒邪……若截早……不能即愈致成痨瘵者有之。

行專論如盧之頤痎瘧論疏，（1609）郑全望瘴瘧指南，皆是極少通行之本①，关于基本的理論仍旧尊經崇古，尤其清代統治者一面以汉族固有的文治为政綱，一面也兴过殘酷的文字之獄，著書立說者不免咸抱戒心，不会全不影响到医学。

在这情况下，瘧病的論因，述証，施治無非远追汉唐，近法金元，擷兩宋之精华，承四家之余緒。广博有之，蕪蔓难免。病因之說尤見紛紜。

李士材医宗必（1637）讀說：“衷邪不能外越，陰陽相拒相搏”；赵献可医貫仲李东垣之見②偏重五行生尅以为：須培命門之火……腎水为子……以子救母云云。喻嘉言（1658医門法律）認为：風寒燥湿暑火乃六瘧之根，而他否認五臟病因。諸大家不外將陰陽、五行、六气三大論綱充分运用。陈修园以張正之說翻版由字典的解字“瘧、酷瘧也”扯到：瘧由酷暑所致，盧之頤痎瘧論疏甚至謂常山之所以能治間日瘧是因为：“常即恒久不变，山即艮止不迁之意也，若間二日或數日發者可类推矣……”。

張景岳（1520景岳全書）堅决說：“瘧疾本由外感，故內經瘧論無非曰風曰寒，其义甚明而后世之論总不过約言其末，而反失其本。”这就反映張氏以前之紛爭总未解决实际問題而終于抬出經文大帽一扣。然而沒有扣得住紛爭的繼續。

宝貴的鑑别診斷大家　除拘于經文擇弄玄虛的病因論外，也有質朴观察的述症名家之見。戴思恭（1944証治要訣）說：“瘧証不一，其名亦殊。……亦有非痨非瘧等疾而成寒热……不可不审。”“热多者宜驅瘧飲……候可截則截之。”“外有伤寒往来寒热为瘧，痨病往来寒热亦如瘧；謂之如瘧非眞瘧也……。痨病寒热为瘧，初必五心發煩热，劳倦咳嗽，久乃成寒热，与正瘧自不同。諸病皆有寒热，为失血、痰飲、癥瘕积聚、小腸疝气……須問其原有何病而生寒热，則隨証施治。寒热發作有期者瘧也。無期者，諸病也”。

这样的分析明确比之張景岳的“温瘧即正伤寒，当于伤寒門酌而治之”高明多多。虽則張氏亦認为：“似瘧是病虽有寒热往来……一本非瘧之类也，大病之后或产后虛損，俱有此症。”

吳又可（1624瘟疫論）說：“瘧疾二三發或七八發后忽然晝夜發热而渴不惡寒……各証漸具，此温疫著，瘧疾隐也，以疫法治之。温疫晝夜純熱……下后脉靜身涼，或間日或每日，时惡寒而后發热如期者，此温疫解瘧疾未尽也，以瘧法治之。”又說：“凡瘧者，寒热如期而發，余时脉靜身涼，此常瘧也，以瘧法治之。……必見里証，名为温瘧。以疫法治者生，以瘧法治者死。”可見明代早不以温瘧为常瘧了。

像戴吳等人，並非不学內經，不尊內經者，他們之所以能够有益于病人就在于結合实际，不是教条。所以非常可貴，它們显出有实际經驗和把握，因而語气如此爽朗堅决。

疏經家与瘴瘧論著作　明盧之頤的痎瘧論疏是一本解釋內經关于瘧疾之因、証、治的書。虽然在著成后沒有通行，然而从清朝的紀昀等把它收入四庫全書而加推崇的話来看，可以知道明末至清初泥古者有很大的势力以及它們給予后来医学上的影响。

明郑全望所著瘴瘧指南（1609刋）是一本宗奉李东垣学說的論瘴專書。序中云：“壬寅（1602）天时热，入冬四方疫病大作，其症似瘧而寒热不間断，似伤寒而三陽、少陰、太陰症并。”其中显有惡性瘧在。这是張从正以外另一流行确載之見于医書內者。正因那时寒热往来之症型多，医家为了要努力作出鑑别診断以施治，于是尊經者往內經里寻找根据，临床家的一部分实驗派細察病狀，改变方剂，至少主观上均是积極的。它們的成就，有的已受当时实踐檢驗（仅統計范圍与今日有别）有的尚須利用今天的新方法新知識来加以証明。

温病家对瘧疾的看法　清初名医如叶天士、吳鞠通等大大研討温病的治疗。如果說这方面的辨証施治确比前代有所改进，也許可以說間接对于瘧疾的鑑别也是有进步的。糅杂过甚的瘧名，似乎从这时起不再有所增添了。所謂时方派的用葯是比較和平穩健的。他們的主

① 盧著四庫手鈔本，郑書小册各一卷。

② 李东垣謂三日作之瘧为三陰，又按子午卯酉，辰戌丑未、寅申巳亥十二日發作者分列少陰，太陰、厥陰三經。完[illegible]而不切臨床实用然流傳甚久。

要論点是"古方不尽足以治今病"。的确，疾病的發生率和流行狀况的病型，多少有变化的。某一病从大流行逐漸形成散發性本不須多少年。温病时方派与經方派各據所在地区而又在某一时期內所遇之症例立論，可能兩者都是正确的。莫怪在二三百年的漫長岁月中，后学者忽覚此效，忽覚彼效而各有取捨①。时方派很着重兼症，其治瘧，即使对典型的間日型也必以踈風、祛痰諸法开始而採和平之劑。草果、青皮、柴胡②而外不过偶用蜀漆常山，决不試砒汞等毒。后来如程鍾齡医学心悟中的治法已是融合时方經方的折中派，採用者几可視为常規。它說："瘧症初起，香苏散散之，随用加減小柴胡湯和之，二三發后，用止瘧丹(其中主藥是常山、草果)截之。久瘧脾虛，六君子湯加柴胡补之"。又："若体虛气弱加人參、黄蓍、白朮、当归、茯苓于柴胡湯之中"。这样，显然是一套治疗虫瘧的常規，其中包含着先用普通退热剂、观察二三發确定了診断，方用常山以止瘧。体虛，再予补剂。

外國發現了治瘧要藥　1712 意大利 Jorti 氏写了关于热病与瘧疾的書用規那皮治疗一切熱病，观其疗效如何，从而得出結論，凡規那皮最能奏效者方是真瘧。規那树皮在 1650 年由南美被西班牙的公爵帶至歐洲后，成为瘧病的救星。清代的康熙帝于 1692 年患瘧疾，由外国教士劝服此藥而愈。其时欧洲获得此藥不过 50 年，市上流行很少，我們民間还曾逼得不到它，故而說不上对我国的影响，不过作为有記录的第一个服用規那皮者，只好算是康熙帝了。

从本草綱目中看治瘧　明李时珍用有知必录的作風，把历代有关治瘧藥物網罗入他的本草綱目者多至 174 种，其中出自神农本草者 25 种而只有下品 11 种內包括了我們今日研究起来对原虫起着作用之剂。

总結以上数节，我們有理由說：瘧曾經成为寒热往来症候的总称，但远在內經时已确实包括着典型的原虫瘧在內，瘴則多半为惡性瘧，但也包括混合傳染之瘧和其他一些热病。

六、瘧原虫發現后以至今日(1880至今)

現代医学發見生物病原　1880 年 Laveran 氏發現瘧原虫並非偶然之事，乃系統的自然科学發达后的产物。此时正当雅片战争后 40 年，我国經济，学术均在凋敝之时。但仅仅原虫之發現远不足以解决瘧疾之一切問題。較完整的学理直待此后 20 年間，学者們陆續研究明白中間宿主——蚊的生活以及原虫的寄生狀态之后，方能在預防，治疗上起巨大作用。

此 70 余年間关于瘧疾的文献史料異常丰富。本文旣为概史，自难尽述。

惟念 20 世紀 20 年代以来，我国学者迭有貢献，解放之后尤見开展，酌叙梗概，用見病史之貫串，或有必要。

20世紀我国抗瘧簡史　19 世紀末叶，外国医师来华研究热帶病者頗多，初期記录，咸出彼等之手。20 年之后，我国医学人才輩出，遂有認清瘧患之烈而从事鑽研医学昆虫学，原虫学諸科者。人数虽不甚多成績亦复可观。更由于若干中医师們的关心，提供了傳統效方而使国产藥物如常山、柴胡、鴉胆子等經由新的途徑被作了临床、藥理、化学分析、生藥鑑定等一系列研究。这种工作尤以抗战期間在西南各省开展者为多。

第一次世界大战后的国际联盟于1923年成立了瘧疾委員会，系技术上援助各国抗瘧的机構。它于 1932 年也派員来华作了些重点調查和建議。我国人对于全面抗瘧的願望算在此时开了端。抗日胜利后华南曾有抗瘧組織，其中还运用了前此十年的基础中一磚一石。終因政治、經济、組織的不良沒有作出多少成績。

解放以来，人民政府首先以面向工农兵和預防为主为衛生方針。1955 冬已把瘧疾列为农村合作化規划中須在七年內基本上予以消灭的疾病之一。更由于政治对科学研究的支持，科学人材的爱护，使有成就的医藥学家以及几年来湧現出的青年專才得到鼓舞而对抗瘧工作

① 溫家謂南方無眞傷寒，北人無瘴，患瘧奇險，实明郑氏以前久有之說。

② 据 1915 年台灣医学杂誌 150 卷周文朝、黃登云文：台灣所产柴胡对瘧特效並治黑水病。

發揮着莫大积極性。全国性的抗瘧工作已經順利展开。

今年在广东已开过有廿几个省市代表參加的瘧疾防治事業会議。

瘧疾的防治牽涉到很多方面，但医衛工作者畢竟是重要骨干。我們应珍視解放后的新条件，用新的态度組織起一切力量，發揮各人的智慧来对待这个工作，为害数千年的瘧疾是完全可以扑灭的。

結　語

本文重点擷取我国古今3000余年中关于瘧疾有代表性的文献，补充若干以前瘧史中未涉及的問題並提出自己的論点。

1. 我国远在殷商时已認識瘧疾並定有專名。至于病型区分發病季节均在公元前数百年，較外国古代与疫病混称者不同。經現代科学証明对原虫有作用之葯以及我国特有的針灸疗法使用很早。汉以后方剂不断改进。

2. 作者認为在發展过程中瘧疾的病因論和名称曾經变为異常繁复，凡寒热交作之病均被称为瘧，不应統認古瘧亦即今瘧。

既然其他热病有其傳統疗法方剂，就不能与原虫瘧混同。在發揚整理傳統医学遺产时有很大好处。

3. 文中对若干問題取保留态度：晋唐治瘧方剂与外来医术关系；宋金元盛行砒剂的原因；針灸疗法在清代的衰微；咒瘧厭胜有無神經作用……等。將为作者今后繼續研考方向也希望同道多予賜教。

4. 中华人民共和国成立以来，对于防治瘧疾具有前所未有的良好条件，回顧已往瞻望前途，益感欢欣鼓舞。本文希望能作为对从事抗瘧工作者的献礼。

参考文献

（凡著名經典医書及註文中業已指出者未再列）

1. 甲骨文字黼卷下（1931河南大学朱芳圃）龟甲兽骨文字（林泰輔）殷墟書契前編（罗振玉）。
2. 李濤，我国瘧疾考，中华医学杂誌，18，1932.
3. 王愼之，瘧疾之历史，新医葯刊，21，1934.
4. 陈邦賢，瘧疾史，医事公論，14，1936.
5. 芳济棠，瘧疾治疗之演进，国医导报，3，1941.
6. 許雨阶，我国瘧疾問題，中华医学杂誌，18，1932.
7. Cinca，李濤，国际联盟瘧疾委員会之工作，中华医学杂誌，18，1932.
8. 張昌紹，国产抗瘧葯之研究，中华医学杂誌，1941.
9. 王进英等，国产抗瘧葯常山之研究，中华医学杂誌，3，1944.
10. 瘧疾証治摘要，上海市中医葯学术研究委員会文献組1955年未刊本.

莫斯科大学在祖国医学發展中的作用

Ф. Р. 包洛杜林　著　　苏联保健　1955. 3. 38—46

在研究大量文献和档案材料以后，著者叙述了莫斯科大学医学系發展的历史並指出祖国医学家們在祖国和世界医学發展中的作用。特别是前医学系，現在的荣膺列宁勳章的莫斯科第一医学院，在培养医学科学研究和临床工作干部的事業中，在發展苏联医学科学事業中的偉大功績。在文章中广泛地闡述了为根据新的原則改造医学而斗爭的斗士們的作用——Н. А. 塞馬斯柯，А. И. 阿布里柯索夫，Н. Н. 布尔堅柯，М. П. 昆冶洛夫斯基，В. И. 拉夫連契也夫，В. С. 古列維赤，Г. Ф. 伊万諾夫，В. И. 札巴尔斯基，М. И. 沙切尔尼可夫，П. А. 蓋尔勤，Г. М. 盧索里莫，П. В. 甘努斯金，В. И. 莫尔冶諾夫，А. В. 莫利可夫，П. М. 伊万諾夫斯基，С. И. 卡波倫，А. В. 列依恩列尔，А. Л. 米亚斯尼柯夫，Е. К. 塞坡以及其他許多斗士們的作用。

И. 斯洛尼姆斯卡婭　摘

（刘佐田譯自：Советское Медицинское Реферативное Обозрение, Здравоохранение, Гигиена и Санитария, История Медицины, 1956, 18, 113）

清代名医陈修园*

陈国清

清代名医陈念祖，字修园，号慎修，另字良有。前兩个名字很出名，后兩个名字知者較少。但在女科要旨續記中載：“德慶訪观察清河时，其弟南安寄来慎修医書兩卷。”傅某对慎修医学很佩服，披閱不倦。可見慎修的名字，很早在外地也有知道的。他生于福建省長乐县（古称吳航）的五都溪湄乡，死后也葬于故乡。

据我手边所能得到的文献，特别有关于陈氏的一生經历，和各方对于他的生卒年月的不同意見，在此作一概括的叙述，以商榷于研究祖国医史的同道們。

陈修园出生年月，未見于長乐县志和福建通志，也未見于其他記載。最近林亦岐氏称，由南陽陈氏家譜中，得知先生生于乾隆31年（丙戌，1766），可靠与否，有待証实。

陈修园少时很苦，好学，同时也好医。他的其子元蔚于長沙方歌括附識中說：“家严少孤，家徒四壁，半治举子業，半治刀圭家”。長乐县志也有相似記載：“陈念祖字修园，邑人也，少孤，家徒四壁，篤志力学，尤精于医”。他家学淵源，所以文学和医学都有成就，其祖居廊，通于儒，兼通于医。他又曾从泉州名医蔡茗庄（宗玉）学医。据福建通志轉載——小石渠閣文集云（侯官林昌彝著），茗庄为長乐陈修园师。这位名师著有医書彙参及六經伤寒辨証补方等。

修园于乾隆57年（壬子，1793）中举人，主考官为吳宏謨。中举后即旅居京都。此时适同乡伊云林，患中風偏癱症，湯米不入者十余日，都門名医束手，經以二大剂治愈，从此医名大出。（長沙方歌括其子元蔚附識載）。按伊云林名恒瓚，字朝侯，另字用侯，福建汀州府宁化人，乾隆34年（己丑1769）进士，累官刑部郎中，后以光祿卿告归，修园治好这位同乡京官的大病，于是名噪一时，但因此也得罪了一位权貴，这位当道的姓名未詳，因拂其意，拒絕館于其家，又怕惹禍，乃于乾隆58年秋，（癸丑，1793）托病回省。从此除私自著書外，一时竟不敢談医，可見他受打击后感触之深。以后他什么时候又回到北京，还不得其詳。但于嘉庆6年（辛酉，1801），在京考进士不及第，乃以举人的資格，由“大挑”做了直隶省威县的知县。在时方妙用小引里，陈念祖自述其“辛酉岁余罢試南宫，蒙恩試令三輔”。那年夏天，适値恒山大水，他奉命勘灾。这恒山不在威县境內，对于他这时算是出差。当时灾区疫情严重，他施展了高明的医术，救活了很多人，因此得到了羣众的爱戴。救灾工作繁重，他因劳成疾，几至于危，經他自己用葯才治好。在时方歌括小引中他自述：“捧檄勘災，以劳構疾，脈脫而厥，諸医無一得病情者，迨夜半陽气稍回，神識稍清，自定方剂而愈”。过了一年余，嘉庆7年（壬戌，1802）冬間，因母死丁憂，又回原籍。再过六年，嘉庆13年（戊辰，1808），他服闋已久，复到保陽供职（長沙方歌括小引）。可能他是恢复了威县县令的职。以后也到过高陽县。在这一帶地区办理救災事宜。因为他办災有成績，有經驗，这地区又可能有經常性的水災發生，所以叫他再到这里来。新方八陣砭小引載：“嘉庆7年（壬戌，1802），陈念祖題于保陽差次”，这是未丁母丧时的事。他在保陽的日子比較長，許多著作，皆在保陽差次写作，如时方歌括，伤寒論淺註，金匱方歌括等。据威县县志載：“嘉庆19年（甲戌，1814），陈念祖任威县令，有政声，至今邑中故老犹能称述之”。可見他的威县令最少做到1814年。据俞愼初氏称：“他也做过磁，棗强等县的知县，以后又升同知，知州，代正定知府等官，但未述年間。他在直隶省做官，一直做到嘉庆24年（己卯，1819），以老病引疾归。归閩后講学于長乐县之嵩山井上艸堂，門生很多。他死于道光三年仲秋后（癸未1823），死时年七十一岁。”此与宋大仁氏所考相符，但

---

*中华医学会第十屆全国会員代表大会福州分会提出論文。

与林亦岐氏由陈氏家譜所得，謂死在1833年，享年[illegible]岁，有出入。他的長子元豹（名蔚字道彪号古愚），次子元犀（字道照号灵石），孫心典，心蘭都是很好的医学繼承者。修园的許多著作，都有他們參与其事，許多遺著，都由他們整理后刊行于世。次子元犀，很早就跟在他父亲身边，金匱方歌括凡例載：“嘉庆16年秋（辛未，1811），元犀趋保陽差次，承膝下欢。”因此他們的言論，有关修园的部分，应視为最直接最可靠的材料。在医学实在易霍乱門，元犀說：“道光3年（癸未，1823）家君年71岁，于3月初旬，右脇之旁，生一瘡瘍，大約有二指，長不及一寸，其痛时竟如刀刺，城中諸外科無不延而診之，每敷葯而痛更甚。端午后肌肉漸消，飲食亦漸減，再后一月，日間只飲稀粥，多不过一二茶鍾。新秋以后病轉剧，煩燥不宁，日夜不得安枕，水米不能沾牙者十余日，犀不得已急备后事。忽于仲秋夜半略醒，犀以米湯半杯飲之，更見飽脹，犀思天下豈有半月絕谷之人，尙能生存之理，劝家君每日强飲稀粥数匙，三日后每早晚可进一茶杯。精神甫定即命犀曰，我数年所著之書尙未完备，即霍乱吐瀉二条，亦須重补，前三年患此病而死者，十有八九，其实为死于葯等語。”以后虽未說到其父的死，但死在此年是可以肯定的。他于1819年回省，原以老病引疾归，此处所說的病狀，又是非常严重，可能非普通的膿腫。自3月初旬得病起拖至仲秋后，病了五个多月，不算不久。且最后的吩咐，是遺囑的口吻。林亦岐氏說他死在1833年，可能有錯誤。林社丰說他死在1859年，一說見后段一那是不可思議的。

林則徐于道光10年（庚寅 1830），序金匱要略淺註云：“……吳航陈修园先生，精岐黃术，以名孝廉出宰畿輔（指直隶省），晚归里中，与光大夫結眞率会，余嘗撰杖侍坐，聆其談医，洞然有見垣一方之眼。窃謂近世業医者，無能出其右也，今先生捐館数年矣。”从道光三年。先生死时，至道光10年，林則徐作序时，相隔不及十年，故只說数年耳。但肯定的不会死在林則徐作序时（1830）之后。

魏敬中（福建寧徳人，己卯进士），于道光25年（乙巳 1845），在医学从众录（此書是修园遺著，由其孫心典刊行）序中說：“忆曩在都中，吳航陈修园先生，以名孝廉宰畿輔，医名震日下（指京都），昔奉檄勘灾恒山，时求診之后，疫疾大作……后卅余載，余返自都門，与修全閩通志，广搜著述家言，时先生已捐館数載……”，按魏敬中于道光15年（1835）繼高澍然之后，被聘为道光通志的纂修，如死在1833，距1835只一二年光景，不应慨然說已捐館数載。但魏敬中作序时距离陈氏死时年間比較远，語气也比較含糊，故作証的价值不大。

在金匱要略淺註后跋中，林社丰有另一段話：“……丰習举子業时，窃有志于医，聞修园夫子名，敬而慕之，以未得受業为憾，岁庚辰（1820）夫子年老归田，著伤寒淺註，並長沙方歌括，梓行于世……岁壬午（1822），丰得拜見夫子，忝附門牆……，岁己未（1859）中道分离，泰山無仰……”，但在伤寒論淺註后跋中，其他諸弟子，如黃奕潤，何鶴齡，程紹書，陈鑑川等，分别的均提到己卯岁（1819），夫子引老归田，或解組归田。林社丰說他的退休年为1820，与其他弟子說的1819年，相差只有一年，出入不大。但那死年“己未”（1859），距离退休年將近40年，一定有錯誤，可能为“癸未”（1823）前一字之誤。那么他的家譜記載（根据林亦岐）死年“癸已”（1833），亦可能为“癸未”后一字之誤。因此如死年确定为1823，那他出生的年，明显的就不可能在乾隆31年（1766），推算他应生于1753（乾隆18年）。並且如从1823年到1833年，陈修园还生存的話，这十年中，他不可能無著作，不可能無門徒。至于最近陈邦賢，严菱舟二氏在中国医学人名誌中，說陈氏于嘉庆中（1796—1830）官直隶威县，这年間根据什么，則我們不得而知了。俞愼初氏在中国医学簡史中，对于陈氏的生卒年月有疑，未下定論。

陈修园的著作很多，有公余四种，及南雅堂医書16种。又有罗列他人著作，而称南雅堂外集29种者、坊本且有合併外集又附入几种，而称72种者皆書賈凑成，以圖謀利，盖因陈氏之書，旣風行一时，故假其名，意在广为銷售。实則陈氏自作或与陈氏有关的，仅16种。他的長孫心典，在医学实在易凡例中說，先大父所著医書十余种，惟公余四种，伤寒論淺註，經手定刊行，其未刻諸書，莫不爭先睹为快。这些話应是最可靠的，在他的著述中，最致力于張仲景的伤寒論和金匱要略的發揮。其中以伤寒論淺註，可算是他的代表作。他認为学者，必先讀伤寒論，再讀金匱。盖病变無常，不出六經之外，伤寒論之六經，乃百病之六經。他著作的特点，是明白暢曉，深入淺出。所謂旣由深而使淺，实無淺之非深。因为他的目的，在傳播医学知識，在普及医学教育。他能以流利的文字，表达艰深的医理，使初学者無涉海問津之嘆。蔣庆齡在神农本艸經讀序中，說得很恰当："其鉤深索隐，……如李將軍之画笔；其闢扃啟奥。仍复明白坦易，如白香山之詩句。"因此他的文章亦淺亦深。所謂不可解而后解，及其解之，了不異人也。他在未成名时的著作，曾托名張介宾叶天士，就是由于热心普及医学为出發点。"盖吾不托名二子，則吾术不行。吾术行，医者受大益，病者受其利，吾不得名何憾焉。"百余年来，大江南北，燕赵齐鲁，受他教益和影响的人很多。至今湘鄂間，师修园者，尙不乏其人。他的影响，还远达于海外。女科要旨琉球使者吕鳳仪的跋語，載他的国主患腦風病，因讀修园之著作和受業于其子灵石之門，乃得了医学的秘奥，遂拟一方而治愈。

陈修园精通医理，經他起死回生的人，指不胜屈。但因才华不凡，其初問世时，鋒芒太露。蔣庆齡于神农本艸經讀序中，描写陈修园的性格很逼肖。他說："……及遇危証，轠断桅横，万手齐束，修园往，脫冠几上，探手举脈，目霍霍上耸，……及出山后，斂抑才华，每診一病，必半日許，才出一方。有难之者，其言訥訥然如不能出……"，陈修园因涉世深，在治病中，可能也遇过挫折，故斂藏鋒芒。但于著述辯論，則不肯迁就他人。对于医学見解，不苟且，不敷衍，立場明确，有連貫性。其有所为而为的态度，为普及医学教育，为推广經典著作，作了巨大的努力。这些都堪为后人景仰。

总之陈修园是个学者，是个很好的注疏家，的确是一个努力于医学教育普及的工作者。他又是一个有干才的事業家，看他的救災工作便曉得。他更是一个有理想有高尙品質的人，对他的長子元蔚說："人生有三不朽事，立言居其一，詩文詞賦不与焉"。（見長沙方歌括附識）所以徧找福建艺文志，不見他的詩文詞賦。陈修园的文学天才，倒在医学著作中表現，他的著作普遍地受到讀者的喜爱，就在于他的文字的暢和美。他的詠脈像七言詩，尤为作者个人所爱誦。

由以上看来，陈氏是一个通儒，也是一个循吏，更是一个很出色的医学者。

附註：本文承梁昭錫、陈增輝兩同志协助，謹此誌謝。

参考文献

1. 長乐县志，1907 年，孟昭涵等重修，列傳四，24:26 陈念祖傳，艺文，19:8—9，陈念祖著作。
2. 福建通志，1938 年，陈石遺等編修，艺术傳，医 4:11—12，陈念祖傳，艺文志，医家类，46:—5，修纂沿革史，1:6。
3. 重修威县志，1923—1925 年，尙希賢等修纂 5:官績志，历任惠政　官制表。
4. 清史稿列傳，288，艺术傳一:5，陈念祖傳。
5. 宋大仁，中医杂誌，1955，五月号，55頁，陈修园傳略。
6. 林亦岐，新中医药，1956，3 月号，7 (3)11，長乐陈修园先生的事蹟。
7. 謝利恒，中国医学大辭典，1954，商务版，2819—2820 陈念祖傳略。
8. 俞慎初，中国医学簡史。

明代医学(1369—1644)的成就*

李 濤**

一、社会背景

(一)中国封建社会出現了資本主义的萌芽

明代自朱元璋統一国內以后，为了巩固封建统治，曾採取發展生产力的政策，經过一百多年，国內社会、經济有了显著的發展。尤其在明成祖朱棣时，与国外交通增多，曾派郑和七次去南洋，(当时称西洋)不但直接增多了博物知識，而且推广了世界貿易。因此中国的封建社会逐漸出現了資本主义的萌芽。到了16世紀和17世紀初年就更为明显了(1)。

这时苏州府的絲織業、松江的棉織業極为發达，使得江苏、浙江一帶，一天一天地富饒起来。其次江西景德鎮的瓷器制造也很兴盛，工厂林立，分工細密。产品不但行銷全国，而且成为世界貿易商品。其他各种手工業也日益發展，促使全国的經济活躍起来。

明朝初年，由于鼓舞人民开恳荒地，兴修水利，促进了农業生产。中叶以后，由于絲織業和棉織業需要大量原料，使得植桑、种棉等成为極重要的农業生产。此外种茶的推广，园艺業的兴起也大有助于农村經济的發展，因此农村呈現繁荣气象。

在国內外市場不断扩展下，商業資本日益增大，更由于明朝採取減輕商税政策，商業日益活躍起来。因此全国出現了多数繁荣的城市。在明代中国已有33个大城市(2)，为工商業生产和貿易的中心。这些城市使城乡物資緊密联系起来，發展了全国的經济。这些大城市同时也是当时的医学中心，例如薛己，王肯堂，吳有性，繆希雍等皆是苏州一帶的人。李中梓是松江人(华亭)。

在16世紀，就是嘉靖万历年代，社会生产力在發展着，新的生产关系在成長着，中国社会已經逐漸出現了資本主义的萌芽。生長在这个时代的人民生活日益提高，自然要求有更高度的科学技术为他們服务。因此医学在原有的基礎上得到进一步的發展。这时曾出現了很多偉大医学家，推动了医学的进步。

(二)一般文化对于医学的影响

明代提倡朱熹的理学。他曾註解四書，並編了一部通鑑綱目，是当时知識分子必讀的書。通鑑綱目將紊乱的史事按大綱細目記載，便于閱讀。金元以来中国医学日益进步，內容增多，需要整理，因此这种分类法，不久便影响到医学領域。例如滑寿的讀素問抄，是將素問內容分类的書(3)。14世紀末年楼英更应用此法將疾病分类，編了一部書叫医学綱目。16世紀李时珍更按此法將葯物分类，編輯本草綱目(4)。到了17世紀，張介宾則將內經素問和灵樞分类編成类經(5)，李中梓更仿类經，取切实用者編为內經知要(6)，武之望更將妇产科內容分类編为济陰綱目(7)。总之中国医学在分类学影响下有了很大进步。

---

*关于本草的成就前已發表，本文从略。

**北京医学院医史教研組

(1) 侯外廬：論明清之际的社会，阶級关系和啓蒙思潮的特点。新建設5，1955。

(2) 吳晗：明初社会生产力的發展。明代33个大城市有南京、北平、苏州、松江、鎮江、淮安、常州、揚州、仪眞、杭州、嘉兴、湖州、福州、建宁、武昌、荊州、南昌、吉安、临江、清江、广州、开封、济南、济宁、德州、临清、桂林、太原、平陽、蒲州、成都、重庆、瀘州。历史研究，3. 1955.

(3) 滑寿为元末人，曾編讀素問抄，將素問內容分为12类，即藏象，經度、脈候、病能、攝生、論治、色脈、針刺、陰陽、标本、运气、彙粹分别鈔出，便于学習。現收于石山医案內，有汪机註解，改名續素問抄。

(4) 李濤：李时珍和本草綱目，中华医史杂誌，3，1954.

(5) 張介宾，字景岳1624年(天啓4年)著类經，將素問和灵樞相类者归併在一起，分类法仿照滑寿的素問抄也是12类。

(6) 李中梓，字士材，号念莪，华亭人，著有士材三書，頤生微論等。所輯內經知要分道生、陰陽、色診、脉診、藏象、經絡、治則、病能八項。

(7) 武之望，字叔卿于，1620年(万历48年)根据女科証治准繩編济陰綱目，更于1626年編济陽綱目。

运气学説在明代仍为医家信仰，例如熊宗立、汪机等均曾著运气一类的書[8]，但是此时有若干偉大医学家如虞搏[9]、李时珍、繆希雍[10]等，受格物致知的影响，穷究疾病發生和葯物治病的原理，竭力反对运气学説和長生思想，在打倒迷信上获得極大成果。

（三）国际医学交流

在国际医学交流方面，日本和朝鮮的医学家不断到中国留学。在日本此时的医学重要人物如竹田昌庆，吉田宗桂、吉田意休等皆曾到中国留学，而曲直瀨道三則以提倡李杲、朱震亨的医学，称为日本医学中兴之祖[11]。朝鮮医家尤其常来中国問学，现存医学疑問一書，即記录当时朝鮮国御医崔順立到我国学習医学的情形[12]。可見中国医学当时是亚洲各民族的医学中心。

14世紀时北京虽然設立回回葯物院，来了歐洲的医生，但是那时歐洲文化正在黑暗时代，歐洲人的医学落后于中国。自16世紀以后歐洲人的解剖学革新，並且影响到外科的进步。那些东来的天主教徒与中国开明人士曾翻譯了人体解剖書。例如人身圖説和人身說概等[13]。但是解剖学与臨床医学的关系，此时尚不能直接联系起来，因此不能引起中国医家的重視。

二、診 断

明代医学在診断学方面，首推書写病案（医案）方法的改进。

書写病案，虽然在公元前二世紀淳于意即已开始，但是記載格式从無人加以規定。16世紀初年，韓懋（字天爵）于1522年（嘉靖壬午）首先制定病案格式。規定要先写病人姓名、籍貫、年、月、日。次要記載一般营养狀态、身高、顏色；再次注意病人話語、声音。問診时注意主訴病因，發病起始日、發热、情感（喜惡）、日夜輕重、曾服何葯等。再次为切脉法。更要注意体質。然后按病分类，拟定診断，規定治法和处方，並告知調葯方法[14]。从此医生便利用和推广这种經驗。1586年（万历14年）吳崐（1552—1620?）制定脈案格式。他規定的格式如下：

“一書某年、某月、某地、某人。二書其人年之高下，形之肥瘦長短、色之黑白枯潤、声之清濁長短。三書其人之苦乐病由，始于何日。四書初时病症，服某葯，次服某葯，再服某葯，某葯少效，某葯不效。五書时下晝夜熱甚，寒热熟多，喜惡何物，脉之三部九候如何。六引經旨以定病名，某証为标，某証为本。某証为急当先治，某証为緩当后治。某臟当补，某臟当瀉。七書当用某葯，加減某葯，某葯补某臟，某葯瀉某臟。君臣佐使之理，吐下汗和之意。一一詳尽，末書某郡医生，某撰。”[15]

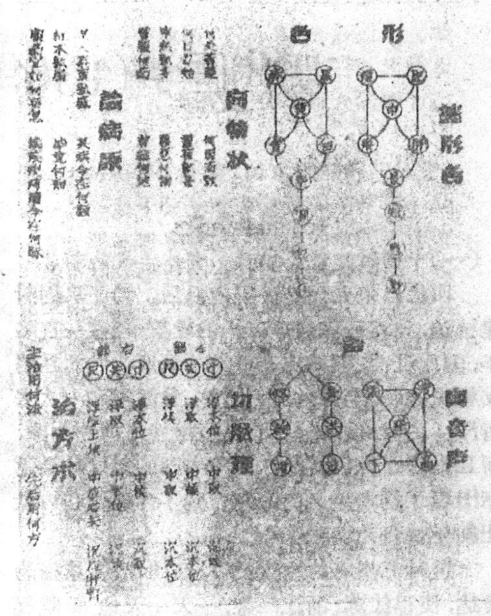

圖 1　病案格式（据韓氏医通）

由于病案是医生取得經驗的最好工具，所以1515年虞搏便想編写一部古今名賢医案。这种志願經过几十年，終于1591年由江鑵和他

(8) 熊宗立著有素問运气圖括定局立成，汪机著有运气易覽。

(9)虞搏：医学正傳中有或問五十条，第35問中極力反对熊宗立的运气全書，伤寒鈐法，不信运气学說。

(10)王肯堂：幼科証治准繩，运气項內有“余友繆仲淳高明醫医，至排斥五运六气之説不容口。余以王炎沈括之說折之，並不服，蓋未嘗虛心而細求之也。”

(11)富士川游：日本医学史，日本医事年表，頁25—36.

(12)傅懋光：医学疑問，1617（万历45年），清印本。

(13)邓玉涵譯述畢拱辰潤定人身說概。罗雅谷、龙华民、邓玉涵譯述人身圖說。兩書共作一函。清抄本。

(14)韓懋：韓氏医通（1522），六醴齋医書內。

(15)吳崐：脈語（1586），友益齋刊医方考內。

的兒子江应宿編成名医类案。他將16世紀以前的医案都分类編輯起来，成为医生有用的参考書。

書写病案的格式規定下来以后，使医生書写病案的技术进步起来。因此17世紀的医生[16,17,18,19]所記載的病历均較詳明。尤以孙一奎(东宿、生生子，1520—1600？)[16]报告病例最多，而且他治病时極为認眞負責，有30多年經驗，誠为明代一大臨証家。从他們詳細的記載里，我們可以知道17世紀初年，医生診断和治病的情形，尤其是从那些实际的病例中，可以知道若干疾病的眞相，以及若干藥物的效用，足供現代研究的参考。总之，由于書写病案方法的进步，使中国医学进步起来，是毫無可疑的事。

診断学上最重要的步驟是問診，医生可从病人口中了解病人主观的情况。但是后来医生自矜己能，往往忽視問病，而病人也往往不肯直接陈述病情，反于医生切脈后，考問医生的診断。宋代的苏軾已經明白指出这种錯誤，但是到了明代，这一陋習仍然未改。因此南丰人李梴(健齋)于1576年(万历丙子)著医學入門，特别提出，凡初学医的人要先学問診，曾列举医生应向病人詢問的事項55項，並說初学的人要手抄問法一紙，以免临时忘記[20]。張介宾也說看病要学習問病法，特設十問篇，將应該問的項目一一列出[21]。可見16世紀的医生能將問診具体化是一極大进步。

至于切脈法，由于封建制度高度發展，男女授受不亲的礼敎影响，北宋时代寇宗奭的本草衍义中已譏笑当时医生切妇女脈搏时，甚至蒙絹帕于腕上。这种習俗到了明朝日益加甚。因此明代医家所著脈書，均因襲前人，或加註解[22]無大發明。还有一种太素脈，妄說用切脈可以斷定寿夭貧富，种种离奇的傳說[23]，使人感到切脈可有可無。于是有很多医書[24,25]，都不重視切脈，甚至主張"疗不切脈，病維問証"。[26]这一点是中国診断学上一大变化，也是值得注意的問題。

明代医家在診断方法上除了望、聞、問、切四診以外，14世紀發明的驗舌法16世紀以后，經薛己的提倡也广为应用，而成就最大者，当推記載病历的进步。医生在臨症时应用这些方法所欲达到的目的，至17世紀以后也更为明确了。例如孙一奎主張医生看病以明証为主，特提出寒、热、虛、实、表、里、气、血八个字，作为檢查病人的标准。与他同时的人張介宾也提出表、里、寒、热、虛、实六种，称为六变辨，于治疗时是随每个病人的全身情况来处治，自能权变合宜，不失胜算，可謂得其要領了。

圖2 孙一奎木刻像(据赤水玄珠)

(16)孙一奎，据已亥年(1599)路云路的孙氏医案序，知此时孙一奎已老，其子持書求序。又赤水玄珠万历丙申(1596)自序称有三十余年經驗。据此推定生卒年約为1520—1600著有三吳治驗，新都治驗，宜兴治驗，均刊入汲古閣刊赤水玄珠內。

(17)程崙：医案(1621)，日本人抄本。

(18)聶尚恒：奇效医述(1616)，日本万治四年刻本。

(19)盧复：医种子內有芷园医案，易思蘭先生医案，均收入医林指月內。

(20)李梴：医学入門(1576)，日本庆安四年仿數古齋刻本。

(21)張介賓：景岳全書，十問篇，嘉兴九思堂刊本。

(22)王文潔有合併脈訣难經太素評林；張世賢有圖註脈訣难經。

(23)張太素：家傳太素脈秘訣，周文煒刻本。

(24)戴元礼：証治要訣(1443)，康熙50年余时雨重刊本。

(25)時仪：医鏡(原題王肯堂)，日本正德四年刻本。

(26)方谷、周京：医林繩墨大全(1584)，嘉庆21，重刊本。

三、臨証医学

明代医学主要是繼承金元四家的学說加以發揚光大。經过临床上多年檢驗，朱震亨和李杲的学說，信仰者漸多，因此勢力最大。明朝末年由于复古派的影响，攻下派又重整旗鼓。但四家学說虽不同，所用的治法，在治病时皆不可偏廢，因此从对立漸趋統一，所謂折衷派佔了优势。

明朝的著名医家如戴元礼（1324—1405），徐用誠、刘純、虞摶等皆屬于朱震亨的学派。徐用誠在14世紀末年著有医学折衷，將古代諸大医家对于每种疾病的学說彙集在一齐，並附加按語例如中風一病孙思邈說由受風所致，刘完素主張由火所致，李杲主張由气所致，朱震亨主張由湿所致，皆一一节录，最后附以按語。其后刘純更增补之，編成玉机微义一書，但实际上他們傾向朱震亨[27]。其后16世紀初年（正德十年1515），浙江义烏人虞摶（天民1438—1517）[28]依照这种体裁，根据三十几种医書編輯医学正傳。他这部書先列或問51条，其中对于古代人体構造的不正确，已起疑問。更反对迷信鬼神巫蠱，天命和运气学說。主張医生的責任是"使夭者寿，而寿者仙"也就是說以人类保健和長寿为目的。他記載疾病时用內經作提綱，次以脈經，次以張仲景、刘完素、李杲、朱震亨的学說，故名其書为医学正傳。附自己經驗方，並报告病例于后。这部書在明朝威信很高，流行很广。后来还有人稍微增益，即另改他名[29]，更有剪裁其中一部易以他名者[30]。他还著有蒼生司命，是医学正傳的縮本，于1736年印行。

13世紀的李杲主張人以胃气为本，胃虛則病，因此治病用温补法。意思是說人主要依靠食物生活，营养不足便能使人生病，所以他主張多吃有滋养的补品。这派医家最有名者要推薛己。薛己字新甫号立齋（1480—1558？）[31]江苏苏州人，是15世紀上半叶有名的外科家，曾經他校刊和編輯的医書很多。1532年曾任南京太医院使。其次是浙江会稽人張介賓字景岳（1555—1632？）[32]。他根据滑寿的素問抄作类經，將素問和灵樞的內容分成12类，对于医生学習內經有很大便利。后人給他刊行的景岳全書尤为有名。他視人类疾病为医生斗爭的对象，故称治病葯方为八陣，全書充滿斗爭气氛。反对刘完素、朱震亨的学說，極力主張用人參、附子治病。此外赵献可也是屬于这派的有名医家[33]。

圖3　义烏县花溪虞氏家譜，左頁記載虞摶的生平。

(27)　刘純：玉机微义，1396，嘉靖庚寅黃焯刻本。

(28)　虞摶：据义烏县光緒己亥，花溪虞氏家譜卷七，虞摶字天民，号恒德老人生于1438—1517年，即正統三年戊午11月初十日到正德12年（丁丑2月21日）。寿八十。著作現仅存有医学正傳，万历六年刊本。蒼生司命，乾隆元年怀德堂刊本。

(29)　龔信、余应奎：医学源流肯綮大成（1583），万曆丙午积善堂刊。

(30)　聶尚恒：医学彙函（1628），醒劍山房。

(31)　薛己：按沈啓源外科樞要序有嘉靖戊午（1558）余上褒官，先生报病逝，比準进归，則先生死矣。由此可推定其死于1558。又外科心法載戊辰年（1508）以事去居庸关，假定此年为20岁，約生于1488年，故推定生于1488—1558。

(32)　張介賓：按景岳全書为其遺著有崇禎13年刻本，即1640年。又張氏类經历40余年于天啓四年（1624）編成，假定此年为70岁。又会稽县志称其卒年曾78岁，因此推定在1555—1632。

(33)　赵献可：医貫，康熙26年三多堂刻本。

除了朱震亨、李杲兩大学派以外，最有名的临証家当推王肯堂和孙一奎。王肯堂字宇泰，江苏金壇人（1549—1613）[34] 著有六科証治准繩，彙收各家学說和治法，頗受医家欢迎，为17世紀以后流行最广的医書。其次为孙一奎著有赤水玄珠，医旨緒余，和医案三种，对于各家学說也主張彙採並蓄，不拘一隅。曾說“仲景不徒以伤寒擅名，守眞（刘完素）不独以治火要嘗，戴人（張从正）不当以攻击蒙譏，东垣（李杲）不專以內伤奏績。陽有余，陰不足之論不可以訾丹溪（朱震亨），而撄宁生（滑寿）亦可並垂不朽[35]。”这是說古代諸大医家，决不是片面主观的人，医生应該精通全部理論和掌握全面技术，使病治癒，最为要著。

圖4 王肯堂繪像（掘金壇王氏保存的繪像）現存中医研究院

疾病的分类：北宋以前的医書，大致均根据巢氏病源候論，按証候来分类，但是証候有多种多样，記載很不便利。12世紀刘完素將疾病按病源分类，是一大变革。但是当时还有多种病的病源不明，很难包括所有已知的疾病在少数病源之內，因此有多数医家採取証候和病源併用的分类法。例如世医得效方。这种分类法仍然重复混乱，也不适用。楼英字全善（1320—1389）[36] 于明代初年著医学綱目，他將疾病分别归納为陰陽臟腑部，約等于总論，次为肝胆部，心小腸部，脾胃部，肺大腸部，腎膀胱部。另分伤寒部，妇人部，小兒部、运气部。他更將主要症候相同的病，按綱目叙述，例如將心痛門列为正門，其下有卒心痛，胎前心痛、产后心痛等皆列为目。治法則以正門为主，另旁考以佐之。使医生按主要症候鑑别各种疾病，並处治各病，誠然是对症疗法中一种最合用的叙述方法。因此明代以后的医書都根据此种分类法叙述，沒有大的変更。

西洋医学的傳入：16世紀天主教徒东来，其中最著名的是利瑪竇，于1581年到广州，1601年到北京，不断与中国医家接触。

例如王肯堂曾数与利瑪竇往还[37]。他所著的瘍科准繩內首先記載了人体骨骼，因16世紀是西洋解剖学革新时代，此書頗有受西洋医学影响的可疑。又程崙著医案說到西洋医生不重視切脈，仅檢視尿的顏色和形象等[38]。但是当时西洋临証医学仍然陷在煩瑣和教条主义的深淵里，影响中国医学进步者很少。

（一）內科

明代医学虽分十三种之多，但医学家仍彙治各病，因之医書亦多包括所有各科。16世紀以后医学突飞猛进，內容增多，因之專科医書漸多。薛己首以內科之名著書，称为內科摘要，分为23門，先論后方，附以治驗，是为中国第一部以內科为名的專書。

內科方面的最大貢献即描写疾病，日益精細，使鑑别診断有了很大进步。例如各种傳染病，精神神經病等，均有詳細記載。而且伤寒，天花、鼠疫（温疫論）、瘴疾（如瘴瘧指南，痎瘧論

（34） 王肯堂：按乾隆年江苏金壇县王氏家譜，王肯堂字宇泰，別号損菴，或称念西居士，生于嘉靖己酉（1549）9月24日，卒于万曆癸丑（1613）8月初八日即1549—1613。

（35） 孙一奎：赤水玄珠、医旨緒余，汲古閣本。

（36） 楼英：按新修蕭山县志，楼英一名公爽，字全善，著有医学綱目，洪武22年卒，年七十。

（37） 王重民：王肯堂傳，医史杂誌，3卷2期，1951。

（38） 程崙：医案原道篇称“予性好医，千里命駕過國工什九，良工十一。己酉（1609）来京，客有称利西泰聪慧，而巧，洞医玄奥，予往造焉。西泰曰吾国人病鮮有論脉者，惟以玻璃瓶溺之，映日視色，知五臟受病之从来。用藥一以攻[illegible]去毒为主”。

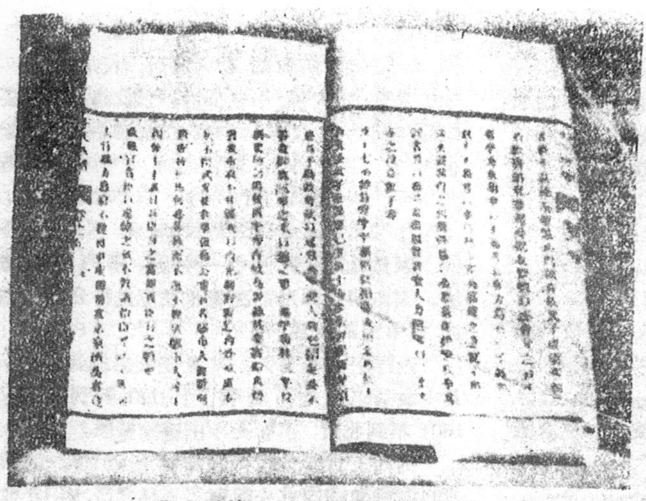

圖 5　金壇王氏家譜內記載王肯堂的生平

疏）等均有專書出版。在正确診斷疾病的基础上总結了多种有效的治疗和預防方法，尤为內科学上的光輝成就。

1.　傳染病

（1）鼠疫：12 世紀以后鼠疫虽不断在中国流行，但是能將鼠疫的特点描写清楚的首推吳有性。吳有性字又可，于 1642 年（崇禎壬午）著温疫論[39]。其中曾記載 1641 年（崇禎辛己）直隶、山东、江苏、浙江等省由春季起即有傳染病流行，傳染性很大，常常全家傳染。当时医生認为是伤寒。但是往往病人短时即死。到五、六月疫势更为猖狂。他說这种病是疠气进入口鼻所致，因此著了一部温疫論。在温疫論內記載了病人的咳血，或有淋巴腺腫，以及"緩者朝發夕死，急者頃刻而亡"等独有的特性。当时称之为瓜瓤瘟，或疙瘩瘟，或探头瘟，都是形容这病死亡甚速。並且說这种病罕而不常見。可惜鼠疫与鼠的关系在当时尙無記載。

这次鼠疫流行，到了 1643 年漫延到北京，死亡約 20 余万。据花村談往[40]記載"崇禎十六年（1643）八月至十月京城內外病称瘪瘩，貴賤長幼呼病即亡，不留片刻。兵科曹良直正与客对談，举茶打恭不起而隕。兵部朱希萊拜客急回，入室而殂。宜兴吳彥昇授溫州通判，方欲登舟，一价先亡。一价为买棺，久之不归，已卒于棺木店。有同寓友鮑姓者劝吳移寓，鮑負行李，旋入新迁，吳略后至，見鮑已殂于屋。吳又移出，明晨亦殂。又金吾錢晋民同客会飲，言未絕而亡，少停夫人婢僕輩一刻殂十五人，又兩客坐馬而行，后先叙話，后人再問，前人已殞于馬鞍，手犹揚鞭奋起。………沿街小戶死者更無算，街坊閑人为之絕跡。有棺無棺九門計数已二十余万"。

由于鼠疫流行劇烈，死亡甚惨，首先已从經驗上得知病人衣服是傳染媒介物，故主張蒸气灭菌法处置病人衣服。例如1641年（崇禎辛己）即鼠疫流行之年胡正心著書說到"凡患瘟疫之家，將初病人衣于甑上蒸过，則一家不傳染"[41]。由此可見当时人已覺察到傳染病是眼不能見的生物所致，因此才發明此种有效蒸气灭菌法了。

（2）白喉：1468 年（成化四年）窻平已詳細記載此病[42]。在纏喉風下有"面赤气粗喉腫閉，纏喉重舌急求医，鼻唇青黑干焦縮，塞噎头低疾漸危，涎結如膠鳴似鋸，看看朝暮死將期"。可見当时記載白喉症候極为逼真。17世紀張介賓著景岳全書[43]，曾报告鎖喉風一例"余在燕都，嘗見一女子年已及笄，忽一日于仲秋时，無病，而忽喉竅紧澁，息难出入。不半日而紧澁愈甚。及其延余診視，診其脈無大也。問其喉則無腫無痛也。观其貌則面靑瞠目不能語也。听其声則喉竅之細如針。抽息之窘如線。伸头掙命求救之狀，甚可憐也。余見而疑之，不得其解。然竟謂風邪閉塞喉竅。始用辛温不能解散。遂以二陈湯加生姜煎而与之。毫忽無效意。复用独參湯以救其肺。然見其势危若此，

（39）吳有性：温疫論，曾都文刪本改称医門普渡。

（40）花村看行侍者：花村談往。

（41）胡正心：万病驗方，又名簡易备驗方（1631），十竹齋訂补。

（42）窻平：字衡奕，1468 年（成化 4 年）著全幼心鑑，多[illegible]成，类似幼幼新書。

（43）張介賓：景岳全書，杂証謨，卷 28。

恐滋怨謗。終亦未敢下手。他医見之亦但束手而已。如此者一日夜而歿。后又一人亦如此而歿。若此二人者，余至今莫識其所以病。此終身之疑竇，殊自愧也”。

（3）天花：中国自公元一世紀，天花自交趾傳入中国。到了15世紀以后，天花的流行日益猖狂，为害人类極大。此时人民受天花的威胁，曾想尽种种方法消灭此病。1577年（万历丁丑）郭子章著博集稀痘方論[44]，極力主張胎毒可以豫解，有如明矾能使污水澄清一样，因手录稀痘方，使未出痘的小兒飲之，以預防天花。

他这种想法不久即实現了。据俞茂鯤的記載（痘科金鏡賦集解）明朝隆庆年間（1567—1572）安徽的宁国府太平县开始种痘。当时的医生因为有濃厚的保守思想怕种痘妨害業务，百般毁謗[45]。因此16世紀找不到記載种痘的医書。晚到1643年，喻昌的寓意草才首先記載。顧諟明二郎三郎在北京佈痘的病案[46]。十年后三岡識略記有安徽安庆、張氏三世以来，用痘漿染衣，使小兒穿著，可發輕症，以預防天花[47]。到1681年，清廷曾專差迎請江西痘医張琰等为王子和旗人种痘。1695年張璐医通，記有痘漿，旱苗、痘衣等法。並記有种痘法推广的情形“始自江右，达于燕齐，近則遍行南北”。由上介紹可知中国在16世紀下半叶已發明种痘法。到了17世紀不但种痘技术已相当完善，而且推广到全国。

由于天花威胁人类最甚，在种痘法未發明前曾有多数著作出現，但均兼論天花和麻疹。在17世紀更有麻疹專書問世，呂坤于1604年著有疹科[48]。此时，書商为了營利，故意改撰此类流行最广的医書以求售，[49,50,51] 因此竟有一書五名者[52]。

至于抄襲成書尤为司空見慣之事，造成文献的混乱。

（4）伤寒：由于当时尚無法精确区别各种發热病，仍將多种傳染病归在伤寒一名之下。彼此在名同实異的临証經驗中曾有多数辯論並有多种著作，其中最有名者如陶华的伤寒六書等[53]。至17世紀陈長卿指出治伤寒有五法，即發表、解肌、和解、攻里、救里五法，从此医师治病，随証运用，不致漫無規距可循，可說是一大貢献[54]。王肯堂更总結了明代以前諸家的成就，是为伤寒准繩[55]。

以上为急性傳染病，至于慢性傳染病如麻風和梅毒，將另詳于皮膚性病科內，故專述肺結核病于下。

（5）肺結核：肺結核的傳染性早在公元四世紀葛洪已有記載。因此对于肺結核的斗爭很早便已从兩方面进行。第一是从治疗方面研究，1345年葛乾孙，（可久）著的十葯神書在对証疗法上已有很大成就[56]。在17世紀初叶更有病人將自己患病治疗的經过記录下来，例如折肱漫录[57]、愼柔五書等[58]。此时更有龔居中編輯的痰火点雪[59]，也是講述用葯治肺痨的書。大約当时一致反对王綸主張虛劳不可服食人参的說法。其后1576年李梴更注意到日光、空气、环境、休养等在治疗上的重要，是治法上一大进步。第二是預防方面的成就。由于認知肺痨有傳染性，因此很早便有人想到預防。到了16世紀預防法的重要已为多数医家所重視。例如

（44）多紀元胤：医借考方論55。

（45）蔣良臣：种痘仙方，1732，附刊于医学疑問。

（46）喻昌：寓意草（1643）“顧諟明公郎种痘，即請往看，其痘苗淡紅磊落，中含水，明潤可爱，且顆粒稀疏，如晨星之朗。”

（47）范行准：中国預防医学思想史，人痘接种法，医史杂誌四卷四期。

（48）呂坤：疹科，附麻疹拾遺。

（49）万全的痘疹世医心法与痘疹格致余論合刻称痘疹心要，又或称痘疹心法。

（50）翟良的痘科彙編又称痘科彙編釋意，或痘科类編釋意。

（51）聂尙恒的活幼心法在康熙年刻的痘疹全嬰金鏡录內改称痘疹心法，道光年刻本改称痘疹活幼至宝。

（52）医籍考方論54，池田柔行考据万密齋痘疹世医心法，黃廉秘傳經驗痘疹方，與师古的万氏痘疹全書、丁鳳的痘疹痘科玉函集，万密齋医学全書的痘疹片玉，实为一書。

（53）陶华：伤寒六書包括伤寒家秘的本，伤寒明理續論，伤寒瑣言、伤寒家秘杀車槌方，伤寒一提金，伤寒証脉葯截江網，均刊入古今医統正脈內。

（54）陈長卿：伤寒五法，1631，日本宝曆8年。

（55）王肯堂：伤寒准繩。

（56）葛乾孙：十葯神書，康熙29年刊本。

（57）黃承昊：折肱漫录，1635，六醴齋医書內。

（58）愼柔：愼柔五書，六醴齋医書內。

（59）龔居中：痰火点雪，中国医学大成第七集內。

徐春甫（字汝元，祁門人）在1556年（嘉靖丙辰）所著古今医統內主張不与痨病人接触，甚至主張不去痨病人家問疾弔丧。死者衣服也不可接触等。

並且主張节慾和保养。这种預防方法深入到中国民間，小說內也描写了肺痨傳染的事，因此对預防肺結核方面起了絕大作用(60)。

2. 精神神經病　在这方面貢献最大者当推王肯堂，在1602年著的証治准繩(61)。書中的諸風門、神志門、諸气門、諸痛門、諸痿痹門等皆屬描写此类疾病，几佔全書三分之一以上。因此証治准繩中最有价値的部分应推描写精神神經病的精細。他將精神病分作三类，即癲、狂和癇。(1)癲："癲者或狂或愚，或歌或笑，或悲或泣，如醉如癡。言語有头無尾，穢潔不知，积年累月不愈。俗語叫做心風。此志願高而不遂所欲者多有之"。可能包括以現在所謂精神分裂症为主的多种不同的重性精神病。(2)狂："狂者病之發时，猖狂剛暴，罵詈不避亲疎。甚則登高而歌，棄衣而走，踰垣上屋，非力所能，或与人語所未尝見之事"。指一般的躁狂騷动狀态。(3)癇："癇病發則昏不知人，眩仆倒地，不省高下，甚而瘛瘲抽掣，目上視或口眼喎斜，或口作六畜之声"。这是指一般癲癇的發作情況。这种分类虽較簡單，但界限却比較明确，記述也較逼真。

張介宾的景岳全書中对精神病学有了进一步的發展。首創"痴獃証"一名，与今日所称之早發痴呆相类似。書中称此病为"或以郁結，或以不遂，或以思慮，或以疑惑，或以惊恐而漸致痴獃。言辞顛倒，举动不經。或多汗，或善愁，其証則千奇万怪無所不至"。本書对于發热譫妄狀态有"伤寒發狂"一文論述。並提出"小兒無狂証，但常有患癲癇者"的临床观察記录。

3. 心藏病　灵樞經虽有真心痛的記載，但医家对于心痛与胃痛仍不能区別，至16世紀末年方谷在所著医林繩墨內，說"夫所謂心痛者亦非真心痛之症，即胃脘痛者是也。……若真心痛者指甲青黑，手足逆冷，六脈空脫，或疾速而散乱。旦發夕死，夕發旦死。無药可疗者也(62)。"由此段叙述，可見他此时已能鑑別心藏病和胃痛了。

此时不但能診断心藏病，而且已善于用具有兴奋强心作用的人参治疗心力衰竭。自从汪机（1463—1539）(63)，薛己以后，医生遇有心力衰竭（气虛）心跳等，照例皆用人参。更知指甲黑是由血凝所致，例如易思蘭称"血活則紅，血凝則黑"主張用治气药治之，也就是用人参一类的药(64)。

4. 腸胃病　明代所說內伤或脾胃病主为消化系病。但当时尚仅能認識孤立的症候，如嘔吐、吐酸、吞酸、吐清水、嘈杂、惡心等。至17世紀医家利用归納法，始將孤立的症候归納起来，是一大进步，例如医鑑一書已有此种趋势(65)。此时新能認識之病当推攪腸沙一病。此病早在瀋寮集驗方（1283）已有記載，至明代遍見于多种医書內(66)。又称發沙。从其所記症候心腹絞痛，冷汗出，脹悶欲死等頗似急性闌尾炎或腸梗塞。其次对于神經官能性腸胃病討論特詳，統称之为气症，有滯气、郁气、結气等(67)。治法主要为芳香健胃药或瀉药。

5. 中毒　諸書所記中毒，除附子，斑蝥，巴豆，箭毒，河豚毒外，兼記有毒蛇伤，風犬伤，螫虫伤等(67)。而鉛中毒和砒中毒亦皆有記載。当时用解毒法主要为吐法，灌服大量油类使吐(68)。最値得称道者为張介宾首先記一氧化碳中毒。"京师之煤气性尤烈，故每熏火至死，岁岁有之。而人不能避者無他，亦以用之不得其法耳。夫京师地寒，房室用紙密糊。人睡火炕，煤多爇于室內。惟其房之最小而最密者最善害人……但于頂隔开留一竅，或于窗紙揭开数楞，

---

(60)　熊叔軒：結核病在中国医学上之史的發展，医史杂誌3卷1—4期，1951。

(61)　紀明：中国医籍中关于重性精神病的記載，中华神經精神科杂誌，1955。

(62)　方谷、周京：医林繩墨（1584），嘉庆21年重刊。

(63)　汪机：石山医案記載汪机字省之，生于天顺癸未（1463）九月十六日，卒于嘉靖己亥（1539）十二月初四日。

(64)　易思蘭：易思蘭先生医案、医林指月內。

(65)　龔信：医鑑內將番胃吞酸吐酸均归入嘔吐，又將遺精盜汗骨蒸归入劳瘵。

(66)　絞腸沙在衛生易簡方、袖珍方、济世全書內均有記載。

(67)　孙志宏：簡明医彀，1629，乾隆13年重刊。

(68)　赵季敷：救急易方，1498，日本寬文13年刻本。

则其气自透去，不能下滿，乃可無虑矣。"[69]

(二)外科

在1395年(洪武28)赵宜眞著秘傳外科方，繪外科圖24幅，其中耳后發圖下有"耳后一寸三分至命之处，發之必死。"可見当时已知乳突炎的严重性了[70,71,72]。一百年后更有周文采著外科集驗方，但因襲旧說無大發明[73]。到了16世紀，薛己始以擅長外科聞名。他曾著有四种外科書，其中以外科樞要記載的外科病最多[74,75,76,77,80]。首先报告了坏疽(脫疽)。对于腫瘤則分为五种，即筋瘤、血瘤、肉瘤、气瘤、和骨瘤。按孙思邈曾記載六瘤(骨瘤、脂瘤、石瘤、肉瘤、膿瘤、血瘤)微有不同。此外他还写了痲風，正骨科和口齿科專書[76,78,79]。与他同时的人汪机(1463—1539)曾参考他的書，著有外科理例[81]。

到了16世紀末年，有瘡瘍經驗全書出版[82]。此書虽署名竇汉卿著，但是由于書內有1568和1569年的病例，而且卷首有1569年的申时行序，可見必是1569年的書。这部書按解剖部位記載各种外科病，更記載了痲風、天花、黴瘡等病，还專記載了手术法。各种外科病都繪圖說明，从那些圖里可以知道当时已能診断多种病，如扁桃腺炎，舌下腺炎，鼠蹊腺腫(便毒)睾丸炎(腎癰)等。並能施行各种手术，例如扁桃腺化膿时的切开，唇癌的燒烙，腕关节炎的繃帶固定等。

明代外科学在17世紀上半叶，先后曾有六种外科專書出版。除了兩种無大价值[83,84]，其余皆有一定貢献。例如申拱宸的外科啟玄，先总論各种治法，然后記載各种外科病。每病一圖，这是本書的特点[85]。这时对外科貢献最大的当推陈实功(1555—1636?)[86]。陈实功字毓仁江苏南通人，專門外科四十多年，根据自己治病的經驗，于1617年写成外科正宗一書。每病先总論，次診断次治法，次病例，最后药方。叙述井井有条，为他書所不及。尤其注重診断，反对猜病，不愧是一个外科名医。对于腫瘤除了薛己所描写的五瘤外，更报告了粉瘤、黑紗瘤、發瘤、蛔虫瘤、虱瘤等。尤其皮膚病記載最全，为当时他書所不及。此外他还記載了气管縫合法、下頷骨脫臼整复法，鼻息肉摘除法，咽喉和食道內鉄針摘除法等。这部書流行甚广，直到19世紀中叶仍然是中国外科家常用的書。

圖6 乳突炎圖(据洪武28年(1395)赵宜眞秘傳外科方)

(69) 張介賓：景岳全書杂証謨，卷三，京师水火說。

(70) 楊淸叟、赵宜眞：仙傳外科集驗方(1348)，明、万历倪刻。

(71) 赵宜眞：秘傳外科方(1395)，明洪武刻本。

(72) 赵宜眞：仙傳外科秘方，手抄本。

(73) 周文采：外科集驗方(1498)，明嘉靖亂部刻本。

(74) 薛己：外科心法(1525)，薛氏医案。

(75) 薛己：外科發揮(1528)，薛氏医案。

(76) 薛己：癘瘍机要(1554)，薛氏医案。

(77) 薛己：外科樞要(1558)，薛氏医案。

(78) 薛己：正体类要，薛氏医案。

(79) 薛己：口齿类要，薛氏医案。

(80) 薛己：外科經驗方，薛氏医案。

(81) 汪机：外科理例(1531)(石山医案內)。

(82) 竇汉卿：瘡瘍經驗全書，1569，康熙丁酉浩然樓刊。

(83) 龔居中：外科活人定本，天德堂重刊。

(84) 陈文治：瘍科选粹，1628，寻溪达尊堂刊。

(85) 申拱宸：外科啓玄，1604，聚錦堂。

(86) 陈实功：据乾隆年修直隶通州志，陈实功字毓仁，号若虚，年八十二終。又載天啓元年(1621)修通济桥，天启四年(1624)修河济桥。又外科正宗，万曆丁已(1617)自序，已有四十余年經驗，当为六十以上人。約可推定生于1555，下推81年，当为1636。

(87) 王肯堂：瘍医准繩，1608，明万曆36年刊本。

圖 7 前臂固定圖据瘡瘍經驗全書

圖 8 扁桃腺炎据瘡瘍經驗全書

对于正骨科記載最詳者为王肯堂，1608年（万历36）著的瘍科准繩[87]。首將人的骨骼的数目和形狀一一記載，指出正骨家学習骨学的

圖 9 明代外科家陈实功修建的南通州的通济桥

必要。更按人体構造，由头部起，次胸部、腹部、四肢的皮肉損伤，詳加記載。对于各种骨折和脫臼均有整复方法。

特别对于四肢脫臼的整复法記載最詳。当时对于脊椎脫臼或骨折則用綿繩將脚吊起，用手整复骨节。固定用的器材則有小繩、桑皮夾、竹片、絹布、竹夾子、竹箍等。还記載了切开軟部和剪去骨鋒的方法。此外还有缺唇缺耳的縫合法。

对于咽喉科貢献最大者，除上述的瘡瘍全書外，当推江西金谿人龔居中（应圓）著的外科百效全書[88]。曾記載了急性，慢性扁桃腺炎（鵝風，松子風）。喉結核（魚鱗風）、上腭病（重腭、喉風）、懸雍垂病（帝中風）、咽头炎（梅核气）等。他不但記載多种咽喉病，而且注意消毒，例如切要方歌中有消毒散，諸毒內消丸，托里消毒散，润防敗毒散等。显然他是要从消毒方面解决創伤傳染。

（三）皮膚性病科

1. 癩風　此为古代已知的病，但是从無有效治法。16世紀薛己首先写了癩風專書，称为癘瘍机要[76]。1550年（嘉靖庚戌）沈之間积三十年經驗編輯解圍元藪一書[89]。在这書內首先肯定了癩風（麻瘋）是傳染病。第二肯定大風子（又名：海松子、或丢子）的治效，並反对前人食大風子瞽目的傳說。曾报告一个病例，服大風子肉三年，共70余斤而治愈。“富翁陈善長患風年久，求予先君治之。先君恩善長耽于

(88) 龔居中，外科百效全書，致和堂刊。

(89) 沈之間，解圍元藪，1550，嘉靖21年刊。

蒋色，日不間斷，必難治。固辞不药。善長密貽予家老奴，盜傳制大風子之法。善長依法制，度三年，共食大風子肉 70 余斤。其病脫去，絕無他患。一日持禮幣至予家，謝先君曰：昔年求治，力辞何也？先君甚赧顏。厚謝老奴而去”。

2. 梅毒 13世紀末年，中国医書已有类似梅毒的記載。1264年福建福州（三山）世医楊士瀛著仁齋直指[90]，在諸瘡論內記有走皮趍瘡“或淫夫龟上生瘡，初發如粟，拂之則痛，由是淸爛作臼孔，侵蝕臭爛，日漸大痛，曰妬精。……妇人亦有生于玉門者曰陰蝕瘡，或滿頰滿項，發如豆梅，痒而多汁，延蔓兩耳，內外湿爛，如侵淫瘡之狀曰走皮趍瘡，田野呼为悲羊瘡。”其次1513年所刻，元人繼洪所撰嶺南衛生方，曾記載楊梅瘡方，当时医生不識，称为木綿疔或天疱瘡[91]。因流行不广，知道这种病的人仍很少，但梅毒究竟15世紀以前在中国存在与否，尚有爭論，需要进一步研究。至15世紀始自广东傳入長江流域。据俞辨的續医說中有“弘治末年（1488—1505）民間患恶瘡，自广东人始，吳人（今江浙一帶）不識，叫做广瘡，又因它的形狀很像楊梅，所以又叫楊梅瘡。”后来李时珍著本草綱目也說弘治正德間楊梅瘡盛行，自南而北，遍及海宇。可見这个病是13世紀末年傳入广东，15世紀傳至長江流域，以后遍及全国。16世紀初年，韓悉曾著有楊梅瘡論治方，这是第一部梅毒專書[92]。其后薛己报告了梅毒病例，並記載梅毒的遺傳性，咽喉梅毒，梅毒瘤，梅毒性虹膜炎，骺炎，胼胝瘤。更应用土茯苓（萆薢）內服法水銀塗布法和薰法等治疗。其后汪机更报告梅毒可由男女同床同厕傳染。到了1632年，浙江海宁世医陈司成著霉瘡秘录[93]，明确指出梅毒是由于性交傳染的。更察知梅毒可以遺傳。他記載了梅毒各期的症候，共报告了29例，其中包括各期梅毒和先天梅毒。在治疗方面除了用水銀薰剂、搽剂、和膏药以外，更竭力主張一律使用砷剂，即用含砷的矿物如丹砂，雄黃等內服。他所用砷剂，都經过一定化学制造，減弱其毒力。他並知道砒素有毒所以提出死砂、生砂不可用，以免中毒。

明代記載麻風病的專書，例如薛己的癘瘍机要和沈之問的解圍元藪等。这兩种書除了詳細描述麻風病以外，又皆記載多种皮膚病。1556年徐春甫所著古今医統，其中有一卷專記載各种皮膚病。如皮風搔痒，風瘙癮疹，風癬，汗斑，斑丹大瘡等。陈实功的外科正宗，对于皮膚病記載最多。所有局部染菌性皮膚病如丹毒（火丹）、天皰瘡（天泡）膿瘡、痤瘡、粉刺、麻風等均已記載。其次寄生植物所致之皮膚病如錢癬（白屑風）紅癬（血風瘡）、脚癬（妇人脚丫作痒，臭田螺，田螺泡）手癬（鵝掌風）恥癬（腎囊風）。寄生虫动物所致之皮膚病如疥瘡、陰虱病等。

圖 10 楊梅瘡圖
採自摄經驗全書

濾过性毒所产生的皮膚病如瘊（枯筋箭），病灶傳染病如膿疱性皮炎（黃水瘡）。局部刺激所致的病，如雀斑、漆瘡、冻瘡、紅斑（冻風）。先天性皮膚病如禿髮（白禿）。原因不明的皮膚病如牛皮癬（頑癬）、痣（黑子）、胎瘤、黑色素瘤（黑砂瘤）粉瘤。皮样囊腫（髮瘤）、臭汗（体气、胡臭等）等均有記載。

（四）眼科

中国眼科学自唐以来皆沿用龙树論，但原書已佚。现存之秘傳眼科龙木总論[94]，其中曾引用了百一选方（1196），可見是13世紀的著作。

（90） 楊士瀛仁齋直指附遺方論，朱崇正明嘉靖29年刊本。

（91） 程之范：我国皮膚性病科的历史，中华医史杂誌，1955，第1期。

（92） 韓悉：楊梅瘡論治方見韓悉，1522年所著韓氏医通。六醴齋医書內。

（93） 陈司成：霉瘡秘录，1632，日本英精堂刊。

（94） 葆光道人：秘傳眼科龙木医書总論、大文堂重刊。

此書重点描写了青光眼和内障。其后更有託名孙思邈所著的銀海精微[95]。因書中按十二經用葯，此說創于金人張元素，可見是金后的書。又明初樓英的医學綱目[96]第一次引用此書，可見是元人所著的書。其中虽列举了80症，但內容与龙木总論大異，对于角膜潰瘍（花翳白陷，黑翳如珠）虹膜病（血灌瞳人，瞳精疼痛，血翳包睛）等記載頗詳。在这部書內对于檢眼方法已頗注意。如檢視瞳人，角膜（風輪），虹膜（黄仁），球結膜（白仁），瞼結膜（胞瞼）等。尤其对于治法較龙木論大为进步。龙木論主用內服葯，此則兼用各种手术，包括砂眼的刷法（鴨翎刷洗法），密針刺法，氧化鋁（蜜陀僧）塗抹法烙法；角膜潰瘍的温罨法，敷法，点葯法，以及各种手术法，如瞼內翻时的夾法和內障手术等。以上这兩部書虽不是明人著作，但是明朝眼科学發展的基础。

至明代1372年（洪武壬子）倪維德著有原机啟微[97]。对于眼科諸病作系統的解釋，即按病因將眼科疾病分为十八类如風热，七情、血气、伤寒等。他主要貢献是从整体看眼科疾病，使眼病与人体功能和外环境联系起来。無疑对于眼病理論上提高了一大步。

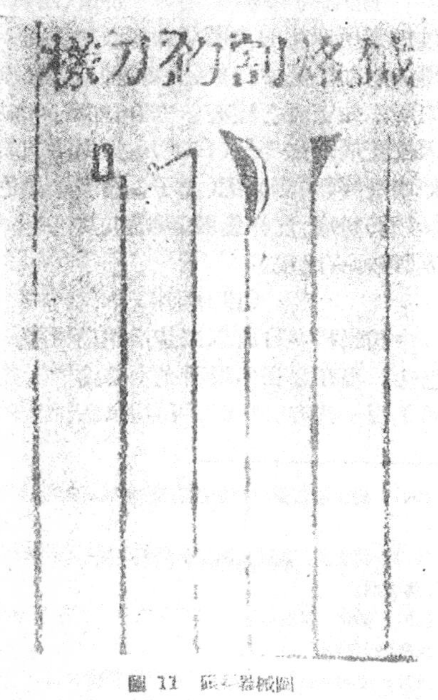

圖 11 眼科器械圖

（據傅氏眼科审視瑶函）

眼科病数自唐以来拘于72症之說，無甚改变。至16世紀由于眼科学进步，医家已不复墨守72症之說。王肯堂于1602年著証治准繩眼部疾病多达171症[98]。所記載証候和治法，極为詳尽，为以前任何方書所不及。甚至可說今日所有肉眼能檢知的症狀均已記載無遺。

1644年江宁人傅允科，字仁宇，著眼科审視瑶函一名眼科大全[99]。其子傅国栋字維藩，謂家傳是科已三十余年，並謂"昔人載160証則失之濫，上古著七十二証則失之簡。是函摘要刪繁，纖鉅各当，定为一百零八証。"由此可知著者是一位有經驗的專家。他这部書受了当时重視病例报告的影响，在第一卷便搜集古人眼科病例23。其中包括視網膜炎，脈絡膜炎，青光眼，复視，中央暗点等病[100]。

此書对于疾病的描写，不厭其詳，对于角膜潰瘍的記載多至四百多字。对于內障和青光眼主張用手术疗法，所以他說"当知此症惟用金針入珠內，撥去脂膜，頃刻能明"。另外此書記載了多种手术器械，並繪圖說明。更載有煮沸器械，然后使用的方法。並詳細記載术前洗眼，手术法、术后处置（封眼法）。

他除了記載以前眼科書所記的各种眼病以外，更記載以前眼科書所未記的各种病症，特别是色盲，眼肌麻痹等。在描写眼病方面，因自己有多年經驗，所以描写的特别詳細，因此成为明代具有总結性代表性的著作。更因自己确能治癒多种眼病，因此極力反对当时誹謗眼医的話"眼不医不瞎"，特立專論駁斥，警告患者不为此种流言所誤。可見他是一位热爱病人的医生。

（五）小兒科

明代小兒科著作甚多，其中最有貢献者当推薛鎧，万全二家，至17世紀王肯堂总結以前的成就編为幼科証治准繩，收罗甚丰，可以代表

(95) 孙思邈（原題）：內府秘傳眼科銀海精微，醉耕堂。

(96) 樓英：医学綱目，卷13；目疾門，明刊本。

(97) 倪維德：原机啓微，1370，王道亘刊。

(98) 王肯堂：証治准繩卷七，七竅門，目証。

(99) 丁福保 周云青：四部总录医葯編，中册，頁415，商务印書館印1955。

(100) 傅仁宇：傅氏眼科审視瑶函，醉耕堂刊。

当时的医学知識。

1468年(成化四年)寇平著全幼心鑑[101]。認为飲食不宜是小兒得病的直接条件，曾綜結前人經驗一一列举，凡小兒精神和外环境变动过劇而飲食者皆可致病。著者虽为一有經驗医家，但此書用韻語写出，且文笔晦澀，極不易讀。不过此書仍为現存15世紀唯一的兒科著作。

16世紀以后曾有多种兒科著作[102-107]，其中綜合前人經驗成書者有王鑾的幼科类萃，每病按脈法，証治，灸法和葯方分別記述[103]。但脈法和灸法在兒科診治上不甚重要，每病皆一一列举未免画蛇添足。其次为嬰童百問，大約仿伤寒百問而成之書乃以嬰童各証設为百問，每問必究其受証之原，每証必詳其治疗之方[104]。簡明扼要，在学習上和实用上皆甚方便。

有明一代对于兒科最有貢献者当推薛鎧。薛鎧是江苏苏州人，宏治間(1488—1505)曾任职太医院，著有保嬰撮要，于1556年(嘉靖丙辰)出版[105]。其子薛己在序內首先提到葯从乳傳之說，即乳母服葯，小兒哺乳后，生理机能即受其影响。此外还認知破伤風(噤風、撮口，臍風)是由臍帶傳染，並發明燒断臍帶法以預防臍風。

除上述發明外，其子薛己更于書內每病之后附載病例，供作參考。而且此書对于用葯法特別注意，載有多数方剂，是一特点。但受时代限制，將每一孤立証候作一病叙述，已嫌煩瑣，而且一一断然載明应服何葯，未免武断过甚。

明代另一兒科家为万全。万全是湖北罗田县人。1468年寇平著的全幼心鑑已兩次引用万全方，可見其为15世紀上半叶的人。但署名万全所著世医痘疹心法序于1549年(嘉靖28)，幼科發揮序于1579年(万曆己卯)，又似为16世紀人。大約因万氏为世医子孙，著述皆用万全之名。万氏所著兒科書皆簡便适用，流行甚广[106,107]。頗注意产前衛生(預养、胎养)产褥衛生(蓐养)和幼兒衛生(鞠养)。在幼兒衛生中主張常見風日，訓練耐寒，节飲食，戒惊吓，勿妄用葯，皆为良好經驗。更首先应用推拿法于兒科，用葯处方亦甚簡当，可見万氏为有經驗的兒科家了。

17世紀初年医学著作家王肯堂，深感当时兒科書無一善本，于1606年(万曆35)著幼科証治准繩[108]，自序中有"古今輯是科書未有能善者，如心鑑(全幼心鑑)之蕪穢，类萃(幼科类萃)之粗略，新書(幼幼新書)則有古無今，百問(嬰童百問)則挂一漏万，皆行于世未足为幼科准繩也。故吾輯为是編，而痲痘一門，尤加詳焉。"因此他这部書三分之一皆論述天花和痲疹。著者为了总結当时的知識，杂採百家之言和医方，例如小兒热病兼採楊士瀛的16种热，薛鎧的20种热，共分热为19种。其次对于脾病約当于現代消化系病，腎病約当于現代的营养缺乏病皆記載極詳。总之，此时对于症候的描述趋于精細，显然在疾病的認識和治疗上有很大影响。此書彙集当代知識，流行甚广，無疑对于兒科学起了推进作用。

(六)妇产科

此时由于封建制度高度發展，女子不能与男子平等，甚至男医生看妇女病也不能自由利用望、聞、問、切等檢查方法。因此妨碍了妇产科的进步。远在公元七世紀孙思邈說女子病症十倍难疗。已經是說不能施行充分客观檢查的困难，此种情况到了16世紀以后更加甚起来。医生为了追求真理，曾極力反对此种封建枷鎖，例如閔齐伋在1646年(崇禎庚辰)女科百問序中曾說："盖医之候病，止于四术，而切脈为下。然望、聞、問三事，可施諸丈夫嬰兒，而每窮于女妇。彼朱門艳質，青瑣靜姝，馨咳莫聆，色笑誰覩，望与聞既已嫌远矣，所恃問之一道。而其受病也不于床笫，不可說之地，則为悒郁莫能喩之隱。其为証候也，非关經产，即屬帶淋。可云某事曾否有無，某处如何痛痒，某物若为色狀。

(101) 寇平：全幼心鑑(1468)，明成化4年全幼堂刊。

(102) 錢大用：錢氏小兒方考(1500)，日本澳华書林。

(103) 王鑾(据明史)：幼科类萃(1534)，明嘉靖13年刻本。

(104) 魯伯嗣：重訂嬰童百問(1542)，明万曆年聚錦堂刊。

(105) 薛鎧：保嬰撮要(1556)，明万曆刻本。

(106) 万全：育嬰秘訣、万密齋医学全書內。

(107) 万全：幼科發揮(1579)，靜观堂校刻。

(108) 王肯堂：幼科証治准繩(1607)，万曆35年刻。

問之則医危，不問則病危。虽然胡可問也。"[109]

由上边介紹，可知当时医学受了社会制度的束縛，前进的医生們極欲掙脫此种枷鎖的情況，已躍然紙上了[110]。社会上对此也有多种譏笑，甚至有引線候脈的圖画，可見当时的人如何厭惡封建制度了。

但在另一方面由于明朝手工業进步，农村繁荣，人民要求更好医疗为他們服务，因此推动了整个医学的进步。妇产科受了整个医学的影响，亦有若干成就。首先是医生們在長年临床中积累了更多的經驗和实际观察，使基础丰富起来。更由于理学的影响，对于疾病的解釋，日趋正确，終使妇产科学提高到一定限度。

在推求不育的原因下，开始注意生殖器構造方面，例如錢雷[111]、袁了凡[112]等人已知陰蒂及其功用。对于陰道發育不全亦有詳細記載。例如金丹节要[113]，記有瘢痕性陰道狭窄（螺、陰戶外紋如螺螄样旋入內），發育不全性陰道狭窄（文，陰戶小如筋头只可通，难交合，名曰石女。）和陰道閉鎖（鼓花，头綳急，似無孔），更記有不規則性月經（脈，或經脈未及十四岁而先来，或五十五六而始至，或不調，或全無），尖銳濕疣（角花，头尖削似角），以及陰陽人（半身俱有，俗謂二仪子）等。

在治疗方面，用葯趋向平和，大約仍本宋代陈自明所定原則，一切妇产科病几皆以当归、白芍、川芎、人參、白朮数葯为基本葯，然后随症加減。当时認为人參、白朮补气，当归、川芎补血。凡病皆由气血所致，故主張用此数葯治疗所有各病。

在产科方面貢献最大者当推薛己。他于1548年（嘉靖戊申）著有女科撮要，發明燒灼断臍法。据达生編引薛氏医案称：

"兒生下时欲断臍帶，必以蘄艾为撚，香油浸湿，熏燒臍帶至焦，方断。其束臍需用軟帛厚綿裹束，日間視之，勿令兒尿湿臍。此預防臍風乃第一要緊事。"但薛氏女科撮要所載燒断臍帶法，乃用以救治新生兒窒息，与达生編所記微有出入。

明代諸名医报告許多病例，从所記病程中，可窺知若干疾病，並知当时所採用的方法。薛己报告了直腸膀胱瘻和陰道息肉，以及孙一奎报告的先天梅毒，王肯堂报告的蛋白性視網膜炎[112]。

1607年（万曆丁未）王肯堂編女科証治准繩搜罗最广，足可以代表17世紀的妇产科知識。其后武之望[114]、閻純璽[115]、汪嘉謨[116]等皆用他的書作藍本稍加改編成書，所以女科証治准繩至少为風行三百年以上的書。至于簡易妇产科書則有万全妇科纂要又称万氏女科[117]。

（七）葯方書

張仲景从临証經驗上將葯方分为三种，即汗、吐、下。北齐徐之才更从經驗上細分葯为十剂。金元以来諸大家对于七方和十剂更加發揮，于是突破十剂的范圍。特别对于解热剂分析最詳，多至六种。其次为补剂和瀉剂。至明李湯卿总結当时临証的处方分为十八剂[118]，其后李梴的医学入門也因襲其說。徐春甫更区分为二十四方[119]。現在为清楚起見列表于下，可以窺知發展的情況。

現存明代葯方書甚多，有的輯录人民直接治病的經驗成書者，所謂單方。有的来自医生多年治病的經驗者，所謂經驗方；还有的彙集以前多种方書中葯方成書者，所謂綜結性方書。另有方士所制的長生葯方，所謂养生方。明代葯方現存者多至数十种。以前將綜合性医書就是彙論本草，診断的書也列入医方，現为清楚起見，暫將这类書除外，簡介單方，經驗方，長生方于后。

單方：在15世紀初年，出身世医之家的胡濙，

(109) 齐仲甫：女科百問，樂韶庚晨島鄭閔氏刊本。

(110) 李梴的習医規格、龔廷賢的万病回春都均有用絲帕蒙妇女手，然后切脈的記載。

(111) 錢雷：臟腑証治圖說、人鏡經附录，1606，康熙元年重刊。

(112) 王肯堂：女科准繩，1607，万曆刻本。

(113) 万全：广嗣紀要，1549，万密齋医学叢書之四。

(114) 武之望：济陰綱目，1620，万曆刻本。

(115) 閻純璽：胎产心法，1730，道光27，納窗堂刊本。

(116) 汪嘉謨：胎产輯萃，1752，汪氏刊本。

(117) 万全：万氏女科，万密齋医学叢書之五。

(118) 李湯卿：重刊心印紺珠經，嘉靖26年重刊本。

(119) 徐春甫：医学指南捷徑六書（1596万曆丙申）手抄本。

按此書为徐春甫子良名所刻之書。因刻本中有明東昌徐春甫著，可見为清代印行者。

十剂	十八剂：葯方举例	二十四方：葯方举例
輕	輕：防風通聖散	輕：升麻葛根湯
	解：小柴胡湯	解：十神湯
		和：小柴胡湯
	緩：大柴胡湯	緩：甘草芍葯湯
	暑：白虎湯	暑：白虎湯
	清：凉膈散	清：竹叶麦多湯
补	补：防風当归散	补：四君子湯
	平：四君子湯	平：平胃散
	和：平胃散	
	温：理中湯	温：理中湯
	荣：四物湯	安：归脾湯
宣		宣：参苏飲
瀉		瀉：大承气湯
滑		滑：导滯通幽散
	夺：三黄湯	夺：防風通聖散
	調：調味承气湯	調：不換金正气散
	寒：大承气湯	寒：凉膈散
湿	湿：三花神祐丸	湿：生血潤燥湯
通		通：疎鑿飲子
	淡：五苓散	淡：五苓散
	甘：天水益元散	利：天水散
重		重：黑錫丹
濇：	濇：胃風湯	濇：金鎖匙丹
燥：		燥：除湿湯
	火：黃連解毒湯	火：黃連解毒湯

曾出使四方，走了很多地方，随时留意各地人民治病的單方。于1423年（永乐21）編輯成衛生易簡方[120]。在自序中称"訪緝搜求經17載，討論講求閱千万人。"可見这書是集合多人智慧和积累多年經驗所成。書內共收录3963方。每方仅葯一二味，極为簡明。而且类聚明白，普通人都可用，可見是很有用的方書。其次是悬袖便方，著者积卅余年經驗，录方九百余个，每方皆在六味葯以下，誠不失为良方[124]。这类單方書[120–124]以外，簡明医彀和古今医統也收录若干單方。皆可供現代研究葯理学的參考。

輯录或选录的葯方：在世上流行的葯方書一年一年的增加，經过一定年代便需要將那些散在的葯方輯录在一起以便应用，例如唐代的外台秘要便屬于这类書。这类方書在明代曾有多种出版[125–134]其中規模最大者当推普济方[126]。普济方的編輯是在朱橚（周定王）主持下，滕碩、刘醇等編輯。將所有15世紀以前的葯方140余种都輯录在一起（其中一半以上現均佚失），更附加时方，共收录61739方。其中抄自聖惠方和聖济总录者在一半以上。因为抄录时选擇不严，所以重复百出，而且多到426卷，故此不能流行。

由于受阿拉伯人的影响，盛行使用膏葯治病，因此有多种方書，專列一門膏葯方，例如医書大全等[127、130、132]。

还有一类講求長生的葯方書例如扶寿精方[133]和攝生众妙方等[134]。其中除了沿用前人所用的动植矿物以外，更試用人体的排泄物鍊制長生葯，例如用尿煉制秋石，月經煉制紅鉛，还有胎盤（紫河車）和人乳等。不但是長生方法的新途徑，而且为治疗学开辟了新道路。

（八）針灸学

在15世紀有人將自己多年針灸实际經驗所治64証和常用145穴記录成書，供作参考者是为刘瑾补輯的神应經[135]。更有人从兪穴研究中指出針灸書中一穴二名或三名，四名、五名，甚至六名。更指出一名有兩穴。使混乱的穴名加以科学的整理者，是为徐鳳的針灸大全[136]。

16世紀对于針灸有貢献者当推汪机和高武。汪机曾著針灸問答，簡明切要，便于初学[137]。高武浙江四明人，自号梅孤子。1536年（嘉靖丁酉）曾將內經和難經中有关針灸部

(120) 胡濙：衛生易簡方，1423，明嘉靖41年重刊本。

(121) 丘濬：羣書抄方，1474，日本手抄本。

(122) 赵季敷：救急易方，1498，广西府江兵巡道重刊。

(123) 張时徹：急救良方，1550，明嘉靖29年刊。

(124) 張延登：悬袖便方，1629，明崇禎二年刊。

(125) 李恒：袖珍方大全，1391，正統十年熊宗立刻本。

(126) 朱橚：普济方，四庫抄本。

(127) 熊均：名方类証医書大全，1446，日本永祿刻本。

(128) 方賢：奇效良方大全，明黑口刊本。

(129) 王杲：保生余录，1503，宏治16年王杲刻本。

(130) 闞信：古今医鑑，1577，明万曆17刊。

(131) 吳崑：名医方考，1584，日本元和五年刻本。

(132) 陈文治：瘍科选粹，1628。

(133) 吳旻：新刊扶寿精方，1534，明万曆15刊。

(134) 張时徹：攝生众妙方，1550，冠悔堂抄本。

(135) 陈会：神应經，1425、日本正保二年版。

(136) 徐鳳：徐氏針灸大全，1439，自刊本。

(137) 汪机：針灸問答，1530，石山医案內。

分，摘要录出，称为針灸要旨[138]。其后参考了以前的針灸書二十种，于1546年(嘉靖丙午)編成針灸聚英[139]。此書首叙經絡俞穴，次各病取穴治法，次針艾法，最后为歌賦。每段之后，多有按語，申明自己見解。反对以前針灸上迷信的說法。确为有功于針灸的人。

明代对于針灸貢献最大者则为浙江衢州人楊繼州字济时。著有針灸大成[140]。針灸大成主要参考了高武的針灸要旨和針灸聚英，于1601年(万曆辛丑)纂編成書。这部書是綜結前人的大成，自己则無大發明。所有摘录前人的著作皆註明来源。而且选擇甚精，例如何病針何穴，独取神应經，頗便实用。又十卷附入按摩法，则为前人針灸書中所無者。总之針灸大成是一部搜罗完备而且实用的書，因此流傳甚广。

圖12　徐氏針灸圖，中坐者为徐氏，案上放針包
(据徐鳳著徐氏針灸大全1439自刊本)

1618年(万曆戊午)吳崐著針方六集，亦系綜合前人著作。但內容尚不及針灸大成，而且空論甚多，例如論針灸与葯在治疗上同样重要，多至45条，显然無补实用。因之流傳不广。

由上介紹可知明代对于針灸有貢献者当推徐鳳、高武和楊繼州三人，其中尤以楊繼州的貢献最大。

四、衛生

(一)保健組織

封建制度在明朝高度發展。医学組織方面有为帝王和官僚服务的太医院。15世紀以后南京和北京均設有太医院。太医院設院使一人，院判二人，御医十人，吏目十人。另設生葯庫大使一人，副使一人。其次各地王府均設有为亲王服务的良医所。良医所設良医正一員，良医副，吏目等。至于京师、府、州、县均設立惠民葯局，施医施葯，均是有名無实的机構[141,142]。

世医：明代沿襲元朝的阶級制度，戶口分民戶、軍戶、医戶、匠戶等。各戶均需子襲父業，不能改变。所以医戶必須世世当医生。这些医戶散在各地供統治者役使，等于服劳役。因此医戶往往私逃或运动改籍。后来規定不許軍、民、医、匠，的戶籍妄行变乱，違者治罪。直到医生有了殘廢，或70岁以上才准放免。

太医院选取医生，照例自医戶子弟中考取。考中以后，仅給極微的工資。1474年(成化十年)規定考中的医生有家小者給四斗，無者三斗。医士有家小者，月支米七斗，無者五斗。这样工資仅等于当时普通工匠的工資，正可說明当时医生在社会上的地位仍然很低。

劳动衛生：15世紀初年明成祖朱棣迁都北京以后，曾大兴土木。工部征募多数軍民建筑北京。于1408年(永乐6年6月)規定工人飲食和作息的时間。1411年(永乐9年8月)更規定工人患病，官給医治和久病遣返，死者函骨归葬。由于一时多数工人患病，不得不設病院(安乐堂)收留患病的工人。于1417年(永乐15年)太医院曾派医士350人給葯医治。另外由戶部撥白米250石供給住院(安乐堂)患病工人的食用。

---

(138) 高武：鍼灸素难要旨，1536，陶师文刊本。

(139) 高武：鍼灸聚英，1546，日本寬永17刊本。

(140) 楊繼洲：鍼灸大成(一名針灸大全或針灸集成)照治丁酉年李月桂重刊。

(141) 申时行：大明会典，明万曆刊。

(142) 皇明实录，明抄本。

明代設立八局，即是八种手工厂。其中有浣衣局。据大明会典載浣衣局，由太医院派遣医士一人值日。这是中国洗衣工人最早有医药照顾的記載。

在劳动衛生方面，由于煤矿开採的普遍，于是劳动人民發明了用長竹筒通風法，以排出矿井中沼气等。同时对于採宝石、鑿井、拾蚌等均有了保护方法。其次对于採鉛工人和鉛器制造工人的鉛中毒，以及汞砒燒煉时的水銀中毒和砒中毒均已有記載，而且發明了簡單的預防法[143]。

軍医：明朝有三大营駐守京师。三大营即五軍营，三千营和神机营。每营由太医院派医官一員，医士三人或四人担任医疗。据1371年（洪武四年）三大营的兵士数共为207,800名。医务人員仅12人有时少至九人。是每17,300多人才有医官和医士一人。医务人員的数目过少，可能由于不包括医生在內，因为医生的地位，当时等于士兵，所以不記載。

1450年于謙設团营，兵士共約十万。有医官二員，医士十二人。計七千多人有医士一人。

明朝由于經常与蒙古人战爭。沿边一帶設关，如山海关，或設衛，如怀来衛，或設所如龙門千戶所。常川有軍队駐守。当时边关衛所共14处，均由太医院派医士一、二人担任医疗。

由上記載可知当时軍医是由太医院派遣。所用的药，也全由太医院發給。凡民夫、工匠、軍士有病，均發給医药。但是兵士多，医生少，实际上只有軍官才能享受医药照顧。

此外在15世紀初年郑和曾多次帶兵巡視南洋（当时称西洋），随船帶有軍医和民医，据瀛涯胜覽列举官兵总数为27670其中医官医士180員名是为中国最早的海軍軍医的記录。

軍医的地位，約与乐舞生、力士、厨子、工匠等相近。

獄医：刑部提牢厅設有医士一人。明初曾注意到獄中衛生。1368年（洪武元年）規定獄內清潔，犯人飲食，医药衣服床舖等的必須設备。以后更有不准忽視獄囚衣粮。孕妇犯罪需待产后拷决等条文。

其他衛生設施有养济院，担任收容孤貧廢老無依的人，漏澤园負責掩埋無主死尸。

先医庙：1295年（元，元貞元年）各地的三皇庙以黃帝臣十大名医配享，由医师主祭。这种制度，明初仍然沒有变更。到了1536年（嘉靖15年）建聖济殿，以祀先医。1542年复增历代名医18人，即伊尹、扁鵲、淳于意、張机、华佗、王叔和、皇甫謐、葛洪、巢元方、孙思邈、韋慈藏、王冰、錢乙、朱肱、刘完素、張元素、李杲、朱彥修。

每年春秋兩次祭祀。此后民間的药王庙均祀历代名医。

名医死后受人崇敬，得以入庙配享，給后来的医学家一种鼓励。

药物的征集和进口药：当时用药是向全国产地派納，遍及十二省，十七府、五州。因为派納的药很多，特設生药庫蓄存药物。1403年（永乐元年）規定，每年向各省或府或州派納药品55,474斤。后来这种剝削制度，一天一天的加深。到了1522年（嘉靖元年）派納的药多到264,227斤。由于当时用不了这样多的药，在1534年遂規定照派定的数目9/10交貨，1/10折价。所以向各地派納药品的制度，不但給人民加上額外的剝削，同时又給官僚增多一个貪污的机会。

除了征药以外，还要进口外国药。凡进口的药，皇帝先买（当时称进貢），有余才許商人买。当时的进口药很多，据大明会典所載有五十多种。其中香药最多，如木香、丁香、乳香、烏香（鴉片）等。其次是龙腦、阿魏、苏木、大楓子、番木鼈、檳榔、血竭、豆蔻等。由于当时盲目的进口，收买的苏木和胡椒过膩。甚至有多次（永乐22年，宣德九年，正統元年）用苏木和胡椒折發南京和北京文武官吏的薪俸。

（二）一般衛生

中国到了16世紀对于飲食衣服、住房均不断改进，徐春甫在所著古今医統內，第98卷曾記录各种飲食如茶、湯、酒、醋、醬、醬油、菜蔬、肉类、鮮果类、酪酥、蜜煎諸果等。衣服有糉衣的制法，各种洗污衣法等。明代对于飲食的烹調和制作，尤多發明。今天日常食物多数皆可

（143）刘广州：祖国文化遺产中有关劳动衛生資料介紹，中医杂誌，1955年5月号。

自明代文献內找出，例如高濂于1591年（万曆19年）著有遵生八牋[144]。其中飲饌服食牋，記载当时各种飲食極为詳尽。其中記载湯类多至32种，如楊梅杏湯，橘湯等；粥类38种如蓮子粥，蔓菁粥等。此外粉类有藕粉、栗子粉、百合粉等；脯鲊类如腊肉、蒸鰣魚、醉蟹皆为現代有名的食品。更有蔬菜类，酒类、甜食类等。其中甜食类如到口酥、糖薄脆等，仍为今天人民喜好的食物。

体育鍛鍊：練習勇力者称为拳勇。宋以来即有內外家之分。外家如少林拳，內家如武当拳。武当后来演变成为太極拳。到了明朝，戚繼光所著紀效新書中有拳經一种，列有拳技二十余种之多，皆为当时通行的体育方法。又修齡要要旨內載有十六段錦法，是兼有头部、腰部、肩部、項部、手、足、膝、腿等关节的一系列的运动方法。又有八段錦法，尤为通人皆知的运动方法，兹录八段錦歌訣如下："閉目冥心坐，握固靜思神。叩齿三十六，兩手抱崑崙（头部）。左右鳴天鼓，二十四度聞。微擺撼天柱（頸部运动），赤龙攪水津。尽此一口气，相火燒臍輪。左右轆轤轉（腰部运动），兩脚放舒伸。叉手双虛托，低头攀足頻。以候逆水上，再嗽再吞津。如此三度畢，神水九次吞。嚥下汩汩响，百脈自調匀。河車搬运訖，發火遍燒身"。[145]

在环境衛生方面，自15世紀以后，北京屡次疏濬城市內下水道。1489年（正統四年）曾疏城內河渠。1580年（万曆八年）曾挖掘城內各街長溝和臭水塘。居民自己就所居住的街道随时挖溝排泄污水。当时水溝分明溝暗溝，皆用磚砌成。至今故宮內地下水道仍多为明代建筑。总之北京的修建，反映了当时的技术水平，在很多方面都和近代都市計划的原理相合，是当时世界上最傑出的城市。

五、医学史

（一）名医傳記

南宋时代許慎齋 繪历 代名医 探源 报本之圖。除三皇及十大名医有圖外，另附历代名医的姓名[146]。13世紀魏了翁在学医随笔內所記的名字即据此圖。18世紀末年許国楨曾著有医学源流，現已佚失。到了1450年（景泰庚午）熊均据許氏名医圖，續增了元朝名医14人，並增小傳136个，称医学源流[147]。熊氏在書跋內未說到許国楨医学源流，但是1458年（天順戊寅）吳高給他这書作序，則提到古人医学源流，而且在1556年徐春甫作古今医統亦仅有許氏医学源流，不及熊氏書，可見熊氏書与許氏書有一定关系。虽然如此，熊氏書仍是15世紀仅存的医史著作。所增元代名医14人如李杲，王好古、罗天益、吳恕、僧繼洪、胡仕可、陈澤民、孙允賢、李仲南、馮道玄、薩謙齋、危亦林、滑寿、朱彥修等，皆对医学确有貢献，非仅憑私好者可比。到了16世紀在医学整个进步的潮流中，前后曾出現了三种医学史著作。第一部是1526年（嘉靖丙戌）李濂所編的医史[148]。他这部書仅从前人的著作內，輯录了名医傳71个，自己並未著笔。这71个名医中67个見于輟耕录[149]，四个是無貢献

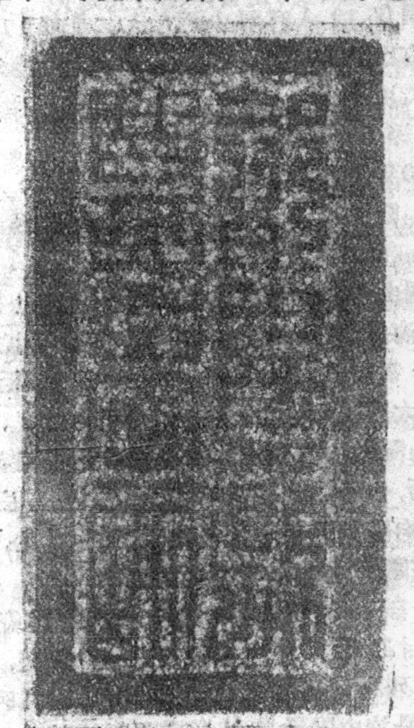

圖 13-洪武年頒發陝西"郃陽县医学記"原印現存郃陽博物館

(144) 高濂：重訂遵生八牋，明崇禎年刊。

(145) 冷謙：修齡要旨，頤身集內。

(146) 范行准：名医傳的探索及其演变，医史杂誌第二卷，第1,2期。

(147) 熊均：医学源流，1465，日刻名方类証医学大全內。

(148) 李濂：医史，1526，影抄本。

(149) 陶宗仪：輟耕录，卷24。

圖 14 历代名医神碑現存陝西耀县藥王山上藥王庙內

的医家(崔彧、景哲、景鳳、子間)。所以他这部書的价值远不及熊均的医学源流。

1556年(嘉靖丙辰)徐春甫(1520—1596？)著古今医統[150]，其中有历世聖賢名医姓氏一項，名医之下皆附一傳記。因其採擇諸書列举許国楨(原作貞)医学源流和李濂医史，可見他曾参考这兩部書。書中共录名医273人，增添了以前名医傳所無的名医百余人，仅明代就增加53人，可見他曾用了很大力量搜集材料。是明代对医史最有貢献的人。

稍后于徐春甫，更有李梴在1576年(万曆丙子)著医学入門[151]。根据程伊的医林史傳、外傳和拾遺以及原医圖贊，于第二卷列历代医学姓氏，也皆附小傳，共录名医215人。但其目的是宣揚古代名医，作为学医的人的模范，所以不按时代順序，而分为上古聖賢、儒医、明医、世医、德医、仙禪道术六类。此种分类甚为牽强，因此很难分清某人应入某类，为最大缺点。李氏著書时与古今医統出版时相距仅数年，彼此所据材料不同，故此書所录名医数目不但比古今医統少，而且名医姓氏也不同，又叙述也較簡略，因此在医史貢献上較徐春甫为小。至于1628年(崇禎戊辰)署名聶尙恒著的医学彙函[152]，所載历代名医姓氏則完全抄襲医学入門。

在皇朝規定先医廟崇祀历代名医18人的一年，就是1542年(嘉靖21年)，陝西省三原县人喬太宾在耀县藥王山的藥王庙內立了一塊碑，前面刻着孙思邈的圖像和疗風病方，碑陰刻历代名医神碑，上刻名医201人[153]。其所刻人名与13世紀魏了翁学医隨笔和14世紀陶宗仪輟耕录中的历代名医，大致相同。另增元代名医11人，就是竇汉卿、安余庆、刘吉甫、李巨川、何誠叔、李德懋、李光、李君玉、張有齋、朱丹溪、喬可久。除竇汉卿、朱丹溪、喬可久三人外，其余八人皆無医名，不知立碑人究何所据。从这塊碑，我們可以知道当时医学已有極大成就。患者于治癒后才施立这类报功碑。在今天来說这塊碑已成为医学史最宝貴的資料。

明代不仅有多人写了名医傳，而且有人写了医学書目，其中殷仲春的医藏書目，收录医書近五百种，由此可以略知17世紀中叶医学文献的狀況[154]。但所录医書既有重复，又多遺漏

(150) 徐春甫：于嘉靖丙辰年（1556）著古今医統，万曆丙申年(1596)著医学指南捷徑，姑推定生卒年为1520—1596。

(151) 李梴：历代医学姓氏，医学入門內，万曆三年刊。

(152) 聶尙恒：医学彙函，1628，躍劍山房。

(153) 耀县的藥王山上藥王庙內的历代名医神碑，1954年曾將其摹搨。

(154) 殷仲春：医藏書目，1659，中国古典医学叢刊本。

而且分类方法根据佛典，尤不适用。

（二）全書和叢書

1556年（嘉靖丙辰）徐春甫編著古今医統，总結当时所有医学知識在一起。于1570年（隆庆庚午）以后始出版，首为医学史、保健組織，次为脈学、运气、針灸，次为內科、外科、妇科、小兒科等，次为本草，最后为飲食、衣服、居室、娛乐、衛生等，多至一百卷，为中国第一部具現代形式的医学全書，不但內容丰富，而且选擇甚精。

与古今医統类似的著作有王肯堂的証治准繩[155]，其中包括杂病（內科）类方、伤寒、幼科、女科、外科六种，由1597—1608年止，陆續編成。此書搜罗完备，編輯得法，而且适用，因此流行最广。其后更有張三錫著医学六書[156]（要），包括四診、經絡、病机、本草、治法和运气。

16世紀以后由于印刷技术进步，不但帶圖的書多起来而且列表說明。方書內有的將每方加号，如医書大全，目录內更标明頁数，如医学入門，使閱者便于檢寻。另外还印行多数医学叢書，其中有的將古代医学經典著作纂集印行者如医种子等[157]。另有書商为了賺钱將一人著作合成專集者，諸大医学家如朱震亨[158]、刘守眞[159]、李杲[160]、張机[162]等皆有專集出版。至于合刻多数名著在一起者以古今医統正脈最为有名，包括古今医書44种之多，其中尤以金元医家的著作为多[163]。此外明代諸大家也皆印行了專集[161,164,165]。

（三）医学教育

1384年（洪武17）規定府、州、县均設医学。兼管医药行政和医学教育。府設正科一人，州設典科一人，县設訓科一人，都是最低級的从九品官。而且設官不給汞，可見是有名無实的机構。北京和南京所設的太医院，除了为皇室服务以外，也兼管医学教育。

医士的教育，主要是家傳世医。这些世業医生，选入太医院學習，名叫医丁。每年有四次考試，三年一次大考。考中一等为医士，送御药房供事，二等为医生給冠帶，三等俱發本院当差。經过一定年限（內殿三年，外差九年），由礼部考試，考取医士陞吏目，吏目陞御医。

但是也在一定时間內由各府州县选举医士，然后由太医院考試，考中选用，不中者發回原籍为民。

分科：大方脈（成人內科）、小方脈（兒科）、妇人、口齿、咽喉、金簇、接骨、眼、伤寒、針灸、瘡瘍、按摩、祝由等13科。

教科書：太医院規定学習的医学教科書为素問、难經、本草、脈經、脈訣、和医学方書。但这些書不容易讀，有重編的必要，因此刘純（宗厚）于1388年（洪武21）著有医經小学[166]。其中包括本草、脈訣、經絡、病机、治法、和运气，共六卷。將医学知識撮要編成韻語。便于初学。其后二百年即1576年（万历丙子）李梴更編医学入門[167]，也仿照医經小学用韻語編成，但其下更加註解。首为釋方，次为历代医学姓氏，次为診断，次为針灸、本草、次为內科、女科，小兒科和外科，最后为習医规格共17卷。这部書不但較医經小学完备，而且增加多数重要部門，例如釋方、医学史、習医規格等。釋方主要据程伊所作，將当时医生所用方名，一一加以解釋，对于習医的人頗

（155）王肯堂：六科証治准繩，分杂証，类方、女科、幼科、瘍科、伤寒。

（156）張三錫：医学六書內有四診法，經絡考，病机部、本草选、治法彙、运气略。

（157）盧　复：医种子，收本經、难經、伤寒、金匱、金鏡舌法、扁鵲倉公傳，薛立齋医案和他自已的著作，如芷園臆草存案等。

（158）朱震亨：丹溪心法附余，收丹溪心法、医学發明、金匱鉤元，脈訣指掌，活法机要，証治要訣等書，皆非朱震亨所著。

（159）刘完素：河間六書，收刘完素著的原病式，宣明論方，保命集三种，其余是他一派的人所著的書。

（160）李杲：东垣十書收李杲著的脾胃論，內外伤辯惑論，蘭室秘藏三种，其余杂湊他人的著作。

（161）張介賓：景岳全書分傳忠录、脈神章、伤寒典、杂証謨，妇人規、小兒則、痘疹詮，外科鈐，本草正，新方八陣、古方八陣等。

（162）張机：仲景全書收伤寒論、金匱要略方論，伤寒类証三种。

（163）王肯堂：古今医統正脈全書。

（164）薛已：薛氏医案收書24种，薛已所著者10种，其余是他校的書。

（165）汪　机：石山医案收書八种，石山医案，运气易覽，外科理例，痘治理辨，針灸問答为汪氏所著，其余皆汪氏註解的書。

（166）刘純：医經小学，1388，萬曆刻本。

（167）李梴：医学入門，1576，日刻本。

称便利。医学史使学医的人重視前人的劳动，習医規格指出医生的道路，皆是医学教育中的主要科目，李梴均行編入，誠然是有远見的医学教育家。此后明代用謌語編成的医学教科書还很多，但均不及上述二書流行的广大[168,169]。

明代採取世医的制度，因此有多人將世代經驗写成簡易实用的医書以教授子弟[170,171]。到了17世紀，这类医書曾有多种刋行，明医指掌將每病列表說明，並按証标明葯方，实为最早的临証手册[172]。其余如簡明医彀[173]、医宗必讀[174]、等均为学医入門的書。

这些書中所記載的病名均在70—80之間。

結　論

由于16世紀韓懋規定書写病案方法，其后吳崐也竭力提倡，因此医生們注意病案的記录。在17世紀曾有多数較詳病案出版。最有名的著作是名医类案和孙氏医案。

李梴張介宾等重視問診，將問診具体化是一大进步。

明代的学派首先是朱震亨学派有戴元祖刘純和虞摶等。虞摶著医学正傳影响很大。其次是李杲学派有薛己、張介宾、赵献可等。折衷派有王肯堂。他著有六科証治准繩为17世紀以后流行最广的書。其次为孙一奎、著有赤水玄珠和医案，也頗受医家欢迎。

內科方面：在鑑別傳染病上有極大进步。吳有性的溫疫論是鼠疫流行时所成的書，記載了多种急性傳染病，尤以鼠疫記載逼眞。其次由于天花流行，16世紀發明人痘接种法，医書中1643年喻昌寓意草曾有报告。1604年吕坤著有疹科是第一部痲疹專書。伤寒有很多著作，其中以伤寒五法指出治疗热病的原則最有价值。慢性傳染病中如結核病曾有多种專書出版。除治疗法外，更知道預防的重要。

对于精神神經病以王肯堂的証治准繩描写最为詳細。張介宾对于精神病的分类和描写也有很大貢獻。

外科：薛己曾刋印以前的外科書，並自己編写了四种外科書，使中国外科學的地位提高了一大步。17世紀上半叶曾有六种外科書出版，以陈实功的外科正宗貢献最大。报告了多种腫瘤、还記載了多种手术如气管縫合法，下頷脫臼整复法，鼻息肉摘除法。对于正骨科記載最詳者为王肯堂瘍科証治准繩。

皮膚性病：痲風專書有薛己癘瘍机要和沈之問的解圍元藪。此时已肯定大風子治痲風的特效。在梅毒方面陈司成的霉疮秘录是現存第一部性病專書，不但詳細記載了梅毒，而且报告了29病例。在治疗方面肯定了砒剂的治效。

眼科：17世紀初年王肯堂总結了眼科知識，記載了171症。1644年傅仁宇編审視瑤函，是集眼科大成的著作。並首先使用煮沸器械法。

小兒科：最有貢献者当推薛鎧和万全。

妇产科：王肯堂总結了17世紀的妇产科知識成为女科証治准繩。

葯方書：單方以衛生易簡方最有价值，輯录的医方以普济方最全。

針灸：明末楊济州編針灸大成，为此科以后流行最广的書。

衛生部分，按当时保健組織簡略介紹，从組織上可以窺知劳动衛生，环境衛生，軍医獄医等均已开始注意。

1536年建聖济殿，以祀先医。1542年規定三皇和十大名医外，更增祀历代名医18人。此后民間的葯王庙也均祀名医。名医死后受人崇敬，是学医的人一种鼓励。

在一般衛生方面：徐春甫古今医統內記有各种飲食和衣服。1591年高濂的遵生八牋有飲饌服食牋，記載当时各种飲食極为詳尽。明代对于北京的修建，例如疏濬城內下水道，城市河渠，並建筑了輝皇的宮廷殿宇，处处反映了当时的技术水平，是当时世界上最傑出的城市。

最后为医学史，首先叙述当时名医傳的編写情况。其次为医学書目和医学全書等的簡略介紹。最后闡述此时医学教育情况。

---

(168) 唐椿：原病集，1637，据嘉定县刻本手抄。

(169) 陈澈：雪潭居医約，1641，明刻本。

(170) 龔信：古今医鑑，1589，王肯堂訂补本。

(171) 沈应暘：明医选要，济世良方，1622，何㙔訂。

(172) 皇甫中：明医指掌，1556，萬曆已丑刘斗搨重梓。

(173) 孙志宏：簡明医彀，1629，乾隆13年重刊。

(174) 李中梓：医宗必讀，1637，明崇禎十年刻本。

中国解剖史

侯宝璋

人体解剖之事，其在吾国，导源甚早。汉書艺文志云："医經者，原人血脈經絡骨髓陰陽表里，以起百病之本，死生之分，而用度箴石湯火所施，調百葯齐和之所宜，……"。既云"原人血脈經絡骨髓"，其为根据解剖之經驗，可想而知。惜医經七家216卷，大半失傳，所余內經18卷，又复残闕不全；自經唐人王冰（肃宗时人，約当公元750年）改竄后，讀者更难辨其孰为原文，孰为增訂；而治兩汉以前医学史者，乃益感不知何所依据之苦焉。

吾等所敢断言者，即兩汉以前，吾国确有解剖之事，不特艺文志所称医經等語可为依据，即証之史記所載，亦無不合。史記扁鵲倉公列傳云：

臣聞上古之时，医有俞跗，治病不以湯液醴酒，鑱石撟引，案杌毒熨，一撥見病之应。因五藏之輸，乃割皮解肌，訣脈結筋，搦髓腦，揲荒，爪幕，湔浣腸胃，漱滌五藏。

按俞跗之事無可考，然据史記此段文字之記載，則古代有解剖之事，已可証实。又史称"紂鍥朝涉之脛，視其髓；剖孕妇之腹，視其胎"。金樓子亦云："紂剖比干心有十二穴"。战国策亦云："宋康王为無头之冠以示勇，剖傴者之背，鍥朝涉之脛，国人大駭，齐聞而伐之"。是解剖人体，追溯原始，其由来盖甚久矣。

"解剖"一辞，其見諸中国之載籍者，为时亦早。灵樞經水云：

夫八尺之士，皮肉在其外，可度量切循而得之，其死可解剖而視之。其藏之坚脆，腑之大小，谷之多少，脈之長短，血之清濁，气之多少，十二經之多血少气，与少血多气，与其皆多血气，与其皆少血气，皆有大数。

"解剖"之名，其殆始于此歟？惟灵樞既系王冰伪作，自不能引以为据。就管見所及，其最早且最可靠之記載，当推汉書王莽（其在位为公元9—22年）傳所云：

莽誅翟义之徒，使太医尚方与巧屠共刳剝之。度量五臟，以竹筳导其脈，知所終始，云可以治病。

此在我国医学史上，可称为最精彩之一幕。盖不特發現五臟之位置，且更知其輕重大小，又以竹筳插入血管，以視其終始，其对于动脈靜脈与心臟及其他各臟之关系，以及血液流行于身体各血管之現象，想必有相当之認識。即进而謂王莽之时，已發現血液循环之理，亦非过言。总之，从此区区数語中，可見王莽时太医之解剖，最为精細正确。且又云"可以治病"，是其研究之动机，又在求医学之实用，其求知与創作之精神，比之古今来任何科学家，亦無多讓。倘使其說仍存，对于医界必可有相当之貢献也（参覽宋赵与时宾退录）。

东汉时代关于解剖之記載，华佗傳中語焉不詳。礼記月令注疏引郑康成（公元127—200年）說有云：

腎也，脾也，俱在鬲下；肺也，心也，肝也，俱在鬲上。

按郑言肝在鬲上，其說謬甚，故吳汝綸与廉惠卿書中有云："……实則中医之謬說五臟，康成誤之也"。而丁福保引吳汝綸說，亦云："吾国医学之坏，坏于儒。所傳素問，难經，殆皆伪著。五臟部位，皆顚倒錯乱。其故因汉时有古文今文，有兩家之学。古文皆名儒，今文則皆利祿之士。古文言五臟与西說合，今文即左肝而右肺者。汉末郑康成氏为古文家，而論五臟独取今說。自是以后，及二千年，蹈襲勿敢变，而郑氏实尸其咎"（見陈邦賢中国医学史）。吳氏所謂"古文言五臟与西說合"者，亦只指五臟之部位而言，其詳如何，則無从考察矣。

魏晋之季，关于解剖之記載，亦只限于內臟，其医書之論臟腑者，則有皇甫謐（公元215—282）之甲乙經，其說云：

腸胃凡長六尺四寸四分，从口至腸而数之，此徑从胃至腸而数之，故短也。肝重四斤四兩，左三叶，右四叶，凡七叶。心重十二兩，中有七孔三毛，盛精汁三合。脾重二斤三兩，扁广二寸六，長五寸，有散膏半斤。……肺重三斤三兩，六叶兩耳，凡八叶。……腎有兩枚，重一斤二兩。……胆在肝之短叶間，重三兩三銖，盛精液三合。……胃重三斤十四兩，紆曲屈伸，長二尺六寸，大一尺五寸，徑五寸，盛谷二斗，水一斗五升。……小腸重二斤十四兩，長三丈二尺，广二寸半，徑八分分之少半，廻积十六曲，盛谷二斗四升，水六升三合合之大半……大腸重三斤十二兩，長二丈一尺，广四寸，徑一寸半，当齐右廻十六曲，盛谷一斗，水七升半。大腸即廻腸也，其廻曲因以名之。……膀胱重九兩二銖，縱广九寸，盛溺九升九合。……口广二寸半，唇至齿長九分，齿以后至会厭深三寸半，大容五合也。……舌重十兩，長七寸，广二寸半。……咽門重十兩，广二寸半，至胃長一尺六寸。……喉嚨重十二兩，广二寸，長一尺二寸，九节。喉嚨，空虚也，言其中空虛，可以通气息焉。心，肺之系也，呼吸之道路，喉嚨与咽並行，其实兩異，而人多惑也。肛門重十二兩，大八寸，徑二寸太半，長二尺八寸，受谷九升三合八分合之一。肛，釭也，言其处似車釭，故曰釭門，即广腸之門，又名臏也。

难經及孙思邈所著之千金方，所云与此略同，兹不具录。唐張守节史記正义，（卷105）于胃腸之長短大小，所論亦頗詳尽，云：

胃大一尺五寸，徑五寸，長二尺六寸，横屈，受水谷三斗五升，其中常留谷二斗，水一斗五升。凡人食入于口，而聚于胃中，谷熟傳入小腸也。小腸大二寸半，徑八分分之少半，長三丈二尺，受谷二斗四升，水六升三合。合之大，半小腸，謂之谷而傳入于大腸也。回腸大四寸，徑一寸半，長二丈二尺，受谷一斗，水七升半。广腸大八寸，徑二寸半，長二尺八寸，受谷九升三合八分半之一，故腸胃凡長五丈八尺四寸，合受水谷八斗七升六合八分合之一，此腸胃長短受谷之数也。

就正义与甲乙經二者所記腸胃之大小比較之，大致相同。其不同处，只是甲乙經称大腸，正义称回腸，甲乙經称肛門，正义称广腸耳。若以之与难經所載者比較之，亦無甚差别。其徵異处，难經謂舌重12兩，甲乙經称舌重10兩，难經謂咽重12兩，甲乙經謂咽重10兩，难經謂脾扁广三寸，甲乙經謂脾扁广二寸耳。此种差别，实太微細。古無印板，書籍流傳，專恃抄录，数目字上之錯誤，自所不免。是則难經，甲乙經及正义所引臟腑之輕重大小，自大体論之，可云一致。夫难經灵樞，其著作时代，怀疑者甚多，然大都以为汉代伪著（关于此一問題，文献甚多，因与本文無关，故不备征），吾人于此亦姑假定其为汉代之著作可也。皇甫謐乃魏晋时人，經甲乙为其所著，似無問題。正义虽为唐張守节所著，而所引又与甲乙經及难經同。因此，吾等可將以上各書所引之臟腑輕重及大小，按周、新莽及魏、晉三时代之度量衡制，与現代医家所获之臟腑輕重大小之确数比較之，用以覘其異同之所在焉。

五臟之重量

	心	肝	脾	肺	腎
甲乙經所載之重	12兩	4斤4兩	2斤3兩	3斤3兩	1斤1兩（兩枚之重）
周兩合成克	179	968	501	729	258
新莽及魏晉兩合成克	167	946	486	708	250
現代医学所得之克数（即其确数）	男 312 女 260	1550至1860	171	男1300 女1023	130至150一枚之重

胃及大小腸之長度

	甲乙經	黃帝尺合成厘米	周尺合成厘米	新莽尺合成厘米	魏晉尺合成厘米	确数以厘米計
胃	2尺6寸	64有0	約52	約60	約64	大弯長40
小腸	3丈2尺	796	637	737	772	700.0
大腸	2丈1尺	522	418	484	506	200
	改为1丈1尺	274	219	253	265	

舌

	甲乙經	黃帝尺合成厘米	周尺合成厘米	新莽尺合成厘米	魏晉尺合成厘米
長	7寸	17.416	13.937	16.128	16.884
广	2寸半	6.220	3.982	4.608	4.824

脾之大小

	甲乙經	黃帝尺合成厘米	周尺合成厘米	新莽尺合成厘米	魏晉尺合成厘米	确数以厘米計
長	5寸	12.440	9.955	11.5	12.6	12至13
广	2寸	4.976	3.7	4.6	4.8	7至8
厚（扁）	2寸	4.976	3.7	4.6	4.8	3

註：以上所用度量衡制，均据吳承洛中国度量衡史。

由此观之，舌之長短，尚無大差，脾之長短，与現代所見，亦無大别，惟扁广悬殊太甚；且以如此微小之体积，似不能重2斤3兩。即使減去散膏半斤，尚余1斤11兩，若以周之斤兩制計之，則为393克，若以新莽之斤兩制計之，則为275克，仍嫌太重也。故余以为2斤3兩，或是1斤3兩之誤。試从1斤3兩減去散膏半斤，則余11兩，若以周之斤兩制計之，則为164.23克，若以新莽之斤兩制計之，則为153.12克，与近代所得脾之平均重量甚相近也。

据三十二难云，脾扁广三寸，長五寸。如以新莽尺計之，則广扁約7厘米，長11.5厘米，与現代所得之脾之广度尤为相近，惟較厚耳。

咽門至胃之度，甲乙經謂長1尺6寸，若以周尺計，約为32厘米，以新莽尺計之，約为37厘米，以魏晋尺計之，約为38厘米，去确数尚不甚远。

就以上所記臟腑之重量及長短言之，則五臟除脾外，其余四臟，均較現代所見之确数为輕。小腸之長短，其数最近。大腸太長，其云2丈3尺者，或为1丈3尺之笔誤，試改为1丈1尺，以新莽之度制計之等于253厘米，則与确数近矣。舌之長寬，及咽門至胃之長短，亦均無大差。所云心有“七竅三毛”，“毛”字未必便作毫毛之毛字解。按釋名(汉刘熙著)曰：“毛者冒也，在表所以別形貌，且以自复冒也”。所云三毛或即三冒之意。又按冒与帽通，前汉雋不疑傳：“著黃冒”，是則冒又可釋作帽矣。古人用字，有喜用隱僻字以自炫者，此或一例。按心有左右兩耳，附麗于左右房上，形頗似帽，故难經及甲乙經均有“七竅三毛”之說。其数三者，或是兩耳之外，又將右房加入；蓋由心之前面觀之，右房突出，頗似帽狀。如此則所謂“三毛”者，即三帽矣。所云心有七竅或七孔，亦通。按心之孔，有左右房室通孔各一，主动脈孔肺动脈孔及腔靜脈孔各一(腔靜脈普通二孔)，肺靜脈孔二，合計之，非七竅而何(九竅者亦有之)！准此論之，吾人可断言唐代以前确曾有解剖之事，而所解剖者，又确为人体而非畜体也。再就古代度量衡制言之，容量及重量，周以前無考，而臟腑之長短及重量，又以新莽时之度量衡制，为与臟腑輕重大小之确数为最相近。則甲乙經及难經所引臟腑大小輕重之数，或系得之新莽者也(莽傳明言“度量五臟”，既言度量，必有数目，此数目或为甲乙經及难經录取)。

唐代关于解剖之記載，除千金方及正义外，尚未發見其他材料。書闕有間，姑省略之。

宋代关于解剖之記載，最称丰富。叶夢得(公元1077—1148年)岩下放言(說郛本卷29)云：

> 世傳欧希范五臟圖，此庆历間(公元1041—1048年)杜杞待制治广南賊欧希范所作也。希范本書生，桀黠有智数，通曉文法，尝为攝官。乘元昊叛，西方有兵时，度王师必不能及，乃与其党蒙干嘯聚数千人，声搖湖南。朝廷遣楊畋討之，不得，乃以杞代。杞入境，即为招降之說，与之通好。希范猖獗久，亦幸以苟免，遂从之，与干挾其首領数十人，偕至。杞大为燕犒，醉之以酒，已乃执于座上。翌日，尽磔于市；且使皆剖腹，刳其腎腸。因使医与画人，一一探索，繪以为圖(宋范鎮(公元1007—1087年)东齋記事，郭景望蒙齋笔談所記均与此同，不复录)。

赵与时(公元1172—1228年)宾退录(学海本卷4)亦云：

> 庆历間，广西戮欧希范及其党，凡二日，剖五十有六腹，宜州推官吳簡皆詳視之，为圖以傳于世。

关于此事之記載較詳者，据章潢圖書編(古今圖書集成卷115艺术典引)臟腑全圖說，有如下說：

> 崇宁五年(1106)，梁少保知大名府，有羣盜走，内一强寇楊宗，以計擒之，衆首惡論死，临刑命医官並画工画之。适徐州欧希范作惡，当刑三十人，亦送来刑，命画工于法場剖开諸人胸腹，詳觀画之。見喉嚨排三竅：曰水、曰食、曰气。相推惟水食同一竅，走胞中，入胃上口。一竅通肺，循腹抵脊膂，轉臍下兩腎，与任冲督三脈会。丹田者，气海也。喉管下有肺兩叶，为华蓋，蓋諸心臟腑。肺下有心，外有黃脂裹之，其色赤黃。割觀其心，箇箇不同：有竅無竅，有毛無毛，尖者長者。心下有罗膈，罗膈下有胃，积曲可容一斗物，外有黃脂如旗幟。左有肝一、二、三、四、五叶者，亦各不同。内欧忠眼，肝有黑子兩張，气喘而且嗽，其肺皺而黑，所謂表里相应也。其肝短，叶上有胆，右胃左脾，与胃同膜，狀如馬蹄。肝赤紫，下有小腸，盤十六曲，極瑩滑，化物通行。右有小腸，亦十六曲，内有所出糟粕之路，外有黃脂粘作一塊。下有膀胱，居脖亦瑩滑，外無所入穴，全借气施行津液，入胞为尿。此君子小人之体，各異如此。

其所观察，所記載，虽未尽正确，然比較已頗精密，实九百年前一段最好之解剖記录也。惟所云左右方向，想是以解剖者自身之左右为左右，而非以尸体之左右为左右，蓋其观察既如是之精密，当不致左右倒置也。所云“竅通肺，循腹抵脊”者，想是指主动脈之降段而言，在無解剖經驗者，倉卒間实不易辨別。所云心“有竅無窍"，"有毛無毛"未知其旨，想仍謬于聖人之心始有七窍之說耳。至云心有"尖者長者"亦是可能之事。惟所云肝有五叶，不詳所指。蓋肝可粗分为左右兩叶（难經亦称有二叶）又可細分为四叶，此云五叶，其或將右叶与膽囊相連之处，另分一叶，所云"其肝短，叶上有膽"，殆即指此。然則，所云肝有五叶者，尙非大謬。又云"膀胱無所入穴"，推其意必是未見輸尿管，实乃大誤；且並胰腺亦未發見，可謂粗率。至于所謂"心外有黃脂裹之"，胃"外有黃脂如旗焰"，"大腸外有黃脂粘作一塊"，"其肺皺而黑"等語，以人体構造之实况論之，可謂精密之至。

此段材料之可疑者，乃在年代与地域之異同。岩下放言及賓退录，均以希范被誅为庆历間事，圖書編則言为崇宁五年，此年代上之不合也。希范称乱，岩下放言及賓退录言在广西，圖書編則言其在徐州，此地域上之不合也。圖書編乃明代載籍，明人著述，喜割裂前人篇幅，移此就彼，而致前后倒置，此其一例。考晁公武郡齋讀書志載"存眞圖"一卷，称"崇寧間（公元1102—1106年），泗州刑賊于市，郡守李夷行遣医並画工往視，決膜摘膏，曲折圖之，尽得纖悉，今較以古書，無少異者"。圖書編或將存眞圖所載，誤与欧希范事相混，而另成一段文字，亦未可知。史实或有不合，然所云解剖之事，其必在明代之前，固無疑义，以之代表宋人之解剖，似無不可。

宋代更有解剖血管之記載，邵博之聞見后录（津逮秘書本）所記虽称略，亦可略窺梗概，云：無为軍医張济善用針，得訣于異人，而視其經絡，則無不精。因岁饑疫，人相食，凡視一百七十人，以行針，無不立驗。如孕妇腹偏左，針右手指而正；久患脫肛，針頂心而愈；伤寒翻胃，嘔噦累日，食不下，針眼眦立能食；皆古今醫不著。陈瑩中为作傳云。

此外，亦有不經解剖而仅就腐坏之尸体加以研究者。苏轍龙山志略云：

有二举子，言齐大饑，羣丐相食，有一人皮肉尽而骨脈全，因得見三焦脈。

此則就腐尸而作实际观察者也。

宋代不特盛行解剖，且更將人体制成模型，以为研習之标本。晁公武郡齋讀書后記，略述其要，云：

銅人腧穴鍼灸圖三卷，皇朝王惟德撰。仁宗嘗詔惟德考次鍼灸之法，鑄銅人为式，分臟腑十二經，旁注腧穴所会，刻題其名，併为圖法及主疗之术，刻版傳于世。

又周密（公元1232—1308年）齊东野語（津逮秘書本，卷14）亦載銅鑄标本之事云：

嘗聞舅氏章叔恭云，昔倅襄州日，嘗获試鍼銅人全像，以精銅为之，臟腑無不具。其外腧穴，則錯金書穴名于旁，凡背面二器，相合則渾然全身，蓋旧都用此以試医者。其法外塗黃蜡，中实以水，俾医工以分析寸，案穴試鍼，中穴則鍼入而水出，稍差則鍼不可入矣，亦奇巧之器也。

宋人解剖人体，略如上述。其法虽自今观之尙欠严密，然实具有科学之精神。至于明代解剖之記載，則有赤水玄珠引何一陽傳云：

余先年精力强盛，时以医从师征南，历剖賊腹，考驗臟腑。心大長于豕心，而頂平不尖。大小腸与豕無異，惟小腸多紅花紋。膀胱是眞脬之室。余皆如难經所云，無所謂脂膜如手掌大者。

綜观以上所举数条，知宋、明人士研究之精神与态度，較之王莽实無遜色；且更进而使医人与画工合作，立將解剖之所得，繪以为圖，灼識卓見，令人拜倒。倘能再作精細之观察，糾正前人之謬誤，則所貢献于医学者，必不止此。所可惜者，泥古守旧，犹乏革命之精神，一則曰"今較以古書無少異者"，再則曰"余皆如难經所云"，未能擺脫已有之陈說而別創新議，以求学問之进步，此則可为浩嘆者矣。

至于清代王清任出，始抱改正前人旧說之决心，赴义塚，赴法場，視露臟之兒，刑余之夫，积四十二年之研究，方將所見，輯为"医林改錯"一書，以公于世。其改正及發現者如下：

一、肺下無透窍，亦無行气之24孔。

二、膈膜以上仅止肺心，其余皆膈膜以下物，而膈膜为上下界物。

三、肝四叶，膽附于肝右边第二叶。

四、肝大面向上，后連于脊。

五、总提俗名胰子，其体長于賁門之右，幽門之左。

六、胰管及膽管之發現：王云："幽門之左寸許，另有一門，名曰津門，上有一管，名曰津管"。惜与腸系膜动脈相混。

七、視神經之發現：王云："兩目系如線，長于腦，所見之物归于腦"。

八、胃在腹是平舖臥(横于腹)，上口向脊，下口向右，底向腹。

九、王氏謂"衛总管，体厚形粗，在脊骨之前，与脊骨相連，散佈头面四肢，近筋骨長。榮总管，体薄形細，長于衛总管之前，与衛总管相連，散佈头面四肢，近皮肉長"。又圖解云："衛总管即气管，俗名腰管，有十一管，通脊骨。其下兩管通腎。再下有左右兩管，通兩腿"。其說明动靜脈之地位及分佈，頗为清晰。惜仍認衛总管即气管，而未發現其与心臟之关系也。蓋犬食之余，刑杀之后，靜脈之壁薄而少彈力，故仍含血液，易于辨識。动脈之壁厚，而富于彈力性，于人死后，含血較少，不易辨認，乃誤为气管耳。

王氏虽未能尽改古人之錯，而其敢于疑古及創造之精神，实可欽佩；至其观察之能力，亦甚精审。倘能与以刑犯尸体，使之当場割剖胸腹，如处置欧希范等人者，其所發現，正未可限量。惜只限于臟腑不全之棄兒，遂致不能尽正前人之非，至可惜也。

至于王氏欲求解釋之膈膜，想是縱隔障，为一極薄之膜，位于胸腔之中部，必須由胸側將胸割开，留胸骨于原处，方能見之，非义塚或刑場上所易得見者也。

余所最引为詫異者，即王氏生于乾隆33年(公元1767年)，其書出版于道光庚寅(公元1830年)，四十余年中，游燕京，勤訪問，何竟亦未見邓玉函之"人身說概"乎？抑見之而不信其說乎？若王氏曾受邓書之啟示，則以其求知之精神，对于人体之構造，或能有更正确之認識，而为我国之解剖学奠一新基。惜受环境之限制，未能詳細解剖，精求研討，又乏相当之指导，致以四十二年之精力，仅获有限之成就，可慨也已！

王氏以前之疑古者，亦大有人在。沈括(字存中，公元1030—1094年人)夢溪笔談(津逮祕書本，卷26)云：

古人言人有水喉、气喉者，亦謬說也。世傳欧希范真五臟圖，亦画三喉，蓋当时驗之不审耳。水与食同嚥，豈能就中遂分为二喉？人但有咽有喉二者而已。咽則納飲食，喉則通气；咽則下入胃脘，次入胃，又次入腸，又次入大小腸，喉則下通五臟，出入息。五臟之含气呼吸，正如冶家之鼓鞴。人之飲食藥餌，但自咽入腸胃，何嘗能至五臟？凡人之肌骨五臟腸胃虽各别，其入腸之物，精英之气味，皆能洞达，但滓穢即入二腸。凡人飲食及服藥既入腸，为眞气所蒸，英精之气味，以至金石之精者，如細研硫黄朱砂乳石之类，凡能飞走融結者，皆随眞气，洞达肌骨，犹如天地之气，貫穿金石土木，曾無留碍，自余頑石草木，則但气味洞达耳。及其势尽，則滓穢傳入大腸，潤濕滲入小腸，此皆敗物，不复能变化，惟当退洩耳。凡所謂某物入肝，某物入腎之类，但气味到彼耳，凡質豈能至彼哉，此医不可不知也。

存中为有宋之大科学家，对于若干事物，皆有精密之研究，所言当非專憑臆想；况所云咽喉之路，又合于事实；其或曾經亲事剖驗者乎？惜曲高和寡，繼起無人，此解剖学未能进步之一大原因也。

至于死后剖驗，以求病原之所在(即病理解剖)，古亦有之。就記载所及，多出于病人之自願，遺囑使人为之者。搜神記云：

昔有一人，与奴俱得心癥病。奴既死，剖剖腹視，得一白鼈，赤眼甚鮮明。乃試以諸毒藥澆灌之，並內藥于鼈口，無損。乃系鼈于床脚，有客乘白馬来看之，溺濺，鼈惶恐，疾走逃溺；既系之不得去，乃縮斂藏脚不敢动。病者察之，謂其子曰："吾疾或可救"。乃試取白馬溺以灌鼈，鼈消灭成数升水。病者乃頓飲升余白馬溺，病即豁然除。

又宋書云：

沛郡相县唐賜往北村飲酒还，因得病，吐蠱虫十枚，临死語妻張曰："死后剖腹中病"。張手破之，臟悉糜碎。

又唐張鷟朝野僉載云：

唐河东裴同，父患腹痛，数年不可忍。囑其子曰："吾死后，必出吾病"。子从之，出得一物，大如鹿条脯；悬之久，乾。有客，窃之，其坚如骨。削之，文彩煥發，遂以为刀欛子佩之。在路放馬，抽刀子割三棱草坐其上，欛尽消成水。客怪之，回以問同，同泣，具言之。后病狀同者，服三棱草汁多驗。

又太平广記云：

隋煬帝大業末年，洛陽人家中有傳屍病，兄弟数人，相繼亡殁。后有一人，死，气犹未絕，家人並哭。其弟忽見物自死人口中出，躍入其口，自此即病，岁余遂卒。临終謂其妻曰："吾疾乃所見物为之害，吾气絕之后，便可开吾腦喉，視有何物，欲知其根本"。言終而死。

又广五行記云：

永徽中，絳州有一僧，病噎都不下食，如此数年，臨終，命其弟子云："吾气絕之后，便可开吾胸喉，視有何物，欲知根本"。言終而卒。弟子依其言，开視胸中，得一物，形似魚而有兩头，遍体悉是肉鱗。弟子致鉢中，跳躍不止。戏以諸味致鉢中，虽不見食，須臾悉化成水。又以諸毒葯內之，皆随銷化。时夏中炎热，寺众于水次作淀，有一僧往，因以少淀致鉢中，此虫怖惧，遶鉢馳走，須臾化成水。世傳以淀水疗噎。

又悉怪（广博物志）云：

有人得癥病，腹晝夜切痛，临終勅其子曰："吾气絕后，可剖視之"。其子不忍違，割之，得一酒鎗，容数合。后华佗聞其病而解之，便出巾櫛中葯以投鎗，鎗即消成酒。

此一鱗片爪之記載，亦足征民間自有此死后剖驗之事实也。

古代亦有因好奇心重，就囚犯之尸体，剖驗以視其究竟者，吳曾能改齋漫录（說郛本，卷35）云：

丰城李仲武告命能識墨丹徒令，以捕寇徙官。令初尉临海，有寇魁年七十，筋力絕人，盛寒臥地飲冰，了不为異，人皆以妖妄疑之。旣就捕，令訊無他，自言年三十許时，有道人告已云：凡物經火乃能寿。土赴水即潰爛，瓦礫乃至千年，木仆地即朽，炭之埋沒更堅致。人之灸犹是也。用其語，岁灸丹田百炷，行之盖四十余年。其盗坐棄市，令密使人抉腹視之，有白膜总于臍，若芙蕖狀，披之盖数十重，豈一岁一膜耶？

又洪迈（公元1123—1202年）夷堅志云：

忠翊郎王超者，太原人，壯勇有力，善騎射，面刺双旗，因以得名。嘗隶刘武、忠軍为步队小將，后解兵籍，得湖南巡檢，坐贓削官，編置朋州，遂入重湖为盗，裁夺人貨，至于黥配，然惡習不悛。嘗遇道人授以修眞黃白之术。乾道庚寅辛卯間，年八十矣。时岳陽民家遭刼，被害者数人，且姦穢其妇女。累岁捕賊不获，鼎州運江人黃士宏为平江尉，正鄰壤也，悉意蹤跡之，得凶盗十輩而超为之首。旣成擒下獄，尉見其春秋已高，而精采腴潤，小腹已下如鉄，而常暖。呼問之曰："知汝有異术，信乎"？对曰："無他技，唯得火灸力耳。每夏秋之交，輒灼艾数千炷，行之益久，全不畏寒暑，能累日不食，或一食兼数日之饌，皆不覺大飢大飽。豈不聞土成磚，木成炭，千年不朽，然火力致然耶"。鞫其过犯，略不諱隐，結正赴郡論斬刑。劊者割其腹，得一塊非肉非骨，凝然如石，盖其灸火之效。借其不自檢束，至于觸大惡，抵極典，翻为养生之累，其無識甚矣。士宏說。

亦有沿習俗之說以行解剖者，虽無补于医学，而其事則类似也。夷堅志云：

……饒州乐平县……县酒官吕生……吕妻竟因产丧命。吕狃于俗說，謂妇怀胎死者，沉淪幽趣，永無出（明鈔本作脫）期，至自持刀，剖其腹，取败胎棄之。吕貌陋而头偏，号吕偏头，妻甚美，賦性溫柔，族党相与嗟異，深悼其不幸云。

更有解剖畜类以作研究者。宋賈似道悦生随抄（說郛本，卷12）云：

舅氏慈公远好記異事，一日，远来相訪，言任丘县友人养惡犬甚猛，羣犬莫能胜。晚年旣衰瘁，为众犬所嚙，憒憒不食而死，剖其心，已化为石，而膜絡包之，似石非石，色如寒灰，重如磚瓦，观其脉縷，眞心也。不知何緣致此。然嘗聞人患石淋者，皆旋細石凝塊，有刀斧不破者。

以上所举，虽多近于神話，然所言解剖之事，亦有事实上之根据，並非尽出幻想。学人讀書，貴能分别观察，而对神話或傳說之运用，尤須出此。本段之引用魏晉奇書，即本乎此旨，是亦讀者所当深察者焉。

古代研究骨骼者，灵樞有骨度篇，只就人体表面，以量度骨之長短。其散見于他書者，亦間有之，至1247年宋慈著洗寃录始有詳細記載：

人有365节，按周天365度，男子骨白，妇人骨黑。髑髏骨男子自項及耳并腦后，共八片。腦后横一縫，当正直下，至髮际，别有一直縫。妇人只六片，腦后横一縫，当正直下無縫。牙有24，或28或32，或36。胸前骨三条。心骨一片，狀如錢大。項与脊骨各12节。肩井及左右飯匙骨各一片。左右肋骨男子各12条，八条長，四条短，妇人各14条。男女腰間各有一骨，大如掌，有八孔，作四行样。手脚骨各二段，男子左右手腕，及左右臁肕骨边，皆有髀骨（妇人無）。兩足膝头，各有顪骨，隐在其間，如大指大。手掌脚板各五縫，手脚大拇指，並脚第五指，各二节，余14指，並三节。尾蛆骨，若豬腰子，仰在骨节下，男子者其綴脊处凹，兩边皆有尖瓣，如稜角，周布九竅，妇人者，其綴脊处平直，周布六竅。大小便处各一竅。骸骨各用麻草小索，或細篾串訖，各以紙签标号某骨，檢驗时，不致差誤。

古今医書，除洗寃录外，能將身体各骨，作系統之叙述者，首推王肯堂著外科証治准繩。玆节录如下：

今以人之周身总365骨节，开列于后。人身总有365骨节，以165字都关次之。首自鈴骨之上为头，左右前后至轅骨以49字共关，72骨。巔中为都顱骨者一（有势，微有髓及有液），次顱为髗骨者一（有势、微有髓）。髗前为頂威骨者一（微有髓，女人無此骨）。髗后为腦骨者一（有势，微無液）。腦左为枕骨者一（有势液）。腦右为就骨者一。枕就之中附下为天盖骨者一（下为肺系之本）。盖骨之后为大柱骨者（下屬脊窳有髓），盖前为言骨者一（言上复合于髏骨，有势無髓）。言下为舌本骨者左右共二（有势無髓）。髏前为顖骨者一（無势無液）。顖下为伏委骨者一（俚人訛为伏犀骨是也。無势液）。伏委之下为俊骨者一（附下即眉宇之分也。無势髓）。眉上左为天賢骨者一（無势髓，下同）。眉上右为天貴骨者一（眉上直目睛也）。左睛之上为智宫骨者一（無势髓）。右睛之上为命門骨者一（兩睛之下中为鼻）。鼻之前为梁骨者一（無势髓）。梁之左为顴骨者一（有势無髓，下同）。梁之右为紏骨者一（顴紏之后即耳之分）。梁之端为嵩柱骨者一（無势髓）。左耳为司正骨者一（無势髓）。右耳为納邪骨者一（同上）。正邪之后为完骨者左右共二（無势髓）。正邪之上附內为嚏骨者一（無势少液）。嚏后之上为通骨者左右前后共四（有势少液）。嚏上为曜骨者一（無势多液）。其曜后連屬为頷也。左頷为乘骨者一（有势多液），右頷为車骨者一（同上），乘車之后为轄骨者左右共二（有势有液）。乘車上下齿牙 36 事（無势髓，庸下就一則不滿其數）。复次鈐骨之下为膻中，左右前后至蓧以 40 字关 97 骨，轄骨之下左右为鈐骨者二（多液）。鈐中为会厭骨者一（無势髓）。鈐中之下为咽骨者左中及右共三（無髓）。咽下为喉骨者左中及右共三（同上）。喉下为咙骨者环次共十事（同上）。咙下之內为肺系骨者累累然共 12（無势髓）。肺系之后为谷骨者一（無髓）。谷下为偈道骨者左右共二（同上）。咙外次下为順骨者共八（少液）。順骨之端为順隐骨者共八（同上）。順下之左为洞骨者一（女人無此）。順下之右为棚骨者一（女人無此）。洞棚之下中央为髑髃骨者一（無髓，俚人呼为鳩尾）。髑髃直下为天樞骨者一（無髓）。鈐下之左右为缺盆骨者二（有势多液）。左缺盆前之下为下猒骨者一（無髓）。右缺盆前之下为分饍骨者一（同上）。猒饍之后附下为倉骨者一（同上）。倉之下左右为髎骨者共八（有势無液）。髎下之左为胸骨者一（男子此骨大者好勇）。髎下之右为蕩骨者一（女子此骨大則夭夫）。胸之下为烏骨者一（男子此骨滿者髮早白）。蕩之下为臆骨者一（此骨高多訛妄）。鈐中之后为脊窳骨者共 22（上接天柱有髓）。脊窳次下为大动骨者一（上通天柱共成 24 椎）。大动之端为归下骨者一（道家謂之尾閭）。归下之后为篡骨者一（此骨能限精液），归下之前蓧骨者一（此骨薄者多处貧下）。复次缺盆之下左右至襯以 25 字关 60 骨（此下止分兩手臂至十指之端众骨）。支其缺盆之后为傴甲骨者左右共二（有势多液）。傴甲之端为甲隐骨者左右共二（此骨長則至賢）。前支缺盆为飞动骨左右共二（此骨薄病痨緩）。次飞动之左为龙臑骨者一（有势無液無髓）。次飞动之右为虎冲骨者一（同上），龙臑之下为龙本骨者一。虎冲之下为虎端骨者一（俱有髓有势）。本端之下为腕也。龙本上內为进賢骨者一（男子此骨隆为名臣），虎端上內为及爵骨者一（女人此骨高为命妇）。腕前左右为上力骨者共八（有势多液），次上力为駐骨者左右共十（同上）。次駐骨为搦骨者左右共十（同上）。次搦为助势骨者左右共十（左助外为爪，右助外为甲）。爪甲之下各有襯骨左右共十（無势無液）。复次髑髃之下左右前后至初步以 61 字关，136 骨。此下至兩乳下分左右自兩足心，众骨所会处也。髑髃之下为心蔽骨者一（無髓）。髑髃之左为脇骨者上下共 12（居下腸之分也）。左脇之端各有脇隐骨者分次亦 12（無髓）。脇骨之下为季脇骨者共二（多液），季脇之端为季隐骨者共二（無髓）。髑髃之右为肋骨者共 12（处太陽之分也）。肋骨之下为眇肋骨者共二（各無隐骨惟兽有之）。右肋之端为肋隐骨者共 12（無髓）。蓧骨之前为大横骨者一（有势少髓）。横骨之前为白环骨者共二（有势有液）白环之前为內輔骨者左右共二（有势有髓）。內輔之后为骸关骨者左右共二（同上）。骸关之下为揵骨者左右共二（同上）。揵骨之下为髀樞骨者左右共二（有势多髓）。髀樞下端为膝盖骨者左右共二（無势多液）。膝盖左右各有侠升骨者共二（有势多液）。髀樞之下为箭骨者左右共二（有势多髓）。箭骨之外为外輔骨者左右共二（有势有液），箭骨之下为立骨者左右共二（同上）。立骨左右各有內外踝骨者共四（有势少液）。踝骨之前各有下力骨者左右共十（有势多液）。踝骨之后各有京骨者左右共二（有势少液）。下力之前各有釋款骨者共十。釋款之前各有起仆骨者共十（有势），起仆之前各有平肋骨者左右共十（有势）。平肋之前各有襯甲骨者左右共十（無势少液）。釋款兩傍各有核骨者左右共二（有势多液）。起仆之下各有初步骨者左右共二（有势，無髓、有液女人則無此骨）凡此 365 骨也。天地相乘，惟人至灵，其女人則無頂威、左洞、右棚及初步等五骨，止有 360 骨。又男子女人 190 骨，或隐或襯或無髓势，余 256 骨並有髓液，以藏諸筋，以会諸脈，谿谷相需，而成身形，謂之四大，此骨度之常也。

清之初叶，吳江沈彤（康熙 27 年至乾隆 17 年，公元 1688—1752 年）著釋骨篇，據其所述："謂取內經所載，参以諸說，多所辨正"。然詳讀其書，則知亦乃仅取前人之說而整理之，实未亲見骨骼。观其所謂男子 24 肋骨，女子 28 肋骨，可知其为"閉門造車"矣。及乾隆 35 年（公元 1770 年），部頒檢骨格与骨圖，所言亦多錯誤。慈谿刘廷楨有鑑于此，乃著中西骨格辨正（見廖平氏六譯館叢書）以正其誤。其自序云：

爨値好善之士，埋胔掩骼，时从旁驗視，遂得詳細摹圖。并面証之西医書中所載圖說，又与西国太医院给發西方人骨骼相較，考形計数，脗合無差。于是知中医骨格之誤，病在率守古訓，不事檢点，以致承伪襲謬，失其真。爰就中西諸書，博考而节录之，且參以見聞，互相折証，日手一編，久而成帙。

刘氏实具科学头腦之人，有清一代，考据学盛，而能匯通中西諸說，又复加以实际观察者，廷楨而外，罕得其儔。兹將其所著骨骼圖表(亦据六譯館叢書)列下:

表 1

中医分类	全体各骨，中書並不分类，惟部額骨圖，列仰面骨，合面骨兩大种。	西医分类	1. 头面各骨 2. 脊梁各骨 3. 胸膛各骨 4. 上肢各骨 5. 下肢各骨

表 2

中医所分头面各骨之类	仰面正骨	合面骨	西医所分头面各骨之数	头骨	面骨
	1. 頂心骨	1. 腦后骨		1. 枕骨*	1. 左上牙床
	2. 顖門骨	2. 鞗枕骨		2. 額骨	2. 右上牙床
	3. 額角骨			3. 左顱頂骨	3. 左顴骨
	4. 額顱骨			4. 右顱頂骨	4. 右顴骨
	5. 扶桑骨			5. 左耳門骨	5. 左鼻梁骨
	6. 眉稜骨			6. 右耳門骨	6. 右鼻梁骨
	7. 眼眶骨			7. 蝴蝶骨	7. 左腭骨
	8. 鼻梁骨			8. 罗篩骨	8. 右腭骨
	9. 嗐喉骨				9. 左淚管骨
	10. 顴骨				10. 右淚管骨
	11. 頰車骨				11. 左水泡骨
	12. 上牙床骨				12. 右水泡骨
	13. 口骨、附上齿				13. 下牙床骨
	14. 頷頦骨				14. 犂头骨
	15. 耳根骨				

表 3

中医脊梁之骨数		西医脊梁之骨数	
	1. 頸項骨五节		1. 項骨七节
	2. 搖首骨一		2. 背脊骨十二节
	3. 背脊骨六节		3. 腰骨五节
	4. 脊膂骨七节		4. 鈎骨五
	5. 腰骨五节		5. 尾閭骨四
	6. 方骨一		
	7. 尾組骨一		

表 4

中医胸膛骨数		西医胸膛骨数	
	1. 左右肩髃骨		1. 胸骨一
	2. 左右肩井臆骨		2. 舌骨一
	3. 龟子骨心坎骨		3. 肋骨二十四
	4. 左右橫髃骨		4. 肋靭骨
	5. 左右肋骨計二十四条		5. 背骨已詳列脊骨說中

表 5

中医上肢各骨之数	仰面骨	合面骨	西医上肢各骨之数	
	1. 左右飯匙骨	琵琶骨		1. 肩胛骨
	2. 左右胳膊骨			2. 鎖子骨
	3. 左右肘骨			3. 臂骨
	4. 左右臂骨			4. 正肘骨
	5. 左右髀骨			5. 轉肘骨
	6. 左右手踝骨			6. 手腕骨左右各有八骨
	7. 左右外踝骨			7. 手掌骨左右各有五骨
	8. 左右腕骨連踝			8. 手指骨左右各十四
	9. 手掌骨左右各五条			
	10. 手指骨左右各十四			

刘廷楨氏知檢視人骨，且取西医之書，及異骨标本，比較研究，其科学精神，至堪欽仰，惜其生平事蹟未著于世，無由知其詳耳。

人体其他部分之解剖，其見于記載者，則有膈膜。入鏡經云:

膈膜者，自心肺下，与脊脇腹周廻相著，如幕不漏，以遮蔽濁气，不使薰清道是也

又甲乙經云:

膈俞在第七椎。

又蔣示吉医意商云:

胃外肺下，即为膈膜，前齐鳩尾，后齐十一椎，周圍著脊，以遮隔中下二焦，濁气不使上熏。

又难經三十二难云:

表 6

中医下肢各骨数	西医下肢各骨数
1. 前后胯骨	1. 左右胯骨(又名盆骨)
2. 左右大腿骨	2. 左大腿小腿骨
3. 左右膝盖骨	3. 右大腿小腿骨
4. 左右脛骨	4. 左右輔腿骨
5. 右左骺骨	5. 左右膝盖骨
6. 左右足踝骨	6. 左右脚腕骨(左右各七)
7. 外踝骨	7. 左右脚掌骨(左右各五)
8. 左右跂骨与脚根骨	8. 脚趾骨(左右各十四节)
9. 足掌骨左右各五条	
10. 左右足趾骨各十三节	

故令心肺在膈上也。

按此所言均無大差。又有所謂募原者，想即指大網膜而言，張志聪百病始生註云：

募原者，腸胃外之膏膜。

又举痛論註云：

膜原者，連于腸胃之脂膜。

按此言膜原“連于腸胃”，且云膏膜，自为指大網膜而言無疑矣。

血管之解剖学，甚为幼稚，且諸說紛杂，不易加以界說。周圍神經系統，毫未說到。肌肉亦只就膚淺处略述之。至于內分泌器官之敍述，更淺薄不足道。生殖系統，男性者述及睾，灵樞邪气臟腑病形篇云：

小腸病者，小腹痛，腰脊控睾而痛。

副睾則未經辨識，陰莖(即玉莖)及睾囊，医籍中有之，然其原無考。子宮妇人大全良方称为子腸。卵巢之名，未見諸經載。

由上所述，可見我国解剖之事，始于远古，成于新莽，而盛于宋代和明代淸季，間有作者，惟仍不及宋代之多。且以整个解剖学言之，实極幼稚。推原其故，乃因有人倡导，無人繼承，虽有創見，不能發展。盖科学非一人一代之事，必經多人之研究，始能底于大成也。兩汉以来，吾国医学完全操在儒生之手，其他虽有傑出之士，或因不能著書立說，或因为儒生所擯棄，以至其道不傳者，当不在少。儒生之弊；又在“述而不作”，墨守旧說，且又謂医乃仁术，不宜刳剝人体，以供实驗，于是乃承譌襲謬，不事实驗，兩千年間，解剖学終無成立之可能焉。兹举癸巳类稿之文，以作儒生对于解剖学意見之代表。类稿“書人体圖說后”云：

西洋罗雅谷，龙华民，邓玉函所譯其国“人身圖說”二卷，以肝为百支主，心則在近脊第四椎根上而居左。說曰：心居胸之左者，共本性所定之界域，至安至稳之所也。其言至为显白。譯者又增言心最初生，又言体甚坚厚，無过不及之差，此中土淺儒教之进退無据也。其分脈絡血絡經絡，不合灵樞。其他人心居左，脈又發自心左，故不得分左右十二經。其言血絡者，养生脈，發自右。其單言脈者，經心之血也。其言血絡見，脈絡不見者，血絡是灵樞絡脈，其脈絡則經脈。然其經隧異矣。其言公細線，則时辰表中發条。初見其書意为奇偉，及复視之，乃得其不同乖異之处。此書在中国二百年矣，未有能讀之者。今求其指归，則中土人肺六叶，彼土四叶；中土人肝七叶，彼土人三叶；中土人心七竅，彼土四竅；中土人睾丸二，彼土人睾丸四；中土人腸二，彼土人腸六；中土人肝生左肺生右，肝系在心系左，彼土心系在肝系左；中土人心帶五系，彼土人心有大耳二小耳一；則所謂四竅者又有二大孔十一小孔。向讀金楼子言紂剖比干心有十二穴，其事無所出，或此是西方古說，梁元帝得之西僧者，因以附之比干。此書初譯，幸与儒之不讀書不通經絡藏府者商之，故得存其異趣。惟謬慕文談，心为生始，無过不及，及儒自捫睾二，隐約其四睾之文耳。人生实異；宋淳祐洗冤录云，髑髏骨男子自頂至耳並腦后共八片，蔡州人有九片，妇人止六片，則蔡州人異矣。又云：肋骨男子十二，妇人十四。集証云：庆元妇人止十二，則庆元妇人異矣。明史占城傳云：国朵人胆僅一器，而华人胆輒騰而上。况西洋地远，人稟質不与中土同，不足怪也。此書言睾丸积精，又以要腎达膀胱之絡脈为溺絡，其精名質具肝血补养心脈生活而成。而以腦髓筋为激發。按灵樞本神云：腎藏精，精者髓也。海論云：腦为髓海；是精由腦随脊而下。今据此書，則西洋人生源已異。古經言精路不由胃与膀胱，不为不淨。精循督脈而下，故謂之精。而此書言要腎积質具积溺，則佛書以出精为出不淨，自是西土稟賦不同，亦不足怪。此書言子宮如膀胱而有二角。檢丹溪心法，有妇人下一物如垂帕，有角二岐；一妇人下一物如手帕，約重一斤余；一妇人下一物如合鉢，狀有二岐；此子宮也。皆以大补气升提之，事与此書合。而汉書元后傳王章言羌杀首子以盪腸正世，是羌以妇人腸为子宮，羌汉不同，則西洋与中土不同，均不足怪。佛家禪秘要法云：子藏在生藏之下，熟藏之上，如豬胞如芭蕉叶，如馬腸，如臂釧，形上圓下尖如貝齿。此書言子宮有頸，以硬肉成，能縮展拳張，長圓而空，如狗喉管，皺縮不平，則非膀胱之滲者可知。言子宮外短而广，戶有細皮，阻冷气，亦为中土人所不能言。……又論人知觉在腦。其人南怀仁，于康熙时上窮理学書云：一切知識記忆，不在于心，而在头腦之內，亦不出此書之旨。惜藏府經絡事非众曉。藏府不同，故立教不同。其人好傳教，欲中土人学之。不知中国人自有藏府經絡；其能信天主教者，必中国藏府不全之人。得此等千百，于西洋教何益？西洋人倘知此，亦当毁然自惜，掉首發舍，决然舍去歟。嘉庆乙亥(公元1815年)二月初吉。

俞理初为清代有名学者，而其立論之顢頇犹如是，則其他可知。溯自新莽以降，至于嘉庆，历世紀一十有八矣，不特解剖之事数見不鮮，即执行解剖之人亦多傑出之士，然終未能將人体之構造整理清楚者，未始非閉門造車如余理初輩者，有以致之也。

文艺复兴時代工矿职業病医学

H. Descomps 高浴譯

載于生活条件与健康中文版 1956 第一号頁 44—45.

文艺复兴后在医学領域內有了自由探討的風气。在此医学科学的新方向中，最显著的是根据直接观察来研究解剖学。甚至文艺复兴时代曾被称为"解剖学世紀"。

然而尙須指出医学的另外一种趋向，即社会衞生的概念开始萌芽。

在此同时，即15世紀末，工人的疾病問題第一次被重視起来。第一种被研究的职業病，就是"金屬病"，即矿工和冶金工人的疾病。到了16世紀 Paracelsus 氏和 George Agricole 氏已經很詳細地描述了矿工的疾病。Paracelsus 氏發表了由自已观察而写成的論文，描述矿工健康情况的恶劣；但是他混淆了矽肺与鉛中毒以及其他疾病，統称之为"金屬疫"。Agricole 氏曾致力于採矿法以及矿工病的研究。他写过"矿工的喘息病"，認为是由于灰塵的刺激所致。他叙述过含砒矿物中毒是由于有害和毒性烟霧引起肉和骨的潰瘍，还談过工作中的意外事件，特别有关矿坑塌陷所致的不幸。Van Helmont 氏是繼此之后研究矿工和冶金工人的疾病較著名的，但是他对採矿的技术則無所改进，經过数世紀之久矿工仍然沒有得到保护。

(少 祺 摘)

近 25 年来智利經济与医学的进步

H. Urzúa, 彭治生譯

載于生活条件与健康中文版 1956 第一号頁 24—26.

作者首先指明一个国家在長时期內的医学进步会涉及其經济、生活标准和文化等方面的發展。

本文提到智利近 25 年来，出生率保持平稳，而死亡率在下降；人們的年龄逐漸增長而平均寿命也正在增加；癌腫、心臟血管疾病和意外損伤已成为主要的死亡原因；急性傳染病以及結核病所造成的嬰兒死亡率和产妇死亡率正在下降；公共衞生組織显著地助長了这些成果。

經济沒有能够随着人口的增加或改善羣众生活标准的新的可能性而急速地發展。

医学正在进一步的發展，治疗癌腫和心臟血管系統的主要疾病的有效疗法如今已成为可能。当医学越来越轉到預防和康复問題上的时候，更可以預計到防止許多疾病的可能性。但是，首要的是經济应与人口的增長保持一致，以便保証相称的社会和經济状况；不然，医学將只是滿足于生命的拯救而不可能导向健康。

(少 祺 摘)

文　摘

封建制度前期和封建制度时期苏联各民族医学的發展

П. Е. Заблудовский

苏联各民族的过去許多世紀的医学史研究得还不够。俄罗斯民族的医学和与俄罗斯民族有密切联系的烏克蘭、别洛露西亞民族的医学史弄得較清楚，中亞細亞、高加索、波罗的海的民族的医学也有一些介紹。而对其他民族的医学史就研究得很少。所以繼續研究各民族的医学史，並研究在医学發展中各民族間的相互联系和相互影响是摆在当前的重要任务。

每个民族的經济文化的發展是取决于本民族的物質生活条件，在这方面是具有其独特性質的。然因为各民族在社会經济形态交替的过程中，基本上都要經历一个同一的道路和同一發展的阶段，那末他們的社会生活和文化在一定阶段上就具有类似的性質。这特别是在医学方面。

細致地研究古代医学，就可能識出各民族中医学發展的道路，就可能把早期的远古的朴素唯物的医学阶段和往后的具有崇拜和宗教等級性質的医学区分开来，而这种宗教等級是隨着阶級形式的發展而加强的。

医学發展的道路，特别是在高加索的各民族——阿尔明尼亞、格魯吉亞、阿揑尔拜疆就是如此。

在阿尔明尼亞公元前一世紀已經有葯用植物的培植，古代阿尔明尼亞的葯物，如粘土、硼砂、硝石、藍矾、腦砂等在古代、中世紀和晚近都广泛地在許多国家流傳，这些葯物並被許多欧洲和亞洲的国家收入到医学文献中。最早而甚著名的平民医院是在公元四世紀中叶，在居住着阿尔明尼亞人的小亞細亞的 Каппадокия 地方創立。阿尔明尼亞的医生；有著名于伊朗南部的 Бахтишуа（公元八世紀）等人，他在 Джондишапур 的医院和大学里起了很大作用。有 Мехитар Гераци（公元十二世紀），他有关于热病的著作，談到傳染病，特别是流行于西阿尔明尼亞的瘧疾，他反对当时許多不合理的疗法，特别是放血疗法。

格魯吉亞民族医学的內容反映在“虎皮騎士”（公元十一—十三世紀）著名詩篇中。当时在格魯吉亞的某些医院內附設有学校，研究自然科学和医学的問題，其中以設在 Кутаиси 附近的 Галат 修道院的学院最著名。古代格魯吉亞的抄本書——“Карабадины”还保存着，載有許多医学的知識。有关于內科病的記述，有对解剖、生理、一般衞生和飲食的認識。

在阿揑尔拜疆在十世紀有著名医生 Омар Ибн Осман，他是医科学校的奠基人並留下有許多作品。

在中亞細亞，九到十世紀期間成为政治文化的中心。布哈拉和花剌子模当时佔首要地位，在这里有了大規模的科学机構，有布哈拉的薩瑪利朶夫（Саманидов）的圖書舘，有花剌子模的学会（学院）。当时各种知識包括医学、地理学、天文学、数学、化学、植物学的發展是和中世紀东方国家特别是中亞諸国經济的發展分不开的。在大城市里設有医院和葯房也大大影响了医学的發展。

塔什干的思想家和学者阿里—伊本—辛納（980—1037）是中亞医学最傑出的代表，是中世紀最偉大的医生也是世界历史上最傑出的医生之一。伊本辛納（欧洲称之为阿維森納）出生于布哈拉附近，时正当塔什干撒馬尔罕王朝經济文化繁荣的环境，青年时代能广泛利用着布哈拉的圖書舘，对其在医学和一般科学上的成就具有很大意义。同时，当著名学者比魯（Al-Бируни）和傑出医生哈瑪尔（Абул-Хасан-Хаммар）等也互相起了很大影响，正当伊本辛納科学活动的創造繁荣时期，新的政治事件迫使他在 1017 年逃出花剌子模，各地流浪，他的偉大的科学和实际医疗活动也因之流傳到伊朗的哈馬达（Хамадан）和伊史法尚（Исфаган）地方，並还在这里建立起医院。

伊本辛納在各种知識領域內：哲学、数学、物理学、天文学、化学等方面都留下許多著作。他在医学領域方面的著作首先是推淵博的获有世界声誉的“医經”（“Ал-Канун Фитибб”），該書在以后几世紀中，不仅在东方国家（阿拉伯語言国家）而且在所有西欧各大学（拉丁語言国家）成为研究医学必須的指导書，此書被譯成拉丁文达三十次之多。数世紀来，这位塔什干学者被認为医学的巨擘——Princeps medicarum。

“医經”包括解剖、生理、病理、治疗、葯物、衞生和飲食等問題，他以記述“热病”——鼠疫、天花、痳疹等为題，提出了这类疾病的不可見病原体的思想。他对小兒、老人、成人的飲食和居室、衣服、营养衞生（特别是飲水）作了詳尽探討。他記述了膀胱截石术、气管切开术、外伤的治疗、並提出採用酒精处理伤口。

他还作过兩只綿羊的实驗，一只与放在狼的附近，一只作对照，前一只虽有丰富食物，結果还是因長期恐惧而死亡，而另一只無恙。从这方面看他已接触到实驗的应用。在药物方面，他增加了許多植物动物和矿物性药，特别在十世紀时就始用汞治疗梅毒，方式主要是採用蒸气吸入，也用擦摩，並記載有口腔炎的症象。他也使用过金屬化合物的外用和內服，他用过各种形式的治疗，也用通过水、陽光、空气的物理疗法。

伊本辛納具有偉大的自由思想，特别是在后几年在伊朗时，他为了反抗当朝的伊斯蘭教追求自由的哲学演說使他受到迫害。因为官方伊斯蘭的头腦們認为他是異端和無神論者。

（彭先导摘譯自：Лекции по истории Отечественной медицины，“Развитие медицины у народов СССР до феодализма и в Феодальный период”）

捷克斯洛伐克的医学家們

О. В. Васильевская

捷克斯洛伐克民族为人类送出了不少获得国际声誉的为争取民族独立而斗爭的著名战士，文艺創作家，科学活动家。其中，医学的代表人物也佔有显著的地位。不仅是捷克斯洛伐克民族，並且一切进步人类也都有权以下列的名字而感到驕傲，例如 И. Прохаска, Я. Пуркинье. Я. Чермак、В. Лямбль, Э. Альберт, Я. Япский 以及其他人。广泛地並徹底地發揚自己民族的遺产，只有在現在，在新的捷克斯洛伐克才成为可能的了。

布拉格大学医学史研究所所进行的研究以及其他許多学者們的著作，使我們能得以看到有关捷克斯洛伐克医学家的極有趣味的材料。

捷克的生理学家 Иржи Прохаска (1749—1820) 是第一个确定了反射途徑的。他的最有名的著作“关于神經系統功能的考察”是 1784 年在布拉格出版的。Прохаска 在神經系統的功能中找到了原因和結果的客观联系。他徹底地駁斥了当时佔据統治地位的“神經性流体”的形而上学的見解。

十九世紀前半叶的生理学和医学領域中的一些傑出的發明和研究是和捷克的天才学者 Я. Е. Пуркинье (1787—1869) 的名字分不开的。俄国的著名学者 Н. О. Ковалевский 写过关于 Пуркинье 的生涯和科学活动的專題文章。Ковалевский 指出：“(Пуркинье的) 独創精神使他周圍的人为之惊服”。他的博士論文“对視覚之認識的一些材料”，按 Н. О. Ковалевский 的話說，則是“这个偉大的現象引起了普遍的注意”。1819 年，Пуркинье 又發表了二卷本的参考書“感觉器官生理学領域中的观察和探究”。其后又發表了“感觉器官和皮膚系統的生理学研究”。在 Бреславль 获得生理学和解剖学正教授職位后，Пуркинье 第一个把生理学实驗运用到教学中来了。1813 年，他發起請願在大学里建立实驗生理学研究所，但在籌建中被辞退了。于是，Пуркинье 就在自己的住宅里用私产办了一个生理学研究所。1837 年，在布拉格自然科学者和医师大会上，他报告了他对胃腺的發現，並且出示了他所研究的动物和人体的各种器官的显微結構，这些都是前所未聞的。由于整个科学界都在談論 Пуркинье 的特出的研究，1839 年普魯士政府被迫地撥給他以專門的建筑物。1850 年，得以在布拉格大学工作，在这里也組織了生理学研究所。Пуркинье 的著名發現和研究，多得不勝枚举。他不仅是个学者，並且还是一位爱国者和社会活动家。1848 年革命期中，他是布拉格国民議会的积極参加者之一。他花費很多的精力用在反对布拉格大学之德国化的斗爭上。俄国著名学者 К. Бер 对 Пуркинье 評价很高，Бер 說：“Пуркинье…只为科学的利益着想”。1944 年，苏联科学界举行了 Пуркинье 逝世 75 周年紀念会。

Пуркинье 的許多学生在生理学和医学中繼續發展了实驗方向。其中在俄国最知名的是 Ян Чермак。由于他的傑出貢献，被选为俄国科学院的名誉院士。Н. И. Пирогов 讓他的学生們及时地注意 Чермак 的工作。И. П. Павлов 在他的著作中不止一次地引用了 Чермак 的研究。

被迫不能在布拉格住下去的 В. Д. Лямбль (1824—1895) 来到俄國工作。他創建了病理解剖学的独立講座。梨形鞭毛虫病是以他的名字命名的。

捷克的現代外科学之奠基者被公認是 Э. Альберт (1841—1900)。他著的外科学教科書在俄国頗为流行，並被譯成俄文。Э. Альберт 是 1878 年最早使用“神經外科学”这个术語的一人。他的学生之中声望最大的是 К. Майдл 教授(1853—1903)。Майдл 教授是最先实施脳腫瘤手术的一人。

Р. Едличка 教授(1869—1926) 是二十世紀初头的最傑出的外科医生和放射線学家。他最先运用手术方法治疗胃潰瘍，並写了專門的論文。

Э. Майснер (1847—1920) 教授进行了心臟学和肝病、肺病方面的研究。他編写了四卷本的內科病的病理学和治疗学的参考書。Майснер 認为医生的活动对社会衛生有重大的意义。奥匈帝国根据他的倡議开办了第一个肺病疗养所。

И. Томайер (1853—1927) 也是著名的医生和学者。

捷克的病理解剖学和微生物学的奠基者是 Я.Глава 教授(1855—1924)。在治疗斑疹伤寒、麻疹、猩紅热、阿米巴痢疾等方面，他有許多著述。他出版了第一部病理解剖学和微生物教科書。

Л. Силлаба 教授(1868—1930)是內科医生。他的主要著作是血液学、神經学、心臟学和物理檢查方法方面的。

В. Рубешка 教授(1854—1933)以布拉格大学捷克医学系奠基者之一聞名。他又是现代妇产科学校的奠基人，他在助产士的培养上有偉大的功績。

影片"血液的秘密"是介紹 Я. Лский 教授的生活和工作的。除了在精神病学領域方面具有重大意义的著作之外他在血液学領域中的研究也是聞名遐邇的。他把血液分成四类，这就为保衛千万人民的生命提供了现实的可能性。

在医学史中有許多有光輝的命名的捷克学者，而关于他們的生活和活动尙知道得很少。其中不可不記得斯洛伐克人布拉格大学教授 Я. Ясениус，病理解剖家 В. Трепц (1812—1872) 以及被德文文献誤譯作 Буллир 的 Булвж。

不久之前 (1955 年 8 月 2 日) 于布拉格逝世的 Я. Пуркинье 学派的繼承人，著名的生物学家 Ф. Студничка，他的一生是为人民服务並在科学中为維护现代唯物主义路線作不懈的斗爭的崇高榜样。

捷克人教授 И. Шкова 和 К. Рокитанский 是十世紀前半叶的医学的傑出代表，然而直到現在某些医史参考書还認为他們是奥地利人。

今天，以牢不可破的友誼与苏联、中国及其它人民民主国家相联系着的捷克斯洛伐克的医学家們完全有可能發揚光大他們先人們的光榮傳統，並更加成功地为和平發展科学。

(王有生摘譯自：Советская Медицина, 1956, 3, 88—93)

介紹 Б. М. Хромов 教授著"外科学史圖譜"

А. П. Качков

在医学史特别是外科学史的指导書和直观教材的出版上存在着严重的空白面。苏联和世界外科学史方面的有价值的(然而是零散的)报导，可以在 В. А. Оппель, А. М. Заблудовский, М. Ю. Лахтина, Л. Ф. Змеев, Д. Я. Петровский 以及其他作家們的許多著作中找到。但这些著作是不够完善的，其中对許多問題的闡釋，或已陈旧，或不正確。許多档案材料沒有被广泛地运用到日常教学工作中去。在高等学校的医学史和一般外科学史的教学中特别迫切地感到需要直观教材。因此，应該感謝 Б. М. Хромов 教授担起了这困难而又有意义的任务。

"外科学史圖譜"第一次印刷本于 1955 年出版。共有 35 幅圖表，每幅圖表中有許多插圖和解說辞。作者不仅利用了各种各样参考書、單篇論文以及档案材料中的插圖，並且还利用了原画。其中有一部分是作者所珍藏的。

在俄国外科学史的圖表中，作者提出了外科学的主要部分的历史圖势；与感染作斗爭，止血，止痛，骨折的治疗等。关于軍陣外科学以及这方面的主要文献史料和外科学大家方面也有簡短的历史介紹。

前三幅圖表是十七世紀前古代罗斯和十七世紀莫斯科国家的外科学；其次六幅是十八世紀到十九世紀的俄国外科学的圖解材料。作者对傑出的祖国外科家——И. В. Буяльский 和 Н. И. Пирогов 作了突出的介紹。关于 Н. И. Пирогов 的生涯和活动的材料，共有十九幅圖表。十九世紀到二十世紀的俄国外科学史圖片，介紹了地方自治政权下的外科学，俄国医学中的神經論之發展，外科学会和会議，外科学刊物，俄国外科医生的發明等。

应該指出圖譜中还有一些缺点和不正確的地方，但这些都不是原則性的問題。例如，第三幅圖表中的第三圖的引文是刪減緊縮了古文献中的原文，这样会使人們对原事件产生不准確、不眞实的概念。此外，許多圖片的复制技术水平是不高的。19, 20, 21, 27 和 29 圖表等都是比較模糊暗淡的。

(王有生摘譯自：Советское Здравоохранение. 1956, 3, 61—62)

苏联城市地段組織的一些問題

О. А. Александров

近年来，由于医院与門診部的合併，苏联城市的医务地段有了很大的發展。每一地段所服务的居民数也有了一定的改變。有关这个問題的 69 个城市的医院的研究資料如下表所示：

1952 年居民数在 6,000 人以下的地段数佔 42% (П. А. Кузшипников)。根据著者 1954 年的資料这个百分数为 79.4%。俄罗斯苏維埃联邦社会主义共和国保健部衛生統計局資料：地段居民数为 4000 人者佔所有

表 1

地段居民数	地段数（%）
3,000以下	1.5
3,001—4,000	12.0
4,001—5,000	28.2
5,001—6,000	38.0
6,001—7,000	9.7
7,001—8,000	5.4
8,001—9,000	1.5
9,001—10,000	2.3
10,000以上	1.4
	100.0

地段数之28.3%，3000人以下者估46.7%，3000—4000人估17.3%，即低于苏联国家規定标准4000人者共估64%。

根据俄罗斯共和国衞生統計局对465个医院的調查，内科地段医师的人数未达到規定标准人数2人者估55%（如表2）。在这种情况下，虽居民人数为4,000人，内科地段医师的工作量仍然要超过保健部的定額标准。由上資料可見，細分地段的同时补充地段医务干部是保健机关和医疗預防机構領导者亟須解决的任务。

表 2

医院	地段医师人数				
	0.5	1.0	1.5	2.0	計
省轄市	11.4	40.6	20.0	28.0	100.0
共和国轄市	1.3	8.9	13.3	76.5	100.0
計	8.0	29.0	18.0	45.0	100.0

在最近时期內对有很大实际意义的地段人数問題沒有得到充分的科学研究。

苏联保健部在規定地段居民人数的870号命令中規定了每一城市居民每年內科求診次数平均为1.9—2次。但此标准並非适用于一切城市。影响居民内科求診次数的条件很多，最主要的是病床和医务干部的保証程度。根据統計报告資料，1939年每一城市居民每年內科求診平均次数是2.45次，1940年为2.53次，各城市間之变異頗大，据 И. И. Розенфельд 資料由1.5次（总求診次数6次）到3.8次（总求診次数10—11.5次）。亦有資料为3.7—4次者。据苏联医学科学院保健組織与医史研究所資料，因城市类型不同由1.7—2.25次。И. Д. Богатырев 对某城市深入研究結果平均为1.8次。他特別指出确定地段居民数的多少时应考虑到这种差異，因为它是影响到門診医疗和預防工作量的有决定性意义的因素。

下表是 И. Д. Богатырев 对某工業城市地段居民構成的分析資料：

表 3

地段居民構成	地段 I	地段 II	地段 III
总数	6,288	8,378	9,470
居住地段內之工人、受車間医师之照顧者	3,630	4,576	5,218
居住地段內並受地段內地段医师照顧者	2,658	3,802	4,252
其中：			
14岁以下的兒童	1,463	1,817	1,956
成年人	1,195	1,985	2,296

如上表所示，地段居民数虽达6000—9000人，除去由車間医师所照顧的工人和职員，实际照顧人数却不超过4,000人的标准。兒童估全地段人口数之20—23%，若按地段实际照顧人口数計算則为46—55%，各地段所照顧之成年人数都远不到所規定的标准。

故应善于区分地段居民总人数和由地段医师所服务的实际居民人数。这个比例因某些条件不同而異。

齐略宾斯克医院資料（如表4）。說明地段人数虽多，但因居民中有很多工人和职員受車間医师照顧，故有6个地段內科医师的門診工作量都低于規定标准。門診工作量相对低时出診量会高些。

表 4

地段居民总数	地段医师之工作量（1955年第1季度）	
	每小时之門診量	每小时之出診量
4,793	3.6	2.0
5,000	3.7	1.4
5,139	4.2	2.3
6,981	3.7	2.6
7,474	5.7	2.1
8,800	5.6	2.6
10,855	6.5	3.3

医疗工作量与地段医师在門診和出診的时間分配有关。保健組織与医学史研究所于1950年推荐了一項标准。每年每一城市居民之內科門診平均求診数为1.55次，出診数为0.37次，即出診估20%。

关于出診比重的研究，据70个城市的医院資料如下表所示（表5）：

这份資料並沒有明确指出究竟出診的比重估多少是最合适的。科学文献上还很缺乏这方面的資料，而这个比重对实际工作却是十分重要，尤其是一些大城市（莫斯科，列宁格勒，明斯克，哈尔科夫，基森涅夫，嘉桑等）。这个比例都超过25%，往往达到40%。出診时

表 5

出診佔內科全部求診之%	医院数 (%)
5以下	6
5—10	17
10—15	27
15—20	19
20—25	11
25—30	9
30—45	11
	100

間增加則必然影响在住院部和門診部的工作时間，結果是在門診的工作量超过标准定额。在住院部的工作时間減少。

在內科地段为了完成 8000 次求診量（服务居民数 4000 人，每人每年平均求診 2 次）。按保健部的定额标准，在保証同一求診水平的条件下，增加出診比重則工作时間也要加多，具体数字如下表所示。

表 6

出診比重(%)	每年时数		总时数
	門診	出診	
15	1133	600	1733
20	1066	800	1866
25	1000	1000	2000
30	933	1200	2133
35	866	1400	2266

出診量佔总求診量之 15%，則門診与出診工作时間的比例为 1.9:1，25% 时为 1:1，35% 时則为 0.6:1 以出診量佔总求診量之25%，即門診与出診时間兩者相等为适宜。15% 的比重則認为对保証出診是不够适宜的。

由此可見，当安排地段医师的工作与組織方法时除考虑居住地段居民定額的性質等条件外，应考虑到出診和門診时間的分配比例。

根据以上的闡述，著者把認为合适的地段医师工作組織方法推荐給保健机关或医疗机構的領导者（如表 7）。这个方案能够保証內科地段医师按苏联保健部所規定的标准进行工作。

表 7

內科出診佔总求診之%	一个医务人員在保証按标准工作的最大求診量
按双环制工作（每日在病床工作 $2^1/_2$ 小时）	
15	4,500
25	4,000
35	3,500
按交替制工作	
15	7,800
25	6,800
35	6,000

（李天霖摘譯自 Советское Здравоохранение. 1956, №, I.）

医院葯房的一些历史狀況

Alex Berman: Some Historical Aspects of Hospital Pharmacy.

欧洲大陆葯房專業的巨大發展主要溯源于葯学和医学的很早分离（1160～1202 年的愛尔斯〔Arles〕条例，和腓特烈二世所頒佈的告示）。在英国，由于旣行医又兼配葯的"悬壺医"（Apothecary）所起的严重阻碍作用，直到 19 世紀才出現作为欧洲大陆傳統的純粹專业性的葯师組織。英国各医院里的这种"悬壺医"被葯师所代替比較晚，例如倫敦的大学医院是在 1868年，威斯特門斯特（Westminster）则在1876年。美国的早期医院，在一个短时期内一心模仿英国的榜样，僱佣旣担任医疗又担任配葯的"悬壺医"。这种"悬壺医"在 19 世紀被一种有些像英国医院調剂員而又受过不同程度訓練和教育的人所代替。直到 20 世紀20 年代，美国医院葯师才明确要爭取組織起来和提高教育水平。在最近 15年內美国医院葯房取得了巨大的进展。1942年全國性組織美国医院葯师学会成立；这个組織从此成为提高教育水平、制定医院葯师內部規章、以及为全国会員每年举办訓練班等的主要力量。和美国的傳統相反，法国的医院葯房和葯学校之間，老早以来就有着密切的关系。早在 1814 年，巴黎各医院就已經制訂了內部規章。照例，法国葯学界的中坚份子均来自住院葯师。这些住院葯师中間的許多人，已經加入葯学会、医学会以及其他科学团体。不仅很多著名的法国葯学家来自葯房，而且，事实上，今天巴黎葯学会有半数是医院葯师。1853 年建立的医学会中的葯理学会主席，除 1892 到 1922 年外，皆由医院葯师担任。（成桂仁譯自 Bulletin of the History of medicine 1956 年 1—2 月份，美国医史学會第 28 屆年会論文宣讀摘要之一。）

莫斯科封建統治时期的医学

П. Е. Заблудовский, Медицина в московском Феодальном Государстве.

当10—11世紀，基輔罗斯(Киевский Русь)是最强大文化極發达的国家之一，也影响到医学的發展，所以基輔罗斯的古代医学具有極丰富的內容。

从11世紀起，在罗斯就有关于医院（养老院，慈善院）的記載。

可以确定从很古的时候起，在罗斯就广泛傳佈着不少很合理的治疗方法和药物。

伴随封建割据时期而来的並加深了它的反动影响的蒙古人的長期統治(13—14世紀)相当地延緩了俄罗斯医学的發展。在罗斯莫斯科周圍分裂的公国統一之后，随同国家整个經济文化的巩固，同样也促进了医学的發展。

莫斯科封建統治时期，抵抗傳染病的措施获得很大發展(隔离，檢疫)。利用祖国丰富的經驗和翻譯外来的材料（"船泊依波克拉达"等）（"Талиново на Иппократа"等），出版了手抄的本草書（綠色植物）和医書（菓树园）。在"家訓"（Домострой）中——富有"貴族宫室"所採用的规定（16世紀）—包含衛生方面的指示；在"大教堂会議"（Стоглавой собор）（16世紀）的决議上也有关于扶养和治疗残廢的指示。

純粹为沙皇宫庭服务的第一个药局，在1581年建立于莫斯科，第二个——对"任何臣民"自由出售的药局建立在1672年。在同一个时期內，其他俄罗斯城市也建立了药局。

最先作为宫庭御用的司药署在"黑暗时代"中断之后即告恢复，它执行了某些国家性的管理职能：如药用植物的收集，給軍队的供应，药物的制备等等。

在軍营內最早設立医生是在1615年。在1608年到1612年之間，当波蘭-立陶宛的軍队包圍土耳其-塞尔吉耶夫及其僧閣时，当时就有医院在那里进行工作，然著名的大規模的战时医院的活动是在1656年，1678年和較晚的时期。

1654年，在对波蘭战爭中並有鼠疫流行时，司药署設立了受訓4-6年的臨时医学校和一年的正骨学校。

在17世紀中叶由进步的社会活动家尔其謝夫（Ф. М Ртищев）的倡議創建了兩所收容平民的慈善病院。在1682年繼續下令建立了兩所治疗病人同时也为医学校服务的医院。

在莫斯科封建專制时期，由于經济的要求和社会政治条件的影响，建立"医疗組織"的必要性成熟起来。在莫斯科，特别是从17世紀中叶起，虽然在医学領域內实际設施的水平不高，而这时已为較晚的18世紀的医学事業的改造准备好了基础。

（彭先导摘譯自：Лекции по Истории Отечтвенной Медицины，"Медицина в московском феодальном Государстве"）

会务消息

中华医学会广州分会医史学会

广州分会医史学会經于1956年12月29日举行成立大会，出席会員有潘拙菴、陈炎冰等12人，副科会員陈耀眞，潘勁夫等四人，並承我分会黃有三、黎鐸兩位副会長蒞临指导，我分会組織委員会副主任委員王季甫蒞会监选。当即进行無記名投票（由主科会員报票），选出蕭熙、王季甫、罗元愷、梁乃津、邓鉄濤等五人为我医史学会委員会委員，並討論今后学术活动工作规划。

医史学会委員会于1957年1月17日举行第一次会議，互选蕭熙为主任委員、王季甫为付主任委員、罗元愷为秘書。

中华医学会北京分会医史学会

本会1956年学术活动，依照預定計划，計举行四次，在每季之末月举行。第一次于3月23日假中医进修学校举行，參加听講者有140余人，由魯德馨先生講近百年医学文献簡介；馬堪溫先生講原始社会医学初步探討。第二次于6月16日在本会礼堂举行，該日因暴風雨，听众約50余人，由李濤教授主講中国兒科發展史大綱。第三次9月28日在中医学院礼堂举行，听众約140人，由謝仲墨先生講如何研究中国疾病史。第四次12月21日仍在中医学院礼堂举行，听众約120人，由張炎副教授主講外科的發展史。此外今年暑假期間，因总会开十届代表大会，本会会員絕大部分均已出席与列席，並提出論文多篇，因一时全国医史研究者齐集首都，曾于大会期間，擇定7月27日下午开会欢迎各地来京的医史学会会員，並吸取各地学术活动經驗，是日到会50余人，發言普遍，提出很多宝貴意見。同时与上海分会交換很多开展会务及学术活动以及如何取得进一步联系等問題。

在十届大会之前，科学院曾召开自然科学史研究委員会第一次会議，本会会員亦大部分参加，或出席，或列席，並提出論文多篇。

本会的委員会常会，計开四次。第一次为佈置1956年学术活动，拟定計划；第二次主体为审查論文及审查新会員資格；第三次臨时假大会中举行，主要为研究座談会办法；第四次延至1957年1月14日举行，写出一年总結，並协商改选事宜。

本会因在北京，在总会直接領导下，各項活动及工作，得到不少便利，惟尚存在不少的缺点，如对于会員之联系較少，对于学术活动尚不十分活躍，对于其他各分科学会，配合亦嫌不足。这些都是1957年要努力改进的。

· · ·

1957年度改选工作，經协商提名，並进行投票后，已改选完竣。由謝恩增、賈魁等七人为委員，仍由耿鑑庭为主任委員，程之范为秘書。並制定今年学术活动計划，其第一季度將由中国科学院历史研究一所，商代史專家，胡厚宣、桂瓊英兩教授报告“甲骨文里的疾病記录”，並放映幻灯。

中华医学会上海分会医史学会
1956 年总結报告摘要

本年学术性集会为七次。会員应中华医学会十届代表大会所作論文計八篇。

第一次：学术座談会，2月19日，出席者九人。

第二次：学术討論会，3月25日，出席者九人。

第三次：論文宣讀会，4月22日，出席会員11人。来宾14人。論文題：猩紅热簡史（陈方之）；中国保健簡史（陈海峰）。

第四次：論文宣讀会，5月20日，出席会員15人，来宾25人。論文題：祖国医药文化流傳海外考（王吉民）；祖国医学文献中有关霍乱之記載（何云鶴）；癆疾史（龐京周）。

第五次：論文宣讀会，9月25日，出席会員10人，来宾5人。論文題：我国白喉考略（中医师李庆坪，非会員）；另兩个在北京召开的学术会議傳达报告：科学院医史討論会（王吉民）；中华医学会十届代表大会医史組会議（龐京周）。

第六次：与中华医学会上海分会合办中型講演会，10月19日。講題：历史与科学（复旦大学历史系周谷城教授），出席会員和来宾共200余人。

第七次：年会中学术报告，1956年12月30日。論文題：衛生学史中几个問題的商榷（范日新，旅京，来稿經人代讀）。

論文提交中华医学会十届代表大会、中国科学院自然科学史討論会、本会年会者：中国保健史（陈海峰），中国猩紅热簡史（陈方之），祖国医学流傳海外考（王吉民），祖国医学文献有关霍乱問題的商榷（何云鶴），中国癆疾簡史（龐京周），中国腫瘤医学的發展（陈文文），雷斅像傳及其炮炙論的研究（宋大仁等），中国法医学的偉大貢献（宋大仁等），衛生学史中几个問題的商榷（范日新）。

本会会員在会外的学术性活动及著作之發表于其他刊物者計有18种，講学工作六次，被邀至其他分科学会参加医史性学术討論和外省的祖国医学展覽会工作共三次。

一般会务方面：本年發展新会員八名，但有四名老会員离滬工作，一名逝世，二人除名，以致目前的会員总額47人，縱然成为本会历史上的最高額而实際較去年只增加一人。

發展組織，增加力量已成为本会能否开展工作的关鍵性問題。

由于委員兼职多，会員中專門从事医史工作者只有二、三人，而其他均另有本人工作崗位，以致会务受到一定限制。

医学史与保健組織稿約

1. 凡屬医学史及保健組織，医疗衛生机構組織形式，工作方法，衛生統計有关的論著、研究工作报告、綜述、文摘、会务消息等各类稿件均所欢迎。

2. 来稿文字尽量精簡，一般最好勿超过一万字，文摘最好不超过一千五百字。

3. 来稿务請用正式稿紙單面由左向右橫写清楚，並正确地加註标点，标点亦佔一格，万勿潦草。簡笔字以已發表的为标准。外文字用打字机打出或用正楷繕写。数字在兩位以上，小数点数字或百分数均請用阿拉伯字。

4. 附圖請勿插在文中，另用白紙黑墨繪，画面应較預計印出的大一、二倍，綫条亦应較粗。照片須黑白分明，应在背面註明圖号，著者姓名，照片解說另紙按號写出。

5. 外国人名可不譯成中文，原名下加一氏字，或在譯文后以括弧附列原文名。

6. 参考文献以列举主要者为限，依文稿中引用先后，按下列次序順次列于文稿之后。杂誌按著者姓名，題目，杂誌名称，卷数(期数)：頁数，年份，排列如下：

刘伯涵，关于李时珍生卒的探索，中华医史杂誌 7:1，1955。

Lee, T., Achievements in materia medica during the Ming dynasty (1368——1643), Chinese M. J. 74: 177, 1956。

書籍按著者姓名，書名，卷数，版次，頁数，出版者，出版者地点，年份，排列如下：

張介宾，景岳全書，卷 28，頁 5，聚錦堂，清康熙 50 年。

Петров Б. Д., История Медицины, ТОМ 1, 59——64, Москва, 1954。

7. 文摘請註明原文題目，作者，杂誌名，卷数和頁数，可能时附寄原文。

8. 編輯委員会对来稿有修改，删减之权。

9. 来稿請勿同时投寄其他杂誌，文稿經登載后，版权即归本杂誌及作者所共有，並酌致稿酬。著述文稿另贈單行本 50 册，不另加印。

10. 来稿請写明姓名和詳細通訊地址。凡未登載的稿件，本杂誌負責退还。

11. 来稿請寄北京东單三条四号医学史与保健組織編輯委員会。

医学史与保健組織編輯委員会編輯委員

医学史与保健組织

（季 刊）

1957年 第1号

（第1卷 第1期）

每季第三月二十二日出版

·編輯者·

中华医学会学会

医学史与保健組織編輯委員会

北京东單三条四号

总編輯 錢信忠

副总編輯 李光蔭 李濤 龙伯堅 王吉民

·出版者·

人民衛生出版社

北京崇文区綫子胡同36号

·發行者·

邮电部北京邮局

·印刷者·

北京市印刷二厂

本期印数：2,136册

每册定价：0.65元

医学史与保健组织

1957年　　第2号

（第1卷 第2期）　（6月22日出版）

医学史与保健組織編輯委員会主編　人民衛生出版社出版

医学史与保健組織稿約

1. 凡屬医学史及保健組織，医疗衛生机構組織形式，工作方法，衛生統計有关的論著、研究工作报告、綜述、文摘、会务消息等各类稿件均所欢迎。

2. 来稿文字尽量精簡，一般最好勿超过一万字，文摘最好不超过一千五百字。

3. 来稿务請用正式稿紙單面由左向右橫写清楚，並正确地加註标点，标点亦佔一格，万勿潦草。簡笔字以已發表的为标准。外文字用打字机打出或用正楷繕写。数字在兩位以上，小数点数字或百分数均請用阿拉伯字。

4. 附圖請勿插在文中，另用白紙黑墨繪，画面应較預計印出的大一、二倍，綫条亦应較粗。照片須黑白分明，应在背面註明圖号，著者姓名，照片解說另紙按匯号写出。

5. 外国人名可不譯成中文，原名下加一氏字，或在譯文后以括弧附列原文名。

6. 参考文献以列举主要者为限，依文稿中引用先后，按下列次序順次列于文稿之后。杂誌按著者姓名，題目，杂誌名称，卷数(期数)：頁数，年份，排列如下：

刘伯涵，关于李时珍生卒的探索，中华医史杂誌 7:1，1955。

Lee, T., Achievements in materia medica during the Ming dynasty (1368——1643), Chinese M. J. 74: 177, 1956。

書籍按著者姓名，書名，卷数，版次，頁数，出版者，出版者地点，年份，排列如下：

張介宾，景岳全書，卷 28，頁 5，聚錦堂，清康熙 50 年。

Петров Б. Д., История Медицины, ТОМ 1, 59——64, Москва, 1954。

7. 文摘請註明原文題目，作者，杂誌名，卷数和頁数，可能时附寄原文。

8. 編輯委員会对来稿有修改，刪减之权。

9. 来稿請勿同时投寄其他杂誌，文稿經登載后，版权即归本杂誌及作者所共有，並酌致稿酬。著述文稿另贈單行本 50 册，不另加印。

10. 来稿請写明姓名和詳細通訊地址。凡未登載的稿件，本杂誌負責退还。

11. 来稿請寄北京东單三条四号医学史与保健組織編輯委員会。

医学史与保健組織編輯委員会編輯委員

北京市城区1950年与1953年男女性人口簡略寿命表

李光蔭

在我們的国家里，定期編制寿命表能正确而且科学地反映出我国人民因于生活条件与劳动条件的逐步改善以及医学机構網的活动的日益强化所引起的健康水平的上漲。这在科学上和政治上都是具有重大意义的。寿命表的用途是不胜枚举的；例如我国今日很需要求知人口的眞实的自然增加率，而此項問題的研究也必須以寿命表为依据为基础。

本文主要目的在于①提出著者所編制的北京市城区1950年及1953年男女性人口簡略寿命表，作为居民健康水平在此时間阶段內的变化的确实的描述，並备作測度今后居民健康水平上漲程度的初基，②附帶介紹本文中所提出的寿命表的編制方法。

資　料

北京市人口学資料的蒐集、整理与分析工作，解放后日臻健全完善起来。在人口自然变动的登記方面，政府有明确的規定(1)。居民对該項規定的支持，有关机关与机構在資料蒐集的工作中紧密而常規化的联系与严密的相互核对，使資料的全面性与确实性有了很大的保証；因此，編制本文所提出的四个寿命表所用的資料是具有相当高度的准确性的。編制1950年的兩个寿命表所需的各年龄組的人口数是該年6月份的人口数字；編制1953年的兩个寿命表所需的各年龄組的人口数是全国人口普查中北京市普查的結果；不論人口数或死亡数都是屬于城区常住人口的范疇的；人口的年龄与死亡年龄都是实足年龄。

方　法

大家都知道，寿命表的編制是以一定地区一定时間阶段內各年龄居民集团的死亡机率为基础的，而編制的原理則是假想有同时出生的一定人数(一代人)在其生命的进程中按照該地該时間阶段的各年龄的死亡机率而死亡，以视其在各年龄阶段內的死亡人数、各确切年龄时的尙存人数，以及各确切年龄时尙存的人今后平均享有的寿命，从而表現出这一代人死亡的規律与生存的規律。

本文所提出的四个寿命表(表1与表2)基本上是依照 Reed 和 Merrell 于1939年所發表的方法(2)而編制成的。

因于北京市有关机关整理得的关于高年龄阶段的死亡未能保持原来以5年为組距的年龄分組，而籠統地归納于70岁及以上的一組，故上述方法不能直接使用于所提及的生命晚期，因而使寿命表的全部完成成为了不可能事；即使所提及的高年龄阶段的死亡原亦以5年为組距的分組而进行整理，其各年龄組中發現的死亡亦必为数很少，其死亡率势必显示出显著的波动。为了克服此項困难，著者除依照上述方法所求得的尙存人数的絕大部分外並以自己的曲線配合方法完成了尙存人数的晚期部分，从而完成了表的各行函数的計算，同时对自己的这个方法的适用性用别的国家的寿命表作了証驗。关于所提及的尙存人数的曲線配合方法及对它的适用性的証驗將在本杂誌上另期提出，本文暫不述及。

Reed 与 Merrell 的方法是先由各年龄組的特殊死亡率 ${}_nm_x$ 依以下公式求得其相当的死亡机率 ${}_nq_x$:

$${}_1q_0=1-e^{-{}_1m_0(0.9739-0.5508\,{}_1m_0)} \quad\cdots\cdots(1)$$

$${}_1q_1=1-e^{-{}_1m_1(0.9310-1.9210\,{}_1m_1)} \quad\cdots\cdots(2)$$

$${}_3q_2=1-e^{-{}_3m_2(3+0.2160\,{}_3m_2)} \quad\cdots\cdots(3)$$

$${}_5q_x=1-e^{-{}_5m_x(5+{}_5m_x)} \quad\cdots\cdots(4)$$

式中 ${}_1m_0$ 是1岁以下人口組的特殊死亡率，${}_1q_0$ 表明出生后在第一个生日前死亡的机率；${}_1m_1$ 是滿1岁但未滿2岁的人口組的特殊死亡率，

${}_1q_1$ 表明确切年龄 1 岁起至确切年龄 2 岁前死亡的机率；${}_3m_2$ 是满 2 岁但未满 5＝(2＋3)岁的人口組的特殊死亡率，${}_3q_2$ 是确切年龄 2 岁起至确切年龄 5 岁前死亡的机率；${}_5m_x$ 是满 x 岁但未満（$x+5$）岁的人口組的特殊死亡率，${}_5q_x$ 表明确切年龄 x 岁起至确切年龄($x+5$)岁前死亡的机率。

求得各年龄組的 q 値后，当可根据如前所述的編制寿命表的原理由置定的基数(100,000 个同时出生的人，一代人)，計算出各年龄組的 l_x 值与 ${}_nd_x$ 值。l_x 即是确切年龄为 x 岁时的尙存人数，${}_nd_x$ 是确切年龄 x 岁时尙存人数中在确切年龄（$x+n$）前这 n 年的时間阶段內死亡的人数；即言 l_x 与 ${}_nd_x$ 行的計算是使用如下的关系完成的：$l_0=100,000$；${}_nd_x=l_x\cdot{}_nq_x$；$l_{x+n}=l_x-{}_nd_x=l_x(1-{}_nq_x)$。

为了求得确切年龄为 x 岁时的希望寿命整数 $\mathring{e}_x$(即 l_x 个人此后平均可以享有的寿命的年数)，我們需要求得 l_x 曲線下的必要面积。

关于 10 岁以前各年龄阶段 l_x 曲線下的面积是依下列公式求得的：

${}_1L_0=0.276\,l_0+0.724\,l_1$ ……………………(5)

${}_1L_1=0.410\,l_1+0.590\,l_2$ ……………………(6)

${}_3L_2=-0.021\,l_0+1.384\,l_2+1.637\,l_5$ ……(7)

${}_5L_5=-0.003\,l_0+2.242\,l_5+2.761\,l_{10}$……(8)

式中 ${}_1L_0$ 是 l_x 曲線下縦座線 l_0 与 l_1 間的面积，${}_1L_1$ 是曲線下縦座線 l_1 与 l_2 間的面积，${}_3L_2$ 是曲線下縦座線 l_2 与 l_5 間的面积，${}_5L_5$ 是曲線下縦座線 l_5 与 l_{10} 間的面积。${}_1L_0$ 这份面积是該 l_0 个人在其生命的进程中在第一个生日前享有过的"人年"数，余类推，这几个年龄組的 L 値的計算举例如附表行(3)所示。

关于10岁以上的各年龄組，則是求得 l_x 曲線下由 x 起直至寿命終極之面积，此部面积为該 l_x 个人直至死尽共享之人年总数，称为余年总和，以 T_x 表之。其法，先由寿命的終極开始把以 5 年为組距的各年龄組的 l_x 値依次向上累加，累加之和为各該年龄組的 $\sum_{a=0}^{\infty} l_{x+5a}$ 值，如附

表 1　北京市城区男性人口寿命表

年龄 $x-(x+n)$	1950 年 l_x	1950 年 ${}_nq_x$	1950 年 ${}_nd_x$	1950 年 $\mathring{e}_x$	1953 年 l_x	1953 年 ${}_nq_x$	1953 年 ${}_nd_x$	1953 年 $\mathring{e}_x$
0—	100,000	.08744	8,744	53.88	100,000	.06110	6,110	61.18
1—	91,256	.03863	3,525	58.01	93,890	.01767	1,678	64.14
2—4	87,731	.04397	3,858	59.33	92,212	.02032	1,874	64.30
5—9	83,873	.01855	1,556	58.99	90,338	.00722	652	62.61
10—14	82,317	.01091	898	55.07	89,686	.00489	439	58.05
15—19	81,419	.01253	1,020	50.65	89,247	.00554	494	53.32
20—24	80,399	.01998	1,606	46.26	88,753	.00573	509	48.61
25—29	78,793	.01857	1,463	42.15	88,244	.00762	672	43.87
30—34	77,330	.01793	1,387	37.90	87,572	.00995	871	39.19
35—39	75,943	.02139	1,624	33.55	86,701	.01416	1,228	34.56
40—44	74,319	.03488	2,592	29.22	85,473	.02173	1,857	30.01
45—49	71,727	.04311	3,092	25.18	83,616	.03937	3,292	25.62
50—54	68,635	.06517	4,473	21.20	80,324	.05510	4,426	21.56
55—59	64,162	.11013	7,066	17.49	75,898	.09548	7,247	17.66
60—64	57,096	.14787	8,443	14.33	68,651	.14393	9,881	14.25
65—69	48,653	.21705	10,560	11.37	58,770	.21627	12,710	11.20
70—74	38,093	.31218	11,892	8.81	46,060	.31736	14,627	8.58
75—79	26,201	.43575	11,417	6.66	31,433	.45067	14,166	6.40
80—84	14,784	.58320	8,622	4.92	17,267	.60908	10,517	4.65
85—89	6,162	.73775	4,546	3.54	6,750	.77067	5,202	3.28
90—94	1,616	.87067	1,407	2.41	1,548	.90053	1,394	2.12
95—99	209	.95694	200		154	.97402	150	
100—104	9	.99166	9		4	.99658	4	

表 2　北京市城区女性人口寿命表

年龄 $x-(x+n)$	1950 年 l_x	1950 年 $_nq_x$	1950 年 $_nd_x$	1950 年 $\mathring{e}_x$	1953 年 l_x	1953 年 $_nq_x$	1953 年 $_nd_x$	1953 年 $\mathring{e}_x$
0—	100,000	.09305	9,305	50.22	100,000	.05596	5,596	60.52
1—	90,695	.04492	4,074	54.34	94,404	.02055	1,940	63.09
2—4	86,621	.05728	4,962	55.88	92,464	.02290	2,117	63.41
5—9	81,659	.01976	1,614	56.19	90,347	.00881	796	61.86
10—14	80,045	.01631	1,306	52.28	89,551	.00653	585	57.39
15—19	78,739	.02979	2,346	48.11	88,966	.01218	1,084	52.75
20—24	76,393	.03780	2,888	44.50	87,882	.01302	1,144	48.37
25—29	73,505	.03482	2,559	41.15	86,738	.01534	1,331	43.98
30—34	70,946	.03428	2,432	37.55	85,407	.02045	1,747	39.62
35—39	68,514	.04089	2,802	33.79	83,660	.02364	1,978	35.39
40—44	65,712	.03940	2,589	30.13	81,682	.02803	2,290	31.19
45—49	63,123	.04388	2,770	26.26	79,392	.03937	3,126	27.01
50—54	60,353	.06532	3,942	22.34	76,266	.05382	4,105	23.01
55—59	56,411	.09274	5,232	18.72	72,161	.07800	5,629	19.17
60—64	51,179	.12134	6,210	15.37	66,532	.10889	7,245	15.57
65—69	44,969	.18637	8,381	12.13	59,287	.17548	10,404	12.15
70—74	36,585	.25028	10,255	9.32	48,883	.27598	13,491	9.18
75—79	26,333	.40816	10,748	6.95	35,392	.41752	14,777	6.71
80—84	15,585	.56670	8,832	5.05	20,615	.59525	12,271	4.73
85—89	6,753	.73656	4,974	3.55	8,344	.77996	6,508	3.22
90—94	1,779	.88083	1,567	2.35	1,836	.92048	1,690	1.97
95—99	212	.96698	205		146	.98630	144	
100—104	7	.99552	7		2	.99917	2	

表行(4)所示；然后，依下述公式求 T_x 值:

$$T_x = -0.20833\, l_{x-5} + 2.5 l_x + 0.20833\, l_{x+5} + 5\sum_{a=1}^{\infty} l_{x+5a} \quad \cdots\cdots (9)$$

显然可知，

$$\left.\begin{aligned} T_0 &= {}_1L_0 + T_1 \\ T_1 &= {}_1L_1 + T_2 \\ T_2 &= {}_3L_2 + T_5 \\ T_5 &= {}_5L_5 + T_{10} \end{aligned}\right\} \quad \cdots\cdots (10)$$

最后，由各确切年龄时尚存人数 l_x 与余年总和 T_x，得各确切年龄时希望寿命 $\mathring{e}_x$ 值，即

$$\mathring{e}_x = \frac{T_x}{l_x} \quad \cdots\cdots (11)$$

各年龄組的 T 值的計算举例如附表行(5)所示，$\mathring{e}_x$ 值的計算举例如行(6)所示。

計算結果

表1与表2所包括的四个寿命表都是依上述方法計算的結果而編制成的。

圖1至圖16示各性别各年份 l_x, $_nd_x$, $_nq_x$, $\mathring{e}_x$ 的比較。

由各寿命表及其圖示看出如下的主要事实:

(1) 不論男性或女性1953年各年齡組的 l_x 值均較1950年各該年龄組的 l_x 值为高。

(2) 1950年男性 l_x 值較女性 l_x 值为高；这与許多其他国家的情况是不同的。1953年男性 l_x 值約在65岁以前仍較女性的 l_x 值为高，但自65岁左右起女性 l_x 值即高于男性；这些事实显示着这样一个傾向：即女性 l_x 值大于男性 l_x 值的現象將由生命晚期阶段繼續向生命早期阶段推移，最終在各年齡阶段女性 l_x 值將全部大于各該年齡組男性的 l_x 值。

(3) 同时出生的100,000人尚存半数的年齡如下：1950年，男，64.2岁；女，60.9岁。1953年，男，68.5岁；女，69.5岁。

(4) 不論1950年或1953年男女性 $_nq_x$ 值最小的年齡在10—15岁組；这与許多其他国家的情况是一致的。不論男性或女性，約在70岁以前1953年的 $_nq_x$ 值都較1950年 $_nq_x$ 值为低，而且在青壯年阶段 $_nq_x$ 值降減为最多。

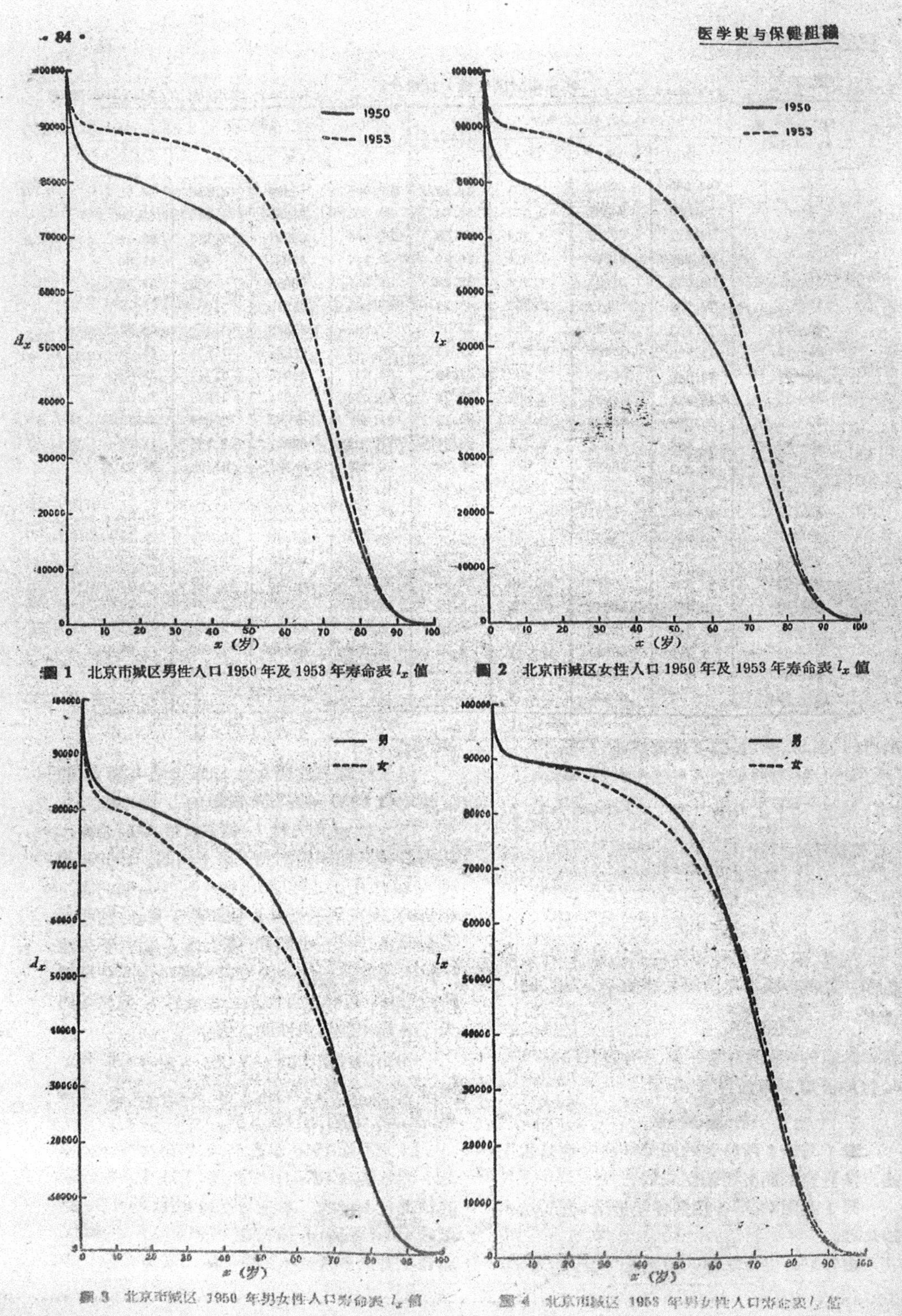

圖 1 北京市城区男性人口 1950 年及 1953 年寿命表 l_x 值

圖 2 北京市城区女性人口 1950 年及 1953 年寿命表 l_x 值

圖 3 北京市城区 1950 年男女性人口寿命表 l_x 值

圖 4 北京市城区 1953 年男女性人口寿命表 l_x 值

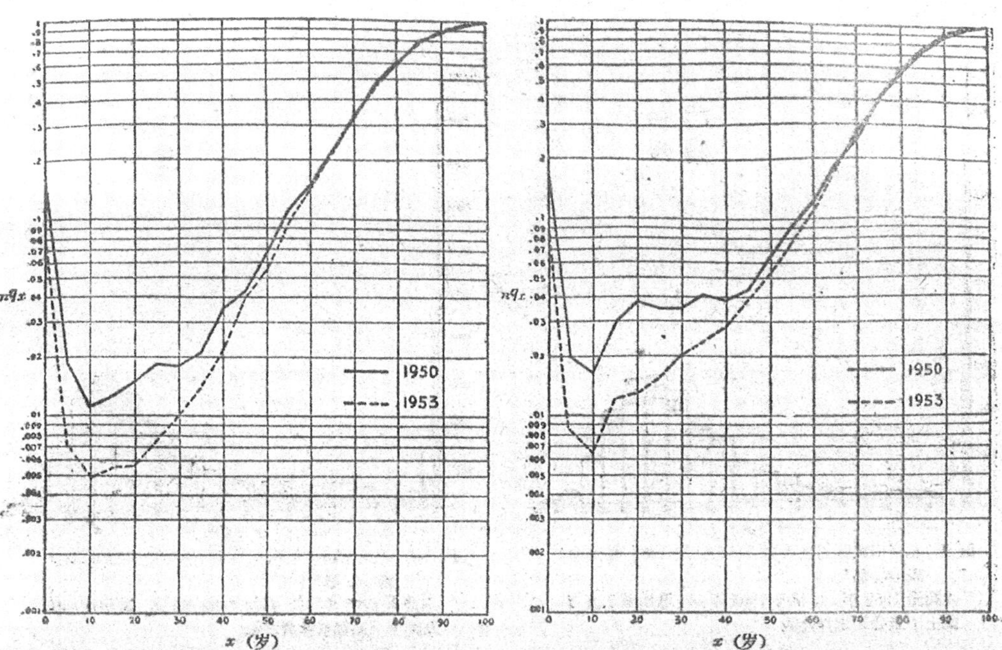

圖 5 北京市城区男性人口 1950 年及 1953 年寿命表 $_nq_x$ 值

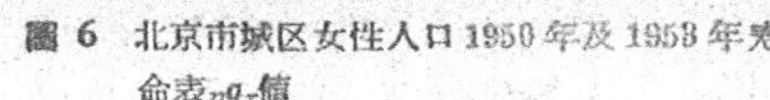
圖 6 北京市城区女性人口 1950 年及 1953 年寿命表 $_nq_x$ 値

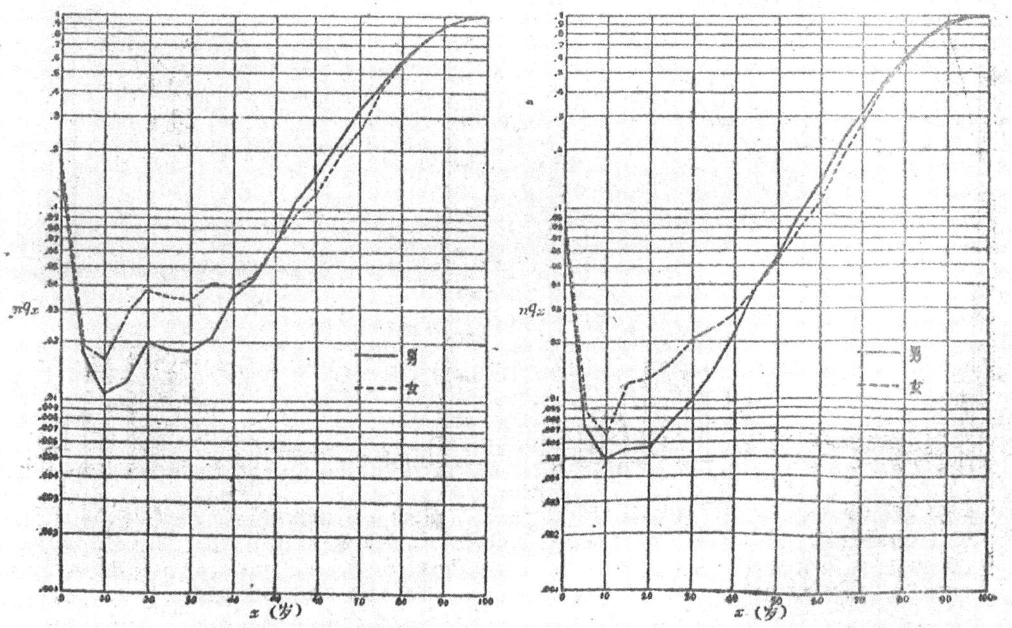

圖 7 北京市城区 1950 年男女性人口寿命表 $_nq_x$ 值

圖 8 北京市城区 1953 年男女性人口寿命表 $_nq_x$ 值

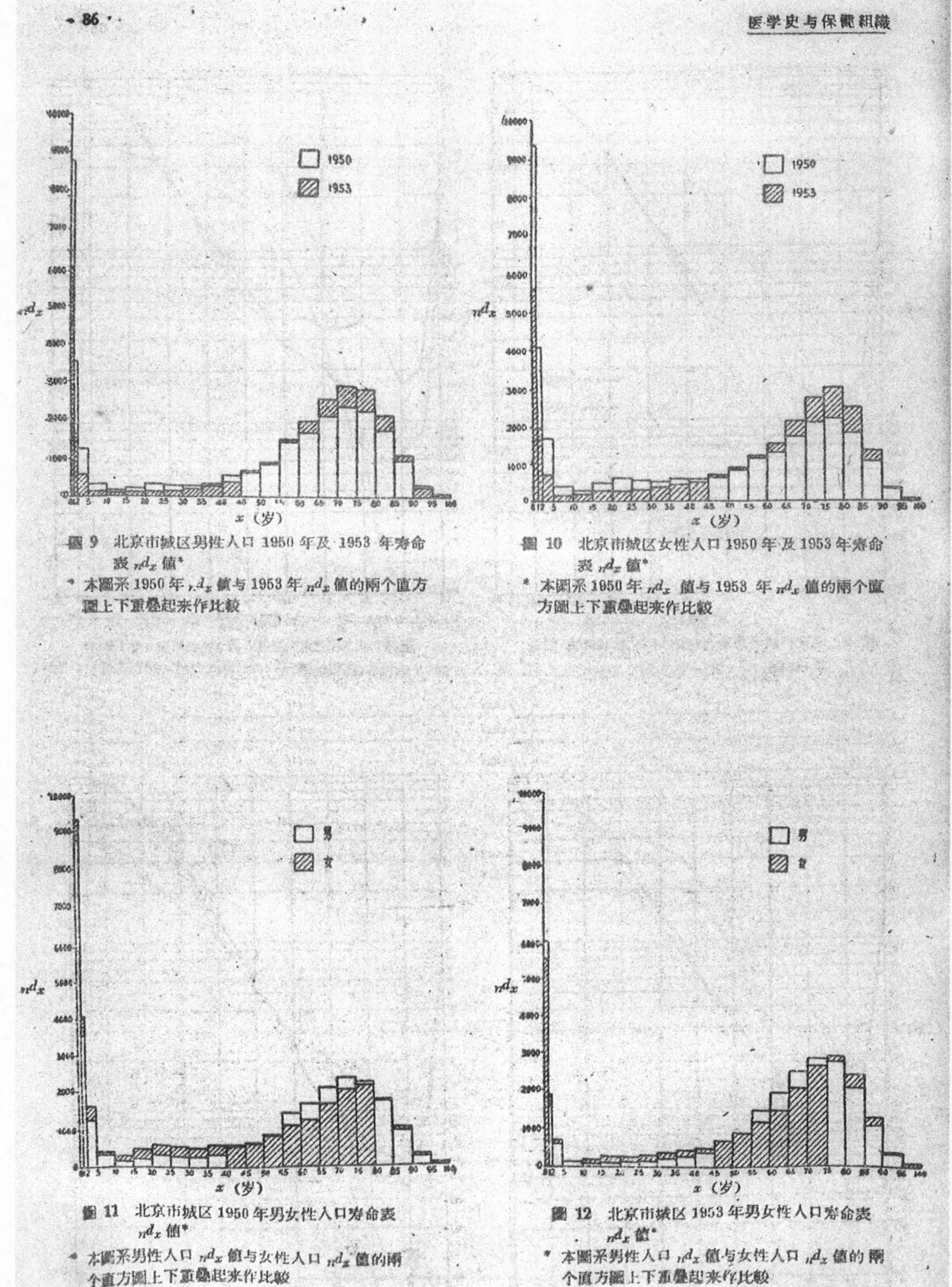

圖 9　北京市城区男性人口 1950 年及 1953 年寿命表 $_nd_x$ 值*

* 本圖系 1950 年 $_nd_x$ 值与 1953 年 $_nd_x$ 值的兩个直方圖上下重疊起来作比較

圖 10　北京市城区女性人口 1950 年及 1953 年寿命表 $_nd_x$ 值*

* 本圖系 1950 年 $_nd_x$ 值与 1953 年 $_nd_x$ 值的兩个直方圖上下重疊起来作比較

圖 11　北京市城区 1950 年男女性人口寿命表 $_nd_x$ 值*

* 本圖系男性人口 $_nd_x$ 值与女性人口 $_nd_x$ 值的兩个直方圖上下重疊起来作比較

圖 12　北京市城区 1953 年男女性人口寿命表 $_nd_x$ 值*

* 本圖系男性人口 $_nd_x$ 值与女性人口 $_nd_x$ 值的兩个直方圖上下重疊起来作比較

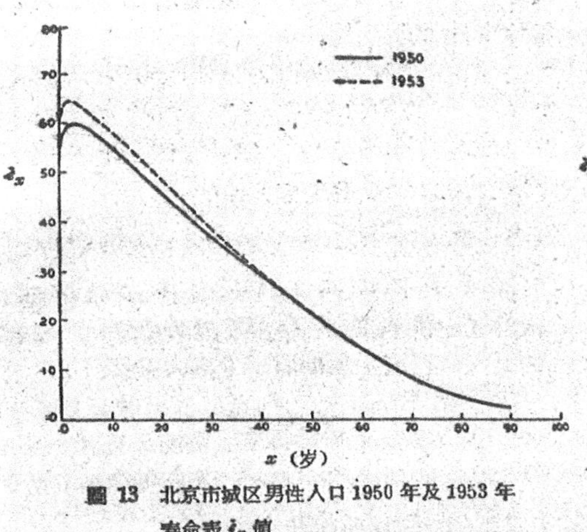

圖 13 北京市城区男性人口1950年及1953年寿命表 $\mathring{e}_x$ 值

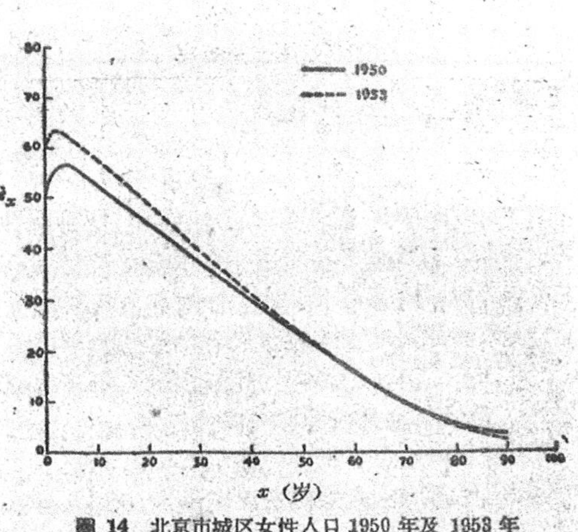

圖 14 北京市城区女性人口1950年及1953年寿命表 $\mathring{e}_x$ 值

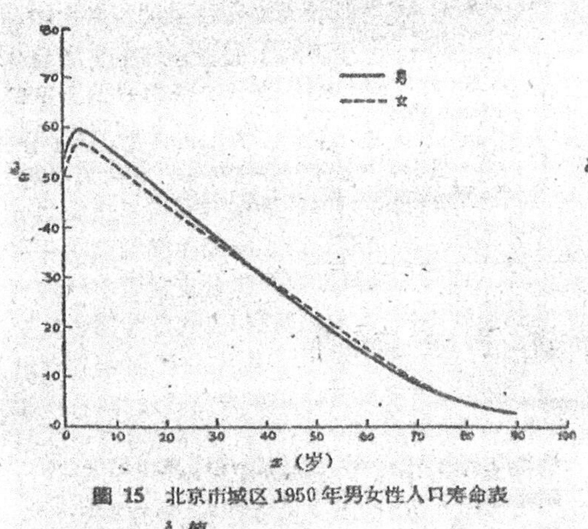

圖 15 北京市城区1950年男女性人口寿命表 $\mathring{e}_x$ 值

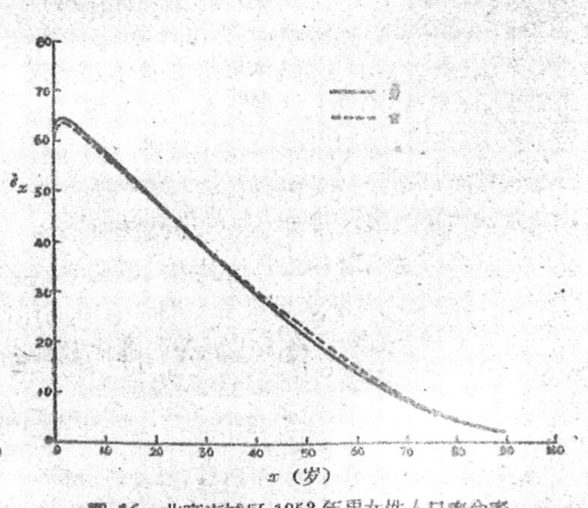

圖 16 北京市城区1953年男女性人口寿命表 $\mathring{e}_x$ 值

（5）不論男性或女性，1950年或1953年，$_nd_x$ 值最小的年龄組都是10—14岁組；这与許多其他国家的情况是一致的。10岁以后 $_nd_x$ 值最大的年龄組：男性不論1950年或1953年都是70—74岁組，女性不論1950年或1953年都是75—79岁組。

（6）不論男性或女性 $\mathring{e}_x$ 值总括說来都有显著的增長。不論1950年或1953年在生命的前一段男性的 $\mathring{e}_x$ 值高于女性；这与許多其他国家的情况是相反的。但不論1950年或1953年在生命的后一段女性的 $\mathring{e}_x$ 值高于男性；这与許多其他国家的情况是相同的。1950年男女性 $\mathring{e}_x$ 曲線在約35岁时相交，而1953年男女性 $\mathring{e}_x$ 曲線則在約20岁时相交。这些事实显示着这样

附表　寿命表 $\mathring{e}_x$ 值計算之举例

（北京市城区，1953年，女性）

$x\to(x+n)$ (1)	l_x (2)	nL_x (3)	$\sum_{i=0}^{\infty} l_{x+5i}$ (4)	T_x (5)	$\mathring{e}_x$ (6)
0—	100,000	95,848		6,051,928	60.52
1—	94,404	93,259		5,956,080	63.09
2—4	92,464	273,768		5,862,821	63.41
5—9	90,347	449,508		5,589,053	61.86
10—14	89,551			5,139,545	57.39
15—19	88,966		983,191	4,693,192	52.75
20—24	87,882		894,225	4,250,956	48.37
25—29	86,738		806,343	3,814,354	43.98
30—34	85,407		719,605	3,383,866	39.62
35—39	83,660		634,198	2,961,064	35.39
40—44	81,682		550,538	2,547,596	31.19
45—49	79,392		468,856	2,144,672	27.01
50—54	76,266		389,464	1,755,149	23.01
55—59	72,161		313,198	1,383,560	19.17
60—64	66,532		241,037	1,036,173	15.57
65—69	59,287		174,505	720,361	12.15
70—74	48,883		115,218	448,604	9.18
75—79	35,392		66,335	237,306	6.71
80—84	20,615		30,943	97,543	4.73
85—89	8,344		10,328	26,878	3.22
90—94	1,836		1,984	3,622	1.97
95—99	146		148		
100—104	2				

一个傾向：即女性 $\mathring{e}_x$ 値大于男性 $\mathring{e}_x$ 値的現象將由生命的晚期阶段繼續向生命早期阶段推移，最終在各年齡阶段女性 $\mathring{e}_x$ 値將全部大于各該年齡組男性的 $\mathring{e}_x$ 値。

（7）出生时希望寿命：男性1950年为53.88岁，1953年为61.18岁；女性1950年为50.22岁，1953年为60.53岁。女性 $\mathring{e}_x$ 値在此三年內增長了10.31岁，增長率为20.53%$\left(=\frac{60.53-50.22}{50.22}\times100\right)$；男性 $\mathring{e}_x$ 値增長了7.30岁，增長率为13.54%。因于生命最早期阶段的死亡机率在这三年中有显著的降減，$\mathring{e}_x$ 値的最大値已显示出向零岁方向的推移。

参考文献

1. 北京市城区市民出生死亡申报暫行規則（附北京市人民政府办理生命統計联系办法），北京市人民政府，1950年4月10日公佈。
2. Reed, L. J., and Margaret Merrell, A Short Method for Constructing an Abridged Life Table. Amer. Jour. Hyg., 30: 33-62, 1939.
3. Glover, J. W., United States Life Tables, 1890, 1901, and 1901-1910, Washington (Bureau of the Census), 1921.
4. Henderson, R., Mortality Laws and Statistics. New York, 1915.
5. Dublin, L. L., and A. J. Lotka, Length of Life. A Study of the Life Table. New York, Ronald Press, 1936.
6. Dublin, L. K., and A. J. Lotka, Uses of the Life Table in Vital Statistics. Amer. Jour. Public Health, 27: 481-491, 1937.

作为内科医生的阿維森納

A. A. Аскаров

文中介紹阿布·阿里·伊本·辛納（阿維森納）所著述的"医典"之簡要內容。阿維森納有眞实的淵博的学問。他的著作对当时科学的發展、尤其是医学、有巨大的影响。他的主要論述不仅涉及疾病的診断問題、發病原因問題及环境对于病程影响的研究，而且还涉及一系列疾病的症候学問題。並有独立的章节叙述了排泄物檢查的意义，特别是当胃腸道疾患和腎疾患时。阿維森納的一系列見解曾被發展和充实在后世的医学中。

（陈維养、陈可冀譯自 Советское Медицинское Реферативное Обозрение, Внутренние Болезни, 20: 1955, Стр. 99）

衛生学史分期問題的商榷

范日新*

衛生学史分期問題的討論，在中国通史和中国医学史的分期法尙未得出定論以前虽有相当困难，然对中国衛生学史的分期目录及其有关的一些問題，提出初步意見，也是有意义的。

关于衛生学史的分期問題，牽涉的范圍較广，而且又都比較复杂，是一个尙待从多方面深入研究的巨大問題。仅提出以下意見，姑作初步探討的尝試。

一、一般通史分期与專科历史分期的关系

衛生学史是医学史的一部分，医学史是文化史的一部分，而文化史又是一般通史的一部分，因此，衛生学史的分期，須服从一般通史的分期方法。但是我国通史分期問題的討論，曾在学术界中进行爭辯了三十多年。即国际汉学家最近还在巴黎召开过專題会議(1、2)，这个問題是何等的重要，于此可見。由于各学派对于“奴隶社会阶段的下限到什么时期为止”及“封建社会究从何时开始与为止”等有关我国古代史分期問題的不同論点的存在(3-7)，因而就不能得出中国通史分期最后的結論。据說，苏联学者編著的东方史，即將出版，它对中国通史分期或可借鏡；毛主席指示中国历史学会，对中国通史分期，应在最近期間作出决定(8)。这样，我国通史分期的研究，估計在不久的將来，可能得以初步完成，它对我国医学史和衛生学史的分期問題的解决，是会有很大帮助的。

必須指出：一般通史分期問題值得我們特別重視的原因，是在于某一特定的社会發展阶段下的历史特征，对于該时期的哲学思想、自然科学和医葯衛生学术方面的形成与發展，是有着很密切的关系。

关于医学科学中的專科历史分期，一般除依照医学史分期的原則外，亦可根据該專科的某些特殊成就，尤其对本門科学今后的發展特別具有深远影响的成就来划分。例如外科学，可用消毒法与麻醉学的發明来分期；生理学，用血液循环的發現与巴甫洛夫高級神經活动学說的偉大貢献来分期；衛生学，以具有划时代意义的从十九世紀中叶以后所形成与發展起来的实驗衛生学，当作分期的依据之一。

二、医学史的分期原則及具体分法

唐志炯氏(8)，在中华医学会上海分会医史学会中国医史研究方法座談会上，就中国医学史的分期原則所提出的意見，可以归納如下：第一，应依据社会的性質来划分，因为自然科学不是上層建筑，而当时的社会背景与哲学思想，对某一自然科学起着很大的影响，医学当也不能例外。第二，中国医学史的分期，应該依照中国的通史分期为准，因为世界各国的社会历史發展过程，都不相同，例如中国的封建社会，可能要比其他国家来得早，而中国資本主义的發展，就比欧美来得迟。第三，医学科学中的某些特殊成就，例如外科学的消毒法与麻醉学、生理学上血液循环論的發現和巴甫洛夫高級神經活动学說的确立，及生物学上的达尔文和米丘林的学說等，似均可作为各該專科历史分期的依据，但如依照上述情况来划分医学史的期，則殊值得考慮。第四，某些問題在性質上对医学的發展不能起决定性影响，便不宜作为医学史分期的依据，例如中外交通关系問題，由于中国自秦、汉时期起始与世界其他各地常有經由海陆綫上的往来，因此，就很难确定以某次的通使或通商作为中国医学發展的轉折点。

在表1几个中国医学史分期的目录中，例举了三个不同的医学史分期的类型。中医研究院中医教材編輯委員会拟訂的中国医学史分期法(9)，基本上是以朝代的次序，划分为八个阶段；福建省中医葯学术研究委員会俞愼初(10)的分期法，主要是採用了陈邦賢(11)的按上古、中古、近世与现代等作了分期，並在上古医学内又

* 上海第一医学院衛生系衛生学总論教研組主任教授

按社会历史發展阶段，分为“原始公社”、“奴隶制度”及“封建制度(开始)”等时代；而唐志烱的中国医学史分期法，則是依照社会經济發展的阶段来划分的。須指出的是，这三个中国医学史分期的目录，都是在1955年和1956年这兩年內拟訂的，足見我国医学史的分期問題，确已引起全国各地医葯衛生工作者的重視，虽然对于医学史分期应依照社会經济發展的阶段来划分的原則，还沒有一致的認識或做法。

表 1　几个中国医学史分期的目录

中医研究院中医教材編輯委員会的分期(1956年8月)	福建省中医葯学术研究委員会俞愼初氏的分期(1956年)	中华医学会上海分会中国医史研究方法座談会唐志烱的分期(1955年)
从原始社会到先秦的医学	上古医学	原始公社时的医学
原始社会的医学	原始人与原始公社时代	奴隶社会的医学
夏商时代的医学(公元前18世紀—12世紀)	50—10万年前原始人时代	封建社会的医学
周代的医学	公元前3000年原始公社时代	春秋战国
春秋战国的医学	奴隶制度时代——夏商(殷)	秦汉
秦汉三国的医学(公元前246—前*280)	封建制度开始时代——西周	西晋到隋唐
兩晋南北朝的医学(公元265—588)	春秋战国时代	宋元
隋唐五代的医学(公元589—959)	中古医学	明清(到鴉片战爭时为止)
兩宋金元的医学(公元960—1368)	秦汉时代	过渡性的半封建半殖民地社会的医学
兩宋时代的医学	魏晋南北朝时代	社会主义社会过渡时期的医学
金元的医学	隋唐时代	
明及鴉片战爭前清期的医学(公元1368—1840)	兩宋时代	
明代的医学	金元时代	
清代鴉片战爭前的医学(公元1644—1840)	近世医学	
近百年来的医学(1840—1949)	明代医学	
中华人民共和国的医学	清代医学	
	太平天国时期的医学	
	现代医学	
	辛亥革命以后的医学	
	中华人民共和国成立时期	

* “前”恐为“后”之誤。

三、关于祖国衛生学史分期的拟議

根据上面的一般通史与專科历史分期的关系及医学史的分期原則及具体分法，这兩个有关衛生学史分期問題中所提出的論点，茲將中国衛生学史的分期目录，試行拟訂，見表2。由于衛生科学的成就，只有从分析各个社会經济發展阶段中的文化水平。科学技术發展情况和医学成果，才能够正确地反映出来，特别是在十九世紀中叶以前衛生学还未从医学科学領域中分化出来以前，衛生学史的分期，就有必要依照中国医学史的分期法加以拟訂。不难看出，表2中国衛生学史的分期目录，便是参照唐志烱的中国医学史分期法而拟訂的。例如我国在秦、汉中央政权專制統治时期[9]，由于水利交通的發展和社会生产力的提高，医学便有了充分的發展，因而在保健制度和衛生設备方面，也有相当的进步；在隋、唐时期，由于土地分配問題的解决，农業、手工業和商業得到發展，文化有了更偉大的輝煌成就，因而医学的發展就达到空前的划时代的阶段。欧洲在十五、十六兩世紀，由于資产阶級逐漸成長的要求而引起的文艺复兴，促使自然科学迅速發展，对于医学科学的进步，起了很大的推动作用。而在与此同时及其以后不久的我国明末清初时期，由于腐續的封建統治，閉关自守，社会生产力得不到發展的結果，使得自然科学和医学科学都受了很大的影响，这就更为有力的說明了文化与科学和社会經济發展的水平，是有着何等密切的关联性。同样，它也說明了，只有在生产关系与生产力相适应的社会主义社会的社会經济發展阶段下，才有最优越的衛生学这門科学出現的可能。

表 2 中国衛生学史分期目录(草稿)

1. 原始公社时代簡陋的衛生經驗
2. 奴隶社会时代朴素的衛生知識
3. 封建社会时期的經驗衛生学及实驗衛生学
   (1) 从西周、春秋、战国到明及清朝中期的經驗衛生学与衛生措施
   (2) 半封建半殖民地期間的实驗衛生学
4. 社会主义社会过渡时期的衛生学

从上面这些史实論点的分析看来，本文所提出的中国衛生学史分期的目录拟議，是有其理論根据的。

参考文献

1. 鄭伯贊：記巴黎青年汉学家会議，人民日报，1956年10月31日。
2. 張芝联：历史分期問題的討論在巴黎——記第九次青年汉学家会議，光明日报，1956年10月30日。
3. 范文瀾：中国通史簡編，第一編，战国文化的一般狀况。医学，286頁。
4. 楊寬：战国史，上海人民出版社，233頁，1955年。
5. 郭沫若：中国古代社会研究，第一章，周易时代的社会生活，28頁。
6. 郭沫若：汉代政权严重打击奴隶主——古代史分期爭論中的又一关鍵性問題，人民日报，1956年12月6日。
7. 周谷城：历史与科学，1956年10月19日在中华医学会上海分会与中华医学会上海分会医史学会联合举行的学术演講会記录摘要。
8. 唐志炯、陈海峯、龐京周等：中华医学会上海分会医史学会中国医史研究方法座談会各次开会暨發言記录，1955年。
9. 中医研究院中医教材編輯委員会：中国医学史(未經审定教材草稿)，1956年8月。
10. 兪愼初：中国医学簡史，福建省中医藥学术研究委員会内部学習資料，1956年。
11. 陈邦賢：中国医学史，1937年。

阿維森納像

В. Н. Терновский

摆在我們眼前的是东方偉大的学者阿布·阿里·伊本·辛納(阿維森納)的繪画像，他是“医典”(自中世紀开始，作为以后数世紀医生們知識泉源的百科大全書)的著者。1952年，根据世界和平理事会的建議，在我国以及国外紀念了阿維森納的誕生一千週年。十世紀以来，各个时代的艺术家和人民曾按照各自的体会和推想描繪了偉大的博学多才的阿維森納。

但在我們以前，在亚洲和欧洲，对于这样一位医生尙没有一幅神态活現的、令人相信的、出色的形象描繪。現在有兴趣的是發現了阿維森納的顱骨，該顱骨系因在哈馬坦*(Хамадан)建造新陵墓关系于揭开他的墳墓时从墓穴中获得。这就成为創造阿維森納相貌輪廓的唯一基础。

伊朗科学院院士沙伊特·拉非錫在其著作：“阿維森納。生命力，活动力，世界观与时代”(德黑蘭，1954)上曾刊載了不久前从阿維森納墓穴中获得的顱骨側照，但未作任何解剖学上的及人类学上的說明。

1954年于德黑蘭在阿維森納誕辰一千周年的国际会議上，与拉非錫院士会晤时，我們取得許可得以进行上述顱骨的照相資料研究。在顱骨研究的基础上，M. M. Герасимов 氏改制了阿維森納的相貌。所刊出的阿維森納像系首先創作在具体物資的基础上，同时並利用了以往繪像工作的經驗。所以这一幅像是最逼似于中世紀偉大的东方医学家的眞实面貌。阿維森納的帽子系按照他那个时代的社会習慣、由东方史專家們的指示而繪成的。

烏兹別克苏維埃社会主义共和国科学院出版了“阿維森納像”的小册子(塔什干，1956)。这为所有从事偉大的阿維森納著作的研究者增添了兴趣。

阿維森納像

(陈維养、陈可冀 譯自“Клиническая Медицина”，1:1957，Стр. 120—121.)

* Хамадан，即 Hamadan，在伊朗，东經49度，北緯35度。(譯者)。

广东地区疗养院設計問題

刘云峰*

疗养院和休养所的建筑設計，在新中国的建筑师面前，是一項比較新穎的課題。旧中国很难找到比較有系統的疗养机構，地主官僚們在風景优美的地方建筑私人别墅，或私人疗养院，供有錢人消閒避暑。广大的劳动人民被剥夺了这項权利。

解放以后，由于党和政府对人民健康的关怀，先后利用一些旧的医院和地主官僚的别墅，創办了一些疗养院和休养所，为劳动人民的疗养事業开辟了广闊的前途。随着国家的大規模經济建設开展，劳动保险的范圍不断扩大，职工获得疗养机会。自解放以来，全国各地的疗养院和休养所，在数量上有極其迅速的增加。但是，由于羣众性的疗养机構，在我国还是一項比較新的事業，所以在質量上，尤其是在建筑設計的質量上，却远远地赶不上当前的需要。

在广东地区，由于气候温和、風景优美，部份地区还拥有最有疗效的矿泉（如从化温泉），对疗养患者具备最有利的条件。因此，为我国理想的疗养地区之一。

这里想結合着广东地区几个較大的疗养院（如从化温泉疗养院，广东省干部疗养院，广东省广州市工人疗养院，华南海員疗养院等）的实际情况，把自己在疗养院設計中的一些体会提出来談談，以供疗养院設計的工作同志們参考，希望同志們批評和指正。

疗养机構的分类、規划与选址的問題

疗养院的分类，在苏联是根据各种病症的性質来划分的。据苏联"疗养院和休养所設計标准"（以下簡称，"苏联标准"，）的規定，除肺結核病疗养院外，还按照其他的慢性病划分为9类，另外兒童疗养院还不在內。但是，按照我国的情况，作这样細致的划分，在目前还未具备足够的条件。所以，我个人的意見，目前設計的疗养院可以这样分类：①傳染性的結核病疗养院；②非傳染性的其他慢性病疗养院；③兒童疗养院；④一般性的疗养院。

其中兒童疗养院当然也应該分为傳染性和非傳染性兩种。

疗养机構的規划：苏联是在每一个地区中按照人口的集中情况和地区的自然条件而布置若干个疗养区。同一类型的疗养院都集中在一个或数个疗养区內。这样，既可以最大限度地利用地方的天然治疗能力，同时，各种医疗設备和福利設施，也可以集中使用，大大地提高了設备的利用率和节省国家的投資，这是社会主义的規划方法。如苏联的高加索、克里米亚、烏拉尔和外貝加尔等，都是著名的疗养区域。

社会主义性質的疗养院，应該是为广大的劳动人民服务，貫徹劳动保护的原則，提高人民的健康水平，使对社会主义建設事業的完成起到应有的保証作用。所以，疗养区应选在离工人集中区較近的地方。同时，疗养院亦自有其特点，与医院不同，因为疗养院沒有門診，而且病人住院比較長期，要特别注意到环境安靜和空气清新。因此，疗养院不像医院那样要佈置在居民点中，而可以較自由地选擇适于疗养的环境，只要离居民点不太远而且附近有公路就可以了。若是傳染病的疗养院，更可以設在距离居民点和干道較远的地区，可以自己开辟較小的汽車路直达。

疗养机構的規划和选址，主要是应該按照上述的原則处理。此外，当然也应該注意到土壤清潔，陽光充足，地下水位，雨水排洩，綠化和通風等各方面的衛生要求。在水源，电源，下水道与工業区和污物处理場的距离等等，也应配合着城市規划来縝密考虑。

广东地区因为有天賦优良的自然条件。可以作为疗养区的地区随处有，如粵东的惠州小西湖，粵北的从化温泉，粵西的鼎湖，广州的南郊怡乐村，东北郊白云山等。都是著名的風景区，也是極为理想的疗养地。

* 广东省城市建筑設計院

在广东的疗养院中从化温泉疗养院是最适合于衛生要求的疗养院之一，並且拥有極有疗养价值的矿泉，土地面积也極为广闊，很可以發展为一个相当規模疗养区。广东省干部疗养院，还是一所傳染性的結核病疗养院，却位置在广州市区边緣的先烈路，由市中心区步行30分鐘便可到达，附近有居民住宅，宿舍区，还有牛乳場，同时由于院內綠化面积过少，疗养員們有时还在附近馬路上散步和遊戏，引起了附近居民的不满，而且因为离市区过近，噪声和塵埃常常侵入院中，这是一所选址十分不宜的疗养院的例子。

疗养院設計的总体佈置

疗养院的总体布置問題，大致可以分为下列几方面来談：

1. 床位及用地面积方面 按"苏联标准"的规定，每一床位所佔用的用地面积175—275平方米，但是照我国的現有情况，結合城市用地規划，我認为每一床位用100—150平方米已經够用，有200平方米就很好了，每間疗养院的床位数以100—200床位为宜，太少則力量分散，太多則不好管理。

2. 对内外的联系方面 疗养院对外界的接触較少，不像医院那样复杂。所以进出口方面有兩个已經够用，正面供病人入院及工作人員进出兼用。因为病人入院不是常有的，所以並無多大影响；后門則可以作供应物資进入和污物运出兼用，若有条件时，分开亦佳。

在内部联系方面，大致如下表：

　　　　　　　↙行　政
入院——→病房←理　疗
　　　　　　　↖供　应

由于这样的組織关系，疗养院的建筑設計型式亦可以分为下列三种：

(1) 集中式：就是將院內的医疗、行政、病房等部份，都集中在一幢建筑物內，仅將厨房，洗衣房等附屬建筑分开，这种型式的优点是：联系管理方便，設备使用效率高，用地可以較少，建筑费及經常费都較为經济，但是它的缺点是：办公厅与病房鄰近，影响了疗养所需要的安靜。如屬傳染病房时，更增加傳染的机会，同时採用集中式主楼多数高达三層，病員上三樓会覺疲劳，交通綫的处理也困难，防火要求也难达到理想。广东省干部疗养院可以算屬于这一型式。

(2) 分立式：就是將不同的部份分別建筑，有时还將輕重病人也分开。这种型式对衛生要求，防止傳染，很为有利，病房也容易获得安靜，交通綫易于明确划分，对防火，防空都有好处。但是它的缺点在于各部門分散，联系管理不便，医疗設备許多需要重复設置，建筑面积也要增加很不經济，而且因建筑物多幢分立，將土地分割成小塊，使土地和綠化都引起浪費，省市工人疗养院便是这种型式。

(3) 混合式：这是採用上述兩种形式来折中的型式，吸取上述兩种型式的优点，而極力避免它們的缺点，所以是較为理想的型式。

3. 建筑物的衛生間距方面 按照"苏联标准"的規定，是需要很大的基地面积，才能够佈置。但据我所調查过的几个疗养院，大部不合这个規定，但是一般在实际上都沒有什么影响。据医生們的意見：認为若非傳染性的病房，实在並不需要这样大的間距，所以我个人的意見：房屋与道路（主要干道和公路除外）和房屋与房屋間的衛生間距在非傳染性的疗养院中，有10米就很可以了（当然在採光通風防火等方面还須再加考慮）。至于病房与主要干道和公路，（每小时平均有二輛以上汽車經过）的間距，为了隔絕噪声和塵埃的侵害，最少应距离50米以上。

各主要部門的建筑設計

在一般的医疗院中，大致可分下列几个部門：

(1) 入院处：包括門厅、候診室、医师室、診断室、詢問处、淋浴室、脫衣室、衣服保管处、入院登記处、理髮室、厕所等，此部亦多合併在医疗部內。

(2) 住院部：包括臥室、休息室、値班医师室、治疗室、护理室、浴室厕所陽台等。

(3) 医疗部：包括医师室、治疗室、檢驗室、护士室，理疗各室（电疗、光疗、水疗、腊疗、泥疗等）候診室，药房等。

(4) 文娛部：包括禮堂（兼作电影及小舞

台)圖書室、閱报室、休息室等。

(5) 供应部:包括厨房、食堂、合作社(小食店)貯藏室,洗衣房等。

(6) 行政管理部門等:

現拟將各部門的建筑設計及大致要求,分述于下:

(1) 入院处:入院处,决定病人是否适于住院,和办理各种手續。在集中式的院中,多数設在地面層中部。在分立式的院中,則建筑前哨式的小型房屋,亦可合併在医疗部中建筑,一进前厅,首先該是詢問处和候診室,其次进入医师室及診断室,决定住院之后,則登記、理髮、淋浴、更衣。

因为病人不会多,所以房間不需很大,大概每个房間从10—18平方米即很够用,併入医疗部是較經济的,但是交通路線常易混乱,衛生要求也比較难,所以独立是較为理想。

(2) 住院部:住院部是疗养院建筑中主要組成部份,它最重要的房間是卧室,病房。每个疗养院設計得好与不好,首先决定于它的病房的好坏。

在集中式的院中,病房多佈置于二層或三層,在分立式的院中,病房則为一幢以上的独立建筑,它应該佈置在全院最好的中心位置。

病房的主要窗戶,最好的方向是南或东南。小部份可以向东或西南,西北面如無附屬房間时,应佈置树木或大走廊以作防护。

病房的护理單元,按苏联的規定是25床位,但在我国目前医护力量不足的情况下,应当适当增多,据一般經驗,每單元50床位还是可以用的,再多就有困难,每單元都应該設置上面所述的一切輔助房間,医师室,治疗室和护理室。

每一病房中的床位数,按"苏联标准"拟定,最多3个,休养所最多4个,但广东現有的疗养院中,大都超过这个数目,广东省干部疗养院还有8—10床位的病房,在华南天气較热,床位多是不适于衛生要求。我个人的意見,4—6床位的病房如果通風处理得好,也还可以用的,(傳染性則不应超过4床位),而房內佈置也較易(如圖)。

每一床位的家俱,普通是一床,一椅,一床头小櫃,輕病的可以放圓棹及圓櫈(每房一套)每一床位所佔的面积按"苏联标准"規定。(單人房9平方米,双人以上每床6平方米,很适宜。

房間寬深尺寸,也可按"苏联标准"的規定,但高度方面因华南天气較热,应採用3.6—3.9米(楼面至楼面)。窗戶面积与地板面积比,採用1/4—1/5,光綫和通風都很够用。

住院部的楼梯,如不需要担架的斜度用1:2。而寬度120厘米以上,即很好用,少数重病需要担架的,則可以考虑設在地面層,一般都不需要設电梯,因为疗养的病人,普通都是能够走动的。

衛生設备方面:冷热水,暖气在华南不一定需要,蚊蝇多,防蚊蝇的紗門窗是不可少的。浴室厕所的数目,在华南需要是特别多的,按"苏联标准"和"建筑設計規范"的規定,据一般反映都不很够用的,根据在几个疗养院的实地調查研究,一般以男厕每8—10床位用一个大便池及一个小便斗,女厕6—8床位用一个大便池,浴盆則以6—8床位用一个較适宜。

天花板和牆面用石灰沙批擋,可以髹上淺綠,鵝黄等温柔悦目的顏色,地層和天面可以运用防水油作防漏和防潮的处理。佈置成漂亮的房間。

(3) 医疗部:疗养院除了利用自然条件治疗之外,还必須用現代的医疗技术,以协助病人及早恢复健康,医疗部除了一般的医师室、治疗室、手术室等,可以参照医院建筑設計之外,还必須設置較完善的理疗科。

理疗,包括电疗、光疗、水疗、腊疗、泥疗、包裹疗法及体育疗法,和中医科的針灸,气功疗法等种类。这些疗法对慢性病起很重要的作用,疗养院应該視所收容的病人种类,具体分別設置理疗內容。

理疗室,除水疗外,都应該尽量採用木地板,以避免电流和保持清潔,各种不同的疗法,都应得可能隔开,水疗中的淋浴和盆浴也应隔开,因为淋浴是兴奋性的疗法,盆浴是鎮靜性的疗法。水疗之后,应該有一定时間的休息,所以要設置較大的休息室、腊疗和泥疗必須另設泥和腊的处理室,以防弄污。

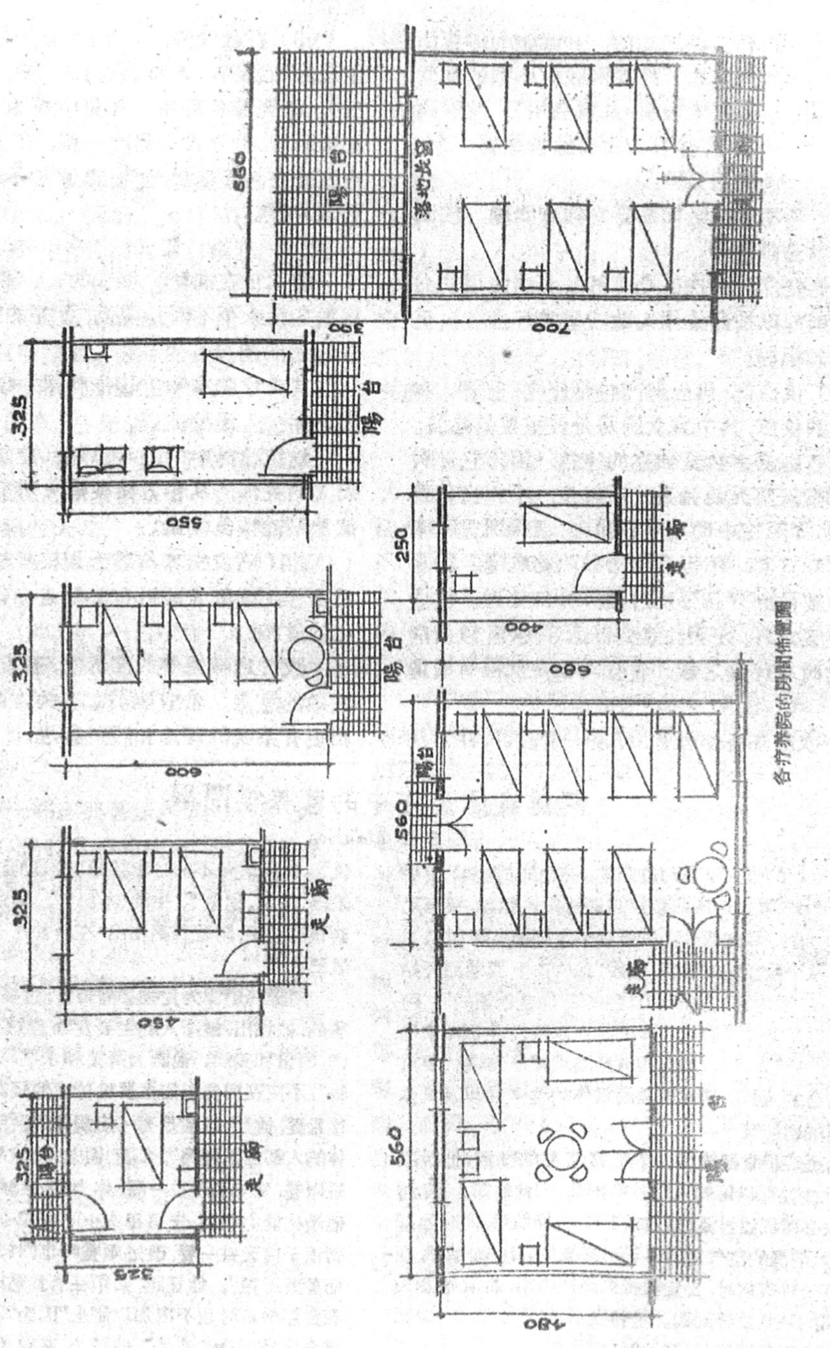
550
陽台
落地長窗
300
700
325
陽台
550
325
陽台
600
325
走廊
450
325
陽台
走廊
325
250
走廊
400
680
560
陽台
走廊
560
陽台
480

各疗养院的病間佈置圖

（4）文娱部：疗养院与医院不同，它的病人大部份是可以作文娱活动的，和輕微的体育活动的，及戶外的散步。疗养院設置小型的礼堂（兼作电影，小型艺术表演，及舞会用）。並附設圖書，閱报，休息室，体育方面有籃排球場一个，（兼作網球，操場用）即可。

傳染性疗养院必需注意到傳染問題，鼓励休养者作房外散步。

如果是疗养区内几个疗养院共同使用的文娱部。则可以按照使用人数設置舞厅、剧院、电影和运动場等。

（5）供应部：供应部門包括飯食、被服，和日用品的供应，其中食堂厨房是較主要的建筑。

食堂厨房多数是独立的建筑，因为它对病人的健康有絕大的关系，所以是一个相当重要的部門，疗养院中的食堂厨房，必須特别重視衛生要求和营养，消毒食物冷藏隔絕蚊蝇。厨房設計中要作到食品分别貯藏，分别处理。食堂除衛生要求外，还須注意到舒适和美观，以使病人进食时有优美之感，食堂与住院部应有通道联系。

洗衣房和合作社等，可按一般設計，注意清潔衛生。

（6）行政管理部：行政管理部門包括院長、主任医师、秘書、人事、党团、工会、总务、財务、医务、研究等各科室。在集中式和混合式多設在地面層，分立式則另建一幢，在总体佈置中，应該处在較显明的位置，以便对外連系，和对內管理方便。

結　語

祖国正在向社会主义的美好前途迈进，人民的生活水平不断地提高，首要的問題就是設計思想問題。

其次疗养事業应該是利用一切优良的自然因素保护人民的健康。

建筑設計中的主导思想，应該是充分的对病人的关怀，从各方面使病人舒服和方便。以使及早地恢复健康。

为了适应疗养事業大規模發展的需要，今后疗养院的建筑設計也必須走向标准化和規格化的道路。

設計比較完善的疗养院，进行研究，这些不成熟的意見。希望能引起有关方面的注意，做出更有系統的理論和設計标准。

阿維森納著作中的营养学問題

Г. А. Абанесов

中世紀的偉大学者阿維森納，在他的"医典"中早已指出，人們要預防疾病就应該进行身体鍛鍊，要有足够的睡眠和合理的营养。阿維森納曾經提出超过其当代科学水平数世紀的論点，他說"食物由于咀嚼而开始消化……，因为胃的表面和口腔的表面是連續的"。阿維森納关于衛生学和营养学的論点以現代生理学来衡量，固然有时显得很幼稚，但有些論点却是和現代观点完全符合的，譬如，他曾經談論机体的整体性以及机体与外界的密切統一。

阿維森納曾經提出一个非常惊人的假說，他說空气和水往往可以傳給人們致病細菌，因此他認为被汚染的水必需經过过濾，煮沸或蒸餾才能飲用，同时他認为新鮮、清潔的空气对人是絕对必要的。阿維森納在研究某一种疾病时，必定要提到致病因素，並且他認为最主要的还是营养問題。他特别注意嬰兒营养，他認为母亲的奶是嬰兒最好的食物，因为"……它和嬰兒在子宮里所得到的食物極为相似"。他还指出，乳母除体質、年龄（25—35岁）和"愉快的外表"之外，还"必需有善良、慈祥的性格……憂郁、年老等情况都会影响到授乳"。乳母乳量不够时应該給以补助食品，如大麦粥、米湯、菠菜、胡蘿卜、牛油、羊奶等。嬰兒的膳食与其年龄很有关系，阿維森納指出"在最初几日，白天最多授乳三次"。

阿維森納認为食物必需适量，过多或过少都是有害的，他指出，健康人的主要食物应該是羊羔肉、小牛肉，面包和美酒。他認为蔬菜和水菓只是"治疗性营养物"，不应在膳食中佔主要地位。他还認为膳食制度也很重要，他說"进餐是有一定規律的，任何愛护自己身体的人都应該遵循"，又說"假若一个人習慣于在白天进兩餐，那末若改进一餐，体力就会減弱。因此，即使他消化能力很弱，宁可每次少吃也必須进兩餐。假若習慣于白天进一餐，改进兩餐时也同样使人虛弱、懶惰而萎靡不振"。他还說"必須在有食慾时进餐，同样地，在食慾增进时也不应加以制止"因为"忍耐飢餓，胃里就会充滿不良的液体"，他認为，在胃和小腸还未来得及把前一次的食物消化完畢就进餐，是非常有害的，腸胃道不良时，可以短期飢餓使其休息。他还指出、精神

（下轉105頁）

我国白喉考略

李庆坪

一、古今白喉病名的演变

查我国医籍，在公元前已有类似白喉的記載。至1773年，瘍医大全描写天白蟻瘡，則酷似白喉。1815年重楼玉鑰的白纏喉，方才明白指出喉間白腐。而白喉的名称，則最早見于1864年的时疫白喉捷要。兹依时代的先后为序，列举如下，以后再逐段加以叙述。

喉痹（見于內經，公元前）→陰毒（見于金匱，196—220年）→纏喉風（見于聖济总录，1126年）→鎖喉風（見于景岳全書，1580年）→天白蟻瘡（見于瘍医大全，1773年）→白纏喉風（見于許佐廷家傳手录医案，1785年）→白纏喉（見于重楼玉鑰，1815年）→白纏、黃纏（見于咽喉脈証通論，1825年）→白喉嚨（見于白喉嚨証論、时疫白喉捷要等書，道光中叶，約在1830—1840年）→白喉（纏喉急痹），（見于时疫白喉捷要，1864年）→白喉。

（一）喉　痹

我国医籍第一部經典著作內經——灵樞、素問（公元前）中，就有喉痹的病名；說明喉痹是咽喉腫痛的病（見灵樞經脈第10、素問至眞要大論篇第74），而有“痒痛”（見灵樞經脈第10）、“不能言”（見灵樞杂病第26）、“舌卷，口中干，煩心心痛”（見灵樞热病第23）、“項强，头痛”（見素問至眞要大論篇第74）……等証候。素問六元正紀大論篇第71謂：“喉痹目赤，善暴死。”又可知喉痹是有生命危險的病。

隋大業时太医博士巢元方著諸病源候总論（成于616年）。其卷30咽喉心胸病諸候喉痹候說：“喉痹者，喉里腫塞痹痛，水漿不得入也。……亦令人壯热而惡寒，七八日不治則死。”按“七八日不治則死，”与六元正紀大論“善暴死”之意差不多，也說明喉痹是“喉里腫塞痹痛”而有生命危險的病，后人遂以喉痹为白喉。

唐王燾著外台秘要（752年出版），其卷23有喉痹方21首，其中4首，都用升麻：“广济疗喉痹急疼，悶妨不通（方略）。肘后疗喉痹方：升麻断含之，喉塞亦然。古今录驗疗喉痹塞，射干丸（方略）。又射干湯，疗喉痹閉不通利而痛，不得飲食者；若閉喉並諸疾（方略）。”按諸家治喉痹，多用升麻；晋葛洪（281—341年）肘后方更用單味升麻断含，治喉痹、喉塞。可知升麻对于喉痹，一定有相当治效的。

（二）陰　毒

后汉張仲景是医方之祖，著伤寒杂病論。其金匱要略（成于196—220年）中百合狐惑陰陽毒病証治第三。有陰陽毒2节說：“陽毒之为病，面赤斑斑如錦文，咽喉痛，吐膿血；五日可治，七日不可治，升麻鱉甲湯主之。陰毒之为病，面目青，身痛如被杖，咽喉痛；五日可治，七日不可治，升麻鱉甲湯去雄黃蜀椒主之。”

按“毒”就是后世所謂“厉气”之意，是表示病势的重篤；章太炎以为有傳染的意味存在着。所以晋葛洪肘后方把陰陽毒列入治伤寒时气温病方中。唐孙思邈备急千金要方（成于649年）也將陰陽毒列入卷9伤寒方中，大約已認为这种病是有傳染性的了。

据1902年出版錢塘人張采田孟劬的白喉証治通考，其諸家論略中引陽毒陰毒一般文字說：“案白喉傳染，皆瘟毒疫气蘊結所成。此陰毒陽毒，盖即赵养葵云感天地非常之气，沿家傳染，所謂时疫者。……故仲景于此症，皆有咽喉痛三字，可謂白喉之确証。斑斑如錦紋者，郁热伤及营分，毒邪旁达血絡，抑制太甚，遂横决周身，即近时斑疹是也。至陰毒一症，似不經見；然白喉过用鎮药，遏邪不出，重者往往有此候；近时死者，無不皆然。”按張采田明白指出陽毒就是斑疹，所謂斑疹，就是猩紅熱；陰毒就是白喉。但張氏混猩紅热白喉为一病，乃是缺点。“面目青，身痛如被杖，”是白喉病案中毒可能有的証候。气管白喉，尤習見青紫（Cyanosis）。

按仲景謂：“五日可治，七日不可治，”就是巢元方所說:“七八日不治則死”之意。仲景治陰毒,用升麻鱉甲湯去雄黃蜀椒,以升麻为主葯,諸家治喉痹,也常用升麻;葛洪則用單味升麻治喉痹;可以窺見喉痹、陰毒兩者是一类的疾病,而后人以为都是白喉。

查名医别录:“升麻,解时气毒厉,諸毒攻咽喉痛与热毒成膿;开壅閉,疗發斑。”可知古人以为升麻是可以治傳染病、解毒、治咽喉痛、敗膿、疗發斑。所以不論陽毒与陰毒,不論猩紅热与白喉,都用它来做主葯。

張仲景伤寒論辨少陰病脈症篇中,也會說到咽痛;这咽痛,决不是白喉,乃是習見的咽喉炎、扁桃体炎之类,沒有生命的危險。所以仲景的立論、处方,都很平凡。宋高保衡等新校备急千金要方例中說:“口称陰毒之名,意指少陰之証。病实陰易之候,命一疾而涉三病。以此为治,豈不远尔!殊不知陰毒、少陰、陰易,自是三候,为治全别,”更明白地指出陰毒的咽喉痛与少陰病的“咽痛”,是截然不同的兩种病,更可証明陰毒的咽喉痛,不是一般的咽头、咽峡、喉头炎及扁桃体炎之类了。

(三)纏喉風、鎖喉風

北宋末年(1126年)聖済总录出版,在卷122咽喉門喉痹目下添了纏喉風的名称。其方治中纏喉風多与喉痹並称,正說明纏喉風与喉痹是一类的疾病。又“論曰:喉痹謂喉里腫塞痹痛,水漿不得入也。治稍緩,杀人。”按“治稍緩,杀人,”也是“五日可治,七日不可治”之意。

明瘡瘍經驗全書,其卷1纏喉風說中載:“喉中有腫,其色微白,其形若臂者,此風毒喉痹也。”好像指白喉伪膜而言。

明張介賓著景岳全書(1580年出版),在卷28杂証謨,有咽喉一門。其論治第七条載:“鎖喉風証,时人以咽喉腫痛,飲食难入,或痰气壅塞不通者,皆称为鎖喉風;而不知有眞正鎖喉風者,甚奇甚急,而实人所未知也。余在燕都,尝見一女子,年已及笄。忽一日于仲秋时,無病而喉窍紧塞,息難出入,不半日而紧塞愈甚。及延余診,視其脈,無火也。問其喉,則無腫無痛也。观其貌,則面青目瞪不能語也。听其声,則喉窍之細如鍼,抽息之窘如綫,伸頸掙命,求救不堪之狀,甚可憐也。……如此者,日夜而殁。后又一人亦如此而殁。”按此病似为神經性喉肌痙攣,但气管白喉也有可能。“后又一人亦如此而殁,”可証明該病的傳染性。是則纏喉風、鎖喉風等病名。可以疑为白喉,又据“而不知有眞正鎖喉風”句,可窺測該病在当时是不常見的,無怪宋元諸家对于該病沒有多大發揮了。

清董西园魏如医級(1777年出版)卷7伤寒类方升麻鱉甲湯註:“詳細此二毒,均有咽喉痛,瘍科書有鎖喉風、纏喉風、鉄蛾纏三症,其狀極相似。”綜上諸說,可知喉痹、陰毒、鎖喉風、纏喉風等病,都可疑为白喉。

清吳謙等所編的医宗金鑑(1747年出版),未說及白喉或酷似白喉的記載。据1882年出版李紀方倫青白喉全生集中說:“其症为御纂医宗金鑑所未載,”(見1883年衡山赵尙达仲标叙)确是实話。

清朱翔守嗣著喉症全科紫珍集(1804年出版),內分証候70种,有“喉蘚”、“喉鵝”等奇異名目,好像指白喉伪膜而言。但查其說述証候,無伪膜的形容,也無声啞、發热、犬吠样欬,呼吸困难等描写,似乎不是白喉。

(四)天白蟻瘡、白纏喉風

迨1773年。蕪湖人顧世澄練江的瘍医大全刊行。其卷十七咽喉部有天白蟻瘡主論,說:“蘊錫明曰:咽喉內生瘡,鼻孔俱爛,此名天白蟻瘡。此証方書不載,多有不識;常作喉風医,最为誤事,”据天白蟻瘡的命名及証候,在許多咽喉疾患中,唯白喉为最近似。“此証方書不載,多有不識,”說明是一种新異的疾病。“常作喉風医,最为誤事,”可知該病是不易医治的,是有生命危險的。这时,正是国外白喉大流行的时候,那么,天白蟻瘡不是白喉是什么呢!

据歙县人許佐廷乐泉著的喉症补編(1868年出版)白纏喉風論中說:“偶閱家傳手录医案,上載乾隆50年(1785年)旱荒,秋見此証。其傳染生死光景如前,名曰白纏喉風。”这是白喉流行的記載。

1773——1785年,相隔12年。当时交通不便,疾病的傳染条件不够。可能在这十余年中,白喉由零星發現而至大流行,不過那时不叫白喉，叫做天白蟻瘡与白纒喉風罢了。

（五）白纒喉、白纒、黃纒、白喉嚨

1815年出版的重楼玉鑰（著者佚名，或以为郑梅澗著），又有白纒喉之名出現。其咽喉不治之症条下說："喉間起白腐一症，此患甚多，小兒尤甚，且多傳染。一經誤治，遂至不收。……初起發热，亦有不發热者。鼻干唇燥，或欬或不欬；鼻通者輕，塞者重。音声清亮，气息調匀，易治；若音啞气急，即屬不治，所謂白纒喉是也。"这是我国白喉詳确記載的第一声，可說对于白喉已有了基本的了解。

1825年出版的咽喉脈証通論（海宁許珊林得之于其乡之世業是医者），又有白纒、黃纒之名。其纒喉第六說："喉內帝丁左右兩傍如蛇盤之狀，有黃白二色，黃为黃纒，白为白纒。……男子延至結喉下不治，女子延至胸膛不治。喉中声响如雷者不治。額鼻有靑黑气，头低，痰如膠者不治。"对于白喉危証，有进一步的認識。

1864年出版的时疫白喉捷要中，又有白喉嚨的名称。其敍言中說："邑之陈雨春先生独得秘决，哀民命，惜生灵，曾刻白喉嚨証論一篇在世。"又白喉續論中說，"修曾立白喉嚨症論一篇，以傳于世。"所謂白喉嚨，也是白喉的别名。

（六）白喉、纒喉急痹

1864年，湖南長沙府瀏陽县人張紹修善吾的时疫白喉捷要出版，这是我国第一部談論白喉的專書（另一种版本，为松江李啟賢所校正者，名曰白喉治法捷要，內容完全相同）。書中論述極其詳悉。其專治时疫白喉症論中說："有时疫白喉一症，其發有时，其傳染甚速，其病至危至險，治者每多束手無策。……蓋此症乃纒喉急痹，緩治則死。"又白喉續論中說："此乃时行厉气为病，喉症中最急者也。"按"纒喉急痹"这个名称，乃將"纒喉"同"喉痹"合在一起，再加一个"急"字，来形容这病的危險。

时疫白喉捷要中，也有称白喉嚨的。可知在該書出版之前，一般都称白喉嚨；張氏省去末一字，簡称白喉。以后各書，都沿用白喉之名，一直到現在。

一、近代白喉流行史的略記

根据以上的考据，喉痹、陰毒、纒喉風、鎖喉風等病名，后人以为都是白喉。景岳全書咽喉門的眞正鎖喉風，可能是气管白喉。至于1773年瘍医大全的天白蟻瘡，与白喉更为近似。白喉最早的流行，据我所知，可能在1785年秋天。

1908年校刊的陈修园七种合刊，有喉科急証。內載同治5年（1866年）春月大兴周敬一印送养陰清肺湯方，方前有时疫結喉經驗良方原序。所謂原序，不知何人所撰。序中文字，与重楼玉鑰所說类同。謂："喉間起白腐一証，其害甚速。乾隆40年（1775年）前無此証，近来患此頗多，小兒尤甚，且易傳染，誤治不救；虽屬疫气，究医之未当也。按白腐即白纒喉，諸書未載，惟医学心悟言之。証發于肺腎，凡本質不足，遇燥气流行，多食辛热，感触而發。初起發热鼻干欬嗽等証；鼻通者輕，鼻塞者重。声音清亮，气息調匀易治；音啞气急难治。近有無知輩，遇証于喉間妄刮其白，並乱用刀針，益伤其喉，豈不謬哉！"又說："丁丑年（嘉庆22年，1817年）余家患喉証死者十人，后得刘仙舟曰：此方甚效。因鈔傳亲友，皆驗。……同治5年（丙寅，1866年）春月大兴周敬一印送。丁卯（1867年）冬月重刻。"据"丁丑年余家患喉証死者十人"之說，則白喉在1817年必曾流行無疑。

又說："丙寅春，得刘仙舟录傳养陰清肺湯諸方，刊印行世救人頗效。今复出原本見示，書名重楼玉鑰。"据此，則周敬一印送的"时疫結喉經驗良方，"出于重楼玉鑰；但与今本重楼玉鑰核对，文字頗有出入。且医学心悟出版于雍正10年（1732年），書中未曾言及白纒喉。序中謂"乾隆40年（1775年）前無此証，"而又謂"惟医学心悟言之，"显然笔誤。

咸丰10年（1860年）小陽月旬曲楊啟葆舜华重刊經驗喉科紫珍集序中說："道光癸未（1823年），予生甫四十日，三兄一姊相繼殤于喉症。予以远避，仅而获免。少長，留心方葯，独于是科闕焉無聞。垂三十年，岁在庚戌（1850年），又以是症殤堂妹一男一女。室人产未弥月，以哭兒亡。"此所說喉症，大約是指白喉而言。

时疫白喉捷要常麟傳珊敍言中說："白喉

者，昔無是說，道光中盛行于江浙。”白喉全生集赵尙达仲标叙中也說：“自道光中叶，白喉病症始出。”重楼玉鑰道光18年戊戌(1838年)仲秋津門馮相棻叙中說：“今年夏，吾津时疫流行，患喉症者極多。”又光緒26年(1900年)再版序中說：“且見是書旧序，道光戊戌夏間，津北一帶，时疫喉症盛行。”可見道光中叶(約在1830—1840年間)，白喉既流行于江浙，又流行于天津一帶。

喉症补編白纒風論載：“佐治喉症廿余年，証無不識，医無不效。于咸丰6年(1856年)旱災，秋后忽見此症，傳染甚多。”則白喉在1856年秋后，又曾一度流行。

时疫白喉捷要白喉治法中說：“同治丁卯(1867年)冬，白喉險症極多，有漸至危篤者，延余診視。”(見1874年修訂再版本)查喉科急証周敬一印送时疫結喉經驗良方，在同治5年丙寅(1866年)春；至翌年丁卯冬，又重刻印送。可知1866年春至1867年冬，白喉又曾流行。

光緒3年丁丑(1877年)7月，上海王宗寿重刋增补經驗喉科紫珍集序中說：“去夏都門，今春吾邑，皆喉症盛行，医多不治。……时予方刋白喉捷要，得是書，喜其治法之詳且备，遂集貲付棗梨，而以白喉捷要附焉。”据此，可知白喉在1876年夏至1877年春，又曾流行。

严江寄湘漁父撰喉証指南，其序文中說：“咽喉發白一証，古方所無，諸書未載，为害尤烈。乾隆40年以前無此証，即有亦罕。自道光中盛延于江浙，漸及荆湘黔滇燕魯，近来秦隴塞外，所在皆有。”按寄湘漁父于光緒13年(1887年)夏5月在甘肃秦州作此序，据此，又可見自道光中叶至1887年白喉流行地区的一般。

1924年5月，閩中同安吳錫璜黼堂刪补喉証指南，命名为新訂奇驗喉証明辨。其卷3証治类喉閉节按：“痰涎壅塞喉間，則呼吸不通，每气窒而死，甚危候也。此症西人每用切开术。”又按：“凡喉症喉中热痛，格格难下者，用土牛膝醋漱喉，無不立效。……此为救喉症之第一方。戊子(1888年)紹兴喉疫大行，用此方活人無算，冀可宝貴之良方也。”这里所說的喉疫，必是白喉無疑。

1897年，瑞安人陈葆善栗菴白喉条辨出版，其自敍中說：“光緒戊子(1888年)，京师是症大發。有耐修子者，以戚串中多遭其厄，悉心講求。……癸巳(1893年)春，余及二女一子，于数日間次第傳染。”則白喉在1888年及1893年又曾流行。

1902年，錢塘人張采田白喉証治通考出版，其自記白喉証治通考緣起中說：“辛丑壬寅(1901年1902年)之交，天行厉气盛兴，吳下白喉陡發，傳染相繼，始自冬杪，以至春夏。”則白喉在1901年冬至1902年夏，又曾一度流行。

又見包氏喉証家宝一卷，系清归安包三鏸述，其子包巖衡村編次，不知何年出版。卷首有包巖攻洞天一文，系攻击洞天仙师白喉忌表抉微之誤；其中有一段說：“宣統元年(1909年)之喉疫，一家連喪数命者，不知凡几，皆守白喉忌表抉微一書之誤也。”是則白喉在1909年，又曾流行。

总結以上文献的記录，可得白喉的流行概况如下：

第1度流行——在1785年秋(据歙县許佐廷喉症补編)。

第2度流行——在1817年(据陈修园七种合刋喉科急証大兴周敬一印送良方)。

第3度流行(?)——在1823年(据句曲楊啓葆重刋經驗喉科紫珍集)。

第4度流行——約在1830至1840年間，流行于江苏、浙江及天津一帶。

第5度流行(?)——在1850年(据句曲楊啓葆重刋經驗喉科紫珍集)。

第6度流行——在1856年秋后(据歙县許佐廷喉症补編)。

第7度流行——在1866年春至1867年冬(据陈修园七种合刋喉科急証大兴周敬一印送良方及瀏陽張善吾时疫白喉捷要)。

第8度流行——在1876年夏，流行于北京；1877年春，流行于上海。

約自1830年至1887年，先盛延于江浙，漸及荆湘黔滇燕魯，近来(1887年)秦隴塞外，所在皆有(据严江寄湘漁父撰喉症指南序。又据公元1864年2月長沙常麟倦鶴撰时疫白喉捷要叙言中說：“白喉者，昔無是說，道光中盛行于江浙，近日湖以南时有之。”又时疫白喉捷要喉症医案之后載：“道光年間以来，有白喉一症，染之者多至不救。吾湘患此，几于十室而九。”又白喉全生集湘西善化沈世培篠嵐跋：“光緒壬午(1882年)

冬，余患白喉甚險”）。

第9度流行——在1888年，流行于紹兴、北京。

第10度流行——在1893年（据瑞安陈葆善白喉条辨）。

按瑞安在浙江温州附近。

又据粤东佛山梁錫类黄初刪編白喉忌表抉微为白喉瘟神方。1899年南海梁元輔为其作叙，說：“白纏喉証，即瘟病之一，至危至速，且易傳染。盛于北省，近傳南方。”

又据浙西桐乡沈善謙吉齋喉科心法卷末按語：“白喉忌表抉微風行南北已久，其投养陰淸肺而誤事者比比。……从前此症南数省尚少，近年以来，沿街遍戶，傳染不休。……余故不揣鄙陋。为撰喉科心法兩卷。”查喉科心法重刊于1919年，而該按語不知何年所撰，有待考証。

第11度流行——在1901年冬至1902年夏，流行于吳下。按吳下即今苏州，在江苏省。

第12度流行——在1909年（据归安包三鏸喉証家宝）。按归安昔屬于湖州府下，在今浙江省湖州市。

又据1912年出版的揚州杜鍾駿子良白喉問答，其自題白喉問答小引說：“白喉一症，年来盛行通都大邑人烟繁盛之地，且有釀成疫气而傳染者。而滬上尤为繁盛中之繁盛，冬春之交当乍寒乍热之时，此症紛紛發現。”

上述白喉12度流行的史料，显然是不完备的。其中难免有許多遺漏，且流行的地区多不能明确，乃最大的缺点。但从前交通不便，医者多不願离乡違亲而远遊；所以流行地区很可能就是記述者本乡或离本乡不很远的地方。查句曲在江苏，歙县、大兴在安徽，瀏陽在湖南，似与寄湘漁父“先盛延于江浙，漸及荆湘”之語符合，始存疑以俟考証。

我們看上述12度流行史料，有一点頗堪注意；就是从第2度到第12度流行，每次相隔都是七八年左右，最長的是11年，最短的是5年，好像有周期性的。

（附录） 我国白喉文献簡表

書名	卷数	出版年代	著者
瘍医大全	共40卷，其卷17咽喉部載天白蟻瘡主論。	1773年	蕪湖人顧世澄練江著。顧氏行医于揚州。
重楼玉鑰	版本数种，分卷不一。	1815年	著者佚名，或以为郑梅澗著。
咽喉脈証通論	1卷	1825年	海宁人許璉林得之于其乡之世業是医者。
時疫白喉捷要	1卷	1864年 1874年修訂再版	長沙府瀏陽县人張善吾紹修著。
喉症补編	1卷	1868年	歙县人許佐廷乐泉著。
喉舌备要秘旨	1卷	1879年	粤人著，姓名不詳。
白喉辨証	1卷	1880年	南陵人黄維翰冉生著。
白喉全生集	1卷	1882年	衡山人李紀方倫靑著。
喉症指南	4卷	1887年	严江人寄湘漁父著。
		1924年	閩中同安人吳綏璜綸堂刪补喉症指南，命名为新訂奇驗喉症明辨。
喉痧有爛喉白喉之異論	1篇	1890年	慈谿人邵琴夫著。附刊于爛喉痧痧輯要中。
白喉忌表抉微（又名白喉治法抉微）	1卷	1891年	耐修老人著。白喉問答謂：“著自北人。”
白喉証治訂課	1卷	1892年	丹陽人韓善徵止軒著。
白喉条辨	1卷	1897年	瑞安人陈葆善栗菴著。
白喉証治通考	1卷	1902年	錢塘人張釆田孟韜著。
喉科急証	1卷	1908年	陈修园七种合刊。
白喉問答	1卷	1912年	揚州人杜鍾駿子良著。
包氏喉症家宝	1卷		归安人包三鏸述，其子包巖衡村編次。
白喉警言不分卷	1卷	1917年	陈知本著。北京医書舘藏中国医药書目中載有此書，我未見到。
白喉旧医学之回顧	1篇	1942年	陈方之著急慢性傳染病學上册第五篇。
白喉病藥物新疗法	10章	1951年12月	番禺黄省三著。
白喉及它的一切在我国的發展史	1篇	1954年11月	干祖望著。發表于新中医药第五卷第十一期。

中国猩紅热簡史

陈　方之

猩紅热为外来輸入的病名，不是我国医学所固有。近二百年来我国所習用的病名，乃是爛喉痧，爛喉丹痧，疫痧等一类名詞；若再上溯到古代医学，与二世紀末年，張仲景金匱所載的陽毒，也有相当关联。

最近二十年来我所看到的猩紅热史料，有四篇如下：

（1）1934年余云岫的“猩紅热旧說之回顧”（見新医药卷二第二、三期）

（2）1936年陆淵雷，謝誦穆（叙名本刊）的“中医病名研究，喉痧第六”。（見中医新生命19期）

（3）1941年余云岫的“猩紅热与中国旧医学”（見中华医学杂誌第27卷第5期）

（4）1953年陈存仁的“丹痧，就是猩紅热”。（見存仁医学叢刊第四冊）

然而綜覌这四篇文字，其所致力的重点，差不多都是集中在雍正11年（1733）叶天士所紀录的爛喉痧到宣統三年（1911）余伯陶的疫痧条辨的一段，而对于仲景的陽毒，已是余录帶笔，更沒有談及近百年来西洋医学輸入以后的病史的嬗变。

我以为要叙述猩紅热的病史，应分为如下三段，方可明白。

（1）陰陽毒与猩紅热的关系。这一段，自二世紀下叶的金匱陽毒起，迄十七世紀末叶的尤在涇金匱翼的爛喉痧止。

（2）爛喉痧，疫痧等命名的考覈。这一段，自十八世紀初叶的叶天士的爛喉痧起，迄十九世紀末叶的余伯陶疫痧条辨止。

（3）猩紅热証治演变的今昔。这一段，自光緒七年（1881）孔庆高所譯的出疹症譯名起，迄最近数年的猩紅热教材止。

一、陰陽毒与猩紅熱的关系

陰陽毒与猩紅热的关系，可分作兩方面来探討：

第一方面。我們应先看看近世医家对于陰陽毒的看法。其看法可分为三类：

1. 主張陰陽二毒是同一疾病的人。

（1）医宗金鑑說：“陰陽二毒，即今世俗所称痧証是也”（見卷19，陰陽毒註）。这样說法，虽也主張陽毒与痧（猩紅热是痧的一种）有关系，但將陰毒混入在其中。

（2）董西园医級說：“細詳此二毒，均有咽喉痛，瘍科書有鎖喉風，纏喉風，鉄蛾纏三症，其狀極相似。”（見卷七，伤寒类方升麻鱉甲湯註）这也是將陰陽二毒混为一談。其实，陰毒可拟議为鎖喉風，纏喉風、而陽毒决不可能。

（3）陆淵雷說：“陰陽毒即后世所謂發斑…金匱但于陽毒言面赤斑斑如錦文，于陰毒不言發斑者，盖系当时医家習用陰陽毒之名，举陰陽毒則已知發斑，不必更言也。……彼此对勘，陰陽毒即斑疹伤寒無疑。”（見金匱今釋卷一）

2. 主張陽毒是指其他斑疹病，不是指猩紅热的人。

（1）陆淵雷主張指斑疹伤寒（見上）

（2）丁仲祜主張指麻疹（見其近世内科全書）

（3）張振鋆（筱衫）痧喉正义中說：“唐迎川以痧喉即仲景之陽毒，乃是穿鑿附会。”

（4）程鏡宇痧喉論，也附和張筱衫，而駁斥唐迎川（見痧喉正义）

3. 主張陽毒即是猩紅热（或爛喉痧）的人。

（1）唐迎川爛喉丹痧論中謂：“按仲师金匱陽毒之文，細繹其义实与此症相类。”（見吳医彙講卷三）

（2）王步三論爛喉丹痧之文說：“爛喉丹痧，方書未載，金匱有陽毒之文，其証形与疠痧極合。”（見痧喉正义及瘍医心得）

（3）高秉鈞說：“王步三之論，極有可採。”（見瘍医心得卷上）

（4）章太炎（炳麟）說:“今世有猩紅热者，即陽毒至剧者也。”（見杭州三三医报猝病新論）

（5）謝誦穆說:“中医之喉痧，即西医之猩紅热，古医家皆以陽毒与風痧相淆，故痦疹丹疹諸病，疑亦有喉痧相杂也。……發疹窒扶斯亦有似陽毒者”。（見中医新生命杂誌第19期，病名研究喉痧第六）

（6）余云岫說:“陽毒之諸証候，惟猩紅热足以拟之，舍此無有相合者。……然犹未敢遽定陽毒即猩紅热。”（見中华医学杂誌，1941年第五期）

如今我們要判断1，2，3三說的是非，应先查查記載陽毒的原文。然而記載陽毒的文句，古書不尽相同。今本金匱要略方最簡，如下所录:

“陽毒之为病，面赤，斑斑如錦文。咽喉痛，唾膿血。五日可治，七日不可治。升麻，鱉甲湯主之。”

脉經較詳，肘后，千金，外台等文句，大体与脉經相同。其文如下:

“陽毒为病，身重，腰背痛。煩悶不安，狂言，或走，或見神鬼。或吐血下利。其脉浮大數。面赤，斑斑如錦文。咽喉痛，唾膿血。五日可治，至七日不可治也。有伤寒一、二日便成陽毒，或服葯吐下后变成陽毒。升麻湯主之。”（升麻湯又名陽毒湯）

巢氏病源又不同了，其文曰:

“陰陽毒病無常也，或初得病便有毒，或服湯葯經五六日或十余日后不瘥变成毒者。其候，身重背强。咽喉痛，糜粥不下，毒气攻心，心腹煩痛。短气，四支厥逆。嘔吐。体如被打，發斑，此皆其候。过三日則难治。陽毒者，面目赤，便成膿血。陰毒者，面目青而体冷。若發赤斑，十生一死，若發黑斑，十死一生。

巢氏病源的說法，已开陰陽毒为同一疾病的先河了。其实，陰毒陽毒，为截然划分的兩种疾病，除咽喉痛或咽喉不利而外，其所表現的病候，沒有一点相同。將陰陽毒混而为一的人們，以为有陰必有陽，其毒是相同的，不过陰病在里，陽病在表罢了。这样說法，是太不現实的。

至于陽毒究竟可拟議为何病問題，那只有就証論証的一法。兹先分条論列:

（1）發疹性热病，以咽喉痛为主証，甚而至于唾膿血的，只有重症猩紅热为然，尔时扁桃腺迅速坏死，間隙化膿，口蓋粘膜出血，可到这样的地步。麻疹和斑疹伤寒，虽也有偶發咽喉痛，但一般很輕松的。

（2）脉經所載的神經症狀，以及嘔吐下利，是重症猩紅热与重症斑疹伤寒所共有的；單看这几句，当然也可想到斑疹伤寒的上面去。

（3）凡發疹性热病，都可以面赤形容之，但以猩紅热为最恰当。斑斑如錦文一句，若拘泥其字面，無宁以形容麻疹的疹态为最适合。

就以上三条而总結，陽毒，还是以切近于猩紅热的成分为多。

第二方面，我們試查查古代医書的記載陰陽毒的方式。

金匱原文，是將陰陽毒与百合狐惑联成独立的一篇。肘后病源，乃列入于伤寒，时气，温病篇，不过作为長篇中的小小一条而已。但千金外台更不同了，千金附述在伤寒發汗湯之下，外台引征在古今录驗的驗方条文之中。这就表明对于陰陽毒二病，沒有像仲景看得郑重了。这种記載方式的演变，原因在那里，今之人很难猷揣；但在唐代已有这样冷淡的趋势，怪不得后世沒有进一步的舖張發揮，以为“古有是病而今無之”的一語了之，那也無怪其然。

金匱以后的方書，其記載陽毒的方式，多限于引用原文为止，不再有所發展，于是發疹性热病的記載，乃别开生面了。

肘后第13篇伤寒时气温病方之中，除天行發斑瘡（指天痘）外，又有“温毒發斑，大疫难救”的条文；而第36篇更有丹瘮瘾瘮的病名。

巢氏病源卷七、八、九、十伤寒病，时气病，热病，温病等各篇，均有斑瘡候或發斑候的条文，且条条都有斑斑如錦文之句。其中伤寒斑瘡候的条文中，也曾提到咽喉:“热毒乘虛出于皮膚，所以發斑瘡瘾瘮如錦紋，重者喉口成瘡。”云云，从这样看起来，發斑病之中，也可能包括猩紅热在里面。

唐以后的医籍，北宋大观元年（1107）所編的朱肱类証活人書卷20及卷21，都是論小兒病，其中說發疹性热病、如瘡疹，瘡痘瘡麩等甚多；虽細繹其义，大抵都是麻疹，天痘、猩紅热混淆不清，不过其中三方，都是提及有咽喉痛之病:

“如聖湯”治小兒瘡疹毒，攻咽喉腫痛（第廿八方）

“甘露飲子”治齿齦腫痛膿血，舌口咽中有

瘖，瘖疹已發未發(第六方)

"鼠黏子湯"治疹豆欲出，热气攻咽喉，眼赤心煩(第廿二方)

这样写法，都可能包括猩紅热在其中。

(按中医新生命第19期喉痧第44頁所引用"南陽活人書，以梔子仁湯治發斑煩躁面赤咽痛"云云，是錯誤的。)

清初順治年間的喻嘉言的論疫，有："初感一二日間，有覺惡寒头額暈脹，胸鬲膈痞，手指痠麻，…至三日以后，有昏热头汗，咽腫發斑。"之患，(見張筱衫痧喉正义第二篇)。

像这样斑瘡，瘖疹，發斑，癮疹等疫病而兼患咽喉腫痛的，不是已接近了爛喉的丹痧了么?

按痧字是从沙子而轉来的，至明代的医書中始常見。景岳全書的疹子条下有云："疹者，豆之末疾，苏松曰沙子，浙江曰瘖子，湖广曰麻疹，山陕𤺥瘡，北直曰疹子"。这是一个很好的証明。

小　　結

仲景所記載的陽毒，虽大有拟議为猩紅热的可能，但以其辞簡意晦，沒有对后世医家，直接發生啟發作用，所以自汉末以迄清初的一千五百年間，猩紅热一病，仍混杂在斑，疹，痧之中。

二、爛喉痧，疫痧等命名的考覈

自1934年余云岫的"猩紅热旧說之回顧"論文出世以后，医界有許多人相信："猩紅热之在我国，以1733年为記載之始"。(上述余氏論文之言中。)我也是其中的一人。但經这一次起草病史时的縝密考虑，覚得那个主張实有未妥；試条述如后：

1. 金葆三(德鑑)爛喉痹痧輯要所載叶天士的医論(文非医案的語气，張萃璧刻疫痧草附录中，已改称医論)，非議的人頗多，陆九芝世补參叢書疑为假託，曹侯甫喉痧正的中疑是佚存本，而謝誦穆斷为託名以取重。(均見中医新生命第19期，喉痧病名研究中43頁。)

本来金葆三的輯要，乃是剽窃顧玉峯的丹痧經驗闡解而成的，張筱衫、曹侯甫，余伯陶等，都曾說破指斥。出于像这样作風的人之手，叶論的眞伪，确有可疑。

附录叶天士医論："雍正癸丑年間以来，有爛喉痧一証，發于冬春之际，不分老幼，遍相傳染。發則壯热煩渴，痧密肌紅，宛如錦紋；咽喉疼痛腫爛。一团火热内熾。医家見其火热甚也，投以犀羚芩連梔膏之类，輒至隐伏昏閉，或喉爛廢食，延挨不治，或便瀉内陷，轉眼凶危。医者束手，病家委之于命；孰知初起之时，頻进解肌散表，溫毒外达，多有生者。内經所謂微者逆之，甚者从之；火热之甚，寒凉强遏，多致不救，良可慨也。"

2. 退一步說，假定这一篇医論，确是出于叶天士的話，但他的文中只說癸丑以来，有爛喉痧一証，沒有說癸丑以前，向未曾有此証。所謂："爛喉痧一証，古書不載，起于近时，"乃李純修之言；"夫丹痧一証，方書未有詳言"，乃祖鴻范之言(均見吳医彙講)。这二家沒有像叶天士的他学宏識，其論是否可靠，乃是一个問題。

3. 臨証指南中可拟議为猩紅热的医案有四：

(1) 卷五疫第一案，朱姓，疫厉穢邪……今喉痛丹疹，舌如珠，神躁暮昏……。

(2) 同上第二条，姚姓，疫毒，口糜，丹疹，喉啞。治在上焦。

(3) 卷十幼科痧疹第七案，王姓，痧后，及暮加喉痛。

(4) 同上第八案，鄒姓，咽痛鼻燥，自利，風温热化發疹，上焦热熾；宜辛凉微苦以泄降。

这四个医案的写法，都沒有提及爛喉痧的名称，不过叙述一种發疹而兼喉痛的疫病，比之上一节所論及的巢氏病源，朱肱活人書，喻嘉言疫論等記載，更精一步描写得精确些罢了。

4. 爛喉痧之名，实以尤在涇(怡)金匱翼之中为最早出現。其卷五喉痹諸法第七爛喉痧方，註明笔友張瑞符傳，並且詳述其經过。其药为西牛黃，氷片等七味，即后世所流傳的吹喉錫类散是。

尤在涇身历康熙雍正乾隆三朝，(其作金匱心典的自序，为雍正七年)大約与叶天士同輩；他名錫类散为爛喉痧方，可見得在康熙雍正交替的时候，爛喉痧之名，已为医俗所共曉的了。爛喉痧，不过指沙子中之爛喉者，初非貴胜雅言，更沒有深長的意味。

爛喉痧之后，医家喜新立異，又出了許多名辞，即：

(1) 爛喉丹痧　唐迎川及祖鴻范(次宜論，均見吳医彙講)

(2) 爛喉痹痧　金葆三(爛喉痹痧輯要)

(3) 疫痧 陈繼宣(疫痧草); 余伯陶(德熏。著有疫証集說, 內載疫痧条辨)

(4) 喉痧 曹侯甫(心怡。著有喉痧正的)

(5) 痧喉 張筱杉(振鋆。著有痧喉正义)

(6) 疫喉痧或疫喉 夏春农(著有疫喉淺論)

(7) 喉痧 王孟英(士雄。著有回春录)

以上諸家, 以尤在涇为最早, 約在1722年(康熙末)前后; 以余伯陶为最迟, 其疫証集說有宣統三年(1911)的自叙。至于各家所著的専論, 首推陈繼宣的疫痧草为最; 陈氏名耕道, 虞山人, 于嘉庆六年(1801)抄成疫痧草; 論列詳尽, 在見象治法章, 分为四十六証, 辨証的細致, 不愧为専書。

小 結

到了十八世紀初叶, 医者認病漸清, 乃于几种痧疹病之中, 認定有一种常常咽喉潰爛者, 就叫它为爛喉痧。其后更有許多異名, 都是名異而实同, 別無深長的意义。

三、猩紅热証治演变的今昔

有人説(記不清是誰)猩紅热的譯名, 最初乃是合信氏(Hobson英人)所譯的疹子热症, 其后博医会譯作紅热症。但我查考咸丰八年(1858)出書的合信氏五种中內科新說, 对于傳染病, 只談及霍乱, 痢証, 瘧証等三种, 沒有疹子热症。

只有光緒七年(1881)出書的羊城博济医局孔庆高譯美国人嘉約翰的"西医热証总論"(內科全書中第五冊)中, 有論出疹症一节(卷下第87頁, 与痘症, 痳症, 玫瑰紅症等並列)約2,300字, 論列頗詳, 确系指猩紅热。其开端的定义有云: "出疹亦一时症也, 其起止有限期; 病見皮膚發紅与喉嚨痛獘, 而小便亦含蛋白之質, 愈时則皮膚脫褪。"

其后到宣統元年(1909)丁福保初譯日本医書, 始改称为猩紅热。所以从西洋医学之最初譯成中名, 在于公元1881年; 而改定为猩紅热的, 則在于1909年, 距今已46年。

总 結

猩紅热之在我国, 还是与最古方書金匱中所称陽毒有关联。其后很久混杂在發斑、斑疹、瘖疹等一类病名之中。直到十八世紀初叶, 始有爛喉痧, 爛喉丹痧, 疫痧等名称。1855年西医的內科書譯出以后, 不久就有出疹症, 紅热症等譯名。最后于1909年从日文遂譯为猩紅热。

(上接95頁)

不佳或是过分疲劳会妨碍消化。

阿維森納把食物分为几类: 硬的富于营养的食物有煮熟的蛋和牛肉; 硬的营养較差的有干酪、干肉等。軟的富于营养的有蛋黄、肉湯和果漿; 营养較差但对人有益的有苹果、石榴等, 無甚益处的有蘿卜以及其他蔬菜。軟的食物較硬的食物更能保持健康, 但对增强体力則不如硬的食物。因此, 进行繁重体力劳动的人最好吃硬的食物。人每餐不应吃得太飽, 要在餐后还保留一点食慾; 对嬰兒也应如此。若吃得太多, 应令其嘔吐或腹瀉。不应先吃硬的食物, 后喝湯, 应該先喝湯后吃别的东西。餐后不应喝水太多, 因为水能妨碍消化。餐后应做短时散步。他还說"未去皮的黃瓜比去皮的黃瓜易于通过, 同样地, 帶麩子的面包比去掉麩子的面包易于通过"。可見他当时已認識到纖維素对腸蠕动的刺激作用。另外, 他还指出"在夏季, 最适宜进餐的是凉爽的时候", 这和現代观点完全符合。

阿維森納对飲料也很注意, 他認为最好的飲水应該是由清潔的小溪流出的, 而且不含有鹽类杂質和雨水。他在"医典"中也曾談到含有無机鹽的水有治疗功效, 他写道"含有大量鉄的水对增强內臟、防止胃病都是有益的"。他認为人应該飲用适度的冷水, 若用冰来冷却水, 只能把冰放在杯子外面, 不能把冰放在水里, 因为即使最清潔的冰也会污染飲水。他还說飲水应慢飲而不应一飲而尽。

阿維森納認为陈酒是一种葯物, 並非食物。虽然有时它可以提高机体的兴奋性, 但痛飲却是有害的, 因为酒精对中樞神經系統有致命性的影响。若飲酒太多, 他也建議施行嘔吐。他还提到, 極端疼痛时可以用酒精作麻醉剂。

阿維森納認为, 老年人的营养应該与成年人有所区别, 他們应該吃得少一些, 但要好一些。早晨他們可以吃上好的面包夾蜂蜜, 晚間要吃些富于营养的东西。他們最好不吃硬的、辣的或苦的东西, 也不要吃太咸的、晒干的肉、咸魚、西瓜、黃瓜等食物。奶是有益的, 他們可以吃羊奶或馬奶, 再加一些鹽或蜂蜜。他們也要吃些水果、蔬菜之类的东西。他們的飲料"最好是陈旧的紅酒, 因为它可以利尿, 同时还能够暖身体"。

阿維森納認为, 要有良好的消化力, 必需进行身体鍛鍊, 他認为餐前可以进行較重的劳动, 餐后只能有輕微的活动。最好的鍛鍊就是散步。

阿維森納在营养学方面的貢献还不止于此。

(赵宗誠摘譯自 Клиническая Медицина 35卷 1期1957年, 121--124頁)

黃帝內經的著作时代

龙伯堅

一、黃帝內經的書名和卷数

(一)黃帝內經的書名

黃帝內經这一名称，最早見于汉書艺文志。汉書艺文志方伎略医經家載，"黃帝內經十八卷，外經三十七卷"。內經和外經是对待的名称。汉書艺文志是东汉班固根据西汉末年刘歆所撰的七略做底本編成的。这表明在刘歆时代[1]，即公元前一世紀的时候，已有黃帝內經这一名称。

在刘歆以前有沒有黃帝內經这一名称呢？史記扁鵲傳說，"長桑君……乃悉取其禁方書尽与扁鵲"。可見公元前五世紀上半期扁鵲时代[2]只有禁方書的籠統名称，不仅沒有內經这一名称，並且医書和黃帝也还沒有發生关系。

史記倉公傳說，倉公在高后八年（公元前180年）拜見了他的老师陽庆，陽庆傳給他一批医書，这批医書的清單如下[3]：

（1）黃帝扁鵲之脉書：这是一部講切脉的書。現存黃帝內經里面講切脉的部分一定包括了这一部書的內容。

（2）上下經：素問第77疏五过論、第79陰陽类論都提到上下經；第74逆調論、第44痿論都引用了下經。上下經有什么內容呢？素問第46病能論說："上經者，言气之通天也。下經者，言病之变化也"。現存素問第3生气通天論可能即包括了上經的一部分內容。

（3）五色診奇咳术：汉書艺文志数术略五行家有五音奇胲用兵二十三卷，又有五音奇胲刑德二十一卷。淮南子兵略訓說："刑德奇賌之数"。咳、胲、賌都是一个字，本字应当作侅。許愼說文解字侅字說："奇侅，非常也"。五色診奇咳术，就是五色診非常术。現存黃帝內經里面講色診的部分一定包括了这一部書的內容。

（4）揆度：管子第78有揆度篇。但是这里的揆度与管子的揆度篇意义却不相同。素問第15玉版論要篇說："揆度者，度病之淺深也"。第46病能論說："揆度者，切度之也。……所謂揆者，方切求之也，言切求其脉理也。度者，得其病处，以四时度之也"。可見揆度是一部診断学的書，預后应当也包括在內。

（5）陰陽外变：这是一部講陰陽理論的書。

（6）葯論：这是神农本草經的前身。

---

(1) 刘歆的卒年，据姜亮夫历代名人年里碑傳总表，是公元23年。

(2) 扁鵲是中国古代医学史上最重要的人物。关于他有兩个問題須在这里搞清一下。第一、扁鵲的名称問題。扁鵲，姓秦，名越人。扁鵲这一名称，既不是姓名，又不是官名，究竟是一个什么名称呢？史記扁鵲傳張守节正义引八十一难經序，認为扁鵲是軒轅时一位名医的名字，后来用这一称号称呼秦越人。元朝李治敬齋古今黈卷四，根据軒轅本紀，也提出同样的說法。他們的根据虽不見得十分可靠，总之，这是比較最早的傳說。第二、扁鵲的年代問題。史記扁鵲傳所載扁鵲的事蹟年代拉得很長，这是不可能的事。傅玄（見史記扁鵲傳"虢太子死"句下司馬貞索隐）和束晳（見文選嵇叔夜养生論"为受病之始也"句下李善注）都提出了疑問。关于扁鵲的生存年代，我們可以从下列兩項資料来推測。第一項資料是：扁鵲曾治赵簡子的病，在史記上既載于赵世家，又載于扁鵲傳，可見这一件事是可信的。赵簡子死于公元前474年。第二項資料是：陆德明經典釋文卷八周礼医师扁鵲条引汉書音义說："扁鵲，魏桓侯时医人"。汉書高帝紀十二年"虽扁鵲何益"句下顏师古注引韋昭曰同。魏桓侯即魏桓子，是参加公元前453年三家灭智伯的一人。他的孙子是魏文侯，魏文侯元年是公元前445年，可見魏桓子在公元前445年以前就死了（以上的年代都根据楊寬战国史战国大事年表中有关年代的考訂）。由这兩項資料，我們可以推定扁鵲是公元前五世紀上半期的人。日本滕惟寅扁鵲倉公傳割解和瀧川龟太郎史記会注考証都認为当时拥有扁鵲称号的良医不止秦越人一人，彼此的时代也不相同，史記將几位扁鵲的事蹟湊在一塊叙述，于是年代就拉得很長了。这一說是很可能的，正和当时凡是善于御馬的都用伯乐的称号一样，赵国的王良叫做伯乐，秦国的孙陽也叫做伯乐（見俞正燮癸巳类稿卷七伯乐異同說条）。史記說秦越人，"为医或在齐，或在赵，在赵者名扁鵲"，以下即接着叙述治赵簡子的病。可見治赵簡子病的扁鵲是秦越人，也就是周朝第一位拥有扁鵲称号的良医，这是真正老扁鵲。

(3) 关于这批医書，首先須將書名正確地断句，方能知道究竟是多少种，其次再探求它們的內容。張驥扁鵲倉公傳补注、顧頡剛徐文珊点校白文史記、日本滕惟寅扁鵲倉公傳割解、丹波元簡扁鵲倉公傳彙考、瀧川龟太郎史記会注考証对于这批書名断句不尽一致，並且有些書名很明显地断錯了。現在重新加以断句，並根据黃帝內經加以解釋。

(7) 石神：这是一部砭石学的專書，鍼刺疗法可能包括在內。

(8) 接陰陽禁書：这也是一部講陰陽理論的書。

素問第77疏五过論說：

"上經、下經、揆度、陰陽。奇恒五中，决以明堂。审于終始，可以横行"。

这是說，凡是医师学習了上經、下經、揆度、陰陽这几部書，知道从明堂(鼻)来判断五藏有沒有病(診断)，了然于疾病的整个过程(預后)，就可以横行無敌于天下了。可見当时对于这一批医書的重視。由这一批医書看来，当时还沒有黃帝內經的名称，但是医書已和黃帝發生关系了。

我們可以說：在春秋、战国之間(公元前五世紀上半期)，医書只有禁方書的籠統名称；在西汉初期(公元前180年)，医書才和黃帝發生关系；在西汉晚期(公元前一世紀)，才肯定了黃帝內經的名称。古代的書有許多沒有書名或書名很混乱，在刘向彙集編校的时候，由刘向替它取出一个書名，例如战国策即是。黃帝內經这一書名可能即是刘向取出的，至早也是在倉公之后刘歆(刘向的兒子)之前才成立的。黃帝內經書名的成立时代虽然很迟，这並不是說黃帝內經的著作时代也就是这样的晚，陽庆傳給倉公的一批医書，一定有許多內容業已包括在現存的黃帝內經里面，只不过在倉公时代不是用黃帝內經的書名出現罢了。关于黃帝內經的著作时代，后面再談。

为什么医書單独和黃帝發生关系呢？第一，陰陽五行說是由鄒衍發展完备的。史記孟子荀卿列傳說鄒衍，"其言閎大不經，……先序今以上至黃帝，学者所共术"，可見鄒衍是特别推崇黃帝的。医学家採用了陰陽五行說做医学理論体系，受了鄒衍的影响，当然要和黃帝發生关系[1]。第二，淮南子卷19修务訓說：

"世俗人多尊古而賤今，故为道者必託之于神农、黃帝而后能入說"。

这是說，当时世俗崇拜古人，如不託名神农、黃帝，所說的話即不能使人相信。第三，黃帝內經里面的思想，与道家有相当的关系，所以楊上善、王冰都引用老子来做注解。道家是推崇黃帝的，汉初黃、老並称，医書当然也就和黃帝發生关系了。

(二)素問和灵樞的書名

到了公元七世紀初期，在隋書經籍志上找不出黃帝內經这一書名了，但是隋書經籍志上面著录有素問九卷和鍼經九卷。据皇甫謐甲乙經自序說：

"按七略、艺文志，黃帝內經十八卷。今有鍼經九卷，素問九卷，二九十八卷，即內經也"。

皇甫謐的甲乙經是魏甘露年中即公元三世紀中期編的，距离汉代很近，他所說的話应当是有根据的。可見隋書經籍志上所著录的素問九卷和鍼經九卷，即是汉書艺文志上所著录的黃帝內經十八卷。

素問的名称，最早見于公元三世紀初期張仲景伤寒論自序，从此以后直到現在，一千七百年来这一名称都沒有改变。

鍼經的名称，最早見于素問第26八正神明論和灵樞第1九鍼十二原篇，后来却經过好几次的改变。

林亿的素問王冰序新校正說：

素問外九卷，虽張仲景及西晋王叔和脉經只謂之九卷，皇甫士安(謐)名为鍼經，亦專名九卷。

林亿这一篇話是有根据的。張仲景伤寒論自序說：

"勤求古訓，博採众方，撰用素問、九卷、八十一难、陰陽大論、胎臚药录、並平脉辨証，为伤寒卒病論十六卷"。

这序里面的"素問九卷"，过去有些人断为一句，以为素問計有九卷，这是他們断錯了，实則素問和九卷是兩部書的書名。因为張仲景这一句話中，其他各書都沒有举出卷数，由此可以推知"九卷"不是素問的卷数而是另外一部書的書名。王叔和脉經卷七，病不可刺証第12，引灵樞第55逆順篇的話，下面小注說，"出九卷"。这些都是林亿新校正的根据。可見鍼經这一部書，因为它只有九卷，張仲景、王叔和就叫它做

(1) 汉書卷36刘向傳說："淮南有枕中鴻宝苑秘書，書言神仙使鬼物为金之术，及鄒衍重道延命方"。鄒衍和神仙家大概是有关系的，他和医学家有沒有关系却难肯定。汉書艺文志將神仙家和医經家、經方家都列在方伎略里面，可見他們是比較接近的。倘若鄒衍和医学家有关系的話，則用陰陽五行說来解釋医学上的問題，可能即是由他开始的。參閱余云岫医学五行說始于鄒衍一文，見医史杂誌第三卷第三期和第四期。

九卷。

九卷这一部書，到了晋代，皇甫謐又叫它做鍼經[(1)]。到了唐代，出現了一部內容与鍼經相类似的書，王冰就叫它做灵樞。这一問題，也是由林亿首先發現的。王冰在素問第20三部九候論"治其經絡"句下的注文，引了一段文字，称为灵樞曰；在第62調經論"神气乃平"句下的注文，也引了同样的一段文字，称为鍼經曰；林亿認为这是王冰指灵樞做鍼經的証据[(2)]。可見灵樞这一名称，是在公元八世紀中期王冰时代才出現的[(3)]。

鍼經和灵樞的內容是完全相同呢，或也还有些不同的地方呢？这兩部書在南宋时代都还存在。据中兴館閣書目說[(4)]：

"黃帝灵樞九卷，黃帝、歧伯、雷公、少俞、伯高問答之語，隋楊上善序，凡八十一篇。鍼經九卷，大氐同，亦八十一篇。鍼經以九鍼十二原为首，灵樞以精气为首，又間有詳略。王冰以鍼經为灵樞，故席延賞云，灵樞之名，时最后出"。

由这一段記載，我們可以知道鍼經和灵樞兩書的內容，它們基本上是相同的，只不过編次有些不同，里面的文字"間有詳略"而已。所謂"間有詳略"，例如刘温舒素問入式运气論奥卷上論生成数第10所引灵樞經和难經集注第57难虞氏注所引灵樞病总，都是今本灵樞（鍼經）所沒有的。又如素問第20三部九候論"中部人手少陰也"句下王冰注引灵樞經持鍼縱舍論，今本灵樞（鍼經）中沒有持鍼縱舍論的篇題，但是那段文字却見于今本灵樞（鍼經）第71邪客篇中。这些都是鍼經和灵樞不同的地方。鍼經与灵樞的关系，大概正和伤寒論与金匱玉函經的关系一样，金匱玉函經是伤寒論的別本，而灵樞可能即是鍼經的別本。

灵樞这一部書，在北宋林亿校正医書的时候，即公元十一世紀中期，業已殘缺了許多，並不是一部完整的書[(5)]。到宋哲宗元祐八年（公元1093年），高丽献到医書，里面有一部九卷的鍼經，下詔頒布天下，然后中国方才又有一部完整的鍼經[(6)]。中兴館閣書目既說鍼經是以九鍼十二原为首，現今存在的灵樞正是以九鍼十二原为首，可見現今存在的灵樞即是高丽献到的鍼經，不过改为灵樞的名称而已。至于林亿校正的殘本灵樞，早已亡佚了。

灵樞还有九虛、九灵等名称。据日本丹波元胤說，九卷、鍼經是这一部書原来的名称，而灵樞、九虛、九灵都是道家叫出的名称[(7)]。

（三）素問的卷数

素問最早的原本只分九卷，皇甫謐甲乙經自序是这样說的，隋書經籍志也是这样著录的。林亿的素問新校正，在每一篇的篇題下面注明梁代全元起注本的卷数，也只有九卷。到了唐代王冰次注素問的时候，才改編为二十四卷。

---

(1) 皇甫謐甲乙經自序說："按七略、艺文志，黃帝內經十八卷，今有鍼經九卷，素問九卷，二九十八卷，即內經也"。素問王冰序林亿新校正說："詳王氏此說，蓋本皇甫士安甲乙經之序，……故王氏遵而用之。又素問外九卷，汉張仲景及西晋王叔和脉經只謂之九卷，皇甫士安名为鍼經，亦專名九卷"。

(2) 素問第62調經論"神气乃平"句下林亿新校正說："詳此注引鍼經曰，与三部九候論兩引之，在彼云灵樞，而此曰鍼經，則王氏之意，指灵樞为鍼經也"。

(3) 錢熙祚黃帝內經灵樞跋說："有謂灵樞之名自王冰始者。然甲乙經引少陰終候一条已称灵樞，則其名不始于王冰也"。案甲乙經引灵樞第9終始篇少陰終候一条，見于甲乙經卷2十二經脉絡脉支別第一上。按照甲乙經的例，凡是所採輯素問、鍼經、明堂孔穴鍼灸治要三書的文字，一律不标出書名，这才是甲乙經的正文。至于标出書名的，都是后人的注竄入正文的文字。这一条既标明是灵樞云，可見这是后人的小注竄入正文的文字而不是甲乙經的正文，錢熙祚这一說不能成立。

(4) 見王应麟玉海卷63艺文黃帝灵樞經条引中兴館閣書目。

(5) 素問第62調經論"神气乃平"句下林亿新校正說："据今素問注中引鍼經多称灵樞之文，灵樞今不全，故未得尽知"。錢熙祚黃帝內經灵樞跋說："林亿校素問，凡經注与灵樞同者，多引甲乙經之文。于脉要精微論云，陰盛則夢涉大水恐惧至此，乃灵樞之文，誤置于斯，仍少心脾胃气所夢，今具甲乙經中。于八正神明論云，周天二十八宿至日行二十八宿也，本灵樞之文，今具甲乙經中。于至眞要大論云，論言至曰平，本灵樞經之文，今出甲乙經。三处皆明言灵樞，而仍引甲乙經为証，非以其所見之灵樞脫誤甚多而不可讀耶"？

(6) 宋史卷17，哲宗本紀，說："元祐八年正月庚子，詔頒高丽所献黃帝鍼經于天下"。江少虞皇朝类苑卷31，藏書之府20，說："哲宗时，臣僚言：窃見高丽献到書內，有黃帝鍼經九卷。据素問序称，汉書艺文志，黃帝內經十八篇。素問与此書各九卷，乃合本数。此書久經兵火，亡失几尽，偶存于东夷。今此来献，篇帙具存，不可不宜布海內，使学者誦習。伏望朝廷詳酌，下尚書工部，雕刻印板，送国子監依例摹印施行。所貴济众之功，溥及天下。有旨，令秘書省选奏通晓医書官三兩員校对，及令本省詳定訖，依所施申行"。

(7) 丹波元胤医籍考卷5黃帝灵樞經条案語說："又亿等校素問、甲乙經等所引九虛文，今並見灵樞中，則九虛亦是經之別本，非全帙者。要之，曰灵樞、曰九虛、曰九灵，並是黃冠所称，而九卷、鍼經，其为旧名也"。

到了元代胡氏古林書堂刻書的时候，又合併为十二卷。到了明代正統年間編刻道藏的时候，將它割裂分为五十卷。这些刻本的卷数虽然彼此不同，但是它們的基本內容完全相同，只不过个别的文字有些出入而已。明、清兩代的注釋家喜欢任意分合卷数，更沒有什么意义了。

（四）灵樞的卷数

灵樞最早的原本也只分九卷。皇甫謐甲乙經自序說，"鍼經九卷"；隋書經籍志也著录"鍼經九卷"；虽然都是鍼經的名称，但实际上即是今天現存的灵樞。到了南宋时代，史崧改編为二十四卷[1]。到了元代胡氏古林書堂刻書的时候，又合併为十二卷。到了明代正統年間編刻道藏的时候，重編为二十三卷。到了明代万曆年間詹林所刻書的时候，又合併为二卷。这些刻本的卷数虽然彼此不同，正和素問一样，它們的基本內容完全相同，只不过个别的文字有些出入而已。

二、黃帝內經的著作时代

黃帝內經这一部書的名称，首先肯定了它和黃帝的关系。它的內容又都是黃帝和他的一些臣子問答的話，彷彿是黃帝时代的著作一样。但是从公元三世紀中期起就有人怀疑它。皇甫謐甲乙經自序說："或曰，素問、鍼經、明堂三部之書，非黃帝書，似出于战国"。皇甫謐当时並不同意这一說法。但是經过后代許多人的証明，这一位或者所說基本上是正确的。

（一）素問的著作时代

1. 总　論　宋代的邵雍[2]、司馬光[3]、程頤[4]，明代的方孝孺[5]、胡应麟[6]、清代的魏荔彤[7]、崔述[8]等都認为素問是战国时代的作品。

素問共有八十一篇，在唐朝王冰作注时，就已經亡佚了第72刺法論和第73本病論兩篇，实存七十九篇。这七十九篇中，內容不一致的地方和內容重复的地方很多。可知此書不是成于一人之手，也不是成于一个时代的。先秦的著作很多都是如此，这也不仅素問一書是这样的。首先發現这一問題的是元朝呂复。呂复别号滄洲翁。元朝戴良九灵山房集卷27有一篇滄洲翁傳，中引呂复的話，說：

"內經素問，世称黃帝、岐伯問答之書。及观其旨意，殆非一时之言。其所撰述，亦非一人之手。刘向指为諸韓公子所言[9]，程子謂出于战国之末，而其大略正

（1）史崧灵樞經序："家藏旧本灵樞九卷，共八十一篇，增修音釋，附于卷末，勒为二十四卷。"

（2）邵雍皇極經世書，卷之八下，心学第十二說："素問、密語之类，于术之理可謂至也。素問、陰符，七国时書也"。

（3）司馬光傳家集卷62，書啓五，与范景仁第四書說："然謂素問为真黃帝之書，則恐未可。黃帝亦治天下，豈可終日坐明堂但与岐伯論医药針灸耶？此周、汉之間医者依託以取重耳"。

（4）河南二程全書卷15，伊川先生語一，入关語录說："素問之書，必出于战国之末，观其气象知之"。

同書卷18，伊川先生語四，刘元承手編，說："素問書出于战国之末，气象可見。若是三皇五帝典墳，文章自別。其气运处絕淺近。如將二十四气移換名目，便做千百样亦可"。同書卷19，伊川先生語五，楊遵道录，說："观素問文字气象，只是战国时人作，謂之三墳書則非也。道理却总是，想当时亦須有来历。其間只是气运使不得，錯不錯未說，就使其法不錯，亦用不得"。

（5）方孝孺遜志齋集卷4，讀三墳書，說："然世之偽書众矣。如內經称黃帝，汲冢書称周，皆出战国、秦、汉之人。故其書虽偽，而其文近古，有可取者"。

（6）胡应麟少室山房笔叢卷3，經籍会通三，說："医方等录，虽亦称述黃、岐，然文字古奧，語致玄眇，蓋周、秦之际，上古哲人之作，其徒欲以警世，窃附黃、岐耳"。　同書卷30，四部正譌上，說："凡贗書之作，情狀至繁，約而言之，殆十數种。有偽作于前代而世率知之者，風后之握奇，岐伯之素問是也"。同書卷31，四部正譌中，說："凡班志所無而錄見六朝后者，往往多因战国子書殘佚者补綴之而易其名。以为真則偽莫掩，以为偽則真間存，尤难辯。自前鮮少論及此，余不敏，实窃疑之。观素問、灵樞之即內經，則余言可概見矣。（素問亦称內經，然隋志止为素問。蓋黃帝內外經五十五卷，六朝亡逸，故后人綴輯而易其名耳）"。　同書卷32，四部正譌下，說："第秦、汉人書，即偽撰犹倍蓰后世贗者。如素問、灵樞之类，咸假軒、岐，無論其术百代宗守，其文辭雅川，豈后能万一乎？惜二書外，余絕不傳"。又說："素問精深，陰符奇奧，虽非軒后，非秦后書"。又說："素問、握奇、陰符、山海，其名偽也，其書非偽也"。

（7）魏荔彤傷寒論本义，康熙辛丑自序說："軒、岐之書，类春秋、战国人所为，而託于上古。文义順澤，篇章联貫，讀之殽如亂經也"。

（8）崔述补上古考信录，卷上，黃帝說，說："世所傳素問一書，載黃帝与岐伯問答之言，而灵樞、陰符經或亦称为黃帝所作。至战国諸子述黃帝者尤众（若莊子書称黃帝問道于广成子之类）。余按黃帝之时，尚無史册，安得有書傳于后世？且其語多淺近，显为战国、秦、汉間人所撰。蓋战国时楊、墨之徒，欲絀堯、舜，故称堯、舜以前之黃帝以駕乎其上；而工于艺术者，亦欲借古聖人之名以取重于世，因假託之以为言耳。此类甚多，不足纏辨，亦不胜纏辨也（姑举其略，以例其余）"。

（9）这是指汉書艺文志諸子略陰陽家著录的黃帝太素二十篇，下面注說是諸韓公子所作。因为汉書艺文志是根据刘向的兒子刘歆的七略做底本編成的，所以呂复就認为是刘向說。黃帝太素，是陰陽家的書，早已亡佚，与素問無关，呂复这里引錯了。

如禮記之萃于汉儒而与孔子、子思之言並傳也"。

到了清代，姚际恒就更进一步做了分析．他在古今伪書考里面說：

"其中言黔首；又言藏器發时，曰夜半、曰平旦、曰日出、曰日中、曰日昳、曰下晡，不言十二支（古不以地支名时）；当是秦人作。又有言岁甲子（古不以甲子紀年）；言寅时；則又汉后人作。故其中所言有古近之分，未可一概論也"。

这些証据都是很确鑿的。姚际恒所說古不以地支名时和古不以甲子紀年，是根据顧炎武的說法，詳見日知录卷20"古人不以甲子名岁"条和"古無一日分为十二时"条。

素問中天元紀、五运行、六微旨、气交变、五常政、六元正紀、至眞要、共七篇大論，据林亿說，这七篇的文字特别長，与其他各篇不相称，並且里面所講的內容也与其他各篇不同，他就怀疑这七篇不是素問的原文，而是陰陽大論里面的文章，唐朝王冰取来补足亡佚的篇卷的(1)。日本丹波元簡根据王叔和伤寒例中所引陰陽大論並沒有这七篇里面的文字，認为林亿这一說不可信(2)。总之，这七篇無論是不是陰陽大論里面的文章，它的內容和素問其他各篇的內容是有距离的。並且和黃帝內經有密切关系的古代著作，如难經、甲乙經、黃帝內經太素等，都沒有引用这七篇一句話。由此我們可以知道，这七篇肯定不是素問的原文，而是后来凑进去的。

素問的著作时代应当分为三部分来講。第一部分，素問前期的作品，除了六节藏象論第一段，天元紀以下七篇大論和个别的南北朝作品外，全部都包括在內。第二部分，素問后期的作品，只包括六节藏象論第一段和天元紀以下七篇大論。第三部分，包括个别的南北朝作品。

2. 素問前期作品的著作时代　素問前期作品的主要部分，它的著作时代，上不能早于扁鵲，下不能晚于倉公。为什么呢？史記扁鵲傳所載扁鵲治疗的病案，其中所談的病理、診断和治疗，与素問的內容相类似，但是不尽相同，比素問要簡單朴素得多。由这一点看来，可以推測素問应当是扁鵲时代以后的作品。史記倉公傳所載倉公治疗的26例病案中，有12例使用湯液（藥物疗法）；他的老师陽庆傳給他的一批医書中也有藥論一書；可見那时藥物疗法已經佔有相当地位。至于素問全書中佔主导地位的治疗方法是鍼刺疗法；而具体的藥物疗法在素問中只出現了六次，是很不重要的。倘若素問的著作时代与倉公同时或在倉公以后，不应当这样地不重視藥物疗法。由这一点看来，可以推測素問应当是倉公时代以前的作品。扁鵲时代以后，倉公时代以前，就是战国时代了。前人認为素問是战国时代的作品，主要是从文体上来判断的。除了文体以外，还有一个强有力的証据，被前人忽略了。周禮和呂氏春秋都是战国时代的作品，它們里面所講关于疾病和衛生部分，与素問內容完全相同，这也是素問作于战国时代的一个强有力的証据。

这一部分的素問內容，有不講陰陽五行的，有講陰陽五行的。陰陽五行說是由鄒衍發展完备的(3)。这一部分素問中不講陰陽五行的部分，它的著作时代应当比較早些；講陰陽五行部分的著作时代，肯定是在鄒衍晚年或鄒衍以后。由这些看法，我們可以达到一个結論：素問前期作品的主要部分，不講陰陽五行的大概是公元前四世紀的作品，講陰陽五行的大概是公元前三世紀中期或后期的作品。

素問前期作品中还有某些篇肯定是秦代或西汉的作品。例如第9六节藏象論，重視六数，这是秦始皇統一天下后才有的風气(4)，可見这一篇是秦代的作品。又如第25宝命全形論中有"黔首"这一名称(5)，用"黔首"做全国人民法定的名称，这也是在秦始皇統一天下之后才有的事(6)，可見这一篇也是秦代的作品。又如第49脉解篇說："正月太陽寅，寅、太陽也"。秦代和汉

---

(1) 素問王冰序林亿新校正說："仍观天元紀大論、五运行論、六微旨論、气交变論、五常政論、六元正紀論、至眞要論七篇，居今素問四卷，篇卷浩大，不与素問前后篇卷等。且又所載之事，与素問余篇略不相通。窃疑此七篇乃陰陽大論之文，王氏取以补所亡之卷，犹周官亡冬官，以考工記补之之类也"。

(2) 丹波元胤医籍考卷1黃帝素問条案語，說："按先子曰：……林亿等以为陰陽大論之文，王冰取以补所亡，今为王叔和伤寒例所引陰陽大論之文曾無所見，林說难从"。

(3) 鄒衍的生存年代，据梁啓超先秦学术年表，是公元前340—公元前260年。

(4) 史記卷6秦始皇本紀："二十六年，数以六为紀符。法冠皆六寸，而輿六尺。六尺为步。乘六馬"。

(5) 素問第25宝命全形論："黔首共余食，莫之知也"。

(6) 史記卷6秦始皇本紀："二十六年，更名民曰黔首"。

初用的是顓頊曆，顓頊曆是以亥月做正月的。到了汉武帝太初元年（公元前104年）頒佈太初曆以后，才用寅月做正月[1]。本篇說"正月太陽寅"，可見是汉武帝太初元年以后的作品。

3. 素問后期作品的著作时代 素問后期的作品，它們的著作时代是比較很晚的。素問第9六节藏象論第一段，林亿新校正說，全元起注本和太素都沒有这一段，于是他怀疑是王冰补进去的。这一段和后面的天元紀以下七篇大論內容相同，所以它們应当同是后期的作品。后期的作品和前期的作品很明显地是兩个体系。它們的著作时代，我們可以从下列四点来推測。第一，易緯通卦驗卷下里面講二十四气的天时民病，正和这一部分素問的理論体系相类似，但沒有素問这样詳細，所以这一部分素問应当是受了易緯通卦驗的影响而發展出来的。張衡說，"圖讖成于哀、平之际"[2]，而緯的产生又更在讖以后[3]，所以这一部分素問的著作时代，我們可以初步推測是在东汉时代。第二，第74至眞要大論講到葯物的上下三品，这肯定是西汉晚年本草产生以后的話。它又講到方剂的君臣佐使，比神农本草經更进了一步，这也可以証明它是东汉时代的作品。第三，古代只用岁星紀年，例如焉逢、攝提格等，史記曆書的曆术甲子篇就是这样排列的。虽然偶有提到干支的，例如淮南子卷3天文訓說，"淮南元年冬，太一在丙子"，这是極少見的例子。到了东汉章帝元和二年（公元85年）頒佈四分曆以后，才正式用甲子、乙丑等干支紀年[4]。而这七篇大論里面採用了干支紀年。由这一点，我們可以更进一步肯定这一部分素問是东汉章帝元和二年（公元85年）以后的作品。第四，这七篇大論里面所講五藏和五行的配合，仍旧採用今文說，可見它的著作时代大概不会晚于东汉以后。因为在东汉以后，經学上的古文說兴盛起来，像这样有創造性的理論体系可能会受影响。由这四点推測，我們可以說，素問后期作品的著作时代，大概是公元二世紀。

4. 素問中个别的南北朝作品 素問中还有个别的南北朝的作品攙入在內，例如第8灵蘭秘典論所說，"胆者中正之官"，"膀胱者州都之官"，中正是曹魏以后才有的官名[5]，州都是刘宋，北魏以后才有的官名[6]，並且皇甫謐甲乙經沒有引用灵蘭秘典論一句話，可見这一篇肯定是南北朝时代（公元五世紀）的作品。

素問各篇的篇題有許多不像秦、汉著作的篇題，可能也是后人补題的，所以郑文焯医故卷上說，"金匱眞言、灵蘭秘典、玉版論要、玉机眞藏諸論，其立名显为六朝人之伪託"。这四篇文字，只有玉机眞藏論被皇甫謐甲乙經引用过，其余金匱眞言、灵蘭秘典、玉版論要三篇都沒有被甲乙經引用过。当然不能說篇題像南北朝人題的則其篇中文字也就是南北朝作品，也不能說甲乙經沒有引用的文字就是南北朝作品，这只不过提出以供参考，一切还待后証。

5. 結 論 素問这一部書是战国时代的許多医学家將以前历代口耳相傳的經驗彙集做出的書面总結，后来又攙入了西汉医学家和东汉医学家的作品。它的最早的著作时代大概是公元前四世紀，最晚的著作时代大概是公元二世紀，其中也有个别的公元五世紀的作品攙入在內。这是一集体劳动的成果，不是屬于某一个人的。四庫全書簡明目录卷10黃帝素問条說：

"其書云出上古，固未必然。然亦必周、秦間人傳述旧聞，著之竹帛"。

这一說法基本上是正确的。

（二）灵樞的著作时代

灵樞的眞伪問題，曾經过一番很長时間的爭論。宋代赵希弁[7]和元代吕复[8]都对于灵樞

（1）見陈遵嬀中国古代天文学簡史第37頁。

（2）見后汉書卷39張衡傳。

（3）見陈槃讖緯釋名，中央研究院历史語言研究所集刊第十一本。

（4）見朱文鑫曆法通志第294頁。参考浦江清屈原生年月日的推算問題，历史研究，1954年第一号。

（5）馬端臨文獻通考卷28選举考：："魏文帝延康元年，尚書陈群以为天朝选用不尽人才，乃立九品官人之法，州郡皆置中正，以定其选"。

（6）沈約宋書卷94恩倖傳論："州都郡正，以才品人"。魏收魏書卷27穆弼傳："会司州牧咸陽王禧入，高祖謂禧曰，'朕与卿作州都，举一主簿'，即命弼謁之"。

（7）赵希弁昭德先生讀書后志卷2，灵樞經条說："王冰謂此書即汉志黃帝內經十八卷之九也。或謂好事者于皇甫謐所集內經、倉公論中抄出之，名为古書也。未知孰是？"

（8）戴良九灵山房集卷27，滄州翁傳，說："（吕复說）內經灵樞，汉、隋、唐艺文志皆不录。隋有鍼經九卷，唐有灵宝注及黃帝九灵經十二卷而已。或謂王冰以九灵更名为灵樞，又謂九灵尤詳于鍼，故皇甫謐名之为鍼經，即隋志鍼經九卷。若一書而二名，不应唐志别出鍼經十二卷也"。

怀疑。清代杭世駿就肯定这書是王冰伪託的[1]。四庫全書总目提要同意他这一說法。后来經过陆心源[2]和余嘉錫[3]的詳細考証，說明这一書在难經、甲乙經时代就有的，不是唐、宋以后出来的，引据确鑿，現在可以成为定論。

日本丹波元簡說，素問各篇文字多很深奥，而灵樞則只有几篇深奥的；丹波元胤也說，灵樞的文字比素問淺薄易解；所以他們都認为灵樞的著作时代比素問要晚些[4]。但是黄以周說[5]：

或又謂素問义深，九卷义淺。夫內經十八卷，乃医家所集，本非出一人之手。論其义之深，九卷之古奥，虽素問不能过。其淺而可鄙者，素問亦何减于九卷？九卷之与素問，同屬內經。素問通評虛实論中有黄帝骨度、脉度、筋度之問，而無对語，王注以为具在灵樞中，此文乃彼經之錯簡；皇甫謐謂內經十八卷，即此二書，可謂信而有証。素問鍼解篇之所解，其文出于九卷，新校正已言之；又方盛衰論言，'合五診，調陰陽，已在經脉'，經脉即九卷之篇目，王注亦言之；則素問之文，且有出于九卷之后矣。素問宗此經，而謂此經不逮素問，可乎？

灵樞某些篇的著作时代，肯定是比較晚的。除了文字淺薄以外，我們还可以找出許多其他証据。例如第41陰陽繫日月篇說，"寅者，正月之生陽也"，这一篇显然是汉武帝頒布太初曆以后的文字。又如第77九宮八風篇和第79岁露論所講太一行宮，这一說出于易緯乾鑿度[6]，这兩篇显然是东汉时代的文字。

我們可以說，灵樞和素問一样，不是成于一人之手，也不是成于一个时代的。它的著作时代也有早晚之分。早期的部分是战国时代的作品，其中某些篇可能比素問某些篇还早些。晚期的部分其中有西汉的作品，也有东汉的作品。最早的著作时代大概是公元前三世紀，最晚的著作时代大概是公元一世紀。

(三)素問遺篇的著作时代

素問在唐朝王冰編次注解的时候，已經亡佚了第72刺法論和第73本病論兩篇。到了北宋林亿校正医書的时候，这兩篇忽然又出現了，有經文並且还有注文。因为这兩篇是已經遺失了而再發現的，于是就叫这兩篇做"素問遺篇"。这兩篇的內容和文句都淺陋得很，很明显地与素問其他各篇不同，林亿当时就已怀疑[7]，認为沒有可取的地方。日本丹波元簡更認为这兩篇的經文和注解都是出于一人之手，辞理淺薄，肯定是王冰以后的人所伪造的[8]。他們这些看法是正确的。素問遺篇的著作时代，肯定是在王冰以后，林亿以前，大概是在公元第九、第十世紀前后。

(四)今天的素問和灵樞

我們今天所見到的素問是經过唐朝王冰編次和注解的，所以題为啟玄子次注；啟玄子是王冰的別号，次是編次的意思。到了宋仁宗嘉祐二年（公元1057年），又經过林亿、孙奇、高保衡等校正，和孙兆重改誤。我們今天所見到的灵樞，是宋哲宗元祐八年（公元1093年）高丽所献到的鍼經。灵樞虽曾經林亿等校正，当时所校的是一殘本，这一殘校本現在早已亡佚了。

王冰改編的二十四卷本素問是現存最早的一本素問，史崧改編的二十四卷本灵樞也是現存最早的一本灵樞，所以清朝咸丰二年（公元1852年）錢熙祚校刻黄帝內經时就採用这兩个本子。黄帝內經的刻本很多，素問現存最早的刻本是北京圖書館所藏的金刻本，但只殘存十三卷（計殘存素問十二卷，素問遺篇一卷）；灵樞現存最早的刻本是元朝胡氏古林書堂刻本。在所有刻本之中，校勘最精的是錢熙祚的刻本。

---

(1) 杭世駿道古堂集卷26，灵樞經跋說："王冰以九灵为灵樞。灵樞之名，不知其何所本，即用之以法素問。余观其文义淺短，与素問岐伯之書不类，又似窃取素問之書而鋪張之，其为王冰所伪託也可知"。

(2) 陆心源仪顧堂題跋卷7，灵樞經跋說："灵樞即鍼經，見于汉艺文志、皇甫謐甲乙經序，並非后出。灵宝注以鍼有九名，改为九灵；又以十二經絡，分为十二卷。王冰又因九灵之名而改为灵樞。其名益雅，其去古益远，实一書也。請列五証以明之"。

(3) 余嘉錫四庫提要辨証，子部医家类，灵樞經条說："夫灵樞即鍼經，中兴書目具有明文，林亿亦無異說，悪得誣为伪撰乎？……此書历为难經、甲乙經、脉經、外台秘要所採，流傳自古，远有端緒，而杭氏以为文义淺短証之，过矣。提要惑于呂氏、杭氏之言，不復深考，遽以其書为伪，又过矣"。

(4) 丹波元胤医籍考卷5，黄帝灵樞案語說："按先子曰：素問各篇，文字多深奥，灵樞則不过数篇焉。……又按馬仲化曰：'大抵素問所引經言，多出灵樞者，是灵樞为先，素問为后'。此說不足信焉。蓋灵樞之文，淺薄易解，而所載有素問中不言及者"。

(5) 見黄以周儆季文鈔，文二，黄帝內經九卷集註叙。

(6) 易緯乾鑿度卷下："故太一取其数以行九宮"。

(7) 素問第73本病論篇題下林亿新校正說："今世有素問亡篇及昭明隐旨論以謂此亡篇，仍託名王冰为注，辞理鄙陋，無足取者"。

(8) 丹波元胤医籍考卷4，黄帝素問遺篇案語說："按先子曰，今所傳遺篇一卷，此乃王冰已后人所託而作，經注一律，出于一人之手，辞理淺薄，不取"。

黄帝內經著作时代表

朝代	公元紀年	史实	史实根据	黄帝內經的著作时代
周 元王三年 定王十六年	公元前474年 公元前453年	赵簡子死。 魏桓子与韓赵共灭知伯。	相寬战国史战国大事年表中有关年代的考訂。	扁鵲时代(公元前五世紀上半期)
战国时代	公元前453— 公元前221年 公元前340— 公元前260年	鄒衍时代。	梁啓超先秦学术年表。	素問前期作品的主要部分: ①不講陰陽五行的(公元前四世紀)。 ②講陰陽五行的(公元前三世紀中期或后期)。 灵樞早期作品(公元前三世紀)。
秦	公元前220— 公元前207年			素問前期作品个別部分. 如六节藏象論,宝命全形論。
西汉 高后八年 武帝太初元年	公元前206— 公元24年 公元前180年 公元前104年 公元前77— 公元前6年	倉公时代 頒布太初曆。 刘向时代。	史記倉公傳。 汉書武帝紀。 姜亮夫歷代名人年里碑傳总表。	素問前期作品的个别部分, 如脉解篇(公元前一世紀)。 灵樞晚期作品,如陰陽繫日月篇(公元前一世紀)。 黄帝內經名称的成立。
东汉 章帝元和二年	公元25—220年 公元85年	頒布四分曆。	后汉書章帝紀	灵樞晚期作品、如九宮八風篇、岁露論(公元一世紀)。 素問后期作品(公元二世紀)。
三国(蜀汉昭烈帝章武元年至吳主皓天紀四年)	公元221—280年 公元215—公元282年	皇甫謐时代。	姜亮夫历代名人年里碑傳总表。	甲乙經編輯完成(公元三世紀中期)。
南北朝(宋武帝永初元年至陈后主禎明二年)	公元420—558年			素問的个別部分,如灵蘭秘典論(公元五世紀)。
唐 肃宗宝应元年	公元618—907年 公元762年	王冰时代。	王冰素問序。	素問遺篇(公元九世紀、十世紀)。
北宋 仁宗嘉祐中	公元960—1126年 公元1056—1063年	林亿时代。	高保衡、林亿进素問表。	

三、摘　要

黄帝內經一書,包括素問和灵樞兩部分,它不是成于一人之手,也不是成于一个时代的。

黄帝內經的書名,是公元前一世紀才有的。

素問內容应当分为前期作品、后期作品和个别的南北朝作品三个部分。前期作品主要部分,不講陰陽五行的是公元前四世紀的作品,講陰陽五行的是公元前三世紀中期或后期的作品,其中还有个别的公元前二世紀和公元前一世紀的作品。后期的作品是公元二世紀的作品。个别的南北朝作品是公元五世紀的作品。

今天現存的灵樞,是古代的鍼經,后来在中国亡佚了,公元十一世紀才由高麗献回中国。它的著作时代,最早的是公元前三世紀,最迟的是公元一世紀。

素問遺篇是公元九世紀、十世紀的作品。

神农本草經年代的探討

梁景暉

人类对客观事物的認識是沿着自感性至理性，自低級至高級的途徑發展。人类必然是首先从他的周圍事物——也就是最常接近的事物認識起。当然这是不言而喻的。由于植物性的食物容易得到，初民必然要用它来作为食物的主要来源。又因为靜止的、五顏六色的植物有条件能被人类重复多次的观察，这样植物就具备了优先入葯的条件。

在生命过程中不可避免的人体要遭受到病原体的侵襲，最初人們採用了一些簡陋的衛生措施。随着历史的进化，在人类的思想中出現了宗教的观念，初民把病的遭遇归諸"神或鬼"的身上，認为是鬼的作祟或上天的懲罰，对他們来說是完全应該的。

然而当人类的思想意識發展以后，神鬼說的禱告方式再也不能滿足他們的要求了。神权說的根本缺点是：他只能令人誤認了病因而不能給予积極的治疗。为了抵制疾病那就要去探索治疗的方法。繼神权說的衰落之后首先向植物界寻求治疗的活动就大大地活躍起来了。由于神权說的衰落就給本草学开辟了道路，使得本草学能够迅速的發展起来。

在人类与植物的長期接触中，使得人們認識到了各种植物的外形、色、臭、味以及彼此間的異同点，而获得了感性知識。在不可以数計的劳动里，就能进一步的發展与巩固这些感性知識。譬如某人因誤食一种植物而發生何种的異常現象——如異味、中毒等。这类事件經过多次的重复，多数人的經驗介紹，在經年累月中就形成了一种常識。当然这种常識在形成、發展和傳播的过程中人类的語言是不可少的工具。这种經驗自無意至有意逐漸地發展着、形成着。許多經驗的形成过程，就是葯物自感性至理性的形成过程。"神农乃始教民……尝百草之滋味，水泉之甘苦，令民知所辟就。当此之时，一日而遇七十毒。"(1) 的古老傳說，就是無数人的無数次經驗的概述。

葯是自草木以至矿石、虫、介等。初期的葯物多数为草木，所以名之曰本草。故韓保昇曰"葯有玉石、草木、虫、兽而云本草者！为諸葯中草类最多也。"(2) 本草之名首見于汉書，成帝初年（約当公元30年左右）"……候神方士使者副佐、本草待詔七十余人皆归家。""元始五年（公元5年）……征天下通知逸經、古記、天文、曆算、鍾律、小学、史篇、方术、本草以及五經、論語、孝經、尔雅教授者。""楼护字君卿，齐人，父世医也。护少随父为医長安，出入貴戚家。护誦医經、本草、方术数十万言。長者咸爱重。"(3) 値得注意的一点：就是本草字样不見于司馬迁的史記中。然史記中已有葯学書籍的記載如："……庆有古先道遺傳黃帝扁鵲之脉書——五色診病，知人生死，决嫌疑，定可治，及葯論書。""臣意聞菑川唐里公孙光善为古傳方。""菑川王时遣太倉馬長馮信正方，臣意教以案法逆順，論葯法，定五味，及和齐湯法。"(4) 这样有理由令人相信將葯学命名本草是公元前一世紀左右的事。

神农本草經就是延續本草而得名。后面贅上一个"經"字，那是受到汉时尊經的影响。不过是借此来抬高身价。上冠以"神农"二字，是受到了当时風气的影响。汉时假借神农之名以为抬高身价的書籍为数很多。例如："神农二十篇、神农兵法一篇、神农大幽五行二十七卷、神农教田相土耕种十四卷、神农黃帝食禁七卷、神农杂子技道二十三卷。"(5) 这些不过都是附会着"尝百草"的古老傳說。

中国的葯学發达很早，周以前的上古时代就已經在积累着这方面的知識。如商时武丁对傅說說："若葯不瞑眩，厥疾弗瘳。"(6) 甲乙經序上也提到"湯液始于伊尹"。虽然这些材料尙待考証，然当时已有葯学知識是可以令人相信的。如春秋时已有成葯出現"宋人有善为不龜手之药者。”[7]药物在秦汉前已有較詳的記載，如“吳楚之国有大木焉，其名为櫾，碧树而冬生，实丹而味酸，食其皮汁已憤厥之疾。齐州珍之，渡淮而北，而化为枳焉。”[8]这类的記載大量散存于先秦諸子書中。

关于药物知識經过了上古漫長的口傳心受的过程，零星的記載了下来。逐漸地把这些材料归納在一起，因而形成了本草的雛型。我們相信这个工作在秦汉时已大有成就。前面所举的例子就是很好的說明。

至于本書年代問題，历代均有人去研究，然主張确不一致。有人倡言为神农时的作品，以顏之推为代表。他說：“本草神农、而有豫章、朱崖、赵国、常山、奉高、眞定、臨淄、馮翊等郡县名，出諸药物，皆由后人所羼，非本文也。”[9]当然这种神話式的說法是不值一駁的。神农在历史上的地位尙屬一謎，如果有其人，然当时文字尙且未有又如何能成此大著呢？

本書如为先秦时的作品，不能不被当时的文人引用。再史記与汉書艺文志中又未見此書。又該書上品中有葡萄一药。查葡萄之名首見于史記和汉書中，“大宛在匈奴西南，在汉正西，去汉可万里。其俗土著耕田，田稻麦，有蒲陶酒。”[10]“宛王蟬封与汉約，岁献天馬二匹，汉使採蒲陶、目宿种归，天子以天馬多，又外国来众，益种蒲陶、目宿离宮舘。”[11]这是汉武帝太初四年（公元前101年）的事。前汉时葡萄一物是很尊貴的如“元寿二年（公元前一年）單于来朝舍之于上林蒲萄宮”[12]必須此物流傳到民間被广泛的食用以后方有入药的条件。据此我們可以肯定的說本書最早不超过公元前一世紀。

最早引用本書的是晋时的葛洪。“抱朴子曰：‘神农四經曰：“上药令人身安延昇为天神，遨遊上下，使役万灵，体生毛羽，行厨立至”。又曰：“五芝及餌丹砂、玉札、曾青、雄黄、雌黄、云母、太乙禹余粮，各可單服之，令人飞行長生”。又曰：“中药养性，下药除病，能令毒虫不加，猛兽不犯，惡气不行，众妖併辟。”’”[13]葛洪大約是283—343（？）期間的人。所以說本書的脫稿至迟在第三世紀末期。綜和起来看該書脫稿的年代是在紀前一世紀到紀元后第三世紀这三四百年間，这是个不可推翻的事实。

进一步来看，前汉末的統治者已重視起本草这一專業，平帝紀上的記載提供了有力的証据。旣然他們在重視这类东西，成帝时博学的刘向也曾求書于天下[14]，这样本經如已脫稿而不被發現，是难以令人相信的。本經不載于班固的汉書艺文志中，有理由叫人相信班固有生之年决未有此書。这样进一步肯定本書最早是紀元后一世紀末的作品。再一步以張机的伤寒論对比来看一看，伤寒論中用药九十余种，其中絕大多数为本經所收載，少数不見于本經中。然而不載于本經上之药物均載于別录上。如芒硝、香豉、膠飴、粳米、醋、妇人中裩、男子裩、葱白、人尿、梅实等均見于別录而不載于本經中。又有些药收載于本經和別录中然其名称所用不同，可是伤寒論中所用之名常与別录所用之名一致。如萎蕤本經曰女萎；黃蘗本經曰蘗木，麻子仁弘景称之曰胡麻本經則曰巨胜。由于伤寒論用药与別录相近，故可断定本經必早于伤寒論一書而問世。查伤寒論一書約成于紀元后209年。故可以断定本經最迟是第二世紀脫稿的。再有本經載有后汉时地名，这也証明了著者为后汉人。

根据以上的材料，我們可以肯定的說：本書是第一世紀中到第二世紀中之150年間的作品。

参考文献

1. 淮南子，修务訓
2. 本草綱目，序例上
3. 汉書、依次为郊祀志第五下；平帝紀．薛愚．药学通报二卷一期28頁。
4. 游侠傳、樓护傳。史記，卷105扁鵲倉公列傳第45
5. 汉書艺文志，薛愚，药学通报二卷一期27頁
6. 尙書，商書，說命上
7. 庄子，逍遥遊第一
8. 列子，湯問第五
9. 張心澂，伪書通考816頁引顏氏家訓
10. 史記．大宛列傳第六十三
11. 汉書，西域傳
12. 佩文韻府卷一
13. 抱朴子內篇卷之十一，仙药
14. 成帝紀“河平二年……光祿大夫刘向校中秘書，謁者陈农使使求遺書于天下。”

偉大法医学家宋慈傳略

宋大仁

宋慈字惠父(公元1186—1249年),为祖国的——也是国际的——偉大法医学家.外国最早的法医学專書,在十七世紀初期,出版于意国(公元1602年 Fortunatus Fidelis 氏著),而宋慈著的洗寃集录,在十三世紀五十年代(公元1247年)已完成了,早于前者三百五十余年,为世界最早的法医学專著。內容丰富,它的技术經驗,优点頗多,至今学术上还有一定的价值,且已流傳海外,被譯成法、英、荷蘭、德、朝鮮、日本、苏联、等七国文字,这是祖国医葯文化产生出来的燦爛之花,值得我們自豪。然而这位优秀科学人物的历史,湮沒迄今,七百余年。四庫全書提要子部目云:宋慈始末未詳。清代历史及考据名家錢大昕所著养新录,洗寃录条云:此書不載于宋史艺文志,慈不知何郡人。洗寃集录宋慈自序,自題官銜为湖南提刑,查湖南通志名宦門,不过將慈自序,作为慈傳而已。古語有云,讀其書想見其为人,我們本發揚祖国医学文化遺产的志願,不能不对祖国法医学偉大人物的史蹟,予以勘探,多方搜得若干資料,茲以刘克庄①撰宋經略墓誌②写成"宋慈年譜",現摘要而成本文。从这里我們可以了解宋慈的籍貫、生卒、出身、学历、經历、品德、行为、以及他的法医学識在当时和后世的貢献,了如指掌,宋慈本着人道主义精神,"为官以民命为重,听訟清明;决事剛果,雪寃禁暴,扶弱鋤姦,得到广大羣众爱戴"。曾說"獄事莫重于大辟(死刑),大辟莫重于初情,初情莫重于檢驗。"又說:"獄情之失,多起于發端之差,定驗之誤,皆原于历試之淺,""慈于獄案,审之又审,不敢萌一毫慢易心";"或有疑信未决,必反复深思。"他总結了宋代和以前法医学的經驗,加以本人四任法官的心得,編著成書,名曰洗寃集录,标誌着"洗寃澤物,起死回生"的意义,該書流傳国內外,为人类服务已数百年。

我們对有关宋慈的史蹟事項,曾經实地初步調查,他的著作洗寃集录,影宋本未知落于何方,北京大学藏有元刊本,北京圖書館及上海历史文献圖書館藏有孙星衍复刻元刊本,刻工甚精,不爽毫髮。关于宋慈墓葬,我們經过二次調查,已在福建省建陽县崇雒乡昌茂村山中找出来。我們又根据文献記載,宋慈的形貌、职位、品德、行为、为慈造像,(宋大仁造像、子鶴渐暎合繪)描繪其"丰裁峻厉、望之可威"的風度。所戴的帽子为进賢冠。于1955年在江苏省衛生厅主办的南京中医葯展覽会展出四个月,(六月至十月);在广东省衛生厅主办的广东中医葯展覽会二个月(10月至12月);又于1957年10月在福建省衛生厅主办的福建中医葯展覽会展出一个月;經过三十余万观众瞻仰。

* * *

在公元1186年,就是宋代淳熙13年的时候,我国偉大的法医学家宋慈,在福建省建陽县出生了。据其墓誌里記載,他的祖上在唐代有个名叫文真公的,傳了四代以后,从河北順德县迁移到浙江建德县,定居下来,傳到第三代的世卿公,因为在福建做官,于是又从建德县迁居到建陽,遂成为建陽县人,所以他的高、曾祖三代,都居于建陽,父名巩,曾做过广州节度推官。

宋慈在小的时候,从同乡前輩吳稚为师,这位吳稚,是朱熹的弟子。朱熹是宋代的理学大家,他在晚年,曾筑室于建陽之考亭,作滄州精舍,自称滄州病叟,考亭是講学之所,所以在建陽一帶,他的門生很多。由于宋慈受業于吳稚,于是便漸漸接近了朱熹的其他子弟,时常与楊

① 刘克庄:字潛夫,兴化莆田人,嘉定間曾任建陽令,官至工部尚書加龙圖閣学士,致仕卒,謚文定,有后村集行世。刘氏傳詳見南宋館閣續录卷7。

② 宋經略墓誌:見后村先生大全集,商务印書館縮印四部丛刊影賜硯堂宋鈔本,159頁。該鈔本錯文奪字甚多,不易辛讀,經过考證整理,才見面目。

方、黄榦、李方子①这几位学者往来，請他們指教，于是学問乃大有进步。后来进了太学，得識主持这所太学的眞德秀② 那个时候的太学，在里面求学的人，多至七百人③，可見当时养士風气的一班了，宋慈在太学里非常用功，文章也写得很好，眞德秀衡量了他的文章，盛讚他的文章的源流，都从內心性灵里發出来的，因此宋慈又拜其为师。德秀之学，是以朱熹④为宗的。宋甯宗时，韓侂胄秉政，欲除異己以快己私，因目"道学"为伪学，蓋謂貪黷放肆，乃人眞情，廉潔好修，都是伪的，乃禁用伪学之党，削朱熹之官，貶蔡元定于道州，宋代朝庭中正士一空，其后由于德秀之力，正学得以复明。这样看来，宋慈的学問，自受業吴稚，一直到从师眞德秀，其淵源亦是以朱熹之学为宗的。

到了嘉定十年（公元 1217 年）宋慈已經 32 岁了，虽然学問已經很好，但还沒有取得科名，因于是年去应試，中了进士乙科派他去浙江鄞县任尉官，在去上任之前，适值父亲病重，不久死了，居家服丧，因此未上任的。据江西信丰县志所載，在宝庆中（宋理宗年号，公元 1226 年），他做过贛州信丰的主薄，（管理文書薄籍的主任官員），⑤ 那时將帅郑性之⑥ 慕其才，延之入幕故而他也曾参預过軍事⑦。

宋慈学問广博，智勇双全，招捕使陈韡⑧ 美嘉其才能，荐他为長汀的知县，他在長汀县令任內⑨ 曾替人民做了一些有益的事，比如說福建的鹽，一向是溯流而至南劍州，又自邵武溯流而上汀州，搬运很困难，故鹽到汀州，不胜其貴。又要隔年才能运到，慈有見及此，乃請改变路線从潮州方面运来，往返仅需三个月，大大地节省了运費，因而售价亦低廉了⑩，这不过是一个例子，正由于他能处处替人民着想，乃博得人民的爱戴。在端平二年（公元 1235 年）11 月的时候，樞密院士曾从龙⑪ 督視江淮軍馬特礼聘他，未至而从龙死了，魏了翁兼其职。于是宋慈乃做了樞密使兼督荆襄江淮的魏了翁⑫之幕客。嘉熙元年（1237年）任通判邵武軍⑬，次年又改通判南劍州（今福建南平县治）时值岁荒，米粮很貴，慈应宰相李宗勉⑭ 的召問，嘆息地說，他知道了根源在于宗室豪門（剝削阶級）避税不納、而且屯积居奇以圖利，于是宋慈訂下办法，頒佈法令分析人户为五等，赤貧者完全济助，較好者半济，再好者不济，上者發其存粮之半而济人，最上者則尽發其存粮而济人，完全救济的米，由政府来出。这样大家都遵命，人民得免于飢餓⑮。嘉熙三年（1239 年）慈往广东任提点刑獄，他在到任之后，發現广东的官吏多不奉行法令，有留獄数年的犯人，沒有給他平其曲直，于是訂了工作計划，在八个月內，处理

---

① 楊方：隆兴进士，關戈陽尉，遊學安，謁朱熹，面授所傳。楊氏傳記詳見宋史翼卷 21 及南宋館閣續录卷 8。黄榦，朱熹之婿，熹病革，出其著書授榦曰，吾道之託在此。历官汉陽軍，安庆府，多善政，安庆人以黄父稱之，有經解、勉齋集行世。黄氏傳記詳見宋史卷430。李方子，朱熹高弟，嘉定进士，累官国子录，通判辰州，有禹貢解傳、道精語等書。李氏傳記詳見宋史卷430。

② 眞德秀：庆元进士，理宗时，历知泉州福州，內召为翰林学士，拜参子政事而卒。学者尊西山先生，有西山文集等書行世。眞氏傳記詳見宋史卷 437。

③ 太学养士数，以七百人为額。見李心傳：建炎以来朝野杂記及文献通考卷42。

④ 朱熹：为宋代理学大家，历事高孝光宁四朝，累官転运副使，煥章閣待制，秘閣修撰，終宝文閣待制，晚年筑室于建陽之考亭，为講学之所，人称考亭学派。朱氏傳記詳見宋史卷429。

⑤ 补贛州新丰主薄，宝庆中任，見信丰县志卷三：官师志。

⑥ 郑性之：嘉定中进士第一，端平初为吏部侍郎，累拜参子政事，以观文殿学士致士卒。郑氏傳記詳見宋史卷419。

⑦ 宋慈参预軍事：参考福建通志卷 175；宋公墓誌；西山文集卷 25 陈公生祠記；又卷 29 陈公平寇录序。后村大全集卷 146 陈韡神道碑；又卷 84 陈曾二公生祠記等。

⑧ 陈韡：开禧进士，紹定初为招捕使，累拜参知政事，提举佑神观致仕，卒謚忠肃，陈氏傳記詳見宋史卷405。

⑨ 紹定間招捕使陈韡檄同監軍李华平汀"寇"，慈参贊居多，遂辟为令，听断精明，境內以治，見長汀县志卷23政績。

⑩ 参考宋公墓志、眞德秀西山文集卷 13，得聖語申省狀及福建通志卷126。

⑪ 曾从龙：庆元間进士第一，累官給事中，兼直学士，除湖南安撫使，安撫暇漵，进知樞密院事。曾氏傳記詳見宋史卷 419。

⑫ 魏了翁：庆元进士，學者称鶴山先生，累官至权工部侍郎，以端明殿学士同僉書樞密院事，督視京湖軍馬，未几除知紹兴府，浙江安撫使。了翁穷經學古，自成一家，尝筑鶴山書院，学者云集，有鶴山集等書行世。魏氏傳記詳見宋史卷437。

⑬ 通判邵武軍，攝郡，有遺爱，嘉熙初任。見邵武府志卷14，職官。

⑭ 李宗勉：富陽人，开禧进士，端平間，累拜左丞相，卒謚文清。李氏傳記詳見宋史卷405。

⑮ 参考宋公墓志；宋史翼卷 22；宋史李宗勉傳；黄榦：勉齋集卷 4。

圖 1 偉大法医学家宋慈像

圖 2 宋慈惠父之墓近景

圖 3 宋慈墓葬断碑拓本

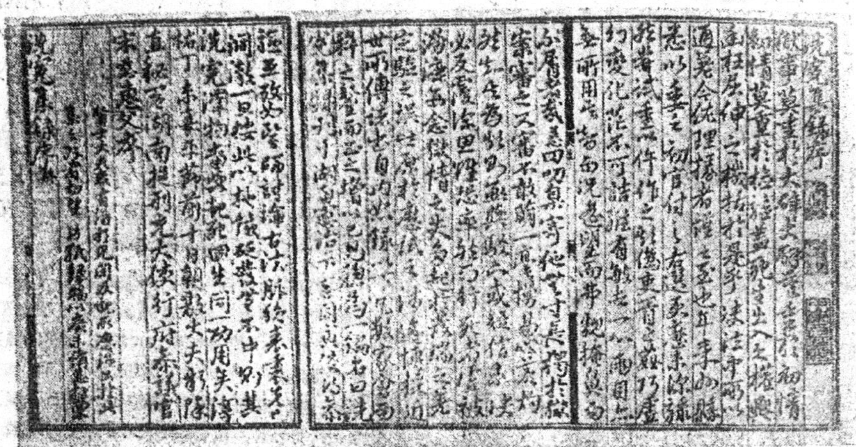

圖 4 洗寃集录序 据北大圖書館之刊本攝影

The "Hsi Yüan Lu" or "Instructions to Coroners"

Translated from the Chinese

圖 5 洗寃录 英国翟尔斯 H. A. Giles 譯本

了百二余人，並且时常亲自循行各部門，所到的地方，都是給人雪冤禁暴，虽恶劣处所，也必去視察，就这样閱历多了，逐漸积累了他的实际經驗，这給后来編写洗冤录，是有很大帮助的。嘉熙四年（1240年）赓任江西，兼赣州知县，淳祐元年（1241年）知常州軍州事，在常州任內，曾与武进尉史能之言及毘陵旧志，过于簡略，倡議重修。①

到了淳祐七年（公元1247年）宋慈又到湖南去做直秘閣提点刑獄，当时陈韡来为湖南安撫大使兼节制广西，因聘慈为参謀，事無大小，多与商榷而后行。但他以四任法官的經驗，又总結了宋代和以前法医学識，深深体会到"居官、以民命为重，倘若刑獄一有不决之疑，必多所失，因作洗寃集录，以期得情"，（建陽县志語）。这部洗寃集录，刊于湖南宪治，在他的自序中，很明显的表达了他的人道主义与雪冤禁暴的精神，茲录如下：

"獄事莫重于大辟、大辟莫重于初情，初情莫重于檢驗，蓋死生出入之权輿，直枉屈伸之机括，于是乎决法中，所以通差令佐理掾者，謹之至也。年来州县，悉以委之初官，付之右选，更历未深，驟然尝試，重以仵作之欺伪，吏胥之姦巧，虚幻变化，茫不可詰，縱有敏者，一心兩目，亦無所用其智，而况遙望而弗亲，掩鼻而不屑者哉？！慈四叨臬寄，他無寸長，独于獄案，审之又审，不敢萌一毫慢易心，若灼然知其为欺，則亟与駁下，或疑信未决，必反复深思，惟恐率然而行，死者虚被涝漉，每念獄情之失，多起于發端之差，定驗之誤，皆原于历試之淺，遂博采近世所傳諸書，自內恕录以下、凡数家，会而粹之，釐而正之，增以己見，总为一編，名曰洗寃集录，刊于湖南宪治。示我同寅，使得参驗互考，如医师討論古法脉絡，表里先已洞澈，一旦按此以施鍼砭，發無不中，則其洗寃澤物，当与起死回生同一功用矣。淳祐丁未嘉平节前十日，朝散大夫新除直秘閣湖南提刑，充大使行府参議官宋慈惠父序。

"賢士大夫或有得于見聞，及亲所历涉，出于此集之外者，切望片紙录賜，以广未备，慈拜稟"。②

宋慈在刊行洗寃录之次年，进直宝謨閣，奉使四路，（宋分天下为各路，犹今之分省）都是干刑獄的事，听訟清明，决事剛果，对善良的人，甚为爱护，遇到狡猾的豪門，严厉处理，他所屬的官吏、一般市民，甚至深山窮谷的老百姓，在腦海中都常有一个宋提刑的形象，在其面前，（刘克庄語）。到了淳祐九年（公元1249年）他已經六十四岁了，到广州去，做广东經路安撫使，③ 在这年春天，忽感末疾（头眩之疾），仍照常办公，当地学宮举行釋菜典礼，依惯例由当地長官主祭，因他身体不适，他的宾客要他委托别的官員代表往祭，但是宋慈重于自己的責任，毅然亲自前去，从此以后，精神大为委頓，終于在这年三月七日在广州任內去世，明年七月十五日，葬于福建建陽。宋理宗特贈朝議大夫，亲書墓門以表揚之。④

作者請托建陽县人民政府調查慈墓，于1955年5月間偕县崇雒乡工作組进行，在附近山中寻找，及召开老人会了解，未得結果，于七月間进行第二次詳查，已在崇雒乡昌茂村山上之茂密叢林掩蔽中找出来，並攝得影片：墓葬远景，墓葬全景，及墓碑三幀，其墓周圍尚未發見其他史蹟，此項工作承蒙該县衛生科李忠祥，黃啓唐等各位同志协助完成任务，謹此誌謝。⑤

参 考 文 献

1. 影宋鈔本刘克庄：后村大全集卷159 宋公墓誌
2. 影宋鈔本刘克庄：后村大全集卷146 陈韡神道碑
3. 影宋鈔本刘克庄：后村大全集卷88 陈曾二公生祠記
4. 洗寃集录 元刊本
5. 明何乔远：閩書（北京圖書館藏）
6. 清陆心源：宋史翼卷22 宋慈
7. 福建通志 同治戊辰重纂本
8. 建陽县志 民国18年重修本
9. 赣州信丰县志卷三 道光四年本
10. 長汀县志 卷23 光緒5年本
11. 邵武府志 卷14 光緒24年重纂本
12. 常州府志 职官表
13. 湖南通志 卷96
14. 广东通志 卷16
15. 宋史 朱熹傳；曾从龙傳；魏了翁傳、陈韡傳；郑性之傳；李宗勉傳；眞德秀傳；黃榦傳；李方子傳。
16. 宋李心傳：建炎以来朝野杂記甲乙集 函海从書本
17. 四庫全書提要子部目：洗寃录
18. 清錢大昕：养新录洗寃录条
19. 繆荃孙：艺風藏書記 辛丑刊本
20. 眞德秀：西山文集卷13 得聖語申省狀

---

① 宋慈知常州軍州事，在淳祐元年至七年、見常州府志职官表。又常州府志原序云：岁淳祐辛丑（公元1241年）史能之尉武进，时宋公慈为守，相与言，病其略也。繆荃孙：艺風藏書記，亦有此記載。

② 自宋慈：洗寃集录自序元刊本及湖南通志卷96。

③ 宋慈知广州，为广东經略安撫使，淳祐九年任、見广东通志卷16。

④ 宋理宗以慈为分憂中外之臣，本贊圖画之寄，特贈朝議大夫，御書墓門以旌之，見閩書及建陽县志。

⑤ 找寻宋慈墓葬史跡、詳見宋慈墓葬和史跡調查記录彙編1955年（未發表）。

21. 真德秀：西山文集卷25福建招捕使陈公生祠記
22. 真德秀：西山文集卷29招捕使陈公平寇录序
23. 黄榦：勉齋集卷4
24. 宋慈墓葬史跡調查記录彙編1955年（未發表）。

附　　　　年表

公元1186年	宋孝宗淳熙13年	1岁	生于福建省建阳县童游里。
1195	宁宗庆元元年	10	受業于同邑吴稚，稚本朱子弟子，因得与杨方、黄榦、李方子諸儒論質，学益进。
1205	宁宗开禧元年	20	入太学，真德秀覆其文，慈以师礼事之。
1217	嘉定10年	32	南宫奏试第三，中进士乙科，調鄞尉，未上任。
1218	嘉定11年	33	遭父丧。
1226	理宗宝庆2年	41	补赣州信丰主簿，将帅郑性之罗之幕中。
1228	紹定元年	43	南安境内农民起义，慈率兵圍之。
1229	紹定2年	44	閩中汀、劍、邵一带义軍再起，慈与李华同議軍事。
1230	紹定3年	45	汀卒囚知州陈孝严，攖城自固，調檄慈与李华圍之。
1231	紹定4年	46	陈韡薦为長汀知县。
1232	紹定5年	47	知長汀，請閩鹽改运于潮州。
1233	紹定6年	48	知長汀任内。
1234	端平元年	49	知長汀任内。
1235	端平2年	50	曾从龙知樞密院事，督視江淮軍馬，辟慈为屬，未至而从龙卒。
1236	端平3年	51	为樞密使兼督荊襄江淮魏了翁之幕客。
1237	理宗嘉熙元年	52	通判邵武軍，攝郡，有遺爱。
1238	嘉熙2年	53	改通判南劍州，时值岁飢，慈析人戶为五等，赤貧者完全济助，較好者半济，再好者不济，上者發其存粮而济人，全济之米从官出，众皆奉命，民無餓者。
1239	嘉熙3年	54	累迁提点广东刑獄，粤吏多不奉法，有留獄数年未結案者，慈下令，立期程，閱八月，决辟囚二百余，复以时循行部內，所至雪冤禁暴，虽恶劣处所，轍迹必到。
1240	嘉熙4年	55	移任江西，兼知赣州。
1241	淳祐元年	56	知常州軍州事（自淳祐元年至七年）在任内倡議重修毗陵旧志。
1245	淳祐5年	60	在知常州軍州事任内，重修毗陵志工作之余，开始編纂洗冤录資料。
1247	淳祐7年	62	除直秘閣提点湖南刑獄。所作洗冤集录，刊于湖南宪治。
1248	淳祐8年	63	进直宝謨閣，奉使四路，皆司刑獄事，听訟清明，决事剛果，撫善良甚恩，临豪猾甚威，屬部官吏，以至穷閻委巷深山幽谷之民，咸若有一宋提刑之临其前。
1249	淳祐9年	64	拔直焕章閣，知广州，为广东經略安撫使。三月七日病逝，享年64岁。

（摘录自宋慈年譜）

海藥本草作者李珣考

馮汉鏞

在李濤教授的中国医学史大綱[1]里面，提到唐代有兩部專談外国藥物的書籍。一部是胡本草；一部是海藥本草。海藥本草一書，又名南海藥譜，現在已經散失，沒有刻本流傳。不过書中叙述的藥物，还全部散見于唐愼微的政和証类本草和李时珍的本草綱目。根据唐書和李書統計起来，該書共記有藥品一百二十一味，所記的这121味藥品，絕大部份都是从外国运来的。

至于这部書的作者是誰？自宋以来的藥物学家，都不知道，直到明代李时珍脩本草綱目时，才發現出它是李珣作的。綱目卷一序例上說：

南海藥譜即海藥本草也。凡六卷，唐人李珣所撰。珣蓋肅代时人，收採海藥，亦頗詳明[2]。

时珍謂海藥本草的作者是李珣，这話是对的。而謂李珣是唐肅宗和代宗間人，这話則是錯誤的。嘗考唐时有兩个李珣，一个是唐睿宗李旦的孙子，一个是唐末五代人李玹的哥哥。前一个李珣，旧唐書睿宗三子傳，說他死在玄宗天宝三年（公元744年）以前，不得下为肅宗代宗时人。並且旧唐書还說他"早卒"，毫無事蹟可傳，其不为海藥本草的作者甚明。至于后一个李珣，他的事蹟，則見于十国春秋。十国春秋卷44李珣傳說：

李珣，字德潤，梓州人，昭仪李舜弦之兄也。珣以小辭为后主（王衍）所賞，常制浣溪紗詞，有"早为不逢巫峽夜，那堪虛度錦江春"。詞家互相傳誦，所著有瓊瑤集若干卷。

这一段叙述，是極其簡略的，也是極不完备的。考李珣这人，乃是一个出生于四川梓州的波斯种人。所以当时的人士，都把他称为"土生波斯"[3]。他的兄弟姊妹共有五人。妹妹名叫李舜弦，是前蜀后主王衍的妃嬪，擅長写作，有蜀宮应制詩等篇章[4]。其余的三个兄弟，內有兩个不詳，仅知第四的一个弟弟叫李玹。按茅亭客話卷二李四郎条說：

李四郎名玹，字廷仪，其先波斯国人，随僖宗入蜀，授率府率，兄珣有詩名，預賓貢焉。玹举止溫雅，頗有节行，以鬻香藥为業。

从上面所引的資料，不但可以看出李珣的兄弟姊妹共有五个（四男一女）。而且还可看出他的家庭是經營香藥生意的。所謂香藥，絕大部份是从外国的海舶載运而来，故又称为海藥。李珣的祖先旣是外国（波斯）人，而其家庭又在經营海藥生意，因此他对海藥的性質和功能，就很容易了解，然則海藥本草一書，無疑地应該是唐末五代人李珣的作品。

此外，还有一个証据，也可以說明海藥本草的作者是五代时的李珣，按海藥本草說："釵子股（出嶺南），忠州万州者亦佳"。又說："新罗松子甘溫大美，去皮食之甚香，与云南松子不同，云南松子似巴豆，其味不及"。又說："椰子生云南者亦好"。又說："阿魏生崑崙国，云南長河中亦有"。又說："海紅豆，按徐表南州記生南海人家園圃中，近时蜀中种之亦成"[5]。諸如此类的例子，眞是不胜枚举。从这些例子，就可以看出海藥本草的作者，对四川和云南兩地的藥物情形，是相当的熟悉。这种熟悉，表明了作者与四川或云南的关系很密切。而具有这个条件的，就只有生長在四川的波斯李珣才适合，因此海藥本草一書，自应是五代人李珣所作的了。

海藥本草为"土生波斯"李珣所作，業已考訂明白，至于他的事蹟，除了前面所說的外，还有需要再加以补充的地方。按十国春秋称李珣著有瓊瑤集若干卷，而瓊瑤集一書，已經亡佚，不能見其大概，但从李調元所輯的全五代詩卷46，知珣尙有漁父歌三首流傳下来，玆录其一首于后：

水闊塘冲十里余，信船归去臥看書，輕爵祿，慕玄虛，莫道漁人只为漁。

这一首歌，从文学的艺术修养上来看，虽比不上張志和漁父歌的蕭洒自然（此歌格調系倣張志和），但确也富有漁家風味。除了上述的三首漁父歌外，他还有八首南乡子詞流傳下来。

南乡子詞的內容，是叙述成都的風土人情(6)，其詞曰：

漁市散，渡船稀，越南云树望中微，行客待潮天欲暮，送春浦，愁听猩猩啼瘴雨。（其他七首略）

据宋人赵清献成都古今集記所載，知成都在唐末五代时，有“花市”、“灯市”、“蚕市”、“錦市”、“扇市”、“香市”、“七宝市”、“桂市”、“葯市”、“梅市”、“桃符市”等十二个，而李珣的詞里，还提到“漁市”，足以补充赵氏所記的遺漏，供給了近人研究成都經济情況的史料，是值得我們重視的。还有，在他所著的琼瑤集里，有鳳臺曲一詩，注曰：“俗謂之唱駄子”(7)，“唱駄子”乃是五代时的民歌，然則他的詩，与人民大众也是接近的。此外，在全唐詩里面还叙有他的詩辞(8)，玆不列举。

上面所述，都是他的文学情形，至于他的社会交遊，現在能考出的，只有尹鶚一人。十国春秋卷44尹鶚傳說：

尹鶚成都人也，工詩詞，与賓貢李珣友善。珣本波斯之种，鶚性滑稽，尝作詩嘲之。

尹鶚譏諷李珣的詩，十国春秋沒有录出。惟据何光远鑑戒录卷四斥乱常条，知鶚嘲李珣的詩句是“異域从来不乱常，李波斯强学文章，假饒爭得东堂桂，胡臭薰来也不香”。波斯人因为有“胡臭”，故鶚以“胡臭”来諷刺，但是这种嘲笑，对李珣的人格也起不了什么損害。

总之，李珣在文学上是有修养的，而在葯学方面，由于他是波斯归化的中国人，並且家庭又在販賣香葯——主要是外国輸入的葯品，因此就造成了他对外国葯物的深刻認識，而写成了海葯本草一書。这部書里，对葯物的气味和主治，都有許多發明，补充了神农本草、名医别录，唐本草、食疗本草、本草拾遺等書所說的不足。如草犀一葯，陈藏器謂“煮汁服之，能解諸毒”。而李珣則說它“研燒服之，受毒临死者亦得活”。又如釵子股一葯，陈藏器謂能治“痰瘴天行，蠱毒喉痹”，而李珣則补充說它能“解毒癰疽神效”。又如蒟醬，唐本草謂能“下气溫中破积痰”，食疗本草謂“散結气、心腹冷痛、消谷”。而李珣还补充說它能治“胃弱虛瀉，霍乱吐逆，解酒食味”。再如縮砂密，陈藏器本草拾遺說味酸，而李珣則糾正了这一錯誤，說它味辛平。其他如白茅香，陈藏器謂能治腹內冷，而李珣則說它还能治“小兒遍身瘡皰”。还有如艾納香，陈藏器謂能“治癬辟蛇”。而李珣还說它“可取寸白，合蜂窠浴脚气良”，旁的如白附子，名医别录說它能治“心痛血痹，面上百病引葯勢”，而李珣則补充說它能疗“諸風气冷，足弱無力。疥癬風瘡，陰下濕痒”等症。

除此之外，李珣还对唐本草和本草拾遺的錯誤地方，作出了糾正。如迷迭香，陈藏器說它“性溫無毒，燒之去鬼”。而李珣則糾正說：“性平不溫。至于“燒之去鬼”一語，这种說法，更是明显的錯誤，故李珣也糾正說它“合羌活丸燒之辟蚊蚋”。又如藒車香，陈藏器說它的气味是辛溫，而李珣則糾正为微寒，再如菴摩勒，唐本草說它是“甘寒無毒”，而李珣則糾正为“苦酸甘微寒澁”。还有兜納香、陈藏器說它是甘溫，而李珣則糾正为辛平，像这一类的例子，在海葯中真是不胜枚举。

其他如零陵香一葯，从前的人，都只知它能治心腹惡气齿痛鼻塞，直到李珣出来，才發明了它的“偏胜”，多服就能令人發生出气喘的現象。

另外，在葯物学中，葯性有“相反”，“相惡”，“相需相使”諸作用，例如甘草反大戟芫花，蔓荆子惡烏头石膏，桑白皮則桂心續断为之使，就是明証。而这种“相惡”“相使”的作用，在李珣的海葯本草中，也有所發明。如补骨脂一葯，李珣說它惡甘草，延胡索一葯，李珣說它与三稜鼈甲大黄为使甚良。以上的这些認識，就是他在祖国葯物学上的貢献。

他不但有上述的貢献，而且还增加了15种为唐本草……等書內所沒有的葯物。計金石类有車渠、金線矾、波斯白矾三种。草类有瓶香、宜男草、藤黄等三种。谷类有师草子一种。果类有䕷木麵一种。木类有返魂香、海紅豆、落雁木、奴会木、無名木五种。虫类有海蚕一种，介类有郎君子一种。

这十五种葯物，如师草实一味，在唐末五代时尚未輸入中国，而李珣就把它的葯性概括地介紹給我国。海葯本草說：

师草，其实如毬子，八月收之，彼常食之物，主补虛羸乏損，溫腸胃，止嘔逆，久食健人。一名然谷，中国人未曾見也。

李珣所說的中国人未曾見过师草子，就証实了唐末五代时，此药尙未輸入中国。我根据李珣所介紹的师草子形狀和性質，推测师草子一药，可能就是本草綱目拾遺卷八所載的珠兒粉（珠兒粉功用能健脾胃，补虛羸），也即是現在成都人所說的西米一物。

总結起来說，李珣在文学上是有相当的成就，而在药物学上，他的成就更大，除了介紹許多的海药知識給我們外，同时还給我們增加15种新的药物，刺激了我国药物学的进步和發展。

参考文献

1. 李濤．中国医学史大綱（新中医药1956年7月）。
2. 李时珍謂南海药譜即海药本草，而日人丹波元胤医籍考則說兩書之名，均見于崇文总目，应当各为一書。然考崇文总目仅有南海药譜一卷，無海药本草一名，故丹波的話未足據，而时珍的話是可信的。
3. 何光远：鑑戒录卷四斥乱常条
4. 吳任臣：十国春秋卷38昭仪李氏傳
5. 本文引海药本草原文，均据唐慎微政和証类本草轉引。下同，不再注明。
6. 李調元：全五代詩卷46。
7. 王 灼：碧鷄漫志卷五。
8. 全唐詩第十二函第十册录有珣詩五十四首。

中国眼科学史大綱

李 濤，畢华德 中华眼科杂誌 1956年5号

著者在文章中簡略地論述了祖国各历史时期在眼科学上的成就並大致描繪出眼科学發展中的繼承关系和对其他民族眼科学成就的吸收。著者首先論述了殷墟甲骨文在公元前十四世紀对眼病的記載。又根据黃帝內經，說文，汉書，金匱要略等文献指出公元前后在眼的生理解剖已有了瞳孔，角膜，球結膜，眼肌，內、外眥等記載。把眼病的原因归之于过劳。治疗已知使用多种药物和燒灼法。

既至晉唐时代，在繼承先人成就基础上更吸收了外族医学，眼科学于此更有了輝煌成就。公元七世紀的医学校已有耳目口齿專科。公元610年著作巢氏病源記載眼病有46候之多。公元625年的千金方更提出十六項具体予防眼病的方法。公元752年王燾著外台秘要首先採取印度医学理論（天竺經眼論）。眼科手术記有內障手术（金鎞拔法，刺头出血法），倒睫毛拔除法，血管豎燒灼法等。眼科用药比过去种类增多，如黃連、細辛、羊肝、猪胆、硼砂、矾石……等皆極有价値。唐代另一眼科名著龙树論更有沙眼，前房出血，虹膜脫出和眼珠振顫的記載。

至宋金元时代，眼科学更日益进步，1076年宋代太医局設立九科其中已將眼科独立。宋代的太平聖惠方、聖济总录皆有眼科專卷。龙树論被列为小經，視为医师必讀之書。其后託名孙思邈著的銀海精微其中記載檢查瞳仁，角膜，虹膜，球結膜和眼結膜等檢查方法。手术已有沙眼的刷法，密針刺法，硫酸銅塗抹法，烙法，角膜潰瘍的溫罨法，敷药法、滴药法以及眼瞼內翻的夾法，內障手术等。

明清时代，倪維德著原机啓微对眼科病作了系統解釋，知眼病与全身病密切有关。按病因將眼病分为十八类，在眼科学理論上大大提高一步。王肯堂在1602年总結眼病有171症之多，症候及治法記載極詳，凡肉眼所能檢出的症狀均已記述無遺。公元1644年傅仁宇著审視瑤函一名眼科大全，1748年黃庭鏡著目經大成，对眼病症狀描述更加詳尽。手术方法有撥眼八法，割法，夾法，烙法等比过去更加进步。

（刘佐田 摘）

宋代的人体解剖圖

馬繼兴

我国宋代的人体解剖学領域有了飞躍的發展，而这些成就的获得乃是和祖国当时若干解剖学家們实踐研究工作的努力所不能分开的。

这个阶段的人体解剖学發展特征就是：这时不仅进行了相当多的屍体解剖，並且也开始根据屍体实物加以描繪出来，編成有系統的具有圖譜的解剖学著作。其中特別是在1041——1048年时吳簡的欧希范五臟圖和1102—1106年楊介的存眞圖二書，在解剖学領域中是具有重大的科学貢献的。这些十一世紀中叶与十二世紀初叶的人体解剖学著作不仅是承繼了祖国解剖学的优良傳統，而且在內容方面也是有相当科学的根据和对于当时及后代医学方面的深刻影响的。而这些在世界上有系統的人体解剖学著作是远早于維塞利斯氏的著作四百年之前的。下面我分別地介紹一下。

一、欧希范五臟圖

欧希范五臟圖是在我国文献上最早紀載的根据实物的屍体解剖所編繪一部比較有系統的人体解剖学著作，是由宋代的吳簡[1]（一作灵簡）[2]經过了詳細的人体解剖后繪制而成的。当时吳簡共解剖了56个屍体並由繪工宋景繪就圖譜[3]。被解剖的屍体都是由当时的反动統治阶級所残酷屠杀的起义者，其中的領导人即欧希范，而劊子手即杜杞。

虽然这部人体解剖学著作在其后的宋史艺文志中未經收录，但是与吳簡同时代的学者如范鎮[4]（公元1007—1087年），沈括[5]（公元1030—1094年），叶夢得[6]（公元1077—1148年）以及在此后不久的南宋初期学者赵与时[7]（公元1172—1228年）等的著作中都曾詳細地記載了这部著作的編繪始末和这部著作的內容与缺点問題。而在宋史中所記的当时杀人者杜杞本傳中也提到了这一次鎮压起义者的經过。可見本書确实是在宋代中叶的一部非常重要的著作，可惜这書在宋代以后即已佚傳了。

在本書的內容方面，依有关文献的記載看来，主要是有关人体內臟解剖方面的。此外也涉及到某些病理解剖的部分。在內臟解剖的記載方面我們不妨从下面的記載中看出：

僧幻云史記标注引存眞圖："吳簡云……肺之下，則有心、肝、胆、脾。胃之下有小腸。小腸下有大腸。小腸皆瑩潔無物。大腸則为滓穢。大腸之旁則有膀胱。若心有大者、小者、方者、長者、斜者、直者、有窍者、無窍者、事無相类。惟希范之心，則江而硾，如所繪焉。肝則有独片者，有二片者，有三片者。腎則有一在肝之右微下，一在脾之左微上。脾則有在心之左"[8]。

又："其中黃漫者，脂也"。[9]

从上文的簡略介紹中不難看出其中所說的像肝、腎、脾、心等各种內臟的解剖記載基本上都是很正确的。特別是所記的"黃漫者脂也"一句，更是解剖学者在亲自解剖时看到了大網膜的一个很好証明。

在有关病理解剖方面，本書中曾提到了嗽病患者的肺臟病变和眼病患者的肝臟病变問題。

不过，这次的人体解剖还是有一定缺点的，譬如認为人的喉部下面連接三个管道，即气、水、食。但是，不久之后这个錯誤在楊介进行解剖时就被改正过来了。

二、大解剖学家楊介和他的貢献

楊介是北宋末期的一位著名医生，他的傳

（1）依医籍考卷16轉引楊介之說。

（2）依南宋人赵与时賓退录卷四。

（3）繪工宋景的名字可見陈氏抄本玄門脈訣內照圖卷上，喉嚨一节中。

（4）范鎮著有东齋記事一書，这里所引的是該書卷一。此外关于范氏的生卒年代系根据自錢大昕疑年录，以下所引人物的生卒年代均同。

（5）沈括著有夢溪笔談一書，这里所引是該書卷二十六。

（6）叶夢得著有巖下放言一書，这里所引是該書卷下。

（7）赵与时賓退录卷四。

（8）依丹波之胤医籍考卷16。

（9）同上。

記虽未見于宋史，但是在南宋初期的学者王明清（1121年—？　）的著作中已作过简略的介紹[10]。从这里我們知道他是泗州人，字吉老。此外，在南宋人赵希弁的郡齋讀書后志[11]及僧幻云史記标註中都曾介紹了楊介在从事人体解剖的基础上所編輸的一部更为精确的人体解剖学圖譜，即存眞圖（又名存眞环中圖）一書。

这次的解剖圖从文献上的記載看来，其精确方面是远超过欧希范五臟圖[12]，特别是糾正了后者的一些錯誤。

很可能，自从这部存眞圖問世之后，在解剖学領域中很快就取代了欧希范五臟圖的位置，並且已开始对当时的医学著作方面起了很大的影响。这里不妨先从本書的流傳情况上来看一下。

我們知道，本書不仅流傳到明代尚存[13]，而且在清代初期的一些文献中也記有本書之称[14]，但是此后本書就已失傳了。

虽然本書原著在今天已佚，但是这部偉大的人体解剖学著作中的圖譜部分卻仍然被下面我們所發現的一个文献中所保存下来。这里我們所指的就是孙煥重刋玄門脈訣內照圖一書[15]。

本来，玄門脈訣內照圖一書是伪託华佗的一部著作。这部書的最早刋行年代不詳，现在仅知道早在1095年时即在楊介存眞圖一書尚未問世之前，曾由沈銖校正刋行一次[16]。这是一部包括有人体解剖圖的著作，不过，当时的解剖圖根据是什么还不知道。

但是在存眞圖問世后，元代的学者孙煥在1273年重刋上書时，卻是完全根据了楊介的解剖圖將原来的圖加以很大的修改的，也就說从孙氏刻本起，本書中的解剖圖基本上已經是被保留下来的楊介存眞圖的原形了。关于这个問題，可以从以下我們所引的文献中証明。

孙煥序："……一日，复見宋人楊介存眞圖。……因取介圖左註說，参附其中[17]"。

清人瞿鏞："华佗元門脈訣內照圖二卷，明刋本，題华佗編。集后有序，云："圖左之註，宋人楊介撰。"……是作序者名闕，因序末一叶已失，其姓（按即撰序者之姓——笔者）不可知矣"[18]。

此后，到了明代即1487年时又有名仲蘭者重將孙刋付梓，但这次付梓並未更改原書內容[19]。

这一仲蘭付梓的明刋本，到清代末年即1877年[20]时私家之藏書者如常熟瞿鏞仍有保存，但此后也下落不明了。

不过，虽然仲蘭的刋本已佚，但早在1811年即清嘉庆16年时陈鱣曾重抄此書並撰跋文一篇。此本虽然未获刋行，但卻幸被保存下来，也就是現在被收藏在中国协和医学院中的手抄本二冊。

可見，楊介的存眞圖一書中的基本圖形，至少在这部書中还是可以讓我們認識的。

从这本抄本的內照圖的文字中値得注意的是，經常提到有："以今之臟象（或今圖）校之"的話和"于欧本則非"的对照語。这样看来，所謂"欧本"自然是指的欧希范五臟圖，而今圖当然就是指楊介的存眞圖了。

既然可以認为玄門脈訣內照圖一書中的解剖圖就是存眞圖的保留形象，那末如果我們再拿宋以后，迄于明代的下列著作中所繪的人体內臟解剖圖的部分对照时，就可以更加能証实存眞圖一書对于医学界的影响是多么巨大了。这些著作主要者有：

1118年（政和8年）朱肱內外二景圖[21]。

？施沛臟腑指掌圖[22]。

1546年（嘉靖26年）高武針灸聚英，在本書的参考書目中引有存眞圖一書。

1601年（万曆29年）楊繼州針灸大成，本書的参考

（10）見王明清揮麈余話卷二。

（11）見赵希弁郡齋讀書后志卷二，医家类。

（12）同上。

（13）見明代的菉竹堂書目卷5。

（14）見文淵閣書目卷15及汲古閣毛氏藏書目录医家类均引有存眞圖一書。

（15）內照圖一書有被清人周学海收刋于周氏医学叢書中者，但內容已有节略且已删去圖譜序跋。

（16）見玄門脈訣內照圖，紹聖二年，沈銖校序。

（17）見玄門脈訣內照圖，至元癸酉孙煥序。

（18）見瞿鏞鐵琴銅劍樓書目录卷14，子部，医家类。

（19）見玄門脈訣內照圖，嘉庆16年陈鱣的跋文及鐵琴銅劍樓書目卷14。

（20）按1877年即光緒三年，为瞿鏞鐵琴銅劍樓書目的刊行年代。

（21）此書已佚，主依存眞圖撰成。見錢曾讀書敏求記卷三下。医家。

（22）此書已佚，主依存眞圖撰成。見医籍考卷16。

書目也引有存眞圖一書。

1606年(万曆34年)錢雷人鏡經[23]。

1607年(万曆35年)王圻三才圖会,身体圖会[24]。

1630年(崇禎3年)龔居中万寿丹書臟腑篇[25]。

此外,在明代年代不詳的抄本有凌云針灸秘法全書及手抄秘本針灸銅人圖說[26]等書。

上列各書中的臟腑解剖圖的圖形,經本人細加校对的結果可以說基本上完全相同于現存的內照圖一書中所保留下来的楊介存眞圖的圖形。特别是从針灸聚英、針灸大成等書的引用参考書目中有存眞圖一書的名字看来,更足以看楊介存眞圖一書对于当时及其后解剖学知識的影响是如何的巨大与深刻了。

在这里,我們不妨就根据楊介存眞圖的遺形来研究一下这部偉大的人体解剖学著作內容問題。

三、存眞圖一書的科学內容

如果先从今存的抄本內照圖看来,首先在解剖圖譜方面不仅繪有胸腹腔內臟的前面圖(所謂"人身正面圖")及后面圖(所謂"人身背面圖")而且有下面的一些各系統的分圖:

"肺側圖"是繪出胸部內臟的右側面全形圖。

"心气圖"是繪出右側胸、腹腔的主要血管关系。

"气海膈膜圖"繪出了横膈膜及在其上穿过的血管、食道等的形态。

"脾胃包系圖"这是一幅消化系統的全圖。

"分水闌門圖"繪出了泌尿系統。

"命門、大小腸膀胱之系圖"繪出了生殖系統圖。

以上各圖都有很詳細的說明,而其中所繪的解剖位置与形态可以說基本上都是正确的(見附圖)。

如果再从根据了存眞圖一書所編繪的針灸聚英卷一与針灸大成卷六中的內臟圖看来,虽然沒有臟腑正背面圖但卻繪有人体左矢狀断面之圖,而臟腑的位置也都是和內照圖所繪相一致的。此外尙繪有五臟六腑的各别形态圖几十个(其中三焦及心包均未繪圖),而这些圖大部分也是很符合实际的。

在明代王圻的三才圖会一書中也繪有臟腑正、背面圖、各臟腑的分圖及論說。这些圖說均与內照圖者相同,惟多出題名:"肝有兩叶之圖"一圖,实际上也就人体右側面的矢狀断面圖。(見附圖)

此外像人鏡經、万寿丹書臟腑篇等書所繪的解剖圖均与上述相似,这里就不再介紹。

当然,本書內容虽有很多特点,但是缺点方面还是有的。例如像內照圖一書中所記的小腸下口与膀胱上口相通的問題等都是。

可見,楊介确实是經过实际的人体解剖把內臟的位置与形态如肝、胃、脾、肺、心、腎、腸、胆、膀胱、膈膜、气管、食管、腦和脊髓等的記述与描繪都提供了更为科学的論証,为祖国人体解剖学的發展道路开辟了更为广闊的道路。

(23)上述各書現存中医研究院針灸研究所。

(24)現存北京圖書館。

(25)現存中国科学院圖書館。

(26)現存中医研究院針灸研究所。

附圖說明

圖1 在玄門脈訣內照圖一書卷一所保存下来的楊介存眞圖之一:正面內臟圖(依陈籌抄本描繪)

圖2 內照圖一書中所保存下来的存眞圖之二:循环系統略圖(心气圖)

圖3 內照圖一書中所保存下来的存眞圖之三:L命門大小腸膀胱之系门圖

圖4 明,王圻三才圖会,身体圖会卷二所保留下来的存眞圖,按此圖即系將附圖2与附圖3的內容加以合併者(仿万历刊本描繪)

圖5 明,錢雷刊人鏡經卷八所保留下来的存眞圖:內臟圖(仿雍正癸丑刊本描繪)

圖6 明,楊繼洲針灸大成卷七所保存下来的存眞圖:內臟圖(仿万历板描繪)

圖7 明,龔居中万寿丹書臟腑篇上書中所保留下来的存眞圖:內臟正面(仿崇禎庚午刊本描繪)

圖8 同上,內臟后面(仿崇禎本描繪)

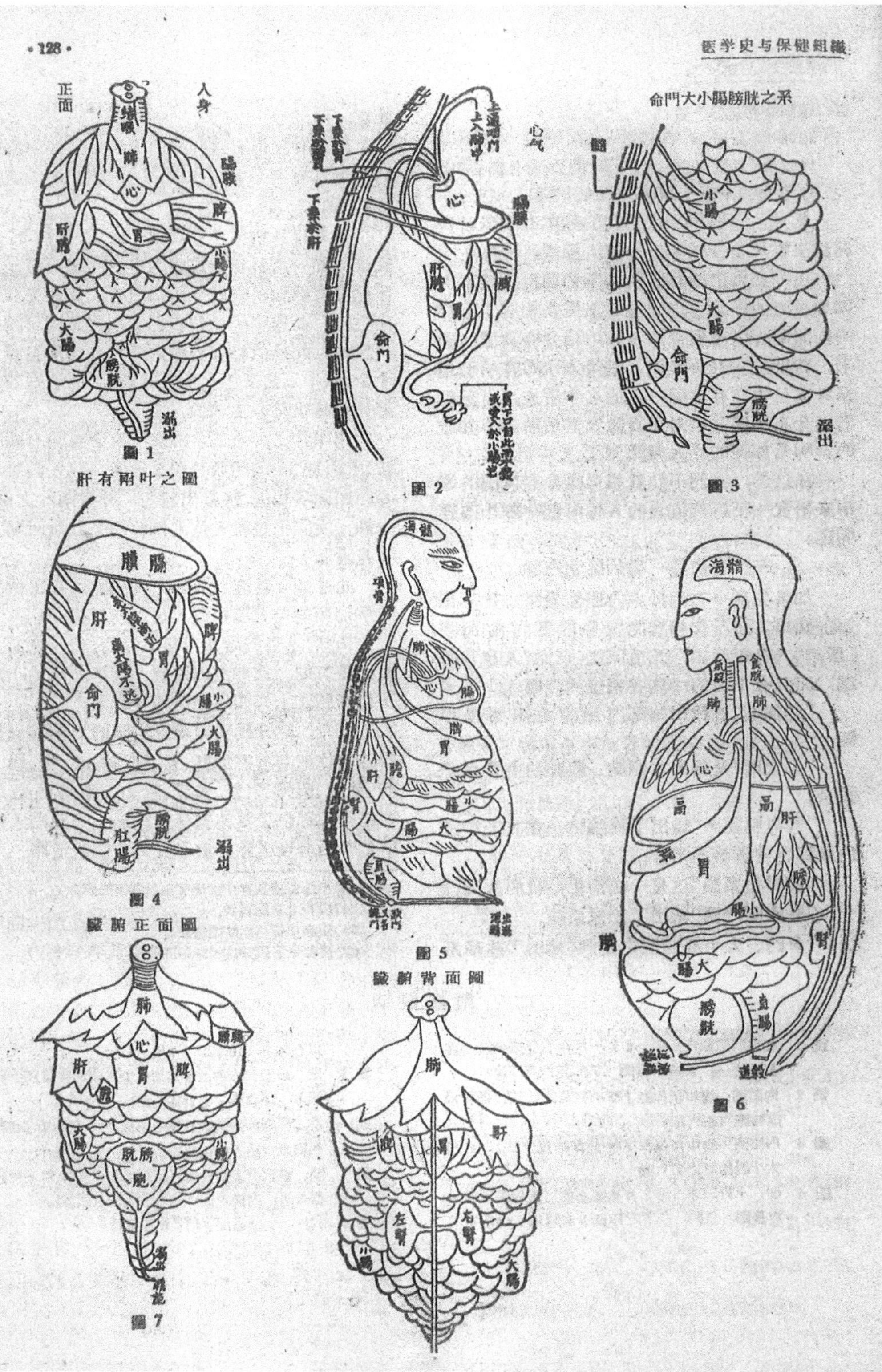

圖 1

圖 2

圖 3

圖 4

圖 5

圖 6

圖 7

揩 齿 考

——从敦煌壁画"揩齿圖"談到我国历代的揩齿、刷牙和潔齿剂

周宗岐

在北京故宫博物院所展出的敦煌壁画和彩塑，是祖国的艺术匠师們所創造出来的偉大的民族艺术品。这些作品里包含着从四世紀到十四世紀約1,000年間中国古典艺术的演变和發展的过程，反应出当时的艺术匠师們如何通过佛教故事，运用着傳統的技术所創造出来的富有現实主义精神的艺术傑作，使我們能够从这些作品中观察到历代人民生活的眞实情况来。

这次的展出品中有兩幅壁画与医史方面有很大关系：一为盛唐时代的"得医圖"[1]；一为晚唐时代的"劳度叉斗聖圖"中的揩齿部分。

"劳度叉斗聖圖"在敦煌莫高窟第196窟，是一幅高4米，寬10米的大壁画。其中有一部分描写着洗髮、剃头、刮臉、揩齿的情形。这張壁画是文物先进工作者李承仙同志用分塊攝影后放大的方法臨摹的。

現在我們看一看"劳度叉斗聖圖"中的揩齿部分(附圖)：在这張揩齿圖中可以看到这位受戒者在被剃过头之后，为了清潔牙齿，蹲在地上，左手拿着漱口水瓶，用右手中指在揩他的前齿。这可以說是我国最古的一幅有关口腔衛生方面的繪画了。

揩齿是我国古代清潔牙齿的一种方法，所用的葯物，主要是鹽，有时还加入几味其他葯品。除直接用手指揩齿之外，还可用楊柳枝的一端，咬成或打成刷狀，蘸葯揩齿。

我国从什么时候才有揩齿一說呢？有关揩齿的最初記載，首見于南北朝梁代刘峻撰类苑[2]一書，有"西嶽华山峯碑載治口齿烏髭歌"一首，謂："猪牙皂角及生姜，西國升麻蜀地黄，木律旱蓮槐角子，細辛荷叶要相当。青鹽等分同燒煆，研煞將来使更良。揩齿牢牙髭鬢黑，誰知世上有仙方"。

到了唐代，揩齿就相当普及了，我們到处可以見到这种記述。

孙思邈撰备急千金要方卷6有"每旦以一捻鹽內口中，以煖水含，揩齿及叩齿百遍，为之不絕，不过五日，口齿即牢密。凡人齿斷不能食果菜者，皆由齿根露也，为此鹽湯揩齿、叩齿法，無不愈也"。

王燾撰外台秘要卷22有升麻揩齿方，記載着用楊柳枝揩齿的方法。为"升麻半兩 白芷、藁本、細辛、沉香各3分 寒水石6分研 右6味擣篩为散，每朝楊柳枝咬头軟，点取葯揩齿，香而光潔"。

这种將楊柳枝头咬軟，使成刷狀，点葯揩齿的方法，是从印度傳来的。並且傳到中国的年

劳度叉斗聖圖

(1) 陶大成：得医圖說明. 中医杂誌. 第2期封4，1956.

(2) 引宋張杲撰医說卷4，頁34。癸酉夏五陶風樓刊本。

代相当早，大約在汉代就知道用这种方法清潔口腔了。

后汉安世高譯温室經（即佛說温室洗浴众僧經）(1)中就有这种敘述，並且說用楊柳枝潔齿之后，可使"口齿好香，方白齐平"。

据現存文献的記載，笔者还沒找到唐代有使用牙刷的事实。因此可以認为唐代只有"揩齿"而沒有"刷牙"。中国的牙刷实物(2)，見于近年在赤峰县發現的辽駙馬衛国王的墓葬出土物中。这是辽应曆9年（公元959年）的墓葬，在这里發現的兩把牙刷柄，可能是中国最早的牙刷。

我国有关牙刷及刷牙的最早記載，見于北宋宝元中温革撰瑣碎录(3)一書，謂"早起不可用刷牙子，恐根浮兼牙疎易搖，久之患牙痛，蓋刷牙子皆是馬尾为之，極有所損，今时出牙者尽用馬尾灰，盖馬尾能腐齿齦"。

从这段描述，我們可以了解宋代牙刷所植的毛束是馬尾的。宋代虽然有人使用馬尾制的植毛牙刷，但揩齿的風俗，也很普遍，我們到处可以見到这种記述。

苏軾撰东坡仇池笔記(4)有"揩齿固牙方"謂"松脂出鎮定者佳，稀布盛入沸湯煮，取浮水面者，投冷水中，不出者不用，研末，入百茯苓末和匀，日用揩齿漱口，亦可嚥之，固牙駐顏"。

周密撰云烟过眼录(5)有宋英宗（公元1064年）書齿葯方，为"生地黃、細辛、白芷、皂角各1兩，去皮子入袋中，黃泥固，济炭5—6斤煆令灰尽，入殭蚕1分，甘草2錢，为細末，早晚揩齿，並治衄血动搖等疾"。

公元1107年（宋大观元年）陈师文等撰太平惠民和剂局方(6)中也收集了一些揩齿葯方，今举2例如下：

"麝臍散：郁李仁20兩　木律24兩　麝香空皮子100个結剉　黃茄20个細切　牛膝去蘆10斤　以上5味搗碎入罐子內，上用瓦子盖口，留1小竅，用鹽泥固济，燒令通赤，候烟白色，即住火取出，以新土罨一伏时，取出后入下項葯：細辛去蘆　升麻各10斤　右件为細末，每用少許揩患处，常用令牙齿堅牢。

赴宴散：良姜去蘆　草烏去皮　荆芥去梗　細辛去土叶各2兩　右件4味，碾为末，每用少許，于痛处擦之，有涎吐出，不得吞嚥，良久用温鹽湯灌漱，其痛即止。常使揩牙，用腐炭末一半相和，常用止牙宣，辟口气，永無牙疾。

宋徽宗赵佶等于政和間所撰聖济总录(7)一書中仅揩齿方就有60余項，有用楊柳枝揩齿的处方，也有用手指揩齿的处方。如"揩齿細辛散、揩齿龙腦散、揩齿秦椒散、揩齿貝齿散、揩齿丹砂散、揩齿防風散、揩齿白芷散、揩齿皂荚散、揩齿石英散、揩齿牛膝散……"等。

本書对于揩齿和叩齿的重要性描写的很科学，謂清潔口腔可促使血循环旺盛和增进唾液分泌，並能防止口臭，加强齿槽和牙齿的健康。但若不按常規揩齿，反能惹起其他口腔疾患。可見所提出的这些注意事項，是很合理的。其原文为"齿者骨之所終，髓之所养，摧伏諸谷，号为玉池，揩理鹽漱，叩琢导引，务要津液荣流，滌除腐气，令牙齿堅牢，斷齗固密，諸疾不生也……或緣揩齿無方，招風致病者，盖用之失宜，反以为害，不可不知也"。

今举本書所載揩齿方2例如下：

"石膏研1兩　凝水石研2兩　丹砂研1分　升麻半兩　白芷1兩　細辛去苗叶　藁本去苗土各半兩　沉香1兩剉　右8味並搗罗为散，每日揩齿。用柳枝咬头令軟，点葯末揩齿，常令鮮淨。去惡气便入麝香少許甚佳。

藁本去苗叶　升麻、皂角不蚛者燒灰存性各半兩　石膏1兩半　右4味擣罗为散，臨臥时以手蘸揩擦齿上，微漱存葯气"。

公元1134年（宋紹兴4年）張銳撰雞峯普济方(8)中有揩齿方"齐天銀、項亂散、青散子"等，並主張每日早晚各揩1次，今仅举"齐天銀"如下：

---

(1) 引自藤浪剛一著：东西沐浴史話，頁39，人文書院刊，昭和19年。

(2) 見北京故宮博物院5省出土文物展覽陈列品。

(3) 見宋周守中撰养生类纂，明万曆丙申年胡文煥刊本。

(4) 轉引李时珍本草綱目卷34木部。

(5) 見明江瓘輯名医类案卷7。

(6) 宋陈师文等撰太平惠民和剂局方，卷7頁10日本享保年京都書林版

(7) 大德重校聖济总录卷121口齿門，上海文瑞樓刊本。

(8) 宋張銳撰雞峯普济方，卷20，清道光戊子艺芸書舍刊本。

"寒水石1兩 丁香、雄黃別研 白芷、芍葯、升麻、牛膝、仙灵脾根、当归、黃丹、甘松各6銖 細辛半分 麝香·1分別研 右13味为細末，每日早晚用之，先以热水漱口，取1錢揩牙齿"。另方"頂礼散"的用法是"每用食后临臥，先淨漱口，用指头捏葯揩牙，后即漱口，临臥时更不須漱口，必1日兩次"。

洪迈撰續夷堅志[1]中也有一段揩牙葯的处方和医案，为"茯苓、石膏、龙骨各1兩 寒水石2兩半 白芷半兩 石燕子大者1枚小者1双末之，早晚揩牙。𦻟峙王文汉卿得此方于鱗撫折守，折守得之于国初洛陽帅李成，折年逾90，牙齿都不疏豁，亦無風虫。王公今90，食肉尙能齿决之，信此方之神也"。

公元1170年(宋乾祐元年)洪遵輯洪氏集驗方[2]有揩齿方为"华陰細辛、多年石灰，右2味等分为末，每用少許揩牙。"另1方为"細辛、干姜、川烏、華撥、吳茱萸各半兩 䓀草1兩 木律1分 右为細末 先用鹽湯蘸湿，手点葯揩牙，候良久，葯力敗，用温水灌漱"。

根据以上事实，可見宋代的揩齿也和唐代一样，有的用手，有的还用楊柳枝。所用的揩齿葯品，不仅可供清潔牙齿，而且还兼有治疗口腔疾患的作用。

公元1237年(宋嘉熙元年)陈自明著妇人良方大全[3]产后將护法項下有"不可刮舌，恐伤心气，不可刷齿，恐致血逆"等句。所謂之"刷齿"，当然是要使用牙刷的，可知宋代不但有了牙刷，而且刷牙的習慣，也較为普遍了。

到了元代，刷牙的風俗更为普及，刷牙的知識也更較丰富了。公元1281年(元忽必烈至元18年)罗天益撰衛生宝鑑[4]有"刷牙葯遺山牢牙散"，其处方內容虽与洪迈的处方大致相同，但已將其用法改为"右为細末，早晚刷牙"。

公元1330年(元天曆3年)忽思慧編飲膳正要[5]中有兩項有关刷牙的記載，謂"凡清旦刷牙不如夜刷牙，齿疾不生"。又謂"凡清旦刷牙，平日無齿疾。"

由于以上闡述，可知元代不但主張早晨刷牙，还主張夜間刷牙，这种想法在口腔衛生方面是很有价值的。

"揩齿"一詞，明代多与"擦牙"通用，这也許是因为牙刷漸次普及之后，用楊柳枝"揩齿"的風俗，已被"刷牙"所代替了。在明代的文献中，很难找到用楊柳枝揩齿的記載，因此，明代所謂之揩齿或擦牙，多指用手指去揩或擦而言的。

今將明代的揩齿、擦牙方略举数項如下：

朱橚撰普济方[6]謂"用荔枝連売燒存性，研末擦牙"，及"老生姜瓦焙，入枯礬末同擦之"。另有揩齿方为"大栝楼1个，开頂，入青鹽2兩，杏仁去皮尖37粒，原頂合紥定，蚯蚓泥和鹽固济，炭火煅存性，研末，每日揩牙3次，百日有驗"，及"用附子1兩，燒灰，枯礬1分，为末揩之。"

因为刷牙的人多了，許多揩齿葯也改为刷牙葯了。如公元1427年(明宣德2年)胡濙撰衛生易簡方[7]謂"用細辛、白芷、茯苓、升麻、華撥、青鹽、石膏、川芎、皂角去皮弦，酥炙等分为末，早晚刷牙，温水漱之"。又有"刷牙葯：用香附子炒熟，大黃煨各1兩，以橡子20个內18个裝滿青鹽，于砂器內單擺，碗盖燒存性，与生橡子2个並香附子、大黃同为末，每日刷牙。"

明代除馬尾制牙刷之外，还有棕制牙刷，也有人不主張用这种牙刷。公元1498年(明弘治11年)高濂撰遵生八箋[8]就有这种記述，謂"漱齿勿用棕刷，敗齿。"

明代还主張用鴛鴦手擦牙，所謂之"鴛鴦手"当然是指双手了。由此可見擦牙是左右兩手都可以用的。公元1550年(明隆庆3年)張时徹撰攝生众妙方[9]中就有这种記載，有擦牙方謂"当归酒浸去蘆 川芎不用西芎 香附子去毛 荆芥去皮 白芍葯、枸杞子出甘省者 青鹽、熟地黃、川牛膝酒浸 右各3兩为細末，用米1升半煮飯，將前葯拌勻，分作7团，陰干，置桑柴火燒灰存性，研为細末，鉛盒盛之，每清晨

(1) 見魏之秀撰續名医类案卷17。

(2) 見宋人医方三种洪氏集驗方，卷4，商务版。

(3) 宋陈自明著妇人良方大全卷18，明嘉靖戊申三月金陵唐对溪刊本。

(4) 引自景元刻本济生拔粹卷18，衛生宝鑑，商务版。

(5) 見四部叢刊續編飲膳正要，卷1，景明刊本，商务版。

(6) 引自李时珍本草綱目，卷31果部。

(7) 明胡濙撰衛生易簡方，乾隆辛丑年留之堂刊本。

(8) 明高濂撰遵生八箋，卷8，嘉庆庚午年鍾伯敏校本。

(9) 明張时徹撰攝生众妙方，卷9，齿牙門，明隆庆3年刊本。

鷩鶿手擦牙，年老牙齿不落不痛極妙。”

公元1590年（明万曆18年）李时珍撰本草綱目[1]有“齿黄糯米花白灰，旦旦擦之”，及“楓香脂燒过揩牙”等記載。

公元1592年（明万曆20年）宁源撰食鑑本草[2]謂“羊蹄脛骨以火煉为細末，入飞鹽2錢和匀，每早擦牙齿上漱去。”

公元1615年（明万曆43年）龔廷賢撰寿世保元[3]一書中仅“擦牙方”就有10数項之多，今不一一贅述。

清代的擦牙方更多了，甚至有人只主張“擦牙”而不主張“刷牙”，如1773年（清乾隆38年）曹庭栋撰老老恒言[4]謂“鬉刷不可用，伤輔肉也，是为齿之祟。”他認为鬃制牙刷有害，也許是由于刷法不合理而損伤了齦組織所致。从这段叙述可知我国历代的牙刷毛束，有馬尾制的，有植物棕制的，也有馬鬃制的。

最后再談一談揩齿的方法：晚唐时代的敦煌壁画揩齿圖所描写的是用右手中指揩齿，李濤教授[5]謂“用自己的左手指揩牙”，宋張銳[6]謂“用指头捏葯揩牙”，宋洪遵[7]謂“手点葯揩牙”，明張时徹[8]謂“每清晨鷩鶿手擦牙，明天啟2年刊扶寿精方[9]謂“每蚤鷩鶿手擦牙2次”，清厚德堂集驗方萃編[10]謂“用时以中指挑葯擦之”。

口腔科方面的祖国医学遺产是相当丰富的。据笔者的初步調查，仅潔牙剂的处方，就有数百种之多，可知我国古代人民是很重視口腔衛生的。当然其中也有一少部分是不合科学原則的东西，我們今天沒有必要来隐瞞这些缺点，因为我們是应当以實事求是的科学态度来对待祖国医学遺产的。但是这些潔牙剂的制法大多数是將葯物裝入瓶中，用火燒成灰之后，再研成細末，才能用以揩齿或刷牙的。所以可以說这种潔牙剂是經过消毒的很清潔的牙粉了。

我国最初發明牙刷是公元第十世紀，有赤峯县發現的辽駙馬衛国王的墓葬出土物为証。我国古代的牙刷柄是骨制的，刷毛是馬尾、植物棕或馬鬃制成的。

我国宋代就主張食后及临臥揩齿，並注意到揩理不当反而有害。元代更主張每天早晚各刷牙一次，以防止口腔疾患。这都是些很宝貴的口腔衛生知識，可見祖国的医学遺产中的确蘊藏着很多有价値的具有科学內容的东西。我們要認真的發揚和整理祖国的医学文化遺产来丰富現代医学的科学內容。相信在这个基础上，口腔医学方面將会有更大的發展。

（1）明李时珍本草綱目，卷22谷部，商务版。

（2）明宁源撰食鑑本草，卷上頁6，明万曆20年胡文煥校本。

（3）明龔廷賢撰寿世保元卷6，頁17—24　經綸堂刊本。

（4）清曹庭栋撰：老老恒言，卷1頁10，同治9年刊本。

（5）李濤：中国口腔医学發展大綱，中华口腔科杂誌，第4号，1955.

（6）宋張銳撰雞峯普济方，卷20，道光戊子艺芸書舍刊本。

（7）宋人医方三种，洪氏集驗方，卷4，商务版。

（8）明張时徹撰攝生众妙方，卷9，齿牙門，明隆庆3年刊本。

（9）新刻扶寿精方（未著撰人氏名）卷1頁10，明天啓2年刊本。

（10）清同治四年奇克唐阿輯厚德堂集驗方萃編，卷1，頁10，同治9年刊本。

消　　息

医史学家斯格里氏逝世

現代医学史家斯格里氏（Prof. H. Sigerist）于3月17日逝世。氏曾計划編写一部世界医史巨著，共計七卷，今只出版一卷而去世，未能完成其全部著作。

北史医学史料彙輯

陈邦賢

一、全編共分十一章：第一章职官；第二章著名医学家；第三章衛生；第四章解剖資料；第五章寿命和胎产；第六章疾病；第七章病因；第八章疗治；第九章調护；第十章药品。每章分为若干节，間有不分节的；每节分为若干目；每目分为若干条，每条都註明出处，俾便查考。

二、北史包括北魏北齐北周和隋朝，从公元385—617年，建立在北中国的鮮卑族的或鮮卑化的北朝政权，和隋王朝的統治；当时的文化，佛教和道教，都具有很大的影响。在医学上著名医学家有周澹，李修，徐謇，徐之才，王显，馬嗣明，姚僧垣，褚該，許智藏等，各極一时之盛。医疗上既有針灸，艾炷，水疗，方药等唯物的治疗，又有祈禱，符呪，禳厭，咒禁等唯心的治疗；精华和糟粕，有待于研究医史者分析和批判。

一、职 官

太医令 周澹京兆鄠人也；多方术，尤善医药，遂为太医令。（周澹傳78）

后卒于太医令，贈青州刺史。（李修傳78）

太医正 僧垣幼通治，居丧尽礼，年二十四，即傳家業，仕梁为太医正，加文德主帅。（姚僧垣傳78）

医正 医正張愷等以驍果作乱，入犯宮闈。（隋本紀下12煬皇帝）医正張愷等日夜聚博，約为刎頸交。（宇文述傳67）

太医 顯臥病在家，帝遣太医馳驛就疗。（邢巒傳31）

司医 司医三人，掌方药卜筮。（后妃上列傳1）

尚药丞 除珽尚药丞，寻迁典御。（祖珽附瑩傳35）

尚药典御 父选以医术仕魏，为尚药典御。（乐遜附赵文深傳70）（子間）齐天保初为尚药典御。（崔逞附彧傳12）景哲弟景鳳，字鸞叔，位尚药典御。（崔逞附彧傳12）

司药丞 宣武初好騎乘，因是获寵位司药丞，仍主廐閑。（茹皓傳80）

司药 司药掌医巫药剂。（后妃上列傳1）

中嘗药典御 灵太后临朝，为中常侍崇訓太仆，領中嘗药典御，（賈粲傳80）

二、著名医学家

著名医家 周澹、李修、徐謇、謇兄孙之才、王显、馬嗣明、姚僧垣、褚該、許智藏、方药特妙，各一时之美也；而僧垣診候精审，名冠一代，其所全济，固亦多焉；而弘兹义方，皆为令器，故能享眉寿，縻好爵。老聃云，“天道無亲，常与善人”，于是信矣。許氏之运針石，百載可称。（列傳78）

周 澹

周澹，京兆鄠人也；多方术，尤善医药，遂为太医令。……神瑞二年（公元415）京师飢，朝議迁都于鄴，澹与博士祭酒崔浩进計，言不可，明元曰：“唯此二人，与朕意同”，韶賜澹浩妾各一人。卒謚曰恭。（周澹傳78）

李修 李元孙

李修字思祖，本陽平館陶人也。父亮少学医术，未能精究，太武时奔宋，又就沙門僧垣，略尽其术，針灸授药，罔不有效，徐兗間多所救恤。……修兄元孙，随畢众敬赴平陽，亦遵父業而不及，以功拜奉朝請。修略与兄同，晚入代京，历位中散令，以功賜爵下蔡子，迁給事中。太和中（公元479—499）常在禁內，文明太后时有不豫，修侍針药多效，賞賜累加。……集諸学士及工書者百余人，在东宮撰諸药方百卷，皆行于世。先是咸陽公高允虽年且百岁，而气力尚康，孝文文明太后时令修診視之，一旦奏言允脉竭气微，大命無述，未几果亡。后卒于太医令，贈青州刺史。（李修傳78）

徐謇 徐文伯 徐雄 徐之才 徐之范

徐謇，字成伯，丹楊人也；家本东莞，与兄文伯等皆善医药，謇因至青州，慕容白曜平东楊获之送京师，献文欲驗其能，置病人于幕中，使謇隔而脉之，深知病形，兼知色候，遂被寵遇为中散，稍迁內行長。文明太后时問經方，而不及李修之見任用。謇合和药剂攻疗之驗，精妙于修。

而性秘忌，承奉不得其意，虽貴为王公，不为措疗也。孝文迁洛，稍加眷待，体小不平及所寵，馮昭仪有病，皆令处疗。又除中散大夫轉侍御师。謇欲为孝文合金丹致延年法，乃入居嵩高，採营其物，历岁無成。遂罢。二年上幸县瓠有疾大漸，乃馳驲召謇，令水路赴行所，一日一夜行数百里，至診省有大驗。九月車駕次于汝濱，乃大为謇設太官珍膳，因集百官，特坐謇于上席，遍陈餚觴于前，命左右宣謇救攝危篤振济之功，宜加酬賚，乃下詔褒美，以謇为大鴻臚卿金乡县伯，又賜錢絹杂物奴婢牛馬，事出丰厚，皆經內呈。諸亲王咸陽王禧等各有別賚，竝至千匹。从行至鄴，上犹自發动，謇日夕左右。明年从諧馬圈，上疾势遂甚，蹙蹙不怡，每加切誚，又欲加之鞭捶，幸而获免。帝崩后，謇随梓宮还洛。謇常有將餌及吞服道，年垂八十，而鬢髮不白，力未多衰。正始元年(公元 504)以老为光祿大夫，卒贈安东將軍，齐州刺史，謚曰靖。……文伯仕南齐，位东莞、太山、蘭陵三郡太守。子雄，員外散騎侍郎，医术为江左所称，事竝見南史。雄子之才，幼而儁發，五岁誦孝經，八岁略通义旨；……年十三召为太学生，粗通礼易。……(豫章王)綜收斂僚屬，乃訪知之才在彭泗，啟魏帝曰："之才大善医术，兼有机辯"。詔征之才，孝昌二年(公元526)至洛，敕居南館，禮遇甚优。謇子踐啟求子才还宅。之才药石多效，闚涉經史，發言辯捷，朝賢竟相要引，为之延譽。……武明皇太后不豫，之才疗之，应手便愈，孝昭賜綵帛千段，錦四百匹。之才既善医术，虽有外授，頃即征还，既博識多聞，由是于方术尤妙。大宁二年(公元324)春武明太后又病，之才弟之范为尙药典御，敕令診候，內史皆令呼太后为石婆，盖有俗忌，故改名以厭制之。……帝每發动，暫遣騎追之，針药所加，应时必效。……年八十卒，贈司徒公，录尙書事，謚曰文明。……弟之范亦以医术見知，位太常卿，特听襲之才爵，西陽王入周，授仪同大將軍开皇中(公元581—600)卒。(徐謇傳78)

王　显

王显，字世荣，陽平乐平人也；自言本东海郯人王朗之后也。父安上，少与李亮同师，俱受医药，而不及亮。显少历本州从事，虽以医术自通，而明敏有决断才用。……久之补侍御师。宣武自幼有微疾，显攝疗有效，因稍蒙眄識。……后宣武詔显撰药方三十五卷，頒布天下，以疗諸疾。……上每幸东宮，显常近侍，出入禁中，仍奉医药，賞賜累加，为立館宇，寵振当时，以营疗功封衛国县伯。及宣武崩，明帝踐作，……显既蒙仕遇，兼为法官，恃势使威，为时所疾，朝宰託以侍疗無效，执之禁中，詔削爵位，徙朔州。(王显傳 78)

馬嗣明

馬嗣明，河內野王人也，少博綜經方，为人診脉，一年前知其生死。……隋开皇中(公元581—600)卒于太子药藏监。然性自矜大，輕諸医人。自徐之才崔叔鸞以还，俱为所輕。(馬嗣明傳78)

姚僧垣

姚僧垣，字法衛，吳兴武康人，吳太常信之八世孙也。父菩提，梁高平令，尝嬰疾疢历年，乃留心医药。梁武帝召与討論方术，言多会意，由是頗禮之。……年二十四，即傳家業，仕梁为太医正，加文德主帅。……僧垣少好文史，为学者所称。……及魏軍尅荆州，僧垣犹侍梁元，不离左右，为軍人所止，方泣涕而去。寻而周文遣使馳驛征僧垣，燕公于謹固留不遣，謂使人曰："吾年衰暮，疾病嬰沉，今得此人，望与之偕老。"周文以謹勳德隆重乃止。明年随謹至長安。武成元年(公元559)授小畿伯下大夫金州刺史。……天和六年(公元571)迁遂伯中大夫。建德三年(公元574)文宣太后寢疾，医巫杂說，各有同異，武帝引僧垣坐問之，对曰："臣准之常人，窃以憂惧"。帝泣曰："公既决之矣，知复何言！"其后复因召見，乃授驃騎將軍，开府仪同三司，敕停朝謁，若非別敕，不劳入見。……宣政元年(公元578)表請致仕，优詔許之。是岁帝幸云陽，遂寢疾，乃召僧垣赴行在所，內史柳昂私問曰："至尊脉候何如？"对曰："天子上应天心，或当非愚所及，若凡庶如此，万無一全。寻而帝崩。……大象二年(公元580)除太医下大夫。帝寻有疾，至于大漸，僧垣宿直侍疾，帝謂隋公曰："今日性命，唯委此人。"僧垣知帝必不全济，乃对曰："臣但恐庸短不逮，敢不尽心。"帝頷之。及靜帝嗣位，迁上开府仪同大將軍，隋开皇初(公元

581)进爵北絳郡公。三年(公元583)卒,年八十五。……僧垣医术高妙。为当时所推,前后效驗,不可胜紀。声誉旣盛,远聞边服,至于諸蕃外域,咸請託之。僧垣乃参校征效者,为集驗方十二卷,又撰行記三卷,行于世。(姚僧垣傳78)

褚 該

褚該,字孝通,河南陽翟人也。……該幼而謹厚,尤善医术。仕梁历武陵王府參軍,随府而上,后与蕭撝同归周。自許奭死后,該稍为时人所重,宾客迎候,亞于姚僧垣。天和初(公元566)位县伯下大夫,进授車騎大將軍仪同三司。該性淹和,不自矜尚,但有請之者,皆为尽其艺术,时論称其为長者。后以疾卒,子則,亦傳其家業。(褚該傳78)

許智藏 許 澄

許智藏,高陽人也。祖道幼常以母疾,遂覽医方,因而究極,时号名医。誡諸子曰:"为人子者,嘗膳視葯,不知方术,豈謂孝乎?"由是遂世相傳授。……智藏少以医术自达,仕陈为散騎常侍,陈灭,隋文帝以为員外散騎侍郎,使詣楊州。……煬帝即位,智藏时致仕,帝每有苦,輒令中使就宅詢訪,或以轝迎入殿,扶登御牀,智藏为方。奏之無不效。卒于家,年八十。宗人許澄,亦以医术显,澄父奭仕梁为中軍長史,随柳仲礼入長安,与姚僧垣齐名,拜上仪同三司。澄有学識,侍父業,尤尽其妙。历位尙葯典御諫議大夫,封賀川县伯。父子俱以艺术,名重于周隋二代,史失其事,故附云。(許智藏傳78)

張子信

張子信,河內人也。頗涉文学,少以医术知名,恒隐白鹿山;时出遊京邑,甚为魏收崔季舒所重。大宁中(公元323—325)征为尙葯典御。武平初又以大中大夫征之,听其所志还山。……子信,齐亡卒。(張子信傳77)

崔 彧 崔景哲

(崔)彧字文若,頤兄褘之孙也。父勳之,字宁国,位大司馬外兵郎贈通直郎。彧与兄相如俱自宋入魏,相如以才学知名,早卒。彧少逢隐沙門,敎以素問、甲乙,善医术。中山王英子略曾病,王显等不能疗,彧針之,抽針即愈,复位冀州别駕,性仁恕,見疹者喜与疗之。广教門生,令多救疗。其弟子淸河赵約、勃海郝文法之徒,咸亦有名。彧子景哲豪华,亦以医术知名,仕魏太中大夫司徒長史。景哲子閙,字法峻,……齐天保初为尙葯典御。……景哲弟景鳳,字鸞叔,位尙葯典御。(崔逞傳附彧12)

崔季舒

(崔)季舒,字叔正,少孤,性明敏,涉獵經史,長于尺牘,有当世才具。年十七为州主簿,为大將軍赵郡公琛所器重,言之齐神武。神武亲简丞郎,补季舒大行臺都官郎中。……季舒本好医术,天保中于徙所無事,更銳意研精,遂为名手,多所全济,虽位望轉高,未曾懈怠,縱貧賤厮养,亦为之疗护。(崔挺附季舒傳20)

李元忠

元忠以母多患,專心医葯,遂善方技,性仁恕,無貴賤,皆为救疗。……卒……書籍葯物,充滿篋架。(李灵附曾孙元忠傳21)

李 密

(李雄)子密,字希邕,少有节操,母患积年,名医疗之不愈,乃精習經方,洞閑針葯,母疾得除,由是以医术知名。(李裔附子子雄傳21)

祖 珽

及陰陽占候医葯之术,尤是所長。(祖瑩附珽傳35)

拓跋英(南安王楨)子英性識聪敏,善騎射,解音律,微曉医术。(景穆十二王下南安王楨子英傳6)

由吾道荣

由吾道荣,琅琊沐陽人也。少为道士,入長白山太山,又遊燕赵間。聞晉有人大明法术,乃尋之,是为人家佣力無名者,久求訪始得其人,道家符水禁呪陰陽历数天文葯性,無不通解,以道好尙,乃悉授之。(由吾道荣傳77)

陆法和

初八疊山多惡疾人,法和为採葯疗之,不过三服即差,即求为弟子。山中多毒虫猛兽,法和授其禁戒,不复噬螫(陆法和傳77)

三、衛 生

飲料 郡濒海,水味多咸苦,豹命鑿一井,遂得甘泉,遐邇以为政化所致。豹罢归后,井味复咸(房豹傳27)

無水处禱而掘井,泉源湧出,至今号曰赵郡王泉。(赵郡王叡傳39)

素乏水，南門內有大井，随汲即竭，鑒具衣冠俯井而視，至旦而井泉涌溢，有異于常。（平鑒傳43）

飲冰　定州先藏冰，長史宋欽道以叡冒热，遣倍道送冰，正遇炎盛，咸謂一时之要。叡对之歎曰："三軍皆飲温水，吾何义独进寒冰？"遂至銷液，竟不一尝，兵人盛悦。（赵郡王叡傳39）

食品和營养　設至中夜，賜浩縹醪酒十斛，水精戎鹽一兩；曰："朕味卿言，若此鹽酒，故与卿同其味也"（崔宏傳 9 ）

自平城从迁洛邑，常飲牛乳，色如处子。（王琚傳 80）

飡松餌术　飡松餌术，栖息烟霞。（徐則傳76）

飡松餌术，栖隐灵岳五十余年。（仝上）

飧玉　又加好酒損志，及疾篤謂妻子曰："吾酒色不絕，自致于死，非药过也，然吾尸体必当有異，勿速殯，令后人知飧服之妙"。时七月中旬，長安毒热，預停屍四宿，而体色不变。其妻常氏以玉珠二枚唅之，口閉，常謂曰：君自云飧玉有神驗，何不受含？言訖，齿啟納珠，因嘘其口，都無穢慼。举斂于棺，堅直不傾，委死时有遺玉屑数升，囊盛納諸棺中。（李先傳15）

淨齿　每旦澡洗，以楊枝淨齿，讀誦經咒，又澡洒乃食。食罢还用楊枝淨齿，又讀經咒。（異腊傳 83）

清潔　其人清潔，于胡俗剪髮齐眉，以錦鋤埝之，昱昱然光澤。

日三澡漱，然后飲食。（悦般国傳 85）

每一齋日，必亲自灑扫饋食焉。（西域于闐国傳 85）

远足　帝露头袒身，晝夜不息，行千余里，唯食肉飲水，气色弥厉。（齐本紀中 7 显祖文宣皇帝）

娛乐　正声感人。而順气应之，順气成象，故乐行而倫清。耳目聰明，血气和平。移風易俗，天下皆宁。（何妥傳 70）

頤养　若此則陛下可以优游無为，頤神养寿。（崔宏傳 9 ）

願陛下遣諸憂虑，怡神保和，無以闇昧之悦，致損聖思。（崔宏傳 9 ）

养性　既归第，因欲修服食养性术，而冠謙之有神中录圖新經，因师事之。（仝上）

变火　劭以上古有鑽燧收火之义，近代廢絕，于是上表請变火，曰："臣謹案周官四时变火，以救时疾，明火不数变，时疾必兴，聖人作法，豈徒然也。在晋时有人以洛陽火度江者，世世事之，相續不灭，火色变青。昔师曠食飯，云是劳薪所爨，晋平公使視之，果然車輞。今温酒及炙肉用石炭火，木炭火，竹火，草火，麻荄火，气味各不同，以此推之，新火旧火，理应有異。伏願远遵先聖，于五时取五木以变火，用功甚少，救益方大，縱使百姓習久未能頓同，尙食內厨及东宮諸王食厨，不可不依古法。上从之。（王慧龙傳 23） P91

禁酒　性嗜酒，武帝遂禁醪醴。（周本紀下10 高祖武皇帝紀）

土地　又南土下湿，夏月蒸暑。（崔宏傳9）

藏冰　气候暑热，家自藏冰。（西域波斯国傳 85）

避寒　又冬月穴居，以避太陰之气。（契丹国傳 82）

其地下湿，多霧气而寒，人冬則穿地为室。（洛侯国傳 82）

御寒　其土尤寒，人畜同居，穴地而处；又有大雪山，望若銀峯，其人唯食餅麨，飲麦酒，服氈裘。（西域鉢和国傳 85）

埋葬　昔王孙裸葬，有感而然。士安籧篨，頗亦矯厉。（程駿傳 28）

擇日取亡者所乘馬，及經服用之物，並屍俱焚之，收其余灰，待时而葬，春夏死者候草木黄落，秋冬死者候华茂，然后坎而瘞之葬。（突厥傳 87）

四、解剖資料

刳肝　或刳人肝，以祠天狗。（清河王岳子勱傳 39）

取膽　又欲生剐死囚，取膽为药。（元巖傳63）

骨骼　又有以骨为刀子把者，五色斑爛，之才曰："此人瘤也"。問得处，云于古冢見髑髏額骨，長数寸，試削視有文理，故用之。（徐謇傳78）

割势　淫者割势而腰斬之。（突厥傳 87）

五、寿命和胎产

命寿　凡饗国五十八年，年一百四岁。（魏本紀1神元皇帝）年一百七岁，精爽不衰，……年一百一十，詔听归老。賜大寧东川为私第别業，並为筑城，即号曰罗侯城。每有大事，驛馬詢問焉。年一百二十，卒。（罗結傳8）

崇經篤疾，几死，見有神明救之，言福門子当享長年。（刁雍傳14）

太和15年（公元491）朱璉死年百余岁。（高句丽傳82）

生死观念　詔曰："人生天地之間，稟五常之气，天地有穷已，五常有推移，人安得長在？是以有生有死者，物理之必然。处必然之理，修短之間，何足多恨！"（周帝紀上9世宗明皇帝）

、死生命也，去来常事，亦何足悲。（韋夐傳52）

盖生者物之用，死者人之終，有何憂喜于其間哉？乃为銘曰："人生若寄，視死如归，茫茫大夜，何是何非！"（序傳八十八）

交接术　曇無讖以男女交接术教授妇女，蒙遜諸女子皆往受法。（大沮渠蒙遜傳81）

胎孕　太后凡孕六男二女皆感夢。孕文襄則夢一断龙。孕文宣則夢大龙，首尾屬天地，張口动目，势状惊人。孕孝昭則夢蠕龙于地。孕武成則夢龙浴于海。孕魏二后並夢月入怀。孕襄城博陵二王，夢鼠入衣下。（齐武明皇后婁氏傳2）

初神武納浚母，当月而有孕。及产后疑非己类，不甚爱之。而浚早慧，后又被寵。（平秦王归彥傳39）

泥师都既别感異气，能征召風雨，娶二妻云是夏神冬神之女，一孕而生四男。（突厥傳87）

伤胎　暉推主墜牀，手脚毆蹈，主遂伤胎，暉惧罪逃逸。（刘昶傳17）

剖胎　有孕妇，紹剖觀其胎。（清河王紹傳4）

暉尝私主侍婢有身，主笞杀之，剖其孕子，节解，以草裝实婢腹，裸以示暉。（刘昶傳17）

刳胎　李今怀妊，例待分产，且臣寻諸旧典，兼推近事，毁至刳胎，謂之虐刑。（崔光傳32）

孿生　后夜孿生一男一女。（齐武明皇后婁氏傳2）

畸形　（保定三年十二月）是月有人生子男而陰在背后如尾，兩足指如兽爪。（周本紀下10高祖武皇帝）

手足皆六指，产子非六子者即不育。（西域烏孙国傳85）

乳母先是文成以乳母常氏有保护功，既即位，尊为保太后。（閭毗傳68）

时明帝在怀抱中，至于出入左右，乳母而已。（楊囗播弟椿子昱傳29）

提婆为奴，后主在襁褓中令其鞠养，謂之干阿嬭。（穆提婆傳80）

生子風俗　俗云五月五日生者腦不坏。（孝昭諸子南陽王綽傳40）

江南風俗二月生子者不举，后以六月生，由是季父岌收养之。（煬帝愍皇后蕭氏傳2）

奖励生育　旧格生兩男者，賞羊五口，不然，則絹十匹，僕射崔暹奏絕之。邵云："此格不宜輒断，勾践以区区之越，賞法生三男者，給乳母，況以天下之大，而絕此条"；（邢巒附邵傳31）

（未完）

宋金元的衛生組織

龚　純

一、衛生組織

甲、宋代的衛生組織

(一)中央衛生机关——翰林医官院

宋朝医学行政机关与医学教育机关是分立的，翰林医官院掌管医药和治疗，所有軍医、使节及学校等都由医官院派遣医官担任治疗，此外民間医药，也归医官院掌管。另設太医局，主要以医学教育生徒，是实施医学教育的机关。

翰林医官院在宋初設院使和副使各二人，共同掌管院事，以尙药奉御或司使充任，下設直院四人，尙药奉御六人，医官、医学、只候無定員[1]。至仁宗宝元元年(1039)才將員額規定于下[2]：

表 1　宝元元年(1039)規定医官院人数表

名　称	院使	副使	直院	尙药奉御	医官	医学	只候	合計
額　数	4	2	7	7	30	40	12	102

由于宋代政治腐敗，採取官与职分离的制度，所以医官有了功劳，可以就其年資按着武官的品級来陞迁，如刺史、团練史及防御史等名义，在政和以前医官屬于武阶，到政和二年(1112)才改为文职，分为十四阶[2]。今列表于下：

表 2　政和前后医官官职对照表

旧　名	軍器庫使	西綾錦使	榷易使	翰林医官使	軍器庫副使	西綾錦副使	榷易副使	翰林医官副使
政和改名	和安、成安成全、成和大夫	保和大夫	保安大夫	翰林良医	和安、成安成全、成和郎	保和郎	保安郎	翰林医正

翰林医正以下还有翰林医效、医愈、医証、医診、医候及医学等几种名称，名目多到廿二种，但最高的和安大夫也不过从六品而已。

宋代为了防止一班交出兵权的武將和知識份子將来叛变，不得不大量地扩充官員的名額来籠絡他們，許多官員甚至並不管事，只依品級的高低来領俸祿，形成龐大的官僚群，翰林医官院亦如此。根据政和三年(1113)翰林医官院奏称，当时自和安大夫至翰林医官凡十四阶，連額外的人員有117人。而自医效至只候凡八阶，並未規定名額，在职的有979人。二項合計1096人，官員的冗濫和組織的臃腫，莫此为甚。医官們飽食暖衣，除了服侍統治阶級以外，無所事事，此时因为連年賠款，国用不敷，只好加以裁減，乃重新規定名額于下[2]：

表 3　政和3年(1113)重訂翰林医官院名額表

名　称	大夫	郎	医效	医愈	大方脉兼風科	小方脉	針科	眼科	产科	瘡腫	金鏃	口齒咽喉	合計
員　額	20	30	7	10	153	24	14	16	18	14	32	12	350

(二)药物管理机关

1.御药院和尙药局　御药院的职掌是按驗秘方、和剂药品，以进御帝王和供奉宮禁，設于太宗至道三年(997)，以入內供奉官三人掌管，間或參用士人[3]，有如清代的內药房，中叶以后，多以宦官掌領，名虽存而实質已非了。

尙药局屬于殿中省，掌管供奉御药与和剂、

(1) 文献通考、职官考

(2) 宋会要、职官36、翰林医官院

(3) 續資治通鑑長編

診疗，今將其职員名額表列于下：

徽宗崇宁二年（1103），以御藥院主供御湯藥，極为重要，又增置內臣監官四員为奉御，以医官使二名有功效者为医师，医官使为御医，副使为医正，医官为医佐，杂役、秤子、搗碾子类为藥工，檢点文字为局長，押司官为典事，前行为局使，后行为直使，帖司为書吏，守闕帖司为貼書，封角为封人[4]。由此可以想見当时的御藥院和尚藥局完全是为統治阶級服务，以及帝王的勞奢極欲了。

表 4 宋代尚藥局名額表

名 称	典御	奉御	監門	医师	御医	医正	医佐	藥童	封人	藥工	掌庫	典庫	局長	典事	局吏	直吏	書吏	貼書	合 計
人 数	2	4	2	2	4	4	4	20	3	10	2	7	1	2	4	4	3	10	88

2. 熟藥所和惠民局 宋朝盛行官卖制度，人民日常生活用品如鹽、茶、酒、醋等，都由国家專利，作为岁入大宗。不久这种制度也应用到藥物方面。神宗熙宁九年（1076）京师开封首設太医局卖藥所，制成熟藥丸、散、膏、丹、酒等出卖，所以又称熟藥所，医生和病人应用熟藥比湯藥便利，是中国藥学上一大进步。

政和三年（1113）七月，陜西通判陈建因僻远州县的人民，遇有疾病时，因本处沒有医藥，往往遭到不应有的牺牲，請求在州、县、处，鎮設有官吏的地方，都准許在本州县取买熟藥出卖[5]。

熙宁九年（1076）年京师始設太医局卖藥所，崇宁二年（1103年）增到七所，而且各省市也相繼設立。

政和四年（1114）將兩修合藥所改名为医藥和剂局，五出卖藥所改为医藥惠民局[5]。

南宋高宗紹兴六年（1136），也于臨安設置藥局，在太医局設东、西、南、北四熟藥所，因戶部侍郎王昊的請求，一所以和剂局为名，由翰林医官院选保医官辨驗藥材[5]。

元丰三年（1080）將太医局熟藥所的局文印行，大观年間（1107—1110）由陈师文等加以修訂，称为太平惠民和剂局方至南宋高宗紹兴21年（1151）12月，又下詔將太平惠民局監本藥方印頒諸路，並命諸路常平司通令各府、州、軍將熟藥所統行改称太平惠民局[4]。

嘉泰三年（1203），命太医局选採民間所常用的驗方，並且简要可行的藥方集为一部，頒佈諸路监司，命监司行之州县，然后州县撮其要者，大書揭示于聚落要閙地方，以便广为傳播，家喻戶曉，且令諸州撥常平錢收市藥物合成丸散，賤价出卖以济平民[6]。

統治阶級为了緩和人民的怨恨，也不惜施以小恩小惠。紹聖元年（1094），因京师疾疫，詔太医局熟藥所派遣医官至病家診視，給散湯藥[5]。

元符三年（1110）三月，令太医局差医生分詣閭巷医治平民。八月更詔令諸路岁賜藥錢处所，遇有疾疫时，由州县委官監視，医生遍詣閭巷，隨脉給藥[7]。

孝宗隆兴五年（1169），以兩淮經虜人蹂踐流亡的人民，飢寒暴露，多染疾疫，令和剂局迅速修制合用藥四万帖，赴淮东、西总領所交割並令当地官員至兩淮州、县、乡村各地，派遣医生共同散藥[7]。

淳熙14年（1187），軍民有疾时，可令和剂局取撥合用湯藥，分下三衙与臨安府，令本地医生沿門散發[6]。

以上这些措施，目的是为了照顧平民的健康，但由于政治腐败，官吏貪韁，弊端百出。孝宗隆兴元年（1163）虽下詔，和剂局所管貴重藥材不許偷窃，由监官亲事官提檢罪賞，局內若有緣事入局食用藥物时，許人告發[5]。但局官配制官藥时，有用樟腦代冰片，以台附代川附，从中取利，而且貴藥制成，常被朝官富家取去，平民根本無法享受，甚至錯配藥物，誤人性命，因此当

(4) 宋会要职官19. 殿中省

(5) 宋会要职官27

(6) 宋会要食貨58

(7) 宋会要食貨59

时人戏称惠民局为惠官局，和剂局为和吏局[8]，可以想見其腐敗了。

（三）宫廷医院——保寿粹和館

宋代宮人有疾，多送至妙法广福寺医治。因为寺內尼徒，以宮人物故后，可以从丧葬賻贈中获利，故少有痊瘉生还的人。政和四年（1114）乃詔令于宮城西北隅創建館宇，作为掖廷宮人养疾之所，以保寿粹和为名，选擇良医診治，並置典掌剂疗人以供葯餌[9]。

（四）軍医院——医葯院

欽宗靖康元年（1126），知磁州赵將之因种师中兵潰，有被伤軍士，多疲曳道路，乃隨宜措置，出榜招收，設立医葯院收管医治。仅磁州一州，所医已二百多人。因虑別路州郡伤病員尚多，因此奏請命各州將，重伤者每人支絹一疋，錢一貫，輕伤者減半。如伤重不能服役的，令逐州医治，等到痊瘉时，再行結队發遣[7]。

（五）平民医院——安济坊与养济院

徽宗崇宁元年（1102）詔置安济坊。乃因权知开封府吳居厚奏于諸路設置將理院，由兵馬司差撥剩員三人，节級一名，一季遞換。將理院病人分輕重異室居住，病重时加以隔离。又有厨舍以調制湯葯飲食。修成后，徽宗賜名为安济坊[10]。

紹兴元年（1131）紹兴府通判朱璞，請將無依及流离病患的人發入养济院，並差本府医官二名看治，童行二名煎煮湯葯，照管粥食[10]。

13年（1143）临安府將近城寺院充安济坊，居留無依病人，差医人一名專門看治，由太医局熟葯所供給湯葯，死亡則送漏澤园掩埋，並通令各地均如此实行[10]。但州县多視为具文，甚至諸路官員，將帶送还搬家等人，妄充病患，寄留在安济坊，希覬日支官米，以給口食[11]，其卑鄙無恥已达極点。

（六）病囚院

眞宗咸平元年（998），因黃州守王禹偁的請求，于諸路設置病囚院，医治徒流以上有疾病的罪犯，徒流以下的罪犯，則可覓保在外疗养[12]。

乙、金代的衛生組織

（一）太医院

金代太医院隶屬于宣徽院，掌管医葯事务，設有提点（正五品），院使（从五品），副使（从六品）、判官（从八品），分为十科，額五十人。如果該科有十人时，設置管勾一員（从九品），以医术精良者充当。如不滿十人，須併为十人时再行設置。有正奉上太医、副奉上太医及長行太医之分[13]。此外还設医散官。旧制自六品而下，只有七阶，天眷（1138—1140）制，自从四品而下立二十五阶[14]，今列表于下：

表 5　　金代医散官品級表

官　品	上	中	下
从四品	保宜大夫	保康大夫	保平大夫
正五品	保頤大夫	保安大夫	保和大夫
从五品	保善大夫	保嘉大夫	保順大夫
正六品	保合大夫	保冲大夫	——
从六品	保愈郎	——	保全郎
正七品	成全郎	——	成安郎
从七品	成順郎	——	成和郎
正八品	成愈郎	——	成痊郎
从八品	医全郎	——	医正郎
正九品	医效郎	——	医候郎
从九品	医痊郎	——	医愈郎

（二）御葯院与尙葯局

御葯院設于明昌五年（1194），設有提点（从五品），直長（正八品），掌御湯葯，都监（正九品）不限定員額，同监（从九品）不常除[15]。

尙葯局設提点（正五品），局使（从五品）副使（从六品），也隶設于宣徽院，即前殿中监所統六局之一，而所司在茶果湯葯，並非專門医葯机关[16]。

（三）惠民司

惠民司（隸禮部）掌修合發賣湯葯，所設官有令、直長、都监，旧設承一人。大定三年（1163）有司奏称惠民司岁入息錢，尙不够开支官吏薪俸，金世宗以設惠民司本为济民疾病，不能裁撤，但令減員而已[17]。

（8）范文瀾中国通史簡編
（9）宋会要后妃 4
（10）宋会要食貨 60
（11）宋会要　刑法二
（12）續通典　卷 18 刑 12
（13）續文獻通考　卷 56 職官 6 太医院
（14）文獻通考　卷 62 職官 12 医散官
（15）金史百官志
（16）通志卷 133 職官略 4，金元官制上及通典 卷 42 職官、秩品三、金官品
（17）續文獻通考　卷 56　職官 6　太医院

丙、元代的衛生組織

(一)中央衛生机关

1. 太医院 元代的中央衛生行政机关名叫太医院(秩正二品),掌管一切医药事务,领导所属医官,調制供奉皇帝的药物,設于世祖中統元年(1260),下面設宣差,提点太医院事(相当于現在的衛生部長);至元20年(1283),改为尙医监(秩正四品),下面設置提点四員、院使、副使及判官各二員。

成宗大德五年(1301)仍旧陞为正二品,設医官十六員,11年(1307)又增加院使二員。

仁宗皇庆元年(1312)增加院使二員,二年(1313)又增設院使一員。

英宗至治二年(1315)定置院使十二員,同知(正二品)二員,僉院(正三品)二員,同僉(从三品),院判(正四品)二員,經历(正五品)二員,都事(从七品)二員,照磨兼承發架閣庫(从七品)一員,令史(正八品)八人,譯使二人,知印二人,通事二人和宣使七人[18]。

元代以前太医院的最高爵位不过五品,而元代为正二品,由此可以看出医生在社会地位上的提高了。

2. 典医署 典医署是專門为太子服务的东宫官(秩正三品),领导东宫太医,配制供进太子的药餌,設于世祖至元十九年(1282),不久即罢去。大德十一年(1307)复行設立典医监,武宗至大四年(1311)又廢去。泰定帝于泰定四年(1327)又設典医署。文宗天历二年(1329)改为典医监(秩正三品),下置达魯花赤二員,卿三員,太监二員、少监二員、經历和知事各一員,吏属共十八人,下面管理一司二局[18]。

(二)药物管理机关

1. 御药院和御药局 管理药物制造和儲藏的机关:有至元六年(1269)設立的御药院(秩从五品),掌管受理各路地方乡貢,和各藩国进献的珍貴药品,及医药的修造湯煎,有达魯花赤一員(从五品),大使二員(从五品),副使三員(正七品),直長一員,都监二員。

又于至元十年(1274)設立御药局,掌管兩都(即大都北京和上都多倫)的行篋药物。

成宗大德九年(1305)分設行御药局,掌管行篋药物,但本局只管理上都药倉的事务;规定設置达魯花赤一員(从五品),局使二員(从五品)和副使二員(正七品)[18]。

2. 典药局 典药局掌管修制东宫太子的药餌,設有达魯花赤一員,大使、副使和直長各二員。

另有行典药局,也是專为太子服务的,設达魯花赤、大使和副使各二員[18]。

以上这些机关大都是沿襲唐、宋以来的官僚制度,为統治阶級的健康服务。

3. 药物的收採和貢納 关于各路药物的貢納,规定必須依照不同药物的性質来按时节收採,按照药物的产地来分派种类与数量。但是有的地方每年拖欠,不来送納,有的地方則託人順帶,药品低劣損坏,不能使用,以致药物奇缺。当然,这种現象的發生,是由于殘酷的剝削和战役的頻繁,人民生活困苦,以及对药物的栽培和保护不够所造成。但統治阶級是不顧这些的,故于成宗大德八年(1304)下詔說:今后如果遇有催取急缺药味,需要地方官按时节收採新鮮精粹药物,經官医提举司辨驗眞假优劣后,然后差官到御药院貢納,如果違背时,分别治罪[19]。

(三)阿剌伯医学机关——广惠司及回回药物院

元代衛生組織有别于历代的特点,就是在元世祖至元七年(1270)設置广惠司(秩正三品),掌管修制皇帝御用回回药物及調剂,和治疗各宿的衛士,以及居住北京的貧寒百姓,下面設提举二員。17年(1280)增置提举一員。仁宗延祐六年(1319)陞为正三品,七年(1320)仍旧改为正五品。至治二年(1322)又定为正三品,設置卿四員,少卿和丞各二員。后来规定置司卿四員,少卿、司丞、經历、知事和照磨各二員[18]。

广惠司是阿剌伯式医院,蒙古兵在1253——1259年西征回教国,佔領波斯一帶地区,建立伊尔汗藩国。中統元年(1260)調西征軍充城防軍,更由于許多衛士来自西方(欽察衛和西域亲軍等),因为这些衛士慣于阿拉伯治法,因此于

(18) 元史、百官志

(19) 元典章 典章32 礼部卷之5,学校二,医学

1270年設立广惠司，聘用阿剌伯医生，配制回回药物，以治疗患病的衛士。

至元29年(1292)更扩大組織，在大都(北京)和上都(多倫)各設一回回药物院，于是元代的中国境内，已設有三个阿剌伯式的医学机关。

(四)医戶管理的机关——官医提举司

至元25年(1288)設置官医提举司，掌管医戶的差役、詞訟等事务(秩从六品)，設提举一員，同提举一員。在河南、江浙、江西、湖广及陜西五行省各設立一司，其余行省則設太医散官，分为十五阶。大夫六阶：即保宜、保康(从三品)；保安、保和(正四品)；保順(从四品)；保冲(正五品)。郎九阶：即保全(从五品)；成安(正六品)；保和(从六品)；成全(正七品)；医正(从七品)，医效、医候(正八品)；医痊及医愈郎(从八品)[18]。

除此以外，各处行省提举司及提領所，还可任意增添名額，如医正、医司、提調医戶和写發，听探等人役，因过于冗濫，都在大德二年(1298)加以革斥，並且重新規定医官应設員数及办法如下：

(1)州县差撥檢医催办差稅，查驗医戶多少，必須設立办事处的地方，应由提举司保选通曉医書且廉潔干練的人充当，經查明沒有犯过罪的人，才能援例任用。設立提举司和提領的所在地，不必拟設。

(2)府、州、司、县遇有差撥和当檢医正，应在本地現居医戶內輪流差遣，不許于管轄地区內乱行差扰不安。

(3)官医提举司和提領因为掌管差稅及受理詞訟，可以量行添設一、兩名司吏和只候，其他人員不得濫行委任[20]。

元貞元年(1295)下詔規定：医戶与百姓發生爭执和訴訟时，管民官和医戶头目共同約会决断。如果約会不到或不服决断时，再行申院究問。因此，医戶在法律上比一般百姓享有不同的待遇[21]。

(五)貧民医疗机关——广济提举司
和惠民局

除上述广惠司治疗居住北京的貧民外，另設广济提举司，設达魯花赤一員，提举、同提举和副提举各一員，掌管調剂制药，以施惠于貧民。

中統二年(1261)在北京設立大都惠民局，秩从五品，掌管經收官錢，經营出息，卖药制剂，以救治貧民，受太医院管轄，至元14年(1277)定为从六品，21年(1284)陞为从五品。大德元年(1297)更于各路設置惠民药局，貧病的人可以享受免費医疗。

中統四年(1263)于多倫設立上都惠民司，設置提点一員和司令一員[18]。

以上这些医药机广，虽然名为"广济"和"惠民"，但由于吏治的腐敗，貧民很少能得到眞正的救济与实惠，不过作为統治阶級收买人心和粉飾太平的点綴品而已。

(六)法医和监獄医生

元代对于法医極为重視，成宗貞元二年(1296)令各路荐举儒吏，每年二人，由廉訪司試选，並且規定儒吏考試程式，其中將罪証的法律鑑定列为必須精通的業务，其內容分为：

(1)屍：如勒死、欄死、辜內病死、罪囚被勒身死、惊謊死、毒药死、燒死、杖瘡死、落井死、刃伤死、病死、自縊、馬踏死、棒毆死、自割死和刺死等屍体变化，均有詳細的記載。

(2)伤：如伤眼、太陽穴、四肢殘廢、中毒、落水、落齿，撕去头皮，刃物伤、拳手伤及墮胎等伤害的辨認。

(3)病：如瘖啞、骨折、精神病、痴、中風、四肢伤殘、風毒、瘿腫、瘡腫及手足缺趾等病态的描写。

(4)物：如造蠱毒的药物，致死伤的磚石和皮帶、刀刃、槍、棒等物証的鑑定[22]。

以上屍、伤、病、物的罪証都由医工檢驗，依照一定的格式填写，作为判罪的憑据。

至于监獄医生，元代也有設立，但因当时政治腐敗，各路、府、州、县的獄医，都是憑着医工或提領差撥医治，其中有許多人根本不懂脉理，甚至僱覓不捉公法、惟利是圖的人来冒名頂替，遇着獄囚患病，獄卒等只是在案卷后面，填上"該犯病症几分"的字样以此塞責，因此寃死的人很多。

(20)元典章　典章9　吏部卷之3，官制三、医官
(21)元典章　典章53　刑部卷之15，約会
(22)元典章　典章12，吏部卷之6，儒吏

仁宗延祐四年(1317)規定：今后差撥獄医，必經再三試驗及格后，才能充任，不得隨便冒濫。

成宗大德七年(1303)詔令囚犯医葯由惠民局免費發給，除所謂"大逆不道"等死罪外，可以由家屬入內服侍病囚，且以监獄衛生及病囚死亡人数作为医官和獄官考績的标准，但官吏們多陽奉陰違，統治阶級也只是官样文章而已，实际上流弊很多，並無多大改进(23)。

(七)軍人的医疗机关——安乐堂

元世祖至元七年(1271)因为蒙古軍和汉軍連年征伐，多由自己处理旅費，以致有錢、馬的軍官得以早日还家，而一般士卒回程时，自己沒有旅費驢馬，地方也不予照顧，在路途飢餓病死的很多，为了收拾軍心以加强战斗力，便規定今后出征回程軍人經过的地方，当地官員必須支付口粮，患病的兵士必須給予葯餌，並于各翼設置安乐堂，聘請高手医工用葯看治，选差健康的人服侍，五个病軍，撥一个人为他們煎煮湯葯，扶持照料，有如現在的护理人員。但是有的地方还不曾設立，或者虽已設立，只是几間房舍而已，照顧簡陋，什物也不完备，甚至医葯缺少，医治怠慢，以致軍人得病后，呻吟床褥，不易痊癒，死亡極多。元世祖便在至元21年(1285)下詔，令各翼普設安乐堂，並且以病死軍人多寡来施行賞罰，以后患病軍人才能得到适当的照顧(24)。

参考文献

1. 宋会要輯稿北平国立圖書館印 1936年10月
2. 大元聖政国朝典章(簡称元典章)still芬樓叢刊初編
3. 文献通考 馬端臨
4. 續文献通考 清、嵇璜
5. 通志 宋郑樵
6. 通典 唐杜佑
7. 陈邦賢：中国医学史 商务 1954年12月重版
8. 李濤：北宋时代的医学 中华医史杂誌 1953年12月
   南宋时代的医学 中华医史杂誌 1954年 3月
   金元时代的医学 中华医史杂誌 1954年 6月
9. 邓广銘：王安石 三联書店 1953年11月
10. 尙鉞：中国历史綱要 人民出版社 1954年8月
11. 范文瀾：中国通史簡編 新华書店 1951年

---

(23) 元典章 典章40 刑部卷之2，獄囚

(24) 元典章 典章34 兵部卷之1，軍役

中国古代耳鼻咽喉科的历史

楊大俊．中华耳鼻咽喉科杂誌5：7—16，1957．

公元前十三世紀的甲骨文中已有耳鼻咽喉方面疾病的記載，是为我国最早的記录。公元前六世紀扁鵲在洛陽为"耳目痹医"，为我国出現最早的耳科医师。

秦汉时代，我国的医学初具規模。耳鼻咽喉科方面已有了解剖、生理和病理方面的初步概念，对这方面疾病的症狀、体征和治疗方法以及疗效等均較前人詳細，內容也較丰富。鼻腔吹粉、滴葯及鼻反射性疗法等和葯物，也有所發明。給耳鼻咽喉科的發展奠定了良好的基础。

兩晋及隋唐时代，医界名家輩出，著作丰富。医学文献中对于耳鼻咽喉的各种疾病，多用独立的篇章来描述，內容精彩丰富，在發病原因和治疗上也有很多的發明。在唐代太医署中設立五种專科，其中有耳目口齿科；耳目口齿科的学生修業四年，必修科目除本門專業外，还有本草、甲乙經和脉經等。

兩宋及金元时代，人材盛極一时，文献也很丰富。耳鼻咽喉科在病源方面进一步地揭發了內在和外在因素对机体發病的影响，解剖和生理方面批判了前人"喉係于胃，咽候肝胆"的錯誤观念。在症候上初步划清了急性鼻炎与伤寒的界限；如交替性鼻阻塞，上頜竇炎也有了描述。其他各种治法如內腔異物，耳道耵聹的取除术，扁桃体炎的疗法，也多有所發明。

明清时代，卷棉子及耳內吹粉法已应用于耳科。鼻息肉及咽喉部多种手术也已通行。因傳染病的流行，本科各种疑难凶症在文献上远較以前各代描写得詳細。喉科發达，專籍甚多，更是本时期突出的特点。

(少祺摘)

俄罗斯医生在人民保健中的作用*

原著者　N. A. 維諾格拉多夫

主席！各位女士各位先生！

首先請允許我致以謝意，得有机会在这次国际医学史会議上講話。尤其高兴的是这次会議在美丽的、善于款待人的意大利召开。

俄罗斯的科学家們以極大的兴趣参加国际会議，在会議上进行了如此必要的人类知識各方面意見的交換。

我們确信現在的会議也將有助于各国的科学更加向前發展，同时人民之間的友誼也將更加巩固。

我报告的題目是俄罗斯医生在人民保健中的作用。

医学成就是按照它給予人类的裨益，罹病率和死亡率的減低以及人类寿命的延長来作为它最后評价。我們知道人的健康和身体的發育，基本上倚靠生存的条件、物質和文化生活的水平，有倚靠着用以保証人民健康的实际措施。

我們認为保健一語的意义是国家，社会和个别的一系列的措施，直接針对着疾病的預防和治疗，以及保証人的健康和寿命。不言而喻，这些措施必須建筑在科学的原理和与自然科学、技术科学的發展密切結合的医学成就上。

罹病率和死亡率的減低，多取决于医学在疾病的治疗和預防方面的成就。医学的理論与医学的实踐結合得愈緊密則成就愈大。

战胜多种疾病，常是需要付出無数牺牲者来作代价的，这点可用俄国的医学史来作証明，感謝进步科学家們的努力，他們和广大医务人員一同在进步的唯物論者科学的光照下，选擇了正确的途徑，緊密地把人民的生活和反映他們的利益联系在一起。

医学史充滿了这样的事实：即科学中的一些重要發現常常是被許多沒有科学头銜或科学学位的实踐者所作出来的。例如聖彼得堡奥貝考夫医院的医师 V. M. 克匿格 (Kernig)氏發現了一个症狀，使得腦膜炎的早期診断成为可能。这个症狀以克匿格命名，已为众所周知，曾由他在他的“腦膜炎时膝关节屈攣”一文中加以記述，並在1883年發表于“医师”杂誌中。

可以列举出来很多类似的实例。千百个不知名的軍医和民間医成了科学家，以重要的發現和观察把医学丰富起来。

另一方面，医学界許多进步的科学家，不把自己局限于学院范圍里，不把自己从保健的实际需要中分离开来。

因此，早在十八世紀即医学杂誌和医学社团出現以前，卓越的医学教授們就在莫斯科大学历次举行的年会上解答了当时的保健問題。

例如，I. I. [illegible]斯特 (Rost) 教授在1772年4月22日發表过以“論住宅中，尤其是平民的住宅中，惡劣空气和其改善的适当方法……”为題的演講，1781年又發表了“选擇适宜地点建設新城市时須考虑人們的健康”的演講。

S. G. 札別林(Zybelin)教授在1775年4月22日講演过“論幼年时代对于身体的正确鍛鍊將有助于社会人口的增加……”，在1780年又講演过“人口繁殖緩慢的重要原因是初生数月的嬰兒的食物不适当，其合理預防方法……”。

这就是莫斯科大学教授們怎样响应了有关改善生活条件和对疾病斗爭这許多重要的实际問題，以及怎样將科学知識在俄罗斯的广大医生間去傳播。

* *

俄罗斯医生們对鼠疫、天花、斑疹伤寒等流行病的斗爭一直站在最前綫上，曾經常不断地影响了俄国和若干西欧国家，拯救了無数的患者。忘我的为社会服务，为人民的幸福奋不顧身，这是俄罗斯医生的特性。这可以用很多俄

* 本文系1954年9月在意大利薩勒諾举行的第14屆国际医学史会議苏联代表 N. A. Vinogradov 的报告。苏联莫斯科国家医学出版社195[illegible]年俄文版。

国对流行病斗爭的历史事实来作証明。

在俄国的历史記載中，抵抗流行病所用的措施佔显著地位。在諾夫哥罗德第一編年史和普斯科夫第一部历史記載中写过，边疆駐軍用杜松燎烤的方法，这一方法从1352年"黑死病"流行时就建立了。被認为可傳染的物品（衣服和文書）要放到火焰的烟中燻烤几次；金屬物品如錢幣等类东西，則浸在醋里。历史家們叙述，在那时人們就已被警告不要用已經死亡人的东西，"……因为若有人取用那些东西，他不久就会死亡，不能救治。"

1620年俄国設立了薬業管理局（甚或在更早以前，在十六世紀末叶設有薬業公会时），防治流行病的措施就成为国家的事务了。俄罗斯的医师們虽然当时还不知道傳染的媒介和途徑，就应用了实际的措施去抵御流行病的蔓延。

1654—1655年莫斯科流行着鼠疫，当时沙皇亞历修。米海伊洛維奇（Aleksei Mikhailovich）正参加对波蘭战爭，圍攻斯模稜斯克城，为了防止疾病从疫区帶到軍队中，就是金錢也不許送往沙皇。除边疆駐軍外，交通檢疫在这次流行病时已被設置。实施檢疫隔离病人，並不許和当地居民接触。因此，当时俄罗斯医生們普遍地採用了交通檢疫。

在某些年代中因为疫病流行而封閉了港口，例如1665—1666年鼠疫在倫敦大流行时。

在1712年一次鼠疫新的流行，从土耳其侵入俄国，就下过一道命令："凡疫病侵襲地区要加崗包圍，並不許該地区和其他地区交通，从顿河到聶伯河設立交通檢查。"貨物經过六个星期的晒晾。在土耳其、波蘭、伊朗（波斯）边界的一些交通檢疫站点以后就改成永久的檢查所了。

为了医师們和医务工作者們的个人安全，在他們檢查病人后，指令要採取安全的措施，即进行蒸气浴或类似的处置。

值得注意的是以"自1770到1772年首都莫斯科流行鼠疫地描述和为制止以上所述的鼠疫蔓延而建立的一切机構的补編"为題的著作（莫斯科，莫斯科大學印刷所，1775）。这著作的主要作者是阿范錫·沙方斯基（Afansi Shafonsky）氏，他是彼得一世时所建立的莫斯科总医院的主任医师。

作者还有K.O.雅盖勒斯基（Yagelsky）、D.S.薩莫伊洛維奇（Samoilovich）、P.I.波格里茨基（Pogoretsky）、S.G.礼別林氏等和其他医师，A.F.沙方斯基氏在这些年里忘我的和鼠疫流行斗爭过。記載这一斗爭的历史，花費了广大的篇幅，有700頁之多，內容包括理論和档案材料兩部分。第一部分的作者是A.F.沙方斯基氏，包括关于鼠疫和防治它的措施的一般概况。他拋棄了鼠疫起源于瘴气的学說，支持接触傳染的观念，确定这病的本質，如何蔓延和一切防治的措施。第一部分中的数章是："什么是鼠疫？""鼠疫的表征"，"鼠疫的分类"，"是否一切人都一样地能患鼠疫？""鼠疫的治疗"，"已患过这病的人是否可再患？"以及类似的章节。

著作的第二部分蒐集了1770—1772年鼠疫流行的一切档案材料；詳細地描述了鼠疫怎样在巴尔干半島出現，怎样在窩雷啟亞（Wallachia）和摩魯达維亞（Moldavia）地方的俄国軍队中流行，蔓延到波蘭和烏克蘭，最后到了莫斯科。繼此之后是在莫斯科織布工場出現此病的报告和对此病所採取的措施，勒令設立一些交通檢疫崗哨和一些隔离站点，給主持交通檢疫和隔离站点的軍官們和医师們的指示（莫斯科医学会議关于抵御流行病的訓令），給警察有关維持城市的秩序、看管無人居住的房宿、安排从莫斯科撤出的人口的命令，並他們的医学檢驗和由莫斯科运出貨物所簽發的許可証，及其消毒。

又包括由医生們編写，牧师們在教堂中向人們宣讀过的关于懲罰違犯已訂法規者的报告。因此，在这本書里能找到鼠疫侵襲莫斯科兩年多的时間里，一切实行的措施全部档案材料；假若包括窩雷啟亞、摩魯达維亞流行的前期历史和1775年沙皇宣佈檢疫結束的詔令，則这次疫病流行期为五年。

1770—1772年对鼠疫的斗爭大大的丰富了俄罗斯医生們在执行抵御傳染病流行措施方面的实际經驗，並且帮助了科学思想的發展。

十八世紀下半叶卓出的流行病学家丹尼

拉·薩莫伊洛維奇(Danila Samoilovich)氏的一些研究，大部分都是參加对莫斯科鼠疫斗爭的成果。这点可以由他的"論鼠疫的接种"(1782)，"論1771年鼠疫在俄国尤其是京城莫斯科的广泛流行"(1783)，和其他著作中看出来。

在1792年D. 薩莫伊洛維奇氏發表了"鼠疫毒的显微鏡观察概述"一文。他是俄国第一个企圖借助显微鏡寻找鼠疫病原的人。1784年他在克累斐尔城(Kremenchug)开始了这些研究，当然因为当时光学知識的限制，他的研究沒有达到成功。

薩莫伊洛維奇氏以法文所写的著作發表不久，他就被选为巴黎、罗馬、曼希麦(Manheim)、吐林(Turin)、里昂(Lion)、第戎(Dijon)、帕雕阿(Padua)、土魯斯(Toulouse)、尼毋(Nimes)、馬賽(Marseille)和其他城市的医学会名誉会員，他的著作是在1781、1782、1783、1785和1788年于巴黎刊行的。

他是流行病学創始人之一，代表着流行病学新的、进步的学派，承認傳染是流行病蔓延的主要因素，同时又注意考慮到居民的生活情况。

他建議用接种的方法来抵御鼠疫，这与抵御天花时广泛採用的接种方法是相似的。只有医务人員和与病人接触而有感染危險的人需要进行接种。他推荐用成熟的炎性淋巴腺腫的濃汁，因为他認为濃汁含"潰瘍"素而毒性較弱。所以从本質上看，他用減弱感染物来表达他接种的观念，这是与接种的科学概念相接近的。他是一使人信服的傳染病学家，發明了抗鼠疫的薰烟粉剂(Smoking powder)。薩莫伊洛維奇氏为了試驗他所提出的消毒剂，曾屡次按他的方法將鼠疫患者的衣服燻过后穿在自己身上。

薩莫伊洛維奇氏譴責在若干国家中所普遍採用的方法，其中包括燒光鼠疫为害的居住地区，和居民与外界長期的隔絕(常是全城或很大的地区)，人們的生存資料完全被剝奪，有时由于飢餓而致死亡。他抵抗鼠疫的方法，說明了在該病流行时採取措施的作用，和怎样按照1771—1772年莫斯科流行的經驗，在居民中选出人来执行这些措施。

他堅信鼠疫的流行是可以消灭和可以战胜的。他写道：鼠疫"是一种傳染病，但是可以被控制和制止，因此並不像通常所說的或者在不懂得怎样消灭它时对人类的那么危險"。

薩莫伊洛維奇的發現，使得欧州的科学家們有甚深印像。以下的記載是在他死后于一本法文杂誌中見到的："D.薩莫伊洛維奇是俄国医师，他所發表的莫斯科鼠疫的記述中有很多的知識是任何鼠疫报告中所見不到的。他在医院中为治疗病人，曾三次感染了"潰瘍"，但是从未因此而退縮。这位医师还發表了关于抵御鼠疫接种的其他著作，並且是首先發現和証明了这一手术可以付諸实施，为人类的保健事業获得極大的成就。"

十八世紀天花在俄国和西欧广泛流行。俄国医师除执行隔离和交通檢疫外，从十八世紀下半叶起就开始採取預防接种来抵御天花。1756年舍洛尼齐(Shulonitse)医师在莱沃尼雅(Livonia)地方成功地施行了約1,000名人痘接种。1768年皇后卡日賴尼二世(Catherine the Second)和她的兒子都施行了种痘以抵御天花。莫斯科和聖彼得堡都設立了特殊种痘所。並授命医师們当認为必要时，在任何情况下都施行接种。不久种痘以抵御天花很快地就遍及全国了。

俄罗斯的医生們曾忘我地向霍乱流行作斗爭。印度的地方病亞細亞霍乱，1823年第一次开始在俄国阿斯脫剌罕(Astrakhan)地方流行。医师卡林斯基(Kalinsky)和霍托維特斯基(Khotovitsky)二人从聖彼得堡被委派去扑灭此流行病。1829年霍乱第二次在俄国流行。扑灭这次流行病医生們作了極大的努力。

1830年霍乱第三次侵入俄国，犧牲了42,000人。为抵御霍乱，在塞拉托夫(Saratov)成立中央委員会。以M. Y. 穆德罗夫(Mudrov)教授为首的一队医师被派去扑灭，不幸他自己得了霍乱而死于此役。

專制的沙皇統治俄国，阻碍了流行病的有效扑灭。虽然俄国医师們奋不顧身地工作和俄国科学家們尽了一切的努力，而这些流行病到十九世紀末和二十世紀初仍繼續不断地發現。

在进步的社会运动影响之下，沙皇政府在1886年被迫成立一特别委員会，在研究环境衛生和减低人口中高罹病率和死亡率的問題。在我談到 S. P. 包特金（Botkin）时將更詳細地介紹这个委員会，因他是委員会的主席。

在十九世紀末和二十世紀初，医生們一如从前，特别注意对流行病的斗爭。这些問題在全俄医师会議上不只一次地討論过。某些次会議是專为討論流行病学的一些問題而召开的。抵御流行病和其他一些关系到改善工人生活条件的問題，于十九世紀九十年代在俄国出現的一些工人組織的活动中也佔着显著的地位。

只有在1917年偉大的十月社会主义革命推翻旧的統治以后，才創造了最后战胜流行病的条件。开始时对流行病的斗爭是苏維埃保健組織的基本任务。由于国家机关和羣众社会組織（如紅十字和紅新月、清潔委員会、改善工作条件和家庭生活条件委員会、社会衛生事業、衛生站等）的密切合作，清除过去遺留下的可怕的流行病問題，随着一般經济和文化的改善而解决。在国內徹底扑灭最危險的傳染病（霍乱、鼠疫、斑疹伤寒、天花、和其他）和基本減少其他傳染病如結核、瘧疾、白喉、伤寒等，乃是因为人們的生活条件和文化条件的改善和針对着保衛人民健康措施的实現所致。

* * *

俄罗斯医生們不仅在其对流行病的斗爭方面因忘我的工作建立了威信，同时他們也以同样的努力和自我犧牲的精神为減低嬰兒死亡率，为母亲和兒童的生活和健康而奋勇工作。

对妊娠期和分娩的妇女們給以救助，对小兒尤其是新生嬰兒的照顧，以及旧时代所遺留下来的兒童疾病的治疗和預防，都是要注意的事項。

不同于外科和一般医疗，因执行这种救助的人主要是沒有医学教育的产婆。

俄罗斯医史学家 L. F. 茲米夫（Zmeev）氏写道："我發現产婆和巫婆是不分的，因为許多普通有关分娩的病症、兒童的疾病和妇科病完全操于妇女之手"。（1896）

必須指出，医师們在某些情況也存着这样的見解，認为兒童的疾病尤其是新生嬰兒的疾病，不必是医生的事，而多是所謂"家庭医生"——有簡單經驗的产婆——的事。

因为治疗兒童的疾病由产婆們"一手包办"的結果，这方面医学的救助有一長时期不包括在医师們医疗范圍之內。

若察看不同时代社会生活的演进，則很容易指出这样的事实，就是社会对兒童健康的态度是随着社会的物質生活条件为轉移的。

在俄国的出生率經常是很高的，而同时由于工人們的物質条件不好，农業生产量低，农民沒有土地，且經常疫癘流行，这一些造成了高的死亡率，尤以嬰兒为甚。

作家們［德米奇（Demich）、波保夫（Popov）、L. F. 茲米夫和其他人］研究俄罗斯的民間医葯指出：在困苦的生活条件下，人們在照顧兒童和对兒童疾病的治疗中，發現很多的迷信和偏見。基于經驗的积累和以民間傳統的方法治疗兒童的疾病在民間千百年的实踐中自然是有些合理的部分。

葡萄牙人安托尼奥·里貝罗·桑尼茲（Antonio Ribero Sanhez）氏是个有学識的医师、俄国生活的細心观察家，从1731—1741年在俄国行医；他于巴黎出版的一本書在"論俄罗斯蒸气浴"一章中詳細地描述了使用这样的沐浴于日常生活中，以治疗种种疾病的病例，其中也包括兒童的疾病。E. A. 波克罗夫斯基（Pokrovsky）氏在他的題名为"俄国各級人口間兒童的体格鍛鍊"一篇研究論文中提及許多病例，为嬰兒使用蒸气浴对治疗是有裨益的。

論述看护兒童、协助分娩妇女和看护嬰兒的問題，以及兒童疾病的治疗和預防，在俄罗斯医生的業务中和俄罗斯科学家的工作中都佔着重要地位。

M. V. 罗曼諾索夫（Lomonosov）氏在給舍維罗夫（Shuvalov）的"論俄国人口的繁殖和保存"的一封信中指出，对嬰兒死亡率的斗爭是国家的首要任务。他作出政府用以达到这一目的的全盤計划。他認为需要編制一合理的助产方法和印行医学書籍和手册。按照十八世紀初彼得一世的詔令，罗曼諾索夫氏又建議为孤兒和棄养兒設立一养育院。

十八世紀和十九世紀上半叶，对高的嬰兒死亡率斗爭和兒童保健問題佔着卓出医学科学家工作的重要地位，例如：S. G. 札別林，N. M.

馬克錫莫維奇-安博迪克(Maksimovich-Ambodik)、S. V. 科托維特斯基(Khotovitsky)氏等以及其他諸人,他們受了 M. V. 罗曼諾索夫的影响。虽然攻击一些在嬰兒哺乳和兒童养育上的偏見和迷信,同时他們却推荐採用民俗中完全合理的部分,如沐浴、和流傳在民間医学的种种健身法及其他类似的方法。

俄罗斯医生在母亲中領导了教育性的广大运动,因此傳播了养育兒童的衛生和預防疾病的知識。通俗的刋物散播了有关嬰兒喂养和人乳哺育等等正确方法和处理的知識。

为便利产婆在产科方面和兒童病治疗方面独立工作,出版了一些專門的手冊。这些手冊的作者是一些十八世紀卓越的产科学家(N.M.馬克錫莫維奇-安博迪克氏及其他产科学家)。俄罗斯产科和兒科之父 N. M. 馬克錫莫維奇-安博迪克氏(Nestor Maksimovich Maksimovich-Ambodik)在医学的其他方面和自然科学方面也有很好的修养。除为产婆写的手冊外,他还写了很多的著作:"植物学基础","俄、拉、德文新植物学辞典","解剖生理辞典","药物辞典,或药用植物記述"。在聖彼得堡設立的一座大的产科院——"产科研究院"也应归功于他。

卓出的哲学家和法学家 A. N. 拉迪什奇夫(Radishchev)氏除学習法学外还究習了医学,他將健康的青年一代的發育問題与俄国广大的社会改革問題联系起来。与他同时代的法学家 N. I. 諾維科夫氏在"莫斯科报"和其他刋物中出版了專頁来專論兒童的健康。

社会的兒科問題自十九世紀就或多或少地广泛地在著作中討論过,而且佔某些团体活动的主要地位。尼查耶夫(Nechaev)医师的"論农民家庭中出生一岁內嬰兒預防死亡的方法"一書即为一例。該書是 1837 年于喀山地方作者自費出版的,他是烏拉尔地方的一位朴实医师。作者將向嬰兒死亡作斗爭与改善俄国乡村居民生活的必要相結合了。

十八世紀所成立的自由經济协会(Free Economic Society)也关心嬰兒死亡的抵抗問題。該会对倡导种痘以預防天花有卓越貢献,並且曾以嬰兒死亡原因及其斗爭的措施为題举行过征文竞賽,1833 年公佈的題目,至 1836 年总共收到了 84 件作品。

十九世紀下半叶和二十世紀初,俄罗斯医生的面前仍然存在着向高的嬰兒死亡率作斗爭的基本問題。

俄罗斯統計学家 P. I. 枯耳金(Kurkin)氏闡明嬰兒死亡因素的社会意义如下:"整个社会的一般情況和健康也正是兒童在社会中的情況。正如行医的人在某些已知的情況下能判断病人的严重程度,仅以体温計上指示出的温度即能使人覚出危險而知所害怕,同样的也可根据部分人口——即兒童——的情况来推断一个国家人民的一般情況。这是用不着爭辯的。在一国之中如果一般的生活低微,那么兒童的生命就不可能被重視"(1911)。

極大多数的地方自治政府的医生如 P. F. 克齐亞夫澤夫(Kudryavtsev)氏〔在辛比斯克(Simbirsk)和赫桑(Herson)州〕, S. N. 艾格麦諾夫(Igumnov)氏〔卡耳科夫(Kharkov)州〕, Y. I. 紹斯塔克(Shostak)氏(辛比魯斯克州)和其他諸人,傾其全力来兴建幼兒园和孤兒之家,以防御尤其是在夏季的高的嬰兒死亡率。十九世紀末在若干城市如聖彼得堡、莫斯科、哈科夫、基輔、敖德薩、業卡武麟堡(今改为斯維德洛夫斯克)和其他城市中,出現了專以抵御嬰兒死亡为职責的一些社团。

十九世紀 90 年代湧出若干工人的組織,付以極大的注意力来保护兒童健康。

偉大的十月社会主义革命以后,按照新的原則重新改組了医学体系,保护母亲和兒童的健康成为苏維埃保健的重要部分。妇女和兒童診疗所、幼兒园、母亲和兒童之家、兒童医院、和兒科学院等,巨大的新的机構網已經建立了起来。

* * *

在保护母亲和兒童健康的工作中,广大的女工羣众起了很大的作用。在苏联保护母亲和兒童的健康是保証妇女們确实能参加在国家的生产活动和文化、科学工作中的基本条件之一。

在俄国訓練医师有很多特色。这些特色决定于俄国建国以来国家和社会生活發展的特件。

从最初起，俄罗斯医生們就被訓練成为社会的医生，从医学方面来协助国家、軍队和人民。

第一个訓練医生的学校于1654年在莫斯科成立。不久以后，出現了一些莫斯科軍医院附設的医院学校，在聖彼得堡和喀琅斯塔得(Kronstadt)也有。这些学校主要是为軍队訓練医生的。这些学校从一开始就着重外科解剖。莫斯科和聖彼得堡医院附設的一些外科学校以后称为外科医学院。

卓越的科学家M. V. 罗曼諾索夫(Mikhail Vasilievich Lomonosov)氏在俄罗斯医学科学的發展上以及訓練和指导俄罗斯医生的活动中起了巨大的作用。由他發起，莫斯科大學在1755年成立。罗曼諾索夫氏認为这大学將有助于实現他的理想，就是"……俄罗斯的土地上能誕生出無数的它自己的柏拉圖和它自己的有淵博思想的牛頓。"

M. V. 罗曼諾索夫氏为社会医学的援助組織草拟了进行程序，並为医师和医务人員的訓練制訂了計划，这些都是为了滿足人們的需要。

M. V. 罗曼諾索夫的自然科学和哲学观对于当时俄国的医生和医学科学家們的影响極大。他們都是罗曼諾索夫氏的学生和信徒。

前面我曾提及过D. 薩莫伊洛維奇氏，他拋棄了以靜观默思求出結論而响应了M. V. 罗曼諾索夫的号召，用实驗解决了鼠疫的流行病学問題。卓出的俄罗斯产科学家N. M. 馬克錫莫維奇-安博迪克、外科学家K. I. 什契平(Shchepin)和治疗学兼衛生学家S. G. 札別林氏等及其他学者都是M. V. 罗曼諾索夫的学生和追随者。

莫斯科大学的医学系是俄国医学科学人材薈集之处，其中俄国治疗学派的奠基人M. Y. 穆德罗夫(Mudrov)氏是拿破侖战爭时期該校医学系的教授。

自从M. Y. 穆德罗夫氏以后俄罗斯医生已遵循了俄罗斯的傳統，認定医学治的不是病，而是病人。他研究出詢問、檢查病人的一套方法，特别注意他們的生活情况、职業、遺傳性病和既往症，並指出为了确定病因，尤其是据以作个别治疗处方，这一切是必需的。

"按照病人的各个不同类型，治疗也必須各个不同。嬰兒需要一种治疗，男人則需要另外一种，老头則又是一种；一种适合小姑娘，另一适合母亲，而第三种适合老太太。对穷人可劝其多休息，吃好食物和服發散藥，对富人則劝其多劳动，节酒和进瀉劑。"N. Y. 穆德罗夫氏在生活情况中探索疾病的原因，並特别强調預防医学的重要性。

著名的外科学家N. I. 皮罗果夫(Nikolai Ivanovich Pirogov)氏从十九世紀上半叶在莫斯科大学受教育，很快地通过他的一些卓出的工作得到科学上的名望。

N. I. 皮罗果夫氏是俄罗斯野战外科的創始人。他首先使用大量的麻醉藥給伤兵施行手术，並在切割凝冻身体时进行解剖新方法的研究。

因为我們正在意大利举行会議，很有趣味地叙述，1862年意大利的民族英雄加里巴勒迪(Garibaldi)氏在阿斯普里芒特(Aspremont)地方負了伤，当时欧洲优秀的外科学家曾难以找出他身体里的子彈，而皮罗果夫氏竟取出了子彈並治癒了为爭取意大利人民自由的著名战士。1862年在德国和法国的一些医学杂誌上曾有过很多的文章討論这个病例。

N. I. 皮罗果夫氏繼續了俄罗斯医学科学的傳統，而且同时他还是一卓出的社会活动家。

早在塞佛斯他波尔(Sevastopol)的保衛战时，皮罗果夫氏就不仅是一外科医师，而同时是一軍队衛生組織者。他提出了他自己的撤退和运輸伤兵的方法，这方法在以后的战爭中为軍医們成功地使用着。

N. I. 皮罗果夫氏也是俄国地方自治政府社会医学創始人之一。

皮罗果夫氏說："医学的將来是屬于預防的"，从十九世紀下半叶以来，这已成为世世代代俄国社会医师們的口号。

十九世紀上半叶在俄国的政治反动情况下，科学家們發表有关保健方面的社会問題和社会活动的言論，会遇到很多的困难。为达到这些目的，所利用的途徑之一是通过在十八世紀(1765)成立的"自由經济协会"，然而范圍很窄。这协会在医学和衛生問題方面如我們前面已説过的，特別注意嬰兒的死亡和种痘抵御天花。該协会为改善人們的生活条件等举行过大規模的征文运动。为首的医学科学家們［M. Y. 穆德罗夫，E. O. 獸欣（Mukhin）、S. F. 科托維特斯基氏等］以及和医学職業無关的一些人参与了这个协会的一些医学活动，並显示出对人民保健問題的兴趣。

十九世紀下半叶正当社会运动的高潮，推翻农奴制时（1861），医学思想和社会活动在俄国可以看出有大的發展。这时期社会医学的卓越代表是喀山大学病理学教授 A. V. 皮特罗夫氏，他在一本新“社会医学杂誌”的目录中写着他希望从此着手：

“……几千年来为个别單位服务的成效甚小，以致医学和医师們被动員为全社会服务。需要的是：治疗社会的疾病，提高社会健康水平，提高社会的一般幸福。需要新的方法，而这些新方法只能由羣众自己实行……”（1873）。

在这个时期，俄国的社会医学随着 1864 年設立的所謂地方自治政府大大發展。在这里俄罗斯的社会医师們找到了貢献出他們能力来的可能。

地方自治政府中医学的發展比較起十八世紀以来已成立的医学設置所謂社会慈善局，可説是医学机構走上了为农民服务，显著的前进了一步。地方自治政府的医疗工作体系与其他国家的类似机構相比較，也是农村地区中最进步的医疗工作形式。在地方自治政府的形式中沒有私人开業者，而同时它也並不是一慈善救济机关。它的任务是在社会的基础上供給农村居民医疗援助，这些农村居民是俄国人口的主要組成部分。

医学統計体系的完成（E. A. Osipov 氏，P. I. Kurkin 氏等人），衛生知識的傳播，和广大衛生教育的活动等都是地方自治政府医学体系的显著成就。地方自治政府医师在服务中的貢献如下：按照衛生的实际需要在农村地区建立起完善的医疗机構，組織医院和地方診所的医疗援助，建立專門衛生机構，把医疗援助的促进与健康措施結合起来，並且实施衛生的和防治流行病的措施。

十九世紀 90 年代在城市中医学开始在社会的基础上發展。卓出的临床学家和治疗学家 S. P. 包特金（Botkin）氏是奠基人之一，他为医院治疗的根本改善作了很多工作，並給市民免費治疗。再稍后，則所称之“工厂”医学也發展了。

医学科学最好的代表者是与地方自治政府的医师們密切相关的，並使他們有一切可能的作为。

莫斯科大学的卓出临床学家和治疗学家 A. A. 奧斯特劳莫夫（Ostroumov）氏解答了环境条件对疾病的起源和原因的影响問題，他極注意去教育学生們將来在农村医学机構中工作。奧斯特劳莫夫氏認为：疾病的基本原因是环境惡劣，必須改变环境才能抵抗疾病达到胜利。地方自治政府为首的医师們遵循了奧斯特劳莫夫的教訓，研究死亡和死亡原因。他們領导了有关地理环境与疾病关系的詳細調查，所得結論具有極大的社会意义。

P. I. 枯耳金氏开始公布莫斯科州的人口死亡的广大統計調查。N. I. 特齐亞科夫（Tezyakov）氏在服洛涅日（Voronezh），克齐亞夫特錫夫氏在里亞贊（Ryazan）和其他地方自治政府的衛生医师們都領导作了类似的調查。

*　　　*　　　*

俄国一些大学中的医学講座，尤其是治疗学和外科学的講座，对訓練社会医师們工作上起了巨大的作用。

莫斯科大学外科学講座主任 P. I. 廸亞康諾夫（Dyakonov）教授在某一次皮罗果夫大会开幕时説：“俄罗斯的外科学一年一年迅速地壯大起来。壯大的原因是俄罗斯的外科学沒有沿着西方国家的途徑去發展。它不仅集中于几个主要的医事中心和学校，而且在小的地方也建立起来了。在这些比較小的中心地方自治政府的医师們表現出惊人的才干，他們不仅治病，而且教导人們，由这一点来看，他們对于大学校作了有力的支援。”

例如 P. I. 迪亞康諾夫的学生，在农村地区工作出名的俄国第一批女外科医师之一，A. G. 埃汉格勒斯卡維（Arkhangelskaya）氏于莫斯科州阿拉宾諾（Alabino）村成立了一小型的地方自治政府医院，这医院应給以"农村診所"的称号。莫斯科一妇产科学校的創办人 V. F. 斯尼吉里夫(Snegirev)氏特写了以"子宫出血"为題的巨幅專門論文以題献給在極困难环境下奋不顧身地工作的地方自治政府的医师。

1885年召开了具有重大意义的第一届全俄罗斯医师会議。从这时起俄罗斯医师协会开始被称作"紀念皮罗果夫俄罗斯医师协会"。N. V. 什利弗索夫斯基(Shlifosovsky)教授在大会的开幕詞中說:"由許多来自广大祖国的一些边远角落的医生們参加这次大会，还不是生动如画地說明一般地和交錯起来地劳动的必要嗎……。医生們团結起来融洽的工作，能对社会有極大的利益。"他强調在农村地区工作的医生是俄罗斯医学的主要形式。人物的事实与这些人紧密的結合是当前俄罗斯医学科学的最好的代表。如外科医师 N. V. 什利弗索夫斯基、P. I. 迪亚康諾夫、A. A. 博布罗夫(Bobrov)氏等，治疗学家 A. A. 奥斯特劳莫夫(Ostroumov)、V. A. 曼納辛(Manassein)氏等，产科学家和妇科学家 V. F. 斯尼吉里夫(Sneginev)、A. Y. 克拉索夫斯基(Krassovskg)氏等，衛生学家 A. P. 多布罗斯勒文(Dobroslavin)、F. F. 埃里斯曼(Erisman)氏等和其他学者。他們都严格地遵守了俄罗斯医学的傳統特点，即紧密地把治疗和社会医学联系起来。另一方面对若干医生講，地方自治政府的医学是一最完美的学校。許多卓出的科学家如外科学家 S. I. 斯帕索克科特斯基(Spasokukotsky)氏、兒科学家 N. F. 斐拉托夫(Filatov)氏。衛生統計学家 P. I. 枯耳金氏等等都是地方自治政府医生出身。

把科学的和社会医学活动輝煌地結合的最好例証就是前面我已說过的 N. I. 皮罗果夫氏。另一位就是十九世紀俄罗斯医学最突出的代表人物 S. P. 包特金氏。

S. P. 包特金的老师 F. I. 伊諾齐麦切夫(Inozemtsev)氏这位莫斯科大学教授是"莫斯科医学报"及莫斯科俄罗斯医师协会的創办人，在他的影响下，医学团体在各地紛紛建立，並且献身于为农民服务的医生的行列中也为之巩固起来。特别要提到附設在喀山大学的"喀山学会"的一些有益的活动。这个学会是以卓出的病理学家 A. P. 皮特罗夫、治疗学家維諾格拉多夫、衛生学家雅科拜和其他学者为領导的。他們企圖將医学的成就交給人民使用，並对教育青年一代的俄罗斯的衛生医生有很多貢献，第一个受他們教育的是 I. J. 莫利桑(Molesson)氏。他是喀山大学畢業生 A. V. 皮特罗夫的学生，他放棄了一个科学家的事業，而成为一衛生医生。这一工作具有困难，但对充滿了鑽研头腦和爱人民的人来看，却是很令人滿意的一个职業。I. I. 莫利桑氏远离烏拉尔去到沙德林斯基(Shadrinsky)地方。在那里他作一个衛生医生，开始了各样有益的工作，堅持了將近半个世紀。

因此，我們見到俄罗斯医学协会的許多会員們为理論和实际相結合而努力，他們是俄罗斯医生和著名的科学家，为結合理論与实踐的目标而奋斗，他們向需要高深科学学識的極重要的問題进軍。一切进步的医学界都重視医学协会的号召。在十九世紀 80 年代主要的学会是以 S. P. 包特金氏为首的聖彼得堡俄罗斯医师协会。

因不可能足够詳細地說明 S. P. 包特金氏的神經力观念对于医学科学的貢献，我仅就 I. P. 巴甫洛夫的論文緒言中引几句話来表明，I. P. 巴甫洛夫氏写道:"我被包特金教授的临床观念所籠罩，並以衷心感謝这影响对我的好处，無論在他的著作上，或者在我的一般生理学观点上，这淵博的"神經論"(我所称为神經論是生理学的趋向，这趋向企圖扩展神經系統对于可能最大多数机体活动的影响)，常是預先提示了实驗的論据，这在我看来就是 S. P. 包特金氏对生理学的主要貢献。"

請允許我叙述 S. P. 包特金氏在社会医学發展中的作用。

早在 1865 年 S. P. 包特金氏就提議設立流行病学会。他不仅請到了医师和医务人員参加，而且也有广大社会阶層的代表。包特金氏作了俄罗斯医师协会主席，首先就遇到所謂的"維特律安斯克(Vetlyansk)"鼠疫在 1879 年流行。鼠疫在阿斯脫剌罕地方流行，严重的威胁蔓延到临近的地方。S. P. 包特金氏集合了所有的科学家到聖彼得堡俄罗斯医师协会；派遣他的学生們到流行病的地区並引起国民注意針对預防鼠疫蔓延的措施。从这时起研究傳染的問題、傳染病治疗方法的解决和預防，都沒有离开过医师協会历次会議的議程。

S. P. 包特金氏除在临床方面的工作外，还参加了广大的社会活动，他是聖彼得堡議会的議員，主动的協助在首都發展医院，参加了这些新医院的組織和工作的改进。

根据 S. P. 包特金氏的提案和他直接的参与，在聖彼得堡成立了一个"議会医生"学会。这学会对家庭和診所需要帮助的人們給予免費的医葯。医生們由市議会开支維持。

以 S. P. 包特金氏为首的聖彼得堡俄罗斯医师協会由个别改善聖彼得堡的衛生条件措施及市民医葯救助組織而轉变到討論对減少全俄国的罹病率和死亡率作斗爭的有关問題。

1885年在罗馬召开的国际衛生会議上，聖彼得堡俄罗斯医师協会的一位会員 N. N. 埃克(Ekk) 氏作了題名为"俄国对罹病率斗爭的措施"的报告。在協会中討論了这篇报告之后，S. P. 包特金氏奉政府命草拟改善俄国居民地方衛生条件的計划，由 S. P. 包特金氏負責的一个政府委員会因此成立了，其职責在找出一些改善国家衛生狀況的方法。由医生、科学家、社会名流和政治家們那里蒐集来的一些流行病斗爭的措施与改革俄国政府目前事業相結合的建議，是相当有意义的。然而这个委員会所起草的这些建議因当时官僚統治存在，遭到了拒絕，沒有付諸实施。

*　　*　　*

在十九世紀 60 年代首次出現了一些俄罗斯衛生学校。主要的一个是聖彼得堡衛生学家 A. P. 多布罗斯勒文的學校，多氏对于英国衛生机关体系的經驗評价很高。他指导过俄罗斯人民保健協会的一个部門工作，並作了很多改善俄罗斯健康狀況条件的研究。著名的衛生学家 F. F. 埃里斯曼氏与莫斯科地方自治政府以及其他的衛生工作者們如 E. A. 奥錫波夫、I. V. 波保夫、A. V. 波高謝夫(Pogozhev)氏等密切合作，对人口罹病率、工人和农民的家庭生活与劳动狀況作了具有特殊貢献的研究。

F. F. 埃里斯曼氏是学校的医生，以檢驗城鎮小学的学生开始他的工作。在这檢驗中出現了著名的埃里斯曼"校桌"的收获，和改善学童們身体發育的建議。

在 F. F. 埃里斯曼氏指导下按照他的計划，广泛地檢驗莫斯科州的工厂和紡織厂，这次檢驗有着極大的理論和实际的价值。檢驗繼續了六年之久(1879—1885)，檢驗了 1,080 个工厂，114,000 名工人。同时作了十万名工人的身体測量。以往的科学中从来沒有过这样大規模的檢驗。埃里斯曼氏 1879 年在德国"法制和統計学彙編 (Archiv für Gesetzebung und Statistik)"杂誌上总結了这次調查的結果。

埃里斯曼的同事和学生們的調查，發覚在十九世紀末叶的 25 年中，俄罗斯工人阶級的健康狀況和身体發育狀況不能令人滿意，因而作出了改善工厂劳动情況的措施。

莫斯科地方自治政府 1911 年在德勒斯登(Gresden) 举行的国际衛生展覽会中展出的展覽品，俄罗斯衛生統計学家們的罹病率的調查研究引起包括欧洲最著名的科学家們在內的普遍的欽佩。

F. F. 埃里斯曼及其学派着重指出，改变社会和經济的因素是改善广大羣众衛生的先决条件，否則不能指望成功。

著名的俄罗斯生理学家"神經反射"的作者 I. M. 謝巧諾夫(Sechenov)氏在劳动生理学的敎言中作了巨大的貢献。在他著名的講演"工作日長短的生理学基础"中証明八小时工作日之必要性。我們不要忘記敎导呑噬作用的創始人 I. I. 麦奇尼科夫 (Mechnikov) 氏在發展俄罗斯社会医学和对抗傳染病的非凡作用。他在意大利墨西拿 (Messina) 地方观察地中海海濱的居民，發現了最初的呑噬現象，而成为他以后的免疫学理論基础。就在索棱托 (Sorrento) 城 I. I. 麦奇尼科夫、A. O. 科維利夫斯基 (Kovalevsky) 和 I. M. 謝巧諾夫氏等与那些未来的青年著名研究者們举行了会見。

I. I. 麦奇尼科夫氏对人民的保健非常有兴趣，並参与了赫桑 (Herson) 地方自治政府的工作。1886年他在敖德薩設立了俄国第一个菌种保存站。

在十九世紀的开始，諾維罗塞斯克(Novorossisk) 大学才有了医学的分科。然而敖德薩在十九世紀也列入了医学的紀事之中，应感謝朴实的医生們彼时在敖德薩的工作。

十九世紀70和80年代傳染病領域中一些重大發現是由敖德薩的一家医院相繼获得的。G. M. 明赫（Minkh）氏工作在敖德薩的一家医院中，为确定回归热的病因学，他把患者的血液注射到自己的身体，不久得了回归热。該医院另一医师 O. O. 莫邱特科夫斯基（Mochutkovsky）氏使自己感染了斑疹伤寒。明赫氏証明只有患回归热病人的血能傳染。莫邱特科夫斯基氏証明斑疹伤寒也是同样的道理。他們發現昆虫在傳染斑疹伤寒上的作用。

这些是俄罗斯医生們的英雄事蹟的例子。

在第一次世界大战前夕，俄罗斯卓越的科学家們曾在医学科学的各分科中工作著名。医学科学的代表者密切地与医生羣众相联系。在俄罗斯有众多的不顧自身的社会医师。一些医学会議和医学协会中在詳細观察了国家的衛生狀況和工人生活狀況的基础上，作出了改善人們健康狀况的一些方式方法。然而在第一次世界大战前夕沙皇俄国霍乱的流行沒有消灭，就是首都聖彼得堡也时常受到威胁；嬰兒的死亡率極高、罹病率也是同样，这乃是由于工人的生活狀况恶劣的緣故。

*　*　*

革命前俄罗斯社会医学的成員們和它遺留下来的事業的客观历史評价，列宁用以下的話教导我們：“历史功績的評价，不是以历史中的人物沒有考虑到当前的需要，而是以和他們的先人比較，看貢献了什么新的东西。”

1917年偉大的十月社会主义革命以后，苏維埃政府保証了科学与实踐的合一，並一年一年不断地扩展劳动羣众的保健工作，而仰仗于科学，科学这时才开始使其一切成就有为人民利益付諸实现的可能。

“苏联时代的医生們为創作和热情工作的討論，沒有列到今天报告的題目中；这些医生們在保健工作中居于很活躍的地位，而且实現着种种理想，这些理想是俄罗斯最优秀的科学代表者們曾为此斗爭过的。希望將来我还有这样的机会給大家介紹。

我相信我們的大会將同意朋斯（Burns）的話：“大会將为促进世界和平，为人类社会的繁荣幸福时代的另一步驟而服务，这样的时代是我們大家都迫切需要的，假如我表明这样的願望，应当不会言过其实的。”

我們希望这次大会在团結各国的科学家，在促进国际合作和促进全世界的和平上，也將是一重要的里程碑。

（陆肇基譯自 The Role of the Physician in Russia in Guarding the Health of the People, 1954。）

評Б. Д. 彼德罗夫主編"医学史"

Б. М. 赫罗莫夫

这部新的苏維埃医学史教本的出版在我国(苏联)医学科学中無疑地是一件可喜的事，对于各科医生都是很有益处的。学習医学史在苏維埃医生的思想政治教育中应該佔有極重要的地位，因为这不仅有助于他們掌握祖国和世界医学的宝貴遺产，而且还警告他們提防錯誤並武裝他們，使他們能够在探求新事物上胜利地前进。医学史可喚起医生对祖国医学科学的自豪感，培养医生的爱国心，使他們懂得，我們苏維埃医学在性質上是新的、是医学發展上的高級阶段。正因为如此，学習医学史在我們所有的医学校里都是極重要的，我們的整个医学界(而且不仅医学界)也因之对任何医学历史的研究都表現出热烈的兴趣。

大家都很清楚，綜合性著作和参考書的缺乏使医学史的研究和教学遭到極大困难。長期以来，医学遺产往往是从与我們在思想上格格不入的大国沙文主义或是沒有祖国的世界主义的錯誤立場上来論述和講授的。許多年来，在認識过去医学里的許多最重要的現象上有过不少或大或小的錯誤，对許多思潮、学派和科学家个人給予了許多不适当的評价。我們的医生、学生和高等学校教师期待一部苏联出版的有充分价值的医学史教本巳經很久很久了。

的确，編著这样一部教本是不容易的任务：他們必須从徹底的历史唯物主义的立場把祖国的以及世界的前代医学所积累的大量实际材料重新审閱一番，並加以正确的科学的說明。在編写教本时，作者应当克服过去犯过的錯誤及不恰当的观念。也应当估計到这个重要情况：即迄今为止，医学史上的許多問題还是研究得極其不够的，各种專題性著作的非常之少确鑿地証明了这一点。然而即使有这些和其它一些困难，这本教本本来还是可以更早出版的。

儘管書的副标題——"医学史課程教材"——不尽令人滿意，但我們有充分根据把它看做是一部好的(虽然是簡略的)教科書，这也因为編著者在叙述材料时遵循了医学史課程教学大綱。

巳出版的第一卷包括：緒言"医学史是一門科学"及医学通史方面的材料，包括俄罗斯医学史中的一些重要材料。第二卷則如編輯委員会在序言中所預告的，將全部講述祖国医学史，包括苏維埃时期的医学史。

在对这本書作全面評价时，应当承認，作者們也是成功地編成了一部好的参考書，它不仅对高等学校的师生極为有用，且所有对医学史有兴趣的人讀过之后也会得到很大益处。

在本書的优点之中应指出插圖的优美，这些插圖很好地裝飾着这本書，使得更为具体，更为易解。特別是講述古代国家和中世紀医学的各章，选用的插圖都是富于艺术性並極有意味的，有不少还是原圖。

叙述的風格和摘自文艺作品的片断也同样地在許多地方吸引着讀者。事实上这主要是指講述前資本主义时期医学史的各章，至于其它各章則很少如此。例如，如果說对傑出的法国外科医生巴累(А. Паре)的活动的描述是姿态生动色彩鮮明，那末，对其他著名外科医生(拉萊[Ларрен]、皮罗果夫[Пирогов]、利斯特[Листер]、比尔罗特[Бильрот]等人)的描述則該說是十分平板、枯燥和簡略的了。

在指出这本書的优点时，也应 到它的一些基本缺点，尤其是因为作者們还面临着出版第二卷的工作。

首先，編輯委員会对每卷材料的分配是頗可商榷的。最后一章"帝国主义时期的和無产阶級革命时期的医学"(眷巴金著)可算是最显著的例子。

这一篇是叙述了医学中墮落反动的和唯心的观念，但完全沒有叙述医学本身，这与本書前面几章就不同了。我們引用一下这章各节的标題:"各种族的生物学上不平等的'理論'、人对疾病有先天感受性的"理論",反动的遺傳理論、生理学中的唯心主义流派、伪科学优生学的創立、精神病学方面的反动理論、心体医学、資本主义国家医学中的欺詐、殖民地医学的發展、国际衛生协定和組織、在資本主义社会里医生的处境"等。当然,所有这些問題都是值得說明和分析的,但是書中的說明和分析却是完全与医学本身相脱离的。我們要問,內科学、外科学、产科学、生理学、病理学及其它临床和理論各科又在哪里呢?沒有經驗的讀者閱讀这一章时会無意地产生錯誤的印象,以为医学自身在20世紀前夕已不复單独存在了。大概本書編委会也知道这个錯誤,因为在編者脚註中指出:"本書第二卷將叙述医学各科發展的主要問題"(253頁)我們認为,把这篇分成兩部,一部放在第一卷,另一部放在第二卷,是沒有任何根据的。如果先叙述帝国主义时期理論医学与临床医学各个部門的發展,然后在結論中引入現在第一卷中的材料,这样也許較为正确和合理得多。依照这样的次序进一步叙述苏維埃时期医学的丰富內容,它的先进面貌和飞躍的發展速度,那末在和資本主义国家墮落的反动的医学对照之下,会使得更为明显。

不知为什么,書中完全沒有提到古犹太的医学、同种疗法(流傳至現代),也沒有提到各时代許多不同民族的著名医学家的名字。如著名法国医生休伊·德-紹利阿克(Гюи де-Шодиак)(14世紀人),他是外科經典著作("大外科学")的作者,这部書为医生們使用了数百年之久;塔理雅考奇(Тальякоччи)(16世紀人),他拟制了直到今天仍然有名的骨成形术的"意大利方法";还有許多著名的解剖学家和生理学家如阿傑黎(Азелии)、巴尔托里尼(Бартолини)、斯提农(Стенон)等,外科学家如希尔但努斯(Гильданус)、維尔波(Вельпо)、捷卓(Дезо)、宏特(Гунтер)、究漂特林(Дюпюитрен)、庫比尔(Купер)、蘭琴伯克(Лангенбек)、奈拉東(Нелатон)等,这些人都沒有提到。

虽然俄罗斯医学史將在第二卷單独講述,但是在本卷中,在叙述总的医学史的过程中,也应当指出俄罗斯医学的先进的特点及俄国学者的許多重要的优先地位。例如談到17世紀时叶彼凡尼·斯拉維涅茨基(Епифаний Славинецкий)就已把維薩里的名著"解剖学"譯成俄文(128頁),应指出在123年之后这部書才被列維林德(Левелинд)譯成德文;在叙述尼策(Нитце)發明膀胱鏡时(204頁)应提及他的先驅——我們的同胞(加堪[Гаккен]等);在关于無菌法的一节中,沒有提到傑出的俄国外科医生苏包秦(М. С. Суботин),他在实际上是首先制定出無菌的治疗創伤的方法的人之一;同样,俄国首先使用無菌法的謙虛的外科医生布尔采夫(И. И. Бурцев)的名字也是不該被忘記的。皮罗果夫(Н. И. Пирогов)和其他祖国学者創立外科学的解剖生理学派的功績沒有提到;关于我国学者在研究麻醉法問題中的傑出功績是講得太簡略了,等等。

另一方面,在医学通史的課程中恰恰不应縮小某些西欧学者的作用。例如,不明白为什么把基本上是創始了細菌学、創造了治疗創伤新法的利斯特(Lister)归入經驗主义者之列(214頁),等等。

書中也有一些不确切的地方和明显的錯誤。如第181頁談到在19世紀前半期的比沙(Биша)的工作,虽然都知道他是在1802年去世的;在203頁却断言,拉哀奈克在研究听診方面是沒有先驅的,然而在他以前高尔維沙尔及其他和他同时的医生已採用了直接听診;在215頁指出了外科学中的解剖学派,可是就俄罗斯外科学而言,应談到解剖生理(皮罗果夫)学派,等等。

在某些章节中觉得有些濫用引文。当然,对馬列主义經典著作的每一个引証都能帮助理解这个或那个問題,但一般說来大量的引証並不能改善書的質量,尤其是指資本主义时期各章及一部分的插章。另外有些引証未註明来源。

关于个別章节的內容也应做很多一般性的批評。

П. Е. 札布魯多夫斯基写的开头兩章(医学史是一門科学,医学活动在人类社会中的起源)已在該作者的講稿在报刊上分期出版时得到好評,因此就不詳細講了。我們只說,它們为同一作者写的后面講古代和中世紀的几章做了良好的开端，这几章占了第一卷的一大半。

然而应当指出这兩章的一些不够好的地方。在書中，特别是在序論中，把文化、科学和历史科学中的国际主义問題显得不够重視。要知道無产阶級国际主义無論在我們的国內文化工作或国际文化工作中都是一个根本原則。

在序論里还談到，美术也能够作为研究前代医学的来源。如果在这里指出研究古俄罗斯的纖細画（миниатюра）在这方面的特殊价値，那是很适宜的。据包高雅夫連斯基（Н. А. Богоявленский）最近的研究，証明有关古代医疗历史的許多知識能够从这个来源获得。同样也应提到高連德尔（Голлендер）的著名著作，在这本書里收集了大量医学題材的插画。

在"医学史是一門科学"一章中正确地指出，外国資产阶級史学家总是抹煞我們祖国医学对世界医学科学的貢献。可惜，在論証这点时只引証了究民尔（Р. Дюмениль）和包奈-盧（Ф. Боннэ-Ру）編輯的"名医录"中的一段文字。如果把类似的例子多引用一些会是十分有益的，这种可資引証的例子並不缺乏。如英国人盖特里著的"医学史"[1]中，俄国医学不过只有几行，而且还是歪曲实际的，至于苏維埃医学的卓越成就則完全避而不談。德国人古尔特写的外科学史[2]厚达3,000頁以上，而其中俄国外科学只占半頁！在伯倫写的簡明外科史[3]中，除开对皮罗果夫和巴甫洛夫簡略地講了几句以外，关于俄罗斯和苏維埃外科学是只字未提。最后，在美国人廖納多著的一厚冊新的外科学史[4]中，对俄罗斯和苏維埃的外科学也仅仅給了七頁！

讀者以極大兴趣閱讀"奴隶社会的医学"一章中关于古代中国医学和古代印度医学的兩节——現在全世界的进步輿論都友好地关心着这兩个国家。这兩节是有內容的，插圖也很好，但过于簡略了。讀者——無論是学生、教員或医生，却都想比这更多地了解这兩个国家，了解它們过去的丰富的医学文化，我們应感謝这些文化。例如，書中完全沒有提到印度的鼻成形术法，这种方法的原則在現代成形外科中仍保有其意义。

希波克拉底的关于內科病等的学說是叙述得很詳尽的，但对当时的外科学却講得很少，虽然希波克拉底及其学派在这方面的功績也是極为巨大的，而古希腊人是曾以多种手术及治疗骨折、創伤等的各种各样的方法而聞名的。在談到柏拉圖与医学的关系时，無妨指出，他純粹从阶級的眼光出發，对慢性病人的治疗抱否定的态度，照他的意見，这些人对社会完全無用。書中对亞里斯多德的医学观点几乎絲毫未提。

就內容的丰富，見解的新穎与政治上的銳敏而言，以講文艺复兴时期医学的各节为最好（札布魯多夫斯基写的）。

資本主义时代的医学一章的缺点之一是把医学家的职务經历講得过于詳細，有些地方甚至像是履历表，而不像是評述科学活动。書末沒有列出人名索引，——有人名索引可在使用这本書做各种查考时方便得多。本書在个別的地方还有其他缺点，但不一定要在这里講到。

之范、振嘉节譯自外科学通报（Вестник Хирургии, 1955年第六期152-155頁）

（附註：本書已譯成中文，在本年五月由人民衛生出版社出版了，故將原書評譯登，便利讀者參考。）

---

(1) Guthrie D., History of Medicine, London, 1945.
(2) Gurlt E., Geschichte der Ghirurgie, Bd. 1-111, Berlin, 1898.
(3) Brunn W., Kürze Geschichte der Chirugie, Berlin, 1929.
(4) Leonardo R. A., History of Surgery, New York, 1943.

文摘

苏联的一些人口与衛生統計資料

Некоторые Демографические и Санитарно-Статистические Данные О СССР.
А. М. Мерков Гигиена и Санитария №1 1957. P. 6—12.

苏联国土22,403,000平方公里，人口2亿零20万(1956,4)。首都莫斯科人口4,839,000人(不包括郊区人口)。全国城市人口佔43.4%，乡村人口佔56.6%(1913年城市人口为17.6%，乡村人口为82.4%)。

居民社会構成的变化如表1所示；剝削阶級逐漸消灭，而从事于社会主义經济建設之人口逐漸增加。

1956年初苏联有16个加盟共和国，其中包括16个自治共和国，9个自治省，128个边区和省，10个民族区，4,328个乡村区与城市区，50,516个乡村苏維埃，1,566个城市，其中有599个共和国，边区，省和民族区所屬的城市，2,432个市鎮，10万人口以上的城市有135个。

表1 苏联居民阶級構成(%)

阶級	年份			
	1913	1928	1937	1955
所有居民(包括家屬)	100	100	100	100
其中：				
工人和职員	17	17.6	36.2	58.3
集体农民与合作手工業者	—	2.9	57.9	41.2
个体农民	66.7	74.9	5.9	0.5
地主、城市資产阶級、商人、富农	16.3	4.6	—	—

人口自然变动資料如表2。

表2 苏联人口自然变动
(每千人口)

年份	出生率	死亡率	自然增加率
1913	47	30.2	16.8
1926	44	20.3	23.7
1940	31.7	18.3	13.4
1950	26.5	9.6	16.9
1955	25.6	8.4	17.2

欧洲列国人口自然变动資料如表3。

1955年苏联城市及市鎮的住宅面积共640,000,000平方米，其中公共住宅面积为432,000,000平方米。1955年平均每一居民的住宅面积为7.4平方米(1913年为6.4平方米)。此外，由工業企業和其他非中央撥欵的建筑尙有10,000,000平方米。在第五个五年計划中在城市移民区建筑了154,000,000平方米住宅面积。集体农民与农村知識份子在1951—1955年內建筑了2,300,000所住宅。大城市的住宅总面积与居民居住的保証程度如表4、5所示。

表3 人口自然变动資料(1950—1954)
(每千人口)

国家	出生率(‰)	死亡率(‰)	自然增加率(‰)
苏联	26.2	9.3	16.9
美国	24.4	9.5	14.9
英国	15.5	11.6	3.9
法国	19.4	12.7	6.7
比利时	16.7	12.2	4.5
德意志联邦共和国	15.8	10.5	5.3
瑞典	15.5	9.8	5.7
奧地利	15	12.2	2.8
芬蘭	22.8	9.7	13.1
澳大利亞(土著除外)	23	9.4	13.6
新西蘭(白人)	25.7	9.3	16.4
保加利亞(1947)	24	13.4	10.6
匈牙利	21.1	11.4	9.7
德意志人民共和国	17	11.7	5.3
波蘭(1950)	30.5	11.6	18.9
罗馬尼亞(1953)	23.7	11.5	12.2
南斯拉夫	28.8	12.4	16.4

1955. 联合国出版. 人口統計年报.

表4 苏联的住宅建筑

年份	城市及市鎮建筑的住宅面积(百万平方米)
1918—1928(11年)	42.9
第一个五年計划(1929—1932.4年)	38.7
第二个五年計划(1933—1937.5年)	42.2
第三个五年計划到衛国战爭开始(1938—1941前半年.3.5年)	42
1941.7.1—1946.1.1.(4.5年)	49.8
第四个五年計划(1946—1950)	102.8
第五个五年計划(1951—1955)	144.2
其中：1955年	32.8

表 5　苏联大城市居民居住保証程度

城市名称	居住总面积（千平方米）	平均每一居民的居住面积（平方米）
莫斯科	35,400	7.3
列宁格勒	25,300	7.9
基輔	7,700	7.8
哈尔科夫	6,700	7.6
巴庫	6,600	7.3
高尔基	5,900	7.7
梯比里斯	5,400	8.5
奥得薩	5,400	8.9
斯維尔德洛夫斯克	4,900	6.9
塔什干	4,700	6.0
古比雪夫	4,600	6.1
斯大林諾	4,500	7.2
德涅泊彼特罗夫斯克	4,400	7.6
罗斯托夫（在頓河区）	4,400	8.0
諾沃西比尔斯克	4,300	5.9

医师保証程度如表 6、7 所示。

表 6　医师人数的增長

年份	医师数（千）	每万居民之医師数	每一医师之居民数
1913	28.1	1.8	5,666
1940	155.3	8.1	1,237
1955	333.8	16.7	605

表 7　加盟共和国的医师人数

共和国	医師数（千）	每万居民之医師数	每一医师之居民数
俄罗斯	197.6	17.5	570
烏克蘭	64.9	15.9	626
格魯吉亞	11.8	29.4	340
卡查赫	9.8	11.5	871
白俄罗斯	9.5	11.9	846
烏兹別克	8.8	12.1	823
阿塞尔拜疆	7.4	21.8	459

有关这方面的一些外国資料如表 8 所示。

表 8　苏联与一些資本主义国家的医师保証程度

	每万居民平均医生数	資料年份
美国	13.7	1953
英国	9.1	1951
法国	9.2	1953
比利时	10.2	1953
瑞典	7.4	1953
苏联	15.9*	1955

* 不包括牙医，包括牙医时为 16.7。

苏联病床的增長資料如表 9、10 所示。

表 9　苏联病床的增長

年份	病床数	每千居民之平均床数
1913	207,300	1.3
1940	790,900	4.1
1955	1,290,200	6.45

表 10　病床数最多的加盟共和国

共和国	病床数（千）	每千居民的病床数
俄罗斯	756.7	6.7
烏克蘭	248.2	6.1
卡查赫	55.8	6.6
白俄罗斯	41.5	5.2
烏兹別克	40.0	5.5

苏联病床数現尙不如一些資本主义国家，有关資料如表 11所示。

表 11　某些資本主义国家的病床資料（1953）

	每千居民的平均病床数
美国	9.9
澳大利亞*	11.2
新西蘭	13.1
英国	10.8
瑞典	14.3
瑞士	14.3

* 1952 年資料

此外，据1955年末資料2,178所疗养机構尙有疗养与休养床 284,000 張。常年托兒所906,000所（632,000所在城市与市鎮）。1,713,000 所幼兒园（1,410,000在城市与市鎮）。另外，于 1955 年有 200 万以上的季节性托兒所，565,000 兒童入夏令营。

新建的这些机構的建筑如表 12 所示。

表 12　国家新建的机構数与床位数

年份	病床（千）	所（千）	
		托兒所	幼兒园
1936—1940	42.7	222	147
1941—1945	23.5	22.1	34.5
1946—1950	63.5	36.4	65.4
1951—1955	71.4	137.6	261.7

（焦登鰲　李天霖摘）

十九世纪后半紀俄国临床医学的發展

П. Е. Заблудовский Развитие Клинической Медицины в России во второй Половине XIX Века

在19世紀下半紀一系列自然科部門——物理学、化学、生物学、病理解剖学、生理学以及較晚的微生物学的进步丰富了临床医学並促进它脫离原有純經驗色彩而在科学的基础上重建。然同时，对个别發現作用的誇大和片面性以及反动唯心哲学的影响（特别是雪林的自然哲学）給西欧国家的医学帶来严重的錯誤（維也納学派中的《治疗学上的虚無主义》，魏尔嘯的細胞病理学）。

在俄国在同此时期，由于以上与医学鄰近各自然科学的飞速發展，也同样影响到临床方面。在这个时期，特别是此世紀的末期，在各种科学以及医学上分化的过程加速，新的科目出現並逐漸增長起来。然而临床治疗——內科病，在整个临床上仍然还是佔着中心地位。在医学發展的历史过程中，关于疾病的本質、原因、治疗和预防的基本概念，首先在內科学中形成並不斷变化着。这在19世紀是很特别的。另一方面，在本世紀特别在后半叶，从临床治疗又逐漸分化出一系列的部門，以后得到發展成为独立科目。

19世紀下半紀俄国医学显明的特征，是相繼地採用了先进的自然科学，运用物理检查方法（扣診、听診），实驗分析、体溫計、屍体病理解剖等到临床上。进步的祖国临床医学的傳統和俄国革命民主的进步哲学思想的影响，决定了19世紀下半紀俄国临床医学优秀代表首先是С. П. Боткин的观点的形成。С. П. Боткин創造性繼承了19世紀下半紀医学和自然科学的成就，在临床医学的發展上开始确立了新的生理学阶段。他对生理学、实驗病理学和药理学予以很大重視，把它們看作是临床的自然科学基础。和其他国家統治医学的器官病理学和細胞病理学不同，С. П. Боткин提出机体統一性和完整性的原則，在此基础上对神經系統的作用予以很大注意。

曾在С. П. Боткин的临床上工作过的И. П. Павлов后来对С. П. Боткин的神經論以很高的評价，認为这是他的临床学說的典型特征。С. П. Боткин的許多学生和同事，遵循他的思想，后来成为其他临床和理論科目上的有名代表。

Боткин是进步的社会医学活动家他倡議改組医院，在城市里实行分区服务的"国家医生"，他还提出一些与流行病斗爭的方案。

19世紀下半紀俄国其他一些著名的临床医学的代表有Г. А. Захарьин和創建过临床訓練班的А. А. Остроумов。19世紀下半紀分化出許多独立科目：临床傳染病、小兒科、产科、精神病学等等。19世紀俄国临床医学优越的特点也如所有可貴的革命前的遺产一样，为以后苏維埃医学批判地接受並加以發揚。

（彭先导摘）

安德烈·維札利，他的著作及其在解剖学史和医学史上的意义

С. Н. Касаткин

在漫長的中世紀里，解剖学的發展是極为緩慢的。它停滯在宗教和經院哲学的圈子里，奴顏婢膝地屈从于古代权威。在阿維森納的著作中，医学和解剖学有些进步，但从本質上說，他对人体結構的观念和前人並無不同。

安德烈·維札利（Андрей Везалий）正是在这种情况下面，开始了他的活动。維札利創制了解剖学研究的基本方法——标本制作法。維札利一生忠心耿耿为科学服务。困难和人們的敌視，甚至死刑的威胁都沒有能够阻止他的令人兴奋的著述。

維札利的著名的論著"De humani corporis fabrica libri septem"是由七卷組成的，叙述了整个人体的解剖学。

第一卷記述了人体骨骼。其中詳細地記述了軀干骨和顱骨結構，指出顱骨內部之与鼻腔相通的"空洞"，並第一个記述了胸骨是由三个部分組成的。四肢骨骼的解剖学特别注意到人类和动物四肢結構的区别，人体的上肢和下肢骨骼構造的区别。駁斥了蓋倫的說法，否認了特殊的心臟骨的存在。

第二卷中叙述了骨的联合和肌肉組織。叙述了骨联合的分类，記叙了人体的所有关节，以及膝关节的运动。記述肌肉时，提到血管和神經的分佈。

在第三卷中，記述了人体的靜脈和动脈。虽然在血液循环方面遵循了前人的錯誤見解，但在动脈和靜

脈的走行、分枝和分佈方面却記述了大量的准确材料。他記述了动脈和靜脈壁是由三層膜組成的。

第四卷中記述了末梢神經系統。維札利区分出感覚神經和运动神經。也記述了七对腦神經。脊髓神經中提到了五个頸神經、十二个胸神經、五个腰神經和三个骶骨神經。

第五卷記述了消化器官和尿生殖系統的解剖学。維札利第一个証明了肝並非是無構造的实質，而是由門靜脈、肝靜脉和胆管的分枝所組成的。第一个提出了睾丸的輸精管和卵巢的黄体。关于子宫的一章，記述的很出色。

第六卷中記述了呼吸器官和心臟。肺及其分叶的記述与現代一致。維札利沒有正确的血循环观念，和前人一样認为血液經过心隔膜的孔眼由右心室流往左心室。但是，心臟解剖学的一章仍然是他的論著中的最好的一章。

第七卷中叙述了大腦和感覚器官的結構。按維札利的說法，"腦是感覚和随意运动的源泉"。指出人腦在大小和結構上皆与动物有显著不同。列举了大腦半球、胼胝体、小腦、四叠板、視丘、膝狀体及其它細部的解剖学。关于腦室的完善而正确的記述証明維札利巧妙地掌握了标本制作技术。感覚器官的解剖学也是書中最有研究的一部分。最后一章是关于活体解剖的一些报导。

維札利知道在屍体上进行研究，还不能得到完整的知識。他繼承並發展了盖倫的动物实驗方法。他在实驗中观察了肌肉以及分佈于肌肉上的神經，結紮或切断神經来确定肌肉的功能。用这种方法确定了从前一直沒有弄清楚的事；如內肋間肌是举高胸廓的，切断喉神經則产生喉肌的麻痹並丧失發音能力等。解剖动物胸廓时，他發現肺臟立即萎縮，穿刺胸廓时也發生同样現象。維札利第一个应用了人工呼吸法来維持剖开胸腔的实驗动物的生命。他观察过活心的工作；在实驗中他知道了动物沒有脾臟也能生存；也观察过活动物的腸的活动。他在猿身上进行的胎盤剝离实驗是很有趣的，这个实驗对进一步理解子宫內和子宫外新陈代謝上有着重大的意义。維札利在剖开活狗的顱骨並破坏其腦組織时，判明了动物所丧失的运动能力和感覚能力。用这种方法开創了解决大腦机能定位問題的实驗方法。

以上是維札利論著的簡要內容。

这一著作最初是1543年在Basel印行的，从这个时候起，为人类服务已經400多年了。重新評价維札利的著作对解剖学和医学的进一步發展的意义是很困难的。天才的解剖学家和外科医生H.И.皮罗果夫写道：解剖学資料对于医生，正如地圖对于旅行家是一样的。維札利建立了真实的人体解剖学，把人体的第一幅地圖交給了医生，根据这个地圖才得以建設一切現代的科学医学。

維札利創造出标本制作法以后，为在这个方向上的进一步研究开辟了無限的可能性。可以不加任何誇大的說：今天所知道的一切用标本制作方法所获得的有关人体和动物結構的事实材料，只不过是把維札利时代所确定了的东西更加准确和細致化而已。标本制作方法直到今天仍然是研究人体和动物机体結構的基本方法之一。

打破了对屍体的恐惧，撕毁了蒙在人体上的神秘外衣之后，就推进了对人体本性的唯物主义理解。在这个意义上，維札利对自然科学的唯物主义發展起了無可怀疑的作用。但有人以为維札利所叙述的一切都是絕对正确的，完全准确地反映了实际，以为他一次就永远确定了人类机体結構的法則，这还是錯誤的。一方面，为掌握像人体結構这样大量的材料，一个人的生命还是短促的；另一方面，維札利是他的时代的产兒，他只能在他的时代的技术能力的范圍內进行創作。在他的論著中还有不曾写到的地方，还有一些不精确的記述，甚至对一些問題还有錯誤的闡述。但是，所有这一切絲毫也不能減弱他在解剖学史上的突出作用。

他是科学上的革新者，为人类增添了研究人体的新方法。他的書鼓舞了所有的科学工作者来寻找新的方法，拟制新的办法和研究手段，敢于在科学上开辟新的途徑。

对于人体的一切叙述，維札利都是用和动物体做对比的方式描述的，用来强調人和动物的产生和發展的共同点，同时並指出仅为人类所特有的特点。在这里可以看到人体解剖学中的比較解剖学和进化論方向的萌芽。在研究屍体时所获得的材料的記述中，在書中所載的插圖里，維札利总是注意到所研究的器官和系統的功能。在这里可以看到解剖学中的功能方向的萌芽。

（王有生摘譯自：Вестник Академии Медицинских Наук СССР, Медгиз, 1956, 4, стр. 92—96, "Андрей Везалий, его труды и Значение их в истории, анатомии и медицины）

消　息

衛生部举办医学史高級师資进修班

为培养与提高各医学院医学史师資、並为本專業的研究工作打下初步基础。衛生部于1956年10月在中医研究院举办医学史高級师資进修班，三十个医学院三十一名医学史师資，經过了六个月的学習，已初步地掌握了医学史的基本內容与研究医学史的門徑，完成了进修班的学習任务，給今后我国医学史的教学与研究工作奠定了基础。

进修班主要学習內容为中国医学史与世界医学史，中国医学史是按朝代的次序講授的，由陈邦賢、李濤二位教授担任。世界医学史是按社会經济結構次序講授的，主要由北京医学院医学史教研組李濤教授，程之范講师担任；並由大連医学院王有生講师，介紹了日本医学史，中医研究院医史研究室馬堪溫同志介紹了希腊罗馬医学史，此外还有中国医学各專科史的报告：中医研究院針灸研究所魏如恕教授报告"中国針灸学史"，南通医学院張炎教授报告"中国外科学史"及"中国法医学史"、中医研究院中药研究所赵橘黃教授报告"中国本草学史"、北京医学院郑麟蕃教授报告"中国口腔医学史"，李濤教授报告"中国小兒科史""中国妇产科史""中国眼科史"，程之范講师报告"中国皮花科史"。

除了医学史課程之外，还由衛生部中医司司長吕炳奎，中医研究院院長魯之俊，付院長薛和昉报告中医政策。于道济、陈苏生、謝仲墨，朱顏四位中医大夫講授伤寒論，黃帝內經、金匱要略，本草。此外，对中医著作的研究方面，有龙伯堅教授报告"黃帝內經和它在世界医学史上的地位"。

同时为增加对医学史有关知識的了解，还聘請了有关專家，教授們进行各种專題报告，計：中国医学科学院圖書舘主任章新民报告"如何利用医学圖書舘"。北京故宫历史博物舘研究員傅振倫报告"博物舘史"、北京大学历史地理系侯任之教授报告"中国地理学史"、古生物研究所所長裴文中报告"中国考古学史"，中国科学院历史研究所錢宝琮教授报告"中国旧曆法的發展史"，中国科学院袁翰青教授报告"中国化学史"，北京大学圖書舘系王重民教授报告"中国圖書舘史"，向达教授报告"兩千年来的中国与西方"、軍委衛生部錢信忠付部長报告"保健組織的意义內容和目的"，北京大学物理系叶企孫教授报告"中国物理学史"，衛生部干部进修学院李光蔭教授报告"医学統計学"、北京大学哲学系馮友蘭、張岱年、周輔成、邓艾民四位教授报告"中国哲学史"，中宣部龔育之、孟庆哲、何敬修三位同志做了关于哲学上几个問題的报告。

整个学習过程是系統講授，自学为主，並輔以必要的課堂討論、書报抄讀；並参观了北京市与医学史有关的文物古蹟。最后还进行了二星期的总复習与教学实習。进修班已于一九五七年四月九日結業。結束后除部分学員因原校教学任务紧迫直接返校准备教学工作外，大部分学員都参加了进修班所組織的結業参观。

（陈希鑠）

中华医学会北京分会医史学会

中华医学会北京分会医史学会1957年3月13日下午七时，在东單三条中华医学会礼堂，举行学术报告会、听众約二百人，高級医史师資进修班的学員，及中医学院同学，大部分均参加听講，是日並欢迎新由上海来京工作之会員陈海峯同志。由中医研究院、中药研究所、药理研究室、朱顏会員講、"中国古代关于体形学說和气質学說的史料"，他首先說明：体形学說是討論体格类型的学說；气質学說是討論性格类型的学說。根据內經的記載、列出了兩張詳細的表，把兩大項較难理解的問題，用淺显明了的語言表达出来。复次、又介紹了体形与气質的关系、他說："体形就是体格的类型，古称为"形"或"体"；气質就是性格的类型，古称为"气"或"态"。总的說，形为"体"，气为"用"，体用原为一件事物的兩面，以現在的話来說，在医学上，体是指人体物質而言，而用是指一切活动而言，前者是器官組織，后者是这些器官組織的功能，兩者之間，存在着不可分割的关系"。接着又介紹了体形和气質的改变，根据古代的医書和非医書里，举出了許多实例。其次、介紹了兩种学說在古代医学中的意义。最后作了討論和总結。

（左　史）

医学史与保健組織

（季　刊）

1957年 第2号

（第1卷 第2期）

每季第三月二十二日出版

·編輯者·
中华医学会总会
医学史与保健組織編輯委員会
北京东單三条四号
总編輯 錢信忠
副总編輯 李光蔭 李濤
龙伯堅 王吉民

·出版者·
人民衛生出版社
北京崇文区綫子胡同36号
·發行者·
郵电部北京郵局
·印刷者·
北京市印刷二厂

本期印数：2,149 册　　上期实际出版日期：1957 年 3 月 20 日　　每册定价：0.65元

医学史与保健組织

1957年　　第3号

（第1卷 第3期）　（9月22日出版）

文　　摘

医学史与保健組織編輯委員会主編　人民衛生出版社出版

啟　事

解放以来，我国人民在党的領导下在保健工作中取得了偉大的成績，各地区、各省市在开展城市与乡村各項保健工作方面都有着丰富的經驗。为了及时地交流和推广各地区、各省市保健組織工作中的經驗，我們热烈欢迎各省市医药衛生机关与机構的領导同志組織和协助所屬單位的工作同志，为本刊撰写关于自己地区內保健組織工作經驗与成績的文章。我們希望大家介紹有关各种保健机構的組織，工作制度与工作方法的經驗；有关保健事業發展情况的統計資料；有关保健措施在居民健康水平上所起到的良好效果的数字說明；有关各种疾病患病率与死亡率历年变化的情况等等。

来稿請寄北京东單三条四号中华医学会医学史与保健組織編輯委員会。其他事項請参閱本刊稿約。

医学史与保健組織編輯委員会啓

我国保健事業必須走社会主义道路

錢信忠

三

建国初期，党和政府积極領导扑灭三大烈性傳染病（鼠疫，霍乱，天花）的斗爭，防止其蔓延、暴發。这三种病，在反动統治时期流行十分猖獗，犹如洪水猛兽，而反动政府从未採取根本性的防治措施，因而，每年此起彼伏的暴發，不知夺去了多少人民的宝貴生命。所以过去人們听到鼠疫、霍乱流行的消息，眞有“談虎色变”之感。

鼠疫：1909年在东北大流行，死亡达六万人。1917年度在內蒙大流行，死亡达16,000人。国民党統治时期，鼠疫在东北、陝北、云南、广东、福建等处不仅未得控制，而且疫情不断蔓延。如1935年鼠疫在福建龙岩，1940年在浙江，1941年在湖南常德，1946—1947年在东北等处流行，而反动政府从未採取根本性的防治措施。根据解放初期調查資料，1949年疫区已蔓延及10个省，141个县。据此，人民政府成立不久即决定积極防治鼠疫，控制鼠疫在各地暴發，由于政府关心人民的英明措施，組織医疗防疫队，成立防治鼠疫的專業机構，發动羣众进行灭鼠。因此，1956年已基本上消灭了我国疫区人間鼠疫的流行。現在科学家正在研究控制自然疫源地的办法，以便徹底消灭鼠疫之患。

霍乱：解放前每隔三、五年流行一次，成为所謂的流行“週期性”。1902—1912年全国曾大流行，死亡近百万人。1932年霍乱又暴發，患者达10万人以上，死亡31,000余人。1940年霍乱在四川北部流行，死亡四万人以上。据官方統計1937—1946年間，患者达百万人以上，死亡达115,000余人，当时国民党政府与日本侵略者，对各地霍乱的暴發，未能採取有效措施，以致霍乱在某些大城市（上海）解放前年年都有程度不同的流行。中华人民共和国建国八年来，概無一例眞性霍乱。充分証明社会制度的改变，可以打破所謂四年一次霍乱流行的“週期性”的。

天花：自眞納氏（1749—1823）發明接种牛痘法以来，天花成为容易預防的傳染病了，只要按年龄接种牛痘，即可獲得可靠免疫，但是旧中国的反动政府，从未設想給人民普种牛痘，以防止天花流行，所以天花在解放前，年年暴發。（表1）

表1　旧中国天花流行情況

年份	1939	1940	1941	1942	1943	1944	1945	1946	1947
患者	2786	2546	12646	9777	6450	5573	5338	20562	15832
死亡	437	28[illegible]	1996	1142	944	724	671	2571	2989

解放后为了有效地防止天花，人民政府頒發了指示，全国实行普及免費种痘，动員党政軍民，訓練种痘員，組織宣傳教育，糾正人民不相信种牛痘的偏見和迷信，經过了几年的艰苦工作，使全国人民擺脫了天花之患，以致發病率逐年下降，举例来說，如以1946年天花發病率为100，则1956年为0.65。

总之，疾病的流行固然与自然因素有关，但最主要的还是决定于社会制度和社会因素。三大烈性傳染病得以基本上控制，已能充分体现出我国社会制度的优越性。

最近兩年来，有計划的大規模地防治血吸虫病，更显示着党对衛生工作領导的正确和威力，和社会主义制度的無限优越性。

蔣介石反动政权，对这一蔓延十二个省市，威胁着一亿多人民健康和生命的血吸虫病，置之不顧，不採取任何預防措施。因而，据全国解放后，不完全的調查，已有一千多万人遭受感染，造成大量死亡，使流行区人口减少，生产力下降。

解放后中国共产党和人民政府为了保障人民健康和农業生产，从1950年开始到現在，採取了一系列的措施，进行了大規模的防治工作。1956年中国共产党中央政治局並把消灭血吸虫病列入农業發展綱要（草案）之內，同时从中共中央到县乡都成立了党的領导小組来具体領导防治工作。到目前为止已經建立起1,601个專業防治机構，培养了17,000多名專業干部，动員了全国許多研究机关和高等医葯学院的教授、專家和技术人員，积極开展科学研究，並吸收广大中医投入了这一战斗，提供了許多治疗和預防的秘方与經驗。至今年三月底为止，全国已經治疗的患者有76万人。由于大規模的組織力量，訓練干部，羣众性的消灭釘螺，管理糞便，推行个人預防，防止感染等办法，就使防治工作收到更澈底的效果。仅 1957 年三个月的估計，就在十亿平方米的土地上进行了灭螺工作。1956 年上半年仅江苏一省就有 1,366 个乡实行了粪便管理。1957 年春天，湖南省有 21万农民下湖割草实行了个人預防措施，而防止了感染。这种大规模地發动羣众，保障自身健康和农業生产的防病运动，只有在社会主义制度下，当劳动农民摆脱了封建压迫之后，才能办得到的。

中国共产党和人民政府，关心人民健康是無微不至的，全国解放不久，随即組織医疗队和防疫队，深入农村、少数民族地区、災区及疫区領导对斑疹伤寒、回归热、黑热病、瘧疾等疾病进行艰苦的斗爭。

黑热病流行于我国長江以北的广大农村已有較久的历史。国民党統治时期，虽然組織几处防治机構，然而这些机構的工作，充其量只能满足少数学者調查資料，和發表論文的目的，而广大無力医治的农民，只好悲观地等待厄运。

根据解放初期調查，全国黑热病人数达 60 万以上。人民政府为着挽救几十万人民的生命，防止新的感染，迫不急待地着手防治。組織大批医务人員，設立專門性防治机構 23 个，用国产葡萄糖銻鈉，給羣众进行免费治疗，据1956 年的統計，受治疗者已达 54 万余人，疗效达 96.6—97.4%。並已拟訂了詳細規划，預期七年內可以基本上消灭黑热病。

瘧疾是我国流行最广，人民受患最大的疾病之一。解放前云南、貴州、广西、湖南等省都是瘧疾为患最严重的地方。为便于說明瘧疾对广大劳动人民健康的危害程度，根据解放后几年来的調查資料，許多严重瘧疾区，居民脾腫指数高达90%以上，瘧原虫指数高达 58%以上，以致居民瘦弱貧血，人口出生率降低。如滇南重鎮思茅城，原有人口二万余，曾为滇南貿易中心，但自 1919 年起，由于云南軍閥压迫少数民族的战禍使瘧疾流行更為猖獗，至 1950 年該城解放时，思茅全城人口不到一千人。在云南、貴州等省曾一度繁荣的城鎮，因为瘧疾之患变为荒凉廢墟者，何止思茅一城。因此人們一提到云南瘴气（瘧疾），祝为畏途。当地民謠中有："要下芭宜壩，先把老婆嫁"，"要往耿馬走，棺材买到手"等語。可見当时瘧疾流行严重程度。

解放后，在党和政府的領导与关怀下，积極进行了对瘧疾的防治。自 1952 年到目前为止，已建立了八个省的瘧疾專業防治所，43 个專区或县的瘧疾專業防治站。在这些防治机構領导下，組織了瘧疾防治重点乡。仅貴州一省就有 640 个防瘧重点乡，治疗瘧疾患者 449,036 人，抗瘧預防服薬者 493,259 人，並濆洒灭蚊药物的室內面积达 66,138,660 平方米，經过这些积極措施，1956 年的瘧疾發病率比 1955 年降低了57.7%。

1955 年在江西贛南、貴州都勻等地控制了瘧疾暴發。此外，駐云南边疆部队，在抗瘧中也創造了卓越成績。中国人民解放軍，为着保衛祖国神聖的边疆，进駐超高瘧区，当时部队發瘧相当高，指战員的血液中几乎都有瘧原虫。1952 年云南部队發瘧率为 37.7%，而 1954 年已降至 0.5%。去年和今年在过去人們"談虎色变"的超高瘧区"思茅"，"允景洪""勐朗壩"等地的部队中，已消灭了瘧疾發病率。

云南部队抗瘧成功的主要因素，是發动羣众，軍民合作，一齐动手。据 1953—1954 兩年的統計，部队衛生人員协助地方在 14 个兄弟民族地区，其中包括 55 个县，281 个村寨，为 62,000 余人进行了身体檢查，治疗了 36,000 多人次，並給 7,000 余居民进行了徹底治疗及預防服薬。由于进行防止瘧疾的宣傳教育，使瘧区人民养成了防瘧的習慣，学会了同瘧疾斗爭的知識，从而發瘧率也大大降低了，例如在某些超高瘧区，人民中的發瘧率由百分之七十，八十降到了百分之零点几。

社会主义的民族政策，是要廢除民族压迫，建立民族平等、友爱、互助的新关系。中国共产党从取得政权后，就密切关怀各少数民族的健康問題。解放初期，組織了大批医疗队、防疫队，深入少数民族地区、災区、疫区，进行防治斑疹伤寒、回归热的流行。当时居住在边緣区交通不便的少数民族和汉族人民，正处于飢寒交迫的狀况下，飢餓、寒冷和疾病三者同时威胁着他們的健康和生命，朝不保夕的狀况，触目皆然。人民政府目睹此情，积極筹划贈衣、运粮、运鹽和派遣大批医疗队、防疫队，按家按戶进行灭虱和治疗，从此打下了消灭斑疹伤寒和回归热的基础。到目前为止已基本上控制了这些地区的斑疹伤寒与回归热的暴發，散發的病例也大为減低。如以1951年斑疹伤寒与回归热的發病率为100、則1956年已分别降为11.05和0.97（表2）。这兩种因饑馑和貧困的社会因素所致的傳染病，只有在社会主义制度下，才能取得如此的成績，在旧中国是不能想像的。

表2 斑疹伤寒与回归热發病率降減情况

年份	1951	1952	1953	1954	1955	1956
斑疹伤寒	100	52.07	30.54	18.24	15.04	11.05
回归热	100	19.76	9.46	2.69	0.91	0.97

三

新中国特別关心祖国后一代，人民政府規定了免費为兒童預防接种，大大減少了兒童傳染病。

众所週知的，旧中国嬰兒死亡率是屬于世界最高之列。而解放后，嬰兒死亡率由抗战前的200‰，而在1955年已降为74.3‰，城市嬰兒死亡率則由抗战前的120‰，而在1955年已降为44.2‰。*

嬰兒死亡率迅速下降的主要原因，無疑地，是由于我国社会制度的改变，广大劳动人民生活条件的改善，党和政府爱护祖国的后一代，实行了下述一系列保护妇女兒童措施的結果：(1)推行新法接生，宣傳新育兒法，訓練接生員，开展防止产褥热与嬰兒破伤風。在全国范圍內根据1956年統計已訓練接生員578,000人。他們和全国医师、助产士一起，構成了我国广大的助产網；(2)明令規定女职工产假56天，工資照發，乃是中国历史上未有的事蹟。工厂建立了女工衛生室、哺乳室、孕妇营养室；(3)全国兒童免費进行預防接种，使近几年来，兒童中天花已基本消灭；(4)积極發展托兒所事業，解放后城市托兒所的發展已較解放前增加了50倍；农村托兒所据1956年的資料，全国已組成农忙托兒所达634,640个。人民政府的这些措施对兒童和妇女的健康起着重要的保障作用。上述情形，要同旧中国或資本主义国家的广大妇女及兒童所忍受的压迫，飢寒交迫，流浪街头的情况，比較起来，眞不可同日而語。

四

我国医疗預防網的不断增長，使劳动人民享受医疗保証更加普及。建国以来，全国性医疗預防網日益發展，充分地保障了劳动人民的医疗和預防工作。隨着社会主义經济建設的發展，有計划地在城市、工業区、乡村城鎮和少数民族地区，修建和整頓了医疗預防網，使医疗質量逐步改善，医疗和預防更好地結合。在短短的八年中床位比解放前（1947年65,800床位）增加了五倍。根据1956年的統計，全国已有医院和疗养床位328,000余張。

在反动政府統治下，全国广大农村，普遍缺乏医藥，劳动农民得了疾病，只有求神祈禱，听天由命。解放前县衛生院有11,000余床位，实际上大多数县衛生院，是吃飯拿錢的官僚机構，能为羣众治病的，是極其少数，况且解放时已大部被国民党破坏(河南省87个县衛生院解放时已全部破坏)。在共产党領导下，經过八年的努力，乡村医疗預防網，已开始形成。全国县衛生院和医院，已發展到二千多个，分布在农村集鎮的診所已达五万个以上，农業合作社的保健站已建立將近一万个左右，这对广大农村劳动人民健康的保証和促进农業生产將起着重要的作用。經过逐步整頓，人員与設备的充实，不仅在数量上，而且在医疗質量上也都有提高。

上述城市，乡村的医疗預防机構，据1956年的資料，在县內的各类医院床位数达十万余張；其中县衛生院、县医院的床位达62,000余張，比解放前(1947年)增加了4.6倍。各地区衛生所达13,000余所。此外，在疾病流行严重的县內，还設立了各种專業防治机構，構成了疾病防治網。

全国县衛生院和医院根据統計資料每年平均担負了一百余万住院的病人，七千余万門診人次的治疗任务，同时还要进行巡迴医疗、防疫、防汛、救災、衛生宣傳、初級衛生人員訓練和推行爱国衛生运动等繁重的工作。

医疗机構，不管城市和乡村都是执行預防工作的基本力量，只有在社会主义制度的国家，

---

* 1955年城市嬰兒死亡率是十个省市的資料

医疗和预防才能有机地結合起来。企圖分割衛生防疫与医疗预防的統一体。說什么發展医院多了，就沒有預防为主的思想，無疑地，这是毫無科学根据的。

党和政府关怀劳动人民健康的另一些重要措施是：(1)工矿企業中实行劳动保險法，改善工矿安全衛生設备，發展劳动者的福利事業。根据1956年19个工業交通部門及总工会系統的統計，工矿企業中已建立的医院、門診部、工厂保健站有2,793个，車間保健站827个，拥有医院床位30,840張。工人疗养床位33,064張，工厂夜間疗养所的床位13,062張。(2)有計划的实行社会主义性質的公費医疗与減費医疗制度，除740万职工享受劳动保險，600万国家工作人員实行公費医疗办法外，在全国城市、乡村、災区、少数民族地区及其他貧困地区，都因地制宜地施行了減免收費的办法。使全国劳动人民一般都能得到国家医药照顧。这些措施，都是社会主义新中国的特征。

五

广大劳动人民，积極参加衛生工作，保护自己的健康。

旧中国，劳动人民的生活环境，劳动条件是極其恶劣的，城市、农村、貧民集居区以及工人宿舍，臭虫、虱、蚊、蝇成羣，垃圾粪便成堆，臭水溝和臭水坑，濁流四溢，例如几年来愛国衛生运动中所填平和疏浚的臭水溝、臭水坑和暗溝，綜合起来，不下数百万公里長，(1952年疏浚了280,000公里長的臭水溝)。解放后由旧中国留下来的骯髒的城市垃圾运出的总数要用亿吨来計算(1952年就有1,600万吨以上)。广大的劳动人民在这种恶劣的衛生狀况下生活，自然一年四季疾病折磨着他們的健康和生命。

解放后，党和政府發动全国人民改善这种不衛生的、多病的狀况，积極避免"大战之后，必有大疫"的規律性。恢复战爭創伤，实行清除城市垃圾，組織居民衛生运动。1952年开展了全国規模的愛国衛生运动，消灭了旧中国的不衛生的狀况，改变了社会的衛生面貌。例如北京臭气四溢，蚊蝇成团，有名的臭水溝"龙鬚溝"，現在已成为幽美的公园"陶然亭"。

羣众性衛生运动所創造的成績，毫不誇大地說，給人类衛生史上写下了光輝的一頁。中国是受帝国主义、封建主义長期压迫和剝削的經济上落后的国家。解放前，夏秋兩季，不論城市、乡村到处蒼蝇成羣，經过愛国衛生运动，將蒼蝇消灭到最低程度，全国出現了許多無蝇或少蝇的城市和村庄。

1954年以来，中医工作有了显著的發展，我国針灸已为世界各国重視，苏联及民主主义国家的某些科学家对此頗感兴趣，少数科学家和临床医师开始研究和应用。国內中医在医疗工作中也發揮着重要的作用。例如，治疗晚期血吸虫病，效果極佳，痲風病的中医疗法，也超过西药效果，还有其他疾病，也有良好疗效。

目前根据衛生部中医司报告，全国有20万

中医参加了联合中医医院(80个)、联合診所(五万余个)、农業合作社的保健站(約一万个)等單位的医疗工作。全国已成立的中医医院有144个,中医門診部450个,並有29,000余位中医参加了各公立医疗机構工作、20余万中医,在党的中医政策的号召下組織起来了,对我国劳动人民来說,是一件大喜事,既便利于病人的就医,又充分發揮了中医、中药的潛力,不知給多少劳动人民造了福。

当然,在貫徹执行中医政策中,还存在不少缺点和錯誤,有待积極的糾正和克服。

七

中国是一个六亿人口的大国,全国医学院校畢業的医生和全国人口数目相比是極不相称的,即使把中西医的力量全部發揮出来,还嫌不足。

旧中国遺留給我們的医学教育与科学研究事業的基础極其薄弱和混乱的。解放前,全国有42所医药院系,师資、設备均極其簡陋,規模也很小。上海第二医学院就是由震旦、聖約翰、同德三个規模不大的医学院合併組成的,像协和医学院解放前22年中才培养了310人,等于現在一个医学院一年的畢業生人数。

同时很多学校是接受英、美、法、德、日等国的文化侵略津貼的,所以根本談不上統一的学制和教育制度。由于各帝国主义的操縱,当时医务界派系繁多,互相排挤,互不团結。

八年来,我国医学教育和科学研究事業,在党的領导下,有着很大的發展,高等医学院校經过合併院系,招生数目大大提高。1956—1957年度在校学生就有46,218人,相当于解放前1947—1948年度在校学生数目的四倍,由于进行了教育改革,学習了苏联先进經驗,教育質量也得到提高,师資队伍已扩大到6,800人,相当于解放前的三倍。解放后七年中共畢業学生26,000人,相当于解放前69年畢業生数字总和的1.4倍强。中級医学教育,解放后亦大有發展,目前全国已有中級医学校(医士、护士、助产等)170余所,畢業学生十余万人。

此外在科学研究工作方面,也出現了新的气象,对基础医学、預防医学、临床医学的研究工作,在全国高等医学院校,業务机構,研究机構中有三千余人参加了各种研究。1957年的研究題目比1956年增加了四倍。国家为科学研究設备,圖書等所支出的經費也逐年上升,1957年的科学經費比1951年增加5.5倍。

山西省民办农村保健站

倪 合 一*

1955年冬到1957年春，山西省建立了1678座以乡为單位的民办农村保健站，佔全省乡建制的60%以上；参加保健站的医生共8,000余名，佔全省民間医生的65%。民办农村保健站的發展，不仅解决民間医生的合理安排，更由于保健站通过衛生工作地区負責制的办法，有效地加强了农村預防保健工作，減輕了农民缺医少葯的困难。仅在过去一年中，山西农村虽有少数地区發生了傳染病，由于保健站的就近及时防治，不仅未致蔓延成灾，而且把病死率降低到1.36%。特别是在医疗工作中，保健站通过各种方法从經济上和时間上給农民以方便：各地保健站普遍做到“随叫随到，不叫也到。”农忙时，医生还随同农民下地巡廻急救，对治不了的疾病，还派專人护送到衛生院診治；保健站給农民治病，只收利潤很低的葯費，其他費用一概全免，許多保健站的医生上門給农民看病后，还給病家送葯。“無病早防，有病早治，保証健康，保証生产。”成为农民共同的結論。农民已把保健站当作發展农業生产不可缺少的組成部分。去年，山西絕大部分地区遭受了比較严重的自然灾害，但农民还尽力保証了70%以上的保健站在經济上沒有發生任何困难。

山西省民办农村保健站是怎样發展起来的呢？

远在抗日战爭时期，山西省太行、太岳、晋綏边区等革命老根据地，农民即通过“一把米”和“上山刨葯”等方法，創办了許多医葯合作社，盂县和静乐兩县在解放战爭时期，还建立了28座民办医疗所和衛生站。解放以后，由于提倡發展联合診所，农村中的民办保健事業才告一段落。在过去艰苦岁月中，这些民办的保健組織在农民保健工作中發揮了重要作用，並給普遍發展保健站打下了良好的历史基础。

农村中民办保健站的出現，也是随着农業生产的發展而必然出現的产物。1956年春，山西省即已实現了高級农業合作社，新的生产关系使农民清楚的認識到：要增加生产和增加收入，必須提高劳动生产率；而提高劳动生产率的重要保証則是提高身体健康水平，但当时农村中为数很少，且又集中在集鎮上的联合診所和私人診所是远远不能滿足这种要求的。因此，全面加强农村衛生設施，做到“無病早防、有病早治，以保护健康，保証出勤。”便成为广大农民热切的願望。同时，随着农業合作化运动的發展，山西1956年农業生产总値比1955年增長了23.6%，农民实际收入平均每人达65元，比1955年增長了14%以上。这个可靠的經济基础使农民对改进衛生設施的願望变成可能的現实。

农村基層保健事業走集体所有的道路，更是广大民間中西医生的一致要求。解放以来，山西部分民間医生参加了联合診所，但大部分民間医生依然个体开業。無論採取那一种方法开展業务，都是以看病賣葯作为医生生活的唯一經济来源，这就不可免的要和社会主义的預防为主的衛生事業基本原則存在着不可調和的矛盾，而事实上，随着爱国衛生运动的开展和人民經济生活的改善，患病率已經日趋下降，疾病的控制与減少，即意味着开業医生收入的減少，例如山西高平县米山鎮联合診所，1952年建站資金250元，1954年盤存仅250元，类似情况在山西联合診所中約佔65%，因此，1955年下半年，社会主义改造运动的高潮到来之后，要求走集体所有的道路，以改变依靠看病賣葯作为生活来源的經济基础，便也就成为广大民間中西医的共同願望。

山西省民办农村保健站的出现过程大体是这样：从1953年起，山西老区即有一些联合診所和私人診所开始与农業社签訂保健合同，以求在衛生工作相互配合；到[illegible]年，[illegible]、平順等县許多联合診所已和农業社在签訂保健合同的基础上签訂了經济合同。1955年[illegible]，高平县米山乡和平順县羊井底乡的农業社先后接办了联合診所，由社負責解决医生的待遇，經山西省人民委員調查研究，認为这是改变医生依靠病

* 山西省衛生厅

人生活和貫徹預防为主原則的有效措施，並考慮到以上因素，从而决定有步驟地在全省推广。

举办保健站和保健站能否办好，最要紧的是經費問題。

关于保健站的基金問題，山西省是充分利用社会力量来解决的。即保健站的基金是以联合診所、基層供銷社的药舖、私营葯舖的医葯設备和医生个人投資为基础，不足者，由农業社划撥公益金和农民集資等办法来解决。关于私营葯舖的投資，来取定产核資、定息贖买的办法由保健站分期偿还，医生个人投資亦由保健站分期偿还，联合診所和基層供銷社葯舖的医葯器材为集体所有，一般均不偿还。虽然保健站的資金来自各个方面，由于採取这样处理投資的办法，故保健站依然是农民集体所有的保健机構。

解决保健站的經費問題，更重要的是保健站的經常費，这是关系到保健站能否貫徹执行預防为主原則和滿足羣众要求的关鍵所在。山西省在举办保健站的初期，各地解决保健站的經常費的办法有四个：第一个办法是，由农業社公益金来解决；第二个办法是，根据农業社可能拿出的公益金和保健站可能收到的医葯費为基础，不足者由农民均攤保健費来解决；第三个办法是，由农業社拿出10%公益金、乡人民委員会拿出15%农業附加税和农民均攤一至二角保健費来解决；第四个办法是，完全以保健站的業务收入来解决。以上四种办法实施的結果是：前三种办法均能解决医生依靠病人生活与貫徹預防为主的矛盾，后一种则依然是把保健站的經济来源建筑在看病卖葯的基础上，不仅普遍出現偏重医疗和高价暴利的現象，而且在一些比較貧困地区的保健站，根本無法維持。山西在去年12月总結了上述情况之后，認为：只有把保健站的經費来源完全建筑在集体所有的經济基础之上，才能保証預防为主原則的充分發揮，鑒于高級农業合作社历史不長，农業社公共积累不多，根据勤儉办社的原則，确定一般地区採用第二和第三兩种办法，公共积累較多的农業社可以採取第一种办法。有人問：既然保健站的經常費須要农民出保健費来解决，农民是否願意？是否增加农民額外負担？为了回答这个問題，且以稷山县吳城乡保健站为例說明：这个保健站共11人（这是山西人員最多的站），1956年3—10月开支的工資工杂等費用共4,514元，这笔开支的来源除保健站的業务收入和农業社的公益金外，全乡8,233人共負担了3,282元，平均每人負担四角保健費（其中以劳动工顶二角，現金負担仅二角），而該乡去年每个劳动日平均价格是1.5元，五口之家，花一个多劳动日就足够了，何况更大的好处在于“看病方便、吃葯省錢”，吳城乡保健站在去年十个月中，通过看病上門、減收葯費和免收診費等办法，共給农民节省4,279元，除去农民出的保健費外，还节省了997元，至于保健站因“無病早防、有病早治”而給农民帶来的好处是無法估計的，所以农民說：“人是吃五谷的，那能沒有大灾小病，每家出一兩个劳动日办起一个保健站，既方便、又省錢，这是天大的好事。”由此可見，办保健站不是增加农民負担，而是更有效地減輕了农民負担。

办保健站的目的是無病早防、有病早治、保証健康、保証生产。能否达到这个目的，决定性的因素还是在保健站的医生。因此，解决保健站的經費問題，不仅要考慮到农民的利益，同时也要考慮到医生的利益，这就是如何解决医生的待遇了。山西省解决保健站医生的待遇有兩种办法：一种是給医生評劳动工，秋后按农業社的工价折付現金，为了解决医生的日用开支，按月由保健站的業务收入中墊支一部分現金，秋后总算扣除。另一种办法，每年給医生評定一次工資，按月支付現金。以上兩种办法都是按照医生的技术高低和服务态度的好坏等条件，並参照医生入站前的收入水平和农民的收入水平，来确定其应得的待遇。以上兩种办法比較起来：前一种評工付酬的办法，本身即决定了医生的收入增長取决于农民的健康狀況和生产水平的增長，这就把医生的利益体現在农民的集体利益之中，从物質利益上促使医生必須关心农民的健康，做好預防保健工作，因而山西大部分保健站采用了評工付酬的办法。

巩固保健站的关鍵是从政治上和技术上有效地帶动保健站的医生做好疾病防治工作；只有使广大农民亲眼看到保健站的好处，保健站才能眞正地巩固下来。虽然保健站具备無可比拟的优越条件，但作为保健站的成員——八千余名中西医生，其中很大部分長期个体开業行医，不可免地要帶来許多复杂的思想問題，例如不習慣集体生活、鬧不团結、作風不良等等；另一方面，山西保健站的医生約有70%無論是衛生医疗知識或者是業务技术水平，一般均較差，有的还缺乏一般防病知識和經驗。由于以上兩种情况的存在，曾經严重地影响了保健站業务的正常开展。为把保健站巩固下来，山西省对于前一个問題，主要是依靠中共乡支部加强对保健站人員的政治思想領导，把保健站的医生和乡干部放在一起学習政治理論和时事政策，並通过适时的思想整頓，帮助他們树立社会主义的思想观点。对于后一个問題，責成县衛生院，通过上調、下派和巡迴三种方法（即輪流抽調保健站的医生到衛生院进修实習、派衛生院的医生到保健站实地指导、組織衛生院和衛生所的医生巡迴各站解决疑难問題）。具体帮助保健站的医生提高業务技术水平，指导他們开展預防保健工作。

根据目前国家的情况，为了健全农村基層保健組織，充分發揮民間中西医的作用，全面貫徹"預防为主"的衛生工作原則，以滿足农民的保健要求，按山西省的情况来說，依靠社会力量，提倡民办保健站，我們認为是一个行之有效的措施。但發展民办农村保健站，必須注意以下几个問題：①必須在經济条件允許的基础上發展民办保健站，离开实际可能，好事一定要办成坏事。在这方面山西有着失敗的教訓：例如連年遭受自然灾害的屯陽县，农民生活还需国家救济，而該县在1956年春以一个多月的时間，在全县36个乡內办了36个保健站，結果無法維持而垮，农民和医生都不滿意。②办保健站既要能够做到滿足农民保健要求，又要做到貫徹勤儉办社的方針，更要符合团結中西医的政策，中心环节是：在經济基础允許的条件下，通过宣傳教育和算賬对比的方法搞好保健站的經济問題，並从各方面促使保健站做好衛生保健工作。③目前各地农業社經济基础好坏不一，衛生工作的基础也强弱不同，因此，民办保健站的組織方法只可因地置宜，不可强求一律。④作为新生事物，發展中的困难历程是不可避免，民办保健站更是如此，因此，第一、領导人員必須头腦清醒，分清困难的性質，組織羣众解决，不要左右搖擺；第二、典型示范更有現实意义。

編者按：本文是一篇介紹山西省基層保健站的一种形式的經驗总結性的文章。各地实际保健組織工作者类似的經驗亦必不少，希望踴躍投稿，以便交流。

瘧疾和回归热的化学疗法在俄国的發展概述

К. В. Бупип

純經驗的使用金鷄納树皮治疗瘧疾，在17世紀上半叶已为大家所知了。但是用化学疗法治疗傳染病，只有1820年应用奎宁以后才是眞正开始。

哈尔科夫大学教授Ф. И. 蓋茲(Гизе)在1817年發表他得到了金鷄宁（Цинхонина)的研究成果。1820年法国葯学家培尔捷（Пеллетье)和加王都(Каванту)获得了奎宁生物鹼。俄国和其他各国从1821年广泛使用奎宁治疗瘧疾。

1823年俄国軍医米涅尔文(Минервин)根据自已治疗瘧疾的丰富經驗，論証了合理使用奎宁的問題。在这以前聶洽耶夫(Нечаев)已記載他从金鷄納树皮中获得了奎宁和金鷄宁。

1829年著名俄国軍医查鲁柯夫斯基(Чаруковский)論証使用足够的一次有效量和一晝夜量奎宁的必要性。他認为奎宁治疗瘧疾最有效。他反对守旧思想，他指出用嘔吐、瀉下、放血等治疗瘧疾是毫無根据的，是無效的。他使用奎宁治疗瘧疾效果很好。

19世紀40年在俄国医学上积累了用奎宁治疗瘧疾的丰富經驗。特别是1843年悌弗利斯基軍医院的老医生柯拉斯諾格列費夫（Красноглядов）指出鹽酸奎宁比硫酸奎宁好。

著名軍医、流行病学家安得列夫斯基（Андреевский)1845年曾研究用奎宁治疗瘧疾，根据他丰富的临床观察提出了治疗瘧疾的合理方案，但是这个方案只有在我們这个时代才能詳細研究。

19世紀80年代初發現瘧原虫。罗曼諾夫斯基(Романовский)在1890年研究出来瘧原虫胞漿与核的分别染色法。罗曼諾夫斯基卓越的研究了奎宁对瘧原虫的机械作用。这給使用奎宁治疗瘧疾和各种傳染病的化学疗法提供了根据。他在血液片上詳細研究了瘧原虫在奎宁作用下的形态改变。他發現首先是核被破

（下轉173頁）

对保健組織学研究工作的几点意見

丁道芳*

保健組織学的前身是社会衛生学。1941年苏联保健部为糾正社会衛生学教研組忽視实际的保健組織的傾向，遂將社会衛生学改名为保健組織学。虽然，在資本主义国家中也有这門科学，但是他們的研究目的、任务、方法和理論基础是有别于社会主义国家中保健組織学的。因此，第一个社会主义的苏联对奠定和發展这門科学是有卓越的功績，而創立的主要功績又不能不归功于苏联的学者謝廉什科(Н. А. Семашко)和索洛維也夫(З. П. Соловьев)。

苏联于1956年6月，在第13屆全苏衛生学家、流行病学家、微生物学家及傳染病学家代表大会中，对保健組織学的問題曾經加以討論，并对这一問題做了总結、"代表大会認为，过去把社会衛生学取消是一个錯誤的决定。""社会衛生学是作为一門科学而在所有的国家中存在的。如果說在資本主义国家里这門科学的方法基础与我們的相反，那么無論如何也不能成为是反对这門科学在我国存在的理由。"(1)在最近彼得罗夫(Б. Д. Петров)的"保健和社会衛生"一文中也認为"社会衛生学是科学的一个分科，並且在苏联的实际領域中有其广闊活动的园地，然而医学院中却取消了这門学科，把它改名为保健組織教研組。結果許多重要的衛生問題和科学研究工作有的停止了，有的擱延了。"(2)从苏联保健組織学最近几年的科学研究中也可以看到这一点。例如"苏联保健事業"这一刊物自1950年起关于保健理論和居民健康狀况的研究論文就显著減少。又例如謝廉什科保健組織与医学史研究所在最近几年所發表的論文中，保健組織的論文佔23%，衛生統計的論文佔8%，保健历史和医学史的論文佔31%。在医学院的保健組織教研組的研究工作也多集中于"关于工人和农民的医疗服务"、"併合医院的效果研究"一类問題上。总之，研究面是較狹的，居民健康狀况的研究是較少的。从代表大会的总結中和苏联最近一个时期医学界的报刊上来看，已經对过去保健組織学的研究方向和內容方面有了从新的估价。

在討論我国保健組織的科学研究工作之前，簡單地叙述一下苏联保健組織的过去及其当前情况是必要的。

保健組織学在我国的建立和發展，为时不久。無疑，我們对这門的科学研究对象、任务和方法体会是不深的，而且也缺乏这方面的經驗，因而在科学研究工作上給我們帶来了巨大的困难。

当我們探討保健組織研究課題时，决不能忽視下述的兩个方面：

一方面，我們必須从这門科学的研究对象、方法和內容出發。如果我們不能將自己科学領域东西做出一个基本的确定，那么就無法提出我們研究題目。

另一方面，我們又必須使我們的科学研究的任务符合于我国社会主义建設的客观需要。因为，不这样做就有理論脫离实际的危險。

下面想就上述前提对(1)保健理論和保健历史的研究；(2)居民健康狀况的研究；(3)保健組織的研究提供一些初步意見。

一

馬列主义对人們的活动及实际生活中的理論，从来就賦以非常重大意义。

保健領域中的理論問題曾經是馬克思、恩格斯和列宁著作中的重要組成部分之一，因为保健問題在过去以及在今天始終存在着阶級的、意識形态的斗爭。

我国在建設社会主义的各項活动中理論和实际的統一是有着巨大意义的。几年来，我国在保健事業的理論問題上並不是平靜無事的。我們曾在过去几年中对以王斌为代表的輕視歧視中医的資产阶級思想以及違反党的中医政策

---

* 沈陽医学院衛生学保健組織教研組

註(1) Гигиена и Санитария 1956. 9期3頁

(2) Медицинский Работника 1957. 3月22日

的行动进行了激烈斗爭，並收到了很大的成績。但是这样是否可以說我們对保健理論問題已經做了很多工作呢？不然。我們对保健理論的一系列問題探討得仍是非常少，特别是在闡明和發展我国的保健原則

"預防为主"，是我国保健事業的基本方針，但在我国的某些保健机关和保健設施（特别是某些医疗設施中）在具体貫徹中仍非常不够，这里的原因很多，不过預防为主的理論沒有得到闡明和宣揚也不能不說是一个重要的原因。当然，这一問題的探討不單單是保健組織工作者的責任，而治疗医生也有責任参加。

"衛生工作必須与羣众相結合"是我国衛生运动中总結出的一条基本經驗，后来又把它当做衛生工作的四項原則之一。这項原則从理論上加以闡明和發展是具有極重要意义的。因为这是我国保健事業的活动中的宝貴經驗，並且一次又一次地得到了实际的考驗。

在帝国主义的大本营——美国，經常不断地在捏造事实，制造反动学說来替資产阶級做辯护。如在資本主义国家中所广泛傳播的种族主义、民族优生学和阶級优生学就是当前資产阶級最反动、最腐朽的学說，我們应該給予这些非科学、反动的学說不留情的批判和反击，並应該把这一任务作为保健理論战綫上的經常的任务。

經常的总結我国社会主义建設各个阶段的保健發展情况，对指导我国今后的保健事業有共重大意义的。在最近期間，出版了錢信忠同志的"中华人民共和国的保健"（俄文版）一書，陈海峯同志又提出了"中国保健簡史"的論文。这是令人兴奋的。不过更深刻地、更致細地总結我国历史各个时期保健的專門研究尙未見到。而这些更深刻、更細致的研究对解决我国的今后保健事業中的問題是非常重要的工作。

二

居民健康狀况的研究，对于保健机关和保健設施有效的、有目的进行工作是一个重要环节。当我們研究历史各个时期人民的保健历史时，首先就要明了当时的居民健康狀况；当我們研究当前的保健事業的方向和任务时，也首先要明了目前的居民健康狀况。研究居民健康狀况的方法，主要靠人口学指标，患病率指标和居民的身体發育指标。人口学指标的研究，我們能够繼承过去的較为丰富的方法。所以在研究中方法問題所遇到的困难是較少的，但是在資料的收集問題上却有很多困难。人口学的研究必須有系統而正确的資料，因而必須有自己的实驗基地。以前在我国主要城市都曾有过生命統計实驗区，后来取消了它，对許多宝貴資料是有一定影响的。虽然現在有的城市已經恢复登記，但是缺損的部分是难以弥补的。今后在一些主要城市是否需要繼續办生命統計实驗区，仍是可以研究探討的一个問題。因为全面的登記在目前的准确性（特别是死因登記）还是不够，何況在設計項目上又远远不能滿足研究的需要。

疾病統計在資料的获得問題上，在整理分析的方法上都存在許多严重問題。苏联学者对疾病統計的研究方法提供了很多可貴的文献，但在居民疾病統計的研究方法上还存在許多重要的分歧（如对全面登記和抽样登記問題的意見）。

目前在我国研究职工的患病率是有一定条件和可能性，在研究居民的患病率就产生了难以解决的困难。为了获得正确的患病率資料当然不能採用資本主义国家目前所使用的詢問法，但是登記法是以免費医疗和具有广泛的医疗網为基础的。目前，我国在研究居民患病率时，不得不放棄全面登記（某些傳染病的登記除外）。只好採用抽样方法。在有条件的工人住宅区（工人家屬半費治疗、並有的工人住宅区建立了医务地段制）建立疾病登記是有可能的。这批資料的获得对我們的保健机关和保健設施有很大价值，从而也为居民的患病率的研究提供了有利的前提。

至于居民身体發育的研究，就它的基本指标和評价方法更是远不能滿足需要。当然这些方法的探求並不是保健組織学的主要任务。学校衛生教研組应当对这方面的問題做更多的調查研究。

当我們研究居民健康狀況时，不能完全依存于上述几个指标，因而对居民营养狀态、住居环境、生活条件以及医疗預防服务等方面也要做調查研究或收集这方面的既有資料。否則就不能对某一地区的居民做出綜合的、正确的評价。

在我国主要城市和某些农村进行这方面調查研究工作，已經是刻不容緩的时候了。如果我們把这些調查研究工作躭誤下来，將会造成这个时期居民健康狀况的"空白"，这对我国保健事業將是無法弥补的損失。

三

在苏联，將社会衛生学改名为保健組織学以后，对于保健机关和保健設施的組織形式和工作方法的研究加强了。但是在提出恢复社会衛生学以后，又是否意味着削弱这方面的研究呢？当然是不能这样。如果保健組織教研組不是保健部命令的解釋者，而是能創造性地解决这些問題仍然应当說是必要的。

我国在組織居民的医疗衛生服务方面的經驗以往的基础是缺乏的，这不能不說是历史条件造成的。在我国的医疗預防和衛生防疫工作与滿足人民需求的矛盾情况下，有效地解决保健的組織形式和工作方法更为必要。当前最尖銳的問題至少应包括下列問題：

（1）关于建立居民的医疗服务組織的問題。

苏联專家根据我国的实际情况和苏联的經驗提出了划区医疗服务制。这种居民医疗服务的方法無疑是正确的。划区医疗服务制將随着我国保健力量的增長过渡为先进的医务地段制。划区医疗服务制已在某些城市試行，然而，在許多城市的推行过程中都遇到了許多困难，这些困难在沒有解决的情况下，甚至某些城市陷于停滯不前狀态。根据上述情况可以看出，仅仅依靠原則上的指导，而沒有进行更具体的調查分析是不能不遇到困難的。因此，科学地对城市医疗力量和居民求診量的調查研究是解决这項問題的最好途徑。如果能在一个实驗区中总結一个具体的、有指导意义的方案那就更为理想。

（2）关于工矿企業医疗衛生服务問題。

首先，工矿企業的組織形式就是一个急待解决的問題。第一屆全国工業衛生会議的决議中，曾对工矿企業医疗衛生組織做了規定，但是这个規定由于缺乏科学的調查研究，看来未必适于当前情况，例如其中的組織編制仅根据企業人数的多寡来規定，而沒有考虑到企業的性質。（关于保健站部份已在頒發的"工業企業衛生設計标准"中考虑到工業性質特别外。）另外关于衛生处（科）的設立的編制和下設的形式也都需要重加审定。

其次，在推行車間医师制工作中，某些地区形成"一陣風"的狀态，不能堅持下去，不能使車間医师有正确的工作方法，这也不能不說我們对于車間医务地段的組成，車間医师的工作方法的具体指导缺乏研究。因此，像車間地段的組成問題，防治方法問題都需要保健組織工作者加以科学的研究。

（3）关于加强衛生防疫站工作質量問題。

衛生防疫站是苏联衛生防疫方面的重要經驗。我国衛生事業中学習了这一經驗無疑是正确的。然而由于未能深入的研究我国的具体情况，不可避免的尚存在某些缺点；甚至有人竟討論起衛生防疫站的存在問題，这难道說不是一个严重問題嗎？衛生防疫站的作用不够大是与它的工作質量有关，而工作質量又与衛生防疫站的設置数量、組織編制、工作方向、衛生方法、职权范圍、干部培养以及設备情况等問題有关。所以及时研究这些問題对提高衛生防疫站的工作質量是有極大益处的。

我国保健事業中保健力量的薄弱与滿足人民需求之間的矛盾的解决，主要是依靠我国的优越的社会制度和生产力的發展。但是上述的三个問題对于解决这个矛盾也是一个不可忽視的因素。因而这些問題应当成为当前保健組織学的重要研究課題。

除了上面所談的問題以外的其他許多問題也应看做为保健組織学研究的重要內容。某些疾病的社会因素及其防治的研究，医疗設施效果的評价、妇幼保健問題、疗养問題、劳动保險問題、劳动能力鑑定問題、衛生教育問題等等也应加以探討和解决。

× × ×

保健組織教研組在开展科学研究工作必須有下列兩个条件:

(1) 建立自己的实驗基地;

(2) 建立資料的来源地。

在这兩件事情上常常取决于当地衛生机关和有关的其他机关的协助。因此为了能够順利解决,除了教研組和衛生机关要建立經常的联系外,希望衛生領导部門也給予必要的具体指示和协助。

保健組織教研組在各个医学院校的力量一般来說都是較为薄弱,在院校中常常处于次要的地位。为了發展这一学科,有必要加强这个教研組的力量,除了这些教研組本身努力工作外,在初期能够得到各級衛生領导部門的帮助是十分必要的。我們还願意看到保健組織学的科学研究核心——保健組織研究所能够迅速地建立起来。

在文章的开头我們就曾提到了这一学科在苏联發展的概况,它的內容随着社会主义建設的發展的实踐經常有很大变化。因此,为了澄清我們对这一学科的認識,有必要把它的研究对象、任务、方法、理論基础、基本內容以及研究課目做一些研究討論。

以上提出的一些淺見,可能有許多地方是不正确的,作者衷心地希望同志們批評和指正。

(上接169頁)

坏。在他博士論文里曾提到化学藥对人体組織破坏作用的問題。他認为,对机体的危害很小,对病原体有最大破坏性才是特效葯。

俄国医生高尔巴切夫斯基(Горбачевский)开始用奎宁的皮下和肌肉注射。在重症瘧疾病人需要迅速得到疗效时应用。伊凡諾夫(Иванов)首先提出治疗瘧疾用奎宁溶液肌肉注射。而在Ш.拉維藍(Лаверан)1898年的著作里完全沒提到奎宁的肌肉注射法。

治疗兒童瘧疾阿列克謝夫(Алексеев)和苏好姆林(Сухомлин)成功地使用了优奎宁,因为它沒有苦味。

1890年爱尔立希(Эрлих)提出美藍作为化学治疗葯。伊凡諾夫(Иванов)和包若夫斯基(Божовский)等曾使用美藍治疗瘧疾,但他們認为必須与奎宁併用。以后爱尔立希获得一連串的砒剂化学葯。俄国医生們曾用这些葯治疗瘧疾。像褚新斯基(Тушинский)和寇尔台頻(Колтыпин)用过撒尔巴尔散;伊維尔森(Иверсен)和褚新斯基(Тушинский)用过新撒尔巴尔散。

用化学葯作瘧疾預防,首先是在俄国成功的。亚辛斯基(Ясинский)在1858年發表他的研究結果。1854年他給軍队職員服奎宁,一日量0.07克,給軍人一日量0.25克作瘧疾預防。在38768名获得奎宁預防的人里患瘧疾的有1634人(4.2%),沒得到奎宁預防的,在同样疫情下發病率是5.8%。但应指出他預防用量0.07克是不够的。以后在1896年俄国軍医馬諾赤柯夫(Маночков)也用小量奎宁作預防,效果很好。由此可見,用奎宁預防瘧疾俄国比外国早。外国是1898年才用的(P. Кох)。

化学疗法用于回归热是1897年开始的。当时聶非季也夫(Нефедьев)試用美藍治疗回归热得到了坏結果。只有20世紀初有了多种砒剂,治疗傳染病才有了实效。俄国医生們治疗回归热时有效地使用了这些砒剂。

1907年P.科赫(P. Кох)治疗非洲昏睡病时,試用了阿託盆。1908年契尔卡少夫(Черкасов),亚魯少夫(Ярусов)使用阿託盆治疗回归热,並肯定了它的疗效。

1909年爱尔立希(Эрлих)制出撒尔巴尔散(606号葯)。据他的請求伊維尔森(Иверсен)1908年曾在彼得堡試用撒尔巴尔散治疗回归热,平均注射量为0.3克。他指出給高热發作的病人注射撒尔巴尔散之后7至14小时体溫有显著下降。

从1910年俄国医生們广泛使用撒尔巴尔散治疗回归热,並对其疗效給予好評。1913年莫斯科傳染病院广泛使用撒尔巴尔散。关于撒尔巴尔散治疗回归热的作用斯米尔諾夫(Смирнов)和邵柯婁夫(Соколов)有詳細研究。

1911年斯米尔諾夫(Смирнов)試用从爱尔立希那里得来的撒尔巴尔散,治疗201名回归热病人时,一部分人出現了中毒現象,严重的嘔吐和腹瀉。

邵柯婁夫(Соколов)用撒尔巴尔散治疗300名回归热病人,有2名在注射后出現严重虛脫,因此他建議对注射撒尔巴尔散的病人要詳細檢查。

1912年获得新撒尔巴尔散(914号葯)。用它治疗回归热更有效已为大家所公認。但非常熟悉化学疗法的維諾夫(Воинов)建議为了避免病人因大量螺旋体死亡而虛脫,要在回归热發热間歇时用葯。

据以上历史事实可以証明,对傳染病的化学疗法和用化学葯預防,这些工作里除其他国家的学者外,俄国的学者和医生們曾积極參加了。

(丁摘譯自 Журнал Микробиологии Эпидемиологии Иммунобиологии, 1957年2期)

湯葯剂型的历史

朱　晟

湯葯的配制和应用，存在的困难尚多，是目前中医葯中比較突出的問題，許多同志在研究改进湯葯剂型，此文对今后改进剂型的具体方法，並沒有提出意見。不过湯葯剂型的缺点是早已存在的，古人同样的也很重視这个問題，經过了数千年的实踐，所以历史上的經驗教訓，是很宝貴的，有必要把它介紹出来，檢查过去，瞻望將来，这些經驗教訓还有些現实意义。

伊尹創湯液的傳說

公元前十余世紀时奴隶社会的商朝，出了兩位著名的宰相，一是伊尹，一是傅說，都是奴隶出身，奴隶主利用有才干的奴隶做宰相，可以对奴隶們起些欺騙作用，但后人对于伊尹和傅說，則有很深的信仰，留下很多他二人的傳說。傅說和酒及飴糖的历史有关，至于湯葯，常認为始于伊尹，例如晋朝初年皇甫謐（215～282年）"甲乙經"序說"伊尹以亞聖之才，撰用神农本草，以为湯液……仲景論广伊尹湯液，为数十卷"。查汉書艺文志方技略有"湯液經法三十二卷"，由此看来，張仲景的"伤寒論"等，是以"湯液經法三十二卷"等为基础而著成，張及皇甫是同世紀的人，这种說法是可信的，所以"汉書艺文志"的"湯液經"，亦名"伊尹湯液"，可証伊尹創湯液之說是很早的，晋以前的汉代可能就有了。

古时飲食和医葯，有密切的联系，葯是从有毒的食物中选擇出来的。伊尹据說是很善于烹飪的人，根据調理飲食物的經驗，以提高配制湯葯的方法，是很可能的。如公元前三世紀的呂氏春秋本味篇提到伊尹和商帝成湯的对話，有"陽朴之姜，招搖之桂"，姜和桂能作食品，亦供葯用。又如伤寒論的第一方桂枝湯，桂枝、芍葯、甘草、生姜、大棗五味中，除芍葯外，其他四种均供食用。桂枝湯是很古老的处方，大概是由姜、桂等食物發展而成复方的。

湯剂絕不是一个人發明的，大抵在人类掌握了火的用途之后，就逐漸的由"㕮咀"等用葯方法，有时也煮湯去滓后內服，因为湯葯較易發揮葯效，吃起来又方便，就成为一种常用的剂型了。殷代或其以前已用湯葯，是可信的，因为比湯葯配制还要复杂一些的葯酒，此时已經有了。罗振玉殷墟書契前編4.17有"鬯其酒口于大甲口口于丁"。汉朝班固白虎通义考点篇解釋"鬯者，以百草之香，郁金合而釀之成为鬯"。所以甲骨文的"鬯其酒"就是芳香性的葯酒。关于伊尹，我們可以認为他是对于湯葯的配制及应用方法，有所提高与發展的人。

現存最早的湯葯方剂，大概是灵樞邪客第71的秫米半夏湯：

> "其湯方以流水千里以外者八升，揚之万遍，取其淸五升，煮之炊以葦薪火，沸置秫米一升，治半夏五合，炊令竭为一升半，去其滓飲汁一小杯，日三飲，益以知为度"。

这一处方后来並不常用，但可看出战国时代对于湯葯的配制、用量等，已有一定的数据。並重視葯料的炮炙，因为生半夏有毒性而且麻澀，所以採用"治半夏"。司馬迁史記倉公列傳，載有公元前二世紀的名医淳于意，用过下气湯、火齐湯及莨菪、硝石、芫花、苦参等葯。根据以上的資料看来，湯葯的發展情况，是先由單味葯或葯食併用的單方，逐漸形成后来葯味众多的复方。

湯剂的种类

研究古代方剂制用方法最重要的文献，是汉末張仲景的伤寒論及金匱要略，絕大部分是湯剂。后人称張氏为"众方之祖"，因为他总結了二世紀以前用葯治病的經驗，把古代的方法留傳下来，貢献很大，这些方法有不少的一部分在現代仍有实用的价値。但是，張氏以后的一千七百多年里，我国医葯有很大的进步，湯剂上有許多改进，我們有理由說，这些經驗更重要些，現实些。

湯剂的一般制法是"煮"，就是將葯料放在水中，加热使沸，把有效成分煮出来。有时要

"煎"，"煎"有数种不同的意义，如張仲景的蜜煎导方、豬膚煎、烏头煎等，是药膏或流膏剂型，一为"去滓再煎"，如大柴胡湯：

"柴胡等七味，以水一斗二升，煮取六升，去滓再煎，溫服一升"

就是把湯煎得濃些。不过煮与煎常通用，並無区别，所以現代湯剂亦称煎剂。

关于"飲"，素問病能論有"生鉄落为飲"，这个"飲"的意义沒有具体的解釋。唐代的"飲"和湯剂本来是有些区别的，不規定剂量的湯剂称为飲，如孙思邈千金要方卷十的蘆根飲子：

"生蘆根等四味……煮取二升半，随便飲，不差，重作取差"。

若干药性平和的湯剂，病人多吃点对于治疗尙無害处，自己可以根据病情，酌量飲药。故唐代以后，飲被广泛的採用了。如宋代的法定处方書太平惠民和剂局方有25个飲，除常山飲等作用較强的方剂規定用量外，基本上都是循孙氏千金方的例子，作"不拘时服"、"以意加減"，或"随便服"等。所以叶仲坚說：

"飲与湯稍有别，服有定时者名湯，时时不拘者名飲"。（引自"药治通义"）。

"飲"还有一种意义，即冷服者为飲，如宋龐安常伤寒总病論的附子飲子"候極冷取飲之"。另一部清朝的法定医方書医宗金鑑（1749年）也收載了数十种"飲"，但在用法上並沒有根据以前的区别，其中有多种是定量服的，与湯無别。因为这部書对医药界的影响很大，所以后来亦称湯为飲，如溫病条辨（1813年）中著名的桑菊飲，实际是湯：

"杏仁等八味，水二杯，煮取杯，日二服"等。

現代大部分的飲仍与湯有別，如參苏飲"不拘时热服"，但有一部分則与湯無異。

新药中有浸剂，系取药末或叶类，用沸水沏浸，或在重湯煎（隔热水加热）加热五分鐘，和沏茶差不多，亦称茶剂（和我国成药中的茶剂有别）。这种用药法很簡便，我国古代也用过，如傳說創自伊尹的三黄湯（見医学大辞典121頁，确否待考。）"麻沸湯二升漬之，須臾絞去滓，分溫二服"清代徐灵胎在医学源流論中說此方是"此二法之最奇者，不煎而取泡"。又宋初聖惠方（982～992年）的：

"治嬰兒童子患疹豆疾，用紫草二兩，細剉，以为沸湯一大盞沃（泡），便以物合定，勿令气漏放，如人体溫，量兒大小服"。

这就是近来一些地方所常試用的以紫草預治小兒麻疹处方的来源。这种以沸水泡药的方法，目前仍广泛应用，如菊花、欵冬花、金銀花、番瀉叶、苏梗等，不过医师处方时並不常用。

宋朝改变湯药湯型的教訓

張仲景主用湯药来治病，如伤寒論虽有理中、陷胸、抵当、麻仁、烏梅五种丸剂，但理中、陷胸、抵当三种都是大丸药，应用的时候要先用水煮化后內服，所以名虽为丸，与湯無異。仅麻仁、烏梅兩种，是治胃腸病的丸药。

葛洪原著的肘后备急方，开始有"成剂药"的名称。晋唐之間，成药逐漸增加，如肘后、千金、外台等医方中，丸散剂約佔三分之一。因为自汉末到北宋的七百余年間，仅唐代有二百多年的昇平时期，其余大部分在战乱割据的环境里，办药煮湯，很不方便，所以預制成药备用的逐漸多起来。北宋龐安常在伤寒总病論中，反映了这种情况：

"近世常行煮散，古方湯液存而不用……唐自安史之乱，藩鎮跋扈，至于五代，天下兵戈，道路艰难，四方草石，鮮有交通，故医家省約，以湯为煮散……沿習至今，未曾革弊，古方湯液，实于今世为無用之書"。

应当补充的，是"以湯为煮散"之法，在安史之乱以前就有了，宋林亿等校千金要方"凡例"說：

"昔人長將药者，多作煎散法，蓋取其积日之功。"

因为唐初的千金方等，承繼了汉末的方法，在应用若干散剂时，亦煮湯內服，临时取用，比較方便。但是，宋以前这种"煮散法"在剂型上並不佔重要的地位，一些散剂是根据治疗目的而設計的，就是使其不要在体內很快發揮药效。

龐安时所反映的情况，証以著名的宋太平惠民和剂局方，是可靠的，"局方"有98个湯方，加25个"飲"，共为123种，佔全書方剂总数的六分之一强。虽然引用了許多張仲景或宋以前的主要湯方，但用法被大大的改变了，是先把这些湯方的药料配制成大量药粉，临用时称取所需的剂量，水煮內服，名虽为湯或飲，实际上就是"煮散"。如卷二的白虎湯：

"石膏等三种共三十九斤一兩，为細末，每服三錢，水一盞半，入粳米三十余粒，煎至一盞，去滓渥服”。

局方是宋朝統治者所公佈的法定医方書，民間不敢違抗，通行全国达数百年，但是这种“以方待病，拘泥成法”的治病方法，容易使医生們以死記局方条文为能事，陷于教条式的用葯，虽“立法簡便，而不能变通”（見善本書室藏書志）。在此情况下，医师們当然不滿意，但不敢公开的反对，仅仅是流露出一些怀疑的論調，如苏东坡沈括的苏沈良方論湯散丸說：

“湯丸散各有所宜，古方用湯最多，用丸散者殊少。煮散古方無用者，惟近世人为之。……近世用湯者全少，应湯者全用煮散，大率湯剂气势完壯，力与丸散倍蓰。煮散，多者一啜，不过三五錢極矣，比功較力，豈敌湯势”。

“煮散”除葯效上的問題外，在制剂上也有不易克服的困难，葯料需要充分的粉碎后才能均匀的混和，所以局方都用“細粉”，这样一来，就不容易“去滓”了，病人只好連湯帶滓像喝粥样的把葯滓一起吃下去。例如史載之方的多种湯方就是帶滓吃的：

“治赤痢……黄連、木香，右为細末，濃煎……食后，和滓服”。

显然易見，吃葯滓並不是治疗上的需要，而是由于調剂上的不得已。所以，宋代的治病用葯，沈括在沈氏良方序一开头就說“予尝論治病有五难，辨疾、治疾、飲葯、处方、別葯”，因为这种煮散法比宋以前的湯葯更不好吃，葯滓太多。

宋政权失敗后，一些医师公开反对煮散，元朝的朱震亨是攻击最积極的一人，朱氏所著的局方發揮、格致余論等，就是对于局方的書評。他說：

“集前人既效之方，应今人無限之病，何異刻舟求劍，按圖索驥？”

金元以后，这种煮散就不常用了，又恢复了宋以前常用湯葯的方法。宋代改变湯葯剂型的工作基本上是失敗的，成为一个教訓。但成葯則盛行起来，一部分湯方改成丸散或葯膏，因为購用現成的丸散剂要比配制湯葯方便些。但是成葯並不能代替湯葯的重要地位，因为有些湯方不适作成葯。

採用飲片的經过

宋朝的煮散法沒有行得通，所以配制和服用湯葯的困难，依然是一个未能解决的問題。各个时代的医葯家在这方面曾費过不少的心力，他們在葯料的处理上有所改进，克服了一些缺点，即古代多用葯料的粗粉或細粉来煮湯，現代則多用葯料切成的飲片。把兩种方法研究比較一下，採用飲片的优点是：①易于鑑別葯味，不致配錯葯。②調配时較易計量与称取。③有效成分易煮出，泡沫少，不易溢于罐外，不致燒焦。④湯內葯滓少，易澄清，便于服用。⑤易于濾取湯液，除去葯滓。採用飲片的方法，並不是在某一时間里突然改变的，而是在長期体驗中逐漸摸索出飲片比葯末好。“飲片”这兩个字，清乾隆年間吳仪洛本草从新柴胡項下才看到，离現在約200年。因为古今动、矿物葯处理法無大区別，用量最大的是根、莖、木、皮、果实等植物葯，現擇有代表性的19种，將各时代主要文献所載修治法列表比較如下頁：

根据这个表，可以說明各个时代的葯料处理方法，是隨着社会条件及用葯經驗，不断的在变化。从汉末伤寒論的方剂可以看出，除新鮮葯如地黃、生姜等是“切”片外，其他葯料的处理方法是㕮咀、搗、研、擘、破、碎等，如附子是“炮去皮破八片”，实际上只能破成帶有多量粉末的塊片。含有大量粉末的葯料在煮湯时操作有困难，需要克服，南北朝的陶弘景已注意这个問題，提出要減少葯末，他在本草經集注的“叙录”里說：

“凡湯酒膏葯，旧方皆云㕮咀者，謂称畢擣之如大豆，又使吹去細末，此于法殊不允当。葯有易碎难碎，多末少末，秤兩則不复均平，較略令如㕮咀者，乃得無末，而片粒調和也”。

当时的医师們对于不太堅硬的部分葯料，尚可用刀切細，比起搗研等方法来，可以少产生些葯末，不过干燥的草根木皮等則不易用刀切細，条件所限，所以在具体操作上有些困难。

唐代千金方处理葯料的方法，大部分与南北朝相同，但对大形果实，是先浸軟后再切片：

“凡生姜麦門冬入湯，皆切。……一法薄切用，凡諸果实仁……湯柔撻去皮，仍切之。”

我們認为雷斅的炮炙論不是五世紀时刘宋的書，而是10世紀时唐末的著作（註），此时“煮散”之法，用者日多，所以炮炙論常用剉、擣等法。宋本草所反映的情况，多为“擣篩”取細末，正与

藥料名 \ 書名	汉伤寒論	晋陶弘景本草經集注	唐千金方	唐末雷斅炮炙論	宋本草	明本草綱目	清本草备要	清本草从新	現代
甘草				剉細	搗碎	刮去赤皮	炙或生用	去外赤皮	飲片或咀
黄耆				擘細、剉用	为末	搥扁、切用	搥扁	搥扁	飲片
桔梗				細剉	搗屑、細剉	切片	去浮皮	去浮皮	飲片
知母				剉細	搗	切	拌	拌	飲片
黄連		除根毛	除根毛	去鬚根	細切		去毛	去毛	飲片或咀
升麻				剉	細剉	剉	去鬚蘆	去鬚蘆	飲片
地黄	切	切	切		搗研	搗	搗	搗	飲片
大黄				細切	搗篩		搗煨	搗煨	飲片
附子	炮去皮破八片	炮令折	炮令微折	擘破	搗篩	炮折切片	煨熱切片	切片	飲片
半夏	洗	破为細片	洗四破	洗	剉碎	研末	切片	切片	飲片
何首烏				搗	搗	切片	切片	切片	飲片
澤瀉				細剉	搗篩取末		拌	去皮	飲片
木瓜				薄切		切片		切片为末	飲片
杜仲			取里	細剉	切		剉	剉断絲	咀
枳实			去穰		搗剉		炒	炒	飲片
茯苓			削除黑皮	搗細	搗篩		去皮	去皮	咀或片
天麻				劈搗	刮皮煎	切片	切片	切片	飲片
柴胡				細剉用	細剉			切为飲片	飲片
厚朴				細剉用	为末			切片	飲片

局方"煮散"之法吻合。

宋朝以后，工商業更为發达，药局增多，有了專業的修治藥料人員，切片的例子就多了，很重視制藥的明朝陈嘉謨，在本草蒙荃中記載了很具体的切片操作，以及目的与要求：

"古人口咬碎，故称㕮咀，今以刀代之，惟凴剉用，犹曰咀片，不忘本源。諸藥剉时，須要得法，或微水滲，或略火烘，湿者候干，坚者待潤，才無碎末，片片薄匀，狀与花瓣相似，合成方剂起服。仍忌剉多留久，恐走气味不灵。旋剉应人，速能求效"。

清朝的兩部常用本草書中，从新仅晚于"备要"数十年，但切片的藥料已增加了不少。在此以后，变化更快，近代由于藥店广泛的設立起来，切藥工具有了改进，許多大城市里又採用了机器，切片种类及数量大为增加，可以广泛的供应需要，其中社会条件起了主要的作用。

湯剂中藥料的煎法

現在大部分藥料已由藥店預切成飲片，若干貴重的藥料則鎊或搗成細末，不过一般的湯剂里藥末是不多的。由于这一改进，所以我們在煎制湯藥时，就不完全要"遵古泡制"了，因为客观情况的变化而变通古法是必要的。但古代在長期間实踐中所摸索出来的宝貴經驗，今天看来仍有不少是很合理的，需要加以保留，以便繼續的研究与改进。現在把古今主要的不同点摘要分析如下：

（一）先煎后煎

即先煮方剂中的一部分藥料，到一定程度后，再加入其他藥料。清徐灵胎說"补益滋膩之藥宜多煎……發散之藥及芳香之藥不宜多煎"。各个时代的医师多指明麻黄要先煎，如伤寒論的麻黄湯：

"右四味，以水九升，先煮麻黄減二升。去上沫，內諸藥，煮取二升半，去滓"。

麻黄中的麻黄素是較难溶的有机酸鹽，且多含于髓部里，所以要多煮一下。又煮麻黄时泡沫較多，容易使湯溢出，所以要撈"去上沫"，假如"羣煎"則泡沫更多更容易溢出了。后加桂枝、杏仁、甘草等，是为防止桂枝杏仁中芳香揮發成分的散失与分解，甘草中的成分較易溶出，不需久煮。故先煎麻黄之目的，除藥效的关系外，尚有調剂上的理由。此外如酸棗仁、茯苓、梔子、葛根等有时先煎，有时羣煎，並無定論。

現代的湯剂一般的多不分煎，因为藥料已切成飲片，或經过炒、炙、搗、鎊等处理，这样做也不能說不合理，不过若干藥料假如能先煮，还是有好处的。

（二）烊化

膠、糖、蜜及类似物，溶于水中成膠狀液，因而影响其他药料有效成分的煮出，而且在加热时容易起沫及焦化，应当先將湯液煮成，而后加入膠糖蜜等使溶解，謂之"烊化"。如伤寒論的猪苓湯：

"右五味，以水四升，先煮四物，取二升。去滓，內阿膠，烊尽，溫服七合"。

其他如芒硝及硝石等，也可如法泡制。

（三）去滓再煮

伤寒論的大小柴胡湯、瀉心湯类、柴胡桂姜湯、旋复代赭湯等，要"去滓再煮"。如小柴胡湯：

"右七味，以水一斗二升，煮取六升。去滓再煮取三升。溫服一升，日三服。"

这是为了減少湯药剂量，故适当的蒸發濃縮，此外还有一个理由，就是药末多时煮得太濃，不易濾湯去滓，而且容易燒焦。现代往往省去此操作，一次煮成，不另"去滓再煮"，是因为採用飲片的緣故。不过，如能"去滓再煮"还是有好处的，因为濃湯附着在药滓上不易濾取，损失較大。

（四）酒煎醋煎

宋以前的医方中常用酒及醋，用量很大，金匱要略及肘后备急方中用醋的例子不少，又如千金要方的麻黃醇酒湯：

"麻黃三兩，以美淸酒五升，煮取二升半，頓服尽。冬月用酒，春月用水煮之。"

因为酒及醋能溶解药料中的多种有效成分。不过这种方法唐以后就不常用了，如宋和剂局方中，沒有酒剂，由于有些病人不能大量服酒，更不宜用醋。唐末的雷斅炮炙論，提倡用酒来处理药料，如酒炒、酒浸、酒洒、酒拌、酒蒸等。和剂局方則常用醋炒、醋炙、醋浸等。这样做也可达到酒煎醋煎之目的，亦适于不宜酒醋的病人应用。

煮药的时間水量及火候

古今也有些变化，现代煮药时間，应当根据药料的性質、用水量、煮药罐及火候而定，一般約30～50分鐘。假如飲片或咀片切得薄小，又是草性或芳香揮發药，因易煎出有效成分，时間宜短些；反之，如为厚片、膩潤药或坚实药，时間应当長些。

古人很重視煮药用水的选擇，如灵樞用"流水千里以外者"，張仲景有甘爛水、潦水、泉水、东流水等，本草綱目載了数十种的水，因为古代衛生工程少，若干地方不易获得淨水；主要目的在用不含杂質的清水。如元朝吳綬伤寒蘊要全書說："取新汲井水，若有咸味苦咸者，皆不可用"。近数年来，由于建設及衛生設施的进步，各地較易获得淨水，不太需要費力去弄了。

关于用水量，汉唐之間張仲景、陶弘景及孙思邈等的处方，一般是用八倍重量的水来煮药，这个数据是比較固定的。宋朝的医师們，認为如照此比例煮湯，則感水量太小，如龐安时在伤寒总病論里說是：

"水少湯濁，药味至厚……其水少者自是傳写有舛"。

或認为是由于度量衡制度的不同。实际情况是由于药料的处理起了变化，因为宋以前常用㕮咀、搗、切等方法，煮湯时药末还不太多，八倍重量之水大体上是合适的。宋朝因为用煮散之法，很細的粉末則八倍重量之水就覺得"水少湯濁"了。现代的湯剂一般的只用3～5倍重量的水，是由于改用飲片之故，成分較易煮出，相应的煮药时間也縮短了，所以有了減少用水量的可能。

煮药的火候也很重要，古代虽有文火武火，緊火慢火之別，如吳綬說"發汗攻下之药必用緊火煮……补中溫中之药宜慢火煮"，但实际上是有困难的。因为煮药本来就是很可能少用水，药罐子又小，火太大了很易溢出或燒焦，所以现代多为使湯維持微沸的程度。古代的許多著名医师也主張这样的煮法，如：張仲景伤寒論的桂枝湯："微火煎"。陶弘景本草經集注："凡煮湯，欲微火令小沸"。杜光庭玉函經："凡煮药用迟火，火驰药力出不尽"。危达齋得效方："不可猛火驟干，恐伤药力"。

濾取药滓的操作法

现代因为採用飲片或咀片，药料的粉末大为減少，所以在去滓操作上，較之古代，也大大的簡化了。各地常用的"药濾子"，系以麻或紗布及竹片編制成，这种簡單的濾过器，用起来很方便。古代的去滓手續是相当麻煩的、如南北朝的陶弘景說:"用新布,兩人以尺木絞之,澄去聢濁(即沉淀)"。

湯葯的內服法

大部分的中葯都有苦臭气味，而且剂量很大,病人服用不方便,容易产生惡心嘔吐等副作用,这个問題是長期存在着的,古代医师也很重視此事,有过一些改进,但是並不徹底。如葯料用酒、蜜、醋等来炮炙，除去了一些苦臭气味。甘草黃耆是豆科植物,有豆腥气,热处理后可以減少些。人参要折除能致吐的参蘆等等。葯料的修治与炮炙目的之一，就是为了易服食。此外尙有在处方中加生姜等健胃葯，並使病人安靜,抑制对胃部的刺激等,如:唐孙思邈千金方:"凡服湯，嘔逆不入湯者，先以甘草三兩、水三升,煮取二升,服之得吐，但服之不吐益佳。消息定，然后服余葯，即流利更不吐也"。清陈复正幼幼集成:"大凡嘔吐不納葯食者,最难治疗,蓋葯入即吐,安能有功,又切不可强灌，胃口愈吐愈翻，万不能止。予之治此頗多，先姜湯和土,作二泥丸，塞其兩鼻(注意勿使进入鼻腔),使之不聞葯气，然后用对証之葯煎好，斟出澄清,冷热得中,止服一口即停之,半时之久,再服一口,良久服二口,停之少頃，則任服不吐矣。斯时胃口已安,焉能得吐。恐人不知,明見其吐葯不納，偏以整杯整碗强灌之，則一吐傾囊而出,又何葯力之可持乎"。

近代的湯葯

我們把古今湯剂的制用方法做了一些分析和比較后，可以知道湯剂長期的存在着下列的缺点:

(1) 配制时的手續和操作很复杂。

(2) 剂量大,葯滓多,不好吃。

(3) 容易变質，不便于携帶及保存。

(4) 有苦臭气味，有些病人吃不下去。

古人的有些經驗是成功的，如部分湯剂配合适当的矯味料后改为成葯，及採用飲片等。也有些教訓,如宋朝的"煮散"等,虽然克服了一些困难,但問題依然存在,有待繼續改进。

湯葯剂型的改进,不單純仅为技术問題,是和社会条件有关的。清朝中叶以后的百余年間,由于葯業的發展及採用机器,才能广泛的供应飲片，这一措施在清代中叶以前就办不到。近二三十年来，由于城市人口的大量增加,过集体生活的职工日多,他們沒有煮湯葯的条件,配合此种情况，又出現了"代客煎葯"的新方法。此法在近二三年內广泛的应用起来，故現代的几个改进剂型的新方法中，"代客煎葯"是比較成功的一个，因为它和傳統的用葯經驗並沒有抵触，历史上的事实也証明,在有專人負責，比較集中配制葯料的情况下，較易掌握各种碼切的操作，並能研究出具体的改进办法。

今后湯葯剂型的变化情况，將比过去任何时代都要快得多,大致的發展趋势是,若干疗效显著,处方可以固定起来的湯剂,將循过去的例子,逐漸变为成葯。不过成葯的問題也很多,剂量也大而不易吃，所以大部分湯剂是不能改为成葯的。另一方面，在"代客煎葯"等方面，还可以不断的提高配制和应用的方法。配合葯效的多样性和复杂性，从多方面来設法改进。

湯葯配制应用时要求簡便易服，固然是重要的，但是，維持及提高疗效，是更重要的前提。

〔註〕：雷斅"炮炙論"，过去多認为是南北朝刘宋(420～47年)的著品，因为李时珍說此書是"胡洽居士重加定述……多本于乾宁晏先生"，胡洽是南北朝时人。但从此書內容看来不像是五世紀的著品，如"無名異"、"砒"等名称，是唐宋之間才有的，而且"乾宁"是唐代末年的一个年号，即894～898年，所以推定这部書是10世紀初所写，較为适当。

試論傳染病学家吳又可及其戾气学說

史常永

吳有性字又可，明代江苏省震澤人，是我国十七世紀一位很出色的傳染病学家。他繼承了金元一些医学家的革新創造精神，大胆地批判了过去在傳染病病因学方面所存在的一些錯誤和保守思想。同时根据他多年对傳染病的斗爭經驗，提出了傳染病病因学的新观念——“戾气学說”。“戾气学說”在傳染病病因学方面，提供了一系列創造性的新見解。此外，他是我国，也是世界上第一个把傳染病和外科感染疾患划入同一病因范疇的傳染病学家。

吳又可对傳染病学的貢献，近来虽然已被一些医史学家所重視，然而对他的学术思想作一比較詳細介紹的文章还很少見。有些医史著作甚致略而不談，即或提一提，也往往着重在吳氏的“邪从口鼻而入”、“邪伏膜原”或“伤寒百無一二，瘟病四时皆有”等非关鍵性問題上，对吳氏在傳染病病因学方面所提出的一些重大問題却只字未提。因而至今在傳染病学發展史上，还未能給予吳氏以应有的地位。

一、吳又可的著作及其生平

吳又可的重要著作，流傳至今的只有一部瘟疫論，此書著于崇禎壬午（1642）。据吳县县志記載，他还著有一部伤寒实录①，这部書我們沒有見过，或已亡佚？吳氏是否还有其他著作，文献不見記載。这里順便提一下：清熊立品所輯的治疫全書，前三卷基本是瘟疫論的編輯，可是題名却很奇特，名为醒医六書。从治疫全書的序言里得知，醒医六書最初乃康熙54年（1715）补敬堂刊行，后由年希堯重刊，熊立品又从年希堯处获得了醒医六書而輯入了治疫全書里。补敬堂主人醒医六書原序說“……是編出自具区吳又可先生。喚醒聾聵，普作金繩，抉灵素之奧秘，补仲景之遺亡，誠医学中一大奇書也！本堂非業医者，春正月偶于藏書堆中，市得抄本……”。按瘟疫論不甚詮次，似随笔劄录而成，但就其內容来說，仍是相互联系不可分割的整体，題名为醒医六書实甚莫解，即或强分为六个部分，然則署为六書亦無先例，显見醒医六書是一部叢書。設若如此，哪么为什么熊立品的“治疫全書”里只有“瘟疫論”而無其余五書？其余五書是否均系吳氏的著作？这便不得而知了。

瘟疫論的卷帙不大，全書不过四五万字，但它的內容却異常丰富，其中涉及微生物学一些非常重要的問題，不少都是一些創造性的論述，絕不是一些尋章摘句，專事祖述的老生常談家可与倫比的。我們在了解吳氏的学术思想时，便是根据他这部唯一的傑作——瘟疫論。

关于吳氏的生平事蹟，由于有关文献大都記載的过于簡略，因而知道的很少。一般对吳氏生平的叙述多是据瘟疫論的序言剪裁而成。他大約生活于公元1561—1661年之間。在瘟疫論里有这样一則医案：一位名叫張昆源的，年已六旬，曾二度患病求吳又可診治。第一次是患痢疾，一日瀉三四十次，切診是現間歇性不整脉，由于年高体衰，預后不良已在意料之中。其他医生都認为出現了所謂雀啄脉而斷为死証，皆不敢立方投药，后請吳又可診治，經过他詳細地分析病情，認为完全無虑，果然投药一剂，立起沉疴！数年后，張又患伤風痰喘，病势亦很重篤，复經吳氏予药一服而癒。張昆源第二次患病当在瘟疫論写成之前，自不待言。而第二次患病和第一次患病又相隔数年之久，据此則張昆源第一次患病至瘟疫論的写成，当中相距至少將近十年。准此可以推知，吳氏在公元1632年左右，在学术上已經具有很精深的造詣，少說也是一位很老練的医生了。同时还可以看出，瘟疫論乃吳氏积多年对傳染病的研究和臨床实践而成，絕非臨时拼湊成書。

二、吳又可所生活的时代背景

簡單地談一談吳又可所生活的时代背景，

①丹波元胤“医籍考”云：“伤寒实录見于瘟疫論”，按“瘟疫論”未見有此記載，未知丹波氏何据。

不仅对了解吳氏，而且在了解祖国医学对傳染病学方面为什么从明季以来获得了很大的發展，都是很有必要的。明朝自嘉靖以后，政权急剧地趋于崩潰，不仅政治黑暗、官吏貪污腐败、横征暴斂，致使民不聊生，而且接二連三的天災人禍，亦給人民帶来了很大的災难。从嘉靖元年到万历17年(1522—1589)，六十七年的时間，單是明史所記載的傳染病大流行就有九次，遍及陝西、江苏、山东、四川、河北、山西、浙江等省①。仅嘉靖四年九月山东一次疫病流行便死了2,128人！②严重的如永乐六年和八年二次疫病的流行，竟死絕了12,000戶另84,400人③！傳染病这样連續不断地猖獗流行，不能不引起祖国医学家們的严重注意。

崇禎14年，也就是"瘟疫論"写成的前一年，又發生了疫病流行，最严重的是山东、浙江、河北、江南等省。吳又可目睹在这次疫病流行期間，有不少患者因治疗不当或迁延致死者比比皆是④，当然他在这次疫病流行期間获得許多經驗。瘟疫論便是在上述历史背景下产生的。

三、吳又可对过去病因学說的批判

很早以前，祖国医学便已知道疫病是具有傳染性的，素問遺篇說"……五疫之至，皆相染易，無問大小，病狀相似……。"不仅如此，並且还进一步地認識到傳染病的發病，是和机体的防御机能，即內經所謂正气有着因果关系的，歧伯說"不相染者，正气存內，邪不可干。"除此以外，过去对傳染病的病因学說大抵有三：(1)时气說；(2)伏邪說；(3)瘴气說。

1. **什么是时气說呢？**西晋王叔和对此有一明确的解釋："凡时行者，春时应暖而复大寒，夏时应大热而反大涼，秋时应涼而反大热，冬时应寒而反大温，此非其时而有其气，是以一岁之中，長幼之病多相似者，此則时行之气也。"⑤又"諸病源候論"說"此病皆因岁时不和，温涼失节，人感乖戾之气而生病。"⑥这种非其时而有其气，古人又謂之四时不正之气。由是可知，时气說認为疫病的發生，系由于人体遭受了外在異常不良的气候影响，換言之，即所謂感受了四时不正之气而致。又明陶华說"时气者，乃天时暴厉之气流行人間，凡四时之令不正者，則有此气行也。"⑦据此則时气說另有一种含义，即疫病的發生，乃感受了一种暴厉之气，这种暴厉之气發生在气候环境異常的情況下。所以傳染病在祖国医学文献里，除瘟疫之外，又有疫癘、时行、天行、时气病等名称。

时气說导源很早，远在春秋战国时代便已奠定了它的思想基础。如禮記月令說"孟春行秋令，則其民大疫"；"季春行夏令，則民多疾疫"；"仲夏行秋令，民殃于疫"。又墨子天志篇說"是以，天之为寒热也，节四时，調陰陽雨露也，时五谷熟、六畜遂、疾菑戾疫凶饑則不至。"又尙同篇說"故当天降寒热不节，雪霜雨露不时……疾菑戾疫，飄風苦雨，荐臻而至。"这些实际便是后来时气說的濫觴。时气說在祖国医学發展的早期，人們擯棄了鬼神致病观念，而企圖从外在环境对机体的影响来說明傳染病的病因問題，無疑是有着巨大进步意义的，但要闡明傳染病病因学的实質問題，当然还有相当的距离。吳又可便不滿意时气說的观点。

吳氏認为，"春时应暖而复大寒，夏时应热而反大涼……"等等，並不是以闡明傳染病的病因問題。他認为寒、热、温、涼乃是一年四季外在环境的自然現象，所謂非其时而有其气，实不过节气的赶前錯后，寒热温涼到来的迟早不同而已。假如入春陰雨連綿，或至秋晴朗少雨，必然冬寒夏热的时間延長，这畢竟还得說是常有的事。因此，未必因气候略为增減損益便致傳染病的發生。他說"时行之气，指以为疫，余論則不然，夫寒热温涼，为四时之气，因風雨陰晴稍为損益——假令秋热必多晴，春寒必多雨——亦天地之常事，未必致疫也。"⑧吳氏虽不滿意时气說对傳染病的病因解釋，但他並不完全否定机体和外在环境的統一性。他認为外界的气候对机体的不良刺激，是可以成为誘發疾病因素的，如他說"时疫初起，原無感冒因，然亦

---

①②③見張廷玉"明史五行志"。

④見"瘟疫論"序言。

⑤"註解伤寒論"卷二，王叔和"伤寒例"，商务印書館，1955。

⑥巢元方等，"諸病源候論"卷十，人民衛生出版社，1955。

⑦陶华，"伤寒全生集"，卷四，眉寿堂刊本。

⑧吳又可，"瘟疫論"，原病篇，人民衛生出版社，1955。

有因所触而發者……是促其發也。"①又說"若夫春寒秋热，为冬夏之偏气，倘有触冒之者，固可以为疾。"②然而他追述，"可以为疾"並不等于就是傳染病，假使因春寒秋热等气候的劣性刺激，即所謂"触冒冬夏之偏气"而致病，一般說和冬季受寒与夏季伤热並沒有什么本質上的不同，因而他說"亦無于感寒伤暑，未可言疫。"③由以上所述可見，吳氏对时气說的批判是公允合理的。

2. 什么是伏邪說呢？素問生气通天論說"冬伤于寒，春必病温"，④又金匱眞言論說"夫精者，身之本也"。"冬不藏精，春必病温"，便是伏邪說的要領。关于冬不藏精的精字，各家議論紛紜，寻常多指房劳。我認为吳鞠通的解釋較为合理，他說"不藏精三字須活看，不專主房劳說，一切人事之能搖动其精者皆是。"⑤由是观之，則精字和正气，即我們謂抵抗力，或防御机能等，似有同等含义，这样来理解精字，和素問所說的"夫精者，身之本也"的精神也是相符合的，王叔和对伏邪說的概念有更进一步地明确闡述，他說"冬时严寒，万类深藏，君子固密則不伤于寒，触冒之者，乃名伤寒耳。……以伤寒为毒者，以其最成杀厉之气也，中而即病者，名曰伤寒，不即病者，寒藏于肌膚，至春变为温病……"⑥綜观上述，可以把伏气說归結如下：由于冬季未能注意攝生，以致削弱了机体的抵抗力，即所謂冬不藏精，这样便容易感受冬季严寒的刺激而致病；設如受寒后而即时發病的，就叫作伤寒，沒有即时發病而寒邪——致病因素——在肌膚潛伏下来，到了春季必然發生温病，伏邪說对温病的病因解釋，显然是个虛設，但它流行了一千多年，很少有人發生異議，至多不过是在文詞解釋上兜兜圈子而已。

按照吳氏的观点，人体是一个統一的完整的有机体，他說"是以天真無往不布于肌膚，不布則麻木不仁；造化之机無刻不週于藏府，不週則神机頓息，卒然仆絶。"⑦而致病因子——邪气，对人体的正常生活机能来說，是一个对抗性的矛盾，拿吳氏的話說即"势不兩立"。这个矛盾發展的結果，一是人体的防御机能削除了致病因子，即正气战胜邪气，吳氏所謂"本气充实，邪不能入"；一是抵抗力不足而發生疾病，吳氏所謂"正气受伤，邪气始張"。由是他認为，不論是全身或局部，一但遭受邪气的侵害，設若抵抗力不足便致引起人体的机能失常而發生疾病，如不即时治癒，不危即斃，哪有冬季受寒以后到了春季再發病的道理呢？他进一步地論証道"即感冒一証，風寒所伤之最輕者，尚尔头疼身痛、四肢拘急、鼻塞声重、痰嗽喘急、惡寒發热当即为病不能容隐，今冬时严寒所伤，非細事也！反能藏伏过时而發耶？"⑧致于伏邪說認为寒毒藏于肌膚之間，他認为更是不着边际，他說"肌为肌表，膚为皮之淺者，其間一毫一窍，無非（無处不是）营衛徑行所攝之地，即感冒些小風寒尚不能稽留，当即为病，何况受严寒杀厉之气，且感于皮膚最淺之处，反能容隐者耶？以此推之，必無是理矣。"⑨以上是就理論而言，若就原則而論，吳氏認为冬季受寒並不能作为对傳染病的病因解釋，他說"夫疫者，感天地之戾气也。戾气者，非寒非暑，非暖非凉，亦非四时交錯之气。"⑩

吳氏並不否認內因对傳染病的發病論有着重要的意义，他說"时疫初起……或饑飽劳碌、或焦思气郁，皆能触动其邪，是促其發也。"⑪他很注意身体的荣养对抵抗傳染病的关系，他举例說"因本气亏虛，呼吸之間，外邪因而乘之，昔有三人冒霧早行，空腹者死，飲酒者病，飽食者不病，疫之所着，又何異耶？"⑫严格講来，不管是时气說也好，伏邪說也好，与其說是傳染病的一种病因論認識，勿宁說是一种發病論認識，吳氏对此，也是有一个明确区分的。

3. 何謂瘴气說呢？所謂瘴气說，即認为屍体腐爛或其他一些山嵐瘴气、毒穢惡濁之气等，瀰漫在空气里，人在吸入了这惡毒之气以后，便

①吳又可，辨明伤寒时疫篇。
②同前，伤寒正誤。
③同前。
④按"温"和"瘟"，明清以来頗有爭执，有的認为"温"和"瘟"不同，有的認为"温"和"瘟"無别，吳又可認为"瘟"乃后人把"温"字去氵加疒，所以"温"和"瘟"並無有什么区别，今从吳氏。参見"瘟疫論"正名篇。
⑤吳鞠通，"温病条辨"原病篇，人民衛生出版社，1956。
⑥"註解伤寒論"卷二，王叔和"伤寒例"，商务印書館，1955。
⑦⑧吳又可，"瘟疫論"，伤寒例正誤篇。
⑨吳又可，"瘟疫論"，伤寒例正誤篇。
⑩同前，或参見原病篇。
⑪同前，辨明伤寒时疫篇。
⑫同前，原病篇。

致疫病的發生。西欧在十七世紀以前，也流行着与此相同的瘴气学說（Doctrine of Miasms），吳氏虽然沒有詳細地批判瘴气說，但他的傳染病病因学观点和瘴气說是有着根本区别的，后边我們將要談到。

由以上所述，可以明显的看出，吳又可对过去傳染病病因學說的批判，並不是咬文咀字、泛泛空談，而是基于許多事实和常識。他沒有把內經和以前的學說看作是一成不变的死教条，但也不是無故标新立異。他正視事实、不尙虛談。敢于打破旧說而树立新見。反之，他也不是对过去的一切，都抱着一种否定主义的态度，他在批判旧學說的同时，也吸取了以往的合理部分，这在前边已經談过了。

四、吳又可的傳染病病因学新观念——戾气学說

1.戾气的一般概念 吳又可認为，傳染病的發生，既不是由于四时不正之气，亦不是由于外感伏邪，乃是感染了一种戾气。为了搞清戾气的一般概念，我們首先必須确定一个前提，即吳氏所謂戾气的气，絕不是什么虛無、空洞的气，而是一种客观存在物質性的实体。他說"夫物者，气之化也；气者，物之变也。"① 換言之，他所指的气，就是物質存在的一种形态。所以他进而肯定地說"气即是物，物即是气"②。

关于戾气的概念，吳氏是从反面来加以闡述的，即認为凡是有形有色、肉眼可以察見、感觉可以触知的都不是戾气。他認为戾气既不是日月星辰——"日月星辰，天之有象可睹"；也不是水火土石——"水火土石，地之有形可目"；又不是昆虫草木——"昆虫草木动植之物可見"；更不是寒热温凉——"四时之气，往来可觉"。是否戾气和瘴气是一丘之貉呢？前已提及，戾气学說和瘴气学說根本不是一回事，他說"致于山嵐瘴气、嶺南毒霧、咸得天地之濁气，犹可以察"。③ 哪么戾气究竟是什么呢？吳氏認为，戾气乃是肉眼不能察見、感觉不能触知、耳不得聞、鼻不得臭的一种傳染病病原体。他認为正是由于戾气不能直接察知，所以过去未能被人注意，因而也就不能眞正的了解到傳染病的病因实質問題，他說"此气無象可見，况無声無臭，何能得睹得聞？人悪得而知是气也。"④

2.戾气的多样性（或称"病原体的特異性"） 吳又可根据他多年对傳染病的分析观察，注意到了一个極其明显的事实，即許多傳染病的临床証候，並不是千篇一律的，各病有各的特点和規律。例如大头瘟临床表现为發頤，头面浮腫，蝦蟆瘟表现为咽痛、音啞，瓜瓤瘟或探头瘟表现为嘔血暴下，疙瘩瘟表现为發塊發核，有的为痢为痢，有的为斑为疹，或为痘为瘡等等不一。⑤ 由此可知，傳染病是种种不一，因而也就不能混而言之曰瘟疫，或分而言之曰瘟、曰疫，所謂瘟疫乃此类傳染疾患之統称。如大头瘟、蝦蟆瘟、瓜瓤瘟、瘧、痢等等，只能說是一类疾患、並不能說是一种疾患。这些尽人皆知的簡單事实，似乎是沒有什么討論的必要。其实不然。我們翻开明代以前的祖国医学文献可以看到，过去对这些事实仅是"知則知矣"，並沒有据此在傳染病病因学方面作出什么新的結論。相反，吳氏对这些众所週知的簡單事实却沒有輕易地放过，他据此作了新的推論，建立了戾气多样性的观念。

前边已經談过，吳氏認为傳染病乃是由于感染了戾气所致。既然傳染病种种不一，哪么戾气也不是一团混沌，同样不能說所有的傳染病都是感染了同一种戾气。戾气有許多种，所以又称之为杂气。他說"……为病种种，难以枚举，大約遍于一方，延門闔戶，众人相同，此时行疫气，即杂气所鍾。——为病种种，是知气之不一也。"⑥ 这就是說，傳染病其所以种种不同，正是由于感染了不同的戾气。反之，某种特殊的戾气只能引起相应的、一定的特殊疾病。他說"众人触之者，各随其气而为諸病焉。"⑦ 吳氏这个推論的正确性，早已被科学地証实了，用不着作更多的解釋。

3.戾气的特适性（或称"病原体的特異性定位"） 他指出，某些戾气有只侵犯某些臟器組

① 吳又可，"瘟疫論"，論气所伤不同篇。

② 見吳又可，"瘟疫論"論气所伤不同篇。按郑重光"补註瘟疫論"脫漏此句，其他如孔毓礼"医門普渡瘟疫論"、刘松峯"瘟疫論类編"、熊立品"治疫全書"等，均有此句，今从之。

③ 以上均見"瘟疫論"，杂气論。

④ 吳又可"瘟疫論"，杂气論。

⑤ 以上均見"瘟疫論"，杂气論。

⑥⑦均見"瘟疫論"，杂气論。

織的現象，他指"蓋当其特适，有某气專入某臟府經絡，專發为某病。"因而他認为，發生了什么样的傳染病，或者某些臟器組織受到了侵害，並不取决于什么"五运六气"，而是依据感染了何种戾气为轉移的。現代微生物学告訴我們，病原体在侵入机体以后，病灶常突出地表現在某些臟器組織。实驗亦証明，微生物病原体在进入血液循环以后，很快地在血流中消失，而在适应它的某些臟器組織居留或繁殖起来（当然这种現象不單取决于微生物）。致于某些微生物或毒素專易侵害某些組織系統的例子，如腦炎病毒、破伤風毒素容易侵犯神經系統，伤寒桿菌容易侵害腸部組織等等。这种現象，我們謂之"病原体的特異性定位"。可見，吳氏所說的"戾气特适"性与此概念，基本上是相一致的。如果我們想到这个規律是在距今三百多年以前提出来的，便不能不使我們惊奇了！

4.戾气的偏中性（或称"种屬感受性"也可以称为"种屬免疫性"）　吳氏还論証了不独人类的傳染病是由于感染了戾气所致，就是动物的傳染病也未尝不是由于感染了戾气。但他特别明确的指出，並不是所有能使人致病的种种戾气，也能使动物致病。反之，能使动物致病的戾气未必就一定能使人致病。不仅如此，就各种不同种屬的动物之間，对种种戾气也具有不同的感受性。他說"偏中于动物者，如牛瘟、羊瘟、鷄瘟、鴨瘟，豈当人疫而已哉。"①接着又說"然牛病而羊不病，鷄病而鴨不病，人病而禽兽不病。"②这种現象是什么原因呢？按照吳氏的意見，原因有二：第一，他解釋道"究其所伤不同，因其气各異也。"也就是說，此种現象乃是由于他們所感染的病原体，即戾气不同。第二，吳氏認为，人或动物对某些特殊戾气，具有一种制約因素。他虽然沒有明白的指出这种制約因素的实質是什么，但他依据宇宙一切事物都具有相反相成，相互制約的普遍联系，肯定人和动物对戾气之間，也存在着这种制約关系。他說"万物各有宜忌，宜者益而忌者損，損者制也，故万物各有所制。"③

不能否認，吳氏所說的戾气偏中性，現在已成为科学的事实。如人类的流感病毒，可以使小白鼠和雪貂感染患病，但家兎对它却無有感受性；鼠疫桿菌，在鳥类（除麻雀以外）几乎完全具有抵抗力；綿羊 Rift 谷热病毒，对牛、山羊等均可被感染致病，但馬、猪、鷄等並不遭其危害；鷄瘟病毒在鷄羣中造成傳染病的流行，可是鴨、鵝、鴿等並不受累；牛瘟病毒使牛致病、对人則完全無害；以上这些都是大家所熟知的，勿須多举。此种現象，我們謂之种免疫（Species immunity）或天然免疫（innate or natal immunity），这与吳氏所說的戾气偏中性，实相符合。由此可以看到，吳氏对事物的观察分析是如何地深刻細膩！同时可以設想，在当时他是怎样以科学的态度，由临床进而到牛棚、羊羣、鷄窩等处实地进行認真观察，否則是很难得出上述哪样正确論断的。

5.戾气和外科感染疾患的关系　必須特別提出，吳氏有一个在外科史上具有非常重要意义，但未被医史学者們特別注意的卓越思想，这就是：吳氏不仅認为戾气是傳染病的病因，他还肯定戾气也是一切外科感染疾患的病因。換言之，他把戾气扩展到闡明一切外科感染疾患的病因問題。他說"如疔瘡、發背、癰疽、流注、流火、丹毒、与夫發斑痘疹之类，以为痛痒瘡瘍，皆屬心火……实非火也，亦杂气所为耳。"④这样便把傳染病的病因和外科感染疾患的病因，划入了同一范疇領域。这在防治外科感染疾患时，具有非常重要的理論和实踐意义！祖国医学在过去对癰疽瘡瘍等疾患，認为是由于气血不和、营衛失調、或火毒稽留所致。灵樞癰疽篇說"夫血脉营衛，周流不休……寒客經絡之中則血泣（音澀，下同），血泣則不通，不通則衛气归之不得复反，故癰腫。寒气化为热，热盛則腐肉，肉腐則为膿……。"又素問至真要大論說"諸痛痒瘡，皆屬于心。"后来各家外科著作，也未越乎这些藩籬。这些把瘡瘍認为是由于心火，把化膿看成是組織的腐敗过程等等，当然不能說是談到外科感染疾患的病因問題，更不要說是和傳染病联系起来。在西欧也曾同样流行过一种認为創口化膿是由于腐敗变化的思想，致于創口化膿認为是由于感染了微生物的原因，乃英国格

①②③均見"瘟疫論"，論气所伤不同篇。

④ 見"瘟疫論"杂气論篇。

拉斯果大学的著名外科学家李斯特(J. Lister)所提出的。李氏在1867年發表了他有名的石炭酸消毒空气的試驗,更加之不断地發展,才有了現代的無菌外科。吳氏的思想虽然未能成为現实而运用于外科临床,但这种思想却早于李225年。当然,吳氏不及李氏,但必須指出,李氏有巴斯德(L. Pasteur)的啟發,而吳氏距雷紋胡克(A. V. Leeuwenhoek)發現霉菌还有45年!

綜观以上吳氏对"戾气"的种种闡述和論証,虽然我們不能"戾气"就是細菌、原虫或病毒等——因为哪时还無有显微鏡等科学仪器,当然他不可能有細菌等概念——但事实上他把微生物学方面的若干重要規律及微生物病原体的某些特性,完全揭示出来了。

五、吳又可对流行病学的論述

1. 傳染途徑 吳氏指出,傳染病的傳染途徑有二:一是空气傳染;一是接触傳染。他說"邪(指戾气)之着人,有自天受之,有傳染受之。"① 此处所謂"自天受之"的"天"字,实际上便是指空气而言,他說"凡人口鼻之气,通乎天气"②。这显然是說,人的呼吸和外界的空气,即"天气"息息相通,故我們說吳氏所指的"天",不是星辰日月的天。另一种傳染方式,即所謂"傳染受之"是指接触傳染而言無疑,这勿須多加解釋了。

2. 傳染病的流行性与散發性 古人对傳染病的認識,和傳染病的大流行是有着密切关系的。因为在流行期間,常由一人患病而遍及全家,甚致一巷一村,症狀亦都相似,因而便自然地联想到疾病的傳染概念。古人称傳染病为"疫",正有所本,"說文"云"疫,民皆病也"。因此,过去的祖国医学家在鑑别是否傳染疾患时,除了依据臨床証候以外,流行期成了一种很重要的診断佐証。正由于此,对小流行、或散發性的傳染病,常常被忽視而断为非傳染性疾患。吳又可首先提出,"瘟疫"——傳染病,可以成为流行,但也可以是散發性的,不能仅憑無有相同的患者大量流行而診断为非傳染病。他說"其年疫气盛行,所患者重,最能傳染,即童輩皆知其为疫。"③ 这是就"瘟疫"形成流行而言。关于散發性的,他說"其时村落中偶有一二人,所患者,虽不与众人等,考其証,甚合某年某处众人所患之病,纖悉相同……此即常年之杂气,但目今所鍾不厚,所患希少年。此又不可以众人無有断为非杂气也。"④ 吳氏这个見解,非但揭示了傳染病的二种流行特点,而且給予医生在診断傳染病时一个新的啟發。

从以上吳氏对旧的傳染病病因学的批判和他对傳染病病因学,以及他对流行病学等所提出的一系列的論述来看,他已經超过了他所生活的时代所能达到的医学水平。在那样科学还未發达的历史条件下,能够获得这些成就,已經是了不起而难能的大事了。同时也可看出,吳氏是怎样以辯証的态度,批判、繼承,进而發展了祖国的傳染病学。

当然,吳氏並不是無有缺点的,例如他把"瘟疫"和"伤寒"絕对地对立起来,过分地强調了呼吸傳染——"邪从口鼻而入",以及对某些問題論証的还不够确切甚致有些錯誤,特别是他臆造了一个"邪伏膜原",这些不能說不是一偏之見和美中之不足。但这都是小疵小瑕,吳氏对傳染病学方面的貢献,决不能因此而为之減色。或說:他否定了"昆虫草木動植之物"是"戾气",豈非大謬?不能否認这是个缺憾,因为这意味着否定了"戾气"的生物性。但这也不足以損害"戾气学說"的价値,試問:雷紋胡克在最初發現微生物的时候,誰弄清或肯定了这些千奇百怪的小东西是生物抑或非生物呢?更不要說知道什么低級植物或原虫了。距雷氏發現霉菌183年以后,即公元1870年,才由F. Cohn氏把細菌划入了植物界,致于人了解到濾过性病毒究竟是什么,哪更是近事了。所以我們要求吳氏直接了当地提出"戾气"就是細菌或原虫病毒等等,当然不能認为是現实的。列宁教导我們說"判断历史的功績时,不是根据历史活動家沒有提供現代所要求的东西,而是根据他們比起他們的前輩来提供了新的东西。"⑤ 事实吳氏不仅比起他的前輩提供了許多新的东西,若

①② 均見"瘟疫論"原病篇。

③ 見"瘟疫論"論气盛衰篇

④ 見"瘟疫論"杂气論篇。

⑤ 轉引,謝·斯·吉謝辽夫,"关于列宁的哲学笔記",178頁,人民出版社,1956。

論对傳染病病因学說得內容丰富和全面来說，“戾气学說”与世界同时代的外国傳染病病因学說相比，也並不示弱。如所週知，1546年意大利医生伏拉卡司托氏 (G. Fracastoro) 曾認为傳染病的病原为一种“活动物”，氏称之为“活的接触傳染物” (Contagium Vivum)，同时並指出傳染病即是由于直接接触、或間接接触、或由空气傳遞“活的接触傳染物”而致。接触傳染和空气傳染，吳氏已經提及，而病原体的多样性、“特适”性、“偏中”性、以及傳染病和外科感染疾患在病因上的关系等等，都是伏氏远远不及的。致于特殊之生物發生特殊之疾病的概念，是1762年柏侖息氏 (Plenciz) 才提出的，比吳氏还落后了120年！

此外，吳氏对“瘟病学”的專著首創之功也是不容抹杀的。自吳又可的“瘟疫論”問世以后，对祖国医学界起到了很大的影响，不少医学家都接受了吳氏的思想，瘟病学家如雨后春筍，接連蜂起，这对形成清代的“温病学派”不能說無有关系。1675年戴天章对“瘟疫論”重为編次，著成“广瘟疫論”，1710年便有了郑重光的“瘟疫論补註”刋行，約1788年，即日本天明八年在日本也有了“瘟疫論”的刋本，日本明和六年即1769年又有“瘟疫論”的重刋本。清熊立品由于受到了吳氏的啟發，提出了与病者隔离的防疫办法，他說“当合境延門，时气大發，瘟疫盛行、遞相傳染之际……毋近病人床榻，染具穢污；毋遐死者屍棺，触其臭惡；毋食病家时菜；毋拾死人衣物……。”① 这是多么周密的隔离預防办法！無怪乎刘松峯說“又可先生，卓識偉論，眞乃冠絕古今，独辟蚕叢。”也無怪乎他称吳氏“其殆瘟疫科中之聖乎？”

总 結

（1）吳有性是我国十七世紀偉大的傳染病学家，本文扼要叙述了吳氏的生平、著作和他所处的时代背景。

（2）吳有性是一位具有大胆革新創造精神的医学家，他正視事实，不尙空談，对旧的傳染病病因学說如“时气說”、“伏邪說”等，提出了正确的批判，同时也吸取了以往的合理部分。

（3）吳有性提出了新的傳染病病因学观念——“戾气学說”。“戾气学說”認为：①傳染病由于感染了“戾气”；②“戾气”是肉眼不能察見、感覚不能触知的傳染病病原体；③“戾气”种种不一，不同的傳染病乃是傳染了不同的“戾气”，反之，某种特殊的“戾气”只能引起相应的特殊傳染病；④“戾气”有“特适”性，即某些特殊“戾气”常易專門侵害某些特殊臟器組織；⑤“戾气”具有“偏中”性，即人或动物及不同种屬动物之間，对“戾气”具有不同的感受性；⑥傳染病和外科感染疾患的病因，同是一类病原体——“戾气”所引起。

（4）吳有性对傳染病的傳染方式，提出了空气傳染和接触傳染，对傳染病的發生，提出了有流行性和散發性二种形式。

参考文献

① 王鳳連等譯，秦氏細菌学，中华医学会，人民軍社，1951。

② 陈少伯，医用細菌学，龙門联合書局，1951。

③ 王潛淵，実驗病毒学，人民衛生出版社，1955。

④ 沈陽医学，医用微生物学講义，沈陽医学院，195[illegible]。

⑤ Громашевский, Л. В.，流行病学总論，人民衛生出版社，1955。

① 熊立品，“治疫全書”，第六卷，乾隆42年，家塾刊本。

从山海經的葯物使用来看先秦时代的疾病情况

王 范 之

在先秦的时代里，对于有关古代葯物記載的書籍，我提出了山海經。因为此書記載了很多用作葯用的动物、植物、矿物和水类，並都說出它們的产地、效用、和治病。这些屬于当作葯物使用的动物、植物、矿物和水类的記載，应算得是先秦一部有系統的葯物記載。

山海經並不是一部專門記載古代葯物的書籍，自然我們不能說它就把当时的葯物記載得很完备。然而根据我的統計，單从它明白講出治病的葯物来看，就有125种之多。由这可以想見到，当时使用的葯物，定然不止这样的数字；同时也可以想見到，当时的人对于葯物的研究，定然也是具有不少的成就的。可惜从来諸家，对于山海經的葯物記載，却不曾很好的注意。

山海經一書，在汉代是被人重視的。汉代的人把它看作是正当有用的書。例如說，东汉初明帝叫王景治水，就給以山海經、河渠書、禹貢圖。可見这書在当时是被認作与河渠書、禹貢圖之类一样具有同等实际功用的書。隋唐时代还把它看作是地理类的書(隋唐志屬地理門)，清四庫全書竟然就將它归在小說类里。这大致由于重看了它的怪誕方面的緣故。

固然山海經里記載了許多怪異的东西——如五藏山經里的異兽奇禽，海外海內經里的穿胸国、奇肱国、一目国之类——这都由于根据了各个地域的人的实际生活經驗，知識、傳說，和当时当地一般人存在着的迷信糾混結合而产生出来的。但这是不屬于本文研究的范圍，暂不对它作討論。

一、山海經的葯物分类和統計

山海經里明白說出治病的葯物，据我們分析統計得出四个类别：

1. **草木类** 有53种：

南山經 2
南次三經 1
西山經 9
西次三經 6
西次四經 2
东次四經 2
中山經 6
中次二經 1
中次三經 1
中次四經 2
中次六經 1
中次七經 16
中次九經 1
中次十一經 3

2. **动物类** 有65种：

南山經 10
南次三經 1
西山經 7
西次三經 3
西次四經 2
北山經 11
北次二經 3
北次三經 7
东山經 1
东次二經 1
东次四經 2
中山經 4
中次二經 1
中次三經 2
中次五經 1
中次六經 2
中次七經 4
中次十一經 3

3. **矿物类** 只有三种，就是：西山經的流赭、礜石，中次七經的帝台棋。

4. **水类** 只有一种，就是：中次一十一經的帝台之漿。

除此而外，在書中沒有說出是什么东西的有三种，即是：南山經的育沛，北次三經的器酸，中山經的天嬰。(但就其所說特点来看：器酸三年一成，可能是植物；天嬰狀如龙骨，可能是化石之类)。

总計全書中明白說出治病的葯物，一共有125种。

二、山海經的葯物用法統計

山海經中对于这些葯物的用法，我們發見出它們已存在着內服和外用的兩种形式。內服当中有說"服"的，有說"食"的——因为有的葯是說"食"有的葯是說"服"。"服"和"食"看起来意义好像是一样，但在医葯的使用上，卻不能說它沒有区别。

因为"服"大半是含有"湯服"的意思。中国古代的医疗方法就有鍼石、熨、酒醪、湯服等方法。扁鵲就是善于运用鍼石、熨、湯服等方法来治病的。

說"食"的大致就是指的一般的"食"，主要不是"湯服"。但不能說就沒有"湯服"的意义。不过或者"湯服"的意义要少些。

屬于內服的藥物，当中包括毒葯和可以治畜类病的葯物在內，一共有 101 种。

現在將它分別的鉤举出来。

草木类

【草】

服

鬼草　不憂。(中山經)

荀草　美人色(中次三經)

無条　不癭(中次七經苦山)

牛伤　不厥(中次七經)

嘉榮　不霆(中次七經)

䔄草　不昧(中次七經泰室之山)

猿　不夭　治腹疾(中次七經)

䔄草　媚于人(中次七經)

天楄　不噎(中次七經)

蒙木　不惑(中次七經)

帝休　不怒(中次七經)

楠木　不妒(中次七經)

亢木　不蠱(中次七經)

葪柏　不寒(中次七經)

食

祝余　不飢(南山經)

萆荔　已心痛(西山經)

草(不詳)已疥(西山經)

骨容　使無子(西山經)

杜衡　已癭　走馬(西山經)

無条　毒鼠(西山經)

丹木　不飢(西次三經、峚山、其味如飴)

植楮　已癙　不眯(中山經)

榮草　已風(中山經)

蔄草　不愚(中次七經)

莽草　毒魚(中次十一經)

雞谷　毒魚　儲利于人(中次十一經味酸甘)

白䓘　不飢　釋劳(南次三經，味如飴)

芒草　毒魚(中次二經)

茇　毒魚(中次四經)

葶薴　毒魚(中次四經)

【实】

服

黃棘之实　不字(中次七經)

食

草(不詳)之实　不惑(西山經符禺之山)

实(不詳)　宜子孙(西次三經崇吾之山)

嘉果之实　不劳(西次三經)

白柎之实　宜子孙(西次三經)

沙棠(梨)　使人不溺(西次三經、味如李)

櫰木之实　使人多力(西次四經)

丹木之实　已癉(西次四經)

北号之木实　不瘧(东次四經、味酸甘)

櫔木之实　不忘(中山經)

彫棠之实　已聾(中山經)

苦辛之实　已瘧(中次六經、味酸甘)

动物类

【兽】

服

讙　已癉(西次三經)

食

狌狌　食之善走(南山經)

类　不妬(南山經)

兽(不詳)　不蠱(南山經、青邱之山)

耳鼠　不睬　御百毒(北山經)

領胡　已狂(北次三經)

䴕　已癭(中山經)

䴉蚳　不眯(中次二經)

𤢺　不風(中次十一經)

【魚】

服

飛魚　不畏雷(中次三經正回之水)

食

鯥　無腫疾(南山經)

赤鱬　不疥(南山經)

虎蛟　不腫已痔(南次三經又似蛇)

鰠魚　已狂(西次三經味酸甘)

冉遺之魚　不眯(西次四經)

滑魚(或作鰼魚)　已疣(北山經)

鯈魚　已憂(北山經)

河罗之魚　已癰(北山經)

鰼鰼之魚　不癉(北山經)

𩶃𩶃之魚　杀人(北山經)

鱳魚　已疣(北山經)

鮨魚　已狂(北山經)

鱃魚　不驕(北次二經)

人魚　無痴疾(北次三經)

䱻父之魚　已嘔(北次三經)

师魚　杀人(北次三經)

箴魚　無疫疾(东山經)

珠蟞魚　無癘(东次二經味酸甘)

鱃魚　不疣(东次四經)

鯱魚　不糟(东次四經)

飞魚　不痔衕(东山經劳水)

修辟之魚　已白癬(中次六經)

鯩魚　不睡(中次七經)

䲃魚　不癰治瘻(中次七經)

鰟魚　不蠱疾(中次七經)

【鳥】

服

橐𩇯　不畏雷(西山經)

鵸䳜　不厭(西次三經翼望之山)

鴒鸚　不眯（中次六經）

食

鵸䳜　無臥（南山經）

肥遺　已癘（或惡創）可杀虫（西山經）

櫟　已痔（西山經）

数斯　已瘿（或作癇）（西山經）

当扈　不眴目（眩目）（西次四經）

鵸鵌　不疽（北山經帶山）

䲹　已風（北山經）

白鵺　已嗌痛　已痸（痴）（北山經）

鶌鶋　已暍（北山經）

鬵　已腹痛　止衕（北次二經）

䴅鶋　不飢已寓（不詳）（北次三經）

黄鳥　不妒（北次三經）

䳋鶹　不瀏（不瞧目）（北次三經）

鴢　宜子孙（中次三經）

䳆鳥　已墊（中次五經）

【龟】

食

三足龟　無大疾　已腫（中次七經）

三足鼈　無蠱疫（中次十一經）

矿物类

服

帝台棋　不蠱（中次七經）

食

礜石　　毒鼠（西山經）

水类

服

帝台之漿（飲）　飲者不心痛（中次十一經）

不詳（沒有明白說出是什么东西的）

食

器酸（似植物）　已癘（北次三經）

外用葯連同医治畜类病的葯物在內（如北山經的流赭）一共有11种。它的使用方法，分：佩、浴、坐臥、豢养、塗抹、等五类。現在分別統計在下面。

草木类

【草】

佩　　　　浴

薰草　已癘（西山經）　黃藋　已疥、已胕（西山經）

【木】

迷谷　不迷（南山經）

动物类

【兽】

佩　　　　浴

鹿蜀　宜子孙（南山經）

猼訑　不畏（南山經）

坐臥　　豢养　　塗抹

谿边　不蠱（西山經）　朏朏　已憂（中山經）

【魚】

【鳥】

佩　　　　浴

灌灌　不惑（南山經）

【龟】

元龟　为底、佩之不聾（南山經）

矿物类

塗抹

流赭　塗牛馬無病（西山經）

不詳（沒有說出是什么东西的）

佩　　　　浴

育佩　無腹疾（南山經）

沒有明白說出是什么东西，同时也沒說出用法的，計有“天嬰”一种。（中山經，它能已痤）

單是沒有明白說出用法的一共有12种。

計：

西次三經	蓇草（草）	已劳（其味如葱）
中山經	䔄（草）	已瞢
中次七經	焉酸（草）	为毒（治毒）
中次七經	梨（草）	已疽
中次九經	草（不知名）	可以走馬
东次四經	芑（木）	服馬
西山經	文莖之实（实）	已聾
西山經	羬羊（兽）脂	已腊（似以脂塗抹）
中山經	豪魚（魚）	已白癬
西山經	鸓渠（鳥）	已𦢊
中次十一經	青耕（鳥）	御疫
中次十一經	羊桃（木）	治皮張

根据上面的統計，除开不明白用法的12种和不詳何类同时又不明用法的一种外。总計全書內服葯物，說“食”的为最多。

計：草木类說“食”的佔64.3%；动物类90.9%；矿一种；不詳何类一种。

說“服”的：草木类佔35.7%；动物类佔9.09%；水类1种（說飲）。

从这里我們可以看得出：說“食”的动物类最多，草木类次之。（动物类中又以魚为最多，佔96.2%；兽次之、佔88.9%；鳥又次之，佔83.3%；龟类只兩种，也都說“食”。草木类中以果实为最多、佔91.7%；草次之、佔60%；木又次之，佔40%；矿类二种，只一种說“食”。）

說“服”的草木类最多，动物类極少。（草木类中又以木为最多、佔60%；草次之、佔40%；实最少、佔8.3%；动物类中以鳥为多、佔16.7%；兽次之、佔11.1%；魚最少、佔3.8%；矿二种只一种說“服”。）

因此，我們可以看得出这样的結論：大概草木类“湯服”的最多；动物类“湯服”的極少。

因此，从这又可以看出：这里对于药物治病，在內服里决定出的“服”和“食”的兩种用法，大致是与各类药物治病的生長性有关。

外用药物：

草木类，使用佩的方式佔66.6%；浴的方式佔33.3%。

动物类，使用佩的方式佔66.6%；坐臥方式佔16.6%；豢养方式佔16.6%。

矿物类和不詳何类各一种，都是使用塗抹的方式。（見表1）

三、山海經中所見的特殊葯物

山海經里在內服和外用的葯物当中，我們發見出許多特殊的葯物。这里我們分別出来10类。

（1）是补葯类：（因为这些葯物，有的是說“食之”或“服之”善走、不夭、不忘、多力，都是些使人身体强壯、增加記忆、或者是延年益寿的葯。）計有四种：

櫰木（木）之实　食之使人多力

欂木之实　食之不忘

狌狌　食之善走　蓇（草）　服之不夭

（2）是宜子孙的葯（可能是使人多生育的葯），計有四种；

实（西次三經崇吾之山，不詳何木的实）

食之宜子孙　白柎（木）实　食之宜子孙

庶蜀（兽）佩之宜子孙　鴢（鳥）食之宜子孙

（3）是避孕葯类，計二种：

骨容（草）　食之使人無子　黃棘（木）实　服之不字（字作生講不字即是不能生育）

（4）是美容葯类，計二种：

荀草（草）　服之美人色　䔄草（中次七經姑媱之山）　服之媚于人

表 1

內			服				外						用				
			服	食	% 服	% 食		佩	浴	坐臥	豢养	塗抹	% 佩	% 浴	% 坐臥	% 豢养	% 塗抹
草木	草	20	8	12	40	60	2	1	1	0	0	0	50	50	0	0	0
	木	10	6	4	60	40	1	1	0	0	0	0	100	0	0	0	0
	实	12	1	11	8.3	91.7	0	0	0	0	0	0	0	0	0	0	0
	共計	42	15	27	35.7	64.3	3	2	1	0	0	0	66.6	33.3	0	0	0
动物	兽	9	1	8	11.1	88.9	4	2	0	1	1	0	50	0	25	25	0
	魚	26	1	25	3.8	96.2	0	0	0	0	0	0	0	0	0	0	0
	鳥	18	3	15	16.7	83.3	1	1	0	0	0	0	100	0	0	0	0
	龟	2	0	2	0	100	1	1	0	0	0	0	100	0	0	0	0
	共計	55	5	50	9.09	90.9	6	4	0	1	1	0	66.6	0	16.6	16.6	0
矿		2	1	1	50	50	1	0	0	0	0	1	0	0	0	0	100
	共計	2	1	1	50	50	1	0	0	0	0	1	0	0	0	0	100
水	共計	1	（飲）	0	100	0	0	0	0	0	0	0	0	0	0	0	0
不詳	共計	1	0	1	0	100	2	1	0	0	0	1	50	0	0	0	50

（5）是毒葯类，計八种：

毒条（草）　毒鼠　莽草（草）　毒魚

芒草（木）　毒魚　茇（木）　毒魚

葶薴（似木）　毒魚　𩶇𩶇之魚　食之杀人

𩶘魚（魚）　食之杀人　礜石（矿）　可以毒鼠

（6）是解毒葯类（因为这些葯說是能御百毒或治毒），計有二种：

焉酸（草）　可以为毒（为作治字講）

耳鼠（兽）　御百毒

（7）是御防葯类（因为这些葯物是能御防时疫或一般的疾病。大致类似現代的御防葯。从这些可說明当时医葯的研究，已具有相当的进步。）計二种：

青耕（鳥）　御疫（御时疫）　三足龟

食之無大疾（御防一般的疾病）

（8）是杀虫葯类，計一种：

肥遺(鳥)　可以杀虫

(9) 兴奋葯类(因为吃了这些葯,可以使人無臥不睡。类似現代的兴奋剂。)計二种:

鶺鴒(鳥)　食之無臥　鯩魚(魚)　食之不瞇

(10)治畜类的葯物,計四种:

杜衡　走馬　草(不知名)　可以走馬

芑(木)　服馬　流赭　塗牛馬無病

四、山海經在葯物使用上的进步

山海經里的葯物,大半都是一葯治一病。但当中卻有14种葯物是一种葯治兩样病的。

表 2

种/类	病　名	每种疾病的治疗葯物数目	每类疾病的治疗葯物共計数
胃病	飢	4	7
	心痛	2	
	嘔	1	
消化不良	𤺌(屁气下泄)	1	1
腹疾	腹痛	1	4
	腹疾	1	
	衕(腹瀉)	1	
	睬(大腹似脹肚病)	1	
心臟病	不勞(易疲累不耐勞)	4	4
勞病	瘅(說文、勞病)	3	3
耳疾	聾	3	3
目疾	瞭(目盲)	1	7
	眯(物入目中)	4	
	𥆞目(眩目)	1	
	瀾(似目疾不詳)	1	
咽喉食管疾	嗌痛(喉痛、谷梁傳嗌不容粒)	1	2
	食噎	1	
气逆	厥	1	1
腫疾	腫	3	4
	皮張(皮腫)	1	
神經衰弱病	畏	1	6
	畏雷	2	
	畏蠱	1	
	忘	1	
	厭(魘夢)	1	
合併精神病	狂	3	6
	妒	3	
愚痴	惑	3	8
	迷	1	
	痴	2	
	眯	1	
	愚	1	
多眠	臥	1	2
	睡	1	

种/类	病　名	每种疾病的治疗葯物数目	每类疾病的治疗葯物共計数
郁結	憂	3	3
痔与瘡疾	痔	3	14
	痔衕(痔下血)	1	
	疽	2	
	瘻	2	
	痤(大瘡)	1	
	腐顛	1	
	瘻(說文、腫也、一曰久創,玉篇瘡也、瘻瘍、中多有虫)	1	
	癘(惡瘡、又玉篇疫气)	2	
	癙(屬創、又集韻憂病)	1	
甲狀腺腫	癭(淮南陰阻气多癭)	4	4
疣	疣	3	3
癎疾	癎	2	2
虫病	瘕	1	1
皮膚病	疥	3	7
	白癬	2	
	𦝫(皮皺)	1	
	胔(体皺)	1	
寒病	寒	1	2
	懋	1	
蠱	蠱	5	5
中熱	暍	1	1
騷	騷(狐臭)	1	1
寓	寓(不詳)	1	1
流行时疫	癘疫	1	4
	疫	1	
	疫疾	2	
一般病	(食之無大疾)	1	2
	底(病癒)	1	
風	風	2	2
畏天風	畏天風	1	1

(治疗葯物名称,見內服外用統計表)

这在葯物的研究和使用上不可說不算是一个进步。

如：杜衡"已癭"同时又可"走馬"。植楮、不特能"已癙"而且可治"眯"(物入目中)。猨、是补葯"服之不夭"但又能"治腹疾"。雞谷、"可以毒魚"而"食者"又"利于人"。白蓉、"食之不飢"並且也可"釋劳"。耳鼠"食之不睬"又可"御百毒"。虎蛟治"腫"也治"痔"。鱶魚、治"癰"又治"瘻"。肥遺、治"癘"(或惡創)又能"杀虫"。白鵺，治"嗌痛"又可治"痸"(痴)。鸞鳥、"食之已腹痛"又能止腹瀉("止衕")。鵸鵌、"食之不飢"又可"已寓"(寓不詳何病)。元龟、"食之可以为底"(底、当病癥講)"佩之不聾"。三足龟、"食之無大疾"同时又能治"腫"疾。

五、从山海經的葯物治病上看出当时葯物治病的理論傾向

我們看，在山海經里有这样兩个例子(这例子虽然有些怪誕附会的意識，但从这可以明白一个思想的傾向)。第一是說，崑崙之邱的沙棠；因为体浮輕，所以可"御水"，于是食之便能"使人不溺"。姑媱山的䔄草，因为是上帝的女兒死去化的，所以食之就可以使人变得嫵媚(这全是怪誕附会)。从这兩个例子我們都可看得出一个思想的傾向：就是，在当时似乎已存在着拿葯物成長的形質(体形和成長性質)来作为決定能治病的解釋；具有以葯物成長的形、質是什么就可治什么的傾向；有以能从治病的葯物上追求出一种所以能治病的理由，而欲構制出一个葯物理論的一个發展。

六、从山海經葯物治病上看出先秦时代的疾病情况

我們由山海經的葯物治病，看出先秦(大体是六国)时代的疾病情况。

由这里看出的疾病，一共是有 65 种。我們將它归納成为 31 个类别。列表如下。(見表二)

在这当中我們統計出：痔与瘡疾九种，治疗葯物 14 种(其中以痔的治疗葯物为多——佔三种；疽；癰、癘、次之——各佔二种)。愚痴疾 5 种，治疗葯物八种(其中惑的治疗葯物較多——佔三种；痴次之——佔二种)。胃病三种，治疗葯物七种(其中以飢的治疗葯物为多——佔四种；心痛次之——佔二种)。皮膚病 4 种，治疗葯物七种(其中以疥的治疗葯物为多——佔三种；白癬次之——佔二种)目疾 4 种，治疗葯物 7 种。神經衰弱病五种，治疗葯物六种。蠱一种；治疗葯物五种。腹疾四种，治疗葯物四种。心臟疾一种，治疗葯物四种。腫疾二种，治疗葯物四种(其中以腫的治疗葯物为多——佔三种)。瘿疾一种，治疗葯物四种。时疫三种，治疗葯物四种。聾疾一种，治疗葯物三种。耳疾一种，治疗葯物三种。狂疾二种，治疗葯物三种。妒疾一种，治疗葯物三种。憂疾一种，治疗葯物三种。疣一种，治疗葯物三种。咽喉食管疾二种，治疗葯物二种。多睡疾二种，治疗葯物二种。瘧疾一种，治疗葯物二种。風疾一种，治疗葯物二种。寒疾二种，治疗葯物二种。畏天風一种，治疗葯物二种。一般病二种，治疗葯物二种。其余都是一种病只有一种葯物治疗。

从这里可以看出：治瘡疾的葯为最多；愚痴、胃病、目疾、皮膚病、神經衰弱病、蠱疾次多；腹疾、心臟疾、腫、瘿、时疫又次多；劳病(聾)、耳疾(聾)、精神病(狂)、(妒)、郁結(憂)，疣、咽喉病、多眠、瘧疾、寒疾、風疾、一般病等再次多。

在多种葯物治疗一种疾病的情况下，我們可以推測这些病必是更广泛地存在着。因此，我們所举出的这些疾病，可能都是比較广泛地存在于先秦时代里的(大体在六国时代)。

附註：本文所根据的"山海經"本子，是商务書館影印明增汛所藏的明刊本。

中国医学傳入越南史事和越南医学著作

陈 存 仁

中国医学傳入西洋，以及朝鲜日本兩国，都是我們所知道的，但傳入越南方面的史事材料，我国文献很少提及，作者因搜集旧書，陆續得到若干材料。三年前得法文本 Duong-Ba-Banh 氏著 Histoire de la Medecine du Viet-Nam 和越南版"东医杂誌"一卷一期"越南医史"兩文后，才將此文写成。其中越南年号和若干史事是越南医家温志达、阮文波、黄夢良为我校閱和补正的。可惜解放后的情况不詳，希望同志們，供給新的材料，如有錯誤，也希望指正。

公 元	越南的年代	中 国 的 年 代	史 事
前 257	蜀安陽王	秦始皇立国前11年	越南向有本国的医学文化，据越南史書所載，曾有一位医师名崔偉，著"公余集記"，医治过雍玄和任休兩位大官的虚弱病，这是越南最古的記录。
前 111	赵陽王	汉武帝元鼎 6 年	中国汉武帝时，中国文化傳入越南，其中医学藥物和治疗技术佔着大部分。 越南医学从此分为兩派：一为越南派，一为中国派，中国派这时又称为"北方派"这兩派医学在文化上和經济上都竞爭得非常劇烈。
1136	李神宗皇帝天章宝嗣 4 年	宋紹兴 6 年	"大越史記全書"曾載一高僧明空以精神方法治疗李神宗皇帝心神恍惚，日夜叫号，群医束手的怪病，上封为国师。他原为中国長安人氏。
1219	李惠宗建嘉 9 年	宋嘉定 11 年	阮先学著"本草食品纂要"。
1341	陈裕宗皇帝紹丰元年	元至正元年	陈裕宗皇帝，幼时溺死，鄒庚以針灸救活，裕宗即位后，1341 年封鄒庚为御医，供献給皇帝許多优良的医疗方法，用針灸法救治皇子，得免于死。不久，这皇子成为半身不遂，又經鄒庚医治获愈。在越南的历史上，記录这种人材很少，但这些史实，足以証明中国傳来的針灸法在那时有相当的成功。其后裕宗有腸痿症，鄒庚針之即愈，裕宗后生三子，賜贈極多。
1406	胡汉蒼开大 4 年	明永乐 3 年	明朝对越南用兵，那时有兩部医書，一是陈元陶著"菊堂遺草"，一是阮之新著"葯草新編"，被軍队帶到中国。
1431	黎大祖顺天 4 年	明德宣 6 年	中国对越南和平交还主权，黎利將越南从中国統治下改为自主国，越南葯品抬头，結合了中国的医葯学說，編成医書，广泛付印，大量流通。
1432	黎太祖顺天 5 年	明德宣 7 年	丙子科大学生潘学仙撰"本草植物纂要"，內中除了中国的本草以外，列举越南葯物甚多。
1462	黎聖宗光順 3 年	明天順 6 年	阮道著"保嬰良方"。
1476	黎熙宗永治 2 年	明成化 12 年	陶公正、范世荣、武日軒等皆合編"保生延寿纂要"五卷。
1717	黎裕宗永盛 12年	清康熙 56 年	慧靜編"洪义覚斯医書"二卷，搜集六百三十余种中国葯品，十三种越南葯品，三十七种古方。 慧靜著"南葯神效"和洪义覚斯医書"兩种，被中国召往医治一公主的病，未曾返国。
1720	黎裕宗保太元年	清康熙 59 年	太医院正御医陈海曇編"医傳指要"兩卷，闡明辨症立方要旨。
1732	黎純宗龙德元年	清雍正 10 年	中进士阮公朝編"食物集录"，集三百余种食物与葯品。
1763	黎显宗景兴壬午年	清乾隆 28 年	吳文靜編"万病集驗"八卷。
1772	黎显宗	清乾隆 37 年	黎有卓（一名海上懶翁）是越南最偉大的医学家，撰"海上医宗心領"六十六卷，內有珠玉格言、心得神方、医中关鍵、医家冠冕、百家珍藏、[illegible]、行簡珍需等篇，內容完备，开啓后学进入堂奥，成为越南第一部完全的医書，[illegible]越南的医林宗师。越南医家說："自从越南有了黎有卓氏出現，越南医学成为完整的学术。"他的医書論理方面採用內經，用葯方面一半用中国葯，一半用越南葯。
1774	黎朝景兴癸酉年	清乾隆 39 年	黎貴惇編撰"云台类語"九卷，其中一部分論及葯物。
1777	黎朝景兴 38 年	清乾隆 42 年	监察御史阮世历著"胎前調养方法"一卷。
1788	黎愍帝昭統 2 年	清乾隆 53 年	阮家潘撰"疗疫方法全編"，曾以越南秘方救活数千患时疫病人。

公元	越南的年代	中國的年代	史事
1806	阮朝嘉隆5年	清嘉庆11年	邓文颖撰"浮仙邓家医治撮要"一卷，后来其子文川医官与内孙邓文享秀才，增补妇科及經驗南葯。
1806	阮朝嘉隆5年	清嘉庆11年	無名氏作"澤园国音集要歌"，这是方剂歌訣的專集。
1809	阮朝嘉隆己巳年	清嘉庆14年	吳員外著"活人秘要"四集，其子大塞奉献于朝。
1848	阮朝嗣德元年	清道光28年	"診脈撮要"一卷，作者佚名。 裴文思業医四十年，著"医門会英"，凡二十八卷。
1854	阮朝嗣德7年	清咸丰4年	黎文愿編"总纂医集"，奉献于朝。
1855	阮朝嗣德8年	清咸丰5年	"保胎神效"一卷，奉献于朝，作者不詳。
1858	阮朝嗣德11年	清咸丰8年	陈月芳撰"南邦草木"一卷，列有南葯百余味，詳述性質功用及产地。
1873	阮朝嗣德癸酉年	清同治12年	黎卓撰"南天德宝全書"五卷。前二卷言越南葯品性質，第三卷辨証立方，第四卷驗方集彙，第五卷論痘疹外科。
1875	阮朝嗣德乙亥年	清光緒元年	阮廷炤撰"医学漁樵問答歌"，以六八体，說明診脈辨症、立方、葯性等。又："葯治玄机賦"出版。
1880	阮朝嗣德庚辰年	清光緒6年	范待用撰"家傳方葯"一卷，專論妇幼科。
1884	阮朝建福五年	清光緒10年	进士黎公作"眼科要录"，治眼病四十症。
1885	阮朝咸宜元年	清光緒11年	阮敌中秀才，太医院覌防翰林撰"云溪医理要录"。設帳教授生徒，生徒集編成書，共二卷，主張論病須分古今南北，因地气不同，不能以古方治今病。
1901	阮朝成泰辛酉年	清光緒27年	进士邓文府撰"南葯名物备考"二卷，搜集南葯甚多。
1906	阮朝成泰18年	清光緒32年	武平府編"医書略抄"三卷，專論針灸。
1907	阮朝維新元年	清光緒33年	法国屬地尙書命南朝研究中越医葯，朝廷降旨潘文泰御医协同精于医术者数人，編撰"中越葯性合編"。
1911	阮朝維新5年	清末	在此时前后，尙有其他医書著录。仙傳痘疹医書(范百福作)，本草分类(阮公保作)，痘科(陈德馨作)，唐葯材备考(黄志医作)，医家国語(英河作)，保胎种子纂要(陈御医作)，家傳疹痘集(阮士授作)。尙有下列35种，作者姓名不詳。計开： 南葯神經　医集流傳　医書合撰　葯治玄机　葯方抄录　医学大全　活人撮要　医理精言　御書小兒科　医治家傳　診脈秘訣　外科医方抄录　活幼心法大全　家傳秘書　小兒痘症　疹痘諸書抄录　用葯樞机　医难医之集　妇人科　家傳集要医書　南葯考編　罗汉医方　胎前調养方法　治痘国語金歌　家傳疹痘　疹痘心法要訣　善明医書　十三方加減　新方八陣国語　护兒方法总录　龙綬祖师秘傳眼科　保嬰良方　慧靜医書　本草食物　罗溪葯方
1918	啓定三年		法国佔領越南以后的三十年，西医並不風行，民众治病仍是信仰"南医"，对越南草葯的效力，人民印象特深，医师方面秘密的私相傳授"南医"。
1923	阮朝啓定八年		黎文語著"医家纂要"，認为越南居于湿热帶，不可以寒温帶之治病方法施諸越南。 当时提倡西洋医学，希望国人多譯西洋医学書籍，將东西医术融会貫通。全書只有理論，無治疗方法。
1935	保大12年		西医黄夢良博士，研究針灸术，發表論文于印支医葯报。
1936	保大12年(法佔时期)		"南医"老医师邓東蓮，請求法国統治当局，准許設立"越南医学会"。邓氏精通汉文，兼是詩人。
1943	保大19年(日佔时期)		法統治者戴古总督用种种方法限制"南医"的發展。
1950	越法战爭时期		西医日益盛行，但仍有华侨中医和越南医界組織医葯团体，在1950年調查，計有：越南医葯会(代表杜風淳　阮文波)，华侨中医师公会(代表何允中)，华侨医葯公会(代表韓福准)等。华侨中医在此地开業，称为"越南东医"。 同年黄夢良博士出席巴黎举行国际針灸学会。
1952	越法战爭时期		越南医界阮文波氏参加法国巴黎举行的"国际針灸学会"。 "越南医葯会"成为重要的东医团体，会長为阮文波。会員有二千人，每月出版"东医杂誌"並成立"东医学院"

参考文獻

阮秩和……………………越南全史

黎汉卓……………………越屬南进考

未具名………越南医史(东医杂誌第一期)

Duong-Ba-Banh, ……………………

Histoire de la Medecine de Viet-Nam

祖国医学关于風湿病的史料*

朱 顏**

祖国远在公元前六世紀时就有关于四肢病的記載，据春秋左傳昭公元年傳云[1]："風淫末疾"，"末疾"就是四肢病，而且認为这种四肢病的原因是"風淫"，可能与風湿病的四肢关节疼痛有关。

到了秦汉（西汉）时代（公元前三世紀至公元一世紀）又有"痹"病的記載，如黄帝素問痹論云[2]："風寒湿三气杂至，合而为痹也，其風气胜者为行痹，寒气胜者为痛痹，湿气胜者为著痹"，据汉書艺文志[3]"五臟六府痹12病方30卷"条下顏师古注云："痹，風湿之屬"，"痹"病的主要症狀为疼痛，其中"行痹"的疼痛"行而不定"，就很像風湿病呈現多發性关节炎的情况。又据灵樞厥病篇云[4]："風痹淫濼，病不可已者，足如履冰，时如入湯中，股脛淫濼，煩心，头痛，时嘔，时悗，眩已汗出，久則目眩，悲以喜恐，短气，不乐，不出三年死也"。这一段話所描写的"風痹"，其主要症狀可以归納如下：

（1）足部忽而寒冷忽而灼热、股脛痠痛無力等关节炎症狀。

（2）汗出、短气等心力衰弱症狀。

（3）煩悶、悲恐、不乐等精神症狀。

（4）嘔吐等胃腸症狀。

並且說"風痹"不容易痊愈，如再發生心力衰弱和精神症狀，病人的寿命就过不了三年。

从所記載的症狀和預后情况看来，这时期所称的"行痹"和"風痹"就很像是風湿病。換句話說，祖国医学在公元前三世紀以来对風湿病已有比較明确的認識。

东汉时期（公元1—3世紀），祖国医学文献中又有"历节"的記載，如神农本經[5]記載薇銜、天雄、別羇、蔓椒等葯均称"主風寒湿痹历节痛"，"历节"就是"痛历关节"，和黄帝內經所載的"行痹"、"風痹"有类似意义，所以神农本草經也往往把"風寒湿痹"和"历节痛"相提並論。又据張仲景[6]（公元2—3世紀）金匱要略关于"历节"的記載："寸口脈沉而弱……汗出入水中，如水伤心，历节黄汗出，故曰历节"，"少陰脈浮而弱，弱則血不足，浮則为風，風血相搏，即疼痛如掣，盛人脈濇小，短气自汗出，历节疼，不可屈伸，此皆飲酒汗出当風所致，諸肢节疼痛，身体尫羸，脚腫如脫，头眩短气，溫溫欲吐，桂枝芍葯知母湯主之"，"味酸則伤筋，筋伤則緩名曰泄，咸則伤骨，骨伤則痿名曰枯，枯泄相搏名曰断泄，荣气不通，衛不独行，荣衛俱微，三焦無所御，四屬断絕，身体羸瘦，独足腫大，黄汗出，脛冷，假令發热，便为历节也"，"病历节，不可屈伸，疼痛，烏头湯主之"。

"历节"的主要症狀为"痛历关节"不可屈伸，發热等多發性关节炎症狀，和脚腫、汗出、短气等心力衰弱症狀，其原因为"飲酒汗出当風"及"汗出入水"等冒寒和受潮等，可見这时期所称的"历节"也很像是風湿病。

晉隋时代（公元3—7世紀）的医学关于風湿病症狀的描写未有增加，如王叔和[7]（公元280年）著脈經"平中風历节脈証"篇中所載完全和仲景金匱要略原文相同，即至隋代巢元方[8]（公元610年）著諸病源候总論关于風湿病的症狀記載亦無所复加，如書中历节風候云："历节風之狀，短气自汗出，历节疼痛不可忍，屈伸不得是也，由飲酒腠理开，汗出当風所致也，亦有血气虛受風邪而得之者。除把"历节"改为"历节風"外，关于症狀和原因也完全和仲景所述相同，不过对于風湿病發病机制的推論提出了一些新的見解，如巢元方在解釋風湿病关节疼痛不可屈伸和出汗时云："風历关节，与血气相搏交攻，故疼痛，血气虛則汗也，風冷搏于筋則不可屈伸，为历节風也"。

唐代（公元7—10世紀）时期，对于風湿病的認識，沒有很多的进展，惟在治疗方面已有更丰富的經驗。孙思邈[9]（公元578—682年）著

* 中华医学会总会綜合选題"風濕性心臟病"座談会上的發言稿。

** 中医研究院

备急千金要方和千金翼方，除艾灸法外，用以治疗“历节風”和“風痹”的葯很多，例如：

“防已湯，治風历节，四肢疼痛如槌鍛，不可忍者方”用防已为主。“大棗湯，治历节疼痛”，方中有附子。“犀角湯，治热毒流入四肢，历节腫痛”，方中有犀角。“治历节諸風，百节酸痛不可忍方”用松脂。“松节酒，主历节風四肢疼痛如解落方”用松节，独活等。“治历节風方”中用松膏，“又方”用松叶。“治風痹，腫，筋急，展轉易常处方”中有附子。“治風痹，遊走無定处，名曰血痹大易方”中有天雄。

根据所述症狀，“历节風”和“風痹”仍与秦汉时代所载一样，可以說就是風湿病，其所用葯物除了东汉时期提出的烏头、附子、天雄和桂枝外，增加防己、犀角、松脂、松节、松膏、松叶和独活等葯。

王燾[10]（公元 752 年）著外台秘要除採录隋代巢元方关于“历节風”的論述和千金要方的方葯外，又增加了一些新的內容，例如：

“深师大風引湯，疗男女历节風，大虛，手脚曲戾，或变狂走，或悲笑言語錯乱”。“千金論曰，夫历节風著人久不疗者，令人骨节蹉跌，变成癲病，不可不知，古今以来，無問貴賤，往往苦之，此是風之毒害者也”。

这兩段記載更具体地說明風湿病連續發作、纏綿不断可引起“手足曲戾”、“关节蹉跌”等关节病变和“或变狂走”、“或悲笑言語錯乱”、“变成癲病”等精神病症狀。

在黃帝素問中已有“行痹”和“著痹”之分，“行痹”的特征为“行而不定”，“著痹”的特征为“著而不移”，可能当时对風湿病的多發性关节炎和痛風（Gout）局限于一、二关节的情况已經有所鑑別。但是自秦汉迄隋唐八、九百年以来，風湿病和痛風的鑑別一直是不明确的，直到王燾著外台秘要，才把这兩种病明确地分别开来。外台秘要除“历节風”外还記載了“白虎病”：[11]“近效論白虎病者大都是風寒暑湿之毒，因虛所致，將攝失理，受此風邪，經脈結滯，血气不行，畜于骨节之間，或在四肢，肉色不变，其疾晝靜而夜發，發則徹髓酸疼，乍歇，其病如虎之嚙，故名曰白虎之病也”。“苏孝澄疗白虎病云，妇人丈夫皆有此病，妇人因产犯之，丈夫眠卧犯之，为犯白虎尔，其病口噤手拳气不出”。

据記載“关节酸疼如虎之嚙”，“晝靜夜發”，“乍歇”及“眠卧犯之”等情形都很像痛風。因此，如果說“历节風”就是風湿病的話，那末“白虎病”就相当于痛風。

宋代（公元 10—12 世紀）編纂太平聖惠方（公元 982—992 年）和聖济总录（公元 1118 年）等医書，仍有“历节風”和“白虎風”的分别記載，例如聖济总录云：[12]“历节風由气血衰弱，为風寒所侵，血气凝澀，不得流通，关节諸筋，無以滋养，眞邪相薄，所历之节悉皆疼痛，故謂历节風也，甚則使人短气汗出，肢节不可屈伸”。“白虎風之狀，或在骨节，或在四肢，其肉色不变，晝靜而夜發，發則痛徹骨髓，或妄言妄有所見者是也，蓋風寒暑湿之毒乘虛而感，播在經脈，留于血气，畜聚不散，遇陽气虛弱，陰气隆甚，則痛如虎嚙，故以虎名焉”。

从症狀的描写可以看出这里所說的“白虎風”就是外台秘要所說的“白虎病”，虽和“历节風”一样都有关节疼痛的症狀，而有如下的兩个鑑别要点：

（1）“历节風”有痛历关节走注不定的多發性关节炎症狀，而且疼痛無定时，“白虎風”則或在关节或在四肢，晝靜夜發，痛如虎嚙。

（2）“历节風”有短气汗出等心力衰弱的症狀，而“白虎風”則否。

“历节風”和“白虎風”的辨症方面虽有不同，而在治疗方面並無很大的差别，例如聖惠方[13]“治历节風，百节疼痛不可忍，用虎头骨一具，塗酥炙黃，槌碎，絹袋貯，用清酒二斗，浸五宿，随性多少，煖飲之妙”，而聖济总录載“抵聖散，治白虎風，骨髓疼痛，至夜轉甚”，亦用虎脛骨研末呑服。

唐宋以来，对“历节風”和“白虎風”創用了局部外治法，例如外台秘要載[14]“疗風毒腫、一切惡腫、白虎病並差方，取三年釅醋五升，热煎三五沸，切葱白三二升，煮一沸許，即爪籬漉出，布帛热裹，当病上熨之，以差为度”，这就是現代的热敷法；又如聖惠方[15]“治走注風毒疼痛（历节風之类），用小芥子末和鷄子白調敷之”，这就是現代的芥子泥敷法。

金元时代（公元 12—14 世紀）初期，仍有

“行痹”和“痛痹”之分，如刘守眞[16]（公元1186年）宣明論方云：“行痹上下左右無留，随所至作”，又云：“行痹行走無定”，又云：“痛痹四肢疼痛，拘倦浮腫”，“行痹”相当于風湿病，“痛痹”相当于痛風。朱丹溪[17]（公元1347年）格致余論始立痛風論云：“彼痛風者大率因血受热，已自沸騰，其后或涉冷水，或立湿地，或扇取凉，或卧当風，寒凉外搏，热血得寒，汗濁凝澀，所以作痛，夜則痛甚，行于陰也”，从“夜則痛甚”的情況看来，丹溪所称“痛風”可能就是現代医学所称的痛風。又据丹溪心法云[18]：“痛風，四肢百节走痛是也，他方謂之白虎历节風証”，又該書附录云：“遍身骨节疼痛，晝靜夜劇如虎嚙之狀，名曰白虎历节風”，可見这时期所称的“痛風”又名“白虎历节風”，和“历节風”有别。

明清时代（公元14—19世紀）的学者对于“历节風”和“白虎風”多所論辨。樓英[19]（公元1565年）医学綱目有“白虎飞尸历节辨”云：“有附骨疽与白虎飞尸历节皆相类，历节痛則走注不定，白虎飞尸痛淺，按之則便止，附骨疽痛深，按之亦無益”。李梴[19]（公元1575年）医学入門論痛風云：“以其循历遍身曰历节風，甚如虎咬曰白虎風，痛必夜甚者，血行于陰也”。孙一奎[20]（公元1613年）赤水玄珠痹門有云：“丹溪拟名痛風，編門論治，是从內經寒气多者为痛痹得其一也”，又云：“痛痹者，疼痛苦楚也，称为痛風及白虎飞尸之类”，又云：“行痹者，行而不定也，今称为走注疼痛及历节風之类”。方广[21]（公元1536年）集丹溪心法附余云：“白虎历节風，骨节疼痛，即宣明所謂痛痹也”。嗣后張介宾[22]（公元1640年）景岳全書云：“風痹一証，即今人所謂痛風也”，又云：“历节風痛，以其痛無定所，即行痹之屬也”。喻嘉言[23]（公元1658年）医門法律云：“痛風一名白虎历节風，实即痛痹也”。由此可見，明清时代的多数学者把行而不定痛無定所的“行痹”屬于“历节風”之类，也可以說就是現代所称的風湿病，而把关节疼痛苦楚归于“痛痹”、“風痹”、“白虎历节風”或“白虎風”，統称为“痛風”，也可以說是指現代所称的痛風而言。

綜合上列文献，可以得出如下的結論：

（1）有关風湿病的症狀，在祖国医学典籍中很早就已有記載，从公元前三世紀开始称为“行痹”和“風痹”，公元一世紀以来，又称为“历节”或“历节風”，主要症狀有：①“历节疼痛不可忍”的多發性关节炎症狀，②“短气自汗出”等心力衰弱症狀，③“或变狂走，悲笑言語錯乱”等精神病症狀。而且已能和“关节酸疼如虎嚙”、“晝靜夜發”的“白虎風”或“痛風”相鑑別。所以祖国医学文献中所載的“历节風”可以說就是現代医学所称的風湿病[24,25]。

（2）关于風湿病原因的認識，远从公元前三世紀以来就認为是受風、冒寒和著湿而起，这和現代內科学[26]所述关于風湿病的誘因基本相同。

（3）用于風湿病关节炎的药物自东汉（公元1—3世紀）以来就有烏头、附子、天雄、桂枝等，唐代（公元7—10世紀）又增加了防己、犀角、松脂、松膏、松节、松叶、独活和虎骨等。

（4）風湿病关节炎局部外治法，自公元八世紀中叶（752）就有醋煮葱白热敷法，十世紀末叶（982）就有芥子泥敷法。

参 考 文 献

1. 春秋左傳，昭公上，13頁，明万曆丙辰閔齐伋刊本。
2. 黃帝素問，痹論第43，卷12，4頁，明嘉靖庚戌顧从德翻雕宋本。
3. 汉書，艺文志，卷30，18頁，清光緒癸未上海点石齋石印本。
4. 灵樞，厥病第24，卷10，2頁，明嘉靖甲寅沈梧亭仿宋刻本。
5. 神农本經，22、32、35、38等頁，日本寬政11年刻明盧复手录本。
6. 張仲景，金匱要略，中風历节病脈証并治第5，卷上，20、21頁，日本寬保三年林权兵衛小刻本。
7. 王叔和，脈經，平中風历节脈証第5，卷8，6頁，明嘉靖甲寅沈梧亭仿宋刻本。
8. 巢元方，諸病源候总論，历节風候，卷2，1頁，清嘉庆戊辰吳門經义齋重雕本。
9. 孙思邈，千金要方，賊風第3，風痹第8，卷8，24至39頁，江戶医学影印北宋本；千金翼方，中風第1，卷17，7頁，明万曆己巳王肯堂刊本。
10. 王燾，外台秘要，历节風方，卷14，18至19頁，明經余居黃一心刻。
11. 同上，白虎方，卷13，46頁。
12. 聖济总录纂要，卷1，37至41頁，清康熙辛酉嵇林刊本。
13. 葛洪，肘后备急方，治中風諸急方第19，卷3，26頁，清乾隆丙午修敬堂刊六醴齋医書本。
14. 同10，卷13，47頁。
15. 同13，治風毒脚弱痹滿上气方第21，卷3，38頁。
16. 刘守眞，宣明論方，卷2，6至7頁，明吳勉学医統正脈本。
17. 朱彥修，格致余論，痛風論，18頁，明吳勉学医統正脈本。
18. 程充，丹溪心法，痛風63，卷4，12頁，附录，卷4，16頁。
19. 圖書集成医部全录，痹門一，卷226，9頁，清光緒丁酉印本。
20. 孙一奎，赤水玄珠，卷12，1至2頁，明万历丙辰黃鼎刊本。
21. 方广，丹溪心法附余，卷4，22頁，明嘉靖15年刻本。
22. 張介宾，景岳全書，卷12，4至6頁，清乾隆33年重刊本。
23. 喻嘉言，医門法律，中風門，卷3，25頁，清光緒己巳經元書室刊本。
24. 陈方之，傳染病学，下册，358頁，商务印書館本（無出版年月）。
25. 陆淵雷，金匱要略今釋，卷2，74頁，人民衛生出版社本，1955。
26. Cecil, R. L. A Textbook of Medicine, 437, 9th Ed.

中国医史参考書目

王吉民*

說明

一、为配合医学院校教学及科学研究的需要，特編制此書目，以供医史工作者参考之用。

二、本書目以与医史有关的現存圖書杂誌为限。凡已佚的書刊，概不列入。至医史的論文，另有中文医史論文索引第一第二集刊行，若能同时採用，則更妥善。

三、本書目所載，以中国医史为主，但用中文写成的外国医史，亦酌量收入，列为附录二，以备研究。

四、每項註明書刊名称、作者、卷数、頁数、出版处、版本、刊年等，借供参考。

五、書目排列次序，是按照出版年代先后为序，但同一題目者，則排在一起。

六、本書目共分：(1)通論，(2)專科，(3)傳記，(4)目录，(5)期刊，(6)辞典，(7)杂著，(8)附录，八类。

七、本書目付印倉促，錯漏处在所难免，尚希讀者多多指教，俾印單行本时，可加以修正和补充。

一、通論

醫說：宋 張杲 10卷8册
上海文明書局鉛印本，1911

續医說：明 俞弁 10卷1册
上海文明書局鉛印本，1911

历代医学源流考：毛景义 1858 中西医話中卷五 卷六
上海江东茂記書局石印本，1922

中国医学史：陈邦賢 1册162面
上海医学書局鉛印本，1910

国医小史：秦伯未 1册45面
上海学海書局鉛印本，1920

中国医学史：盧朋著 1册50頁 杏林叢录內
广州杏林医学社手抄本，1932

中国医門小史：郑榆 2卷108頁
福州中医学会鉛印本，1933

中国医学史：陶熾孙 1册235面
上海东南医学院鉛印本，1933

中国历代医学史略：張贊臣 1册29面
上海中国医葯書局鉛印本，1933
增訂本1册68面 千頃堂書局，1954
修訂本附葯物学史略 1册86面，1955

中国医学史講义：戴达夫 1册161面
上海中医学院油印本，1935

中国医学源流論：謝利恆 1册63面
上海澄齋医社鉛印本，1935

医术：翁祟和 1册69面 中国历代發明或發見故事集之七 正中書局鉛印本，1936

中国医学史：江貞 上册49面
广州中医江松石医务所鉛印本，1936

中国医学史：陈邦賢 1册406面 中国文化史叢書 商务印書館鉛印本，1937

中国医葯匯海史部：蔡陆仙 1册166面
中华書局鉛印本 1937

医学史綱：李濤 1册298面
中华医学会鉛印本，1940

医学史綱要：陈邦賢 1册230面
西南医学杂誌社鉛印本，1943

中外医学史概論：李廷安 1册51面
商务印書館鉛印本，1944

中国医学史綱要：陈永梁 1册134面
广东中医葯專科学校鉛印本，1947

世界医学变迁史(上古篇)：宋大仁 1册44面
海煦楼叢書之三 中西医葯研究社鉛印本，1949

医学概論：王聿先 1册31面
华东医务生活社鉛印本，1951

医史：孟昭威 1册34面 北京中医进修学校中医进修講义 中央人民政府衛生部鉛印本，1952

中国医学史略：任应秋 1册220面 中医进修講义 重庆市中医进修学校鉛印本，1955

* 中华医学会上海分会医史博物館

中国医学简史：俞慎初　1册146面
　福建省中医药学术研究委员会鉛印本，1956

二、專　科

太医院誌：任錫庚　1册41面
　水澤腹堅室木刻本，1916
中国体育史：郭希汾　1册133面
　商务印書館鉛印本，1919
中国药物学史綱：何霜梅　1册98面
　上海中医書局鉛印本，1930
中国麻風史：海深德　1册27面
　上海中华麻風救济会鉛印本，1935
中国植物学文献評論：E. Bretschreider著　石声汉譯　1册82面　国立編譯館鉛印本，1935
汉药研究綱要(原名汉药之知識)：久保田晴光　1册53面　世界書局皇汉医学叢書第14册　1936
　人民衛生出版社單行本52面，1955
植物学：刘元釗　1册58面　中国历代發明或發見故事集之八　正中書局鉛印本，1936
中国鍊丹术考：約翰生著　黃素封譯　1册142面
　商务印書館鉛印本，1937
明季西洋傳入之医学：范行准　9卷4册293頁
　中华医史学会鉛印本，1942
中国养生古說新义：吳兴業　1册59頁
　手稿本，1945
中国預防医学思想史：范行准　1册188面
　华东医务生活社鉛印本，1953
現代国内生理学者之貢献：吳襄，郑集　1册104面　中国科学圖書仪器公司鉛印本，1954
中国古代金屬化学及金丹术：王璡等　1册
　中国科学史料叢書古代之部
　中国科学圖書仪器公司鉛印本，1955
中国1939—1944年十种法定傳染病流行史料彙輯：范日新　1册45面
　中华人民共和国衛生部衛生防疫司鉛印本，1955
中国姜片虫的文献溯源：蕭熙　1册28面
　广东省中医药研究委員会鉛印本，1956
古代兒科疾病新編：高鏡朗　1册164面
　上海衛生出版社鉛印本，1956
梅毒小考：不著撰人　1册24面
　永兴洋行鉛印本，無刊年

三、傳　記

我国古無医史專書，如李濂医史，王宏翰医史等，考其內容，实系医傳，故列入傳記类。

历代名医蒙求：宋　周守忠　1220年　1册46面　天祿琳琅叢書之一
　人民衛生出版社影印本，1955
医史：明　李濂　明木刻本，1526年　10卷2册
　日本岡义夫抄本，1889　10卷4册
历世聖賢名医姓氏：徐春甫　1卷
　在古今医統大全內　明木刻本，1556
历代名医傳略：法眼意安(恂)　2卷146面
　日抄本，1597
历代医学姓氏：明　李梴　医学入門內集卷之首
　木刻本，1653
医仙圖讚：日　菊隐老人撰繪　1册24頁
　日本古抄本，1687
古今医史：清　王宏翰　7卷1册95頁
　附續增古今医史一卷　手抄本，1697
神仙通鑑：清　徐道
　苏州刻，1700
明医小史：望月三英　1册60面
　嵩山房梓行木刻本，1724
医术名流列傳：蔣廷錫　古今圖書集成內第59、60册　圖書集成医部全录銅活字板，1726
医林蒙求：丹臺樋口　3卷132面
　江戶書林木刻本，1804
历世名医姓氏考：恭伯校　1册56頁
　种术山房手抄本，1848
医林集傳：李炳芬輯　2册134頁
　抄稿本，1856
历代名医列傳：丁福保　1册111面　丁氏医学叢書　上海文明書局鉛印本，1909
历代名医傳略(又名世界名医傳略)：許明齋　10卷4册234面　紹兴医药学报社鉛印本，1916
医傳：陈忠偉　1册46頁
　手稿本
中华列聖記：徐相任　1册　1930

医林尙友录：章巨膺　1册246面
　上海章巨膺医舍鉛印本，1936
关中历代名医傳：黃竹齋　竹齋医学叢刋內
　21頁　西安酉山書局鉛印本，1936
医林艺人录：宋大仁　1册74面
　手稿本，1941
清史稿名医傳：1册19面
　手抄本，1941
中国医葯八傑圖：宋大仁　1册92面
　海煦楼医葯書画初集
　中西医葯研究社鉛印本，1943
国医史略：丁冠清　1册16面
　丁冠清診所鉛印本，1946
医林人物剪影：文琢之　1册68頁
　四川省医葯学术研究会鉛印本，1947
中国偉大医葯学家像傳：宋大仁等　24張
　大中国圖片出版社石印彩圖，1955
　　以下是个人的傳記：
左氏秦和傳补註：張驥　1册29頁
　成都义生堂木刻本，1935
扁鵲傳割解：安藤惟寅　2卷2册
　林芳兵衛板，1766
扁鵲傳解附扁鵲傳考：村井杶(琴山)　1册
　日本抄本，1773
扁鵲倉公傳：丹波元簡　1册31頁
　存誠葯室藏影宋本，1810
扁鵲傳正解：中莖謙　1卷1册
　覞齋藏板，1823
扁鵲傳解：石坂宗哲　1卷1册
　陽州园藏版鉛印本，1830
史記扁鵲倉公傳补註：張驥
　成都义生堂木刻本，1935
医宗仲景考：平田篤胤　1卷1册
　河內屋板，1827
医聖張仲景傳：中央国医館編审委員会　1册
　60面　重修南陽医聖祠籌备处鉛印本，1935
灵征录：刘毓奇等　1册30頁
　毘陵何氏家刋本，1894
后汉書华佗傳补註：張驥　1卷1册41頁
　成都义生堂鉛印本，1935
李时珍：張慧劍　1册52面
　华东人民出版社鉛印本，1954
疇隐居士自訂年譜：丁福保　1册78面
　無錫丁氏家刋本，1921
疇隐居士自傳：丁福保　1册66面
　詁林精舍出版部鉛印本，1948
疇隐居士学术史：丁福保　1册232面
　詁林精舍出版部鉛印本，1949
总理开始学医与革命运动五十週年紀念史略：
　孙逸仙博士医学院籌备委員会　1册40面
　广州嶺南大学鉛印本，1935
国父与医学及其肝病經过：宋大仁　1册67面
　中西医葯研究社鉛印本，1943
国父之大学时代：罗香林　1册164面
　独立出版社鉛印本，1945
牛惠生医师紀念册：徐藹　1册38面
　家刋本，1937
中国医学人名誌：陈邦賢　严菱舟　1册248
　面
　人民衛生出版社鉛印本，1956

四、目　录

医傳書目：明　徐春甫　1567　1卷
　在古今医統內
医藏目录：明　殷仲春　1659　1册55頁
　手抄本
　羣联出版社影印本，1955
医官玄稿：鹿門山人　3卷4册173頁
　苏嶺山藏木刻本，1752
医学書目考：毛景义　中西医話第2卷1册
　上海江东茂記書局石印本，1858
历代医学書目提要：丁福保　1册64面
　上海文明書局鉛印本，1910
四庫全書提要医家类：中西医学研究会　1册
　67面　上海文明書局鉛印本，1911
医学薪傳：凌曉五　1册16面
　紹兴医葯学报社鉛印本，1927
中国医学自修書目：張贊臣　1931
中国医学書目：黑田源次　岡西为人　1册1030
　面
　滿洲医科大学中国医学研究室鉛印本，1931
珍藏医書类目：裘华僧　2册97頁
　家刋本，1932
中国医学大成总目提要：曹炳章　1册
　大东書局鉛印本，1935

医籍考: 多紀元胤 80卷 4 册 822 面
中西医药研究社影印本, 1936
人民衛生出版社 中国医籍考 1 册 1404 面, 1956
宋以前医籍考: 黑田源次 岡西为人 4 册448 面
滿洲医科大学东亚医学研究所鉛印本, 1936
續中国医学書目: 黑田源次 岡西为人 1 册 580 面 滿洲医科大学东亚医学研究所鉛印本, 1941
中文医書目录: 范行准 1 册 126 面
中华医学会鉛印本, 1949
伤寒書目: 汪良寄 1 册 21 面
中华医史杂誌單行本, 1951
上海市各医学圖書館所藏期刊联合目录: 黃維廉 1 册 75 面
中华医学会牛惠生圖書館鉛印本, 1952
北京圖書館藏中国医药書目: 北京圖書館 1 册 112 面 鉛印本, 1954
館藏中医書目: 湖北省圖書館 1 册 106 面
油印本, 1955
館藏中国医药書目: 福建省圖書館 1 册 16 頁
油印本, 1955
科学技术史料目录: 上海市历史文献圖書館 1 册 62 面 油印本, 1955
現存中医書簡目(北京五大圖書館): 李濤 1 册 140 面 中华医学会北京分会鉛印本, 1955
中国医药簡要書目: 中国医科大學圖書館 1 册 48面
鉛印本, 1955
云南省圖書館藏中国医药書目: 云南省圖書館 1 册163面 云南省衛生厅印發鉛印本, 1955
四部总录医药編: 丁福保 周云靑 3 册252面
商务印書館鉛印本, 1955
江苏省苏州圖書館中医書目: 江苏省苏州圖書館 1 册 8 頁 手抄本, 1956
上海第一医学院圖書目录中医之部: 上海第一医学院圖書館 1 册 98 面 油印本, 1956
南京圖書館藏中国医药書目: 南京圖書館 1 册 161 面 油印本, 1956
祖国医書書目: 北京医学院圖書館 1 册 14 頁
油印本, 1956
館藏中国药物学書目(本草): 浙江圖書館 1 册 14面 油印本, 1956
上海圖書館藏中医書目: 上海圖書館 1 册 89 頁
油印本, 1957
中文医史論文索引第一集: 王吉民 1 册171面
上海市衛生局鉛印本, 1957
中文医史論文索引第二集: 王吉民 1 册 66 面
上海市衛生局鉛印本, 1957
現存本草書录: 龙伯堅 1 册 142 面
人民衛生出版社鉛印本, 1957

五、期　　刊

中国医界指南: 中华医学会編 中华医学会印行, 1928—1934 双年刊, 1936—1947 年刊
中国出版月刊: 国医圖書專号 中国出版月刊社編輯 浙江杭州流通圖書館印行, 第 2 卷 4、5、6 期合刊, 1934 年 1 月
中医新生命: 張仲景特輯 謝誦穆編
中医新生命社印行, 第 10 号, 1935年 6 月
中医世界: 皇汉医学專号 中医世界編輯委員会 中医世界社印行, 第 9 卷 5 号, 1936年 2 月
国医文献: 季刊, 張仲景特輯 国医文献編輯委員会 上海市中国医学院印行, 第 1 卷 1 期, 1936年春季
中华医学杂誌医史專号: 中华医史学会主編
中华医学会印行,
第 22 卷 11, 12 期, 1936
第 25 卷 11, 12 期, 1939
第 27 卷 11, 12 期, 1941
第 29 卷 6 期, 1943
第 31 卷 5、6 期合刊, 1945
第 35 卷 11、12 期合刊, 1949
中华医学杂誌: 医史專号外文版
第 53 卷 4 期, 1938
第 58 卷 3 期, 1940
第 61 卷 5 期, 1942
第 65 卷 1、2 期合刊, 1947
第 68 卷 2 期, 1950

以上医史專号, 系由中华医史学会主編, 每年輪流在中华医学杂誌中文及外文版發表, 始初三年中文稿件拥挤, 分兩期刊出。自

1936年至1950年，共發行中文專号六次，外文專号五次，以后，因有医史杂誌刊行，遂停。

医文：月刊，范行准編

医文月刊社印行　第1卷1—6期，第6期后停刊，1943年4月創刊

医史与医德：中央国医館江都县支館編

揚州江都日报附刊，不定期出版，共出6期，1946年5月創刊

中华医史杂誌：季刊，中华医学会医史学会編

中华医学会医史学会印行，1947年3月創刊，原名医史杂誌，自1953年第5卷1期改名中华医史杂誌，至1955年12月第7卷4号停刊

华西医葯杂誌：考据專号，任应秋主編

华西医葯杂誌出版社印行，第2卷1期，1947年4月

天津医葯：医史特輯，宋向元編

天津医葯出版社印行．第1卷3、4期合刊，1950年7、8月

存仁医学叢刊：医史特輯，陈存仁編

存仁医学叢刊社印行　第2年第3册，（上）1954年10月，第2年第6册，（下）1955年9月

医学史与保健組織：季刊，医学史与保健組織編輯委員会

人民衛生出版社印行　1957年3月創刊

六、辞　　典

中外病名对照录：徐勤業　1册66面

上海科学燦文書局鉛印本，1909

中外葯名对照表：万鈞　1册72面

上海医学書局鉛印本，1913

中外病名对照表：奥建原　1册69面

上海医学書局鉛印本，1915

中国医学大辞典：謝观　2册4690面

商务印書館鉛印本，1921

中西医学名辞对照第一集：李桊　章次公

1933

中国葯学大辞典：陈存仁　2册1981面

世界書局鉛印本，1935

中西病名对照表：叶橘泉　1册

上海千頃堂鉛印本，1951

古代疾病名候疏义：余云岫　1册239面

人民衛生出版社鉛印本，1953

七、杂　　著

医賸：櫟蔭拙者　1809　1册120面　皇汉医学叢書之一　人民出版社鉛印本，1955

医事啟源：今邨亮祇卿　1862　1册26頁

廻瀾社影印本，1929

医故：清　郑文焯　2卷4册

木刻本，1891

周礼医官詳說：顧成章　1卷26頁

聚珍本，1893

周礼医师补註：張驥　1册38頁

成都义生堂木刻本，1935

奉天万国鼠疫研究会始末：陈垣　1册47頁

广州光华医社鉛印本，1911

余氏医述：余巖　6卷2册

社会医报館鉛印本，1926

中国历代医学之發明：王吉民　1册84面

新中医社鉛印本，1928

国人对于西洋方葯及医学的反应：江紹源　1册

抽印合訂本，1928

古今名医言行录：葛蔭春　1931

上海市近十年来医葯鳥瞰：龐京周　1册130面

上海科学公司鉛印本，1933

紀元通譜：史襄哉　夏云奇　1册449面

中华書局鉛印本，1933

医古微：張驥　6卷

成都义生堂木刻本，1933

汉書艺文志方技补註：張驥

成都义生堂木刻本，1935

子华子医道篇：張驥　1册39頁

成都义生堂木刻本，1935

中华民国医事綜覽：小野得一郎　1册475面

同仁会鉛印本，1935

广州博济医院創立百週年紀念：孙逸仙博士医学院筹备委員会　1册32面

广州嶺南大学鉛印本，1935

古代医衛遺香：賴斗岩　1册357面

手稿本，1940

中华医史学会五週紀念特刊：王吉民　1册171面

中华医史学会鉛印本，1941

医史述林：范行准　1册

抽印合輯本, 1949

中医中药傳海外: 陈存仁　1冊56面

港九中医师公会鉛印本, 1951

中国医药文献初輯: 楊元吉　1冊387面

大德出版社鉛印本, 1953

中国古代医学的成就: 朱顏　1冊56面

中华全国科学技术普及协会鉛印本, 1955

中华医学会团結中西医的概況: 中华医学会总会

鉛印本, 1955

古書医言: 吉益东洞　1冊

人民衛生出版社鉛印本, 1955

上海市祖国医药学术講座: 上海市祖国医学学習委員会　1冊82面　鉛印本, 1956

王氏医史論文选集: 王吉民　1冊

抽印合輯本, 1957

以下著录系关于医史展覽会的:

中国医史文献展覽会展覽品目录: 王吉民　1冊54面　中华医学会医史委員会鉛印本, 1937

第一屆胃腸病展覽会医药書画展覽会提要: 宋大仁　1冊118面　上海胃腸病院鉛印本, 1942

李时珍文献展覽会特刊: 王吉民　1冊10面

李时珍文献展覽会鉛印本, 1954

中国科学史料展覽目录: 中国科学社　1冊20面　中国科学社鉛印本, 1954

八、附 录(一)

英文版中国医史著作

The Medical Missionary in China. Lockhart, William Hurst & Blackett, London, 1861.

Thirty Years in Mukden, Christie, Dugald Constable & Co., 1914.

La Medecine en Chine. (法文) Vincent, E. G. Steinheil, Paris. 1915. 316 pp.

Old Chinese Spectacles. Rasmussen, O. D. North China Press, Tientsin, 1915. 33 pp.

China and Modern Medicine—A Study in Medical Missionary Development. Balme, Harold. United Council for Missionary Education, London, 1921. 224 pp.

Chinese Medical History—A Guide through the Labyrinth of Chinese Medical Writers and Medical Writings.
A Bibliographical Sketch. Hübotter, F. Kumamoto, Japan, 1924. 65 pp.

A Brief Sketch of the History of Kung Yee. The Kung Yee Society.
Victoria Printing Press, Canton, 1925. 35 pp.

Zwei beruhmte chinesiche Arzte des Altertums Choven Yu-J und Hao T'ouo. (倉公华佗傳) (德文) Hübotter, F.
Im Buchhandel zu beziehen durch Verlag der Asia Major, Leipzig. 1927.

The Three Crosses in the Purple Mists, An Adventure of Medical Education. Morse, W. R. Mission Book Co., Shanghai, 1928. 306 pp.

Die Chinesische Medizin. (中华医学) (德文) Hübotter, F.
Verlag der "Asia Major" Dr. Bruno Schinder, Leipzig, 1929. 356 pp.

Hospital Dialogue and Outline of Chinese Medical History. Read, Bernard E.
The French Bookstore, Peking, 1930. (2nd Ed.) 79 pp.

东西沐浴史話 (日文) 藤浪剛一　1冊196面　人民書院鉛印本, 1931.

History of Chinese Medicine. (中国医史) Wong and Wu (王吉民　伍連德合著) Tientsin Press, Tientsin, 1932 (1st. Ed.) 706 pp.
National Quarantine Service, Shanghai, 1936 (2nd. Ed.) 906 pp.

支那中世医学史 (日文) 廖溫仁　1冊420面　弘文社印刷所鉛印本, 1932.

Chinese Medicine. Morse, W. R.
Paul B. Hoeber, Inc., New York, 1934. 185 pp.

Notes on Nursing History for Chinese Student Nurses. Harris, W. P.
The Nurses' Association of China, 1934. 38 pp.

At the Point of A Lancet. Cadbury, W. W. and Jones, M. H. Kelly & Walsh, Ltd., Shanghai, 1935. 304 pp.

A Short History of the Mackenzie Memorial Hospital. Stuckey, E. J.
Tientsin Press, Ltd., Tientsin, 1938. 25 pp.

支那医学史 (日文) 陳邦賢著　山本成之助譯　1冊349面　大东出版社鉛印本, 1940.

The Chinese Way in Medicine. Hume, Edward H. The Johns Hopkins Press, Baltimore, 1940. 189 pp.

Ninety-Five Years A Shanghai Hospital (1844-1938) Elliston, E. S.
Chinese Hospital, Shantung Road Hospital, The Lester Chinese Hospital, 1941.

Traite de Medicine Chinoise (中国医学大綱) (法文) Chamfrault, A.
Editions Coquemord Angouleme 1954, 986 pp.

Здравоохранение Китайской Народной Республики (中华人民共和国的衛生事業) (俄文) Цзинь Синь-Чжун (錢信忠)
Государственное Издательство Медицинской Литературы Медгиз—1956—Москва. 181 pp.

下列日、朝、書籍是与中国医史有密切关系, 可供参考:

The Medical History and Medical Education in Japan. Fujikawa, Y.

Far Eastern Association of Tropical Medicine Tokyo, 1925. 120 pp.

同仁会三十年史（日文）小野得一郎　1册380面　同仁会财团法人鉛印本，1932.

Japanese Medicine. Fujikawa, Y.

Translated from the German by John Ruhrah Paul B. Hoeber Inc., New York, 1934. 114 pp.

日本医学史（日文）富士川游　1册812面　东京日新書院鉛印本，决定版　1941.

西洋医术傳来史（日文）古賀十二郎　1册474面　东京日新書院鉛印本，1942.

朝鮮医学史及疾病史（日文）三木荣　1册1550面　家刊本，1955.

附　录(二)

中文版外国医史著作

帝国医家大史傳：藤野彦次郎　1册252面　帝国史会鉛印本，1899

泰西奇效医术談：馬克斐著　高葆眞譯　1册134面　上海广学会鉛印本，1911

护士历史略記：韓碧玲編　董秀云譯　1册25面　上海广协書局鉛印本，1914

第六回極东热帶医学会附帶展覽会日本医学历史资料目录：富士川游　吳秀三　1册50面　鉛印本，1925

外科史：刘兆霖　1册43面　北平医刊社鉛印本，1929

痲風稗史：海深德著　高明强譯　1册46面　上海广学会鉛印本，1933

世界內科史：姚伯麟　1册74面　改造与医学社鉛印本，1934

护病历史大綱：施德芬著　刘干卿譯　1册133面　上海广协書局鉛印本，1936

皇国名医傳：淺田惟常　3册　1851　日本嘉永勿誤葯室刊，皇汉医学叢書內，1936

日本汉医勃兴展覽会展覽品目录：中国医学院　1册22面　上海医界春秋社鉛印本，1936

南洋热帶医学史話：黃素封　1册136面　商务印書館鉛印本，1936

人与医学：西格里斯著　顧謙吉譯　1册　商务印書館鉛印本，1936

医学的境界：斐士朋著　顧学箕譯　1册159面　商务印書館万有文庫本，1937

医学史話：石川光昭著　沐紹良譯　1册111面　自然科学小叢書　商务印書館鉛印本，1939

震旦医刊，法国医学展覽会特刊：震旦医刊編輯委員会　震旦医刊社印行　第6卷3期，1941年5—6月

医护界开道偉人略傳：施德芬，刘干卿編譯　1册148面　上海广协書局鉛印本，1941

德国对于世界病苦人羣之功績：Wilpert, H.　1册　德国叢書第二册　上海璺恒公司鉛印本，1942

医学文化史：連內·富洛普·米勒尔著　李汝昭譯　1册192面　立本堂鉛印本，1948

医学史：Б. Д. 彼得罗夫等編　任育南等譯　1册295面　人民衞生出版社鉛印本，1957

唐代的一些外科記載

馮 汉 鏞

一、外科手术

后汉書方术傳称华佗治病，“針葯所不能及者”，“乃刳剖腹背”来治疗，此为祖国医史上用手术来治疗病症的嚆矢①。到了东晋末期，祖国的医人，又發明了补缺唇的手术。太平御覽卷740引續晋陽秋說：

魏詠之生而兎缺，相者曰：后当貴。年十八，聞荆州殷仲堪帳下有术人能治之。因西上，仲堪与語，令师看焉。师曰：可割补之，但应百日食粥不語哭。詠之曰：半年不語，亦当治之，况百日也，师为治而差（又見晋書魏詠之傳）。

晋代医人發明的补唇手术，他們是如何临床应用的，我为了要明了这一施治的方法起見，曾經查遍千金、外台、聖惠、聖济总录、和剂局方以及普济方等医書，可惜都沒有找到。惟据計有功的唐詩紀事所載，知道这一手术，在唐时还保留在医人的手中。唐詩紀事卷63方干条說：

方干为人缺唇，連应十余举，遂归鏡湖。后十数年，遇医补唇，年已老矣。鏡湖人号补唇先生。

除了上述的手术外，唐人还能够用开刀的方法来治疗癰疽。張鷟朝野僉載卷一說：

贛县里正背有腫，大如拳，（楊）元亮以刀割之，数日平复。

甚至連瘿瘤一类最难动刀的病症，唐人也可以用刀鍼来割治。太平广記卷220引稽神录蒯亮条說：

处士蒯亮，言其所知額角患瘤，医为割之，得一黑石棋子，巨斧击之，終不伤。

尝考我国割治瘿瘤的技术，在汉末三国时候，还是非常的幼稚，所以那时的瘿瘤病人，往往因开刀而死亡，以致出現了“十人割瘿九人死”的諺語。縱令割治不死，也会把瘿瘤越医越凶②。从这一点看来，唐人的外科手术，显然比三国魏晋时候，进步得多了。

唐人在手术上的进步，尚不止此，他們还有一种特殊而值得讚揚的技巧，就是能够用桑皮線縫合剖腹的創伤，挽救那些生命危在傾刻的病人。資治通鑑卷205長寿二年条說：

太常工人京兆安金藏大呼，謂（来）俊臣曰：公既不信金藏之言，請剖心以明皇嗣不反，即引佩刀自剖其胸，五臟出，流血被地，太后聞之，令轝入宮中，使医納五臟，以桑皮綫縫之，傅以葯，經宿始苏。

此外，唐人的外科手术，尤其令人惊異的，就是他們發明了用乳香酒来麻醉病人，而举行大型手术。太平广記卷219引玉堂閑話高駢条說：

（术士）曰：某無他术，唯善治大風。駢曰：可以驗之。对曰：但于福田院选一最劇者，可以試之。遂如言。乃置患者于隙中，飲以乳香酒数升，則懵然無所知。以利刃开其腦縫。

从上面所列举的事实，就說明了唐代外科手术的發达情形。

二、創 伤

唐人不單在手术上，有不少的成就，对祖国的外科医学作出了偉大的貢献。同时他們还在創伤一門中，也有許多創造，發明了用热葱涕来治疗創伤。李时珍本草綱目卷26引刘禹錫傳信方說：

取葱新折者，煻火煨热剝皮，其間有涕，便將罨損处，仍多煨，續續易新者。崔云，頃在澤潞与李抱眞作判官，李相方以毬杖击毬子，其軍將以杖相格，因伤李相拇指，並爪甲劈裂，遽索金創葯裹之，强索酒飲，而面色愈靑，忍痛不止，有軍吏言此方，遂用之，三易面色却赤，斯須云已不痛，凡十数度，用热葱幷涕，纒裹其指。

用热葱涕来医治金創的方法，又見于宋人許叔微所著的普济本事方卷七。此外在千金方中，还載有許多医治跌打損伤的方剂。

唐人除了發明用葱涕来医治創伤外，並且还發明了用旋复根的汁水，来接續被割断的筋。

---

①史記扁鵲傳称上古的医生俞跗用割腹开腸等手术来治疗病症，然以当时的科学發达情形来論，不可能有这种手术的發明，故我認为祖国之有外科手术，当从三国时的华佗开始。

②据三国志魏志賈逵傳注引諺語。

張鷟朝野僉載卷一說:

筋断欲續者,取旋复根絞汁,以筋相对,以汁塗而封之,即相續如故。蜀兒逃奴多刻筋,以此續之,百不失一。

又王燾的外台秘要卷29說救急續断筋方也說:

取旋复草根洗淨去土擣。量瘡大小,取多少敷之,日一易之,以差为度。

不但旋复根一葯可以續断筋,就是螃蟹的脚髓和蟹黃,也可以續断筋。千金方卷25疗被伤筋断方說:

取蟹头中腦及足中髓熬之,內瘡中,筋即續生。

筋断的疗法,旣如上述,而与筋断有同等重要的骨折一病,唐人也發明出良好的治法。根据当时的記載,知唐人有兩个特效的处方:一个是用地黃当归羌活等葯物来治疗骨折。徐堅初學記卷23說:

山圖,隴右人,馬踏脚折,山中道人教服地黃当归羌治玄參,服一年病愈身輕。

另一个則是用銅末来治疗骨折。朝野僉載卷一說:

定州人崔务墜馬伤足,医令取銅末和酒服之,遂瘥平。及亡后十余年改葬,視脛骨折处有銅末束之。

又外台秘要卷二九救急疗骨折接令如故不限人畜也方:

取鈷鉧銅錯取末仍擣,以絹篩,和少酒服之,亦可食物和服之,不过兩方寸匕以来,任意斟酌之。

寇宗奭、陈藏器、朱震亨、李时珍諸人①,都說銅末有接骨的能力,而江湖鈴医治疗骨折秘方的枳馬金錢散,也是以銅末为主葯。

三、癰疽

癰疽一病,古代医人推为杂病之先,所以周礼特設瘡瘍一科,用来疗治癰疾。但由于时代的局限性,故当时的疗治技术,仍未能十分昌明,因發癰而死的人,依然为数甚多。降及刘宋时候,有刘涓子医师出現,他根据自己的临床經驗,写成了鬼遺方和神仙遺論兩書,專門叙述癰疽的治疗,还發明了疗癰的特效葯——忍冬草②。到唐朝时候,就有許多專門研究癰疽的著作,来补充刘涓子的疗法。根据丹波元胤的中国医籍考卷70所載,知道当时專論癰疽的著述,有喻义纂疗癰疽要訣及瘡腫論,沈泰之癰疽論,無名氏癰疽論,釋智宣發背論,白岑發背方,釋波利貼腫方等作品。这些著作,都分別發明了癰疽的疗法,尤以白岑的發背方为最著名。李肇国史补卷上說:

白岑曾遇異人,傳發背方,其驗十全,岑弄以求利。后为淮南小將高适脅取之,然不甚效。岑至九江,为虎所食,驛吏乃于囊中得珍本,太原王昇之写以傳布③。

除了白岑的發背方外,旁的如孙思邈在瘡瘍一科上也有發明,他首先認識到麦飯石对癰疽的疗效。这种認識后来又得到呂子华的鑽研,其結果遂使麦飯石成为疗癰的特效葯物。李时珍本草綱目卷十引苏頌說:

大凡石类多主癰疽,世傳麦飯石治發背瘡甚效。乃中岳山人呂子华祕方,裴員外啗之以名第,河南尹脅之以重刑,呂宁絕榮望,守死不傳其方。……此方(即麦飯石方)孙眞人千金月令已有之,但不及此詳耳④。

孙思邈不仅發明了麦飯石治癰疽,而且还發明了騎竹馬灸法治癰疽。茲將其法录出于后,千金方卷22說:

騎竹馬灸法:治一切瘡瘍,無有不愈。

令病人以肘凭几竪臂腕要直,用篾一条,自臂腕曲处横紋,男左女右,貼肉量起,直至中指尖尽处截断为則。不量指甲,却用竹扛一条,令病人脫衣正身騎定,前后用兩人扛起,令病者脚不著地,又令二人扶之,勿令傴僂,却將前所量篾,从竹扛坐处尾骶骨尽处直貼脊臂,量至篾尽处为則,用墨笔点定,此只是取中,非灸穴也。却用前篾作則子,量病中指节,相去兩横紋为則,男左女右,截为一則,就前所点記处兩边各量一則,尽处即是灸穴。兩穴各灸五七壯,疽發于左則灸右,右則灸左,甚則左右皆灸……起死回生之功,屡試屡驗。

孙思邈說这个灸法,在宋人东軒居士所作的衛济宝書內,也特別加以称揚。但由于行使起来太麻煩,以致后代的医人都不願运用,因而造成了目下失傳的現像。

---

① 均据李时珍本草綱目卷八赤銅及自然銅条。

② 忍冬有疗癰的特效,見苏沈良方卷九,洪迈集驗方卷二,朱佐集驗医方卷12。

③ 白岑的發背方今已亡佚。

④ 麦飯石膏是治癰的特效方,可詳李迅的集驗背疽方一書。

北史医学史料彙輯(續)

陈 邦 賢

六、疾　病

(一)傳染病

疾疫　(开皇十八年)(公元598)九月己丑，汉王諒师，遇疾疫而旋死者十二三。(隋本紀上11 隋高祖文皇帝)

参居郡县，处榛林之下，不便水土，疾疫死伤，情見事露。(夏宏傳8)

至辽水，师遇疾疫，不利而还。(庶人諒傳59)

从汉王征辽东，遇霖潦疾疫，不利而还。(高熲傳60)

大疫　(皇始二年)(公元397)八月景寅朔，帝进軍九門，时大疫，人馬牛死者十五六。(魏本紀第1太祖道武皇帝)

(永平三年)(公元510)夏四月平陽郡之禽昌襄陵二县，大疫，自正至此月，死者二千七百三十人。(魏本紀4世宗宣武皇帝)

疫癘　城中多疫癘，死者过半。(陆俟附印傳10)

旱疫　(大業八年)(公元612)是岁大旱疫，人多死，山东尤甚。(隋本紀下12煬皇帝)

饑疫　饑疫死亡，人畜相半。(突厥傳87)

災疫　又多災疫，死者極众。(仝上)

災毒　身罹災毒，莫得寿終而死。(列傳77)

瘴癘　嶺南遇瘴癘，死者十八九。(庫狄子傳42)

其国北多山阜，南有水澤，地气尤热，無霜雪，饒瘴毒蓄。(眞腊傳83)

瘴气　(大業)五年(公元609)車駕西巡，將入吐谷渾，子盖以彼多瘴气，献青木香以御霧露。(樊子盖傳64)

痢疾　我患痢久，太常不得致怪。(司馬子如附裴藻傳42)

患痢十七年，竟不愈，亡岁以痢疾終。(仝上)

隋开皇中，(公元581—600)母患暴痢翼謂中毒药，遂亲尝穢惡。(田翼傳72)

大將軍永世公叱伏列椿苦痢积时而不損廢朝謁。燕公瑾尝問僧垣曰："乐平永世俱有痼，意永世差輕"。对曰："失患有深淺，时有危杀。乐平虽固，終当保全。永世虽輕，必不免死"。謹曰："当在何时"？对曰："不出四月"。果如其言。謹歎異之。(姚僧垣傳78)

伤寒　士开疾患，遇医人云："王伤寒極重，应服黄龙湯"。士开有难色。是人云："此物甚易，王不須疑惑，請为王先嚐之"。一举便尽。士开深感此心，为之强服，遂得汗病癒。(和士开傳80)

邢邵唯一子大宝，甚聪慧，年十七八患伤寒，嗣明为其診脉，退告楊愔云："邢公子伤寒不疗自差，然脉候不出一年便死。覚知少晚，不可复疗"。后日楊邢並侍宴內殿，文宣云："邢子才兒大不惡，我欲乞其隨近一郡"。楊以年少未合剖符。宴罢奏云："馬嗣明称大宝脉惡一年內恐死，若其出郡，医药难求"。遂寢。大宝未朞年而卒。(馬嗣明傳78)

風疹　虽年向六十，加之風疹，而自强人事，考之無患。(張彝傳31)

狂犬病　晞称先被犬伤，困篤不赴，有故人疑其所伤非猘，書劝令赴。晞复書曰："辱告存念，見令起疾，循复眷旨，似疑吾所伤未为是猘。吾豈願其必猘，但理契無疑耳。足下疑之，亦有过說。足下既疑其非猘，亦可疑其似猘，其疑半矣。若疑其是猘而营护，虽非猘亦無損。疑非猘而不疗，儻是猘則难救。然則过疗則致万全，过不疗或致于死。若王晞可無惜也則不足取，既取之，便是可惜，奈何夺其万全，任其或死？"(王宪曾孙晞傳12)

癩病　承祖私言于魏孙曰："吾聞杀天子者身当癩"。(咸陽王禧傳7)

牛疫　(太和元年)(公元477)春正月詔

曰："去年牛疫，死伤大半。"（魏本紀三高祖孝文皇帝）

（天和六年）（十二月）是冬牛疫死者十六七。（周本紀下10高祖武皇帝）

大兴五年（公元402）月暈左角；祟占奏为角，虫將死；……牛果大疫；……是岁天下牛死者十七八，麋鹿亦多死。（晁祟傳77）

（二）內　科　病

热病　瞻經热病，面多瘢痕。（崔逞六世孙瞻傳12）

中热　年六岁，其祖以其夏中热，欲將元就井浴，元固不肯从。（張元傳72）

热風　夏日有热風，为行旅之患，風之所至，唯老駝預知之，即嗔而聚立，埋其口鼻于沙中，人每以为候，亦即將氈擁蔽并口，其風迅駛，斯須过尽，若不防者，必至危斃。（西域且末国傳85）

暍死　（武定）八年春三月，大热、人或暍死。（齐本紀中7显祖文皇帝）

喉疫　儼尝患喉，使医下鍼，張目不瞬。（琅琊王儼傳40）

瘖病　帝以元义擅权，託称瘖病。（魏本紀5节閔皇帝）

仁英以清狂，仁雅以瘖疾获免。（淮南王仁光傳40）

安乐王仁雅从小有瘖疾。（同上）

帝失瘖，不复能言。（刘昉傳62）

欬逆吐血　时文孝幼，文明太后临朝，津曾入侍左右，忽欬逆失声，遂吐血数升，藏之衣袖，太后聞声，閟而不見。（楊播弟津傳29）

吐血　丧母水漿不入口，五日吐血數升，居憂毀瘠。（倉跋傳72）

嘔血　以父憂去职，哭泣嘔血。（任城王云傳6）

遭母憂去职，哭輒嘔血，兩旬之內，絕而复苏者三。（孟信傳58）

輒慨忽嘔血發病而还。（徒河慕容廆傳81）

及丁憂水漿不入口五日，哀慟歐血数升。（李純傳21）

悲戚慟哭，歐血数升，遂發病不成行，輿疾还鄴久之。（楊愔傳29）

时隆冬盛寒，徵跣步号哭，面皆破裂，歐血数升。（赵郡王叡傳39）

神武崩，哭泣歐血。（赵郡王湝傳39）

劳疾　体素肥因致劳疾，帝令巫者視之，云房陵王为祟。（元德太子照傳59）

齲牙　武成王生齲牙，問諸医、尙葯典御邓宣文以实对，武成王怒而撻之。后以問之才，拜賀曰："此是智牙，生智牙者聪明長寿"。武成悦而賞之。（徐謇傳78）

气疾　少有气病，年三十三卒。（裴駿从孙敬宪傳26）

胜憤恨，因动气疾。（賀拔元弟胜傳37）

自晝达夜，事無巨細，皆指諸事，积思劳倦，遂成气疾。（苏綽傳51）

大將軍襄乐公賀蘭隆先有气疾，加以水腫，喘息奔急，坐卧不安。或有劝其服决命大散者，其家疑未能决，乃問僧垣。僧垣曰："意謂此患不与大散相当"。即为处方，劝急使服，便即气通。更服一剂、諸患悉愈。（姚僧垣傳78）

帝先患風疾，因飲酒輒大發动，士开每諫不从，后屬帝气疾發又欲飲酒，士开涙下，歔欷而不能言。帝曰："卿此是不言之諫"。因不飲酒。及冬公主出降段氏，帝幸平原王第，始飲酒焉。（和士开傳80）

酒疾　言及时事，上以为有酒疾，舍之宫內，令医者疗之，世积詭称疾愈，始得就第。（王雅子世积傳56）

渴悶　时热甚，禧渴悶垂死，敕断水漿、侍中崔光令左右送酪漿升余，禧一飲而尽。（咸陽王禧傳7）

积冷　初朗患积冷，周文賜三石車生散令朗法服之，使人問疾，朝夕相望，見重如此。（毛遐弟鴻宾傳37）

心腹病　梁元帝尝有心腹病，諸医皆請用平葯。僧垣曰："脉洪实、宜用大黄"。元帝从之，进湯訖，果下宿食，因而疾愈。时初鑄錢一当十，乃賜十万貫，实百万也。（姚僧垣傳78）

欧吐　母曾欧吐，疑中毒，因跪尝之。（李孝伯附謐子士謙傳21）

子华母房氏曾就亲人飲食，夜还大吐，人以为中毒，母甚憂惧。子华遂掬吐尽噉之，其母乃安。（高陈王孤傳3）

泄痢　患泄痢积年不起。（司馬子如子裴

藁傳 42）

中毒 （武成二年）（公元 506）夏四月帝因食糖䭔遇毒，庚子大漸。（周帝紀上 9 世宗明皇帝）

晟进策曰："突厥飲泉，易可行毒"。因取諸葯水上流达头，人畜飲之多死。（長孙晟傳 10）

心痛 宣帝初在东宫，尝苦心痛，乃令僧垣疗之，其疾即愈。及即位，恩礼弥隆。——大象二年，除大医下大夫。帝寻有疾，至于大漸，僧垣宿直侍疾，帝謂隋公曰："今日性命，唯委此人"。僧垣知帝必不全济，乃对曰："臣但恐庸短不逮，敢不尽心"。帝頷之。及靜帝即位，迁上开府儀同大將軍。隋开皇初进爵北絳郡公。三年卒，年八十五。（姚僧垣傳 78）

心疾 肅积思累年，遂感心疾，去职卒。（赵肅傳 58）

妃元氏無寵，尝遇心疾，二日而薨。（房陵王勇傳 59）

癃患 其年六十已上及有癃患者，仰所司簡放。（齐本紀下 8 后主傳）

腫死 思政初入平川，士卒八千人被圍既久，城中無鹽，腫死者十六七。及城陷之日，存者纔三千人。（王思政傳 50）

脚腫 士卒脚腫死者十四五，方在道遇患卒，帝甚伤惜之。（刘方傳 61）

后为齊开道所圍，独守孤城，士卒患脚腫死者十六七，景撫循之，一無離叛。（李景傳64）

未几祀之脚上發腫夢妻云："煮小麦漬之即差"。如其言，反創而卒。（序傳 88）

陰腫 萇病，夢得苻堅將天宫使者鬼兵数百突入营中，萇俱走后宫，宫人迎萇刺鬼，誤中萇陰。鬼相謂曰："正中死处。"拔矛出血石余，寤而惊悸，遂患陰腫，刺之出血如夢。（姚萇傳81）

水病 見患水病，于是疾甚而卒。（李安傳 63）

色慾过度 之才医术最高，偏被命召。武成酒色过度，恍忽不恒，曾發病，自云："初見空中有五色物，稍近变成一美妇人，去地数丈，亭亭而立，食頃变为观世音"。之才云："此色欲多大虛所致"。即处湯方，服一剂，便覺稍远。又服，还变成五色物。数剂湯，疾竟愈。帝每發动，暫遣騎追之，針葯所加，应时必效。（徐謇傳78）

中風 后遇風手足不隨，口不能言，乃左手画地，作字乞解。（彭淮王譚傳 4）

（幹）頓伏牀枕，又成風疾。（隨侯附卬傳16）

时經略江左，方大用之，遇風疾發动，頻降医葯，竟不瘥，复卒，时年六十四。（魏長賢傳 44）

（建德）四年（公元577）帝亲戎东討，至河陰遇疾，口不能言，瞼垂复目，不得視，一足短縮、又不得行。僧垣以为諸藏俱病，不可並疗。軍中之要，莫过于語，乃处方进葯，帝遂得言。次又疗目，目疾便愈。未及足，足疾亦瘳。比至华州，帝已瘥复。即除华州刺史，仍詔随駕入京，不令在鎮宜政。元年表請致仕，优詔許之。（姚僧垣傳78）

大將軍乐平公竇集暴感風疾，精神瞀乱，無所覚知，医者先視，皆云已不可救，僧垣后至曰："困矣？終当不死，为合湯散，所患即疗。（同上）

風气 当身痛之晨，即母死之日，居喪毀瘠，遂感風气。服闋后一年，猶杖而后起。（刘潛傳 58）

偏風 为馮氏厭蠱，頗失精爽，寻遇偏風。（崔㥄傳 11）

廢数年，因得偏風，手脚不便。然志性不移，善自將攝，稍能朝拜。（張彝傳 31）

昭好酒，晚得偏風，虽愈，猶不能处劇务。（尉景傳 42）

發狂 后主聞之，發狂而薨。（弘德夫人李氏傳 2）

發癎 会秦王俊有疾，上馳召之，俊夜夢其亡妃崔氏泣曰："本来相迎，如聞許智藏將至，其人若到，当必相苦，为之奈何"？明夜俊又夢崔氏曰："妾得神矣，当入灵府中以避之"。及智藏至，为俊診脉曰："疾已入心，即当發癎，不可救也"。果如言，俊数日而薨。上奇其妙，賚物百段。（許智藏傳 78）

精神病 （天賜）六年（公元409）夏帝不豫，初帝服寒食散，自太医令陰羌死后，葯数动發，至此愈甚，而災变屡見，憂懣不安，或数日不食，或不寢达旦，归咎羣下，喜怒乖常，常謂百寮左右不可信，慮如天文之占，或有肘腋之虞，追思既往，成敗得失，終日竟夜，獨語不止，若傍有鬼物对揚者。朝臣至前，追念旧惡，便見杀害。其余或以顏色动变，或以喘息不調，或以行步乖节，或以言辞失錯，帝以为怀惡在心，变見于外，乃手自毆击，死者皆陈天安殿前。于是朝野人情，各怀疑惧。（魏本紀1太祖道武皇帝）

广欲早朝假寐，忽惊覚謂其妻曰：吾向似睡非睡，忽見一人出吾身中，語云：君用心过苦，非精神所堪，今辞君去。因而恍惚不乐，数日便遇疾，积年不起。（李广傳71）

冲素性温柔，而一朝暴恙，遂廢病荒悸，言語乱錯，犹扼腕叫詈，称李彪小人，医药所不能疗。或謂肝藏伤裂，旬余日卒。（序傳88）

風头眩 明元嘗苦風头眩，澹疗得愈，由此位特进，賜爵成德侯。（周澹傳78）

手臂疼腫 武平末，从駕往晋陽，至辽陽山中，数处見牓云："有人家女病，若能差之者，購錢十万"。又諸名医多寻牓，至是人家問疾狀，俱不下手。唯嗣明为之疗，問其病由，云："曾以手持一麦穗，即見一赤物，長二尺許似蛇，入其手指中，因惊倒地，即覚手臂疼腫月余日，漸及半身，肢节俱腫痛不可忍，呻吟晝夜不絕。嗣明即为处方，令馳馬往都市药，示其节度。前后服十剂湯，一剂散。比嗣明明年从駕还，此女平复如故。嗣明艺术精巧多如是。（馬嗣明傳78）

疼痺 金州刺史伊婁穆以疾还京，請僧垣省疾，乃云自腰至臍，似有三縛，兩脚緩縱，不复自持。僧垣即为处湯三剂。穆初服一剂，上部即解。次服一剂，中部复解。又服一剂三部悉除。而兩脚疼痺犹自攣弱，更为合散一剂，稍得屈申。僧垣曰："終待霜降此患当愈"。及至九月遂能起行。（姚僧垣傳78）

痺 遇得一箪餅欲食之，然念繼母老痺或兎虜掠，乃弗食，夜中匍匐寻覓母得見，因以饋母。（樊深傳70）

脚痺 时子彥亦患脚痺，持杖入辞。（長孙冀归傳10）

足疾 大象二年（公元580）五月以帝为揚州总管，將發暴足疾而止。（隋本紀上11隋高祖文皇帝）

尚希有足疾，謂曰："蒲州出美酒，足堪养病，屈公卧临之。（楊尚希傳63）

（三）外科病

癭 託以妻患癭，王妃蕭氏有术能疗之。（郭衍傳62）

背疽 承業时背疽未愈，灵太后劳之曰："卿疹源如此，朕欲相停，更無可寄，奈何"？承業答曰："死而后已，敢不自力"。（長孙冀归傳10）

是月疽發背薨。（任城王云傳6）

四年夏發疽卒。（高允附季式傳19）

疽發于背，明帝遣舍人問疾，亮上表乞解僕射，詔不許，寻卒。（崔亮傳32）

勇慙恚，因疽發背卒。（王勇傳54）

憂憤疽發背卒。（王韶傳63）

以憂憤發背而死。（梁帝蕭詧傳81）

其母嘗乳間發疽，医云此疾無可救，唯得人吮膿，或望征止其痛。遐应声即吮，旬日遂瘳，咸以孝感所致。（柳遐傳58）

脚跟腫痛 有人患脚跟腫痛，諸医莫能識。之才曰："蛤精疾也，由乘船入海，垂脚水中"。疾者曰："实曾如此"。之才为剖，得蛤子二，大如榆莢。（徐謇傳78）

背腫 楊愔患背腫，嗣明以練石塗之，便差，因此大为楊愔所重。作練石法，以粗黄色石如鵝鴨卵大，猛火燒今赤，內淳醋中，自有石屑落醋里，頻燒至石尽，取石屑曝干，搗下簁和醋以塗腫上，無不愈。（馬嗣明傳78）

斫伤 斫之数伤几死。（魏收傳44）

打扑伤 文宣怒，亲以马鞭撞太子三下，由是气悸語吃，精神时复昏扰。（齐本紀中7廢帝殷）

杖伤 王在怀朔被杖，背無完皮，妃尽夜供給看瘡。（馮翊太妃郑氏傳2）

火伤 逆战身被重伤，賊縱火燒齋閣，福时在內，延突火入抱福出外，支体灼爛、鬚髮尽焦。（宇文福傳13）

冻伤 元孚逐少居，人冻死者十六七。（魏本紀4世宗宣武皇帝）

时隆冬極寒，濬衰絰徒跣，冒犯霜雪，自京及乡五百余里，足冻墮指，創血流离，朝野为伤痛。（薛濬傳24）

遇寒雪，士众冻死及墮指者十二三。（蠕蠕傳86）

虫螫 牛弘曰："窃以毒螫瘡膚，则中且不寐"。（王孝籍傳75）

山中多毒虫猛兽，法和授其禁戒，不复噬螫。（陆法和傳77）

骨折 子彦少常墜馬折臂，肘上骨起寸余，乃命开肉鋸骨，流血数升，言戏自若，时以为蹤于关羽。（長孙冀归傳10）

身被一百余箭，破骨者九。（田弘傳53）

舟人怒之，撾方貴臂折。（郎方貴傳73）

伤足 深因避難墜崖伤足。（樊深傳70）

閹人王怀祖斫蒙遜伤足。（大沮渠遜傳81）

伤齿 及即王位，以垂墜馬伤齿，改名为㪤。（徒河慕容廆傳81）

伤脇 拔刃向御坐太子寔格之，伤脇，五月薨。（魏本紀1昭成皇帝）

伤目 帝尝击西部叛賊，流矢中目。（魏本紀1昭成皇帝）

以兩車軸押其头，伤其一目。（尉古眞傳8）

（弟諾）从道武圍中山先登，伤一目，道武歎曰："諸兄弟並毀目以建功効，誠可嘉也"。（尉古眞傳8）

伤乳 篁捽其鬚落，伤其一乳。（奚斤傳8）

創伤 建以身捍賊，奋击杀数人，被十余瘡，帝壯之。（陈建傳13）

仲瑀遂以創重，避居荥陽，至五月得漸瘳。（張彝傳31）

好学使弓馬，随叔業征伐，身被五十余創。（裴叔業傳33）

元康被伤創重。（祖瑩附珽傳34）

翌日又从周文与齐神武战河桥，身被七創，遂为所获。（李弼傳48）

齐將东方老来寇，琳击之，老中数創乃退。（高琳傳54）

尝与东魏战，流矢中头，从口中出，久之乃苏。（韋祐傳54）

亲平李充等四將出朔州，遇沙鉢略可汗于白道，接战大破之，沙鉢略中重瘡而遁。（衛昭王爽傳59）

長儒身被五瘡，通中者二。（达奚長儒傳61）

从帝攻拔晉州，身被三瘡。（宇文麥攷傳63）

虜刺之中頸，定和以草塞創而战，神气自若，虜遂敗走，上聞而壯之，遣使賚葯，馳詣定和所劳問之。（張定和傳66）

在州选絕有力者为伍伯，吏人過之者，必加詰間，輒楚达之，創多有骨。（燕荣傳75）

流血 盛以絹囊，流血淋漉，投諸渠水，良久方苏。（文宣皇后李氏傳2）

愔及天和欽道皆被拳杖亂毆击，头面血流。（楊愔傳29）

归彥額骨三道，着幘不安，文宣見之怒，使以馬鞭击其額，血被面。（平秦王归彥傳39）

吾以舌死，汝不可不思，因引錐刺鸦舌出血，誡以愼口。（賀若敦傳56）

开皇11年、（公元591）从幸栗園，坐树下，方飲酒，鼻忽流血，暴薨，时年四十四，人皆以为遇鴆。（滕穆王瓚傳59）

帝遣人以馬鞭击業头，至于流血。（孟業傳74）

鞭笞左右，动至千数，流血盈前，飲噉自若。（燕荣傳75）

（四）耳目鼻病

患耳 再迁吏部郎中，因患耳請急十余日。（崔逞六世孙瞻傳12）

聾疾 当时深怪之，加以聾疾，（王慧龙傳23）

耳疾 但为微有耳疾，大語方聞，（鄱惠公灝子护傳45）

目疾 后授均州刺史，以目疾免。（鮑宏傳65）

及元年十六，其祖喪明三年，元恒憂泣，晝夜讀佛經禮拜以祈福祐；后讀葯师經，見盲者得視之言，遂請七僧燃七灯，七日七夜，轉葯师經行道，每言："天人师乎！元为孙不孝，使祖喪明；今以灯光普施法界，願祖目見明，元求代闇。"如此經七日，其夜夢見一老翁，以金鎞疗其祖目，于夢中喜躍遂即惊觉，乃徧告家人，三日祖目果明。（張元傳72）

齆鼻 王氏世齆鼻。江东謂之齆；王慧龙鼻漸大，浩曰："眞貴种矣。"（王慧龙傳33）

（五）其他

中蠱 帝会中蠱，嘔吐之地，仍生榆参；台陂土無榆，故时人異之。（魏本紀1思皇紀）

蠱毒 （开皇十八年）（公元598）夏五月辛亥詔畜猫鬼蠱毒厭魅野道之家，投于四裔。（隋

本紀上 11 附高祖文皇帝）

俊病篤，含銀銀色变，以为遇蠱。（秦王俊傳 59）

貓鬼疾　会献皇后及楊索妻郑氏俱有疾，召醫視之，此猫鬼疾。（独孤信附陁傳 49）

暈絕　瑒慟哭絕气，久而方苏。（李孝伯傳 21）

璠母在建康遘疾，璠弗之知。 嘗忽一日举身楚痛，尋而家信至，云其母病，璠即号泣戒道，絕而又苏。（刘璠傳 58）

号哭殞絕于地，久之方苏。（張彫武傳 69）

丁母丧，絕而复苏者数矣。（刘仕儁傳 72）

悲号擗踊，絕而复苏者数四。（荆可傳 72）

聞其帝为陈武帝所杀，号慟而絕，食頃乃苏。（王頒傳 72）

及祖沒，号踊絕而复苏。（張元傳 72）

其女絕而复苏者数矣。（刘昶女傳 79）

凶問初到，举声慟絕，一宿乃苏。（貞孝女宗傳 79）

性至孝，父卒号慟，几絕者数四。（貞孝女宗傳 79）

僵仆　容氏死，熙掘其屍，僵仆絕息，久而方苏。（徒河慕容廆傳 81）

惡病　末年石發，举体生瘡，虽亲戚兄弟，以为惡疾。子彥曰："惡疾如此，难以自明，世無良医，吾其死矣！嘗聞惡疾蝮蛇螫之不痛，試为求之，当令兄弟知我。"乃于南山得虵，以股触之，痛楚号叫，俄而腫死。（長孙冀归傳 10）

軍中多病　时軍中多病，諸將議賊已远遁，軍容已振，今驅疲病之卒，要难冀之功，不亦过乎？众以为然，乃引还。（吐谷洋傳 84）

在軍中病死者十五六。（賀若敦傳 56）

七、病　因

作祟　自薊入海島，得長人骨，以髑髏为馬皁，脛長丈六尺。以为二猜，送其一于神武，諸將莫能用，唯彭乐强举之；未几曹遇疾惘，声聞于外，巫言海神为祟，遂卒。（高季式傳 19）

在州以天旱，命人鞭石季龙画像。复就西門豹祠，祈雨不获，令吏取豹舌，未几二鬼暴丧，身亦遇疾，巫以为季龙豹之祟。（奚康生傳25）

未几敬眞有疾，俱罗为祟而死。（梁毗傳65）

未几爽疾，帝使薛荣宗視之，云众鬼为厉，爽令左右驅逐之，居数日，有鬼物来击，荣宗走下阶而斃；其夜爽薨。（衛昭王爽傳 59）

缺乏飲料　兩軍相持，地無水，士卒渴甚，至刺馬血而飲，死者十二三。（竇熾子荣定傳 49）

八、疗治

祈禱　徐謇当世上医，先是假归終陽，及召至，勰引之别所，泣涕执手，祈請悬至，左右見者莫不鳴咽，及引入，謇便欲进药，勰以帝神力虛，唯令以食味消息，勰乃密为壇于汝水濱，依周公故事告天地，及献文为帝，請命乞以身代。（彭城王勰傳 7）

照嘗有疾，百姓奔馳，爭为祈禱，其得人情如此。（赵照傳 63）

初浩父疾篤，乃剪爪截髮，放在庭中仰禱斗極，为父請命，求以身代，叩头流血，岁余不息，家人罕有知者。（崔宏子浩傳 9）

初太兴遇患，請諸沙門行道，所有資財，一时布施，乞求病愈，名曰散生齋，及齋后僧皆四散，有一沙門云乞齋余食；太兴戏之曰："齋食既尽，唯有酒肉"，沙門曰："亦能食之！"因出酒一斗，羊脚一只，食尽犹言不飽，及辞出后，酒肉俱在，出門追之，無所見，太兴遂佛前乞願，向者之师，当非僧人，若此病得差，即捨王爵入道，未几便愈，遂請沙門，表十余上，乃見許。（京兆王子推傳 5）

时有震死及疫癘，則为之祈福，若安無他，則为报賽。（高車盖古傳 86）

符呪　时有沙門惠憐者，自云呪水飲人，能差諸病，病人就之者，日有千数，灵太后詔給衣食，事力重使于城西之南，治疗百姓病；懌表諫曰："臣聞律深惑众之科，礼絕祆淫之禁，皆所以大明居正，防遏姦邪。"（清河王懌傳 7）

灵太后临朝，屬有沙門惠憐以呪水飲人，云能愈疾，百姓奔凑，日以千数，义徽白懌，称其妖妄；因令义徽草奏以諫，太后納其言。（李先傳 15）

禳厭　备禳厭之事，或煮油四瀆，或持炬燒逐諸厉。（齐本紀 7 孝昭皇帝）

厭蠱　又恐胡后不可以正义离間，乃外求左道，行厭蠱之术，旬朔之間，胡氏遂即精神恍惚，言笑無恒，后主遂漸相厭惡。（穆提婆傳80）

菩禁　文翮常有腰疾，会医者自言善禁，文翮令禁之，遂为刀所伤，至于頓伏牀枕，医者叩头請罪，文翮遂遣之，因为隐謂妻曰：吾昨風眩，落坑厠所，其掩人短，皆此类也。（徐則傳76）

針灸　武平中，为通眞散騎常侍，針灸孔穴，往往与明堂不同；尝有一家二奴俱患身体遍青，漸虛羸不能食，訪諸医無識者，嗣明为灸兩足，趺上各三七壯便愈。（馬嗣明傳78）

太和中，常在禁內，文明太后时有不豫，脩侍針葯多效，賞賜累加。（李脩傳78）

艾灸　尝見帝風动，不进膳，杲亦終日不食，又薷后尝灸，杲亦請試炷，后不許之，杲泣請曰："后所服葯皆嚐尝之；今灸願听尝炷"；悲咽不已，后为停灸。（赵王杲傳59）

瘝病灸疗艾炷，圍將二寸，首足十余处，一时俱下，言笑自若。（李洪之傳75）

吮膿　帝幼有至性，年四岁时，献文患癰，帝亲自吮膿。（魏本紀3高祖孝文皇帝）

洗瘡傅葯　（齐王惠）亲为（孝珩）洗瘡傅葯，禮遇甚厚。（广宁王孝珩傳40）

溫湯疗疾　因哀感發疾，后取急就鹰門溫湯疗疾。（楊播附愔傳29）

心理疗法　夜济力战被伤，恐不堪复斗，悲感嗚咽，夜中睡夢有人授葯，比寤而瘡不痛，时人以为孝感。（王頒傳72）

疗救　（延昌元年）（公元512）（四月）癸未詔曰："肆州地震，陷裂死伤甚多，亡者不可后追，生病宜加疗救，可遣太医折伤医並給所須葯就疗。"（魏本紀4世宗宣武皇帝）

（永平三年）（公元510）冬十月辛卯，中山王英薨，景申詔太常立館，使京畿內外疾病之徒，咸令居处；严敕医署分师救疗，考其能否，而行賞罰，又令有司集諸医工，惟簡精要取三十卷，以班九服。（仝上）

遣医　（皇兴四年）（公元470）三月景戌詔天下病者所在，官司遣医就家診視，所須葯任医所言給之。（魏本紀2显祖献文皇帝）

医疗观念　顧謂医者吳景賢曰："大丈夫性命自有，所在，豈能艾炷灸頞，瓜蒂歕並，疗貴不差，臥死兒女手中乎？"（麦鉄杖傳66）

懲医　（上谷公訖罗）中流矢薨，帝以太医令陰光为視疗不尽术伏法。（上谷公訖罗傳3）

賞賜　太和三年（公元479）十一月賜京师貧穷高年疾患不能自存，衣服布帛各有差。（魏本紀3高祖孝文皇帝。）

至州（徐州）病重，帝敕徐成伯乘傳疗疾差，成伯还，帝曰："卿定名医，賚絹三千疋；"成伯辞，"請受一千；"帝曰：詩云："人之云亡，邦国殄瘁；以是而言，豈惟三千疋乎；"其为帝所重如此。（陽平王新成傳5）

年七十三，遇疾，詔給医葯，賜几杖。（賈彝傳15）

以老病固辞，詔給一时俸，以供湯葯焉。（裴安祖傳26）

寢疾之日，帝每令名医診候，賜以上葯；然密問医人，恒恐不死；素又自知名位已極，不肯服葯，亦不將慎；每与弟約曰："我豈須更活耶？"（楊敷子素傳29）

（子暉）尝臥疾朞年，文帝憂之，賜錢一千万，供其葯石之費。（李弼傳48）

在職数年，上表以年老疾患，請解所任，优詔不許，賜以医葯。（令狐整子熙傳55）

其夫人賀拔氏寢疾，中使顧問不絕，帝亲幸其第，賜錢百万，絹万疋。（高頴傳60）

景仁多疾，帝每遣徐之范等疗之，給葯物珍羞，中使問疾，相望于道；是后勅有恒就宅送御食，車駕或有行幸，在道宿处每送步障，为遮風寒。（馬敬德子元熙傳69）

救济　役征人在路病者，景茂減俸祿为饘粥湯葯，多方振济之，賴全活者千数。（公孙景茂傳74）

九、調　护

調养　太和四年（公元480）病篤辞退，养疾于高柳，輿駕亲送都門之外。（常山王遵傳3）

播曰：古人酒以养病。（楊播傳29）

护疗　馬忽惊奔車复，伤眉三处，孝文文明太后遣医葯护疗，存問相望。（高允傳19）

其他　黨弟璞字普賢，以孝称，母曾病，季秋月思瓜，璞夢想見之，求而遂获，时人異之。（宋隐傳14）

俠尝遇疾沈頓，士友憂之，忽聞五鼓，便即惊起，顧左右曰："可向府耶？"所苦因此而瘳。晋公护聞之曰："裴俠危篤，若此而不廢憂，公因

聞鼓声，疾病遂愈，此豈非天祐勤恪也！？”（裴侠傳26）

十、葯　品

琥珀　土平，出銀琥珀。（西域呼似密国傳85）

城北有云尼山，出銀珊瑚琥珀。（西域犬盧尼国傳85）

碙沙　甛香　阿薩那香　出……碙沙，甛香，阿薩那香。（西域康国傳85）

朱沙　麝香　出鍮石，朱砂，麝香。（西域女国傳85）

白眞檀　石蜜　出……白眞檀，石蜜。（西域南天竺国傳85）

朱砂　俗多朱砂。（西域鏺汗国傳85）

朱沙　青黛　安息香　木香　阿魏　沒葯　白附子　多……朱沙，青黛，安息，青木等香，石蜜，黑鹽，阿魏，沒葯，白附子。（西域漕国傳85）

朱砂　水銀　郁金　苏合香　青木香　蓽撥　香附子　訶梨勒　雌黃　出……朱砂，水銀，……及薰六，郁金，苏合，青木等香，胡椒，蓽撥，石蜜，千年棗，香附子，訶梨勒，無食子，鹽綠，雌黃等物。（西域波斯国傳85）

石流黃　其国南界有大山，山傍石皆燋鎔，流地数十里乃凝堅，人取以为葯，即石流黃也。（西域悅般国傳85）

雌黃　胡粉　安息香　鐃……沙鹽綠，雌黃，胡粉，安息香……等。（西域龟茲国傳85）

石餅餬　其国西北大山中有如膏者，流出成川，行数里，入地狀如餻餬甚臭，服之髮齒已落者，能令更生，癘人服之皆愈。（同上）

朱砂　雌黃　白石膽　孝文时遣使子桥表貢朱砂，雌黃，白石膽各一百斤，自此后岁以为常，朝貢相繼。（宕昌傳84）

朱砂　饒銅鉄朱砂。（吐谷洋傳84）

紫石英　时父遇篤疾，醫云餌五石可愈，时求紫石英不得，彥光憂瘁，不知所为，忽于园中見一物，彥光所不識，怪而持归，即紫石英也；亲屬咸異之，以为至孝所感。（梁彥光傳74）

菴閭子　太后嘗以体不安服菴閭子，宰人昏而进粥，有蝘蜓在焉；后举匕得之，帝时侍側大怒，將加極罰，太后笑而釋之。（文成文明皇后馮氏傳1）

桑螵蛸　子彰崇好道术，曾嬰重病，葯中須桑螵蛸，子彰不忍害物，遂不服焉，其仁如此。（陆俟附昕傳16）

艾　又葯藏局貯艾数斛，亦搜得之。（房陵王勇傳59）

龙腦香　寻遣郗邪迦随貢方物並献金芙蓉冠龙腦香。（赤土傳83）

大黃　梁武帝嘗因發热服大黃；僧垣曰：“大黃快葯，至尊年高，不宜輕用”。帝弗从，遂至病篤。（姚僧垣傳78）

生地黃　熙妻当季夏思冻魚膾，仲冬須生地黃，切責不得，加有司大辟。（徒河慕容廆傳81）

苏子　（乙弗勿敌国）不識五谷，唯食魚及苏子；苏子狀若枸杞子，或赤或黑。（吐谷渾傳84）

胡桃油　珽善为胡桃油以塗画。（祖瑩附珽傳34）

朮　茯苓　道榮仍归本郡，隐于琅邪山，辟谷餌松朮茯苓，求長生之秘。（由吾道榮傳47）

食鹽　帝又遣賜义恭竣等氈各一領鹽各九种，並胡豉；孝伯曰：“有后詔，凡此諸鹽，各有所宜，白鹽食鹽，主上自所食；黑鹽疗腹脹气滿，末之六銖，以酒而服；胡鹽疗目痛；戎鹽疗諸瘡；赤鹽駮鹽臭鹽馬齿鹽四种，並非食鹽。（李孝伯傳21）

蒲桃酒　多蒲桃酒。（西域高昌傳85）

多蒲桃酒，富家或致千石，連年不敗。（西域康国傳85）

止血葯　眞君九年（公元448）遣使朝献，並送幻人，称能割人喉脉，令断击人头，令骨陷皆血出，或数升，或盈斗，以草葯內其口中，令嚼咽之，須臾血止，养瘡一月复常，又世痕瘢；世疑其虛，乃取死罪囚試之皆驗，云中国諸名山皆有此草，乃使人受其术而厚遇之。（西域悅般国傳85）

止利葯　后雅性儉約，帝常同止利葯，須胡粉一兩，宫內不用，求之竟不得。（隋文献皇后独孤氏傳2）

葯性　李凝之明本草葯性，恒以服餌自持，虽年將耄，及而志力不衰。（序傳88）

採葯　謇欲孝文合金丹，致延年法，乃入居

嵩高，採嶨其物，历岁無所成遂罢。（徐謇傳78）

有崔延夏者，以左道与悦遊，合服仙葯松朮之屬，时轉与出採之，宿于城外。（汝南王悅傳7）

行葯　孝文因行葯至司空府，南見巒宅，謂巒曰："朝行葯至此，見卿宅乃宅，东望德館，情有依然"。（邢巒傳31）

合葯　合諸葯以救疾癘。（李孝伯附讓傳21）

文宣时令与諸术士合九轉金丹，及成帝置之王匣云：我貪人間作乐，不能飞上天，待临死时服耳。（由吾道榮傳 77）

服葯　人有爭訴，服之以葯，曲者發狂，直者無恙。（西域烏萇国傳85）

买葯　其妻病，以百錢买葯，每日服之。（慕容儼傳41）

贈葯　其母有疾，熙复遺以葯，猛力感之。（令狐整子熙傳55）

毒葯　及江淮寇扰，恐后为將，歎曰：我去年面腫，今何不發，自是有疾不疗。武平四年五月，帝使徐之范飲以毒葯。（蘭陵武王長恭傳40）

陰遣侍僮詣市买毒葯，妻子又夺棄之。（田式傳75）

又告牧犍父子多畜毒葯，前后隐窃杀人。（大沮渠蒙遜傳81）

常以七八月造毒葯傅矢以射禽兽，中者立死；煮毒葯气，亦能杀人。（勿吉傳82）

秋收烏头为毒葯，以射禽兽。（蠕蠕傳86）

葯部　各有部司，分掌众务，內言有……葯部。（百济国傳87）

医方　賊闓城二百日長，誦讀書不廢，凡手抄八千余紙，天文，律历，医方，卜相，風角，鳥言，靡不开解。（崔逞附儦傳12）

（撝）褎算数医方，咸亦留意。（蕭撝傳17）

至于陰陽河洛之篇，医方圖譜之說，弥复为少。（牛弘傳60）

公孙济迂誕医方，費逾巨万。（何妥傳70）

先載医方数术，次載医方技巧云。（列傳77）

妊娠毒血症簡史

W. J. Dieckmann

古代埃及与中国的文献提到妊娠惊厥之危险性。希波克拉底氏叙述过头痛，嗜眠及惊厥对于孕妇有显重的意义。Dexter 氏及其同工說："子癇"一語系首先出現在 1619 年 Varandaeus 氏之一妇科学文献上。1694 年，Peu 氏綜述了妊娠陣發性痙攣。1722 年，De la Motte 氏認識到惊厥病人之分娩有利于其病之恢复。1763 年出版的 Sauvage 氏的病理学中曾討論到癲癇性与子癇性惊厥的不同。Mauriceau 氏叙述了"子癇"因分娩而好轉。他假設这情况是由于死胎所分解出的毒素而引起的。1759 年，Puzos 氏描述了妊娠惊厥之驟發，認为头痛是一先兆症狀，治疗宜行靜脉切开放血术、灌腸及引产。Danman 氏在其名为"簡論产后热及产后惊厥"一書中（1768）論及用医葯处理对妊娠的后果。1775 年，Hamilton 氏叙述了迅速分娩法当胎兒头能触及时不論是用自然轉位法或产鉗，假如能够安全成功，則对惊厥是一种最好的疗法。Van Swieten, Boër 及 Demanet 等氏曾討論了"子癇"的病因理論。

在中世紀，疾病之伴有子癇發作者如嬰兒子癇及妊娠子癇，皆称为癲癇。Paulus of Aegina 氏述及癲癇由于子宫受孕而引起者是为子癇。De Sauvage 氏用"分娩的子癇"一詞于受孕的惊厥，用"尿閉子癇"一詞于尿毒症之惊厥。

Gordon 氏叙述了古代印度認为若受孕病人有水腫，則其預后不良。他說，子癇，膿毒病及产后出血之病例是少見的。然而，他的統計是很不可靠的。Celsus 氏（公元前 25—公元 50 年）叙述了水腫在奴隶比自由民容易治疗，因为前者能够被强迫服从飲食管制，並因困苦需要治疗。他指出某些病人排出尿量与食入之液体量相等或超出之重要性。Gorden 氏亦叙述了史前之美洲人已能認識水腫，並归因于恶神之侵入病体。

1840年，Rayer 氏証实正常的孕妇可有蛋白尿。1843 年，Lever 氏报告了惊厥病人中十之九有蛋白尿。1851 年 Frerichs 氏認为子癇病人的尿少及尿潴留表明系 Bright 氏病之一类型。关于其病因学及病理学的各种其他著作則于后一世紀出版，1890 年 Lubarsch 氏及 1893 年 Schmorl 氏首先描述了小血管血栓形成，特别是門脉周圍的出血及肝坏死。

作者曾对中世紀及史前美洲之妇科学及妊娠的各种不同併發症之發病率發生兴趣。但对于中世紀欧洲孕妇子癇發病率有价值的材料除上述以外别無其他。而在哥倫布以前的墨西哥本土，Yucatau 或 Peru，則尚未發現有关子癇的材料，事实上，其后亦很少。

（陈維彝譯自 Toxemias of Pregnancy, 2nd, 1952, London, P.18—19）

国外1955-1956年的几个医学史会議介紹

馬 堪 温

过去兩年，世界各地举行了大大小小的医学史学术会議，現在仅根据所得到的材料，把其中几个較重要較有影响的会議做一介紹，包括第十五屆国际医学史会議；第八屆国际科学史会議（医学部分）；苏联医学科学院塞馬什關保健組織和医史研究所第二次科学会議；西伯利亞地方医学史的省間联席科学会議；和美国医史学会1955—1956年年会。希望通过这些会議的报导，可以概括地了解近年来国外的医史界学术活动的一般傾向。

第十五屆国际医学史会議

1956年在西班牙首都馬德里举行了第十五屆国际医学史会議，約有30位不同国家的代表团出席了会議，其中包括苏联、波蘭、捷克斯洛伐克、罗馬尼亞、德国、法国、意大利、瑞士、美国、比利时、巴西、阿根廷、荷蘭、以色列、南斯拉夫等国。

会議主要研究下列問題：

（1）西班牙医学和阿拉伯医学的关系；

（2）西班牙地区的医学和欧洲其他国家的医学关系；

（3）16世紀的医学圖像；

（4）其他。

大会列入議程的共有147篇論文，五天內几乎每天平均有近30篇論文报告。

西班牙和操西班牙語的国家的医史学者針对前兩項問題做了报告；意大利、西班牙和法国的代表就第三項問題做了报告。

意大利的巴寧尼（Пачини）教授做了“文艺复兴时期艺术中的医学”的講演；美国著名的学者富尔敦（И. Фультон）做了“条件反射学說發展史”一講演，其中巴甫洛夫和俄国学者的比重估得相当大，並对巴甫洛夫和俄国学者的功績估价很高。另外有一个紀念不久以前死去的著名医史学家挪依貝尔格（M. Нейбургер）的报告（由英国 Wellcome 医史博物舘 E. A. Underwood 氏报告）。

大会是在新建的西班牙文化研究所中举行的。西班牙的医史学家在报告中介紹了西班牙的有功績的医学家，其中包括許多著名的人，如維尔蘭諾夫地方的阿尔諾列特（Арнольд, 1235—1312），發現肺循环的塞尔維特（M. Сервет, 1509—1553），以及組織学家奥尔費拉（M. Орфила, 1782—1853）和拉蒙·伊·卡哈尔（Рамон-и-Кахал 1852—1934）等人。西班牙的学者还报告了关于西班牙地区的医学和阿拉伯医学、以及与其他民族医学的关系。关于阿尔諾列特的报告有好几个，如关于阿氏的著作对于欧洲医学的影响和阿氏的傳記等。現在馬德里的医史研究所便是以阿氏的名字命名。另外，西班牙的学者还报告了文艺复兴时期西班牙医生的人道主义（Л. С. Гранжль 氏报告）；西班牙-阿拉伯医学和撒勒諾（Salerno）学校的关系（Ж. Р. Сабар Салер 氏报告）；美洲的發現对現代欧洲人的健康的影响（Ж. Р. Сабар Салер 氏报告）；西班牙人对于奎宁理論的貢献（Д. Джарамилло-Аранго 氏报告）；西班牙衛生法100週年紀念（К. Рико Авемо 氏报告）；中世紀著名外科学家阿列布卡西斯（Альбуказис,1050—1122），（Ж. Г. Капдевил 氏报告）。会議的代表們还观看了馬德里大学圖書舘所收藏的古本經典医書，其中有希波克拉底、盖倫的著作，以及阿維森納的“医典”的一部分和阿氏所著的其他医書。

大会几乎完全沒有关于医史編纂学方面的文章，只有美国代表米勒（Ж. Миллер）做了关于法国的医史学家列克列尔克（Леклерк）的活动的报告，对列氏的著作和当时的一般历史編纂学的关系做了分析。

法国代表傑奥多利茨（Ж. Теодориц）做了关于拜占庭的寄生虫学（与阿拉伯的寄生虫学做比較）的报告。他認为拜占庭的寄生虫学来自希波克拉底、亞里斯多德、盖倫等人。

危地馬拉的代表做了关于梅毒的历史的报

告。

大会表現了一种健康傾向，就是較小的国家、附屬国和殖民地国家的医史学者起来反对揑造历史事实和忘却自己国家的学者的功績。这从巴西的代表的"美国企圖掠夺芬尔（К. Финил)医生的功績"一报告中可以看出。报告指出美国学者如何企圖掠夺芬尔医生在發現黃热病傳染因素上的功績。

南斯拉夫的代表（Мирко Трмек 医生）做了关于長寿問題的报告；他指出長寿問題有很深远的历史根源，如古代的亞里斯多德、盖侖等就已提出这个問題。

除了那些很有兴趣和有价值的报告外，还有一些报告引起了批評。这类报告的特点是对历史現象、历史过程等方面不加說明，不做解釋。如西班牙的阿維罗（К. Рико Авелло）氏的"关于国王的死的議論"。

布加勒斯特的巴尔勃（Г. Барбо）氏报告了罗馬尼亞共和国研究医学史的情況，这是很有兴趣的报告。1948年罗馬尼亞共和国内所有的医学院都設立了医学史講座。1953年在布加勒斯特建立了保健組織和医学史研究所，研究所曾开展了不少活动，如举办达芬奇和阿維森納等人的紀念会等等。医史著作在罗馬尼亞也增加了許多。

罗馬尼亞的代表（Г. Брытеск 和 В. Манодц）所做的关于16世紀罗馬尼亞的医学圖像，也是有兴趣的。作者还拿出了21种医学文献，人物等像片。

布加勒斯特的代表（Мейр Л. Халеви）做了关于波斯国王的御医伊薩克-別格（Исаак-Бег）的报告。伊薩克-別格是文艺复兴时期的著名活动家之一。另一位代表（Ю. Гелертер）做了关于著名的罗馬尼亞学者巴別斯（Виктор Бабес）一百週年誕辰紀念的报告。巴別斯是繼巴斯德氏之后，細菌学的奠基人之一。此外还有关于克魯什（Клуж）地方的葯学史編委会的报告（С. Изсак氏）；以及关于从加拉齐（Галатни）地方所掘出来的做环鋸术的鋸的报告（В. Болог 教授）。

波蘭的学者們提出了一系列很有价和有兴趣的报告。

斯加尔仁斯基（Б. Скаржинский）氏的报告概括了波蘭的医学簡史。报告叙述了波蘭医学教育、医学研究、医学团体，医学圖書館的發展，以及医学活动和貢献，报告还談到波蘭的医学史教学和研究的發展，提出在1868年波蘭就出現了第一个医学史講座，而系統地研究医学史則由琴賽罗夫斯基（Генсеровский，1801—1863）氏开始。1952年波蘭保健部成立了医学史研究委員会，並指定这个会拟出关于医学史的研究和普及的措施，此外，报告还叙述了許多著名波蘭医学活动家的事績，和波蘭的医学成就。

关于第二項問題（16世紀的医学圖像），約有10个报告。意大利的巴琴尼（Пачини）教授就"文艺复兴时期艺术中的医学"为題，做了概述。西班牙的学者做了一系列有兴趣的报告。阿維罗（К. Рико Авелло）氏报告了病理学对圖像学的影响；他指出16世紀时的許多艺术家如达芬奇、米凱朗基罗等人对解剖生理学很有兴趣。不能令人同意的是有的报告用純医学的眼光去对待許多艺术家的創造，如馬德里的傑罗（Тело）氏在"勃斯克（Боск）和何依（Гой）的主題中的狂暴"的报告中，对何依氏的創作做了病案分析。

大会的与会者沒有听明白意大利的代表（Морицио Мариотт 氏）的报告，他的題目是"西班牙'黃金时代'的写生画中的医学"。美国的代表（С. Д. О' Маккле 氏）所做的关于維薩里（Vesalius）氏解剖学著作中的圖像一报告，是有兴趣的。报告中提到美国現正在翻譯維薩里氏的著作，还順便提到美国目前有八个大学內設有独立的医学史講座。法国的代表（Ж. Турчин 氏）做了关于16世紀孟皮利挨（Montpillier）医学校著作中的医学圖像的报告。

苏联的医史学家做了三个报告。

彼德洛夫（Б. Д. Петров）教授报告了"麦赤尼可夫在为長寿而奋斗中的作用"和依阿維森納头骨所繪之"阿維森納肖像"*。奧甘涅斯揚（Л. А. Оганесян）教授做了关于苏联及国外

* 按关于阿維森納的这幅肖像的报导，可見"医学史与保健組織"杂誌，1957年第二期，91頁，陈維养等譯文摘要。

档案庫所保存的古阿尔明尼亞医学手稿的报告；这个有兴趣有內容的报告引起了很大的注意。作者指出保藏在苏联及国外的古阿尔明尼亞的医学手稿的光輝意义，並根据具体材料指出作为苏維埃共和国之一的阿尔明尼亞民族文化所达到的光輝成就。奥甘湼斯揚教授还担任了大会的主席之一。

在大会上还展覽了苏联近兩年所出版的医史文献，引起了普遍的注意，並获得很大的成功。展出的一共有40余种印刷品，其中包括阿維森納的"医典"兩卷，和主由罗西斯基(Д. М. Российский)教授編輯的1000年来(996—1954)苏联医学史和保健史文献目录，以及許多專論。

苏联的代表还組織了16世紀俄罗斯医学圖像展覽，包括帶有医学內容的圖画、年鑑、古医方等等。

在大会期間，苏联代表团为其他国家的代表做了許多答疑，並回答了許多关于苏联国內医学史發展的問題。

大会結束后，代表們参观了西班牙的一些城市，如格列納德(Гренад)，塞維尔(Севиль)，寇尔多夫(Кордов)。

大会使各国科学关系提起了很大的兴趣，並巩固了各国医史学家的关系。大会說明世界医史协会的会員国和世界医史会議的参加者逐年地增加了，历史問題的范圍也扩大了。不能不为之高兴的是这种把历史事实、材料、概念拿出来，讓不同国家的学者公論的方法，引起了全体或許多国家的科学兴趣。令人高兴的还有一件事，就是有大多数的民主国家的学者参加了大会。

还应当指出的是不同的思想体系和出發点，並不妨碍在事物和思想上的交換，以及对許多問題的討論。

第八屆国际科学史会議

1956年9月3—9日在意大利佛罗稜斯市的法瓦尔别墅和米蘭市的国立科学技术博物舘举行了第八屆国际科学史会議。参加会議的有24个国家的二百多名代表。我国也参加了会議，在开幕式上，我国代表团团長中国科学院竺可楨副院長講了話，他指出西方文化和东方文化有很深远的关系。竺可楨教授还被选入主席团，主持了最后一次的会議。大会一致通过接受中国科学院为国际科学史協会的国家会員。

会議分为数学史，物理学史、天文学史；化学和葯学史；地理学和地質学史；医学和生物学史；技术和应用科学史；一般科学史等六个小組宣讀和討論了二百多篇論文。我国代表团在会上宣讀了三篇論文，是关于天文学和数学方面的(計竺可楨教授的"二十八宿的起源"；刘仙洲教授的"中国在計时器方面的發明"；李儼教授的"古代中算家內插法計算")。关于医学史部分，我国沒有代表出席，因之沒有論文。現在仅根据大会所印發的医学和生物学史組的論文提要，做一簡介。

参加医学和生物学史組的有苏联、波蘭、捷克斯洛伐克、南斯拉夫、意大利、法国、美国、阿根廷、瑞士等15个国家的代表，提出了論文57篇，其中以苏联(8篇)、美国(8篇)、意大利(7篇)等国論文較多。但全部論文並沒有一个中心的題目，有的是論述人物的貢献和發明，有的是疾病史，有的是專科史等等。現將論文題目擇要列下：

(1) 巴甫洛夫發明大腦信号功能史(苏联，P. C. Anokhine)

(2) 胚胎学的奠基人 A. O. Kovalevsky 和 I. J. Metchnikov(苏联，L. J. Blacher)

(3) 大腦兴奋性問題的历史 (实驗上和历史上的分析)(苏联，Kh. Koshtoyants)

(4) 無色显微鏡發明史(苏联，S. L. Sobol)

(5) 波蘭生理学在發現腎上腺素中的功績 (波蘭，B. Sharzynski)

(6) 但擇自由市(Gdansk)的医学史(波蘭，S. Sokol)

(7) 文艺复兴时期的医学史(波蘭，S. Szpilczynski)

(8) Schneeberg 和 Joachimsthal 地方矿工的癌病(做为医学史和科学問題来看)(捷克，O. Matousek)

(9) 15世紀波倫亞(Bologna)的法医学(意大利，L. Munster)

(10) Giovanni Nardi 在医学和科学上的貢献(意大利，M. G. Nardi)

(11) Mascagni 在淋巴学史上的地位(美国，J. F. Fulton)

(12) 18世紀中关于減弱天花病毒的嘗試(美国，

G. Miller)

(13) Ibn Nafis (1547)論血循环問題的拉丁譯本(美国, C. O'Malley)

(14) 19世紀早期对神經病原因的認識(美国, I. Veith)

(15) 医学中关于疾病特異性思想史一瞥 (奥蘭德, G. A. Lindeboom)

(16) 蚯蚓用做药物的历史(奥蘭德, W. W. Weisbach)

(17) 从医学方面来看17世紀 Ottoman 王朝时的救世主运动(希腊, J. Schönberg)

(18) 胃腸學的历史(阿根廷, J. Nasio)

(19) 論看相學的历史(法国, M. Klin)

(20) Bernard Conner, F. R. S. (1666—1698)及其对关节强直性脊椎的病理貢献(Inghilterra, B. S. Blumberg)

苏联医学科学院保健組織和医史研究所科学会議

1955年1月27日至2月5日苏联医学科学院以塞馬什閣氏命名的保健組織和医学史研究所召开了第二次关于保健組織，衛生統計以及医学史的科学討論会。参加会議的有800名代表，其中200名是地方代表。代表人員有医学院校中保健組織和医学史教研組的教授和教員，医学研究机構的領导人，以及保健工作者等。苏联保健部部長（М. Д. Ковригина），俄罗斯苏維埃联邦社会主义共和国保健部部長（С. В. Курашов），以及苏联医学科学院保健組織領导代表也参加了会議。参加会議的还有人民民主国家的保健組織代表，如罗馬尼亞保健部部長（Маринский），布加勒斯特保健組織和医学史研究所所長(Теодор Илеа 教授)。

会議开始后，第一个会是塞馬什閣（Н. А. Семашко)80週年誕辰紀念会，听取了維諾格拉多夫(Н. А. Виноградов)等人的报告。

大会听取了30个报告，共分三方面：保健組織、衛生統計、医学史。

在医学史方面，由彼德洛夫(Б.Д. Петров)教授做了"医学史研究的現在情况及其任务"的报告。他指出苏联国家中医学史研究的特点，和近十年医学史的發展情况。过去十年来出版了約336种医史書籍，2894篇論文，反映出医史科学領域中的巨大成就。在1945年苏联出版了12种医史書和142篇論文，而在1954年就是60部書和390篇論文。医学史論文在許多杂誌上都佔有地位。各医学專科工作者研究医学史的数目越来越多了。医学史著作的質量也大大地提高了。

报告指出这些成就是巨大的和紧張劳动的成果，然而，把医学史做为一科学部門来講，仍不能滿足要求。

报告揭露了医学史著作中在方針上和特点上的基本缺点。其中包括在研究苏維埃时期的医学發展上显著地落后；对于加盟共和国的医学史研究很少；对国外医学史估計不足。

有許多教授参加关于彼德洛夫教授的报告討論会。每个發言都正确地闡明了医史教研組在医史工作中重要問題上的成就，並指出近年来大多数医史教研組在医史科学工作上所拟定的研究方針。不少教研組正确地走上了加盟共和国医学史科学創作的道路。

發言中指出关于今后医史科学研究的發展，需要大力加强保健組織和医学史研究所中医史研究部的方法和工作上的配合，並將創建中央医史博物館。同时还醞釀了以下的任务：广泛地印刷苏联古典著作及世界医学古典著作；印刷医史資料和文件彙集；創建及印刷書报評述。

会議特别注意苏联高等医学院校中医学史講授的情况和展望。关于这个問題听取了穆列塔諾夫斯基(М. П. Мультановский)教授和扎布魯多夫斯基(П. Е. Заблудовский)教授的报告。报告指出近年在高等医学院校的医学史工作者的基本队伍加强了，不少教研組拟訂了課堂討論課程的进行方法，並重新修訂了課程大綱。教研組的科学著作显著地增加了，質量也提高了。

与会的人指出了医史教研組和医史課程的一些缺点。認为把医史教研組部分合併或取消妨碍了医史教研組的工作。教研組的缺乏領导，工作方法的局限性，教材設备的不良，大大地降低了教学工作的質量。还着重指出医学史第一集（История Медицины, Масериалы к курсу истории Медицины том 1. Медгиз, 1954）的出版的重要性，以及包洛杜林（Ф. Р,

Бородулин)教授*和扎布魯多夫斯基教授的講义对于今后改良医学史教育的重要性。与会的人对把保健組織和医学史教研組合併在一起的提議进行了批評，並对把教学改在第12学期，以及取消医学史課堂討論的提議进行了批評。

关于医学史的討論，听取了12个报告，其中最有趣的是保健組織和医史研究所的工作人員(Е. И. Лотова, Е. Н. Якубова, Х. И. Идельчик, В. Ф. Давыдов）所做的关于苏維埃医学預防方針的报告。

巴格达薩尔揚（С. М. Багдасарьян）做了“高級軍事医学教育史”的报告；寇尔涅夫（В. М. Корнев）做了关于軍事医学事業的卓出代表人之一維尔亚米諾夫（Н. А. Вельяминов）的活动的报告；嘉尔(П. И. Каль)做了关于波罗第海沿岸的共和国的保健史的报告；堪涅夫斯基（Л. О. Каневский）报告了关于苏維埃医学与反馬克思主义思潮斗爭的历史。

另有三个关于苏联最老的大学和其医学院系的历史的报告。其中一个是由包洛杜林教授报告的“莫斯科大学200年”；他概要地談到苏联医学重要方針和思想在莫斯科大学中的萌芽和發展。米茨尔馬喜利斯(В. Г. Мицельмахерис)报告关于維尔紐斯（Вильнюс）大学校史。彼德洛夫(П. Т. Петров)所报告关于哈尔科夫(Харьков)大学150年，是很有意义的。

会議最后由彼德洛夫(Б. Д. Петров)教授报告了“罗馬所举行的世界医学史会議(第十四屆会議)”情况。

苏联西伯利亞地方医学史的省間联席科学会議

1955年5月21—23日在托姆斯克(Томск)省召开了关于西伯利亞地方医学史省間联席会議。参加会議的有諾夫西比尔斯克(Новосибирск)、克拉斯諾雅尔斯克（Красноярск)、伊尔庫茨克(Иркутск)、伯力（Хабаровск)、奧姆斯克（Омск)、齐略宾斯克（Челябинск)、斯維尔德洛夫斯克（Свердоровск)、阿拉木阿圖（Алма-Ата)医学校和斯大林医师进修学院的代表；此外还有莫斯科及其他城市的医学史工作者，共約700人。

会議听取了30个报告，並对10个报告进行了討論。

彼得洛夫（Б. Д. Петров）教授报告了“医学史的現狀和任务”。托姆斯克大学霍德开維奇（С. П. Ходкевич)报告了“以莫洛托夫命名的托姆斯克医学院發展的基本阶段”，指出学院的發展史和它在苏联医学發展中，以及在培养医生和学者上的意义。

关于托姆斯克医学院的历史，以及托姆斯克医学院的学者在苏联医学發展中所起的作用，共有12个报告。其中謝列平(К. Н. Черепнин)教授和李森科(Н. П. Ищенко)教授做了关于托姆斯克医学院著名外科学代表人物的报告，指出托姆斯克医学院曾培养出許多偉大的外科学家(如有 Н. Н. Бурденко, В. Д. Добромыслов, Н. И. Березнеговский, А. Г. Савинь, В. Г. Шипачев, П. Н. Обросов, С. А. Смирнов 等人)。

医学科学院通訊院士雅伯罗可夫(Д. Д. Яблоков)所做的关于西伯利亞疗养地簡史，是有兴趣的报告之一。通訊院士嘉尔波夫(С. П. Карпов)做了关于西伯利亞的傑出傳染病学家和流行病学家沃特拉立克(Г. Ф. Вотралик)的报告。斯瓦契可夫(А. Г. Сватиков)教授报告了托姆斯克眼科医院史。此外，还有关于西伯利亞微生物学奠基人和西伯利亞疫苗和血清研究所的奠基人烏嘉金(П. В. Вутягин)的报告(И. В. Пронин 报告)；关于生理学家庫雅伯闊(А. А. Кулябоко)的活动(С. М. Ксенц 报告)；关于托姆斯克学者在解决植物杀菌素(抗結核菌剂)的問題的巨大工作(Н. П. Миронова 报告)；关于托姆斯克和沃尨涅汁的著名正常解剖学講座和博物館的創建人攸西夫(Г. М. Иосифов)的活动(Н. П. Минин报告)；关于西伯利亞組織抵抗砂眼的历史和托姆斯克医学院眼科学講座在抗砂眼工作中所起的作用(Т. Д. Стрков 报告)。

此外，还有一些关于托姆斯克医学院的学者在医学上的优先地位的报告。如关于苏联第

---

*按苏联著名的医史学家包洛杜林教授已不幸因病于1956年12月11日去世

一位临床生理学家列波尔斯基(Н. И. Лепорский)的报告(А. А. Ковлевский 报告)。

在保健史方面，大会提出了一些关于西伯利亞的医疗机構的报告。如关于西伯利亞的第一座精神神經病院托姆斯克精神神經病院的重要發展阶段和活动(З. Л. Чередов 报告)；关于西伯利亞第一疫苗血清研究所托姆斯克疫苗血清研究所成立50週年(Б. Г. Трухманов 报告)；关于西伯利亞抗性病傳染的历史，以及西伯利亞"第一皮膚性病防治所"35年来的工作和作用(Ф. И. Израилева 报告)；关于革命前西伯利亞中級医学校(А. С. Грудзинская 报告)；关于革命前及革命后托姆斯克省、城、乡的妇产科救助史(А. С. Грудзинская 报告)；关于十二月党人在西伯利亞的医药活动(Н. П. Федогов 报告)；关于西伯利亞医务工作者在革命中的作用(Г. И. Мендрин 报告)。

大会在討論中，对不少报告做了补充。大会反映了西伯利亞在研究医学史方面的基本成就，並拟定了今后研究医学史的題目和任务。

美国医史学会年会

1955年5月12—14日美国医史学会举行第29届年会，会議除一般会务报告外，在学术方面，分在專題討論会、一般論文报告会、伽利遜講演会等三个小会上报告了論文22篇。現摘要將論文題目录下：

(一)專題討論会：分为医院史及医学与哲学兩專題。

1. 医院史：

(1) 医院史鳥瞰(Henry, R. Carstens)

(2) 医院葯房史(Alex Berman)

(3) 兒童医院史(Samuel, X. Radbill)

(4) 法国革命时期的医院、医疗救助和社会政策(G. Rosen)。

2. 哲学与医学：

(1) 今日医学的哲学預想(Walter Riese)

(2) 鍊丹术，哲学和医学(Victor, A. Rapport)

(3) 历史和医学，哲学的內在关系(Owsei Temkin)

(二)一般論文报告会，共有15个題目，举其重要者如下：

1. 癲病和癔病的傳染(I. Veith)

2. 天花接种的历史联系(G. Miller)

3. 19世紀后半期英国的医学会和医学教育

4. 18世紀末，19世紀初英国对美国医学教育的影响

5. 外科学和科学的关系(F. A. Coller)

6. 原始社会和現代医学中的疾病理論(A. Nettleship)

7. 西班牙和犹太人中的甲狀腺腫大的历史

8. 奥斯勒氏(W. Osler)在西欧。

(三)伽理遜氏講演会(Garrison Lesture)：由克拉墨氏(S. N. Kramer)报告了"人类有記载以来的第一个处方——紀元前兩千年苏馬連人的土塊医方"。

此外，会議还以"天然痘至牛痘接种"为題，举行了展覽会。

1956年4月19—21日美国医史学会举行第29届年会。会議在学术方面共报告論文19篇，仍分別在專題討論会、一般論文报告会，伽利遜講演会等三个小会上报告，

(一)專題討論会：分为美国南部的医学史及流行病史等兩个專題。

1. 关于美国南部的医学史方面有三个題目。

(1) 南美印第安人的医学(W. Wells 氏主講)

(2) "区域冲突"和路希安娜州的医学(J. Duffy 氏)

(3) 南部医生 Josiah C. Nott 氏(George J. D'Angelo 氏)

2. 关于流行病史方面也有三个題目。

(1) 美国內战前的流行病学(Wilson G. Smillie 氏)

(2) Benjamin Rush 和 John Mitchell 氏与黄热病(Saul Jarcho 氏)

(3) 流行性精神障碍病的历史探討(Ernest M. Gruenberg 氏)

(二)一般报告：共有12个題目。

1. 病毒学的前驅者(Morris C. Leikind 氏报告)

2. "唐吉阿德"中的西班牙医学（Felix Marti-Ibnnéz 氏）

3. 美国独立战爭时期联合殖民地境界中的妇女战士——Deborah Sampson, Alias Robert Shurtleiff（W. F. Norwood 氏）

4. 19世紀法蘭西的医学敎育

5. 19世紀中时战剧中的精神病患者以及 A. Dumas 氏对其的描述（George Mora 氏）

6. Charles E. Morgan 和他的电生理学及治疗学（Paul F. Cranefield 氏）

7. Calvin Jones 对北嘉罗里那（Carolina）和（Tennessee）的医学設施的貢献（S. R. Bruesch 氏）

8. 公共衛生的前驅者——Ezra Mundy Hunt（1830—1894）

（Fred Rogers 氏）

9. 佛蘭克林和菲列得尔菲亞省医業中对貧穷人免費医疗的出現（Robert J. Hunter 氏）

10. 吉佛遜（Jefferson）論医理論及吉佛遜时期的医学实际（Courtneg R. Hall 氏）

11. 医疗事故的本質（Frederic D. Zeman 氏）

12. 著名的哈利遜（Harrison）医案和其反响（L. F. Edwards 氏）

（三）伽利遜氏演講会：由 F. N. L. Poynter 氏講了"医学和历史家"一題。

此外，这一屆年会中还举行了"中世紀的医学手稿"展覽。学会中的美国和加拿大医学史論文書目委員会报告他們已編輯了 1955 年度美国和加拿大医学史論文書目（由 G. Miller 氏主編）。霍普金医史研究所还出版了古代（紀元二世紀）著名妇科学家索蘭納斯（Soranus）的妇科学著作（Owsei Temkin 主譯），这是从希腊文譯成英文的第一本譯本。

× × × ×

上面所介紹的医学史会議，虽不能全面的綱括世界上医学史的学术活动趋向和詳細内容，但至少可以看到一般的情况，並可說明国际上对医学史研究的兴趣是在日益增进。而研究医学史最先进的国家当推苏联。苏联医学科学院的保健組織和医学史研究所在科学会議上，不仅肯定了近年来苏联在医学史研究方面的巨大成績，还找出缺点，拟定了今后的任务，这是社会主义国家在科学研究上有領导、有計划的优越表現。为了鼓励医学史研究、交流学术經驗，苏联所举办的西伯利亞地方医学史省間联席科学会議，無疑是一种値得称道的方法。苏联对自己国家过去的和現代的医学史的重視，对自己国家在整个医学發展上的功績和优先权的爭取和肯定，已成为苏联医学史研究的任务之一。在对人物的研究方面，也不仅仅局限在几个久已知名的人物身上，而是早已扩展到对一些过去不曾被人注意，而在一定历史时期中有具体貢献的人物。此外，苏联还注意对外国医学史的研究（如过去苏联早已翻譯和出版了古希腊希波克拉底的文集），現在並着重提出了这方面的任务。

附註：本介紹所根据的資料：

1. Петров Б. Д.: XV Международный конгресс по истории медицины, Советское Здравоохранение, 1957, № 5.
2. Дерябина В. Л., Александров О. А., Бирюкова Р. Н., Научная сессия института организации здравоохранения и истории медицины имени Н. А. Семашко АМН СССР. Советское Здравоохранение, 3, 1955.
3. Мендрина Г. И., Ищенко Н. П., Журавлева К. И., Межобластная научная коференция по краевой истории медицины сибири. Советское Здравоохранение, 5, 1955.
4. Storia della Biologia E Medicina. VIII° Congresso Internazionale di storia delle scienze, Firenze-Milano, 3-9, Serremore, 1956, 4° Sezione.
5. American Association of the History of Medicine: Report of the Twenty-Eighth Annual Meeting. Bulletin of the History of Medicine, No. 6, 1955.
6. American Association of the History of Medicine: Report of the Twenty-Ninth Annual Meeting. Bulletin of the History of Medicine, No. 4, 1956.

工業企業医疗預防工作需要量的研究

原著者：И. В. Пустовой

保护工人健康的各种措施的效果，常与工業企業医疗預防机構的活动，以及更完善的工作方式方法有关。

如果改善工業企業的医疗工作，而缺少医疗預防工作需要量的知識，缺少各專科的分类标准是不可能实現的。

苏联保健計划的經驗証明，确定各种工人的医疗工作标准应根据当时当地具体条件下的工人發病率变动的客观規律，以及年龄性别、职業組成，生活条件，生产特性等的特点。

許多學者（А. Мискинов 領导的委員会，В. Никитский，П. Розенфельд，Я. Родов，Д. горфин，П. Каминский，И. Ростоцкий，И. Богатырев等）早已从事于制定保健計划的方法，和确定各居民組医疗預防工作的分类标准。

但是，現时所採用的方法，旣缺乏計算各个工業企業的具体特点，而又限制領导者用整个工業部門的平均标准来組織医疗衛生机構。然而实施医疗預防措施应当适合每个工業企業的工人医疗工作的具体需要量。所以研究工人医疗預防工作計划的方法在現时具有重大的意义，以此可以帮助医疗衛生处的領导者来研究門診工作和住院工作的真实需要量，据此以制定保护工人健康的更有效的方式方法。換句話說，每个工業企業都需要通过工人發病率，工人年龄性别、职業組成，生产特性，生活条件，医疗衛生工作制度等的研究，来校正医疗預防工作通常採用的平均标准。

我們認为医疗工作的标准尚不完善，因而根据莫斯科省一个机械制造工厂的材料来研究确定工人門診工作和住院工作需要量的标准的方法，並根据所得材料的分析，計算出具体企業中的医疗工作需要量的标准。

我們把工人医疗預防工作需要量認为是內外环境綜合作用于机体的結果，因此我們研究了工作人員的年龄性别組成和职業組成，一般發病率的水平和特点，医疗衛生工作的制度，生产环境的主要衛生条件，地段医疗預防机構的活动，工人的生活条件。

在研究車間衛生狀況的过程中，發現了不良的生产因素，同时又測定了它們对工人發病率的影响的程度。这些不良的因素是：許多生产間有气体汚染和灰塵汚染，輻射作用，用手傳送压搾机和打印机的零件，由于温度急速改变而發生身体过劳，生产成品和廢品在道路上堆积，拭擦材料不足或質量不良，工人的手与塗抹冷却混合物接触，輔助室不适合等。

同时我們也考慮到極大多数疾病的發生，不仅与生产特点有关，而也与工人的生活条件以及其他因素有关。所以又規定了医疗衛生处医师經常在生产部門中所必需作的預防活动范圍，測定了医师們在車間里的工作时数，也研究了工人年龄性别和职業的一般發病率。

当研究發病率时已知各年龄組的病人数並不相同，工人年龄愈高病人也愈多。为了确定接受防治工作的人数，因而选出屡次患病的病人並研究了它們的發病率。同时發現，各种疾病的分佈和發病率水平在各种年龄的工人当中具有不同的特点。例如，在50岁以上的工人当中可以看到（100个工人）：高血压病31.8例，外周神經系病29.3例，骨骼、肌肉、关节病15.4例，慢性肺炎18例。在青年工人中可以看到（100个工人）：生产性損伤36例，皮膚和皮下組織化膿性疾病26.4例。

妇女發病例数較男子为高，但像流行性感冒、心肌炎、潰瘍性疾患和外伤这样的疾病妇女較男子为低。相反地，外周神經系病、皮膚化膿性疾病、高血压、性器官疾患、肝和胆道的疾病在妇女中間較多。

所得的关于發病率的材料当作是研究工人医疗預防工作需要量的基础。

第二步要研究發病率的分佈狀况和各科門診求診率。

同时还要研究發病率和求診率以了解这个

企業的医疗工作質量，因沒有适当的校正，故不能当做医疗預防工作的标准。

1954年(根据我們的材料)工人的实际医疗工作是每个工人有8.68次門診求診，其中內科3.48次，外科1.8次，神經科0.78次，皮膚性病科0.28次，产妇科0.4次，眼科0.48次，耳鼻喉科0.57次，肺科0.4次，牙科0.49次。每个工人的初診平均为2.75次。

工人因患病而求診的約佔90%，10%的求診是为了諮詢或預防等。

分析我們的材料証明，工人年齡愈高初診次数也愈多，在他們的發病率中同样也反映出此种确定的规律来(未到18岁組的初診次数为2.01，50岁及以上組的初診次数为3.67)。

为了編制医疗預防工作需要量，尙需确定各專科的病人复診次数。根据我們的材料，复診次数与初診次数的相对比：內科1.5，外科1.9，神經科3.8，皮膚科2.5，妇产科2.4，眼科1，耳鼻喉科2，肺科5.1，齿科1.8。

如果每个工人有2.75次初診，而每次初診相应有1.84次复診，如此复診次数(按每个工人計算)是5.06(2.75次初診×1.84次复診)次。在此情况下，因疾病而求診的总次数等于初診次数和复診次数之和，即每个工人有2.75+5.06=7.81次求診。

所得的求診率尙不能做为門診工作的标准，因为医疗衛生处的活动有一定的缺点。为了消除这些缺点，就需要評价医疗衛生处所有医师專家的統計材料。如此方能查明工人医疗工作的需要量，即要測定每个工人一年間的求診次数：內科4.3，外科2.1，神經科0.7，皮膚0.28，妇产科0.27，眼科0.44，耳鼻喉科0.45，肺科0.36，牙科0.60。总計9.5次求診。

除每个企業的医疗工作需要量外，尙有預防工作的需要量，应按照下列綱要来測定它。

(1)确定接受防治的健康人数和此組工人需要的求診次数。

(2)确定有害車間和接受定期身体檢查职業的工人数及其求診次数。

(3)确定病人数和相应的預防工作范圍。

(4)确定工業企業每个人一年內預防求診的总次数。

根据以上所述我們得到这样的結果，每个工人每年的預防工作需要量是預防求診的3.6倍。如此，这个工業企業門診工作的总需要量是每个工人每年有13.1次求診(9.5次治疗診断求診和3.6次預防求診)。

确定出每个工人的求診次数，又規定出每个專門医生一年間的門診数(要考虑到工作进度表和車間預防活动时間)，就很容易地計算出医师需要量和專門医师工作的适当地段数。

例如，医疗衛生处沒有住院部，外科工作的需要量是每个工人每年2.35次求診。因此，1000个工人的工作需要2350次求診。外科医生在門診接診室工作$5^1/_2$小时，一年可以完成9000个工人的求診。(註)如此，为了滿足1000个工人的外科門診需要量，就需要有0.24—0.25个外科医师或4000个工人需要有1个外科医师。

当确定門診工作需要量之后，就可計算住院工作的标准。关于住院人数的情况，由于經常計算所有需要住院人数，可以在医疗衛生处获得。除此之外，並知这些病人已經住院或未住院。实际上，这还可以組織每个治疗医师在接診时用小卡片或在接診票上点記号来統計需要住院的人数。

在所研究的医疗衛生处的住院需要量(按工人数)是：內科——7.2%，外科——3.3%，神經科——0.84%，皮膚性病科——0.07%，妇产科——2.4%，眼科——0.22%，耳鼻喉科——0.62%，傳染病科——2.28%，結核科——0.17%。总計——17.1%。

确定了住院需要量以及一年中病牀利用平均日数和各專科的病人住院日数，就可确定出預定病牀需要量。

根据苏联保健部的指令确定住院工作的医师数。

研究了門診和住院工作的需要量、医生数之后，就可以确定这个工業企業典型的医师地段(1000工人)的結構(見表)。

(註) 当确定研究企業的衛生情况和工人發病率时，外科的預防工作每週不得少于4小时，每年不得少于216小时。

医师	門診工作的医师数	住院部的医师数	1000工人医师地段的構成		机械工業1000工人医师地段的構成(註1)	
			医师数	病牀数	医师数	病牀数
內科医师	0.91	0.20	1.11	4.0	0.66	3.40
外科医师	0.24	0.10	0.34	1.4	0.40	2.80
神經病理科医师	0.28	0.05	0.33	0.80	0.10	2.20
皮膚科医师	0.08	—	0.08	0.06	0.20	2.54
妇产科医师	0.11	0.05	0.16	0.85	0.40	3.00
眼科医师	0.08	—	0.08	0.10	0.14	0.54
耳鼻喉科医师	0.17	—	0.17	0.27	0.10	0.26
肺科医师和傳染病科医师	0.09 (註2)	0.10	0.19	19.5	0.16	1.16 (註3)
牙科医师	0.16	—	0.16	—	—	—
总計	2.12	0.50	2.62	9.43	2.16	11.90

(註1) 本材料取自 И. И. Розенфельд "保健計划的原理和方法"一書。

(註2) 肺科門診工作的医师数。

(註3) 除去傳染病科的医师。

表中所列的材料說明一个具体企業1000工人地段的典型結構与整个工業部所規定的計算标准不相符合，与苏联保健部指令中所規定的标准(2000个工人地段有3.35个常任医生为住院和門診病人服务並进行預防工作）也不相符合。很可惜，我們未能將所得的标准与其他作者的工作結果相比較，因为他們所做的标准屬于全市民的。在所研究的机械工業对象中所得的标准与苏联保健部計划局所規定的正式标准不同，这样再一次証明了我們的看法，即工人医疗預防組織应适应每个工業企業的需要量，而需要量又决定于所服务人員的發病率水平和特点，發病率的年齡性別構成，保健机構的設备和特点，以及这个工業企業工人的生活和劳动条件等。

結論

(1) 每个工業單位的工人医疗工作的效果决定于現有的医疗工作方法能否滿足企業工人的需要量。

(2) 为了进一步改善每个工業企業的医疗工作，就需要研究医疗預防工作的需要量以校正通常所採用的平均标准。

(3) 研究工業企業工人医疗預防工作的需要量及其标准的方法，应以發病率、年齡性別構成、生产特点、生活条件、医疗衛生制度等的研究做为基础。

(焦登鰲譯自 Советское Здравоохранение) 1956, 6.

祖国医学有关痔核的史料簡介

盧尙仁 中医杂誌 1957年第6号，頁311.

本文就祖国医籍中，有关痔核記載作了概括的复習，並叙述了其發展。作者首先指出，公元前三世紀的內經素問已有痔的記載，是为最早的文献。当时認为系由于飽食、强力、筋脉、横解、腸澼而發生。

隋代巢元方在諸病源候总論中以症狀的不同分痔为五类。作者指出在唐以前，痔的分类，是完全以症狀来区分的。許仁則开始把痔分为內外兩类，並且扼要地来鑑別內痔和外痔；尤其以大便出血为主征，作为內痔的早期診斷。

宋元时代对于痔的病因、症狀、診斷的臨床知識，有显著的进步。由五种痔，發展成25痔，其分类不过以形象、大小、部位、数目、症狀的不同，定出病名而已。当时对于病因方面的探討，已較深入，綜合当代各家学說，可归納为：飲食关系、气候关系、職業性关系、習慣性便秘、情緒关系、遺傳关系、感染、縱慾、腹压的关系。

明代对于痔核的研究，更进一步的發展，具体表現在理論、診斷和治疗方面。当时已确認痔核是血管的病变，精神因子是痔的致病因素之一，並發現了痔核的合併症，对痔与瘻、內痔和直腸出血、肛門膿腫和直腸息肉，已具有鑑別診斷的知識。

作者最后就痔核的治疗历史作了簡短的介紹。在后汉时代，祖国最早的葯典神农本草經已載有十数种治痔葯物。

宋以前，治痔是以內服葯物为主，輔以針灸、导引熏洗、外治等法。自从太平聖惠方有了砒剂疗痔的經驗記載后，到南宋的魏氏家藏方才有具体的枯痔疗法的發明。

明代对于痔核的治疗，有其輝煌成就。一方面繼承和發揚了古人的經驗，一方面又創造了割痔，系痔的手术方法。当时已有痔科專家和專門制造枯痔葯的葯师。

清代有关痔核的文献，其內容皆承襲古說，但在医疗器械上有所發明。如探肛筒，过肛針以及其他痔科器械，对痔核的診斷和治疗提供了有利的条件。

(少祺摘)

西半球内科学75年来的进展(1878—1953)

原著者　L. H. Bauer

内科学在75年以前在西半球几乎尚未独立存在。当时对傳染病的病因剛开始認識，而对于手术后化膿的控制也只是由于巴斯德(Pasteur)及李斯特(Lister)氏的研究才有了萌芽。至于一般的生物化学、生理学及葯理学的知識多半都是經驗化的。当时最显著的进展是对各种临床症候羣和疾病的認識，其論述至今还沒有多大的改变，而且已經成为现代内科学的一部分了。关于疾病最有价值的記述中，有一些是由于当时的临床家的才力，他們早期地發覺症狀、正确地、小心地从事檢查，並且將观察所得与解剖室所得到的材料相互配合論証，以得出病理演变的性質。当时对病症实質的范例性記述已有了阿狄森(Thomas Addison)、李来特(Richard Bright)、亨特(John Hunter)、何杰金(John Hodgkin)、西頓翰(Thomas Sydenham)氏等及其他許多工作者的記录了。

在那时，医学的科学性还不具备，医学实踐大半还是一种"医学技术"。对疾病的治疗主要是減輕症狀，而不是矯正病理的根本演变。当时应用通便(下)、放血、浸膏、酊剂及多种葯物的合剂，其中有許多处方中的構成物，今日看来是仅有一点点或竟毫無葯理作用的，但是在当时却是普遍的治疗方法。作为預防疾病的一般衛生措施，此时剛开始被注意到。

其后25年，由于医学上的許多發現及解决医学問題的許多科学方法的进展，内科学有了令人难以置信的进步。医科大学的成長及用实驗去寻找問題的解答，大大地增加了細菌学及病理学的知識，並給生物化学及葯理学的發展打下了基础。当时，巴斯德反駁了生命自生的理論，奠定了疾病来自病菌的理論基础；郭霍(R. Koch)，克雷李斯(Klebs)及伊伯特(Ebert)等氏在繼續进行致病菌的研究。維尔荷(Virchow)氏对病理解剖作了精确的描述，並建立了致病原因的理論。

这一时期中，内科学的巨大發展主要是在德国，法国及英国的医科大学中心。当19世紀末以前，科学的医学方法从欧洲国家傳入美国，同时也把医科大学的完备雛型介紹到美国，这大部分是由約翰霍布金斯(Johns Hopkins)大学及医院的威尔区(W. H. Welch)氏的努力。与此同时，欧斯勒(W. Osler)氏又重新給美国介紹临床和病室教学方面作了些推动工作，使学生能在病室里用大部分时間作临床实習。临床教学和临床观察，与从解剖室及实驗室所得到的材料互相配合起来，使医学教育，医学实踐及整个医学得到了改进。

病因学的發展

傳染病

随着細菌学的进步，發現許多疾病是由于特殊細菌侵害所致的結果。1882年郭霍氏發現了結核菌，翌年，克雷李斯氏又發現了白喉桿菌。这时，拉非蘭(Laveran)氏(1880)也早已观察到原虫是致瘧的原因。其后五年內，相繼認識了霍乱、破伤風、伤寒及馬尔他热(Malta fever)，而在1905年，又將長期扰害人类的梅毒也查明是由梅毒螺旋体所致的。这时，細菌学的發展極其显著，以致使当时的医学研究者曾一度極少注意到其他方面。嘉斯提朗尼(A. Castiglioni)氏說："病理学的声音緘默了，而临床只服从于实驗室的报告，实驗室成为衛生学家、产科医师，皮膚病学家，以及小兒科医师的准繩了。"

几乎同等重要的是在本世紀最初数年內証实了昆虫媒介在傳播疾病上的地位。1897年罗斯(R. Ross)氏証实了按蚊(Anopheles mosquitoes)能傳播瘧疾；三年后，对此有詳尽研究的利德氏(W. Reed)及其助手清楚地指出黄热病是由埃及伊蚊(Mosquito aedes Aegypti)所傳播；

1909年尼可来(Nicolle)氏証实斑疹伤寒是由体虱所傳播。

繼細菌学的产生和迅速进展之后，还有其他的發現，而这些發現的重要性迟至很久以后才被人了解。1892年，伊万諾夫斯基(Ivanovski)氏在患有鑲工病的菸草叶上發現了病毒。五年以后，呂夫勒尔(Loeffler)氏及弗罗斯齐(Frosch)氏指出在患有口蹄疫的动物身上也發現有这种微生物。不到多年之后，病毒及立克次体的知識有了長足的进展，乃被認为系重要的病因，病毒学就逐漸代替了細菌学的地位，而成为傳染病研究的重点了。

退行性或变性性疾病

对退行性疾病病因的了解远远不及对傳染病知識的了解。由中胚叶起源的組織所發生的退行性变化，特别是动脉壁的变化，在今日內科学中佔一重要地位，但这方面的知識除在临床上和病理上的記述外並無多大进步。使人惊異的是心臟血管系統的退行性病已經成为致死的第一原因，且其發生又經常在內科医师治理之下，但对于其病因却了解得很少。赫利克氏(Herrick)在四十多年前(1912)，才首先將心絞痛的發作与冠狀动脉阻塞鑑別出来；这一事实就可說明現代医学对这一方面是多么幼稚。

神經系統和骨关节的退行性病的知識也是如此。現在对它們还沒有确切的了解，关于它們的知識也还不能超出記述的阶段。

腫瘤

对癌及其相关疾病的認識方法的改进，加强惡性腫瘤發数的报告于人类平均寿命的增加有重要因素。腫瘤的大体形态和其在显微鏡下的特点，在最近75年中已有相当的認識，但对于特殊的知識，如病因，則至今仍几乎毫無所知。近年来所积累的事实，証明在实驗动物身上，用某种化学物質的刺激可产生惡性腫瘤，推測是借病毒和某种动物的易感性所引起的。但是，要用这种报告去解釋人类的惡性腫瘤的产生原因，为时尚嫌过早。

营养性疾病

缺乏对健康所必需的食物会引起疾病，这种概念在近40年內有很大的进展。虽然在1795年由于林德(J. Lind)氏及其同工的观察結果，英国海軍曾在航海人員的伙食內，每日加一兩的新鮮檸檬或檸檬汁而根絕了坏血病；可是在很久以后，却一直不明了坏血病、脚气病及骨軟病的原因。这种功劳是应当归給挨克曼(Christian Eijkman)氏的，因为他开始引向發現維生素的研究，这可能是自巴斯德氏以来更能使医学革新的發現。挨克曼氏是第一个用实驗造成营养缺乏病的人，並首先發現服用全谷类(米)可預防或治疗这种病。这一观察后来扩展到全世界都採用完备的谷物(糙米)来治疗脚气病。早期研究維生素的著名人物尚有霍布金斯(Hopkins)、范克(Fank)，奥斯波恩(Osborne)及門德尔(Mendel)氏等。另外还应該指出的是惠普尔(Whipple)、迈諾特(Minot)和麻斐(Murphy)等氏的研究，他們在1920年指出惡性貧血及一些其他的貧血都屬于营养缺乏病。

新陈代謝病

1889年房麦林(Von Mering)及明可夫斯基(Minkowski)氏注意到：一只犬在胰腺切除前沒有糖尿病，而在手术后就發生了糖尿病。1901年奥培(Opie)氏提出这样的結論：糖尿病是由于胰腺中的藍格罕氏小島(胰島)的改变所引起的，而在1922年斑汀(Banting)氏和白斯特(Best)氏报告了胰島素的發明。在临床上採用这个物質收效很快，主要是由于約斯林(Josline)氏的倡导。同样，腦垂体、甲狀腺、副甲狀腺、腎上腺皮質、髓質及生殖腺等激素效力的發現，也大大增加了对疾病原因的知識。

疾病診断的發展

75年以前，在医学各科中，包括內科，对疾病的診断大部分是倚靠对病人的直接观察，特别是病史的記述和体格檢查。这些方法从未被廢棄或替換，並曾大大地被近代基础科学的进步所充实。1886年，菲次(Fitz)氏曾指出："由于闌尾炎穿孔所造成的腹膜炎常常引起腸炎或闌尾周圍炎"，这是在疾病診断上，在临床上研究病人的价値的好例子。

檢查活着的病人，在解剖室观察屍体，用科学的方法进行临床化驗，对增进知識上有着無限的价値。事实上，在19世紀最后25年中，科学的临床医师已主要变成病理学家了。当时，在德国的医学校及大医院里，把实驗室的檢查

(病理学和細菌学)放在第一位,而对临床檢查,特别是临床观察,則注意較少。但是不久,欧斯勒氏就又重新指出临床教学是医学訓練中最重要的活动。

用化学和显微鏡的方法檢查尿、血,及其他体液,如滲出液或分泌物,已成为对所有病人的常规。在实驗室中进行对体液中微生物的染色及培养,也成为傳染病診断的标准方法。1906年乏色曼(August Von Wassermann)氏記述了他对梅毒診断的血清試驗。于是伤寒、布氏桿菌病、球狀胞子虫病和某些类型的鏈球菌病,以及濾过性病毒等病的血清試驗也相繼發展。葡萄糖含量、非蛋白氮、蛋白及其分数、陰离子和陽离子如鈉、鉀、氯和重炭酸鹽等的測定,也成为医院和診所中的診断标准。由于發明了許多种化学試驗,便有可能去測定肝、腎、肺等器官的功能。而測定基础代謝率、蛋白固定碘的含量以及血或尿中所含的矿物質或激素,也被認为是診断上应有的手續。

測定动脉压、靜脉压、循环时間,以及用导管插入血管术測量各种动脉、靜脉、心室中血的压力及氧气含量与飽和量的精确的和簡單的方法,已証明是非常有用的診断方法。最近十年用显微鏡檢查各种不同体腔的剝脱細胞也成为極有用的診断方法。檢查有腔器官的各种內檢鏡的發展,大大地扩充了对肺、食管、胃和直腸等器官的診断的可能性。而从骨髓、肝、脾和其他器官中取出組織进行精密的檢查,对診断又增加了进一步的知識。

近75年来,除了1895年倫琴(Roentgen)氏所發現的X射綫方法外,可能沒有其他方法促使医学及經济發生更大的变革。这一發現,很快便应用到临床医学上,从而帶来了許多关于病人以前"不可見的"器官的知識。把X綫照片或螢光屏透視所見,与手术及屍体解剖之所見互相配合,立即証明放射的方法是診断上極有用的方法,因而很快地使放射綫学成为医学中一个專門科目。把不透明物質納入胃腸道和支气管系統,把經肝的不透明染料的选擇性分泌排入胆囊,以及把經腎的不透明染料的选擇性分泌排入尿路,这使医生的診断能力得到完全的革新。把空气或有时把其他比色物質注入腦脊髓腔、漿液腔(腹膜、胸膜、心包及关节),有时也注入腹膜后腔,这些方法对診断的帮助虽然有限,但有时也是在輔助診断上所不可少的。

在一定間隔的时間,反复应用放射綫的檢查,对了解疾病的阶段和进行过程有很大的帮助。

对随着正常組織的生理活动所产生的电流,用精确的測定設备和方法进行測定,長久以来对內科医生是具有巨大的診断价值的。今日的心动电流圖,特别是向量心电圖,是1903年發現絃綫电流計的恩妥文(W. Einthoven)氏所不認識的。这种心肌机能的檢查方法对于鑑定心律不整,發現或确定可以伴随高血压而出現的心肌疾病,决定冠狀动脉是否有病,抑或是电平衡的紊乱或营养障碍,是非常有价値的。事实上,它对研究心肌功能显然減損的任何过程,都是有价値的。腦动电流圖对确定某些腦功能障碍的位置及大腦某些局部病灶的瀰漫性失調,是有用处的。

1931年,發現了許多由于暴露在放射性物質之下而可变为具有放射性的元素。其中銥Ⅰ[131]随原子堆的發展,很快也成为很有用之物了。例如現在在診断甲狀腺疾病和鑑定腦腫瘤的X綫透視中,就广泛地採用了它。値得注意的是应用放射性同位素来治疗疾病,甚至更重要的是用放射性附加物質来檢查生体和健康的以及患病組織的生理現象。在診断上应用放射性物質,虽有其局限性,但是关于生理过程和致病原因的診断,几乎必須应用它,並可能会改变以前所公認的理論。

治疗的进展

1878—1953的75年中,疾病治疗和病因及診断方面的知識,在进展上同样显著。中世紀和整个19世紀所一再發生的横扫世界的大流行病,已不再發生于文明的人类中。今日,糖尿病或惡性貧血患者的后果是健康和享其天年,只是需要繼續进行治疗而已。在这个时期中,無菌外科有了重大發展,使外科医生有可能对患病器官进行切除,並可以大大地改变其他器官的功能,以达到治愈疾病或減輕症狀的目的。

在本世紀的較早期,在傳染病治疗的进展

方面，必須指出白喉和破伤風抗毒素的發展。免疫学几乎是和細菌学齐头並进的。早在1890年，倍林(Von Behring)氏發現了动物和人对抵抗破伤風和白喉的被动免疫的可能性，从而引出了抗毒素的概念。用痘苗来預防天花，在很久以前已由貞納(Jenner)氏介紹过。随后的便是試圖建立对抗伤寒、狂犬病的免疫，最近更試圖建立对百日咳、副伤寒、霍乱和黄热病的免疫。

关于化学治疗的葯物發展，最初看来是很有希望的，但出乎意料的是除了1910年欧立希(Ehrlich)氏所指出的用洒尔佛散(606)治疗梅毒是很有用以外，几毫無成果。廿多年后，杜馬克(Domagk)氏發現了氨苯磺胺的疗效，而当發現磺胺类葯物有抗革蘭氏陽性球菌的效用后，治疗上才开始出現了新面貌。于是，肺炎球菌、鏈球菌、葡萄球菌、淋菌性疾病、腦膜炎双球菌、腦膜炎及許多尿道感染，便更迅速地得到控制。这是人們第一次有了一种灵驗的化学葯物来处理这些病。

在临床上应用磺胺葯物后不久，医学史上又出現了一件偉大的成就：1928年弗来明(Fleming)氏發現了青霉素，1938年弗罗瑞(H. Florey)氏証实了青霉素在临床上的卓越效用。这些抗菌剂及随后發展的鏈霉素、土霉素、金霉素及氯霉素，完全改变了内科学及外科学的面貌，減低了第二次世界大战中創伤的严重性和死亡率，改变了对梅毒及許多傳染病的处理。但这些葯剂在抵抗病毒感染的价値上，至今还是很小的，或是可疑的。

奎宁，是18世紀初期全世界治疗瘧疾的标准葯物，直到第二次世界大战后期，它仍保持这种地位。当时，随着需要开展了广泛的調查和研究，結果产生了大量新的有效的抗瘧葯，其中主要是瘧滌平，扑瘧馬奎宁(Primaquine)和巴馬奎宁(Pamaquine)，有些葯物，如氯化奎宁(Chloroquine)也同样具有抗痢疾阿米巴的效力。

洋地黄制剂自18世紀后半威特林(Withering)氏介紹后，始終在治疗某些类型的心臟病和心力衰竭上佔有很重要的位置。可用于注射或救急的較新的洋地黄苷类制剂，已有了重要的發展。近年来，奎尼丁(Quinidine)被广泛地应用于某些类型的心律不整。汞制剂則發現在控制充血性心力衰竭的水腫上有很大的作用。

1902年，蘭德斯泰納(Landsteiner)氏对于四种血型的偉大發現，給以后輸血的成功和血庫的發展，並給在現代外科治疗的許多成就上作为基础的固本疗法(支持疗法)奠定了基础。

近年来，电解質和水的代謝的研究增加了許多治疗的知識，这在应用于处理有水腫、体液和电解質的損失，以及腎功能減損等显著現象的疾病上，是有用的。

各种維生素的鑑定及以后的合成，对正确了解飲食的內容有很大帮助。足量蛋白質在飲食中是重要的，而胃腸道对营养缺乏病又極关重要，所以有很大的治疗意义。惠普尔(Whipple)，迈諾特(Minot)和麻斐(Murphy)等氏，朝着这个方向在1828年發現了肝在治疗惡性貧血中的作用，繼由卡斯尔(Castle)氏指出胃液的內因子，另外还有其他許多工作者指出肝浸膏中的有效因素，这些都是很科学和有实用价値的。

在医学發展中最重要最有用的是关于內分泌腺激素知識的揭露。1914年肯达尔(Kendall)氏分离出甲狀腺的有效成份——甲狀腺素；八年后，班汀(Banting)和白斯特(Best)二氏發現了胰島素。这些物質的治疗用途，特别是用胰島素来治疗糖尿病，曾挽救过許多生命。同时，腎上腺髓質〔1898年阿伯尔(Abel)氏分离出腎上腺素〕，垂体后叶〔1928年卡姆(Kamm)氏和共同工分离出垂体加压素〕，甲狀旁腺〔1924年科列普(Collip)氏分离出甲狀旁腺素〕，及生殖腺(雄性激素和雌性激素)所分离出的有效物質，在近年来給临床学家和研究者以治疗和研究疾病的利器。虽然这些物質不像胰島素那样常用于治疗上，但在科学上和医学实踐上有不可估計的重要性。

然而，在所發現的激素中，沒有像亨赤(Hench)氏所發現的治疗类風濕性关节炎有显著作用的腎上腺皮質激素(Cortison)和垂体的促腎上腺皮質激素(ACTH)那样对整个医学有触媒效果的了。發現激素的重要性已远远超过了这样的事实，即它們不只是对普通疾病有暂时控制的效力，並且在其他許多情况下具有治疗价值；这些深深地影响了許多基本生物学过程的激素，还开辟了研究健康和患病組織的代謝过程的大道。

关于外科学对治疗許多疾病的进展及其对基础医学知識的貢献，已有过簡短的叙述。放射綫学不仅在診断方法的發展上有大的貢献，而且在治疗腫瘤及一些炎症上也有很大貢献。1898年居里夫妇(Curies)發現了鐳，这种物質很快就被应用到治疗上。

过去75年中，公共衛生和一般衛生的長足进步，改变了人类所适应的环境。由于有效地控制了老鼠和跳蚤，已使在中世紀和19世紀所流行的鼠疫成为过去的事。对瘧疾和黃热病的控制，已有了可行的方法。更进一步地說，就是在世界上死人甚多的瘧疾，如果能普遍採用衛生方法，也是可以全部消灭的。同样，霍乱和斑疹伤寒这兩种大流行性的病，也不需要惧怕。用現代方法保証牛奶和飲水的清潔，对控制人类的許多疾病上有很大的帮助。

对于成人，不仅对天花有了自动免疫的方法，而且对伤寒、斑疹伤寒、黃热病、百日咳和破伤風，也有了自动免疫的方法；对白喉、麻疹、傳染性肝炎，流行性腮腺炎，甚至可能对脊髓灰質炎，也有被动免疫的方法。此外，新的發現，可以使我們用化学法長时期控制或預防瘧疾。由鏈球菌引起的咽喉炎的严重併發症，如風湿热或其他非化膿性疾病，用青霉素迅速进行适当的治疗，似已确可預防。長时間連續服用磺胺类药物，可以預防風湿热的再發。

小　結

回顧过去75年中內科学的一些趋向和重大事件，显示出一个巨大的史無前例的进展。所有傳染病几均被征服。人的寿命平均也有显著的增長。我們現在正如在1878年一样，是处在第二个更偉大更进步的75年的开始。目前，最重要的是进一步了解生命本身，因为隐藏在生命的秘密之中的是許多致人于死命的疾病，即退行性病变和腫瘤的發生。对生命过程的更好的了解，將使我們更能理解或因之更有效地控制那些經常威胁人的生存和精神的动脉及神經系統的退行性病和惡性腫瘤。

对人的神經生理学获得更进一步的理解，可能是同样重要的。心理学和精神病学尙处在幼稚时期，未来的75年在这个領域內的进展將比过去75年內医学所給与人类的利益必更多。

医学的最終目的是照顧病人，适当地照顧不仅依靠于医学的进步，还同样依靠于把病人看成一个人。不論未来的医学將有如何大的进步，如果在对人的心理了解上不能得到同样的进步，医学就將是不够全面的。虽然应用科学的医学可以适当地护理或治疗疾病，但在关怀病人方面，还是不能令人滿意的。因为医学的应用，現在大部分还只是一种技术。

医学实踐中的另一大問題是：为了以最新的医葯治疗病人，增加了相当大的医疗經济負担。对于作为医生的我們，应該找出解决这一問題的方法，正如我們在科学和医学技术的进展上找寻方法一样。

(陈維养　譯自 75Years of Modical Progress, London, 1954.)

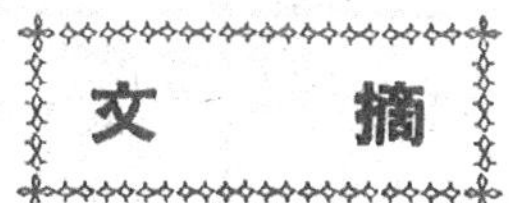

苏联医师的培养与分配情况

Г. Ф. Константинов

苏联医师在数量上的增長問題已在第五个五年計划末就解决了(見表1及表2)，但是医师的分配上还存在問題，还没有完全做到使技术熟練的医疗服务更接近于居民这一点，無論是各加盟共和国(或省)之間，抑或是各城市(或乡村)之間，都还存在着医师分配的不均衡現象。如：1955年格魯吉亞苏維埃社会主义共和国(Грузинская ССР)平均每350名居民就有一名医师，而在别洛露西亞苏維埃社会主义共和国(Белорусская ССР)和和塔什克苏維埃社会主义共和国(Таджикская ССР)平均每1000居民才有一名医师。又如：Гармская省每3000居民才有一名医师而Астраханская省和Магадаская省平均350—370居民就有一名医师。……因此有的地区特别是乡村地区感到医师缺乏。

表 1

国 家	高等医学院校数	1953—1954学年畢業的医师数	平均每一高等医学院校畢業的医师数
苏 联	52*1	13037	256
美 国	84	7200	86
日 本	46	4000	90
ФГР	18	3300	152
意大利	21	3200	180
法 国	24	2800	120
印 度	37	2500	70
英 国	27	2500	90
巴 西	21	1250	60
中 国	36	3000	83
墨西哥	16	600	38
加拿大	12	767	68
波 蘭	10	600	60

註：*1 苏联1953—1954年实际上有68个高等医学院校但由于改六年制的关系，該年有17个医学院沒有畢業生；除此之外，1946年招生数目削减也影响到本年的畢業人数。

表 2

年	高等医学院校数(包括口腔学院)	学生数(千)	該年畢業人数(千)
1928	16	26.0	6.2
1935	52	61.8	6.9
1940	63	110.7	16.8
1950	65	97.4	16.9*2
1955	68	135.2	13.5*3
1956	70	142.9	16.6

*2 由于从1945年起医学院改为六年制，口腔医学改为五年制的关系，在1950年有11个医学院沒有畢業生。

*3 这一年的畢業人数減少了，因为1946年医学院招生人数削減。

为了消除这些缺点，作者認为必須重視高等医学院校的地区分佈問題並在各地医学院中要更多的培养当地民族学生，並認为由当地民族干部来培养成为医师也很重要，它可以根本解决当地居民对医生的需要問題。因为一些地区特别是乡村地区之所以缺乏医师的另一原因是由于由外地派来的年青的医师們巩固不住。

对居民医疗救助質量的提高取决于兩方面的因素，一方面取决于广泛發展医疗預防机構的專科化形式，另一方面取决于医师技术水平的培养和不断提高。

目前在苏联，作为医师进修和專科化培养的机構網每年都在增加着和巩固着，並广泛进行着医师的进修和專科化培养工作。(見表3)

表 3

年	通过下列机構进行專科化訓練和進修培养出来的医师数		
	医师进修学院	地方医疗机構基地(省医院及其他医疗預防机構)	医学院
1950	14578	4944	1479
1951	14730	5244	1319
1952	14920	5206	1825
1953	14867	5443	1814
1954	15172	4129	1985
1955	16291	5204	1867
共 計	90558	30170	10289

【Г. Ф. Константинов 論文之附录】

各国高等医学院校及医师数目統計表(1953—1954年)

(根据1955年第13号世界衛生組織公报所公佈的世界性保健組織資料)

非　洲

国　　家	人口数	医学院数	每一医学院相当之人口数	現有医師数	每名医师相当之人口数	每年畢業的医师数	每年畢業的医师数与現有医师数之百分比
南非联邦 Южно-Африканскии союз	13393000	4	3348000	7760	1726	320[1]	4.1
馬达加斯加 Мадагаскар комота	4872000	1	4872000	622	7833	20[1]	3.2
烏干达 Уганда	5343000	1	5343000	222	24068	20[1]	9.0
埃及 Египет	21935000	3	7312000	6051	3625	300[1]	5.0
苏丹 Судан	8820000	1	8820000	174	50690	20[1]	11.5
阿尔及利亞 Алжир	9367000	1	9637000	1766	5304	120[1]	6.8
比屬剛果 Бельгийское конго	12154000	1	12154000	537	22633	5[1]	0.9
法屬西非洲 Французская Западная Африке	17435000	1	17435000	612	28489	20[1]	3.3
尼日利亞 Нигерия	30000000	1	30000000	509	58939	30[1]	5.9
英管区(除上述独立者外) Английские Владения	21579000	—	—	1605	13445	—	—
託管及代管区	1891000	—	—	700	27014	—	—
哀掲欧皮亞 Эфиопия	1500000	—	—	91	164835	—	—
葡萄牙屬地区	10959000	—	—	328	33412	—	—
法屬摩洛哥 Французское Марокко	8220000	—	—	1030	7981	—	—
法屬赤道非洲 Французская Экваториальная Африка	4492000	—	—	179	25095	—	—
突尼斯 Тунис	363000	—	—	526	6901	—	—
利比利亞 Либерия	1510000	—	—	42	35952	—	—
利比亞 Ливия	1500000	—	—	85[2]	17647	—	—
西班牙屬地区	1463000	—	—	227	6445	—	—
厄立特里亞 Эритрия	1020000	—	—	100[1]	10200	—	—
丹吉尔 Танжер	184000	—	—	80[1]	2550	—	—
法屬索馬里蘭 Французское сомали	65000	—	—	7	9286	—	—
	211851000	14	15132000	23253	9111	855	3.7

註：1. 推算出来的。 2. 非官方資料。

北　美　洲

国　　家	人口数	医学院数	每一医学院相当之人口数	現有医師数	每名医师相当之人口数	每年畢業的医师数	每年畢業的医师数与現有医师数之百分比
巴拿馬 Панима	863000	1	863000	238	3626	20	8.4
尼加拉瓜 Никарагуа	1202000	1	1202000	520	3312	18	3.5
加拿大 Канада	15236000	12	1270000	15400	989	767	5.0
牙买加 Ямайка	1486000	1	1486000	322	4615	30[1]	9.3

国家	人口数	医学院数	每一医学院相当之人口数	現有医师数	每名医师相当之人口数	每年畢業的医师数	每年畢業的医师数与現有医师数之百分比
洪都拉斯 Гондурас	1564000	1	1564000	232	6741	10	4.3
墨西哥 Мексика	28850000	16	1803000	11522	2504	600[1]	5.2
美国 США	162701000	84	1934000	209481	777	7200[1]	3.4
薩尔瓦多 Сальвадор	2122000	1	2122000	332	6392	11	3.3
波多黎各 Порто-Рико	2229000	1	2229000	1012	2203	45	4.4
多米尼加共和国 Доминиканская республика	2347000	1	2347000	764	3072	66	8.6
危地馬拉 Гватемала	3049000	1	3049000	497	6135	25	5.0
海地 Гаити	3227000	1	3227000	300	10756	38	12.7
古巴 Куба	5807000	1	5807000	5600	1037	100[1]	1.8
英管区（除上述独立者外）	1526000	—	—	409	3731	—	—
哥斯达黎加 Коста-рика	915000	—	—	319	2868	—	—
法管区	545000	—	—	134	4067	—	—
荷管区	178000	—	—	120	1483	—	—
格陵蘭 Гренландия	25000	—	—	18	1389	—	—
	233872000	122	1917000	247220	946	8930	3.6

註：1. 推算出来的。

南 美 洲

国家	人口数	医学院数	每一医学院相当之人口数	現有医师数	每名医师相当之人口数	每年畢業的医师数	每年畢業的医师数与現有医师数之百分比
苏利南 Суринам	234000	1	234000	99	2364	10[1]	10.1
玻利維亞 Боливия	3107000	3	1036000	772	4025	48	6.2
厄瓜多尔 Эквадор	3924000	3	1308000	900	4860	100[1]	11.1
巴拉圭 Парагвай	1530000	1	1530000	507	3018	35	6.9
哥倫比亞 Колумбия	12108000	7	1730000	4212	2875	600[1]	14.2
委内瑞拉 Венесуэла	5605000	3	1868000	2939	1907	230	7.8
智利 Чили	6072000	3	2024000	3450	1760	230[1]	6.7
烏拉圭 Уругвай	2525000	1	2525000	2231	1132	80	3.7
阿根廷 Аргентина	18742000	7	2677000	13600	1378	1000[1]	7.4
巴西 Бразилия	57098000	21	2719000	17364	3288	1250[1]	7.2
祕魯 Перу	9295000	1	9295000	1964	4733	150	7.6
英管区	462000	—	—	148	3122	—	—
法屬圭亞那 Французская Гвиана	29000	—	—	16	1812	—	—
	120731000	51	2367000	48202	2505	3733	7.7

註；1. 推算出来的。

亞　　洲（西部）

国　　家	人口数	医学院数	每一医学院相当之人口数	現有医师数	每名医师相当之人口数	每年畢業的医师数	每年畢業的医师数与現有医师数之百分比
黎巴嫩 Ливан	1353000	2	677000	1049	1290	68	6.5
以色列 Израиль	1688000	1	1688000	3919	431	55	1.4
叙利亞 Сирия	3535000	1	3535000	670	5276	56	8.4
伊朗 Иран	20253000	5	4051000	2302	8798	320[1]	13.9
伊拉克 Ирак	4871000	1	4871000	752	6477	47	6.3
土耳其 Турция	22949000	2	11475000	7179	3197	300[1]	4.2
阿富汗 Афганистан	14000000	1	14000000	200[1]	70000	13	6.5
阿拉伯国家（也門除外） Арабские страны (исключая йемен)	10000000	—	—	250[1]	40000	—	—
巴勒斯坦和加薩 Палестина и Газа	1685000	—	—	50[1]	33700	—	—
約旦 Иордания	1360000	—	—	216	6296	—	—
亞丁 Аден	800000	—	—	43	18035	—	—
塞浦路斯 Кипр	506000	—	—	310	1632	—	—
巴林島 Бахрейнские острова	112000	—	—	30[1]	3733	—	—
	83112000	13	6393000	16970	4898	859	5.1

註：1. 推算出來的。

亞　　洲（东部）

葡萄牙管区	1308000	1	1308000	106	12340	20[1]	18.9
日本 Япония	89162000	46	1938000	84517	1055	4000[1]	4.7
香港 Гонконг	2250000	1	2250000	653	3446	50	7.7
柬埔寨 Камваджа	3860000	1	3860000	43	89767	7	16.3
朝鮮 Корея	30000000	6	5000000	3600	8833	300[1]	8.3
菲律宾 Филиппины	21440000	4	5360000	11693	1833	830	7.1
馬來亞（和新嘉坡） Малайя и Сингапур	7057000	1	7057000	1017	6939	50	4.9
錫蘭 Цейлон	8155000	1	8155000	1542	5288	56	3.6
巴基斯坦 Пакистан	79000000	9	8777000	2190	36073	300	13.7
泰国 Тайланд	19925000	2	9962000	2943	6770	156	5.3
印度 Индия	372323000	37	10054000	64122	5806	2500[1]	3.9
越南 Вьетнам	25880000	2	12940000	418	61914	100[1]	23.9
中国 Китай	601938000	36	16720000	25000[1]	22000	2000[1]	12.0

国家	人口数	医学院数	每一医学院相当之人口数	現有医师数	每名医师相当之人口数	每年畢業的医师数	每年畢業的医师数与現有医师数之百分比
緬甸 Бирма	19242000	1	19242000	2242	8582	63	2.8
印度尼西亚 Индонезия	78163000	4	19541000	1146	68205	150[1]	13.1
尼泊尔 Непал	7300000	—	—	50[1]	146000	—	—
老撾 Лаос	1260000	—	—	41[1]	30732	—	—
英管区	1088000	—	—	90	12089	—	—
蒙古人民共和国 Монгольская народная Республика	910000	—	—	50[1]	18200	—	—
Голландская новая Гвпапа	700000	—	—	34	20588	—	—
	1370961000	152	9020000	201502	6804	11582	5.7

註：1．推算出来的。

欧洲

国家	人口数	医学院数	每一医学院相当之人口数	現有医师数	每名医师相当之人口数	每年畢業的医师数	每年畢業的医师数与現有医师数之百分比
冰島 Исландия	150000	1	150000	181	829	20	11.0
馬耳他 Мальта	320000	1	320000	286	1119	37	12.9
爱尔蘭 Ирландия	2933000	5	587000	2921	1004	288	9.9
薩尔蘭 Саар	976000	1	976000	711	1373	30	4.2
瑞士 Швейцария	4939000	5	990000	4942	999	374	7.6
挪威 Норвегия	3359000	2	1680000	3506	958	100	2.9
法国 Франция	42883000	24	1787000	37432	1146	2800	7.5
瑞典 Швеция	7212000	4	1803000	5230	1379	285	5.4
英国 Англия	51043000	27	1890000	44570	1145	2400	5.4
芬蘭 Финляндия	4192000	2	2096000	2129	1969	150	7.0
荷蘭 Голландия	10609000	5	2122000	9000	1179	600[1]	6.7
丹麦 Дания	4402000	2	2201000	4520	974	300	6.6
比利时和盧森堡 Бельгия и Люксембург	9082000	4	2270000	8971	1012	428	4.8
意大利 Италия	48447000	21	2307000	57610	841	3200[1]	5.6
奥地利 Австрия	6954000	3	2316000	10771	646	549	5.1
匈牙利 Венгрия	9600000	4	2400000	11400	842	160	1.4
波蘭 Польша	26500000	10	2650000	14183	1868	600[1]	4.2
Фрг	5174900	18	2875000	68135	760	3300	4.8
苏联 СССР	194000000	68	2853000	290000	675	14500	5.0
南斯拉夫 Югославия	17288000	5	3458000	5128	3365	1076	20.9

国家	人口数	医学院数	每一医学院相当之人口数	现有医师数	每名医师相当之人口数	每年畢業的医师数	每年畢業的医师数与現有医师数之百分比
捷克斯拉伐克 Чехословакия	14429000	4	3607000	9917	1455	400[1]	4.0
保加利亞 Болгария	7450000	2	3725000	1800	4139	80[1]	4.4
希臘 Греция	7819000	2	3910000	7300	1071	200[1]	2.7
阿尔巴尼亞 Албания	1250000	—	—	100[1]	12500	—	—
特里斯特 Триест	297000	—	—	200[1]	1485	—	—
	614831000	244	2594000	643144	956	21177	4.2

註：1．推算出来的。

大　洋　洲

国家	人口数	医学院数	每一医学院相当之人口数	现有医师数	每名医师相当之人口数	每年畢業的医师数	每年畢業的医师数与現有医师数之百分比
維的島和其他英屬地 Фиджи и Другие Английские Территории	505000	1	505000	181	2790	28	15.5
新西蘭 Новая Зеландия	2115000	1	2115000	2655	797	100	3.8
澳大利亞 Австралия	8829000	4	2207000	8500	1039	625	7.4
新儿内亞 Новая Гвинея	1556000	—	—	62	25097	—	—
夏威夷 Гавайя	523000	—	—	539	970	—	—
法屬大洋洲和新喀里多尼亞 Французская океания и новая Каледония	130000	—	—	54	2407	—	—
英管区	110000	—	—	45	2444	—	—
西薩摩亞 Западное Самоа	92000	—	—	34	2706	—	—
新赫布里底群島 Новые гебриды	50000	—	—	13	3846	—	—
	13910000	6	2318000	12083	1151	753	6.2

（吳長林譯摘自 Советское Здравоохрание (4)：19—26，1957）

苏联疾病分类与疾病辞彙

（第四次修訂）

Новая Советская Классификацая и Номенклатура Болезней (Четвертый пересмотр)

П. А. Кувшинников Советское Здравоохранание 1953. № I.

苏联疾病分类与疾病辞彙的第一次修訂在1924年。1929年的第二次修訂，在內容上有了显著的变动。1939年的第三次修訂則只作了一些改变。

苏联保健部学术委員会的專門委員会所拟訂的新的疾病分类与疾病辞彙，苏联保健部于1952年7月29日以664号命令公佈。于1953年1月1日开始施行。

新疾病名称与疾病辭彙較1939年的旧疾病分类与疾病辞彙增加了2类、119項，共28类、51組、338項。

产業与職業病單独分为一类。这类疾病除包括潛函病与电光性眼炎等直接与生产条件有关的疾病外，並把这个范疇延伸到凡疾病之發生与患者的生产条件有关时亦計入此类中。如炭疽、布魯氏桿菌病等傳染病本屬于傳染病类，但此病患者之患病与其工作条件有密切关系时，則亦計入产業与職業病类中。

在1939年的疾病分类与疾病辭彙中精神病与神經病合在一起，成为一类。新的疾病分类与疾病辭彙則分为兩个独立的类。

耳、鼻和咽喉的疾病，在發病原因上有很大的关联性，故从旧疾病分类与疾病辭彙中的听器疾病类、呼吸器疾病类与消化器疾病类中將耳、鼻与咽喉疾病分出，單独成立耳鼻咽喉疾病类。

口腔与牙齿疾病也从消化器疾病类中分出，單独成为一类。

除增加以上四类外，在类內的組和項也都有不同程度的增加。

从旧疾病分类与疾病辭彙中去掉了听器疾病类与老衰类。

在新疾病分类与疾病辭彙中有半数的类下都分了組，組下再分为項。也是此次修訂的特点之一。1939年的疾病分类与疾病辭彙只有四个类下分了組。組是类与項的过渡。組內疾病具有該組疾病的某些共同特征。在疾病統計研究中，便于反映居民疾病的規律性。

苏联疾病分类与疾病辭彙

1952 年，第四次修訂

第一类：傳染病	1—70*
第一組：腸系傳染病	1—6
第二組：血液傳染病	7—15
第三組：空气飞沫傳染病	16—28
第四組：动物病	29—37
第五組：創伤傳染病	38—42
第六組：結核病	43—53
第七組：性病	54—66
第八組：其他傳染病	67—70
第二类：寄生性疾病	71—95
第一組：霉菌病	71—79
第二組：蠕虫病	80—93
第三組：其他寄生性疾病	94—95
第三类：外伤	96—113
第一組：非产業性外伤（分娩外伤与有意的外伤除外）	96—104
第二組：产業性外伤	105—109
第三組：有意的外伤	110—113
第四类：中毒	114—117
第一組：非产業性中毒（有意的中毒除外）	114—116
第二組：产業与职業性中毒	117
第五类：产業与职業病	118—122
第六类：維生素缺乏病	123—128
第七类：風湿病	129—132
第八类：新陈代謝病与过敏性疾患	133—138
第一組：新陈代謝疾病	133—137
第二組：过敏性疾患	138
第九类：贅瘤	139—149
第一組：恶性贅瘤	139—147
第二組：良性贅瘤	148—149
第十类：内分泌系疾病	150—155
第十一类：造血系疾病	156—161
第十二类：精神性疾患	162—169
第一組：精神病	162—165
第二組：临界狀态	166—167
第三組：酒精中毒与[illegible]癖	168—169
第十三类：神經系疾病	170—194
第一組：腦血管疾患	170—173
第二組：遺傳的与家族的神經系疾病	174—178
第三組：中樞神經系之其他疾病	179—184
第四組：神經病	185—190
第五組：神經机能病	191—194
第十四类：視器疾病	195—200
第十五类：耳鼻咽喉疾病（傳染性与其他有明显病因之疾病除外）	201—221
第一組：耳病	201—209
第二組：鼻咽与咽的疾病	210—213
第三組：喉病	214—215
第四組：鼻腔与副鼻竇的疾病	216—221
第十六类：呼吸器疾病	222—230
第十七类：血循环器疾病	231—251
第一組：心包疾病（心外膜）	231—233
第二組：心內膜疾病	234—236
第三組：心肌疾病	237—238
第四組：心冠狀血循环障碍与其后遺症（高血压病除外）	239—241
第五組：高血压病	242—243
第六組：动脉、靜脉与淋巴管疾病	244—251
第十八类：口腔与牙齿的疾病	252—256
第十九类：消化器疾病	257—280
第一組：食管、胃与十二指腸疾病	257—261
第二組：腸的疾病	262—270
第三組：肝与胆管的疾病	271—276
第四組：其他消化器疾病	277—280
第二十类：骨、肌肉与关节疾病	281—283
第廿一类：皮膚病	284—292
第一組：膿性皮炎（新生兒膿性皮炎除外）	284—285
第二組：其他皮膚病	286—292
第廿二类：腎与尿器疾病	293—299
第廿三类：男性生殖器疾病（非性病性者）	300—302
第廿四类：女性生殖器疾病（非产褥性与非性病性者）	303—307
第廿五类：先天性發育缺陷	308—311
第廿六类：妊娠、分娩与产褥期的疾病	312—326
第一組：妊娠的疾病	312—314
第二組：分娩的疾病	315—320
第三組：产褥期的疾病	321—322
第四組：流产	323—326
第廿七类：新生兒疾病（一月內）	327—336
第一組：分娩外伤	327—328
第二組：傳染性疾病与膿毒性疾病	329—333
第三組：其他新生兒疾病	334—336
第廿八类：未列入疾病辭彙中的疾病与未确認之疾病	337—338

（李天霖摘）

* 类与組所包括之項數

苏联医学史的研究任务

Б. Д. Петров

自从苏联共产党中央委員会作出了关于思想斗爭問題的有名决議之后，近年来，人們对于医学史的关心和兴趣已經大大地提高了。从事于医学史研究工作的已經不是某些个别的人，而是广大的医务界和学术界。許多有价值的論文發表了；且把講述历史的保証列入了高等学校教科書的某些章节中；有些杂誌对于医学史的問題也相当地重視了。

但是，关于苏維埃时期的医学史著作，無論从数量上或者从質量上来說，都仍然是整个医学史中落后的一个部份。从来还没有出过一本講述整个苏維埃时期医学史的單行本，关于医学中各科的历史，也几乎没有出过單行本。这种落后狀况也同样表現在博士論文和付博士論文中，很少有講述苏联医学中某些科目的历史的。

只有医学各部門的專家才能改变上述的这种落后狀况，各科專家們应当編写自己本科目的历史。

要能够正確地闡明苏联医学史，只有在叙述苏联医学历史發展的时候，密切地把苏联保健事業的發展联关起来，才有可能作到。关于苏联保健事業的实踐和苏联医学科学之間的相互作用，应当給以特别全面和深入的研究。

这里特别着重指出論述苏維埃时期医学历史中存在的缺点。

許多著作在說明苏联医学历史問題时缺乏党性，作者們忘記了实現一个重要的要求——把闡明苏联医学史的工作看成一个与反动观点、反动学說作斗爭的武器。

脫离現实，停留于过去，不能把过去和現在的斗爭联系起来（这种斗爭把現代医学引向进步的新医学）——，这乃是受資产阶級历史学影响的結果。

在掌握馬克思列宁主义方法論的时候，在反对資产阶級历史学的影响的时候，必須指出馬克思列宁主义理論在苏联医学發展上的意义，必須指出共产党对于苏联医学的成功以及为粉碎反动学說而創立条件方面所起的作用。

尤其需要研究共产党在爭取巴甫洛夫生理学說和米丘林生物学說的胜利的斗爭历史。

要揭示和說明各种不同的思想观点在苏联医学中的一般規律，从它們的內在联系去揭露医学历史，去揭露这个作为苏联学者們为先进的政治立場和科学立場而斗爭的生动的創造性的斗爭过程。

在苏联保健工作中，首先完全实現預防方針的那些部門的發展历史，是特别富有趣味而值得重視的。例如，与瘧疾作斗爭的工作，或保护兒童健康的工作，都有力地說明了苏維埃制度为科学要求的实現創造了多么优良的条件。

对于苏联保健事業的組織者們的活动还研究得很不够。特别遺憾的是，关于在边区工作的那些苏联保健事業組織者的活动，没有好好地进行过研究。

关于某些苏联医学活动家的單行本还为数很少。不能認为这是一种正常的現象。

在描述苏联医学活动家的时候，不用說，採用說明問題的傳記資料和傳記式的方式仍是合理的、是可以允許的。但是，許多著作在着重注意到学者的个人功績的同时，没有表明苏維埃社会制度的作用，没有說明这个学者所工作那个單位的集体的作用。没有体現出苏联学者——他們永远覚得自己是和集体緊密联系在一起，得到整个集体的支持，他把自己的个人功績看成是整个事業的一部分——所处的地位，和資本主义国家那种"个体学者"（Ученый-одиночки）所处的地位，有什么原則性的区别。

具有巨大成果的、把理論与实踐統一起来的工作，特别是临床医生活动中的这种卓有成效的理論与实踐統一的工作，也没有得到应有的研究。

在医学史的著作中經常犯这样的錯誤，它們把苏联医学活动家看成好像是在数量上始終是一成不变似的。而事实上，我們知道，随着我們国家的發展，学者的数量也增加了，随着学者們逐步地掌握了馬克思主义，他們的观点已經改变了，立場已經坚定了。所以說，苏联医学家們的活动还没有得到全面的研究。

关于苏維埃时期医学的預防方針的建立，还没有很好地进行研究。任务就在于說明医学所有各个部門都無一例外地建立了並且巩固了預防方針。首先是以广泛發展預防工作为基础的小兒科和产科所达到的成就，应該最先加以研究。

关于人民羣众在与疾病作斗爭、特别是与傳染病作斗爭中所起的作用的研究，关于为提高衛生知識水平、为爭取健康的日常生活以及为降低兒童死亡率、保护兒童健康所作的斗爭的研究，情况是完全不能令人滿意的。

其实，要全面地、眞正科学地把苏联医学和苏維埃保健工作的預防方針写出来，只有对于保健事業中个别的活动家、学者、工作者的作用以及对于人民羣众的作用，都給以应有的重視时，才可能做得到。

近年来已經积累了許多資料，需要用医学史的观点加以深入的研究。斯大林奬金获得者的發明和創作，就是这种重要的研究对象之一。大学生、研究生、年青的科学工作者，都可以从科学創造的历史中得到重大的啓示。

学位論文当然也是医学史資料的一个丰富来源。苏联医学史中許多为人們所不注意的东西——学派的历史，某些个别發明的历史——在学位論文中都可能看到。特别重要的是：要研究那些在一个統一的領导下进行的、由同一个科学机关創作出来的論文。

苏联医学家們的集体創作，特别是医学会和医学代表大会的集体創作，在苏联医学史上的作用正在一年一年地提高。苏联医学科学上的許多問題常常就是在这些代表大会上展开討論的。这方面的研究作得很不够。研究工作者的任务就在于回复历史的眞实面目，把这些学会的貢献、它們的作用以及参加社会主义建設的事实加以整理，把它們在其全部历史过程中曾經犯过的錯誤和走过的彎路、曾經表現过的动搖，都揭露出来而不加以掩飾。

許多医学科学研究院、所的历史都非常有力地反映了苏联医学的历史。在医学大多數部門中都有那种被称为头等的、主要的研究所，通常叫做中央研究所，它們都曾成功地解决过某些医学部門發展中的关鍵性問題。

科学研究机構对于保健机構的实踐进行指导的工作，基本上还是一个新的工作。

許多医学院校都有过很好的創作，有的編制了在学校答辯的学位論文目录。它促使学位論文融合到科学的融爐中来。

所有这些方面的研究都还作得不够，都有必要加以注意。

最后，苏联医学对各国医学發展的巨大影响，迫切要求我們去研究苏联医学与外国医学之間相互关系的历史、苏联学者参加外国医学会議和国际医学会議的历史、以及世界科学的联系和苏联医学对于外国医学的影响的历史。

这些就是苏联医学史的首要任务。这些任务是十分复杂的，但却是重要的，而且是十分必要的。正在增長着的对于医学史的重視和已經积累起来的經驗，使我們可以相信这些任务將会胜利地完成。

許醇文摘譯自"苏联保健事業"（Советское здравоохранение），1955年第一期47頁

莫斯科葯房史（1917以前）

М. Г. Королёва

莫斯科葯房的發展是与国內各个历史时期社会經济关系緊密相連的，首先与莫斯科居民对葯物救助的需求有关。15—16世紀，普遍分佈于莫斯科公国的杂貨舖和蔬菜店出卖葯物，是为俄国历史上葯房的前驅。杂貨舖或蔬菜店無管制地出售剧葯，並且減少了沙皇国庫从葯房获得的收入。因此，1672年2月28日沙皇下令，禁止杂貨舖或蔬菜店出售葯物，並于同年3月20日批准第一国家葯房自由出售葯物給莫斯科居民。

17—18世紀，俄国的工業發展起来，要求各方面的科学知識，因此18世紀俄国的科学和文化获得一定的成就。18世紀俄国偉大的学者M.B.罗蒙洛索夫特别注意对人民的医疗和葯物救助，他指出必須扩大国內葯房網。他写道："我們这兒葯房太少了，不仅每一个城市沒有、即使有名的大城市直到現在也还沒有設立应有的福利照应。"

18世紀初，彼得一世实行葯房改革，此項改革促进了葯房網的扩大，和改善了对莫斯科居民的葯物供应。主要措施是1701年11月彼得一世頒佈了一系列条例，再次禁止杂貨舖和蔬菜店出卖葯物。并在莫斯科开設八家私人葯房。18世紀中叶又頒佈了一些法令，关于禁止小舖和商店出售砒霜、对葯房进行审查、頒佈葯房章程、正确採集葯用植物等。所有这些条例的基本目的是加强葯房的專利权，和促进国庫的收入。

18世紀莫斯科的葯房在俄国葯学和化学的發展方面，和培养俄国葯学干部方面，均起了很大的作用。这段时期，葯房不仅是商店，而且是研究机構，除制备和分析葯物和化学制剂外，还教授葯房的技艺和栽培葯用植物。

19世紀初莫斯科进入資本主义發展阶段。俄罗斯革命民主派，热烈地提倡国民教育和發展祖国科学，沙皇政府虽然很少关心，但此一时期在化学、物理、植物、生物学及与这些密切有关的葯学方面，仍得到一定的成就。

莫斯科大学是医葯科学的中心，医学系的教授为葯物学、生葯学、植物学等編制了教学大綱並領导了这些課程。很多葯师是莫斯科大学化学实驗室的实驗員。

当时药房科学工作条件較好，莫斯科大學的个别教授，还在药房实驗室內进行研究。

彼得一世規定的开設药房的專利权在初期起了进步的作用，它促进了俄国药房事業的建立。但后来却成为药房發展的障碍。莫斯科药房进入資本主义發展阶段后，药房企業主之間的竞争加剧了，为了避免过賸的竞爭，远在19世紀20年代，莫斯科就开始禁止开設新药房。虽然当时莫斯科药房網远不能滿足居民医药的需求。

1861年农奴制度廢除后，工業开始迅速的發展，莫斯科成为工業中心，城郊稠密地居住着工人，但药房却分佈在城中心有錢人居住的地方。药房主全然不顧日益增多的居民需要，利用一切可能的手段，以阻撓在莫斯科开設新药房。此时，在报刊上进步的社会輿論，主張廢除药房的特权。由于社会影响的結果，1864年頒佈了开設药房的新規章，在首都和省会規定了居民人数，处方数量和貨幣流通的标准。

19世紀末到20世紀初，資本主义进入其自身發展的最后阶段——帝国主义时期。壟斷药房，药房企業竞爭（建立会社和股份公司），和資本集中于少數药房主之手，——为此一时期的特点。以 Феррейн 一家为例，1832年在莫斯科仅为一家药房，1902年却建立了"В. К. Феррейн"会社，它联合一些药事企業：各种实驗室、药房、倉庫，化学制剂工厂，和世界上最大的药房之一——Старо-Никольскую。这个企業拥有千余人的編制，給企業主帶来巨大的收入。

随着工厂生产的药物制品的普及，药房生产的作用逐漸縮小了，因为工厂制品比药房制品价廉而質量高，結果药房成为买卖工厂制品的地方，而以商業作用为主，此时期內，处方也大为簡單化。

19世紀末，药房主急剧地加强了对药房职工的剝削。他們的工作日每日延長到14—15小时。劳动报酬却極低。起初，药房职工採取劝說药房主的办法，但后来認为此法無效，开始阶級斗爭，但仅經济和政治罢工。这样，有时能获得一些劳动和生活条件的改善。但根本的改善在偉大的十月社会主义革命后才成为可能。

（成桂仁編譯自莫斯科药学院
Королева М. Г.候补博士論文摘要）

关于研究现代生活条件的第一屆世界医学会議

A. Stewart 英国　高正权譯

載于生活条件与健康中文版頁 50—51.

作者指出，在社会医学的历史上这次的会議是一个有意义的标誌。

其次概括的介紹了本次会議的內容，首先引用开幕詞說明这会的組織是，因为很多国家的大部分医生覺得，应該有更多的机会給医生知道世界各国在如何处理衛生問題。希望借此可以傳播有关社会医学范疇內的新工作，和發表医学在现代社会中的任务的意見。

报告的第一部分的題目是："生活条件与人民健康"，包括很多論文，其內容是关于落后国家內疾病类型与食物供給和医疗組織的关系。

报告的第二部分主要的是有关"战爭对于肉体与精神健康的影响問題"的論文。

会議的最后一天討論了"医师們对于保衛人民健康应負的責任"。会上又提出了建設性的建議，要正当地分配医务人員的力量；要有全国性的討論社会医学的組織。並建議这些机構嗣后应联合成为一个国际組織，負有創办社会医学刊物和組織將来的世界会議的双重任务。这一建議很热烈地被接受了，並作为大会最后議决案的一部分。

代表們作成了下列議决案："由于职業的高度要求，医师們的肩上有了新的任务。应当無保留地去保衛生命和健康，不应当用任何借口，推卸这一責任。他們不能在工作中把个人治疗和社会保健的方法分开。医师們在执行职务时，永远不应在任何借口下离开保护生命的正当目标。因此，很显然地，維持世界人类的健康，需要自由地並經常地交換意見、科学人員与治疗方法"。

（少祺摘）

来函照登

編輯同志：

医学史与保健組織杂誌1957年第2号，載有范日新先生的著作"衛生学史分期問題的商榷"，其中引証了我对医史分期的論点和分期法。但范先生在参考文献的引註中，我感到有欠清楚之处，因为他引証我和陈海峯、麗京周三人發言的註号都編为(8)，而我們三人被引証的內容却都是不相同的，如沒有看过原文的同志很容易發生誤会，或者被認为我們三人是联合發言；或者被認为虽是个人發言，但內容相同。特别是該文內引有"毛主席指示中国历史学会，对中国历史分期，应在最近期間作出决定。"等語。这句話我既沒有說过，在我文內也沒有，所以不敢掠美。同时，我也沒有听到过或看到过毛主席这样的指示。按照常情和范先生的文序排列，引註上述这句話的發言同志的編号是(8)，則引註我的發言編号应該是(9)，这样，虽是在同一期杂誌上發表的，而各人不同的內容就可以区分开来了。同时，我的發言，早已發表在中华医史杂誌1955年第4期上，而陈海峯、麗京周等同志的發言在該期杂誌上也沒有上述这句話的內容。范先生所引証的上述这句話，可能是根据該發言人座談会的紀录初稿，因此引証的来源应該是不同的，范先生在註解中也是可以給予区分的。

其次，在范先生文內的"表一"中，有"西晋到隋唐"字样，我写的是"兩晋到隋唐"，此系排印之誤，而且是在医史杂誌1955年第4期上就排誤了。

以上意見，为了避免誤会起見，特此說明，請予刊出。

此致

敬礼！

唐志烱

七月八日

医学史与保健組织

(季刊)

1957年 第3号

(第1卷 第3期)

每季第三月二十二日出版

·編輯者·
中华医学会总会
医学史与保健組織編輯委員会
北京东單三条四号
总編輯 錢信忠
副总編輯 李光蔭 李濤 龙伯堅 王吉民

·出版者·
人民衛生出版社
北京崇文区緞子胡同36号
·發行者·
郵电部北京郵局
·印刷者·
北京市印刷二厂

本期印数：1,901册
每册定价：0.65元

上期实际出版日期：1957年6月19日
郵局發出日期：1957年6月20日

本刊代号：2—168

1957年 第 4 号

（第1卷 第4期） （12月22日出版）

医学史与保健組織編輯委員会主編 人民衛生出版社出版

·白 页·

庆祝十月社会主义革命四十周年纪念

·白页·

坚定不移地学习苏联先进医学

中华人民共和国衛生部副部長
中华医学会会長 傅連暲

偉大的苏联十月社会主义革命，已經四十週年了。四十年来，苏联人民在苏联共产党的正确領导下，在馬列主义的光辉照耀下，各項建設都获得了極其偉大的輝煌的成就。最近苏联發射了第一个人造衛星，再一次向全世界証明了苏联科学技术的先进性和社会主义制度的無比优越性。全世界的工人阶級和被压迫人民，都为苏联的成就而欢呼，都把十月革命节当作自己的节日。苏联革命的胜利，有力地推动了中国革命的胜利，苏联給予我們的各項慷慨援助，大大加速了我国社会主义建設的进度。中苏兩国人民的友誼是永恒的、牢不可破的。

我們医务工作者对苏联給予的各种無私的援助是永志不忘的。早在抗日战爭时期，苏联就曾派遣优秀的医学專家来帮助我們进行医疗工作和訓練干部，对提高我們的医疗效果和干部技术水平起了很大的作用。解放以后，苏联又給予了我們更多更大的援助。每当我們提出請求帮助的时候，苏联政府和人民都能及时地無私地供給我們需要的物質和技术，並派遣了許多优秀專家来帮助我們工作和講学。苏联政府还接受了我国大批留学生进行重点培养。我国衛生工作的成就是和苏联的兄弟般的援助和我們認眞的学习苏联分不开的。

我們是把苏联当作最可靠的良师益友来学习的。首先，在衛生防疫方面，我們根据苏联先进經驗建立了600多个專科防治所(站)、1500多个防疫站、队、組，对防治各种傳染病，起了重大作用。衛生监督工作也在苏联專家指导下开展了起来，使新的城市規划，工業企業的設置更加合乎衛生标准，利于人民健康。在医疗預防方面，我們学习了苏联先进的划区医疗制，开展了車間医生制及在医疗工作中貫徹預防思想等。在医学教育方面，我們參照苏联先进經驗，进行了教学改革，革新了我国医学学术思想，丰富了教学內容，改进了教学方法，提高了教学質量。在妇幼衛生、科学研究等方面，也都努力地向苏联学習。我国龐大的医务工作者对学習苏联医学的热情是很高的。解放以来，全国各地举办了許多苏联医学講座，或学習会，1953年全国还普遍学習了巴甫洛夫学說，各医学杂誌和出版社，都介紹和刊出了許多苏联医学文献。很多医务工作者，为了能直接学習苏联医学，都积極地学習俄文。总之苏联医学方面的各种組織制度、工作方法、学术理論、技术操作都是我們学習的內容。經过向苏联学習，我們在工作作風、思想方法的改进上都获得了不少的帮助，使我們的工作更加順利了。在学术思想方面，使我們更好地認識到，医学科学与社会發展及制度的关系，以及辯証唯物主义在医学上的指导作用。所有这些收获都是很重要的。

但是在学習苏联过程中，我們曾有过缺点，走过弯路。在某些問題上，我們沒有很好結合我国实际情况，有机械硬搬的現象；有时將片断的不成熟的学習經驗予以宣傳和推广；对于苏联先进医学理論的理解与运用，有时不够深入；並且有时过高地强調仿效苏联医务工作的物質条件，而忽視了苏联医务工作者儉朴踏实的作風。这些缺点，虽然曾分別在不同时期出现，然而大多已被及时糾正。学習的收获肯定是主要的。

当然，在学習苏联的問題上，並不是所有医务工作者思想都通了。有少数人对苏联医学的先进性还抱有怀疑态度。資产阶級右派分子更在这方面兴風作浪，歪曲誣蔑，妄圖貶低苏联医学的成就，阻撓我們学習苏联，挑撥离間中苏友誼，他們往往以个別技术問題作对比，認为苏联不如資本主义国家。这是一种以局部混淆全面的看法。如果以个别的技术問題来作对比，可以說世界各国都是各有所長各有所短的。因为各个工業發达的国家，都有一套医学工作和研究的机構，因此每个国家都有可能在浩繁广闊的医学領域中發現某一个别原理，和某一个别方法。我們認为分析一个国家的科学水平和科学进展，必須从全面与發展来看，根据这个道理，可以肯定地說苏联医学是先进的。苏联医学的先进性，首先表現在它是真正为人民謀福利的。苏联医务工作者为这一崇高目的所鼓舞，因而能以發揮高度的积極性和創造性，能以运用辯証唯物主义的科学世界观，去探索医学領域的奥秘，获取优異的成績。事实也証明苏联医学不仅在指导思想、組織制度等方面是先进的，即在很多学术、技术問題上也为英美所不及。如衛生保健学、神經系統的生理病理学、原子医学等。如再从發展速度来看，苏联在革命前也是一个比較落后的国家，建国40年来，曾長期受到帝国主义的包圍与封鎖，在第二次世界大战中又付出了最重大的人力物資的消耗，然而在这样艰难的情况之下，苏联医学仍然能够突飞猛进，和工業發达較早，在第二次世界大战中不仅沒有直接遭到战禍反而發了战爭横財的美国並駕齐驅，甚至有些事業超过美国，更不能不承認苏联医学的先进性与优越性。至于有的人把我們学習中的某些缺点（如生搬硬套）归之于苏联医学本身的缺点，用以否定学習苏联，那更是錯誤的。

繼續認真地学習苏联仍是我們坚定不移的方向。

除了学習苏联先进的組織制度、工作方法、学术理論等而外，我們特别要学習苏联医务工作者全心全意为人民服务的精神。为人民服务，是我們社会主义国家一切工作的出發点。苏联医务工作者因为具有了这种精神，因而能以人民的痛苦为痛苦，以人民的欢乐为欢乐，忘我牺牲、克服困难、細心謹慎、精益求精，不断的推动医学前进，出色地完成各种預防、医疗、教学、研究工作。

我們还必須学習苏联医务工作者的国际主义的精神，苏联給予我們各种慷慨無私的援助，苏联專家在我国工作期間所表現的那种以我們的事業作为自己事業的态度都是国际主义精神的崇高表現。我們要虛心的向苏联学習，巩固中苏友誼，加强社会主义各国以及全世界人民的团結。

我們还要学習苏联勤儉办事業的精神。苏联現在的偉大成就都是苏联人民在長期艰苦斗爭中取得的，虽然苏联的物質条件已大大改善，但仍然保持着勤儉的作風。工作重实际不重形式，設备能利用的尽量利用。对于尙在建設初期，各方面还有很多困难的我們，学習这种勤儉朴素、艰苦奋斗的精神是更为必要的。

为了能够更好的学習苏联，我們必須坚决粉碎右派分子的各种誣蔑和进攻，站稳工人阶級的立場，掌握辯証唯物主义的武器，徹底进行思想改造。

坚定不移地学習苏联，努力發揚祖国医学遺产，批判地吸收世界各国先进的医学成就，在党的領导下，我国的医学一定能够获得迅速的發展。

（轉載1957年10月19日人民日报）

苏联对保护人类健康作出卓越的貢献

中华人民共和国衛生部副部長
中国人民解放軍总后勤部衛生部副部長 軍医少將 錢信忠

偉大的十月社会主义革命的胜利，在苏联不仅消灭了人剝削人的制度，扫除了科学發展的障碍，並使保护人类健康的医学空前地扩大了活动范圍，使医学真正能够为人民服务。

苏联保健事業在苏联共产党的領导下，四十年来为保护人类健康积累了丰富的經驗，創造了社会主义的保健系統。这个保健系統，受过国內战爭、社会主义和平建設和偉大衛国战爭的考驗，表現了無比的优越性，並为保証人类健康作出了卓越的貢献。

苏联共产党与苏維埃政府为人类保健事業的發展創立了各种非常有利的条件。沒有一个社会制度能像社会主义制度这样的关心人民的健康，进行了普及而免費的預防与治疗，和延長人的寿命，关心每个苏联公民的健康和幸福已成为苏維埃医学科学的基本任务和苏联保健制度的根本目的。而保护人民健康是苏联国家主要任务之一。

苏維埃政权並將保护人民健康的責任規定在国家的宪法中。这种国家对保护人民健康的責任在資本主义的宪法中是从来沒有的。保健事業在阶級社会有鮮明的阶級性，它是同社会經济基础相适应的。因此，保健事業是否具有国家化的性質，不能單憑漂亮的詞彙所謂"公医制"或者从进步学者的善良願望出發，而是决定于社会制度。国家政权屬于那个阶級，这是保健事業能否为人民服务，能否發展的决定因素。

社会主义保健事業發展的另一个因素是党的領导作用，群众路綫。它使苏联的医学科学像其他科学一样以辯証唯物主义为思想基础。苏联医学界为了建立馬克思列宁主义的思想基础，在党的領导下进行了長期的艰苦的思想改造。革命胜利初期，同反对苏維埃制度的反动医生們进行了不調和的斗爭，肅清了彼洛果夫医学会某些怠工分子的消極抵抗情緒；确定了为劳动人民服务原則和預防为主的方向。

1919年第八次党代表大会通过的党綱中明确規定，以預防疾病的發生，为保健措施与活动的基础。苏联保健事業的預防方向建立在馬克思列宁主义关于劳动人民的生存条件决定于生产方式的学說，机体与外界环境相互联系的理論基础上，以及承認社会条件对于人民健康，消灭疾病的决定意义。預防为主的原則在米丘林的生物学、巴甫洛夫的生理学說中找到了自然科学的根据，同时証明了党的决定的正确性。

巴甫洛夫用畢生的科学实踐，以高級神經活动基本規律、条件反射和大腦皮質兩个信号系統的学說，闡明了机体与外界环境的統一，改变外界条件（劳动与生活条件）对机体的作用。因此，改善外界环境与积極預防疾病是保护人民健康的最有效的途徑。在这个基础上，苏联創立了治疗与預防相結合的保健体系。

苏联医院、門診部、防治所統称为医疗預防机構。为着强調医疗与預防之間的統一，要求医务人員不單純作治疗工作，更重要是預防疾病的發生。

苏維埃政权建立以来，由于实行了全民的免費的、普及的医疗制度，全国医疗網的迅速增長，保証了人民能及时享受医疗照顧。1955年苏联每千人中已有6.5張病床，而第六个五年計划，到1960年医院床位数將增加到36万張以上，比1955年增加28%，每千居民中將有7.8張床位。由于医疗預防机構中实行了防治工作方法，普遍設立了防治机構，加强了微生物学、流行病学、傳染病学的研究，以及各方面貫徹預防为主綜合措施的結果，对消灭傳染病获得巨大的效果：1、在全国范圍內完全消灭了霍乱、天花、回归热、志賀氏痢疾，花柳性淋巴肉芽腫、軟性下疳等；2、消灭了鼠疫在人間的流行，目前已沒有人的鼠疫病，消灭了鼠疫的主要疫源地二个，其他的疫源地也基本上得到控制；3、接近扑灭和基本上控制的流行病有：瘧疾、斑疹伤寒、土拉倫斯病；4、發病率显著降低，提出在最短期內消灭和控制的傳染病有：伤寒、白喉、結核、布氏桿菌病；5、目前苏联对危害人民健康的病毒性傳染病，积極地展开預防与治疗的研究，如对流行性感冒、上呼吸道感染、麻疹、百日咳、傳染性肝炎、脊髓灰白質炎、細菌性痢疾等研究早期診断、免疫与特效疗法以及綜合性措施，以期降低發病率，保証生产力和人民的健康。

在預防为主方針的指导下，苏联不但对流行病的預防取得輝煌的成就，而且对病因未明的惡性腫瘤、心臟血管系統疾病也进行着預防与診断治疗方面的綜合研究。近年来为了与惡性癌腫作斗爭，在苏联建立了一百七十个癌腫防治所，其中一百六十所有近代化的診断和治疗的設备，如有巨大治疗效力的鈷炮等。为了發現早期症狀，对四十五岁以上的居民有系統的进行了羣众性的檢查。这項工作已取得了显著效果，例如1947年疏于治疗的癌腫病例为42%，而1954年已降低为24.3%。由于广泛应用新的疗法，特別是应用新的放射物質的治疗，治疗效果也得到提高，例如1949年登記的癌腫病治愈率为45.8%，而1954年治愈率已提高到67.5%。苏联医学界同癌腫斗爭所获得的成績，已經超过了最發达的資本主义国家，例如1956年惡性腫瘤的死亡率（十万居民），美国比苏联高一倍半，英国比苏联高將近二倍。但苏联学者並不滿足于此。苏联共产党第二十次代表大会强調指出，要求苏联的科学家寻找新的有效的方法和药物来治疗惡性腫瘤和心臟血管系統疾病。原子能的和平利用有力地帮助了医学家进行这方面的研究。

对心臟血管系統疾病的預防和治疗，在苏联已有初步的成就。苏联学者認为神經和血管官能的長期失調，对高血压的發生有密切关系，因此，苏联保健机構对高血压採取了各种有效的預防措施。如在工矿企業內建立了夜間防治院，职工可以不脫离生产在夜間防治院中休养；又如高血压患者可以得到及时的休假，对高血压患者制定合理的生活制度，对所有的高血压患者制定合理的生活制度，对所有的高血压病人进行登記，施行系統的防治观察，發現病情有惡化时，及时的治疗或住院。

苏联的医学工作者对預防心臟疾病的惡化並不認为是束手無策的，他們認为某些普通的疾病，如咽峽炎、扁桃体炎与心臟疾病有着密切的关系，因此，积極地採取了預防發生咽峽炎、扁桃体炎等的綜合措施，如改善外界条件，工作場所的清潔，避免灰塵飞揚，冬天的保暖，防止穿堂風，教育大家鍛鍊身体，都在羣众中、工厂企業中广泛地施行着。由于积極采取这些有效措施的結果，在苏联因心臟血管系統疾病的死亡率比資本主义国家低得多。例如，十万居民中由于心臟血管系統疾病而死亡者美国比苏联高二倍半。上述預防与合理的治疗心臟血管系統疾病这个重要問題上取得如此的成績絕对不是偶然的。苏联国家为了研究和治疗心臟血管系統疾病，近年来建設了許多專科医院，專科疗养院，积極發展心臟外科，以及新的葯品，新的診断与手术器械的發明，这些对心臟血管系統疾病的研究和發展，有着决定意义。

在劳动保护、职業外伤与职業病的預防方面同样有着不可比拟的成就。我們知道，职業危險性在資本主义国家至今还严重地威胁着工人的健康和生命，美国最近19年来在煤矿工人中發生的死亡、残廢与受伤的不幸事件达125万人。仅1951年全年的統計，因工伤死亡了1万6千工人，200万以上的工人遭受不幸而残廢。

苏維埃政府毫不吝惜地对劳动保护与技术安全每年支出巨大欵項，积極研究职業病，改善工厂企業的劳动条件，消灭工厂空气中的有毒气体，規定了70种以上有毒物質的最高允許标准。有許多标准比資本主义国家低很多倍，如氰化氫在美国最高允許标准为0.012毫克/升，而在苏联則为0.0003毫克/升，相差40倍；又如苯胺（阿尼林）美国的最高允許标准为0.03毫克/升，而苏联为0.005毫克/升，相差6倍；丙酮美国規定 1.29毫克/升，苏联为 0.2毫克/升，相差7倍。

由于苏联科学家研究了各种工業有毒物質的預防及配合其他措施，工業中毒已大大地減少，某些职業病已徹底消灭，例如中暑和因工業中毒引起的痙攣的現象已完全絕迹。

吸入煤炭的、矿物的、石英的粉塵所引起的呼吸气道的疾病（肺塵埃沉着病与矽肺），目前在資本主义国家內仍然是工人的严重灾难，而苏联科学家研究出很多有效的預防方法，使这类疾病的發病率大大地減低了。以矽肺为例，接触粉塵的工人中發病率逐年迅速下降，1950年比1948年降低了五分之四，而1956年比1950年又降低了五分之四。預防措施的效果更表現在重症矽肺逐年減少，1948年第三期矽肺占5.4%，而1952年減少到1%。

重工業与技术在苏联迅速的發展，生产过程进一步机械化，自动化，以及与劳动衛生学家的努力相結合，大大地改善了人的劳动，可以說社会主义創造了消灭职業病極有利的条件。

四十年来藥品、生物制品、医疗器械和研究仪器已有很多重要的創造發明，在很多方面已赶上或超过了資本主义国家，丰富了保健事業的物質基础。此外，培养了三十万名以上的医师，九十万以上的中級医务人員，充实了保健机構人力基础。苏联医师与人口的比例已占世界第一位。

因此，在苏联大大地降低了死亡率与延長平均寿命，1913年俄国居民总死亡率比美国、英国高2倍以上，接近法国的2倍，而目前苏联的死亡率比美、英、法各国都低。革命前俄国人的平均寿命为30——33岁，而目前苏联人的平均寿命已超过50岁，几乎延長了1倍。

上述保健事業方面的成就是苏联人民物質与文化水平不断增長的具体表現，鮮明而雄辯地証实了社会主义制度的优越性，共产党对人民健康無比的关怀，苏联对保护人类健康作出了偉大的貢献。同时更証明了我国保健事業必須学習苏联先进經驗，巩固与發展中苏兩国在保健事業方面的兄弟般的友好团結和合作，在中国共产党的領导下，走社会主义道路。

（轉載1957年10月25日健康报）

我国第一个五年計划期間的人民衛生事業

中华人民共和国衛生部付部長　崔义田

第一个五年計划时期，我国人民在中国共产党的領导下完成了社会主义改造，进行了規模巨大的社会主义經济建設，人民的物質、文化生活有了显著改善。人民的衛生保健事業相应的也有了發展，取得了很大成就。

一、衛生事業空前發展

党和政府在大規模的發展国民經济基础上，也相应地發展了人民的保健事業。国家以巨大的投資对衛生事業进行了基本建設。五年来全国的医学院校(包括高中級)、医院、疗养院、各种專業防治机構有很大發展。目前全国的医院和疗养院已有4,700所，病床和疗养床位已达328,000余張，預計第一个五年計划末將达361,100余張。床位数發展的速度是很快的，到1956年底已比1952年增長了近一倍，比解放前1947年最高床位数增長了近四倍。几年来象修建的許多工厂学校一样，我国也出現了許多有着現代設备的綜合性和專科性的医院。仅国家投資建立的衛生所、門診所、厂矿企業保健所(站)等衛生医疗組織目前已达23,300余个，比1952年增長了0.7倍，比解放前增長了52.5倍。以防治疾病和开展羣众性衛生为主要內容的衛生防疫站，在解放前我国是沒有的，現在全国已建立了1,260个，比1952年增長了7.6倍。为开展妇幼衛生保健設立的妇幼保健所(站)已达3,900余个，比1952年增長了1.9倍，比解放前增長了432倍多。各种專科疾病防治所(站)已达637所，比1952年增長了二倍多，比解放前增長了90倍。此外全国还發展了交通檢疫所24所，葯品檢驗所27所。

医学科学研究机構五年中也有很大發展。在解放前国民党反动統治时期，只有一个伪中央衛生实驗院，而現在以中国医学科学院和中国协和医学院为基础合併組成的医学科学院。此外还建立了中医研究院、寄生虫病研究所、流行病学研究所、皮膚性病研究所、結核病研究所、劳动衛生研究所、生物制品研究所、海南熱疾研究站等26个研究机構。五年中国家投資新建的研究房屋面积达10万平方公尺，圖書仪器設备投資增長了八倍多。其中研究人員增長一倍多。1957年所研究的科学題目就比1955年增加了四倍。

衛生人員的队伍也迅速的增加了，1950年全国有西医师、葯师42,000人，1956年即增至75,000多人。五年中全国中級、初級衛生人員共增加一倍半。另外我国还有中医約50万人。为了培养衛生干部，全国充实和新建了38所高等医学院校，176所中等医葯衛生学校。从解放到1957年全国高級医学校的畢業生已有33,000余人，为解放前国民党反动統治时期二十年畢業生的总和数的3.5倍多。中等医学校畢業生1956年为一万余人，为解放前最高年分的6.1倍。1956/1957年度全国高等医学院校在校学生数为46,000余人，比解放前最高年分的学生增長了三倍。中等医学校在校学生1956年为86,000余人，比解放前最高年增長了七倍多。

我們对于工業衛生、少数民族衛生以及發揚祖国医学遺产等衛生事業上都在积極进行和开展工作而且有相当大的收获。

我国的工業衛生是一項新的事業。解放前在帝国主义和資本家殘酷剝削下，工人的劳动衛生，安全衛生等根本不被重視，工伤疾病和死亡的情況非常严重，随着第一个五年經济建設發展，我国建立了許多工業企業，工業衛生也随之有了开展。目前全国十九个工業交通部門和总工会所屬的医院病床已达30,840張，疗养床位已达33,000余張，業余疗养床位13,000余張。此外地方政府衛生部門的医疗床位还担任工業部門的职工及家屬的相当一部分医疗任务。从1953年开始我們在一些重点工業省市和工業城市相繼建立了272个防疫站，每站都專設了工業衛生專管机構和人員，目前約有500

名工業衛生医师担任着厂矿衛生医疗工作。由于爱国衛生运动和各劳动衛生工作的普遍开展,旧社会遺留下来的某些厂矿的不衛生、不安全影响工人的健康的情况已經基本轉变,职工的劳保福利医疗保健有所提高。解放前工人中經常流行的斑疹伤寒和回归热病現在已經近于絕迹了。由于采用隔热、通風等有效的措施,一些高温車間温度普遍下降,中暑患者显著減少。如过去中暑最多的鋼鉄工業系統,1956年中暑人数較1953年下降了90%,紡織工業系統中暑問題基本上已經解决。在防止矽肺和职業中毒方面正在积極設法研究防治工作中有效办法。此外我們还在新建厂矿企業和新建工業城市中进行了預防性衛生监督,使工矿在建筑上、設备上尽量做到保护职工健康的要求,以便給工人創造好的劳动衛生安全条件,保障职工的健康安全。

衛生部門貫徹执行着党和政府的民族政策,积極努力开展了少数民族地区的衛生工作。目前在少数民族地区建設的医院已有508个,病床13,790張。疗养院六个,医疗保健所(站)1,584所,專科疾病防治所(站)93所,衛生防疫站151所,医疗巡廻防疫队61个,妇幼保健所(站)562所。医院病床的發展五年增長了146.9%,門診部、区衛生所增長了149.3%。妇幼保健所(站)增長了316.3%。

內蒙古自治区在解放前沒有一个具有現代設备的医疗机構,而現在已有綜合医院23个,專科医院三个,县医院79个,医疗保健所167个,防疫站10个,防疫队40个,專科防治所26个,妇幼保健所182个。解放前西藏也是沒有現代医疗机構的,現在全区已有22个医疗衛生机構,此外还在拉薩、日喀則、昌都建立了三个設备完善、技术水平較高的人民医院。其他如云南、貴州、广西等省的少数民族地区衛生工作同样有很大發展。

对少数民族的衛生工作是采取积極培养扶助支持的措施。在西藏和云南边疆是实行全民免費,其他地区也酌情減免,对于性病治疗是免費治疗。

我們对于培养少数民族的衛生干部工作也进行了許多努力。1956年在內蒙古和新疆兩自治区各新建了一所医学院,吉林延边自治州大学現有450余朝鮮族学生学習医学,并已有200余名畢業。現在全国医学校中的少数民族学生比1952年增長了二倍多。

少数民族地区的許多疾病已显著減少。天花几乎已近消灭。云南、貴州、广西等省少数民族中瘧疾發病率也已显著降低。內蒙呼、察、錫三盟牧区性病發病率已由47%降到18%。內蒙等区几年来由于妇幼衛生工作的广泛开展,嬰兒死亡率显著下降,人口逐年上升。

对承繼發揚祖国医学的工作在党的教育监督下,近兩三年来也作了許多努力。現在全国已成立了144个中医医院,450余个中医門診部。全国公立医疗机構吸收参加医院工作的中医已达29,000余人。参加联合診所、农業合作社保健站等机構工作的中医已达20万人。並且在許多医疗衛生机構內中医还担任了領导工作,据統計現全国已有12个省、市吸收中医担任了衛生厅、局的厅、局長职务,这对中西医的团結發揚祖国医学整理提高起了积極作用。同时还組織西医学習中医的脫产班与在职学習的安排。

为了培养和提高中医中葯人材,成立了中医研究院,並在北京、上海、广州、成都成立了四所中医学院。一些省市也成立了中医学校和中医进修学校,並且全国有許多西医正在学習研究祖国医学。有些中医还用傳統的"帶徒弟"方式培养了中医的新生力量。

二、我国衛生狀况迅速改善

解放前我国社会衛生狀况非常恶劣,这是帝国主义、封建主义和官僚資本主义長期統治和压迫中国人民所造成的恶果之一。就以城市而言,能說上清潔的地方也不过是少数有錢有势極少数人居住的高樓大厦,或几条大馬路。占絕大多数的劳动人民聚居区(旧社会叫做貧民窩或棚戶区)的衛生狀况是無人过問。那里的衛生狀况坏到極点,疾病和死亡随时都威胁着广大的劳动人民的健康与生命,这种情况是普遍的現象。如过去北京的"龙须溝"、武汉的"熊家台"、天津的"万德庄"、南京的"五老村"等。南京的"五老村"在日寇統治时期是个大臭水坑,全区四分之三的地区都积着臭水,虽然环境衛生这样坏，而且还把更多的劳动羣众挤到这里，人們就在臭水上打樁搭草棚居住。秋夏之間蚊蝇成羣結队的到处飞舞，釀成各种傳染病流行。所以当时羣众把"五老村"称做"苦腦村"。解放后由于党和政府对人民健康的关怀，特别是从1952年开展爱国衛生运动以来，到現在全国类似这样的地方都已改变原有面貌。如上面所說的那些在旧社会是又髒又臭、蚊蝇成团、疾病叢生的地方，有的变成地区人民公园，有的成了衛生模范村。

在旧中国的許多城市，几乎都有一些流毒最广、为害最大的臭水溝、河、污水坑、垃圾堆等等。如过去上海羣众称为"臭水濱"、"垃圾河"的横濱河，天津羣众喻为四大害的"金鐘河"、"墙子河"、"赤龙河"、"四方坑"等等，就是这种地方。这些所謂历史遺留下来的最不衛生的地方，在五年来的爱国衛生运动中絕大多数的地区环境衛生得到改善。如：1954年济南市疏濬了五条大污水溝，青島市填平或掏挖了130个大污水坑。1956年武汉市填平污水坑920个，疏通臭溝1,349条，明溝改暗溝421条。又如今天北京市的"陶然亭"和"龙潭"等处已成美丽公园，其实那里过去就是蘆葦叢生、蚊蝇成团，又髒又臭的大水坑。

羣众性爱国衛生运动做得規模最大最为普遍的是"清扫"和"除四害"兩項。長年来我們都利用春季、夏秋季等季节和"五一"、"国庆"、"春节"、"端午"等节日，号召与組織羣众进行打扫清潔和消灭蚊蝇的运动。据統計長期参加扫除的住戶，在城市約占90%，在农村約占60%。几年来有千千万万人参加了消灭四害的斗争，許多地区的蒼蝇、蚊子、老鼠、麻雀等显著地減少。这对广大劳动人民的环境衛生个人衛生的改善、对增强体質防治疾病起了良好的积極有效的作用。爱国运动經常开展和模范的城乡其主要原因是結合人民羣众的生活習慣，生产积肥，联系他們切身利益。

三、在防治危害人民健康最大的疾病方面，已取得很大成績

我們社会主义国家的衛生工作不但重視为人民治病，而更主張积極預防。因为这样可以制止疫病流行，广大人民的健康生命更有保障。五年来，我們在"預防为主"的衛生工作方針指导下，对于几种危害最大、流行最广的疾病作了規划防治工作，並已取得了不少的成就。

几种重要的烈性傳染病，基本上已做到了控制。霍乱病在中国已有近百年的流行历史，解放前曾經有多次大流行，整村、整街的死亡了千千万万人，提起"虎列拉"真是使人"談虎色变"。有些"学者"就認为霍乱在中国是無法控制，每隔三、四年就"必然"要一次大流行"这是流行病的規律性"。可是解放后八年来，由于我們采取了預防措施，此病从未發生。天花这种傳染病在解放前全国各省几乎每年都發生，几年来由于我們进行了普种"牛痘"的措施，現在全国除少数边疆地区个別發生外，此病已近絕迹。鼠疫病現在也达到基本控制，我国内蒙、吉林、福建、浙江、江西、湖南、广东等省的鼠疫，几年来已先后停止發生。此外其他一些傳染病的發病率五年来皆有显著下降。如斑疹伤寒發病率1956年比1951年下降了89%，回归热下降了91%。

血吸虫病是危害人民健康和农業生产最严重的疾病，流行于沿江兩岸等十二个省市的350市县，患者近千万人。过去流行的地区人口減少，生产下降，甚至有的地方田园荒蕪、村舍毁廢。血吸虫病在我国的流行已有60多年历史，在反动統治时代，只是听之任之的長期危害人民。解放之后我們当即开始注意了此病的防治，1955年党中央对血吸虫病的防治問題做了重要指示，1956年又在發布的农業發展綱要（草案）中作了对此病爭取在七年左右基本消灭的規划。目前已有309个市县全面的展开了防治工作，已建立了19个專門防治所，236个防治站，1,346个防治組。解放后至今年第一季度統計，全国已治疗了血吸虫病患者76万人。在消灭此病中間宿主"釘螺"的工作上也有很大發展，1956年灭螺面积七万万平方公尺，1957年春季灭螺面积十万万平方公尺。除积極治疗病人外，再加上糞便管理、个人防护等綜合措施，預防工作正在大規模的开展。現在許多疫区的党政負責同志都亲自領导和指揮爭取早日防止这种疾病对人民的危害，許多科学專家、高級医务人員和广大衛生人員一道积極的为消灭这一

疾病而斗争。

瘧疾在我国也有長期的流行历史、历代王朝和国民党也是听之任之从未进行过任何防治。现在我們在流行的省分所建立的專門防治所(站)已有49个，專門防治組72个。担任抗瘧工作的高級人員已达450名，1956年仅广东等几省就訓練了中級人員1,000余名，抗瘧的队伍逐渐扩大。国家每年生产的治瘧藥就有数十吨，再加上其他中藥抗瘧藥品，每年有大量病人得到治疗和預防。如1956年貴州省就治疗了445,000余人，預防性服藥近70万人。各省所采用的藥物噴洒消灭成蚊的措施也逐年扩大。过去号称瘴癘之区的云南芒市，1952年發病率尚为70%，现已降为6%。思茅的瘧疾历史上也是有名的，而现在也已全部控制。貴州、四川等省均已控制了此病的暴發流行。1956年全国虽有很大水災，但發病人数仍比1955年下降70%。

黑热病流行在我国長江以北广大地区，解放后調查全国約有60万患者。五年来我們成立專門防治机構24个，訓練了一万余名基層防治人員，从解放以来到1956年为止，全国已治疗病人50余万。今后再加上各种积極的預防措施，預計不久的將来，此病即可完全控制並能逐步消灭此种疾病。此外，五年来四川省还治疗了鈎虫病患者400万人。

由于妇幼衛生工作的加强，几年来在防止新生兒破伤風和产妇产褥热等病方面也获得了显著成績。现在我国的嬰兒死亡率已由解放前的200‰下降为70.3‰。一些大城市如北京、南京的产妇产褥热几乎已無死亡病例。

为了开展积極有效防治疾病的措施。全国新建和扩建的生物制品研究所的基建面积已达19万平方公尺，1957年从事生产的职工人数比1949年增長了10倍。新建的北京、成都、蘭州、武汉等处的生物制品所在設备和制品規格已具有国际水平，生物制品的产量增長的也很快，胎盤球蛋白液1957年产量比1950年增長60倍，百日咳菌苗增長了119倍，乙型腦炎疫苗产量增長了488倍，痢疾噬菌体产量增長了139倍，白喉类毒素产量增長了105倍。其他各种生物制品产量均有很大增加，基本上保証了全国衛生防疫工作的需要。

四、人民的医藥条件显著改善

几年来为了改变旧中国医疗預防組織不平衡的狀況，我們有計划的把各种医疗机構分布在城市、乡村、山区、老区、边疆和少数民族地区。目前全国的县都已有了医院，区有衛生所，乡有了診所。許多机关、学校、厂矿企業以及农業合作社都有了自己的衛生所或保健站。再加上“巡廻医疗”、“成藥下乡”等医疗形式，群众治病問題已較过去有了根本上的改变。如北京市全体居民每年每人平均就診次数1954年为5.3次，1956年每人平均已增至5.8次。1954年上海市居民平均每人就診为6.8次，1956年已增为八次。沈陽市居民1954年每人平均就診3.5次，1956年已增为5.1次。城市就診次数最高的工人职員学生等平均每人每年可达15次。县、区医院病床已达10万張，比解放前增長了4.6倍。区衛生所已达13,000所，乡的联合診所已达五万个，农業合作社的保健站已达一万个。现在全国医院每年約完成三亿多人次的門診治疗和完成五百余万住院病人的治疗。

几年来医疗技术水平也有了提高，在專、县医院一般也能进行一般的手术和解决一般疑难病症。特别是中西医合作，發揚祖国医学技术以来，对某些疾病的治疗效果更有显著提高。全国医院治愈率1954年为64.8%，1956年已提高为67.8%。从病床的周轉情况来看，也可以說明治愈的速度。1954年全国医院病床平均每張每年收治病人19.1人次，1956年已增至22.5人次。

在藥材生产供应上，第一个五年計划期間也有了很大变化。1953年以前我国需要的藥品器械70～80%是依靠国外进口，而现在全国需要的藥材80%可以生产自給。藥品产量增長速度也是很快，以三种抗生素(青霉素、氯霉素、金霉素)来說，1957年的总产量比1952年就增長了891倍，磺胺类藥增長了28倍。现在已有200余种合成藥品能自制，並且有些質量已接近国际水平。从事藥材供应工作的机構五年来增長了五倍半，工作人員增長了三倍。近兩年来，我們又大力的發展了中藥材的生产供应工作。

中西药供应量增長了五倍，中药供应量增長了10倍。现在全国基本上已構成药材供应網。这对进行人民的医疗工作，防治疾病工作的开展起有积極保証作用。

几年来，由于医药条件不断提高，我国許多疾病的病死率均有显著下降。麻疹病死率1951年为5.5%，1956年已下降到1.6%，猩紅热病死率从8.5%已下降为1.1%，痢疾病死率从2.1%已降到0.45%，回归热病死率从11.1%已降到1.9%。

从上面情况看来，我国劳动人民的医药条件在第一个五年計划期間有了很大改善，較之解放前广大人民缺医無药，有病不能就医的情况完全不同了。

但我們还必須認識到，几年来我国的衛生工作之所以能作出这样成就，衛生事業能有如此迅速的發展，这是由于有了中国共产党的領导，有了社会主义的优越制度，广大人民的支持，全体衛生工作者的努力，和学習苏联先进医学經驗与苏联眞誠援助。我們衛生工作的成績是主要的。我們也应該重視衛生工作中有缺点和錯誤。我們坚决貫徹执行党和政府的政策，接受人民的監督，通过整改工作改正缺点糾正錯誤，巩固成績，提高衛生工作的質量，貫徹执行勤儉办事業和以全心全意为人民服务的精神，适应国家經济建設的需要，和人民生活水平，逐步改善的条件，將人民衛生保健事業向前發展与提高，进一步提高人民健康条件，有利于社会主义的改造和社会主义的建設。

胸科医院随診工作的介紹

中国人民解放軍胸科医院

一、随診工作的意义

随診工作就是病員于施行手术或經过其它治疗离院后，医院方面需要和病員保持联系，以便观察病員在离院后的健康情况，並研究治疗的效果。因此希望病員能按規定时間来院檢查，若病員不来檢查，随診工作人員就用問答的方式去信詢問或去訪問，以便協助医师調査和了解病員离院后的健康情况，並督促病員来院复查。

胸科医院为了适应这項任务的需要，1957年2月份在医务处內成立了随診联絡組，協助医师同病員联系，获得病員离院后治疗效果的材料，以便改进和提高技术，达到使病員早日恢复健康的目的。

二、随診工作的分类

随診工作可分为：①定时随診或称例行随診和②特別随診。分别說明如下：

(一)定时随診或例行随診

定时随診就是病員离院后按照規定的日期和时間来院随診复査，例如每三个月、六个月、一年、二年、三年……定期复査。

有时因病情之变化，可依照医师的意見，另行規定随診日期或停止随診。

如病員远在他省，不便来院檢查，可將制訂之随診报告單交給病員或寄給病員，請其就地进行檢査並按随診报告單上所列各項逐条詳細塡写后寄回本院随診联絡組。

現在本院剛剛开始这項随診工作，仅將1957年2月份开始至5月25日止随診复査的統計表列在下面，作为参考。本院分內外兩科，病种約分为肺結核，食管癌，心臟病，以及其它結核及非結核胸部病症。病員預約随診的例数計142例，已随診的有137例，佔96.47%。(表1)

表1 例行随診例数之百分数
1957年2月至5月25日

科別	病种	已随診例数百分数
外科	結核	97.67
	食管癌	100.00
	心臟	95.65
	合計	97.22
內科	結核	97.90
	非結核	88.88
	心臟	100.00
	合計	95.71
总計		96.47

(二)特別随診

特別随診就是有的医师願意研究一种特殊病症，要知道治疗的效果如何，就制訂一种專題随診报告單。随診联絡組就將报告單寄給病員，並請其塡妥后寄回該組，或对本市之病員代为預約門診复查日期，請其来院門診部复查。

本院在四，五月份作了八个專題研究的随診工作；包括肺結核切除术后、食管癌、肺癌、縱隔腫瘤、人工气胸、肺松解术、結核瘤，支气管鏡檢査术、及胸科成形术等八个專題。共計629例，包括本院1956年的病員397例，及前協和医院胸科病員232例，因为有的病員地址不詳或沒有地址，信件無法投遞，还有些經过訪問也未得到病員最近的詳細地址，因此只有471例随診了，佔74.88%。(表2)

表2 特別随診例数之百分数

病种	已随診例数之百分数
食管癌	76.19
肺結核切除术	83.41
肺癌	37.77
縱隔腫瘤	70.96
人工气胸肺松解术	69.82
結核瘤	75.00
支气管鏡檢査术	50.00
胸科成行术	82.19
总計	74.88

三、随診工作所用的方法及表格样式

(一)随診記录

为了加强对住院病員的了解，及便于同病員在离院后取得联系，本院有随診記录一种表格，随診組工作人員可到病区同病員交談，除登記其本人之詳細住址外，並將可作联系之亲友地址，一併記录下来，以备將来联系时的参考，因为軍人及机关干部工作有时調动，通信住址也随着变更，因此多写几个住址，就容易找到病員。住址要尽量写的詳細。

住院后病員所反映的問題，及其个人的思想情况，亦应記录下来，以便及时解决，或是向病員解釋清楚，免得使其病情受到影响。

出院前記录，就是在得到病員出院的通知时，同病員交談，可知其出院后要到何处去，例如到某某疗养院、回家或回机关等，都应記录下来以便联系，並依照医囑將随診复查門診預約劵交給病員，同时也可征求他对医院有什么意見，如医疗制度，医护工作人員的服务态度等，向有关部門反映以便改善。

"随診記录"放在病案最后一頁，以便查閱。"随診記录"样式如下：(表3)

表3　随診記录

日期　　　病案号　　　第　　頁

姓名　性別　年龄　婚否　民族　籍貫：

住址：　　　电話：

家乡住址或永久通信处：

工作地点及职务：　　　电話：

可作随診联系的亲友：

姓　名	关系	工作机关(註明职別)	住　　址(电話)

住院时期的情况及問題：

出院前記录：

(二)随診卡片

随診卡片是根据随診記录單制訂的，也可叫索引卡片。在病員住院期間，可將随診卡片按科別，診断及病区排列。例如：外科第四組，食管癌。卡片箱內都要标誌分明，病員姓名依照国音符号排列，以便查找。病員出院后随診卡片仍按科別及診断排列，例如外科，食管癌，也要标誌清楚。要特别注意詳細登記病員通信处。

在卡片背面要註明第一次随診复查日期，例如：1957年10月20日。屆时如病員按时来門診部复查，就在这卡片上註明，並写上第二次复診日期。

随診卡片的样式如表4。

表4　病員随診卡片

併管　　　科別

姓名：	性別：	年龄：	住院号：
病区：	职別：	級別：	籍貫：
診断：			
住院日期		出院日期	
住址：			电話
工作地址：			电話
永久住址			

卡片背面的格式如表5。

表5

第一次复診日期：

(三)随診月份卡片

出院病員逐日增多，随診卡片亦随着加多，若每日翻閱卡片費时太多，因此增添一种"随診

月份卡片”，上面只写病員姓名及病案号，仍按科别，病种，月份排列。例如：有出院病員时应于十月随診复查就把他的姓名和病案号写在十月份的卡片上面。每到月底可查閱此卡片檢查預約随診的病員是否都已按期随診，凡未来之病員就寄信給病員另預約日期随診。卡片的格式如表6。

表6　随診月份卡片

科　(病种)	十月份		1957年

(四)病員預核出院通知單

病員預核出院通知單是由病区医师負責开出的，主要內容是出院日期及随診复查日期，由病区护士長在病員未出院前三天或五天（外省病員）通知随診联絡組，該組工作人員就根据这个通知單去同病員談話，並代开給本院門診部随診預約券。病員預核出院通知單如表7

表7　病員預核出院通知單

科組＿＿＿＿＿＿病房号＿＿＿＿＿＿

病案号＿＿＿＿＿＿病員姓名＿＿＿＿＿＿

預核出院日期＿＿＿＿＿＿

附註：預約复查日期：＿＿＿＿＿＿

填單日期＿＿＿＿＿＿医师簽名＿＿＿＿＿＿

(五)門診預約券

病員出院时，随診联絡組按照医师所規定之复查日期开給門診預約券，屆时仍由該病区的主任医师檢查，这样对病員的情况可以全面掌握，並且病員亦願見到亲身給他医好病的医师，尽情地談出他出院后身体恢复的狀况。門診預約券分兩种，紅色为軍人預約券，黑色的为地方机关干部及市民預約券。（表8）

为了同病員取得密切的联系，就將随診联絡組的通信地址交給病員，並希望病員如更換

表8　甲

(紅　字)

門診預約券

編　号＿＿＿＿＿＿

病案号＿＿＿＿＿＿初診、复查

姓　名＿＿＿＿＿＿性別＿＿＿＿

就診日期＿＿＿月＿＿＿日＿＿＿午＿＿＿时＿＿＿分

第＿＿＿人

經手人＿＿＿＿

年　月　日

注意：遺失概不另补，需另办預約手續

表8　乙

(黑　字)

門診預約券

編　号＿＿＿＿＿＿

病案号＿＿＿＿＿＿科別＿＿＿＿

姓　名＿＿＿＿＿＿性別＿＿＿＿

初/复診日期＿＿＿月＿＿＿日＿＿＿时第＿＿＿人

掛号费＿＿＿＿＿＿

診室＿＿＿＿

住　　經手人

注意：遺失概不另补　　年　月　日

住址时亦通知該組。其格式如下：

休养員同志們！

为了出院后随診复查的事写信寄至下列地点：

[××市×××××医院医务处随診联絡組]

您如更換新住址亦請来信告知，以便联系。

(六)随診报告單

“随診报告單”是为远地病員用的，因路途遙远，不便来院檢查。在远地病員出院时，病区主治医师或經治医师填写“随診报告單”由病員帶走。“随診报告單”的主要內容是用提出問題的方式来了解病員在出院后身体健康情况，希望病員在随診报告日期前几天到病員所屬医疗單位或附近医院去檢查，並將檢查結果請医师填写在“随診报告單”上，再寄回本院随診联絡組，随診联絡組再提請主任医师审閱后就放在病案內，以作參考。随診报告單的样式如表9：

(七)随診檢查記录

“随診檢查記录”是于病員出院时，由病区主治医师規定随診复查日期，並註明复查时医师应注意之事項，作为門診医师的診察依据。复查后再規定第二次复查日期。

表 9　　随診报告單

姓名　　病案号　　第　頁

診断:
主要手术(名称和日期)
下次随診报告　　年　月　日(务請按期塡写此單,寄还本院医务处随診联絡組)

(一)
答
(二)
答
(三)
答
(四)
答
(五)
答

休养員本人意見:

休养員簽名＿＿＿＿
报告医师簽名＿＿＿＿
所在医院＿＿＿＿
下次通信地点＿＿＿＿

註:本报告單塡好,請寄××市××医院医务处随診联絡組

表 10　　随診檢查記录

姓名:　　病案号:　　第　頁

第一次随診日期　　年　月　日
注意事項

医师簽名

第二次随診日期　　年　月　日

医师簽名

第三次随診日期　　年　月　日

医师簽名

第四次随診日期　　年　月　日

医师簽名

远道病員將"随診报告單"寄回本院后,經主任医师閱畢即將單內之主要病況抄录在"随診檢查記录"內,並規定第二次随診报告日期。

"随診檢查記录"系用紅色紙,放在病案內,医师查找容易,这样作研究工作甚为方便。随診檢查記录的格式如表 10:

(八)代病員預約門診复查日期的三种信件

(1)有的病員因为事故不能按照出院时所預約的門診复查日期前来随診,随診組可代为預約門診复查日期,用信的形式寄去,对特別随診病員,亦可用此格式。信之格式如下:

＿＿＿＿同志:

您經本院診治后出院計已　　亟应进行复診檢查,前已代为預約于　　年　月　日(星期　)　午时到本院門診部复查,至希按时前往为盼。(本院門診部地点在:＿＿＿＿)

此致

敬礼

啓＿＿年＿＿月＿＿日

(2)如病員接到上項預約复查信时仍未来門診部复查,可再寄一信,另預約复查日期,用下面的格式:

＿＿＿＿同志:

前曾寄您一信及門診預約劵一紙,我院医师很希望您能于　月　日来我院門診部复查一次,以便了解您之健康情況,可能因收到信时过晚,未能按时来复查,茲再代为預約于　月　日(星期　)上午九时到本院門診部复查,至希按时持門診預約劵前往为盼。(本院門診地点在:＿＿＿)

此致

敬礼

××医院随診联絡組　1957年　月　日

(3)有的病員来信要求更改复查日期,或有的病員將随診預約劵遺失了,要求补領預約劵,随診組就將預約劵用信寄去,其格式如下:

＿＿＿＿同志:

今收来信,知道您要更改預約門診复查日期,茲再代为預約　月　日　时,並随信附来門診預約劵壹紙,請屆时持預約劵前往复查为荷。

此致

敬礼

××医院随診联絡組
年　月　日

(九)寄病員随診报告單的方式

(1)如远地的病員不能来門診部复查,或

病員未將"随診报告單"寄回本院时，随診組就写信將"随診报告單"寄給病員，請其塡妥后寄回本組，信的格式如下：

________同志：

您于　　年　　月　　日在本院治疗，至今巳　　年　　月，不知道您的身体如何？我們为了了解治疗的效果，希望您把最近的健康情况告知。随信附来"随診报告單"一張，請您逐条答复，如有其他情况亦請示知。此致

敬礼

复信請寄：××医院医务处随診联絡組

××医院医务处随診联絡組啓

1957年　　月　　日

（2）如將上項信寄給病員后仍未按时寄回报告單来，可再寄一信去，如下面的格式：

________同志：

前于　　月　　日曾寄您一信及随診报告單一份，迄今未見回信，不知您的健康情况如何，甚为惦念。現随信再附来[随診报告單]一張，务希　　您逐条詳細答复为盼。

此致

敬礼

附註：如本人他往，亲友知其健康情况者，請告知为盼。

复信請寄：××市××医院随診联絡組

××医院随診联絡組啓

1957年　　月　　日

（3）随診組如收到随診报告單时，就把报告單及病案送給主治医师审閱並塡写随診检查記录，再退回本組。其送交格式如下：

________大夫：

兹随病案送来患者　　　　之随診报告單　　份，請审閱並將随診檢査記录單塡写，再退还（本組）为荷。

随診联絡組　　年　　月　　日

（4）我院随診报告單現有下列数种：肺結核切除术后随診报告單、胸科成形术、食管癌、人工气胸、肺松解术及縱隔腫瘤等五种报告單。其格式如表11，12，13，14，15。

（十）更换新住址通知單

在本院門診部掛号处有随診組制訂之更换新住址通知單一种格式，凡来門診部看病之病員，不論門診部之病員或曾住过院之病員，如有更换新地址者就可到掛号处塡写此單，以便今后取得联系，如系門診病員，將此單貼在病案首頁，如系住院病員就交随診組塡写在随診記录內及随診卡片上面。此單格式如表16。

表11　肺結核病切除治疗后随診报告單

姓名　　　　　　病案号　　　　第　　頁

（1）手术后共用了多少抗痨葯物？（在胸科医院用的葯物計算在內）

（一）鏈霉素________克　　（二）異菸肼________克

（三）对氨柳酸________克

其他

（2）手术后休养了多久才恢复工作的？或者現在仍在休养？

（3）咳嗽咯出过線头沒有？

（4）痰中結核菌情况？鏡片：＋　－，集菌：＋　－，

培养：＋　－，

（5）現在有無以下症狀？

（一）气喘

（二）咳嗽

（三）咯血

（四）膿痰

（五）發热

（6）血沉和肺活量測定的結果？

（7）最近X綫照片所見？

签名：__________195　年　　月　　日

下次通信地址：__________

表12　　随診报告單

（食管癌）

姓名　　　　　　病案号　　　　第　　頁

（一）您目前身体情况如何？

是胖了还是瘦了？

体重多少斤？

（二）您的飲食情况如何？

能吃何种飲食？

有何不适？

（三）您的体力如何？

能做何种劳动或工作？

（四）您有何意見？

附註：如本人他往，亲友知其通信处者，請代填为荷。

签名：__________1957年　　月　　日

下次通信地址：__________

表 13　　胸科成形术随診报告單

______同志：

您于　　年　　月　　　在进行手术治疗后，至今已年　　月。

我們很希望知道您的近况，以便进一步明确这种手术治疗的远期效果。下列問題，請您抽暇于最短期間內詳細告訴我們：

一、您最近在当地医院檢查过沒有？那个医院？檢查的結果如何？痰中有無結核菌？血沉多少？

二、您現在是在休养呢还是已經工作了？休养的原因是什么？如已工作，請告知从何时开始工作，做什么工作？每天平均几小时工作？有什么不舒适的地方？和常人比較体力如何？

三、您还有什么症狀沒有？譬如發燒、咳嗽、吐痰（多少？痰的性質）、咳血、胸部疼痛、气短、心跳、食慾……等等。

四、您对我們有什么要求？有什么意見？

五、如可能时，您打算什么时候前来本院門診檢查？（××医院門診部）我們的門診时間是星期二、五日上午。来时可持此信預約掛号。

远期疗效的調查工作是确定治疗方法的有力根据，亦是我国医學研究工作不可缺少的一部分，我們誠懇地希望您协助我們做好此項工作。謹致謝意並祝

身体健康！

××医院外科

回信地址：××市××医院

一九五　年　月　日

表 14　人工气胸、肺松解术随診报告單______

姓名　　　　病案号　　　第　　頁

（一）气胸是否繼續？　　　何时停止？

停止后健康情况如何？

（二）痰　　　　血沉

（三）最近病情如何？

（四）是否工作？　　　何时开始工作？

每日工作几小时？

（五）其它

签名：______1957年　　月　　日

下次通信地址：______

表 15　　　随診报告單

（繼續随診）

姓名　　　　病案号　　　第　　頁

（一）您目前有何胸部症狀、如胸痛、气悶、咳嗽等？

（二）您最近透視或照过胸部X綫片否？結果如何？

（三）您一般情况如何？体力如何？

附註：如本人他往，亲友知其通信处者，請告知为盼。

簽名______1957年　　月　　日

下次通信地址______

表 16　　更换新住址通知單

姓　名：　　　　病案号

更换新住址：　　省　　县/市　　門牌___号

服务机关名称：______职別____級別____

永久通訊处：______

（十一）机关或家庭訪問

为了同病員联系，除以上所用之通信方式外，随診組于必要时可到病員之机关或家庭进行訪間，以便完成随診任务。有时随診組所寄給病員的信由邮局退回，註明“此人他往”，或“查無此人”，有时去訪問可能得到病員之通信处。

（十二）向住院病員广播随診意义

本院随診組通过广播方式向现在住院之病員，說明随診工作之意义及其重要性，使他們对随診工作有了認識，出院后随診工作就能順利进行，现在該組每星期向病員广播一次。

四、本院随診工作常規

（1）随診工作由随診組負責，在院首長及医务处領导下进行随診工作。

(2) 新病員入院由住院处通知随診組，进行病員登記"随診記录"。

(3) 病区护士長于病員出院前三天开好出院通知單，並註明复查日期，以便开給病員門診复查預約券。

(4) 例行随診日期为三个月、六个月、一年、二年、三年，依照医嘱来决定何时停止随診，但医师根据需要可随时通知病員随診。

(5) 住院医师于病員出院时在"随診檢查記录"單內应註明注意事項，門診医师可依此檢查，並詳細塡写复查結果。

(6) 如系远地病員，在病員出院时，医师应發給病員随診报告單，病員須按指定日期將随診报告單塡写寄回我院随診組。

(7) 主治医师或主任医师收到病員信件並作答复时，須將复信內容扼要写在"随診檢查記录"內，以作参考。

(8) 医师如作專題研究，可將病員姓名及病案号交給随診組，由随診組于一定时間內將随診情况告知該医师。

(9) 随診組除用信与病員联系外，必要时用訪問方式来作随診工作。

(10) 随診組与病員談話时，如發現問題，可随时反映給有关部門，以便解决。

五、結束語

本院随診联絡組工作时間較短，經驗尙不充足，但在这短短时間的工作，已証明随診工作的建立对医院医疗工作和研究工作起了很大的协助作用，逐漸的成为医疗研究方面不可少的一項工作。从收到病員的信件和訪問的情况看来一般病員对随診工作已有了認識，对替他們預約复查日期，感到滿意，出院后如有問題可通过随診組同医生取得联系，也認为很方便。

当然由于工作时間較短，这件工作不論在制度上或工作方法上，尙未臻完善，因为这是一項新的工作，只有从工作中摸索和学習，多听取病員和医护工作人員的意見，在党和上級的領导下，逐步提高工作的水平，使病員同医师緊密的联系下，达到使病員早日恢复健康的目的。

祖国医学的神經論思想及其来源(初稿)

宋向元

我們祖先在医学遺产方面，不仅給我們积累下十分丰富的医疗經驗，同时也給我們遺留下許多重要的医学理論。这些經驗和理論都有待于我們認真地繼承和發揚，进而为全人类幸福做出更多的貢献。

祖国医学由于長期的封建制度的限制，自然科学不發达，因而在某些理論方面也未能提高到科学水平。但是由于近二、三百年来祖国医学未曾和西洋医学得到頻繁的接触，所以在理論方面也很少沾染着机械唯物論的影响，因而至今它仍然保持着它原有的一些优良傳統。

祖国医学理論方面的优良傳統是什么呢?就是說：由于古人精密的观察，对疾病發展过程，診断和治疗等方面的認識，有許多是从整体出發，从全面出發的；对疾病發生原因和治疗方法的論点，更有許多是暗合于神經論观点的。这些認識和論点，虽然只是由古人的直覺观察的結果而提出来的，还不够精密完整；但它們很早就被記載于古代医学經典里面，並且它們在兩千多年来一直就对医疗实踐起着指导作用。这些理論虽然只是表达着一些朴素的古代的神經論思想，但我国历代医家卻根据这些理論原則在臨床实踐上取得不少的成就。因此，这些理論应該是祖国医学的优良傳統的一部分，也是应該好好繼承和發揚的一部分。

这篇文章想从医学史的角度，提出祖国医学有关神經論思想的一些理論，作为初步探討的內容，首先略述神經論思想在祖国医学中的位置和应用，然后以"憂"字为綫索，試从古代有关文献里面追溯我国神經論思想的来源。但是，由于个人对于这方面的知識很少，写稿的时間又很短促，恐有不少錯誤之处，尚望同志們給以指正。

一、略述神經論思想在祖国医学中的位置

祖国医学上的各項成就，無論治疗或理論方面，大都是广大人民羣众長期向疾病作斗爭的經驗結晶；它是具有深厚而久远的羣众基础的。我們祖先由于長期經驗的积累和实踐的考驗，历来就深信"喜怒不节則伤臟"和"百病之生于气也"等論点，也就是深信精神因子的影响可以致病的論点。这样的論点，由于很早就受到广大人民羣众的拥护，古代医家接受这样思想的指导，在临床实踐又取得很大的效驗，于是这样的思想就日益發展，成为古代朴素的神經論思想；兩千多年来它一直在祖国医学理論方面佔着很重要的位置。

"黃帝內經"为現存最古的医学經典之一，包括"素問"和"灵樞"兩部分。其中有关神經論思想的論点，一般以"素問陰陽应象大論"的說法为代表，节录原文如下：

"……人有五臟化五气，以生喜怒悲憂恐。……怒伤肝，悲胜怒；……喜伤心，恐胜喜；……思伤脾，怒胜思；……憂伤肺，喜胜憂；……恐伤腎，思胜恐。……。"

古人所謂五臟（肝、心、脾、肺、腎）的概念，是与現代解剖生理学有所出入的；但大致說来，古人以一个概念代表一个生理系統，是可以理解的。如以"肝"代表神經系，以"脾"代表消化系，以"肺"代表呼吸系，以"腎"代表泌尿生殖系，以"心"代表高級神經活动，思維和循环系等。这样，古人所提出的"怒伤肝"等論点，似可說明古人早已意識到：人們的情緒变化，特別是高度忿怒，可以影响內臟的正常机能，可以影响神經調节作用。① 这是一方面。同时，由于古人的临床观察和經驗，更認識到：悲痛是可以战胜忿怒的，所以提出"悲胜怒"的論点来，这就給予我国医疗界以極大影响。其他如"喜伤心，恐胜喜"等，可以依此类推。至于古人把不同的精神因子的影响分配于不同的生理系統，也不是完全沒有理由的：(一)古代医家由于临床观察，發現个別的精神因子往往影响着个別的生理系統；例如思慮过度往往引起消化系統的症狀等。

① 靳磊全：祖国医学遺产內有关神經論思想初步探討。中医杂誌 1955 年第 9 号。

(二)由于五行学說的关系，才有这样不同的分配。这样不同的分配，究竟在病理生理学上具有怎样的意义，当然还需要研究。

由于我国古代医家在病源論上强調着精神因子的影响，因而他們在实践上，無論对疾病發展过程的認識或对疾病的診断治疗，都貫串着神經論的观点。这样观点对医疗实践上是具有重要指导意义的，他們对患者进行診察时，首先注意着精神因子的影响。"素問徵四失論"中就指出这一点：

"診病不問其始，憂患、飲食之失节，起居之过度，或伤于毒。不先言此，卒持寸口，何病能中？妄言作名，为粗所穷。此治之四失也。"

这是說古代医家重視精神因子"憂患"的致病作用，把它摆在第一位。

我們知道，精神因子是与社会环境有关的，这是苏联先进医学所强調的；而我們祖先早在"素問疏五过論"中就曾提出加以討論，原文是这样：

"凡未診病者，必問嘗貴后賤，虽不中邪，病从内生，名曰脫营。嘗富后貧，名曰失精。五气留連，病有所並，医工診之，不在藏府，不变軀形；診之而疑，不知病名。身体日減，气虛無精；病深無气，洒洒然时惊，……"①

从这一段文字里更反映着：古人早已意識到：社会环境的变化，如社会地位（貴賤）或私有財产（貧富）的变化，都影响着人們情緒的波动，因而成为致病因素。原文生动地描繪着医家遇到这样的患者，因为症狀"不在藏府，不变軀形"，只是"身体日減，气虛無精，……"这就往往使得医家"診之而疑，不知病名"了。这样情况，今天还是有的。古人很早就能够注意到这一点，其观察力的精密实在令人惊奇。

由于我祖先很早發現精神因子可以致病这一事实，又不断强調着这样的論点，因而这样的論点对臨床实践上确曾起了很大的指导作用，取得很多的治疗效果，于是在我国医疗界形成了下列的情况：

（1）我国历代医家除了使用药物来进行治疗外，非常重視理学疗法。在"黄帝内經"中就强調着砭石、針刺、灸焫、浴、熨、导引、按摩等法，特别是我国独有的針灸疗法非常發达。这些理学疗法所以受重視，显然是与神經論思想有关的。"素問宝命全形論"說："鍼有懸布天下者五，……一曰治神。……凡刺之真，必先治神，"② 这也証明了这一点。

（2）我国历代医家往往本着神形合一的原則，而遵守着"臨病人問所便"和"数問其情，以从其意"的古訓；重視患者的精神狀况和他的願望，而設法扭轉患者不正常的精神狀况，使其緩和乐观，从而产生一种有利于治疗的內在条件。

（3）我国历代医家往往本着整体观念，根据患者的具体病情与平时的健康情况，設法恢复或調整其原有的生理机能。医疗对象是整体的"病人"，而不是孤立地去治"病"。

这样，發展到公元1174年（南宋淳熙元年），当时医家陈言（無擇）著"三因極一病源論粹"，他在"三因論"中写道：

"夫人禀天地陰陽而生者，……外則气血循环，流注經絡，喜伤六淫；內則精神魂魄，志意憂思，喜伤七情。六淫者，寒暑燥湿風热是也；七情者，喜怒憂思悲恐惊是也。……然六淫，天之常气，冒之則先自經絡流入，內合于藏府，为外所因。七情人之常性，动之則先自藏府郁發，外形于肢体，为內所因。其如飲食飢飽，叫呼伤气，尽神度量，疲極筋力，陰陽違逆，乃至虎狼毒虫，金瘡踒折，疰忤附着畏压溺等，有背常理，为不內外因。……以此詳之，病源都尽。如欲救疗，就中尋其类例，别其三因。或內外兼並，淫情交錯，推其深浅，断以所因为病源；然后配合諸証，随因施治，药石針艾，無施不可。"

把發病原因概括地分为三类（內因、外因、不內外因），並不是从陈言开始的，这样分类的說法早已見于"金匱要略"。陈言这样的分类，首先是把"七情"（喜、怒、憂、思、悲、恐、惊）确定为"內所因"；也就是說，把一切的精神作用可以致病这些因素确定为"內所因"的全部內容，这对巩固和發展祖国医学中有关神經論思想起到絕大的作用，同时，他的"随因施治"的提法，也是值得我們注意研究的。

① 原文似有顛倒，"虽不中邪，病从内生"应在"名曰脫营"之后，文义始較通順。

② 據楊上善註云"……欲为鍼者，必先治神。故人無悲哀动中，則魂不伤，肝得無病，秋無难也。……無忧思不解，則意不伤，脾得無病，春無难也。……是以五过不起于心，則神清性明；五神各安其藏，則寿延遐算也。"

这里所以提出陈言，就是因为他突出地强調这样的"三因論"，改变了"金匱要略"以来的"三因"分类的內容。这个改变給予后世医家的影响很大。此后，他的学生王碩著"易簡方"，南宋医家严用和著"济生方"，都採用"三因論"的論点。这兩部方書，特别是"易簡方"，流傳很普遍，从而对"三因論"起到推广作用。此后医家对病因分类的項目虽稍有移动，但是沒有不重視"七情"为病因的。这样，我国的神經論思想就一直在祖国医学中佔有極重要的位置。

关于"三因論"的来源和發展概况，列表如下：

書名	內所因	外所因	不內外因	附註
黃帝內經灵樞口問篇	喜、怒、大惊、卒恐。	風、雨、寒、暑。	陰陽、食飲、起居。	原文只綜合記述，这是作者依"三因論"而为分类的。
呂氏春秋尽数篇（公元前239年）	大喜、大怒、大憂、大恐、大哀，五者接神則生害矣。	大寒、大热、大燥、大湿、大風、大霖、大霧，七者动精則生害矣。	大甘、大酸、大苦、大辛、大鹹，五者克形則生害矣。輕水所，多秃与癭人，重水所，多尰与躄人，甘水所，多美与好人，辛水所，多疽与痤人，苦水所，多尫与傴人。	同上。早在二千多年前，古人已指出：人們的居住环境和飲水之不同，对健康有很大的影响。这样唯物而全面的認識，在当时全世界上要算最前进的了。
金匱要略（公元150—219？）	經絡受邪入臟府，为內所因也。	四肢九竅血脈相傳，壅塞不通，为外皮膚所中也。	房室、金刃、虫兽所伤。	
补闕肘后百一方序（公元500年）	府藏經絡因邪生疾（內病），如伤寒、时行、温病、卒中惡、客忤等。	四肢九竅內外交媾（外發病），如癰疽、妬乳、毒腫等。	假为他物横来伤害（为物所苦病），如百虫杂物，熊虎爪牙所伤等。	这样的分类，基本上与"金匱要略"是一致的。
三因極一病源論粹（公元1174年）	喜、怒、憂、思、悲、恐、惊（七情），人之常性；动之則先藏府郁發，外形于肢体，为內所因。	寒、暑、燥、湿、風、热（六淫），天之常气；冒之則先自經絡流入，內合于藏府，为外所因。	飲食飢飽，叫呼伤气，尽神度量，疲極筋力，陰陽違逆，乃至虎狼毒虫，金瘡踒折，疰忤附着畏压溺等，有背常理，为不內外因。	
医学心悟（公元1732年）	气病、血病、伤食，以及喜怒憂思悲恐惊（內伤）	風、寒、暑、湿、燥、火（外感）	跌打損伤，五絕之类（不內外伤）	

从上表看来，陈無擇"三因論"的內容与"金匱要略"是有出入的，其截然不同之处，就在于以七情为內因；这是"金匱要略"所缺少的內容。大致說来，由于唐宋医家多讀"黃帝內經"，而"內經"强調着神經論思想的論点，如"虽不中邪，病从內生"等語；而"灵樞口問篇"又概括地举出一些內容（見上附表），陈無擇从而加以归納和分类，成为"三因論"；这是完全必要的，清代医家尤在涇認为陈氏的分类是"合天人表里之論，故以病从外来者为外因，从內生者为內因，其不从邪气情志所生者为不內外因，亦最明晰，虽与仲景並傳可也。"（金匱要略心典）事实上，自南宋以来，除了刘完素和張子和一度提出"四因气动"之說而外，絕大多数的临床医家都採用陈氏的"三因論"，直到清代程鍾齡"医学心悟"还是这样。至于"四因气动"之說（見"儒門事亲"卷十，不列举），虽然其中也包括着"悲恐喜怒想慕憂結"等內容，但究竟不如陈氏"三因論"那样明晰；因此，它未能引起后世医家的重視。

二、略述神經論思想在临床医疗上的应用

由于神經論思想在祖国医学中佔有很重要的位置，就形成了祖国医学的一种优良傳統。古代更有些著名的医家在遇到針灸或药物所不能解决的病症，他們往往單純的运用神經論的原則来进行精神疗法；就是說不用任何药物或針灸，只利用一些适当的行动和言語或文字来治疗。

关于这一方面，兹举出华佗与張子和的病例可見一斑。根据"后汉書"卷112（下）"华佗傳"的記載：

"……又有一郡守篤病久，佗以为盛怒則差，乃多受其貨而不加功。無何、棄去，又留書罵之。太守果大怒，令人追杀佗，不及。因瞋怒，吐黑血数升，而愈。"

这个記載並不詳細，只是說华佗曾針对某太守的病情而用行动和文字来激怒他，最后达到治疗的目的。至于太守的"篤病"是什么症狀以及"吐黑血数升而愈"的道理，則因为記載

簡略，尚难理解。所可言者，或許这是根据"怒胜思"的治疗原则而已。

元代著名医家張子和、字戴人（1156—1228），生平鑽研医經，很有心得。他有几个病例比較精彩，見"儒門事亲"卷七；今录列如下：

（1）惊："衛德新之妻，旅中宿于楼上，夜值盜刼人燒舍，惊墮牀下。自后每聞有响，則惊倒不知人。家人躡足而行，莫敢冒触有声。岁余不痊。諸医作心病治之，人参、珍珠，及定志丸皆無效。戴人曰：'惊者为陽，从外入也；恐者为陰，从內出也。惊者为不自知也，恐者自知也。足少陽胆經屬肝木，胆者敢也，惊怕則胆伤矣。'乃命二侍人执其兩手，按高椅之上当面前下置一小几。戴人曰：娘子当視此。一木猛击之，其妇大惊。戴人曰：'我以木击几，何以惊乎？'伺少定，击之，惊又緩。又斯須連击三、五次，又以杖击門，又遣人画背后之窗。徐徐惊定，而笑曰，是何治法？戴人曰：內經云'惊者平之'，平者常也，平常見之必無惊。是夜使人击其門窗，自夕达曙。夫惊者神上越也，从下击几，使之下視，所以收神也。一二日虽聞雷亦不惊"。

（2）不寐：一富家妇人，伤思过甚，二年不寐，無葯可疗。其夫求戴人治之。戴人曰：兩手脉俱緩，此脾受之也，脾主思故也。乃与其夫約，以怒激之。多取其財，飲酒数日，不处一法而去。其妇大怒，汗出；是夜困眠，如此者八九日不寤。自是而食进，脉得其平。

（3）因憂結塊："息城司候聞父死于賊，乃大悲哭之。罢，便覺心痛。日增不已，月余成塊，狀若复杯，大痛不住。葯皆無功，議用燔針炷艾。病人惡之，乃求于戴人。戴人至，适巫者在其旁；乃学巫者杂以狂言，以謔病者。［病者］至是大笑不忍，回面向壁；一二日心下結塊皆散。戴人曰：內經言，憂則气結，喜則百脉舒和。又云喜胜悲。內經自有此法治之，不知何用鍼灸哉！适足增其痛耳"。

（4）病怒不食："項关令之妻病飢不欲食，常好叫呼怒罵，欲杀左右，惡言不輟。众医皆处葯几半載，尙尔。其夫命戴人視之，戴人曰：此難以葯治。乃使二娼各塗丹粉，作伶人狀。其妇大笑。次日，又令作角觝，又大笑。其旁常以兩个能食之妇誇其食美。其妇亦索其食，而为一嘗之。不数日，怒減食增，不葯而瘥。"

以上为張子和施用精神疗法的四个病例、第一病例，他根据"惊者平之"的原則来治疗严重的声音恐怖症，他使患者預先知道声音的来源（用木棒猛击茶几），並用言語緩和着患者的精神紧張；然后反复运用不同的声音刺激的方式，使患者逐漸恢复她的适应性。

第二病例，他根据"怒胜思"的原則来治頑固的失眠症，就是設法激起患者的忿怒，来扭轉她那过度憂慮的精神狀況。

第三病例，他摹仿巫人的言語行动，用戏謔的方式引导患者喜笑，来扭轉其悲憂的心情，因而收到治疗的效果。

第四病例，也是設法改变患者周圍的环境，利用文娛的形式和誘导的条件，来治拒絕进食的类似癔病患者。

張氏的这四个病例，虽然有的提出經典的根据；也有的並未提出甚么根据；但都可以說明張氏是善于針对患者的病情来灵活运用我国古代神經論的原則而进行治疗的。如第二病例与第三病例虽然都与憂思有关，而所用方法不同；而第四病例的治法，張氏並未按照"悲胜怒"的原則，相反地他卻利用文娛活动等办法，誘使患者轉怒罵为喜笑，这更說明是張氏創造性的运用了。

三、以"憂"字为線索試行溯源

如上文所引"素問陰陽应象大論"之說，个別的精神因子往往影响着个別的生理系統，例如"怒伤肝、憂伤肺"等。但我們全面考察現存的"黃帝內經"的記載，卻也不是一致的；据其中所載，"憂"所影响的范圍不只是"肺"，它还能影响着心、肝、脾三个系統。好像对憂郁情緒的影响，特別强調，現在分別摘录于下：

"心在声为笑，在变动为憂。"——素問陰陽应象大論

"憂則心气乘矣。"——素問玉机眞藏論

"淫气憂思，痹聚在心。"——素問痹論

"思慮則心系急，心系急則气道約，約則不利，故太息。"——灵樞口問篇

"五藏皆小者，少病苦燋，心大愁憂。五藏皆大者，緩于事，難使以憂。……心小則易伤以憂。"——灵樞本藏篇

"憂思伤心，忿怒伤肝。"——灵樞百病始生篇

以上数条是說"憂"影响着"心"，

"肺在志为憂，憂伤肺。喜胜憂。"——素問陰陽应象大論

以上一条是說"憂"影响着"肺"。

"精气並于肝則憂"。——素問宣明五气論。

以上一条是說"憂"影响着"肝"，

"愁憂者，气閉而不行。……脾憂愁而不解，則伤意，意伤則悗亂，四肢不举，毛悴色夭。死于春。"——

灵樞本神篇。

以上一条是說"憂"影响着脾。

在古代医學經典中，非常重視"憂"的影响，認为"憂"是可以影响着"心、肝、脾、肺"四个不同生理系統，只是未提到"腎"而已。这就是說，古人意識到：憂郁情緒会影响人們全身許多生理机能的正常發展。

以上只是見于現存"黃帝內經"中的記載。

在战国时代的非医学文献中，有关"憂"字与疾病的联系，也有如下的記載：

（1）"癙憂以痒"——詩經小雅（傳：痒，病也）

（2）"憂郁生疾，疾困乃死。"——管子內業篇。

（3）"平易恬淡，則憂患不能入，邪气不能襲。"——庄子刻意篇。

（4）"病之留，惡之生也，精气郁也。"——吕氏春秋达郁篇。

以上四条，都是战国时代（或以前）的文献。特别是第二条"憂郁生疾，疾困乃死"，已經显豁地指出：人們的疾病是因为憂郁所致；好像是說，憂郁情緒是唯一的致病因素。其余三条也表达着同样的或近似的認識。稍晚一些的"韓非子"也有"憂則疾生"的說法，見"解老篇"。我們知道：战国时代百家爭鳴，各抒己見。但是，对于"憂"和疾病的密切关系的認識，卻是一致的。这样一致的認識不是偶然的，除了受当时医學理論的影响而外，可能是他們繼承着更古老的文化思想的一种流露吧。

我們从"憂"的字形来說："憂"字似未見于甲骨文。据林义光"文源"引金文"無憂彝"作。是一个人用手抱心的形象，很像病态的素描（？）

在說文里，"憂"字作"㥑"从頁从心。旧說"憂心形于顔面，故从頁。"实际上这个字和"恖"（思）字从囟从心同意；頁是头顱，囟是腦袋，意味着"憂"和"思"的高級神經活动，都是在心和腦中体現的。

再从字义来說："憂"字和"病"字在一般情况下是各有其本义的，但有时它們也可以互訓。如（一）"孟子公孫丑下"有"有采薪之憂"句，（二）"禮記曲禮"有"某有負薪之憂"句。以上兩个"憂"字都可以用"疾病"来解釋。另外，如"禮記乐記"有"病不得其众也"句。注："病犹憂也"。这样，"憂"和"病"二字就成为可以互訓了。

"憂"和"病"这兩字能够成为这样互訓的联系，不仅是限于字义方面，也必然有其事实根据的。由于我們祖先長期地在社会生活中逐漸認識到"憂"和"病"兩件事物的密切联系；也就是說，由于社会上存在着"憂則疾生"这样的事实，而后才有这样兩字可以互訓的字义。

如上文所述，（一）古代医学經典中記載着"憂"可影响"心、肝、脾、肺"四臟。这說明古代医家非常重視"憂"郁情緒的致病因素。（二）先秦时代的文献，如管子，庄子等非医学文献，也一致認識到"憂"和疾病的密切联系，甚或認为憂郁情緒是唯一的致病因素。这說明先秦諸子的这样認識，除了受当时医學理論的影响之外，可能由于繼承更古老的文化思想而来。（三）在訓詁学方面，"憂"和"病"二字有时可以彼此互訓，这也說明这样認識的形成必然具有历史意义的。根据以上三个線索，可以初步了解我們祖先开始形成这样認識的时代和其来源。

我們又从"素問移精变气論"看到这样一段記載：

"往古人居禽兽之間，动作以避寒，陰居以避暑，內無眷慕之累，外無伸宦之形，此恬憺之世。邪不能深入也。……当今之世則不然，憂患緣其內，苦形伤其外，又失四时之从，逆寒暑之宜。賊風數至，虛邪朝夕，內至五臟骨髓，外伤空竅肌膚，所以小病必甚，大病必死。"

这好像是說：在原始社会中，因为沒有阶級压迫和經济上的剝削，人們思想就比較單純，精神活动比較正常，因而抗病力强，不易發生疾病。后来进入阶級社会，人們思想活动就逐漸复杂了；由于私有制度的出現，人們在阶級斗爭中精神上的波动就多了；特别是被压迫的奴隶們，生产情緒既不愉快，生活环境又恶劣，精神上时时受到种种压迫，因而害病的机会很多，可以說"小病必甚，大病必死"了。

从这一段記載，不但看出古人强調着精神作用对發病的影响，並且我們还可以得到这样一种認識，就是："憂患"只是阶級社会中的产物；沒有阶級的社会才是"恬憺之世"呢。

結　語

我們祖先由于長期經驗的証明，历来重視

精神作用可以致病的論点，这样的論点在战国之际已發展为古代朴素的神經論思想。現存的“黃帝內經”就記載着不少有关这一方面的理論。这說明祖国医学的成就，不是仅仅在于临床医疗經驗方面，即在理論方面亦有其偉大的貢献。

十二世紀中，南宋医家陈言强調地提出“三因論”；他把一切精神因子的影响（喜、怒、憂、思、悲、惊、恐等“七情”）明确为“內所因”的全部內容。这对巩固和發展祖国医学有关神經論思想起到很大的作用。由于“三因論”傳播很普遍，又深为后世医家所推崇，因而“七情”为“內所因”之說一直在祖国医学理論上佔有極重要的位置。

在这样的理論指导下，不但一切物理疗法，如針灸、按摩、导引等，在我国特别發达；而历代医家的治疗診断，亦多重視患者的精神情况。有的医家，如华佗，張子和等，更善于运用有关理論原則，来进行精神疗法，取得不少出奇制胜的病例。

由于“黃帝內經”的記載强調着憂郁情緒对健康的影响，認为它可以影响“肝、心、脾、肺”四臟。而战国时代（公元前403—221年）和以前的非医学文献，如“詩經”，“管子”，“庄子”等，亦多提出“憂”和疾病的密切联系，甚至指出“憂”是唯一的致病因素。在訓詁学方面，“憂”和“病”二字又有时可以互訓。从此可見这样概念的产生，当在战国时代以前。

关于这样概念的产生时代和它的来源，我們可以从黃帝內經中，約略地找出一些線索，其中有类似說明“憂患”为阶級社会的产物的記載。

祖国神經病学簡史

李濤　程之范　張岐山

从远古到秦汉时代

我国古代文化中心是在黄河流域。黄河流域多風,尤以冬春为甚,因此在我們祖先很早就观察到由風所引起的疾病;自从不滿足于神鬼致病的說法以后,朴素唯物的观点,就被广泛的引用在医学中,人們也把"風"作为致病原因之一。公元前14世紀的甲骨文內已記有風疾,其次山海經內也記有風疾。左傳上称"風淫末疾",末是头部和四肢,所以末疾主要是指头部和四肢的病。头部病当然包括了头痛、头昏等,四肢病也包括了最常見的肢体感覺障碍、感覚異常,和运动障碍等症狀。因而我們知道,"風疾"虽並非完全指的神經病,但屬于神經学范圍的一些疾病便成为"風疾"的主要內容。

我国古代似很重視神經病,因此說:"風者百病之始,風者百病之長,風者善行而数变",这几句話說明神經病的重要。

再有:我們应該知道的是人对事物的認識和表达思想的語彙是逐漸發展的,随着人們認識疾病的深刻,表达疾病的名詞也日益正确,因此古代和現在所用的医学名詞,表面上虽然相同,但实际上則含义不同,例如中風,汉代人本指伤風来說,宋代以后則用為腦卒中的專名,这一点在神經病史的研究上是应該注意的。

头痛最早見于公元前十四世紀的甲骨文,武丁因疾首而占卜。其后詩經也記有首疾。在周礼更記有:"春多痟首疾(春天常患头痛。)"

其次最早記載的病为中風(卒中)。

公元前五世紀所著的国語曾記有失語(瘖)的人。又公元前三世紀所著的呂氏春秋,曾記有魯国人公孙綽有專治半身不遂(偏枯)的葯,並謂能起死回生。

由于半身不遂和失語很早被人注意,因此中国最早的医書內經已經詳細記載了这类的症候,如偏枯、痱、以及感覺神經障碍如著痹(麻木不仁)痿(截癱)等。此外內經中更有"汗出偏沮,使人偏枯"的話,可能是偏癱發生前之植物神經系統功能紊乱現象已被認識。公元前二世紀的名医淳于意曾报告患中風的一病人成开方,当时病人自覚無病,但是經他診察以后,知道成开方以前有飲酒的習慣,因而預言他所患是"沓風",三年后將發現四肢不随,随后將發現失語(瘖)而死,后来果然如他所說。

"痿"之一詞虽不仅是指肢体癱瘓而言,但許多处描写确系截癱之症狀,如內經痿論中:"足痿不用也"。"足痿不收"等。就"筋膜干則筋急而攣,發为筋痿"。似为上司动神經元功能損伤之症狀。

再有,"膀胱不利为癃,不約为遺溺"。"膀胱欬狀,欬而遺溺"可能包括了排尿功能障碍。

以上所述之症狀,有可能为脊髓疾病之記述。

"痹"之一詞,指感覺障碍而言,如素問痹論中"痹或痛或不痛,或不仁,或寒或热,或燥或湿……"其中"或燥或湿",可能是植物神經功能障碍的表現。

有这些症狀学上的基础,我們还可以知道当时已对周圍神經疾病有所認識,如神經炎、神經痛等。例如公元前二世紀淳于意曾报告一例,病人名宋建因搬石过力,引起腎痹。腎痹的主要症候是腰脊痛,不能俛仰,小便不利等,后来服葯十八日而愈,这可能是腰脊神經損伤,侵及脊髓。

又据史書記載,公元一世紀后汉的第一个皇帝刘秀曾患風眩,公元三世紀曹操曾患头風眩,並被名医华佗針愈,按头風眩一病,当时仅記有头痛,眩暈,头不得举,眼不得視等,殊难确診为何病,但从后来千金方中所記头面風的症候,可推知为三叉神經痛。

內經中更記載了癲和狂,並有專篇討論。当时認为这兩种病很相近,所以放在一起討論,內容包括精神症狀与惊厥發作等。汉書艺文志有客疾五臟狂癲病方,虽然原書已佚,但是从兩病的葯方放在一起看来,可知当时所用治法也相近了。

内經中所說癲疾主系指惊厥症狀，例如癲狂篇所記顛疾的症候，有角弓反張(反僵，脊痛)抽搐、身倦攣急等。但素問的奇病論中有小兒顛疾，名为胎病："此得之在母腹中时，其母有所大惊，气上而不下，精气並居，故令子發为癲疾也。"虽所述症狀不詳，很难肯定为何病，但初生兒有如是之症狀，破伤風的可能非常大，而痙攣發作亦不能除外。另外，可注意之处是指出疾病与胚胎期之关系。今天我們已經清楚知道一些神經系統疾患，是与先天損伤，胚胎期感染，甚至因妊娠期母亲的精神創伤，均可能为疾病之原因。

到了公元三世紀医聖張仲景对于破伤風和腦膜炎始先有詳細記載，其所述痙的症候有頸項强直、惡寒、頸热、面赤、目赤、头动搖、口噤、背反張，發热等候。按热性病有此种症狀纍著惟腦膜炎与破伤風，他更据病人有無惡寒而分剛痙与柔痙。他所說的剛痙可能是腦膜炎而柔痙可能为破伤風，

由上述可知今日所說的中風、惊厥發作、腦膜刺激症狀、周圍神經損伤、三叉神經痛，脊髓疾患等在我国很早就已經有了記載，

晉唐时代

中国医学在3—10世紀时，除了繼承了前人的輝煌成就，而且更吸收了印度医学的成果，因此大步直前，在神經病学方面同样有了很大發展，特别对于周圍神經疾患方面記述尤多。

五世紀末名医徐嗣伯，以治風眩聞名，自謂繼承家業，專門医术，曾有三十余年經驗，並治愈数十百人，因將經驗方十首及針灸方法写出献給临川王蕭映。信中写道："嗣伯于方术豈有效益，但風眩最是愚衷小差者，常自宝秘，誓不出手，而为作治。亦不令委曲得法。凡有此病是嗣伯所治未有不差者。"現在我們从他的方剂中，可知他所謂風眩包括了癲癇在内。

唐高宗李治(649—683)患風眩，目不能視，召侍医秦鳴鶴診治，秦曰："風毒上攻，若刺头出少血，愈矣。"天后自帘中怒曰："此可斬也，天子头上豈是出血处耶？"鳴鶴叩头請命，上曰："医人議病理不加罪，且我头重悶，殆不能忍，出血未必不佳，朕意決矣。"命刺之，鳴鶴刺百会及腦戶出血，上曰："我眼明矣。"言未畢，后自帘中頂礼以謝之曰："此天賜我师也。"躬负繒宝以遺之。高宗所患風眩因所記过簡，究为何病虽不知之，但以三叉神經痛的成分居多。

当时皇帝既然患風眩，風眩又是不易根治的病，自然有多数医生献方，所献之方又各不同，于是皇后武曌(則天)令張文仲集当时名医在一堂，共撰一部疗風气諸方，仍令殿中医生王方庆监其修撰。于是張文仲約集諸名医共为一卷，其中称："風有120种，气有80种，風則大体共同，其中有人性各異，或冷热，庸医不識葯之行使，或冬葯夏用，或秋葯冬用，多杀人。……臣所进此方，不問时皆得服，輕者服小方，重者服大方，葯味虽同，行使殊別，謹上如后。"

他所进的方子現仍有九方，保存在外台秘要(公元752年)一書第十四卷內。其中有三种煎剂，一种丸剂，二种煮散剂(將葯擣为末后煮之)，三种酒浸剂。

关于風病之記載，除上面曾提过的以外亦見于它处。

六世紀有許胤宗是以治風病聞名的。据說他曾治柳太后中風，口禁不能下葯，他用黃耆防風湯数十斛，置于牀下，气如烟霧，其夜便得語，由是拜为义兴太守。

公元610年巢元方所著諸病源候总論一書是我国講解病源的一部經典著作。其中对風疾極为重視。排列在卷首第一、第二篇中。所記述的風病諸候，包括有中風候、風癔候、風口喎候、風痱候、風痹手足不随候，風不仁候、風痹候等等共症候59种，其中有的对症狀叙述很清楚。風失音不語、風癔、風舌强不得語，均指失語之症狀。風口喎証明已注意对面神經损伤的表現。偏風、風不仁、風湿痹等候系感覚障碍。風半身不随、風四肢拘攣不得屈伸等候指出运动障碍与偏癱等症狀。当时也知道某些症狀是非常严重的，並且还根据了經驗作出預后的估計，如風偏枯候中曰："……若不瘖，舌轉者可治。三十日起。其年未滿二十者，三岁死。"在中風候里談到"肺中風"时記載："……其人当妄掇空指地，或自拈衣寻縫……"这很明显是指譫妄狀态或是因为腦皮質額叶損伤而形成的摸索症狀。風角弓反張候当視为严重的腦膜刺激症狀了。

被后人称誦为葯王的名医孙思邈的著作里，也記載了很丰富的中風知識，在千金要方一書中对"風痱"，"偏枯"，"風懿"等症候的描述很象一种病的不同程度："偏枯者，半身不遂。肌肉偏不用而痛，言不变智不乱。……風痱者，身無痛四肢不收；智乱不甚，言微可知，則可治。甚即不能言，不可治。……風懿者，奄忽不知人，咽中塞窒窒然，舌僵不能言。"風懿之症，已进入神志丧失的昏迷阶段。

这本書中講述了很多治疗的方法，介紹了大小續命湯、蛮夷酒、独活酒；治猥退風、半身不隨、失音不語諸方及附子散等。並介紹了許多如麻黄、防風、杏仁、白朮、石膏等葯物。这里的特点就是在治疗上除針灸之外，加入了大量的葯物疗法，就諸風一卷中之記述，用葯物的处方有 113 方，而針灸 58 項。

巢元方記載風病 59 候，使人感到复杂。而孙思邈更有治八風十二痺的葯方，还有治 64 种風的石南湯，治風癲方120种，使人更感到混乱。許仁則曾据語言障碍，神志情况，运动障碍，發作情形等区别諸風为七种，並謂其原因为养生不慎所致，其中包括性慾、飲食、思慮、劳役等过劳所致。

由当时記載可知，七世紀的許多名医都是由治疗風病聞名的，如許胤宗、甄权、孙思邈、秦鳴鶴、許仁則、張文仲等，也可知風病在当时社会上之重要性。

关于周圍神經疾患之描述，在这一段时間也極为丰富，当时多称为痺，痺是指感覚異常，痛和麻木不仁等而言。

諸病源候論中記有風湿痺，風痺和血痺。在風湿痺候中記有："風湿痺病之狀。或皮膚頑厚。或肌肉酸痛。……"在風痺候中記述尤詳，並分筋痺（筋屈），肌痺（四肢懈惰），皮痺（皮膚無所知），骨痺（骨重不可举，不隨而痛，）等等，大致均具有神經炎等周圍神經疾患的主要症候如感覚麻木（皮膚頑厚），肌肉压痛，肌肉酸痛，运动障碍（手足不随，弛縱）等。而且提出可用針灸、熨熨、按摩等治疗方法。

此时亦有風口喎（顏面神經麻痺），風痱，一臂不遂（可能包含头胸段神經根炎），腰脚痛不能俛仰（当包括坐骨神經痛）和头風眩（历来認为是三叉神經痛）等病。

七世紀名医甄权治愈一病人：隋魯州刺史庫狄嶔苦風患，手不得引弓。諸医莫能疗，权曰："但將弓箭向垛，一針可以射矣。"針其肩髃一穴应时即射。这病有臂叢神經炎之可能。

在多發性神經炎方面，諸病源候論中有多处記載，例如四支痛無常处候，脚气緩弱候等，均指的是多發性神經炎，兹引如下：

"四支痛無常处者，手足支节皆卒然而痛。不在一处，其痛处不腫，色亦不異，但肉里掣痛，如錐刀所刺。"

"凡脚气痛……其狀自膝至脚有不仁，或若痺，或淫淫如虫所緣，或脚指及膝脛洒洒尔。或脚屈弱不能行，或微腫，或酷冷，或痛疼，或緩縱不随，或攣急……"

此外还有虛劳風痿痺候，可能系指身体衰弱，營养狀态不良，貧血，代謝障碍及慢性消耗性疾病併發或續發之多發性神經炎。

除了神經炎之外，对癲癇記述也很詳細。对癲癇之病源問題似認为"因为風邪所伤。故邪入于陽則为癲癇。"但此时已提到先天的一些原因："又人在胎，其母卒大惊，精气並居，令子發癲。"又描述症狀曰："其發則仆地，吐涎沫，無所覚是也。"对于症狀之描写与分类这时也很进步，如諸病源候論中五癲病候一节所写：

"一曰陽癲。發如死人，遺尿。食頃乃解。

二曰陰癲。初生小时，臍瘡未愈，数洗浴因此得之。

三曰風癲。發时眼目相引，牽縱反强。羊鳴。食頃方解。由热作汗出当風。因房室过度，醉飲。令心意逼迫，……

四曰湿癲。眉头痛身重。坐热沐头。湿結腦沸未止得之。

五曰馬癲。發作时时，反目口噤，手足相引，身体皆然。"

由上观之，陽癲純系大發作。馬癲則似指癲癇頻發狀态，可見当时观察甚精。

由于癲癇的名称自古以来界限即不清，諸病源候論中規定："十岁以上为癲，十岁以下为癇。"但这种分法並無实际价值，后来混称为癲癇。

本書也有腦外伤的記載，在被打头破腦出

候中有："夫被打陷骨伤腦，头眩不举，戴眼直視，口不能語，咽中沸声如豘子喘，口急手为妄取，一日不死，三日小愈。"

中樞神經系之感染，見于本書之伤寒痙候中，"痙之为狀，身热足寒，項頸强。惡寒时头热面目热。搖头卒口噤背直身体反張是也，"並謂痙有剛柔，与伤寒論中所講相同。

由以上的記載可知此时期对神經病学方面之描述貢献最大者为巢元方。对治疗方法除上述各种葯方外，以針灸最著奇效，名医甄权，秦鳴鶴等均以針灸奏效，享名当世，可見針灸疗法对于神經病确是值得更进一步研究的問題。

宋金元时代

关于神經病的研究七世紀以来有極大成就，到了11世紀遂不得不自內科分离，成为独立学科。1060年（宋仁宗嘉祐五年）設立医学校（太医局）規定学生人数为120人。学校内分九个專業（九科），其中神經病例为專業之一，在120学額規定30人習学風科，仅次于內科（大方脉科）而且在1060年实际参加学習的人数多达66人，由此可見当时对于"風疾"的重視。这种医学分科以后虽有改变，但是直到16世紀風科一直是独立科目。（表一）

表1 嘉祐五年(1060)各科医学生規定名額及实有人数对照表

科目	定額	实数	超額数
大方脉科	40	33	
風科	30	66	36
小方脉科	30	38	8
产科	4	1	
眼科	6	5	
瘡腫科	4	8	4
口齿兼咽喉科	4	6	2
金鏃兼書禁科	1	1	
瘡腫兼折瘍科	4	3	2
总計	120	161	52

至于神經病的病因，以前皆認为由气所致，直至十一世紀沒有改变，但到了十二世紀由于金元四家的派別不同，这种学說便發生动搖。

首先刘完素謂中風（暴瘖）和風狂等由火所致，他說多由將息失宜，而心火暴甚，腎水虛衰，則陰虛陽实，而热气拂郁，心神昏冒，筋骨不为用，而卒倒無所知也。李杲則謂中風由于內伤脾胃因伤气所致，提出年逾四旬气衰之說，他講这种病固然有因憂喜忿怒伤气者，但更多見的是酒色劳倦伤陰。刘完素曾提到中風不是外中之風，而李杲也說："此病多在四旬之外，正以其漸伤漸敗，而至此始見，非外感而总由內伤可知矣。又說："非外来自風邪，乃本气自病也。"朱震亨則謂中風由湿生痰所致。而以湿为本，因病所以生痰，非痰因所以生病也。"总之此时諸医家对于中風病源有种种推論而不限于受風一說了。同时中風的看法已由外感而轉移到內伤为主了。

同时对于中風也有更进一步的認識，如刘元書六書說："凡人如覺大姆指及次指麻木不仁，或手足不用，或肌蠕动者，三年內必有大風之至。"朱震亨亦有記載並提出有此先兆即应預防，使風疾不作而获其安。可見此时已熟悉了本病的先兆症候。

此外，李杲的东垣十書中对于中風記有："凡人年逾四旬气衰之际，或因憂喜忿怒伤真气者多有此疾，北宋之时無有也，若肥盛則間有之。"說明發病年齡，情緒誘因与本病發生之关系，也說出了本病好發的体形。

至于葯物治疗方面在十二世紀也起了很大变化，在七世紀諸名医所用葯物主要皆为植物葯，至十二世紀以聖济总录及和剂局方为例，則多用矿物葯如金、銀、丹砂、水銀、龙腦、珍珠、琥珀等。更用动物葯如麝香、羚羊角、牛黄、虎骨等。另外还用小动物如守宫、蜈蚣、殭蚕、蝎、蛇、蜥蜴、蜜蜂等。聖济总录中詳細的列出了各种症候，再附以方剂，不但条理分明而且內容也極丰富。

明清时代

至明代，樓英医学綱目对神經病的記述很有总結性，其中对于中風的症狀有更細的描述："其卒然仆倒者，經称为击仆，也又称为卒中，乃初中風时如此也。其口眼喎斜，半身不遂者，經称为偏枯。……及腰腿風，乃中倒后之証，邪之淺者如此也。其舌强不言，脣吻不收者，經称为痱病。世又称为風懿風气。亦中倒后之症，邪之深者如此也。"这一段，把中風之开始發生的情形，中風的症狀，中風的后遺症描写的很有次序。又說："卒中者，卒然不省人事，全如死屍，但气不絕，脉动如故，脉無倫序，或乍大乍小，或微細不絕，而胸膜者是也。"

同代戴思恭証治要訣中虽也有对此症狀之描述："中風之証，卒然运倒昏不知人或痰涎壅盛，咽喉作声，或口眼喎斜，手足癱痪，或半身不遂，或舌強不語，風邪既盛，气必上逆，痰随气上，停留壅塞，昏乱运倒皆痰也。"仍認为"痰"是疾病的原因，此外又說："肥人多有中風，以其气盛于外而歉于內也……"但这些与前人比較，無明显进步。

对中風之認識在明朝虞天民所撰之医学正傳中有更进一步的認識，蓋在金元四家之前，均以中風为外受風邪所致，而金元四家又傾向"內伤"为致病的原因，到了这一書，他便把內和外因統一起来，这一种思想是值得注意的。茲引这書的原文如下："內經曰風之伤人也或为寒热，或为热中……是以古之名医皆以外中風邪立方处治，惟河間刘守眞氏所謂中風癱痪者，非为肝木之風实甚而卒中之，亦非外中于風……皆因热甚，俗云風者，言末而忘其本也，东垣李明之亦謂中風者非外来風邪乃本气自病也……丹溪先生亦曰有气虛，有血虛，有痰盛……东南之人，皆是湿土生痰，痰生热，热生風也……王安道有論三子主气、主火、主湿之不同，而与昔人主風不合，而主眞中类中之目，歧为二途，悉窃疑焉。曰卒中、曰暴仆、曰暴瘖、曰蒙昧、曰喎僻、曰癱痪、曰不省人事、曰言語蹇澁、曰痰涎壅盛、其为中風之候不过如此，無此候者，非中風之病也。夫外候既若是之相侔，而病因又何其若彼之異耶？"他不但对病因說法不一，發生了怀疑，而且更进一步的寻求解决，所以又写道："于是积年历試四方之病此者若干人，蓋因風湿痰火挾虛而作，何常見其有眞中类中二者之分哉？……夫中風之証，蓋因先伤于內而后感于外之候也，但有标本輕重之不同耳。"以上他不但对病源作了闡述，而且也描述了丰富的症狀。

对于因神經損伤而致之运动系症狀，也有許多記載，名称乃沿襲"瘈瘲"、"痿"等。

瘈瘲俗謂之搐，以前刘完素对其病因肯定了內經的："諸热瞀瘈，皆屬于火，"並謂："折其火热，瞀瘈可全愈，"李东垣以补的方式来治疗它，用补中益气湯。至明之温病条辯对瘈病並加以論述以区别痙病："素問謂太陽所至为痙，少陽所至为瘈。蓋痙者，水也。瘈者，火也。又有寒厥热厥之論最詳。后人不分痙、瘈、厥为三病。統言曰惊風急热。……謹按痙者，强直之謂。后人所謂角弓反張，古人所謂痙也。瘈者蠕动引縮之謂。后人所謂抽掣搐搦，古人所謂瘈也。"（見該書痙病瘈病总論）而且又把它与癎区别开来謂抽掣搐搦不止的是瘈，时作时止的是癎。在医学綱目中更描繪了一种不自主运动的症狀称为顫振："顫，搖也。振，动也。風火相乘动搖之象。比之瘈瘲，其势为緩。"

医学綱目中对"攣"也作了比較詳細的記載。分热攣、寒攣、虛攣。並記录一寒攣的病历很像由于脊髓損伤而至的痙攣性截癱。

对于痹的症候、金元四家中刘、張均遵古說，以为風寒湿所致，明代虞摶的医学正傳中提到朱丹溪謂：因湿痰濁血流注为病。該書描写麻痹的症狀是："或周身或四肢，唧唧然麻木不知痛痒，如繩紮縛初解之狀。"医学入門一書中对痹症之描述为：痹者气閉塞不通流也，或痛痒，或麻痹，或手足緩弱，与痿相类。同書又把痹与痿作了区别："痿屬內因血虛火盛，肺焦而成，痹屬風寒湿三气侵入而成。"他又說"然外邪非气血虛則不入，此所以痹久亦能成痿。"如記述当时認为是痿症的达四十例之多。許多系指脊髓疾患周圍神經疾患之症狀而言。

此外还有对末梢性面神經麻痹之記录，按楼英医学綱目中謂："凡半身不遂者，必有口眼喎斜，亦有無半身不遂之症而喎斜者。"还举一病例："大尉中武史公，年六十八岁，于至元十月初侍国师于聖安寺。丈室中煤炭火一爐，在左边，遂覺面热左頰。微有汗。师及左右諸人皆出，因左頰疎緩。被風寒客之。左頰急，口喎于右。"此中並說明假若左側面神經麻痹的話，口角將被右側緊張的肌肉牽引过去。在治疗上指出用葯也应該是左喎塗右，右喎塗左，正是指用葯或治疗应用于患側。

其后清代尤氏金匱翼更描述了周圍性面神經麻痹时眼瞼不能閉合之症狀："为風所中，筋牽过一边，連眼皆緊，睡着一眼不合者是也。"

关于三叉神經痛的症狀，在医学綱目中也有很好的病例記載："王撫正患鼻額間痛，或麻木不仁，如是数年，忽一日連口唇頰車、髮际皆痛，不开口，虽言語飲食無妨，在額与頰上常如糊，手觸之則痛。"

至于癲癇一症的記載，在宋以后把五癎分为馬癎，牛癎，鷄癎，猪癎，羊癎，是以症狀之不同而分类。"癲癎"一詞在明代后多作"癎"，許多医書都記述了"癎"的發作症狀和病案，明代王肯堂証治准繩中更將此症与中風，中暑等急性昏迷作了鑑別。李梴医学入門提到："癎与癲狂相似，但癎病时發时止，邪留五臟，癲狂經久不愈，邪全归心。"

而明虞天民对癎，狂，癲等之預后說的更加明白，如医学正傳中謂："……此三証者若神脫而目瞪如愚痴者縱有千金我酬，吾末如之何也已矣！"可見当时已經知道常期而厉害的癲癎和一些精神病已經达到腦衰退的阶段就無法医治了。

关于中樞神經系統之感染，仍由痙来作綫索，因为痙的症候，是明显的腦膜刺激症狀。

溫病条辨中提出病源問題，对素問中："諸痙項强，皆屬于湿。"句中之"湿"大加怀疑，而主張为風所致。医宗金鑑上謂皆風邪乘虛入太陽經而成此病。

对傳染病的認識，至明清时代有很大的进步，如清吳又可之溫疫論原序中謂"夫溫疫之为病，非風非寒，非暑非湿，乃天地間別有一种異气所感。"

关于感染性疾病之中樞神經系症狀，清戴麟郊之瘟疫明辨中則記有煩燥，多言，譫語，狂，喜症，沉昏，循衣摸床撮空，多睡等。

此外，对于神經病的治疗方面除了前述的針灸，葯物外，还有"导引"之法，頗与今医疗体育相似，"用之于腦神經疾病的恢复期是很有效果的。

結 語

按医学專科史是建筑在疾病史的基础上的，而現在我們在疾病史方面的工作研究的还很少，直可以說沒有資料可依据；而且疾病史主要是診斷、治疗問題，因此应由各專科医师或專家著作自己的專科史，才能更正确、更深入。但我祖国医学文献很多，且尙未經系統整理，各專科医师使用起来尙不方便，故本組*同人仍按朝代略述了我国有关神經病學上的一些記載，供同志們和專家們参考和指正並借来拋磚引玉。

---

* 北京医学院医史学教研組

眩暈名义的原始和演变

胡 毓 寰

眩暈是某几种疾病所呈現的一种症狀，不是疾病的名称。

眩暈的症狀是：头目發生昏花不定的幻覺，甚則呈現房屋器物旋轉，起立行动則身体感覺浮汎欲倒。

眩字，通常是联結暈字为詞的，但有时眩字也單独使用。

眩字的意义

說文云："眩，目無常主也。"無常主，是謂視覺的目的物变幻轉动。釋名釋疾病云："眩，懸也，目視动乱如懸物搖搖然不定也。"素問腹中論云："四支清目眩。"王冰注云："眩，謂目視眩轉也。"朱震亨丹溪心法云："眩者，言其黑运轉旋，其狀：目閉，眼暗，身轉，耳聾，如立舟船之上，起則欲倒。"此似是写高血压眩症剧甚时的情况，所以說"目閉，眼暗，身轉，耳聾。"至若眩的輕症，只呈現視物昏花动搖不定，还不至發生閉目不敢开、身旋轉欲倒的急險狀态。

眩字在病症的使用上，往往結合各种有关联意义的字演成为許多大同小異的專詞，例如："眩冒"、"头眩"、"掉眩"、"風眩"、"眩瞀"、"瞑眩"、"眠眩"、"眩仆"等，又或轉变为"眠眴"、"顛眴"、"眴仆"等。

素問气交变大論云："忽忽善怒，眩冒巓疾。"灵樞經海論云："腦轉耳鳴，脛痠眩冒。"素問至眞要大論云："耳鳴头眩，憒憒欲吐。"又云："厥陰司天，耳鳴掉眩。"眩冒的意义和單一个眩字的意义是差不多的。冒的意义是以物蒙复头目，看不見外面的东西。眩症剧作时，兩眼昏黑，看不見外物，好像蒙蔽了头目的情况，所以称为眩冒。头眩，是因为病在头目，所以加上一个头字。掉字的意义是动搖，不过，掉比搖的轉动程度强烈些。眩字加上掉字，还是視物旋轉昏花的意义。后汉書韋彪傳云："眩瞀滯疾，不堪久待。"李賢注云："眩，風疾也，瞀，乱也，謂視不明，"風疾，显然是神經障碍的病症，瞀从目，謂看不清东西，和"冒""瞑"二字的意义是差不多的，孟子滕文公上篇引書云："若藥不瞑眩，"（亦見国語楚語引，及古文尚書說命上篇，）瞑的意义是閉目無所見，眩的症狀剧作，則头旋目暗，故曰瞑眩。孙奭孟子音义云："瞑眩，又作眠眴。"眴音懸，它的意义是目視动搖，和眩字的意义相同，所以古字相通用，（文选"剧秦美新"李善注云："眴与眩，古字通，"）眠的意义是卧而閉目，和瞑"閉目無所見"的意义是差不多的（文选"养生論"李善注云："瞑，古眠字。"）。所以眠和瞑，眴和眩，都可以說是異字同义。同样，"眩冒"、"掉眩"、"瞑眩"三个詞，也可以說是異詞同义。头眩，是加上一个疾病部位的头字，風眩，則加上一个疾病机制的風字。文选揚雄"剧秦美新"云："臣常有顛眴病"。說文云："顛，頂也。"顛頂異字同义，都是头的上部地位，所以顛眴和头眩的意义是相同的。素問厥論云："足不能行，發为眴仆。"又，至眞要大論云："头痛善悲，时眩仆。"灵樞經五乱論云："乱于头則为厥逆、头重、眩仆。"仆的意义是身倒伏地。眩暈剧作时，身体是会發生倒仆的，眴仆、眩仆，仍是異詞同义，不过眩眴是指头旋目乱的症狀，而仆則是指头目以外的全身动作症狀。

眩症最輕的症狀只是一时性的視覺昏黑，俗称"眼發黑"或"眼發烏"，这就是丹溪心法所說的"眼暗"。眩从目从玄，玄字的本义是黑帶微赤色，这正是眩症眼暗时所見的顏色。依照中国文字發展的規律，字旁的另一文常常是后来附加的。所以"眩冒"、"头眩"等詞，在文字上，最初可能只是"玄冒"、"头玄"，后来为了使意义更明确起見，才把它加上目旁，成为眩字。

把眩症用了許多大同小異的名詞来称呼它，这是汉唐以前的情况了。到宋元以后，漸漸地把这名詞統一起来（虽然还不是絕对的統一）。这統一的名詞就是"眩运"，也写作"眩暈"。

运和晕字的意义

运字的意义就是轉动。淮南子天文訓注云:"运,旋也。"广雅釋詁云:"运,轉也。"尔雅釋詁云:"运,徒也。"庄子山木篇釋文引司馬注云:"运,动也。"运的字形从辵,辵是行动,中間的軍从車加冖,辵合軍象征車載物而走。車走必以輪轉动,故运物的意义就含有輪轉动的意义。因此,运字的意义也就含着旋轉动徙的意义。明楼英的医学綱目云:"眩,謂眼黑眩也;运,如运轉之运,世謂之头旋是也。"明李梴的医学入門云:"眩运,或云眩冒,眩言其黑,运言其轉,冒言其昏,其义一也。"原来眩的意义在目,为目視物昏黑;而运的意义在物,为所視物如車輪轉动。但是宋元以后,眩运二字常常融合为一义来使用,不复分开那一个字是目視,那一个字是物轉。例如宋严用和的济生方云:"眩运者,眼花屋轉,起则欲倒是也。"直到现代,一般的应用上,都是二字融合为一义地普遍使用着。

晕的字形从日,它是指太陽或月亮的周圍有一層像車輪环狀的濛光,所以說文云:"晕,日月气也。"汉書天文志注引孟康說:"晕,日旁气也。"釋名釋天云:"晕,卷也,气在外卷結之也,日月俱然。"日晕比較少見,月晕是很常見的天象,俗語称为"月戴圆枷"。运晕同音,又同是含有車輪环狀的意义,所以二字得以通用。周祀保章氏注:"日月薄食运珥,"据釋文說:"运,本作晕。"可見唐朝的周祀此注,有运晕二种写法,不过运字是較早产生的,晕字是后起的新字,所以說文只有运字,而晕字是載在說文新附中。由此可知:眩运一詞,运是本字,而晕是通借字。但是在近代的医書上,一般已經通行眩晕的写法,而本来的运字反而少人使用了。

結 語

总結說来,眩晕一詞,最初是只用一个眩字(可能眩字之先只是玄字,后来才加上目旁)。到了汉、唐,才加上运字,成为"眩运";后来又借用晕字,成为"眩晕"。

神农本草經中关于疾病的史料

陈 邦 賢

神农本草經是中国最古的一部本草典籍，也是最古的一部葯学典籍。究竟是什么时代的产物，先哲早有所考据。啖助說："古时的解說，都是口傳；从汉代以来，才有章句；如本草都是后汉时的郡國，而題名神农。"（見春秋集傳纂例）。我以为他这几句話很能証明神农本草經是后汉时的产物。梁啟超說："現在所說的神农本草，汉書艺文志沒有他的目录，知道刘向的时候，决沒有这書。再檢查隋書經籍志以后的各种書目，以及其他史傳，便知道这書大概和蔡邕、吳普、陶弘景这些人有很深的关系，一直到宋代然后才規模大具。換句話說：这書大概經千年間許多人的心力所集成；但是这書不但不是神农所作，就是兩汉以前參預的人也很少，大概是可以断言的。"（見中国历史研究法）他又說："这書在东汉，三国間已經有了，到宋齐間已成立規模了。著者的姓名虽不能确信，著者的年代不出于东汉末到宋齐之間。"这更可以說明神农本草經产生的年代了。可是章太炎、余嘉錫也有些不同的看法，从略。这部書包括能治疗的疾病很多，可以做我們研究疾病史的參考資料。現在把它分析的写在下面：

一、內科病

（1）中風、伤寒、温疾、疫疾、霍乱、腸澼、下痢赤白瘕疾、温瘧、痎瘧。

（2）欬逆、欬逆上气、喘息、五劳七伤、五劳六極。

（3）胸滿、嘔吐、吐逆、胃反、胃痹、留飲、留澼、淡癖、下痢、洩痢、腸洩、寒洩、洩澼、黃疸、五疸、賁豚伏梁、腹水、疝瘕、疝气、癥瘕、积聚、关格。

（4）水腫、癃閉、气癃、石癃、五癃、淋閉、淋露、淋瀝、石淋、五淋、遺溺、消渴。

（5）癲癎、癡疾、狂易、癎痓、癎痙、惊癎、瘈瘲、風痙、头風、头眩痛、惊悸。

（6）痹、風痹、寒痹、温痹、風湿痹、寒湿痹、風寒湿痹、周痹、陰痹、肉痹、血痹、痿、陰痿、痿蹶、寒厥、偏枯、死肌、历节痛。

二、外科病

（1）癰疽、癰腫、癰病、癰創、癰伤、乳癰、腸癰。

（2）疽、疽痔、疽創、疥蝕、疽瘻痔、八疽、敗疽。

（3）头瘍、惡瘍、陰瘍、疥瘍、創瘍、火瘍、陰蝕。

（4）癭、癭瘤、鼠瘻、瘰癧、头下核、腸痔、五痔、脫肛。

（5）金創、金瘡、惡創、火創、蝕創、久敗創、折跌、絕伤、刺伤、蛇虺、蜂蠆、猘狗、虫毒。

（6）大風、癩疾、白癩、赤癩、疥搔、痂疥、惡瘡、火瘡。

（7）痂癬、白禿、头禿、癮疹、赤皰、酒皰、酒皶、皶鼻、黑皯、疣鼻肉。

三、妇产科病附小兒科病

血閉、月閉、帶下、赤白帶下、赤白沃、崩中、漏下、絕孕、墮胎、安胎、产难、乳难、乳痓痛、子藏急痛、陰中腫痛、小兒百病、小兒顖不合。

四、眼耳喉病附齿科

眼赤痛、目痛、目欲脫淚出、目翳、青盲、青盲、白膜、耳聾、喉痹、齲齿、齿齗腫。

五、虫疾和其他疾病

（1）虫疾、白虫、蟯虫、三尸虫、伏尸虫。

（2）邪气、蠱毒、鬼注、鬼疰。

六、小 結

神农本草經所記病名，概括統計，約170余种，其中外科多于內科。最多的更是"邪气"与"蠱毒"，說明汉以前的疾病，"邪气"与"正气"是对立的，一切外感都以"邪气"代之，以为"邪气"乃不正之气，可以代表一切时令病。古来疾病是分开的，疾輕病重，所以釋名說："疾病，疾，疾也，客气中人急疾也；病，竝也，与正气竝在膚体中也。"古人多以疾病为外界邪气留止于身体中，所以又称做客气，客气就是邪气。左氏傳：

医和以陰、陽、風、雨、晦、明为天地之六气。素問：以風、寒、暑、湿、燥、火为六气。人中了六气而生疾病，就是中了邪气。

蠱蓄有三种解釋：①虫疾，吳崑素問注："虫蝕陰疾之名。"有人說蠱就是血吸虫病，那就不确切了；血吸虫病死亡率很高，在反动統治时期，有一家或一村因感染血吸虫病而完全死亡的。中国古代如若就有这种疾病，那死亡率一定很高，不能使人口發达到今日六亿以上的了。②花柳病，昭元年傳："是謂近女室，疾如蠱。"③神經疾病，巫蠱之患，以汉为最盛，因此有蠱毒的产生。再其次便是鬼注等疾病，代表当时尙停留于迷信神权的阶段，然而大多数都是唯物的，除掉有些"久服輕身延年神仙"等等，是含有道家色彩的，其余大都实事求是，記載它治疗的功效。但所記的病名是非常复杂的，極不一致，如瘧疾記温瘧較多，又有記瘧疾，痎瘧，鬼瘧等名称的。按瘧有酷瘧的意义，說文："寒热休作病。"禮記月令："民多瘧疾。"注："瘧疾，寒热所为也。"素問瘧論有日作，間日作，二日作的分别；有風瘧，痎瘧，寒瘧，温瘧，癉瘧等名称。襄七年傳："子駟使賊夜弒僖公，而以瘧疾赴于諸候。"古时記載瘧疾的史料最多，可見瘧疾也为古代常見的疾病。

下利有腸澼，下痢、赤白洩利、腸洩、寒洩等名称。按御覽疾病部："泄利作泄痢。"又引魏武令說："凡山水甚强，寒飲之，皆令人痢。"腸澼素問灵樞中凡十見，多指赤白滯痢而言。洩利、腸洩、寒洩多指泄瀉而言。这也是古代常見的疾病。

內科病中以癥瘕、积聚、疝瘕、惊癎、痙痓、湿痹、風寒湿痹、周痹、死肌为最多。按医書中气积为癥，血积为瘕。癥是积，瘕是聚；可是癥瘕也可称做瘕。巢源："瘕，假也；謂虛假可动也。"又說："謂其有形，假而推移也。"素問气厥論有虙瘕；陰陽类論有血瘕；邪气臟府病形篇有水瘕；水脹篇有石瘕；厥病篇有虫瘕；伤寒論有固瘕；本草經有蛇瘕；倉公傳有遺积瘕、蟯瘕。說文："瘕，女病也。"山海經："瘕疾，虫病也。"可見瘕疾的重要了。

疝，釋名："心痛曰疝。"又："疝，詵也，詵：引小腹急痛。"顏师古急就篇注："疝，腹中气疾，上下引也。"金匱称做寒疝。樓氏綱目："疝名虽七，寒疝即疝总名也。"七疝：寒疝、水疝、筋疝、血疝、气疝、狐疝、㿗疝。素問作頹疝、灵樞作㿗疝。

千金分㿗病为四种：一、腸㿗，二、卵脹，三、气㿗，四、水㿗。腸㿗即小腸气見李梴医学入門。

張子和以疝为專主陰器之病。倉公傳有气疝，按即素問所說的肺疝；涌疝就是素問的冲疝，厥疝，也就是后世的奔豚疝气。可見古代对疝病范圍之大了。

癲癎，巢源："癎者，小兒病也，十岁以上为癲，十岁以下为癎。"徐嗣伯說："大人曰癲，小兒曰癎。"巢源，千金有三种癎：即惊癎、食癎、風癎，就是后世的小兒惊風。伤寒論有剛痓，柔痓的区别。

痹，說文，玉篇都說："痹，湿病也。"广韻："脚冷湿病。"荀子解蔽篇注：痹，冷病也，伤于湿則患痹。汉書艺文志有五臟六府痹十二病方三十卷。注："痹，風湿之病。"都与素問痹論風寒湿三气合而为痹之說相合。素問有行痹、痛痹、著痹、風痹、寒痹、众痹、周痹、骨痹、筋痹、脉痹、肌痹、皮痹、血痹、胞痹、陰痹、喉痹、食痹、胸痹等名称。按痹有四种的意义：①病在陰的总称，見素問寿夭剛柔篇。②專为閉塞之义，如食痹、喉痹之类。③有为痲痹之痹，如不仁、死肌之类。④有为痛風历节之义，如行痹、痛痹、着痹之类。也可見痹症也是古代一种很重要的疾病。

外科病便有癰疽、創伤、瘿瘤、痔瘘、以及金創、惡創和皮腫等疾病为最多。按說文："癰，腫也。"广韻解做癰瘡。素問五常政大論王冰注："癰腫、潰瘡也。"史記佞幸列傳："文帝尝癰，邓通常为帝唶吮之。"古代多癰疽称。巢源以为癰屬六府，疽屬五臟。王洪緒外科証治全生集以为癰屬陽証，疽屬陰証。

創，广雅釋詁："創，伤也。"王念孫疏証："創者刃伤也。"說文："刃，伤也，或作創。"月令："命理瞻伤察創。"釋名："創戕也，戕毁体使伤也。"

瘿，說文："头瘤也。"呂氏春秋尽数篇："輕水所多，秃与瘿人。"淮南子："險阻之气多瘿。"

外台引巢源："恚气結成瘿者，但垂核槌槌然，無脉也。飲沙水成瘿者有核瘰瘰然無根，浮动在皮中。"今俗有馬刀俠瘿。"說文："頸腫也。"以上所說是指淋巴腺腫。三因方有五瘿：石瘿、肉瘿、筋瘿、血瘿、气瘿，那便屬于瘤的一类了。

痔，說文："后病也。"庄子人間世篇釋文引司馬說："痔，隐創也。"瘻，馬蒔說："鼠瘻之屬"。慧琳藏經音义引考声說："瘻，久瘡不差曰瘻。"巢源有九瘻三十六瘻。李梴医学入門："瘻，即漏也，經年成漏者与痔漏之漏相同。

妇产科对于胎前、产后、崩漏、帶下，記載較为完整。眼耳喉齿如眼赤痛、目翳、青盲、白膜、喉痹、齲齿等，無不应有尽有。还說明神农本草經非一个代或某一个人所完成的，因此記載的术語和方法都不一致，这是一个初步的研究，笔漏殊多，尚希指正为幸。

我国最早的葯典"唐本草"

尙　志　鈞

唐本草又名唐新修本草，有时簡称新修本草，是中国最早的一部葯典，同时也是世界上最早的一部葯典，因外国最早的葯典是牛倫葯典，牛倫葯典是在1546年由牛倫堡政府刊行的①，而唐本草是唐高宗显庆四年②(公元659年)編成，比牛倫葯典要早887年。但反动政府在1930年編的中华葯典，其序文里說道："緬維首制，实始牛倫。"这眞是数典忘祖。

1.　唐本草編修的原因　唐以前通行的本草是陶弘景的神农本草經集註，陶弘景編本草經集註时，正是中国南北对峙而未統一的时候，陶弘景处在江南地帶，个人見聞和經驗，当然是有限度的。但另一方面由于南北对峙一百多年，到隋唐才統一，唐代經济繁荣，对外交通，也日趋頻繁起来，人民物質文化生活提高，医葯的發展和經驗，比前代更丰富，那么原来的神农本草經集註，当然赶不上时代的需要，就有重修的必要。首先提出重修問題的，就是苏敬，他就向政府提出修纂的建議，很快就得到当时的政府的批准了。

2.　唐本草編修的时間和参加編修的人員　唐本草編修的时間和参加編的人数各書記載不一。李时珍③說："唐高宗命司空英国公李勣等，修陶隐居所註神农本草經，增加七卷，世謂之英公唐本草，…苏恭④重加訂註，表請修定，帝复命太尉赵国公長孙無忌等22人与恭詳定。"孔志約作唐本草序⑤云："苏恭摭陶氏之乖違，辯俗用之紕紊，遂表請修定，深副聖怀，乃詔太尉揚州都督監修国史上柱国赵国公臣無忌……許孝崇等22人与苏恭詳撰。"李时珍認为唐本草先經李勣修过一次，再由苏恭提出重修，而孔志約只說苏恭根据陶氏本草經集註的缺点，提出重修的建議。新唐書于志宁傳⑥曰："志宁与司空李勣修定本草並圖合54篇。"欧陽修撰唐書艺文志⑦对唐本草註云："显庆四年，英国公李勣，太尉長孙無忌，兼侍中辛茂將，太子賓客弘文館学士孔志約，尙葯奉御許孝崇、胡子家、蔣季璋，尙葯局直長藺复珪、許弘直，侍御医巢孝儉，太子葯藏监蔣孝瑜、吳嗣宗丞蔣义方，太医令蔣孝琬、許弘丞蔣茂昌，太常丞呂才、賈文通，太史令李淳風，潞王府参軍吳师哲，禮部主事顏仁楚，右監門府長史苏敬等撰。"按欧陽修註釋，唐本草在显庆四年(659年)由23人合修，和李时珍孔志約所說22人合修不符。唐会要⑧云："显庆二年，右监門府長史苏敬上言，陶弘景所撰本草，事多舛謬，請加删补，詔令檢校中書令許敬宗，太常寺丞呂才，太史令李淳風，禮部郎中孔志約，尙葯奉御許孝崇，並諸名医等20人，增損旧本，征天下郡县所出葯物並書圖之，仍令司空李勣总监定之，並圖合成54卷，至四年正月十七日撰成。"現存新修本草殘卷②，第十五卷末記有显庆四年正月十七日修成，並附有名單21人，名單中沒有長孙無忌許敬宗、于志宁。據通鑑⑨記載，在唐高宗显庆四年長孙無忌和李勣爭权失敗，在四年四月被革职，七月被逼自縊而死。权移新臣后，所以新修本草中沒有長孙無忌的名字。总上所說，唐本草是在唐高宗显庆二年，由苏敬向当时政府提出修纂本草的建議，立即被政府批准，並指派当时掌握大权的長孙無忌、李勣等領銜負責着手編修，而实际責任可能是由苏敬負的，到显庆四年正月十七日全書54卷告成，参加編修共22人。

3.　唐本草的卷数　各書記載不一，唐本

① 陈思义，实用葯劑学，华东葯專1952年出版第5頁。

② 苏敬，新修本草，羣联出版社1955年出版，下册，第369頁。

③ 李时珍，本草綱目，人民衛生出版社影印本。

④ 苏恭原名苏敬，因避統治者的"諱"，把敬改为恭。

⑤ 重刊經史証类大全本草，清順治丙申(1656年)年刊本。王秋刊，秦鳳仪等校，第一卷第8頁。

⑥ 新唐書第104卷，于志宁傳。

⑦ 唐書經籍艺文合志，商务印書館1956年出版，第273—274頁。

⑧ 王溥，唐会要，中华書局1955年出版，第82卷，第1522—1523頁。

⑨ 司馬光，資治通鑑，古籍出版社1956年出版，第200卷，第6314—6316頁。

草序⑤云："撰本草並圖經目录等凡成54卷"。唐書于志宁傳⑥曰："志宁与司空李勣修定本草並圖合54篇。"唐書艺文志⑦云："本草20卷，目录1卷，葯圖26卷，圖經7卷。"唐书艺文志另一种記載是48卷。但是旧唐書經籍志⑦記載是54卷："本草圖經7卷，新修本草21卷，新修本草圖26卷。"李含光本草音义⑩云："正經20卷，目录1卷，又别立圖25卷，目录1卷，圖經7卷，凡54卷。"宋掌禹錫⑪所引蜀本草序和唐英公进本草表是53卷，掌禹錫說："臣禹錫等謹按蜀本草序作53卷，及唐公英进本草表云，勒成本草20卷，目录1卷，葯圖25卷，圖經7卷，凡53卷，又英公撰本草並圖經目录等，凡成53卷。"李时珍③亦說是53卷。李时珍記道："本草凡20卷，目錄1卷，别为葯圖25卷，圖經7卷，共53卷。"总上所說，53卷和54卷的差别是在葯圖的卷数。孔志約、于志宁、唐書艺文志、旧唐書經籍志、李含光等，均說葯圖是26卷。唯掌禹錫和李时珍所引葯圖是25卷。笔者同意是26卷，因李含光本草音义註明葯圖25卷另有目录1卷，共26卷。加圖經本草合共54卷。

4. 唐本草的葯物分类 李时珍③說："…分为玉石、草、木、人兽、禽、虫、魚、果、米谷、菜、有名未用11部。"孙思邈千金翼方⑬分玉石部，草部、木部、人兽部、虫魚部、果部、菜部、米谷部、有名未用等九部。日本丹波康頼医心方⑭分玉石、草、木、兽禽、虫魚、菓、菜、米谷、有名未用等九类。梁陶隐居序⑪中有註解云："…今以序为1卷，例为1卷、玉石三品为3卷、草三品为6卷、木三品为3卷，禽兽为1卷、虫魚为1卷、果为1卷、菜为1卷、米谷为1卷、有名未用1卷。"总上所說，唐本草把葯物分为9类，即玉石、草、木、禽兽、虫魚、果、菜、米谷、有名未用等9类。比神农本草經集註多二类，按梁陶隐居序⑪中註，神农本草經集註，將葯物分玉石、草木三品，虫兽、果、菜、米食三品，有名未用三品。而唐本草把虫兽分为禽兽和虫魚兩类，草木分草与木兩类⑫。由此可見唐本草分类完全是抄襲陶宏景的分类，不过因动植物葯品数量增加，才把虫兽、草木等作更进一步的分开。

5. 唐本草的葯物数目 梁陶隐居序⑪中註解所記："…合20卷，其18卷中葯合850种，361种本經，181种别录，115种新附，193种有名未用。"孙思邈千金翼方⑬記載，玉石三品82种，草三品257种，木三品101种，人兽56种，虫魚71种，果25种，菜37种，米谷28种，有名未用196种，合共853种，但千金翼方目录中的有名未用类实載195种，所以实数是852种。医心方⑭載有唐本草葯品目录，卷1第24頁記有"本草內葯850种。"这和陶序中所註的数字850种相同。按医心方是日本的古書，在圓融帝永观二年⑮(公元984年⑯)著成，距离唐本草年代較近，所以記載数字当然是比較可靠些，所以唐本草葯物总数可能是850种。

6. 唐本草編修的情况 唐本草共包括三部分，即本草、葯圖、圖經等三部，在本草方面，基本上按陶宏景本草經集註的分类和編排，例如陶宏景对神农本草經葯物，用紅字書写，对名医别录的葯物，用墨字書写，而唐本草亦是如此，凡葯物出自神农本草經，用紅笔写，凡葯物出自名医别录，用墨笔写，凡由唐代新增的葯物，均除以"新附"二字。这种做法，非常重要，因它能够保存了葯物發展的根源。所以唐本草在葯物方面，除了以陶氏本草經集註加以刪整外，並新增葯品114种⑰。在葯圖方面，当时曾下詔全国，征詢各种葯物形态，施以繪圖，如唐会要⑧云："征天下郡县，所出葯物，並書圖之。"

---

⑩ 丹波元胤，中国医籍考，人民衛生出版社1956年出版，第114頁。

⑪ 重修政和証类本草，上海商务印書舘縮印金泰和刊本，卷1第26頁。

⑫ 重修政和証类本草，第1卷第27頁，陶序註中云："…陶据此以别录加之为七卷，序云三品混糅，冷热舛錯，…豈使草木同品，虫兽共条，披覽既难，圖繪非易。"由此註可知陶氏分类把草木为一类，虫兽为一类，但中华医史杂誌7卷2期(1955年2号)第84頁，馬繼兴說陶氏以菓菜为一类，我不同意他的說法。

⑬ 孙思邈，千金翼方，人民衛生出版社1955年影印，卷2—4，第14—59頁。

⑭ 丹波康頼，医心方，人民衛生出版社1955年影印，卷1第24頁。

⑮ 丹波康頼，医心方，上册序第1頁。

⑯ 万国鼎，中国历史紀年表，商务印書舘1956年出版，第129頁。

⑰ 重修政和类本草，第1卷第22頁，嘉祐补注总序云："……李勣等与恭参考得失，又增114种，分門部类，广为20卷，世謂之唐本草，"但同書卷1第26頁，陶序中註为"115种新附。"究竟是新增11 4种还是115种待考。

唐本草序[9]云："普頒天下，营求葯物，羽毛鱗介，無远不臻，根莖花实，有名咸萃……丹青綺煥，备庶物之形容。"这就是叙述繪制葯圖的經过，共作葯圖25卷，目录1卷，合共26卷[10]。另外还写有葯圖說明書名圖經共7卷。以葯圖26卷和圖經7卷的数量来看，比本草的卷数大得多，远超过了正文的記載，这証明唐代对葯品实物的观察和記載十分重視的。真是葯物学空前的鉅著。可惜这些葯圖和圖經早已失傳了。

7. **結語** 唐本草是在唐高宗显庆二年（公元657年）由苏敬向政府建議編修，由李勣領衔和許孝崇等22人，在显庆四年（659年）正月十七日編成唐本草54卷，計本草20卷，目录1卷，葯圖25卷，目录1卷，圖經7卷，本草葯分玉石、草、木、禽兽、虫魚、果、菜、米谷、有名未用等9类，載葯850种，新增葯品114种，凡屬本經葯物，用紅字写，屬名医別录葯物，用黑字写，新增葯物，标以"新附"字样，保存了葯物發展的根源，唐本草是国家編修的葯典，按年代計算，比牛倫葯典要早887年，所以唐本草不独是中国最早的葯典，同时也是世界上最早的葯典。

中国法医典籍版本考

宋 大 仁

一、历代版本

疑獄集

十卷五册

五代和凝編纂(卷一、二、三)

宋和㠓附續(卷四、五)

明張景續編(卷五至十)

明嘉靖刻本(备考:京)*

嘉庆二十一刊本(中)(历)(科)

咸丰元年金鳳清校刊本。附疑獄三十則,金鳳清增輯。

咸丰三年(1853)徐繼鏞校刊本(中国医大圖書館)。

又:四庫全書本

通行本

旧鈔本三卷(历)

按:作者和凝(后周)須昌人,字成績,梁时举进士,賀环辟为从事,称为志义之士,历仕晋汉,官至左僕射,太子太傅,封魯国公,尝知貢举,所取皆一时之秀,显德間卒。凝好飾車服,为文章以多为富,有集百余卷,尝作香奩集,及貴,乃嫁其名于韓偓,性乐善,好称道后进之士,故甚有当时之誉,与子㠓撰有疑獄集。(参五代史127卷;新五代史56卷。)

和㠓(宋)峴弟,字显仁,太平兴国进士,直史館,至道間知制誥,判吏部銓,㠓好修飾容仪,屬文少精警,拘于引类偶对,頗失典誥之体。(参宋史439卷。)

赵同疑獄集

三卷 見宋志刑法类

續疑獄集

四卷 王皡續 見宋志刑法类

讞獄集

十三卷 見宋志刑法类

疑獄箋

四卷 四庫法家类存目,疑獄箋四卷,仁和陈芳生撰。清志法家类,疑獄集箋四卷,陈芳生撰。

內恕录

宋 無名氏,佚。

折獄龟鑑

八卷二册。

宋郑克撰 赵时棠跋(景定辛酉1261)

萬曆十七年怀庆府刊本

道光十五年致用叢書本(京)

咸豐間刊瓶花書屋叢書本(京)

光緒八年署內藏板

明辨齋叢書本(京)

龙威秘書本(历)

守山閣叢書本(历)(京)

墨海金壺本

叢書集成本

备考:(中)(科)(学)

按:四庫提要說:撰者郑克,以和凝疑獄集及其子㠓所續,均未詳尽,因採摭旧文,补苴其闕而成此書,分二十門,以賅备称。是書宋志作二十卷,或題名决獄龟鑑,实同一書。晁公武讀書志称其体例整然。書录解題,載其目凡二百七十六条,三百九十五事。今世所傳鈔本,只存五門,余皆散佚,惟永乐大典所載尚为全書而已,經合併連書二十卷,界限不复可考,謹詳加校訂为八卷,卷数虽減,于其旧文則無闕矣"。后元張国紀又撰折獄龟鑑二卷(見八千卷楼書目录,今佚。),均都遺闕。

折獄比事

十卷,徐泰亨,見元史艺文志刑法类。

按:泰亨,字和甫,余杭人,青陽县尹。

折獄要編

十卷,明張九德撰,見北京圖書館善本書目。

---

* 备考:京滬各大圖書館,藏有各种版本者,註以下列字号:

(中)=中医研究院圖書館

(协)=协和医学院圖書館

(学)=北京大学圖書館

(京)=北京圖書館

(科)=中国科学院圖書館

(海)=上海圖書館

(历)=上海历史文献圖書館

(分)=中华医学会上海分会圖書館

結案式

宋 無名氏撰，佚。

檢驗格目

南宋郑兴裔撰。据李心傳朝野杂記云："檢驗格目者，淳熙初郑兴裔所創也。始时檢驗之法甚备，其后郡县玩弛，或不即委官，或所委官不即至，至亦不亲視，甚則以不據檢复告，由是吏姦得肆，冤枉不明，訟獄滋熾，兴裔为浙西提点刑獄，乃創为格目，排立字号，分畀屬县，遇有告杀人者，即印格目三本，付所委官，凡告人及所委官屬行吏姓名，受狀承牒，及到檢所时日，廨舍檢去所近远，伤損痕数，致命因由，悉依書塡之，一申所屬州县，一付被害之家，一申本司，又言之于朝，乞下刑部鏤板頒之諸路提刑司，准此从之，遂著为令。"此种檢驗格目，在今已不可見。

按：作者郑兴裔，开封人，字光錫，初名兴宗，徽宗后外家三世孙，以后恩授成忠郎，历福建路兵馬鈐轄，知楊盧二州，皆有政績。孝宗淳熙元年（1174）为浙江提刑司官寧宗即位，除知明州告老，授武泰軍节度使，卒諡忠肅。兴裔历仕四朝，以材名結主知，当时外族之賢，未有其比，有奏議。（参宋史465卷。）

檢驗正背人形圖

宋寧宗嘉泰四年（1204）湖南广西刊印，今佚。

棠陰比事

一卷 宋桂万荣撰

影宋刊本：清道光二十九年上元朱緒曾氏影宋刊本（海）（历）（京）

元刊本（中）（科）（学）

明刊本（京）

清同治六年木樨山房活字本（海）

学海类編本（历）

四明叢書本（1935年）（京）

四部叢刊本（京）

按：作者桂万荣（宋），慈谿人，字梦协，庆元二年進士，授余干尉。邑多豪右，一以紀律繩之。愛民慈爱。子弟狱訓廸者，恥为不善。秩滿，民为乞留。調建康司理参軍。乡相史弥远欲招致之，万荣以分定固辞。差主管戶部架閣，除太学正，輪对。奏絕敌选將二事。除武学博士，兼宗学。方嚮用。力求补外。通判平江府，时守朱在政尚严刑，以鹽課拘系甚众。万荣具書告，在不从。挾行牒与所拘人同餽。在媿，即委縱遣焉。歴守南康，檢吏姦，省浮費，征稅有法，民幸其利。累官直秘閣，迁尚書右郎，除直宝章閣，奉祠以归。棠陰比事書中有桂氏自序，署重光协洽閩月字样，前有开禧丁卯之語，則推知重光协洽为宋嘉定四年辛未。蓋其成書之年，桂氏又有自識，署端平元年十月，称其書曾鋟梓星江，远莫之致，是用重刊流布，則端平元年以前曾刻一次，端平元年十月，系第二次刻本也。（参宋史翼及海煦樓笔記。）

棠陰比事續編

續編一卷，补編一卷。明吳訥撰

学海类編本（历）

棠陰比事日本刊本

三卷三册

宋桂四明（万荣）著，山本北山閱：青藜閣（須原屋伊八）發行。

序文：桂万荣：田澤，至大元年：山本信有。

洗冤录 淳祐原刊及影宋鈔本

宋 宋慈撰

四庫全書法家类存目，洗冤录二卷。宋慈撰，慈于丁未除直秘閣，湖南提刑，充大使行府参議官，該書自序称："慈四叨臬寄，他無寸長，独于獄案审之又审，博採近世諸書，自內恕录本以下，凡数家会而粹之，釐而正之，增以己見，总为一編，名曰洗冤集录。"

按：淳祐原刊早已無傳，四庫全書据永乐大典本存目。清代陆心源氏和許槤氏均謂曾見过影宋鈔本，許氏並謂他著作洗冤录詳义时（咸丰四年）校对过影宋鈔本，但該影宋鈔本不知流落何方，現今各大圖書舘均無收藏。最早版本只有元刊本。

洗冤集录 元刊本

書前有"聖朝頒降条例"。

按：清代藏書家黃丕烈，孙星衍，均有著录。陆心源氏皕宋楼藏書志三十五卷著录有影元鈔本，陆氏藏書，今归日本岩崎氏靜嘉堂文庫。北京大学圖書舘善本書目，有元刻本，乃碩果仅存之瑰宝也。

洗冤集录复刻元刊本

五卷二册

宋慈惠父撰

孙星衍校刊 顧广圻复校

蘭陵孙氏刊（元槧重刊）嘉庆十二年

按：据元刊复刻者孙星衍本（京）及吳鼒本（京）二种。（1）孙本編入岱南閣叢書，复刻極精，与元刊本不爽毫髮；又岱南閣叢書有木刻本及影印本。（2）吳本即宋元檢驗三录之一。

备考：（中）（科）（海）（历）

再按：复刻者孙星衍（清）陽湖人，字淵如，乾隆进士，授編修。和珅知其名，欲一見，卒不往。改刑部主事，历官山东督粮道，引疾归。累主中山書院，深究經史文字音訓之学，旁及諸子百家，皆心通其义，精研金石碑版，工篆隶，尤精校勘，輯刊平津館叢書，岱南閣叢書，世称善本。文在六朝汉魏間，与同里洪亮吉齐名，有尚書今古文注疏，周易集解，夏小正傳校本，魏三体石經残字考，倉頡篇，孔子集語，史記天官書考証，寰宇訪碑录，平津館金石萃編，孙氏家藏書目內外編，續古文苑，問字堂，岱南閣，五松园，平津館文稿，芳茂山人詩录。（参清史稿 487 卷。）

平寃录

一卷　宋　闕名撰　赵逸齋訂

清嘉庆十五年（1810 年）吳鼒刊宋元檢驗三录本

清嘉庆十七年（宋元檢驗三录）本一卷（京）明刻本

备考：（中）（学）（历）

按：孙祖基中国历代法学家著述考云：平寃录二卷，焦竑国史經借志題东甌王氏，顧千里重刻檢驗三录序云無名氏。丁丙善本書室藏書志：此書四庫不收，自檢复总說至發冢凡四十三条，版式与洗寃录一律。査無寃录既引其文，所著当在其后也。

理寃录

宋代　佚

明寃录

宋代　佚

慎刑說

宋代　佚

未信篇

宋代　佚

質疑篇

宋代　佚

無寃录

元王与撰　序文：羊角山叟洪武十七年

按：無寃录有一卷及二卷本：

一卷：宋元檢驗三录本（京）玉雨堂叢書本（历）

二卷：枕碧楼叢書本（历）敬乡楼叢書第二輯本（历）（京）

新註無寃录

二卷　清王穆伯注（海）

备考：（中）（协）（科）

再按：作者王与，为海鹽县令，元朝武宗至大元年（1308）損益洗寃、平寃二录，編成無寃录並刊行之。四庫全書法家类存目，無寃录二卷，無撰人名，亦無序跋。永乐大典載此書，題元王与撰序，題至改元之岁。內多至元、元貞、大德間官牒条格。又多引洗寃录、平寃录，而稍加駁正，書分二卷，上卷为官方章程，下卷为尸伤辨别。

〔增修〕無寃录大全

二篇，具允明（朝鮮）纂。

朝鮮正宗二十年（1796）活字本一册（海）

备考：同年份之朝鮮正宗二十年刻本，另有一种行款相同。（海）

無寃录輯注

元王与撰，明王佑考正，明高丽崔致云注。

無寃录述　日本刊本

二卷二册

王与編　前川六左衛門發行（明和五年重刻 1768）

寬正十一年出版

無寃录述緒言　河合甚兵衛　元文元年（1736）

新註無寃录述序　王与至大元年（1308）

新註無寃录述序　羊角山叟洪武十七年（1384）

新註無寃录述序　柳义孙正統十二年（1447）

新註無寃录跋　崔万里庚申

1915 年湖南鉛印本（京）

宋元檢驗三录

六册

全椒吳氏藏板

嘉庆十七年刊

刻宋元檢驗三录序吳鼒

重刻宋元檢驗三录后序顧广圻嘉庆十五年

1. 宋提刑洗寃集录，五卷三册，宋慈惠父著。

2. 平寃录，一卷二册，赵逸齐訂。

3. 無寃录，二卷一册，王与撰。

备考:(中)(学)(京)

按:刊者吳鼒(清),全椒人,字及之,又字山尊,号抑菴,嘉庆进士,官侍講学士,駢体文沈博絕丽,詩以孟韓皮陆为宗。归田后,主講揚州書院最久,有夕葵書屋集。(参清史稿490卷。)

重刊者顧广圻(清),元和人,字千里,号澗薲,嘉庆諸生受業于吳县江声,頴敏博洽,通經学小学,尤精校讐。孙星衍,張敦仁,黄丕烈,胡克家,秦恩复,吳鼒輩,先后延主刻書,每一書刻竟,必綜其所正定者,为考異或校勘記于后,人称精确。其持論謂凡天下書,皆当以不校校之,嘗以邢子才日思誤書更是一適語。自号思适居士,有思适齋集。

洗寃集录 明清刊本

五卷 宋慈惠父撰

明刊本(南京圖書舘藏)

备考:(中)(科)

洗寃录全纂

四卷 附录一卷 清华希高編清嘉庆八年經德堂刻本二册(海)

洗寃录全纂

一卷 不著撰人名氏 清咸丰后刻本一册(海)

欽欽新書

四卷四册

明丁鏞輯

玄公廉刊

序文:丁鏞,壬午春:

跋:閔致完;玄尙健;丁文燮;丁奎英(見滿大医書目)

按:作者丁鏞(明)上元人,字鳳仪,成化进士,任南京刑部郎中,出守兴化,嘗斷疑獄:人以为神,未久致仕,性爱佳山水,常寄宿山寺,尤嗜文学,耽詩。(参过廷訓:本朝分省人物考34卷。)

洗寃录箋釋

明王肯堂著(二十八条)

补疑獄集

明張景著 六卷

讀律佩觿

八卷 王明德訂

四庫全書法家类存目:讀律佩觿八卷,是書成于康熙甲寅(1674),採取現行律例分类編輯,各为箋釋,附以洗寃录及洗寃录补。每門先載大清律本注,次明律旧註,而以已意辨正其說,好为駁难,尤多穿鑿。所作洗寃录补,杂記異聞,旁及鬼神医葯之事,其所附之救急方,頗称于时。清志法家类亦列該書。

按:王明德(清)高郵人,字金樵,官刑部郎中。

洗寃录补

清王明德作,並急救各法

洗寃集說

清康熙十三年(1674),陈氏(佚名)作。

洗寃录彙編

清初曾愼齋作

按:曾氏清康熙时代江西南昌人。

律例舘校正洗寃录

四卷 清刊本 無序跋及編校者姓名。

按:康熙三十三年(1694),律例舘修訂洗寃录,採取古書数十种,如宋版洗寃集录、無寃录,愼刑說,未信篇,讀律佩觿,洗寃录集說,結案式。智囊,素問,奇效良方,証治准繩,名医录,巢氏病源,本事方,驗方大全,本草衍义,食治通說,瑣碎录,鉄圍山叢談,夷坚志,广輿記等皆在征引之列,然未註明引自何書,多由展轉采摘,难免脫落舛錯,但内容清顺,实比古本为佳且詳。乾隆三十五年(1770)奉旨頒定增檢骨圖于后。

备考:(协)(海)

洗寃录补遺三則

清汪歙撰 雍正十一年(1733)。

按汪氏乾隆时盧龙县知县。

洗寃录表

四卷 清曾恆德編

乾隆五十三年刻本(海)

道光十二年会稽吳氏四川刻本(海)

备考:(中)

檢骨圖格

一卷"内題刑部題定檢骨圖格"(乾隆三十五年1770)。

輯入重刊补註洗寃录集証内。

洗寃录集証

清王又槐增輯

按:王氏乾隆武林人,充刑幕十余年。

洗寃录彙纂补輯

一卷 李观瀾(虛舟)补輯

李 烈(王臺)李爕(荣清)校訂

張錫蕃重訂加丹

洗寃录补遺三則:洗寃录备考十一則:檢驗杂說:檢驗杂說歌訣。

輯入"重刊补註洗冤录集証"（光緒二十四年）内。

按：李观瀾（山西人，乃乾隆时山西臬台陆朗甫之刑幕）更摘汪歉（乾隆时廬龙县知县）之洗冤录补遗，及国抽齋（乾隆朝刑部尚書）之洗冤录备考，合以在幕閲見之条說三十余条，附于集証之后而成。

洗冤录备考

清国抽齋撰　乾隆四十二年（1777）。

按：国氏乾隆朝刑部尚書

蕭曹随筆　又名"洗冤便覽"

四卷二册，内題"新刻正音釋詞便覽蕭曹随笔"。豫人閒閒子訂正：烟水散人校对。

道光九年重刻蕭曹随笔，有庆云主人序。

洗冤录辨正

一卷　清瞿中溶（木夫）撰，刊于道光七年。

李璋煜（方赤）重訂于道光十八年，史朴文晟陆孙鼎同校。

同治刊本（历）

按：光緒五年，浙撫梅啓照，乃以此書並郎錦麒編洗冤录合参姚氏解，附于阮刻本末，为第六卷。

光緒十八年上海圖書集成印書局鉛印本（京）光緒二十四年輯入重刊补註洗冤录集証一書内。

按：編撰者瞿中溶（清），江苏嘉定人，字萇生，号木夫。官湖南布政使理問（掌勘核刑名），博綜羣籍。富收藏工画花卉，善篆隸行楷，尤精金石考訂之学，有湖南金石志。（参清史稿491卷及支那墨蹟大成書人小傳。）

檢驗集証

二册，郎錦騏（靜谷）纂輯。有道光九年序本，李人华、葛瑋、王大全、潘梯、鍾殿选、王任臣、王誠保、宿立悌同校訂。

周紹（竹蓑）重刊道光十五年及十九年（二次序文）

附：檢驗合参一卷一冊

道光二十七年姜氏还珠山房刻本二冊（海）

备考：（中）（协）

洗冤录解

一卷　清　姚德豫撰于道光十一年。

清同治九年吳县孙氏刻本（海）（京）

光緒丁丑（三年）浙江書局四色套印本。

輯入光緒二十四年重刊补註洗冤录集証内。

清道光后秀水楊氏吳江張氏合刻本（映雪楼叢鈔第五种）（海）

备考：（历）（史）（分）

按：姚德豫，襄平人，官慈谿知县。

洗冤录补註

清阮其新所集，道光十二年（1832）刊本。

按：阮氏会稽人，官同知。录褒恕齋（汉口人官司馬）手批洗冤录訛錯数条；附以經驗成讞及所集宝鑑篇，内有檢驗歌訣，名为洗冤录补註。

刑案匯覽　正續編

六十卷，拾遺备考一卷，續編十卷。

清祝庆祺撰

按：孙詛基：中国历代法学家著述考云：本書前編所集，有說帖、成案、通行、邸抄，以及所見集平反节要諸書，而以說帖为最多，約居四之二，成案居四之一，續編所集，惟說帖成案通行邸抄，而他書成案居四之三，說帖居四之一，其中有道光十三十四等年交舘之案，当时核复未見說帖者五十九件，此兩編纂訂之不同也。

又按：刑案匯覽，現今国内各大圖書館所存版本有：

八十册　道光十四年刊　棠樾慎思堂藏板

九十册　光緒十二年刊　皖省聚文堂藏板

刑案匯覽　三編

一百三十四卷　清沈家本撰

按：祝書續編說帖迄于道光十七年冬季，成案迄于道光十四年，通行訖于道光十八年秋季，邸抄訖于道光十八年九月，自是以后，無續纂以接其緒者。鄂省刻有一編，所采仅咸丰同治兩朝，亦未完备，沈家本氏尝得抄本駁案集成一書，起道光十八年，訖三十年，凡三十二卷，系律例館原本，不知为何人所編，实可以接祝書之緒，又得抄本道光十八年以后之館稿八册，可以补集成之未备，光緒戊子秋，沈氏任律例事，复裒集成同光緒年事，如是者五年，輯成刑案匯覽三編，一百二十四卷。

备考：（京）

石香秘录

一卷，清撰人闕名，蒲讀仲振履（柘庵）校訂，張錫蕃（鶴生）重訂加丹。

道光十六年（1836），仲振履（道光时广东禺山县官）梓行，蔣石香藏本檢驗諸法，故名石香秘录。

附刊折獄龟鑑后，（历）。

輯入重刊补註洗冤录集証内（光緒二十四

年)。

检驗合参

一卷郎錦麒原輯,李璋煜重訂,史朴、文晟、陆孙鼎参校,刊于道光十六年,(历)。

道光十七年,張錫蕃校刊本。即五色木板本。

道光十八年李璋煜重刊本,即四色木板本,合訂五冊。

道光二十七年姜氏还珠山房刻本一冊(海)

光緒二十四年輯入重刊补註洗冤录集录內

备考:(海)

按:郎錦麒号静谷,道光时山西人。張錫蕃浙江元和人,官禹山知县。李璋煜号方赤,諸城人,律例舘提調。

作吏要言

清叶玉屏著　道光二十三年(1843)。

按叶氏福建人道光时官知府。

宝鑑篇

一卷　清方汝謙撰

附刊折獄龟鑑后(历);輯入重刊补註洗冤录集証內(光緒二十四年)。

宝鑑編补注

二卷清乐理瑩等撰,附刊折獄龟鑑后。

备考:(历)

急救方

一卷　松陵程庆龄,北京李达春傳,救治跌打損伤經驗三方。

輯入重刊补註洗冤录集証內(光緒二十四年)。

洗冤录詳义

四卷　清許槤珊林編校,咸丰四年(1854)刊本。

咸丰六年許氏古均閣本(海)(历)

光緒四年(1878)天津王維珍重刊

又:附洗冤录摭遺二卷一冊,葛元煦著。

洗冤录摭遺补一冊,張开运集。

光緒丙子(二年)錢唐葛氏嘯園刊本(分)

光緒二年潘氏滂喜齋校刊本

光緒三年湖北藩署潘霨刊本

光緒九年貴州县署刻本,与清葛元煦洗冤录摭遺二卷合刊。(海)(京)

光緒十年重刻本(海)

光緒十六年湘北官書处刻本(海)

甘肃官报書局活字本(京)

备考:(中)(协)(学)(科)(史)

按:編者許槤(清)海寧人,字叔夏,号珊林,道光进士,官江苏粮儲道,明律学,吏事精敏,研精說文解字,好金石文字,工篆隶書,尝纂說文解字統箋,遭乱散佚,别纂識字略,又有古均閣宝刻录,古均閣遺著。

又按:刊者潘霨,字偉如,别号心岸,吳县人,少有孝行,光緒初累官至貴州巡撫,所至有政績,以仁柔著称。工書精医,历官所至,恒以医术济人,編著医学衞生書籍多种;咸丰八年(1858)編印衞生要术(1.十二段錦,2.分行外功訣,3.內功圖說,4.神仙起居法,5.易筋經十二圖)光緒二年(1876)重刊。光緒九年(1883)編輯韡园医学六書(伤寒論类方,医学金針,女科要略,理瀹外治方要,外科証治全生集,十葯神書)每种均有潘氏增輯,並附录方書,江西書局刊行,又自撰韡园医学十九卷(見續文献通考經籍考)可見潘氏对医学有其一定之貢献。(海煦楼笔記)

檢骨补遺考証

一卷　清許氏撰　咸丰間刻本。

封面書籤提錢塘許氏著,無序跋,撰人名待考,与洗冤录全纂合訂。

备考:(协)

秋审实緩比較成案　又名秋审成案

二十四卷,二十四冊。

英祥(廉訪)編,林筱屏(恩授)参,李仙根、王藍田校刊。

同治十二年四川臬署存板,有英祥及林恩授同治十一年序。

补註洗冤录集証

六卷,五冊。

清王又槐增輯,孙光烈参閱,王又梧校訂,李观瀾补輯,阮其新补註。張錫蕃重訂加丹,有王又槐等嘉庆元年序。

內附:洗冤录补遺、洗冤录备考、檢驗杂說、檢驗杂說歌、刑部題定檢骨圖格、宝鑑篇、救急方、石香秘录、洗冤录辨正、檢驗合参、洗冤录解等十一种。文晟,瑞宝原校;史朴陆孙鼎校刊。

道光二十三年江都鍾氏刻三色套印本二冊(海)

道光二十四年重刊本,四色套印。(海)
道光成丰間刻三色套印本四册(海)
同治十一年刊本光緒三年浙江書局刻四色套印(京)(海)
光緒三十年(1904)北直文昌会刊本。
又:五卷本　附:檢骨圖格、宝鑑編、石香秘录;及續增洗冤录辨証、洗冤录合参、洗冤录解三卷計四册。
又五卷本　附:宝鑑篇計四册,清、王又槐增輯,孙光烈参閱,李观瀾补輯,清道光十三年(1833)新鐫本衙藏板。
又四卷本　清童濂編,朱椿补註,附作吏要言一卷,清叶鎮撰。
清道光二十三年江都鍾氏刻,三色套印本。(历)(海)
又光緒三年(1877)浙江書局五色套印本一册(分)(海)
又光緒五年(1879)梁恭辰(福州人官杭嘉湖道)、梅啟照(南昌人官浙江巡撫)、又重刊补註洗冤录集証,併收阮猩諸作总为六册,清季坊間木石印本,俱以梅本为宗。
又1916年上海广益書局石印
又1921年上海文瑞楼石印本(京)
备考:(中)(协)(科)(历)(分)

洗冤录义証

清長白剛毅集,光緒二年(1876),四卷二册,附經驗方及洗冤录歌訣。
此書盖取海昌許氏詳义为之。光緒十七年(1891),刻于江苏書局,(海)(京)十八年重刊于广东。(历)
备考:(历)(科)(协)
按:集輯者:剛毅(清)滿洲正白旗人,字子良,光緒間官至軍机大臣吏部尚書协辨大学士。

折獄巵言

一卷　清浙西陈士鑛(宿峰)撰
按:是書摭取四書諸經愼刑之語,兼及汉韶一二条,征引疏略,無所發明,曹溶载之学海类編中。
叢書集成据学海类編本,附印折獄龟鑑后。

刑臺秦鏡　附本朝律例

二卷二册。
內題"新刻法笔天油"本衙藏板(見滿大医書目)

双髭歌

一卷　清陈成韶撰
备考:(历)

洗冤录歌訣

清宝鋆編,清宣統元年甘肅官报書局活字本。
备考:(京)

二、域外的版本(包括加註、重纂及翻譯与研究)

(一)朝　鲜

新註無冤录　朝鮮加註刊本(14世紀40年代)
二卷　为高丽崔致云李世衡卞孝金滉等奉敕音註,柳义孙为序,清王穆伯手录,並予新解,刊行。
按:無冤录为元王与所編,乃增損洗冤录而成。明洪武十七年(1384)頒行之無冤录,于英宗正統三年(1438),因高丽貢臣李朝成为介,得譯行于朝鮮。

增修無冤录大全　朝鮮1796年刻本
二卷　朝鮮具允明纂
有刻本及活字本兩种,刻本有跋,題当宁二十年丙辰。考知为朝鮮正宗二十年,即公元1796年。据其自跋,知具氏奉命修書,就其先代所纂增修無冤录一書添潤,仍用旧名。又具氏曾参加朝鮮英宗命纂修續大典之役,其他事蹟待考。
备考:(海)

(二)日　本

無冤录述　日本譯稿本(1736)
二卷一册
元王与著　日源尙久譯　日本旧鈔本
無冤录述緒言　源尙久　元文元年(1736)
新註無冤录跋　崔万理　庚申
新註無冤录序　王　与　至大元年
新註無冤录序　羊角山叟　洪武十七年
新註無冤录序　柳义孙　正統十二年
按:該書上卷系官吏章程,下卷皆尸伤辨别,是書先傳入朝鮮,至足利末世,再轉入日本,元文元年(1736年即清乾隆元年),由日人譯为日文。

(三)法　国

洗冤录　法文节譯本

刊于1779年巴黎"中国历史艺术科学杂

誌”。

Memoires concernant l'histoire, les sciences, les arts, les moeurs, les usages, etc, des Chinois. 第421至440面

洗冤录撮要論文

公元1882年，法国馬丁医師（Dr. Ern. Martin）發表于远东評論（Rev. Ext. Orient. 1882. No. 3. pp. 333—380; No. 4. pp. 596—625.）

洗寃录 法譯本

1908年法国Breiteustein氏由Grijs（吉）氏之荷蘭文譯本轉譯成法文本

（四）英 国

洗寃录集証論文

1853年6月11日，英国海蘭医师（W. A. Harland M. D.）宣讀后，發表于亚洲文会会报（Trans. China Br. R. As. Soc. Pt. IV. Art. V. PP. 87—91.）

洗寃录 英譯本

英国劍桥大学东方文化教授英人嘉尔斯（H. A. Giles）譯。嘉氏前充中国領事，1873年在宁波时，因見官厅驗屍飄攜帶洗寃录，遂引起研究兴趣，並翻譯之。初分期刊載于中国評論（China Review）时为1875年，迨1924年，乃將全書重刊于英国皇家医学会杂誌（Proceedings of the Royal Society of Medicine）第17卷59至107面医史論文欄，始得窺其全豹。

嘉氏譯文單行本，后于英国John Bale, Son & Danielsson Ltd. 印行計50面。

（五）荷 蘭

洗寃录 荷蘭譯本

为荷人地吉烈氏（De Grijs）所譯

1863年刊于拍打威Verhandelingen Van Het Bataviasch Genootschap Van Kunsten en Wetenschapen 杂誌第30卷

（六）德 国

洗寃录 德譯本

德国Hoffmann氏將1908年出版法国Breiteustein氏的洗寃录譯本，轉譯成德文。

（七）苏 联

洗寃录評介

1950年苏联波波夫氏（Н. В. Попов）著苏联法医学第三版之历史文献中，曾提到洗寃录是世界最古的法医学名著，並介紹它的概況。

洗寃录研究

莫斯科第一医学院法医学教研室契利發珂夫教授正在研究洗寃录（个人来信）。

有关我国法医学史方面二事

仲　　許

一"滴血"的考証

"滴血"是我国祖先留傳下来用以辨認父母子女兄弟骨肉的方法，分为滴血入骨与滴血入水二种；滴血入骨是以生者的血滴在死人的骸骨上，看血是否入骨；滴血入水是以兩活人的血同时滴入水中，看是否相凝合。这一方法，虽不完全合乎今天的科学，但也有一定的意义，故日本法医学家小南又一郎認为"滴血法"是現在亲权鑑定血清学的先声。

考元朝武宗至大元年（1308）王与著的"無寃录"載有辨亲生血屬一节："身体髮膚，受之父母，盖子乃父之遺体，而生之者母也，'洗寃录'驗滴骨亲法，謂如某甲称有父母骸骨，認是亲生男女，試就令刺一兩点血滴骸骨上，是亲生則血沁入骨內，否則不入。"是"無寃录"关于"滴血法"的記載，取材于"洗寃录"。

查"洗寃录"是宋理宗淳祐七年（1247）宋慈所著，其中关于"滴血"的記載："父母骸骨在他处，子女欲相認，令以身上刺出血滴骨上，亲生者則血入骨，非則否。亲子兄弟或自幼分离，欲相認識，难辨真伪，令各刺出血滴一器內，真則共凝为一，否則不凝也。"

"洗寃录"是我国最早的法医学，其中敘述有关檢驗各法，当然有自己的創造，但也有不少是根据前人的流傳，自是意中的事，"滴血"便是其中一例，並非宋慈所創。考梁豫章王綜傳："豫章王綜，其母淑媛，自齐东昏宮得幸于高祖，七月而生綜，宮中疑之，綜年十四五，恒于別室祀齐氏七庙，又微服至曲阿拜齐明帝陵，然犹無以自信，聞俗說以生者血瀝死者骨，滲即为父子，綜乃私發齐东昏墓，出骨，瀝臂血試之，既有征矣；在西州生次男，月余潛杀之，瘗后遣人發取其骨，又試之驗，遂信以为实"。从这一記載，說明在南朝时候的梁已流行滴血法了。

"滴血"並不始于梁朝，据"会稽先賢傳"載："陈業之兄渡海殞命，时同死者五六十人，屍身消爛而不可辨別；業仰皇天誓后土曰："聞亲者必有異焉"！因割臂流血以灑骨上，应时沁入，余皆流出。"查"会稽先賢傳"的作者謝承系三国时人，是三国时已有"滴血"的方法了。

至于孟姜寻夫，刺指血以滴白骨，是"滴血"一法，在秦时已有；此說恐近于無稽，不足憑信；因为"滴血"一法即使可以辨認亲屬，也只限于有血統关系的父母兄弟子女姊妹之間；至于夫妇的結合，原于婚姻关系，其間並無血統，当然也就不是"滴血"可以辨認的了。

据此，"滴血"一法大概起于后汉三国之間，到了齐梁的时候更加盛行。宋朝宋慈著述洗寃录，由于該書是系統的司法檢驗專書，因之將"滴血"一法載入書內，作为司法上"亲权鑑定"的方法了。后来檢驗諸書，記載的"滴血"法，則又根据"洗寃录"而来。

二"忤作"名称的来源

我国自古从事法医檢驗工作的有專職專称的"忤作"或"行人"来担任，"忤作"或"行人"究竟是什么意义，历史上究竟从那一个朝代正式确定为司法檢驗吏役的專称，这是一向沒有得到确切回答的問題。根据五代时石晋和𧏙玉堂閒話記述："近代有人因行商回，見妻为人所杀而失其首，既悲且惧，以告妻族，乃执婿送官，不胜捶楚，自誣杀妻，獄既具，府从事独疑之，請更加穷治，太守听許，乃追封內忤作行人，令供近日与人家安厝去处，又問頗有举事可疑者乎？一人对曰：'某处豪家举事，只言殂却孀子，五更初墻头舁过凶器極輕，似無物，現瘗某处'。亟遣發之，乃一女子首，令囚驗認，云非妻也；遂受豪家鞠問，具服杀孀子，函首埋瘗，以屍易囚之妻，竊于私室，婿乃获免"。从这一段記載，所謂忤作行人，似为古时抬柩工人的特称，所以將忤作行人作为司法檢驗吏役的專称，或者因为忤作行人的職業为接近屍体，初时对于屍体需要进行檢驗时，便令忤作行人操作，久之便成为司法檢驗吏役的專称。正式确定这一專称大概最早也在五代石晋之后，南宋之前，因为"洗寃录"上的記載已称司法檢驗吏役为"忤作"。

欧陽修的眼病考

陈 耀 眞*

欧陽修字永叔，吉州廬陵人，生于宋眞宗（赵恒）景德四年（公元 1007 年），死于神宗（赵頊）熙宁五年（公元 1072 年），年 66 岁。四岁孤，家貧，赴随州依叔居。母郑氏常以荻画字教修学書。稍長，始借鄰里士人家書籍苦讀。年 23，与国子监試第一，秋赴国学解試又第一，充西京留守推官，日为詩歌古文，文名冠天下。28 岁，参与編訂秘閣藏書。后二年，以直道見忌，貶夷陵县吏，复轉乾德县吏，旋召还，充館閣校勘。年 37，供职諫官，天性疾惡，不避权貴，降知滁州，复历楊州潁州。皇祐二年，改知应天府，繼迁翰林学士修唐書。年 49，充賀契丹使北行。此后續任諫議大夫，攝礼部侍郎兼侍讀学士。55岁 轉戶部侍郎参知政事，自是，累表求外。赵頊即位，連章乞謝事，均优詔不許，轉刑部尙書知亳州，次年改知青州，复改蔡州，是岁自号六一居士。年 65，始得允致仕，次年病故。欧陽修長于詩文，苏軾以为：“其論大道似韓愈，論事似陆贄，記事似司馬迁，詩賦似李白”，世亦以为定論。

欧陽修亦如杜甫，白居易及元稹諸詩人，久患眼疾，其詩文中有关眼疾的叙述，累見不鮮。其最早的記載，見于鎮陽讀書一詩：

春深苦夜短，灯冷焰不長，
塵蠹文字細，病眸澀無光。

其时大約为 39 岁。在代書奉寄聖俞二十五兄一詩（聖俞即梅聖俞，著有宛陵集，亦患眼病。）有以下記載：

到今年才三十九，怕見新花羞白髮。
顏侵塞下風霜色，病过鎮陽桃李月。

所謂“病过鎮陽桃李月”，除眼疾而外，也許还有其他疾患，其时他已感到“病眸澀無光”，可以想像得到他的眼病可能在此以前就有了的。又如他答梅聖俞莫登楼詩云：

“中年病多昏双眸”。

古人所謂中年，大都指 30 至 40 之年。又嘉祐四年（时 53 岁）乞洪州第二劄子称：

“臣旧患已及十年，兩目眊然，中外具見。一兩月来昏暗疼痛。”

自嘉祐四年回溯十年，当为庆曆八年，修时年 42 岁。

皇祐元年与杜世昌書亦称：

“某年方四十三而鬢鬚皆白，眼目昏暗。”

又嘉祐五年（时 54 岁）乞洪州第六狀称：

“兩目昏暗，已逾十年。”

其嘉祐三年与王道損書亦有：

“某病目十年。”

以諸条互相印証，其眼疾發現自覺証狀时，必在 40 岁左右無疑，而其眼部潛伏有疾患，可能在此以前。

至治平二年（时 59 岁）乞外任第一劄子称：

“去年八月喪一女子，凡庶常情不免悲苦，因之發动十年来久患眼疾。”

以及熙宁二年乞寿州第二劄子称：

“旧患眼目已十余年，年日加老，病日加深。”

曰“十年来”，曰“十余年”，皆系泛辞，与嘉祐四年之称：“旧患已及十年”及嘉祐五年之称：“昏暗已逾十年”均有所确指者不同。一般說来，欧陽修詩文中对病历的报导是很忠实的。欧陽修眼病自 39 岁有自覺症狀的記載起至 66 岁，詩文中几乎每年都有所叙述，纏綿达 20 余年之久，很容易看出他患的是慢性疾患。为了明了他的眼病过程，特依时序將詩文中所訴眼病症狀，詩文題和原集卷数列下：

年岁	帝王紀元	眼病症狀	詩文題	卷次
39	庆曆五年	病眸澀無光	鎮陽讀書	3
39	庆曆五年	目痛	与王深甫書	69
41	庆曆七年	壓眼刮昏眸	登蕭巫亭	3
42	庆曆八年	注痛如割 遇物不能正視	与王乐道書	147
43	皇祐元年	苦目疾眼目昏暗	与杜世昌書	144
43	皇祐元年	目疾为梗	与章伯鎭書	147
44	皇祐二年	病眼何須厭黑花	眼有黑花戏書	54
44	皇祐二年	眼眵不辨騧与驪	寄聖俞、	4

* 广州中山医学院

年岁	帝王紀元	眼病症狀	詩文題	卷次
46	皇祐四年	目昏略辨黑白	与孙元規書	144
47	皇祐五年	病目眊然	与苏子容書	144
48	至和元年	兩目昏花	与韓稚圭書	144
48	至和元年	目昏眼不分濃淡	学書	54
49	至和二年	目苦殊不稍損	与赵叔平書	146
49	至和二年	目疾畏風寒	与王君貺書	146
51	嘉祐二年	眼目昏暗	乞洪州劄子	91
51	嘉祐二年	目日益昏	与王仲仪書	146
51	嘉祐二年	昏花書字如隔云霧	与李公謹書	147
52	嘉祐三年	目疾昏暗愈甚	辞开封府劄子	91
52	嘉祐三年	病目十年 則为几案所苦	与王道損書	147
53	嘉祐四年	暗昏疼痛眼目旧疾遺發	乞洪州第二劄子	91
53	嘉祐四年	眵淚浸澀睛瞳眊昏視多其痛如刺	乞洪州第三狀	91
53	嘉祐四年	中年病多昏双眸夜視曾不如鵂鶹	答聖俞莫登楼	6
53	嘉祐四年	病眼眵昏愁看花不知花开桃与李但見紅白何交加	看花呈子华內翰	7
53	嘉祐四年	右眼瞼上生瘡疼痛牽連右目不可忍	与吳文長書	144
53	嘉祐四年	目不能远視	与郭輔書	151
53	嘉祐四年	灯下閱紙目疾大作	与王乐道書	147
54	嘉祐五年	近来眼目尤昏	与王仲仪書	146
54	嘉祐五年	目病眩晃不胜飲酒	与王君貺書	146
55	嘉祐六年	兩目仅辨物	与刘原父書	148
56	嘉祐七年	病目不能書	与馬著作書	150
57	嘉祐八年	目生黑花	与薛少卿書	150
58	治平元年	兩目昏甚屯滯百端	与吳文長書	144
59	治平二年	精明晻靄瞻視茫洋	乞外任第一表	91
59	治平二年	气暈昏澀視物艰难	乞外任第一劄子	92
59	治平二年	双瞳莫能久視眊然終日	乞外任第二表	92
59	治平二年	日益昏澀看讀艰难	乞外第二劄子	92
59	治平二年	病目如在昏霧中作書甚艰	与薛少卿書	152
60	治平三年	头目昏眩不能久立	再乞出第一劄子	92
60	治平三年	兩目眊昏	再乞外任第一表	92
61	治平四年	双瞳眊瞀不辨騧驪	乞罢政事第一表	92
61	治平四年	兩目昏暗	又乞外郡第一箚	92
62	熙宁元年	眼目眊昏黑白纔辨	乞致仕第一表	93
62	熙宁元年	眼目昏花气暈侵蝕視一成兩仅分黑白	乞致仕第一劄子	93
62	熙宁元年	气暈侵蝕日加昏暗	乞致仕第二劄子	93
62	熙宁元年	气暈侵蝕积日加深視瞻恍惚数步之外不辨人物	乞致仕第四劄子	93
62	熙宁元年	昏瞳眊瞀常若冥行	乞致仕第五表	93
63	熙宁二年	兩目气暈尤更昏然仅分黑白	乞寿州第一劄	94
63	熙宁二年	睛瞳气暈侵蝕几尽	乞寿州第二劄	94
63	熙宁二年	目病尤甚不复近笔硯	与韓稚圭書	144
63	熙宁二年	病目難于执笔	与韓稚圭書	144
63	熙宁二年	病昏廢学	与顏長道書	152
64	熙宁三年	眼目疼痛	辞判太原劄	94
64	熙宁三年	眼目驟加昏痛	辞判太原又劄	94
64	熙宁三年	春陽攻注眼目	与执政書	146
64	熙宁三年	目視昏花眼目不能看書	与顏長道書	152
65	熙宁四年	睛瞳气暈几廢視瞻	再乞致仕一表	94
65	熙宁四年	眼目昏暗視物睛痛	再乞致仕又劄	94
65	熙宁四年	目足之疾初未稍損	与薛少卿書	152
65	熙宁四年	兩目昏甚难于执卷	与顏長道書	152
65	熙宁四年	目足之疾得秋增甚	与顏長道書	152

上表所列眼病症狀，除40岁、45岁、50岁三年沒有材料之外，一共是25年的眼病史。茲再綜合分析一下

訴眼澀的有：

昏眸澀無光　39岁

病眸昏澀乍开緘　不詳暫列此

浸澀昏眊　53岁

眼昏澀視物艰难　59岁

日益昏澀看讀文字难　59岁

訴眼痛的有：

目痛草草不次　39岁

某近双眼注痛如割　42岁

兩目眊然暗昏疼痛　53岁

視物稍多其痛如刺　53岁

眼目疼痛　64岁

風气上攻眼目驟加昏痛　64岁

視物睛痛　65岁

訴眼眵的有：

兩眼昏眵　不詳

行揩眼眵旋看物　不詳

眼眵不辨騧与驪　44岁

病眼眵昏愁看花　53岁

兩目眵淚浸澀　53岁

訴气暈侵蝕睛瞳的有：

气暈昏澀　59岁

气暈侵蝕积日轉深　62岁

气暈侵蝕仅分黑白　62岁

兩目气暈尤更昏然　63岁

睛瞳气暈侵蝕几尽　63岁

睛瞳气暈几廢視瞻　65岁

訴視力減退的有

眼力昏暗　43岁

不辨騧驪　44岁

目昏略辨黑白	46岁
病目眊然	47岁
兩目昏花墨不分濃淡	48岁
眼目昏暗	51岁
昏花日甚書字如隔云霧	51岁
昏暗愈甚	52岁
昏暗	53岁
睛瞳眊昏	53岁
双眸昏夜視不如鵂鶹	53岁
目不能远望	53岁
眼昏不分桃李花	53岁
兩目昏暗	54岁
眼目尤昏	54岁
目病眩晃	54岁
病目不能書字	56岁
目昏看讀文字难	58岁
兩目昏甚	58岁
兩目昏瞻視茫洋	59岁
病目如在昏霧中作書甚艰	59岁
昏澀視物艰难	59岁
双瞳不能久視	59岁
兩目眊昏	60岁
双瞳眊瞀不辨騧驪	61岁
兩目昏暗	61岁
眼目眊昏黑白才辨	62岁
病目难于执笔	62岁
視瞻恍惚数步之外不辨人物	62岁
眼目昏花仅分黑白	62岁
兩目益昏难久	62岁
兩目犹更昏然仅分黑白	63岁
眼目曭加昏暗	64岁
目視昏花	64岁
睛瞳几廢視瞻	65岁
兩目昏甚难于执卷	65岁
眼目昏暗	65岁

从上面的分析，更清楚他的眼病的各种症狀。在进一步揣測他的眼病根源之前，不能不考虑到全身病与眼的关系，这里先要討論他的糖尿病。

歐陽修是一位典型的糖尿病患者，在他的詩文中还載有糖尿病的併發症。据治平二年(时59岁)与五胜之書称:“自春首以来得淋渴疾，癯瘠昏耗，仅不自支。”，熙宁二年(时62岁)乞致仕第四箚子亦称:“自治平二年以来遽得痟渴”。其同年第一箚子則称:“旧苦痟渴蓋已三年”，自治平二年至熙宁元年整三年，亦恰合。至熙宁二年冬乞寿州箚子称:“又苦渴淋亦五六岁”，自治平二年春至熙宁二年冬則适为五年。本人發現糖尿病是在59岁时無疑了。

从治平二年起至熙宁四年止(59—65岁)他的糖尿病情記載如下:

年岁	糖　尿　病　情	詩　文　題
59	初春得淋渴疾癯瘠昏耗仅不自支	与王胜之書
60	中消渴涸精液銷澌	乞外任一表
60	益以中干渴如鼷鼠之飲河	乞外任三表
61	到顯渴淋复作	与大寺丞發
61	公事絕少渴已減	与大寺丞發
61	自憐痟渴馬文園	曉發途中
62	肺肝渴涸所苦增劇	乞致仕一表
62	旧苦消渴蓋已三年	乞致仕一箚
62	中虛渴涸若注漏巵	乞致仕三箚
62	自治平二年以来遽得痟渴	乞致仕四箚
62	嗟余久苦相如渴	贈子履学士
62	病渴偏思蔗	春曉
63	苦渴淋亦五六岁病日加深	乞寿州二箚
64	渴淋复作	与执政書
64	今春渴淋旧疾作	辞太原府箚子
64	發动渴淋旧疾甚于初得疾时	另箚
65	中痟渴涸注若漏巵	蔡州乞致仕一表
65	上渴下淋晝夜不止	蔡州乞致仕另箚
65	秋冬来渴淋不少減	又箚

糖尿病我国發現得最早，医者称之为消渴病，一般將之分为上，中，下三消；亦有以上消为消渴，中消为肺消，下消为腎消者。黃帝內經已有消渴病的記載:“肺消者，飲一溲二，死不治。”

汉，張仲景，金匱要略載:“男子消渴，小便反多，以飲一斗，小便亦一斗。”

隋，巢元方，諸病源候論:“夫消渴者，渴不止，小便多是也。”

唐，孙思邈，千金方:“小便数甚，晝夜二十余行，至三四升，極瘥，不減二升也。”

唐，甄立言，古今录驗方:“消渴病有三：渴而飲水多，小便数，無脂，似麸片甜者，皆是消渴病也；喫食多，不甚渴，小便少，似有油而数者是消中病也；渴，飲水不能多，但腿腫，脚先瘦小，陰萎弱，数小便者，此是腎消病也。”

唐，王燾，外台秘要:“消渴之源失渴利者，隨飲小便是也。”

唐以后医者对此病的論著，这里不再論及。欧陽修称他的病为渴淋，为中消，为消渴，实即今之糖尿病。晚年到了"注若漏卮"和"上渴下淋，晝夜不止"，这是很显明的糖尿病症狀。至于其他症狀和併發病，詩文中也有不少記載。

如体重减輕的有下列記載：

熙宁元年	握臂如枝骨	閑居即事	55卷
熙宁元年	兩脛惟骨	乞致仕一表	93
熙宁元年	腰脚細瘦惟存皮骨	乞致仕一箚	93
熙宁元年	腰脚伶傳仅存皮骨	乞致仕三箚	93
熙宁元年	四肢瘦削脚膝尤甚	乞致仕四箚	93
熙宁二年	腰脚瘦細行步艰雅	乞寿州第一箚	94
熙宁四年	弱脛零丁兀若槁木	再乞致仕一表	94

体力减退，精神萎靡的有下列記載：

自慚衰病心神耗	貢院詩	12
某以衰病精力耗竭	与馮当世書	144
衰病疲羸恐不能久	与韓宗彥書	145
病悴無堪事多錯廢	与赵叔平書	146

关于糖尿病性神經系病与关节炎的有以下記述：

皇祐四年	初患腰脚	与杜世昌書	144
嘉祐二年	左臂疼痛系衣揩傍皆不得	与吳文長書	145
嘉祐四年	左臂积气留滞疼痛不可忍	与赵叔平書	146
嘉祐四年	气血極滯左臂疼痛强不能举	与王仲权書	146
嘉祐四年	手顫脚膝行履艰雅	与王仲权書	146
嘉祐四年	患脚膝近又左臂疼痛彊不能举	乞洪州第四箚子	91
嘉祐五年	今又患右手指节拘攣	乞洪州第六狀	91
嘉祐五年	手顫	乞洪州第五箚子	91
嘉祐六年	手指拘攣又添左手	与刘原父書	148
嘉祐八年	拔动風气左脚疼痛	与薛公期書	152

此后由治平四年至熙宁四年各年中，均訴足疾，行履困难。

关于化膿性感染的記載有下列各条：

天聖明道間	患一大疽为苦久之	与富彦国書	144
景佑元年	患一腫疽二十余日不能步履	与王道复書	150
至和二年	患齿数年頗以为苦	与王君貺書	146
嘉祐（年代不詳）	結核咽喉腫塞殆不聊生	答張学士	150
嘉祐五年	患口齿今腮頰腫痛針刺出血	与王胜之書	148
嘉祐六年	口齿淹延兩頰俱腫	与王仲权書	146
嘉祐七年	患膝瘡家居絕客	与刘原父書	148
嘉祐八年	牙痛医者云取未得	与陈力書	152
嘉祐八年	某所苦者齿牙热痛	与陈力書	152
治平元年	齿牙搖动飲食艰难	与吳仲卿書	145
治平（年代不詳）	頸頰間又为腫核	致某書	144
熙宁四年	齿疾未平	与吳晦叔書	144
熙宁四年	医工脫去病齿遂免痛苦	与薛公期書	152

关于酸中毒，糖尿病性昏迷，欧陽修亦累有發作：

皇祐五年	昨以客多飢疲風眩發作臥不能起	与焦千之書	150
嘉祐三年	春得風眩于众坐中遽然昏踣自后往往發动	辭开封府箚子	91
嘉祐三年	昏眩不能多書	与吳中复書	147
嘉祐三年	苦風眩甚劇作書未竟已数眩轉	与李公謹書	147
治平三年	头目昏眩不能久立	乞出第一箚子	92

除以上症狀外，欧陽氏还有耳疾，見于下列記載：

耳衰重听	奉答原甫	8

嘉祐五年	年齿老大听重	乞洪州五箚子	91
嘉祐五年	近兩耳重听如物閉塞	乞洪州第六狀	91
治平四年	耳漸重听	与大寺丞發	153
熙宁元年	老患或耳或目不过一二諸老之疾併在一身	与王乐道書	147

其次有咳血記載見于东齋記中:

"又素羸病……我之疾气留而不行，血滯而流逆，故其病咳血。"

再則有兩次訴喘:

嘉祐六年	今夏又得喘疾，遂且在告	与焦千之書	150
治平三年	近从去年益以中干喘若吳牛之見月	乞外任三表	92

复有兩次訴腹疾:

嘉祐二年	腹疾时时作遂在告	与吳文長書	145
嘉祐四年	偶为腹疾夜来益注洩	与刘原父書	146

糖尿病的併發病，我国医葯典籍中亦早有論述，唐孙思邈千金方載糖尿病患者除小便数甚外，有食倍于常，日就羸瘦，兩脚酸，强中，腰痛，面黃手足黃，胃反而吐，四肢煩痛及脚气等併發病及症狀。王燾外台秘要除述随飲小便和病变多發癰疽外，並載糖尿病人有胃反吐，四肢煩疼，消瘦，生諸瘡，腰脚弱，煩悶健忘，其人必眩，背寒而嘔及有手足面黃等現象。

糖尿病本身的症狀較簡單，多尿和多渴为本病最常見的症狀，但其併發病則既多且复杂，有一人而兼有数种併發病者。較常見的为齲齒，高血压，肺結核，消瘦，皮膚瘙痒，酸中毒，皮膚化膿性感染。眼部疾患为網膜病变与白內障。

就唐以前医者和近代医学家們对糖尿病的論著所載糖尿病及其併發病症狀来看，欧陽修患有糖尿病，亳無疑义，而且許多併發病是在治平二年他發覚有消渴病之前就陆續在發生着。治平二年欧陽修年59岁。糖尿病的發生率据現代統計，50%發生于40—60岁，而且进行迟緩，多数病者不能确定自己發病日期，有的病人直到有了併發病才被医生查出。欧陽修的糖尿病据其他併發病的發作日期来看，其發病时要提早好几年，甚至可以猜想在40多岁时已有了糖尿病。他是在治平二年病情增剧，到了"仅不自支"的时候才知道是患了消渴病的。

欧陽修患糖尿病久，晚年又如此严重，並显然有血管硬化情形，可以想到他的眼疾是和糖尿病有密切关系的。有的医学家謂糖尿病患者有眼底病变的佔百分之五十以上，一般医者多認为糖尿病患者有白內障的較正常人为多。我国医者亦有以下論述:

金，李杲，蘭室秘藏載："消渴病人眼澀难开。"

金，刘完素，三消論反复提到消渴的合併症中有目疾。

金，刘完素，黃帝素問宣明論方載：消渴病人眼可以成为"雀目或內障"。

明，周定王朱橚，普济方載消渴病人"睡眼不安。"

明，戴思恭，秘傳証治要訣載："三消久之目或無見。"

就欧陽修眼病观察，自39—51岁的十余年中，累訴眼昏花，且眼痛如割，44岁复發現眼有黑花，可能是患有慢性虹膜睫狀体炎。欧陽修亦患雀目，51岁答梅聖俞莫登楼詩有:

"中年病多昏双眸，夜視曾不如鵂鶹。"

查鵂鶹鳥名，即俗所謂貓头鷹，夜視不明，此詩說明其时欧陽修已患有雀目。又嘉祐四年与王乐道書称，"十年来不曾灯下看一字書"，这也証明他長期晚間視物困难。这种情况既維持多年，是不能單純以維生素A缺乏病来加以解釋的。

至于白內障，詩文中虽無确指，但就以下所載症狀，很可能晚年患有白內障:

治平二年	气暈昏澀視物艰难	乞外任第一箚	92卷
熙宁元年	气暈侵蝕积日加深視瞻恍惚	乞致仕第二箚	93
熙宁二年	兩目气暈尤更昏然	乞壽州箚	94
熙宁四年	睛瞳气暈几廢視瞻	再乞致仕一表	94

所謂"气暈昏然，侵蝕睛瞳。"可以解釋是糖尿病性網膜病变的結果，但最可能是晚年开

始患白內障，晶体逐渐混濁，大概在周边部較在中央区为甚，因此在晚間光綫較暗时，瞳孔散大而令視力更差。

宋，苏籀所著欒城遺言載有一段文字，是値得注意的：

"公言欧陽文忠公讀書五行俱下，吾嘗見之，但近觑耳，若远視，何可当。"

所称公指苏轍，轍为苏軾之弟，所著有欒城集。軾与轍均出欧陽修之門，而籀为轍孙，其見欧陽修时必在修晚年，观書而須近觑必屬短視。究系青壯年时代就有相当程度的短視呢，抑或老年才有短視的呢，各書均無所記載。如老年始有短視，則可能的解釋是欧陽修晚年确患有白內障，致晶体膨脹，屈光度加强，讀書可以近觑。正視眼的老人一般是將書放得較青年人为远，才能清晰閱讀的。总之，欧陽修晚年患有短視則是無可置疑的。

欧陽修詩文中凡兩次記載眼有黑花。第一次見于44岁时的"眼有黑花戏書自遣詩"，疑系慢性虹膜睫狀体炎所致。第二次見于嘉祐治平間与薛少卿書：

"今年病暑，飲冰水多，目生黑花。"

其时欧陽修約为五十六七岁，距第一次發現黑花时已十余年，不一定是同一病因所致。欧陽修自以为目生黑花系因飲冰水多，自屬誤解。若就欧陽修患糖尿病和併發病的时間来推測，其眼生黑花也可能是糖尿病性網膜病变的征狀。

除以上所討論的目疾而外，欧陽修还曾患复視。熙宁元年（时62岁）豪州乞致仕第一劄称：

"眼目昏花，視一成兩。"

大概当时医者对此种眼患現象的解釋，如巢氏病源候总論："目是五臟六腑之精华，凡人腑臟不足，精虛而邪气乘之，則精散，故視一物为兩也。"孙思邈千金方："邪中其睛，則其睛所中者不相比，則精散，精散則歧，故見兩物。"

視一成兩在近代眼科學上謂之复視，多由眼外肌麻痹所致。欧陽修是否患眼外肌麻痹，殊屬可疑。一般在糖尿病很少有眼外肌麻痹，此亦可認为系患白內障的征狀。

欧陽修因眼疾时复加剧，常恐因而致盲。如庆曆八年与王乐道書即称："双眼注痛加剧，不惟書字艰难，遇物亦不能正視，但恐因此遂为廢人，所憂者少撰次文字未了。"又熙宁三年与顏長道書亦称："恐眼目有妨，不能卒業，蓋前人如此者多也。今果目視昏花，若不草草了之，凡成后悔。"看到以上兩段文字，可以知道目疾成为欧陽修心理上的一种威胁。

欧陽修患眼疾二十余年，晚年糖尿病严重，並很早就有血糖高的昏迷現象，他的医葯經过是値得注意的問題，可惜詩文中虽有友人贈医贈葯的記載，但葯剂不詳，亦無就医的詳細記載。其中有一些关于医葯的，分列于下：琴枕說："昨因患兩手中指拘攣，医者言唯数运动以导其气之滯者，謂唯彈琴为可。"

可見当时医者已經知道用运动疗法或职業疗法了。

欧陽修也注意营养和食物疗法，虽然他以儒宗自負，但在居丧中仍复食肉。嘉祐四年致杜世昌書称："自秋来忽患腰脚，医者云脾元冷气下攻，遂勉从教誨食肉，古人三年不食鹽酪，誠有愧也。不孝不孝！然存身亦以奉后，此蒙教誨之意也。"治平二年与吳文長書亦劝其食肉，且称其腑臟不調，为蔬食所致，書中云："某向居憂于穎，每因素食生疾，遂且食肉，然服除半岁犹未平复，此在典禮亦当从权。公侍养慈顏，尤当勉强，間食少暈味，以养助眞气。交旧奉祝，惟此为切。"

另一記載見于嘉祐年間答張學士書："某嘗兩手中指攣搐，为医者俾服四生丸。"

據太平惠民和济局方所載四生丸为："五灵脂、补骨脂、川烏头、当归等分研为丸，治左癱右痪，口眼喎斜，中風涎，半身不遂。"欧陽氏所服四生丸为治指攣，可能即为上方。

总　結

欧陽修39岁或更早便患有眼疾，直到老死，詩文中不断有眼疾記載。晚年，視瞻恍惚，数步之外不辨人物。

欧陽氏眼疾与其所患糖尿病有密切关系。欧陽氏虽59岁始發現自己有糖尿病，但就其併發病的發生时間来判断，可能40—50岁之間已經有了糖尿。其併發病有血管硬化、化膿性感染及糖尿病性昏迷等症。眼部患有糖尿病性網膜病变、白内障及虹膜睫狀体炎，或有玻璃体混濁，可能曾一度患过营养性夜盲。

欧陽修有近視，可能是晚年因患白內障而引起的。

他曾遵医嘱用运动疗法以医治兩手中指攣搐，並主張飲食疗法，除自己居喪食肉以治腰脚外，並劝友人勿蔬食，須間食葷味以养助真气。

他死前一年糖尿病到了注若漏卮、上渴下淋、晝夜不止的程度，可能即死于糖尿病和併發的傳染病。

参 考 文 献

1. 欧陽修 欧陽文忠公文集。
2. 欧陽修，欧陽文忠公尺牘。
3. 欧陽修傳 宋史列傳
4. 苏轍，欒城遺言。
5. 內經
6. 張仲景，金匱要略。
7. 巢元方，諸病源候論。
8. 孙思邈，千金方。
9. 李杲，蘭室秘藏。
10. 刘完素，三消論。
11. 朱橚，普济方。
12. 戴思恭，秘傳証治要訣。
13. 王燾，外台秘要。
14. 甄立言，古今录驗方。
15. 陈师文 裴宗元，太平惠民和济局方。
16. 蔣国彥，糖尿病知識發展的現狀及中国历代对于糖尿病的記載和貢献，內科学报，1952年第10期695—707頁。

李时珍太医院任职考

刘伯涵

李时珍(1518—1519)的生平事蹟保留下来的太少，关于他生平的記載也还存在一些疑問。明史李时珍傳写的很簡略，它基本上是根据李建元进書表写的，难免掛一漏万。幸而白茅堂集卷38李时珍傳有比較詳細的記載。白茅堂集李时珍傳載："楚王聞之聘为奉祠掌良葯所事，世子暴厥，时珍立活之，王妃自負金帛以謝，不受，荐于朝授太医院判，数岁告归。"这一段記載是明史所沒有的，並且进書表也沒有提及李时珍任太医院判的事情，由于这个緣故所以有些人怀疑李时珍到太医院任职是否确实。李时珍太医院任职的問題是一个相当重要的問題，似乎有專題表述的必要。

李时珍的家庭是以行医为業的，也就是医戶。他父亲李言聞是太医院吏目，他的兒子李建方是太医院太医，李时珍的家庭既然世代在太医院工作，所以李时珍在太医院任职的可能性也是很大的。按明代的制度"凡医士但以世業子弟試，或令在外訪保以充"①，李时珍受楚王举荐到太医院任职正和"在外訪保以充"的制度一致。又續文献通考卷42載"时以医举者惠帝时戴思恭……庆历間李时珍"这一段記載証实了李时珍曾在太医院任职。不过續文献通考說李时珍到太医院的年代是隆庆、万历（1567——1577)年間，这个說法說明了續通考的編者对这件事的年代自己也搞不清楚。清光緒蘄州志卷九辟举表称"李时珍，楚王荐于朝，嘉靖年間"。李时珍是蘄州的"乡賢"曾入蘄州乡賢祠，州志的記載大致是可信的。

李时珍到太医院任职的事既然肯定了，那么讓我們来考察他到太医院任职的年代吧。据白茅堂集李时珍傳記載"年十四补諸生，三試于乡不售，讀書十年不出戶庭……善医……富順王孽庶孽欲廢适子，合适子疾时珍进葯曰附子和气湯，王感悟立适，楚王聞其賢聘为奉祠掌良葯所事。"这一段記載說明了李时珍从应試到行医的簡單經过。但是有人对这一段記載表示怀疑，他們認为李时珍是一个职業医生，說他不可能讀書十年，又因为李言聞做过顧敦家的門客，就認为李时珍家庭貧寒，其实这种看法是不妥当的。白茅堂集卷45家傳載："是时四方承平，禁網疏闊，海內蓄食客招方士，法所不問；儒家者流，自王守仁而下，門牆充塞，稍杂異端，布衣之雄則顏鐸梁汝元聚講，动数百人，何其盛也，然而末年不免于禍。景星兒时讀曾大父遺書兼訊長老，当时門多名儒而方士亦間出"。由这段話可以看出嘉靖时顧問顧闕的門客並不是一般性的卖身投靠的破落戶，主要是一些喜欢談論王学的儒者。像朱明宗室樊山王，广济县生員吳自守都是顧氏兄弟的学生，他們在經济上和顧氏完全沒有依附关系，但是也被列在白茅堂集卷45附桂岩公諸客傳中，所以我們不应該，看到李言聞在附桂岩公諸客傳中有傳，就誤会他和顧家有經济上的依附关系，从而断定李言聞家庭貧寒。

那么李言聞的家庭經济情况到底如何呢？我認为李言聞是具有中等資产的小乡紳。李言聞是蘄州生員按明朝的制度，可以免兩个丁的徭役和兩石粮的田賦②，所以他应該是屬于統治阶級的低層，社会地位是不太低的。又据白茅堂集卷45李言聞傳載："里中有弟爭兄田訟甚苦，言聞具酒食召欲解之，訟者亦来集醉門，但如前。言聞大悲痛入跪考灵牀下曰無狀不能感閭里，訟者聞之大笑，后数年訟者瘦死獄中。族人瓜分遺田言聞往为斂葬焉。"这一段話充分勾画出一个小乡紳的形象。因之我們可以肯定李言聞的家庭是一个小乡紳的家庭，否則他那会有財力"往为斂葬焉"呢。李时珍的"讀書十年，不出戶庭"是有物質基础的，"讀書十年，不出戶庭"也是可信的。

現在我們再回来考察李时珍到太医院任职

① 續文献通考卷42，选举九。

② 續文献通考，职役考。

的年代。按李时珍生于1518年(正德13年)，他14岁时是1531年(嘉靖十年)。又明代的乡試是在子、午、卯、酉年举行的，李时珍应第三次乡試应該在1540年(嘉靖19年)，十年的刻苦讀書的最后一年大約是1550年(嘉靖29年)。1551年(嘉靖30年)开始行医，这时正是朱厚焜(富順王)最活躍的时候，③李时珍很自然的和朱厚焜認識了。經过"附子和气湯"事件，李时珍的名声漸漸傳播开来了，李时珍就被聘請到楚王府工作了。

从李时珍行医到出名大約要經历三、五年功夫，以常理推測，李时珍到楚王府任职大約是从1556年(嘉靖35年)前后开始的。按瀕湖脈学叙，李时珍自署"嘉靖甲子上元日，謹書于瀕湖邁所"。邁所是瀕湖山人李时珍隐居著述的地方；④嘉靖甲子年上元日是1564年1月28日，由此可見李时珍在1654年(嘉靖43年)以前已經归隐了，他不可能在隆庆万历时到太医院任职。因为他到楚王府不久就被举荐到明朝政府，所以他在太医院任职的时間，应該是1556年到1653年之間。

李时珍本来在楚王府担任奉祠正，他到太医院以后的职衔依常理推測是不会降低的，他初进太医院时的职衔似应是和奉祠掌良药所事相当的御医。至于李时珍是否担任过太医院判的职务，那确实是一个問題。由于史料的缺乏，我們还沒有办法徹底解决这个問題，也許他在太医院的时候，曾代理过太医院院判的工作，否則顧景星不会十分肯定的說他担任过太医院判，如果他眞正做过太医院判，那么李建元的进書表也不会只提到楚王府奉祠正而沒有提到太医院判。但我們可以肯定李时珍在太医院至少担任御医之类的工作，决不会低于这类职衔。如果他眞的代理过太医院判的話，那也是有可能的，因为太医院使，太医院判無适当人选时，有时是会請人权攝的。

③續文献通卷208載："富順王厚焜荊和庶二子。正德九年封，万历四年薨"。光緒蘄州志載嘉靖时荊王厚烇因病由厚焜代攝王府事，所以李时珍行医时正是朱厚焜在蘄州活躍的时候。

④顧景星：白茅堂集卷38李时珍傳。

許叔微本事

叶劲秋 遺著

許叔微字知可，宋仪眞人①。家素貧，夙穎慧，嗜岐黄。紹兴二年，(公元1132)② 举进士第六人，仕翰林学士。四庫全書提要謂：医家謂之許学士，宋代詞臣率以学士为通称，③ 不知所历何官。但叶天士謂"官集賢院"。又謂"顧世之不知者或疑之，以其官居禁遼，豈其一無所建白于世，而顧不以功名显，並不以文章名。考之宋史，姓名不少概見，即儒林艺术，曾不得一厕名其間，而仅見之稗官野史，抑又何也？不知宋自高宗而后，国事日非，奸良莫辨。学士以文章經济之身，廢閒散之位，事权不屬，强聒何为。因發憤著書，以自抒無聊之志，所謂邦無道，危行言孙，学士固不求人知，人又何能知学士也。且宋史成于元代，于中朝士多所簡略，安知非蒐罗未及而故逸之也。虽然君子不得志于时，而著書立說，藏之名山，傳之后世，亦未可为不幸"(見本事方釋义叶序)。不知叶氏何所据而云然，似曾深知許氏者。慨乎言之，其亦有感而發乎。錢开祇④ 則謂服官之暇，研究經論，每遇疑难，必闡其蘊，發其微，究其源，穷其奥，以故奇症怪病，皆能疗之。武进县志云："尝举乡荐，省闈不第，归舟次吳江平望，夜夢白衣人曰：汝無陰德，所以不第。叔微曰：某家貧無資，何以与人。白衣人曰：何不学医，吾助汝智慧，叔微归踐其言，果得盧扁之妙。凡有病者，無間貴賤，診候与药，不受其直，所活不可胜計。赴春官，艤舟平望，复夢白衣人相見，以詩贈之曰："药有陰功，陈楼間处，殿上呼盧，喝六作五"。叔微不悟其意。紹兴壬子，登第六名进士，因第二名不录，遂陞第五，其上則陈祖言，其下則楼材，方省前夢也。晚岁，取平生已試之方，併記其事实以为本事方。夷堅志亦有此記，与此略同。在当年人生出路，只有功名一途，以上所記神話，大意不外勗人为善，医药济人可积陰功。許氏尝曰："古人以此救人，故天畀其道，使普惠含灵，后人以是射利，故天啬其术，而不輕畀予。"此要語也，人皆急切圖利，自無心力以求术問道，学术之不能精进，有必然矣。但許氏事跡与志乘所記不合。后人考証，往往以志乘所記为重要材料，有时不可尽信，失实之处頗多，道听途說，难免附会。旁人所言，决不如自言之为眞切信实。本事方一書乃許氏晚年所自編，其非及門所纂述，未聞有異議。許氏自序有云："今逼桑榆，漫集已試之方，及所得新意，录以傳远，……皆有当时事实，庶几观者見其曲折也。"許氏学医之动机，志不在广积陰功以博功名仕进，乃痛伤父母双亡而迫此。許氏云："予年十一，連遭家禍，父以时疫，母以气中，百日之間，併失怙恃。痛念里無良医，束手待尽。及長成人，刻意方書，誓欲以救物为心。"其母病亦有記載，謂："元祐庚午母氏亲遭此禍——气中，至今飲恨。母氏平时食素，气血羸弱，因先子捐館憂惱，忽一日气厥，牙噤涎潮。有一里医，便作中風，以大通丸三粒下之，大下数次，一夕而去，予尝痛恨。"于此可証白衣人夢劝其学医为不然矣。

叔微頻年积患，于医药上頗多体驗，尝曰："予患飲癖三十年，暮年多嘈杂，痰飲来潮即吐，有时急飲半杯(芫花圓)即止。盖合此症也。予生平有二疾，一則藏府下血，二則鬲中停飲。下血有时而止，停飲則發無时，始因年少时夜坐为文，左向伏几案，是以飲食多墜向左边。中夜以后稍困乏，必飲酒二三杯，既臥就枕，又向左

註①陈振孙謂維揚人。武进县志作毗陵人，四庫提要謂或曰毗陵人。但本事方四卷廿六頁有曰："壬子年（1132年即紹兴二年）在毗陵有馬姓人患腎藏風，愈后十年过毗陵率其子列拜以謝。"又八卷十四頁有云："辛亥間(1131)寓居毗陵，学官王仲礼，其妹病伤寒發寒热，招予視之。"如毗陵人則不当謂为过毗陵，毗陵乃寓居处所。本書四卷十一頁有云："尝記陈侍郎巠仲庚戌过仪眞。"則知其为仪眞人矣。夷堅志及独醒杂誌皆作眞州人，眞州即仪眞，屬揚州宋置明殿，清代避康熙諱改眞为征。本事方有白沙許学士，白沙乃眞州之一部份，以地多白沙，故名。后亦以白沙二字代表整个眞州。

②陈振孙作紹兴三年，誤。

③蔣超伯南謽捃語中，亦有如此記載。

④錢开禮不知何許人，並不詳其生世。見本事方錢开禮序，不款年月。按古今医統有錢聞禮不知何郡人，宋紹兴中为建宁府判，好医方，尤精于伤寒，作伤寒百証歌行世。疑錢开禮即錢聞禮之誤。

边側睡，气壯盛时，殊不覺，三五年后，覺酒止从左边下，漉漉有声，脇痛飲食殊減，十数日必嘔吐数升酸苦水。暑月止是右边身有汗，漐漐常潤，左边病处絕燥，遍訪名医及海上方服之，少有驗者，間或中病，止得月余复作。其补則如天雄附子矾石，其利則如牽牛甘遂大戟，备嘗之矣。（略）于是悉屏諸葯，服蒼朮一味，三月而疾除。自此一向服数年，不吐不嘔，胸鬲寬暢，飲啖如故，暑月汗亦周体而身凉，飲覺从中而下。前此飲漬于肝，目亦多昏眩，其后灯下能書細字，皆蒼朮之力也。”（以下制朮法）

“予素有停飲之疾，每至暑月，兩足汗漐漐未嘗干，每服此葯（白虎加蒼朮湯）二三盞即便愈”。

“予苦疾三十年，蓄下血葯方近五十余品，其間或驗或否，或始驗而久不应，或初不驗，棄之再服有驗者，未易历談。大抵此疾品类不同，对病則多愈。如下清血色鮮者腸風也，血濁而色黯者臟毒也，肛門直射如血線者虫痔也。亦有一种，下部虛，陽气不升，血随气而降者。……予嘗作此法（玉屑圓）頗得力。”

“予宜和中，每覺心中多嘈杂，意謂飲作，又疑是虫，漫依良方所說，服之，翌日下虫二条，長二尺五寸，头扁闊，尾尖銳，每寸作一节，斑斑如錦紋，一条皆寸斷矣。”

“戊戌八月，淮南大水，城下浸灌者連月，予忽臟府不調，腹中如水吼者数日，調治得愈。”

其为人治疾多神驗。乡人李信道得疾六脉沈伏，按至骨則有力，头痛身溫而躁，指冷而滿噦，医者不識。叔微曰：此陰中伏陽，仲景無此証，世人患此者多用热葯，則为陰邪隔絕，不克导引真陽，反生客热；用冷葯則所伏真火愈見消灭，宜破散陰气，俾火升水降，然后得汗而解。乃造破陰丹，鉛琉黃水銀合匀，投陈皮青皮末，冷艾湯下。信道服葯益加狂热，手足躁扰，其家人大駭。叔微曰：此換陽也，須臾少定，已而病除。其治伤寒皆宗守仲景，一士人得太陽病汗不止，惡風小便澀而足攣曲。叔微診其脉浮而大，謂仲景書有兩証，一小便难，一小便利，用葯稍差，失以千里，是宜桂枝加附子湯三啜汗止，佐以甘草芍葯湯足便得伸。邱生病伤寒發热头痛煩渴，脉浮而尺迟弱。叔微曰：荣气不足不可汗，以建中湯治之，翊日脉尚尔，其家几不遜，叔微仍用建中，至五日尺部方应，然后汗之而愈。其他治驗各案具見本事方。

許氏生卒，書未詳明，今知元祐庚午为叔微死母之年。元祐庚午乃公元1090年，时仅十一岁，由此推算，則知許氏生年为1079年，即宋神宗元丰二年己未。許氏在壬戌年曾治愈一卒渴病（見二卷七頁），則知壬戌为1142年。又自謂壬子年在毗陵有姓馬人患腎臟風为其治愈。后十年过毗陵，率其子列拜以謝（見四卷26頁）則知壬子为1132年，后十年則为1142年。旣知生年为1079年，时許氏已63岁矣。再許氏自序云：“今逼桑榆，漫集已試之方，及所得新意，录以傳远，題为普济本事方”。則其享高龄可知矣。孙兆、楊吉老、龐安常、皆其前輩，書中屡称龐老。龐老善針，曾为东坡先生針手腫一針立愈，叔微則不能針。

所著有：本事方；發微論；伤寒百証訶；伤寒九十論。尙有治法八十一篇，仲景脉法三十六圖；翼伤寒論；辨类。据陈振孙謂后四种皆未見，医籍考亦作佚失。四庫提要引西溪叢話謂其書屬詞簡雅，不諧于俗，故明以来，不甚傳布。呂滄州亦謂許叔微医如顧愷之写神，神气有余，特不出形似之外，可模而不可及。但观本事方則一証一葯，举生平救治諸方投而輒驗者集成一書，並無艰深理論，所謂不諧于俗，可模不可及者，殊不知其所指。其高弟山陽范应德，尽得其术。

紀念白求恩逝世十八周年

饒　　瑞

11月12日是偉大的国际共产主义者、加拿大共产党員白求恩大夫参加中国抗日战爭逝世十八周年紀念日。

白求恩大夫，这位年近五十的老人，当中国人民受到日本帝国主义侵略的时候，他受加拿大与美国共产党的委托，毅然率領加美援华医疗队，万里来华助战。他到了延安的第二天，就要求上火綫。他說，一个外科軍医在火綫上救治伤員，才能收到最大的效果，減少伤員的殘廢与死亡。1938年初的晋察冀軍区只有五台山周圍的25个县，城鎮和交通要道均被敌人重兵佔領，八路軍只佔有叢山和峻嶺，沒有巩固的后方，白求恩大夫就跟随着部队，在日夜作战中进行手术，从来未曾越出火綫八里地，有时施行手术四晝夜不停，遇着重伤員他就抽出自己的鮮血以示范輸血而达到救治，並亲自观察和換葯。他号召每个衛生工作者，处处都要为伤病員着想，要到伤病員的面前去，而不要伤病員来找。他說，一个医生、一个护士、一个护理員的責任就是使自己的病人快乐，帮助他們恢复健康，恢复体力；应該把每个病人都看成是自己的兄弟，自己的父亲，因为在对敌斗爭中他們比兄弟父母还要亲切，他們是你的同志。

白求恩大夫到了晋察冀軍区后，被分配到河北村、河西村、松岩口的三个后方医院內，每天工作十多小时。当时医院設备差，軍医質量低，在这种情况下他决定把河北村的医院，在五个星期內建成模范医院，以推动全局。白求恩大夫白天工作，夜間还給軍医护士上課。中央为了照顧他，每月發給他一百元的零用錢，白求恩大夫坚决不受，他說，聶司令員每月只有五元，士兵每月只有一元，为什么給我特别待遇呢？

日寇向广灵与灵丘之間进攻了，白求恩大夫得到通知，准备在六小时內赶到二百里外的战綫。白求恩大夫在一个古庙內布置了手术室。从黎明至傍晚，足足打了七小时仗，白求恩大夫連續做了五十个手术，二十四小时沒有休息。战斗持續了四天，結束时白求恩已工作四十多小时，为七十一个伤員做了手术。

1939年初日軍用重兵攻陷了五台山抗日根据地，八路軍透进了日軍的后方之后方又在活动了。战事重点由山西山区移到冀中平原，白求恩大夫的医疗队透过了成千上万的敌人封鎖綫和碉堡，到达了平汉、津浦、德石、平津四条圍成方形的鉄路綫之內，上有飞机、下有密如蛛網的公路綫的冀中平原河間。医疗队每次偷渡封鎖綫，兩边必須有武裝部队掩护，以防医疗队受到敌人的襲击。当时唯一的武器是老步槍，馬蹄用布包着，馬队的前边便是偵察員，偵察清楚了再前进，禁止咳嗽，不准談話。白求恩大夫就在这种情况下，走遍了冀中軍区的六个分区，巡視了各后方医院。河間失守，齐会大捷，他沒有寸步离开前綫。后来他在加美流动医疗队四个月的工作报告中（1939年2月21日至1939年7月1日）写道：

"这4个月的期間，医疗队經过了四次的战斗——3月14日至19日在留韓（在越渡滹沱河的地方），4月15日在大团汀，4月16日至28日在齐会，5月18日在宋家庄。在几次战斗中，医疗队离火綫始終沒有超过八里地。战地实施重伤手术315次。建立手术室和包扎所十三处。又組織了兩个新的流动医疗队。給軍医和护士的訓練課程有兩种。

"4月是我們最忙的一月，在齐会的战斗中400名作战的日軍伤亡了340人，我們的伤亡有280人，医疗队在距火綫7里的地方，在69小时不停的工作中，給115名伤兵施行了手术"。

我們仅讀一下上述报告中的兩段，就使我們非常感动，一个外国人对中国革命事業如此热情，冒着生命的危險，在槍林彈雨中，为伤員服务。

1939年10月間，涞源与摩天嶺間的血战开始，白求恩医疗队在10月28日到达摩天嶺附近的孙家庄（距王安鎮約五里）。战斗开始的第二天下午，正在一个庙宇中紧張手术的时候，山头上發現敌人，既而迫近村庄，护士急忙收拾器械，要求馬上轉移。白求恩大夫正在忙于手术，不慎切破左手中指第三节，这时橡皮手套早就沒有了，患手浸上碘酒溶液，然后繼續工作。敌人迫近村子，白求恩大夫最后撤退，深夜赶到一个村子繼續行手术。第二天患手局部炎症剧烈，疼痛增加，由于伤員过多，一天工作未停。受伤的第三天在病室檢查伤員，遇到頸部丹毒合併头部蜂窩織炎的外科傳染病員一名，当即予以手术，得到傳染。以后失去挽救的可能，乃于11月12日早晨与中国人民永别。

在紀念白求恩大夫逝世十八周年的时候，我們对白求恩大夫怀着無限的悼念的同时，应該繼續学習和發揚他的那种偉大的国际主义和革命人道主义的精神，树立为人民服务的态度，为保护和增进人民的健康、为祖国的社会主义建設貢献自己的力量。

（轉載1957年11月12日健康报）

威廉·哈維(William Harvey)逝世三百周年

程 之 范

今年6月3日是偉大的生理学家，血液循环的發明者威廉·哈維逝世三百周年。

哈維在1578年4月1日生于英国的佛克斯敦(Folkstone)，后来就学于劍桥大学，1599年去当时欧洲有名的先进大学——意大利的巴岙阿(Padua)医学校留学，在巴岙阿受他的老师腓布利喜阿斯(Fabricius)的影响很大。23岁归国后在倫敦医科学校担任解剖学講座，並在聖·巴多罗买(St. Bartholomew)病院作临床工作，嗣后曾为詹姆士一世及查理一世的侍医。氏虽作临床工作，但其主要仍着重于医学的研究工作，尤重視解剖学。

血液循环的概念，在哈維以前已有人提出过，但是把血液循环具体了解，並用实驗方法以証实之者則是哈維。远在1553年，西班牙的医生塞尔維特(Michael Servetas)，就反对了傳統的蓋倫(Galen)旧說，駁斥了蓋侖所說血由右心室經心室中隔小孔直流入左心室的說法，闡明了由右心室經肺动脉到肺又經肺靜脉入左心房的小循环經路；但他当时因为沒有解剖上的实驗，也还不知道血如何由动脉到靜脉，而当时的教会統治者却因为他違反了古来的聖訓，用火刑燒死了塞尔維特，使其后数十年沒有能發明血液循环的道理。

哈維的老师腓布利喜阿斯是解剖学的鼻祖維薩利(Visalius)的学生，在巴岙阿大学任教50年，在1600年曾發表"論靜脉之瓣"一文，已發現了靜脉瓣膜，並謂："瓣膜的裝置，其瓣口常向心臟，"但由于腓氏仍拘束于过去蓋侖的旧說，沒有了解到瓣膜的作用。

哈維受到腓氏的影响，潛心研究心臟血管的構造及血液循环問題，1615年他在倫敦皇家学会的一次講演中已对血液运行有基本的了解，确認靜脉瓣膜的作用在只許血液向心流动，而动脉瓣膜則只許血液背心而流，並謂血液流动系繼續不断的，且永向一个方向流动；他細心地計算了心臟的容量，計算了由心臟流出的血量，和回归心臟的血量，也計算了血液流动时間等，他假定：心室各容血液二英兩，脉搏每分鐘跳动72次，一小时为72×60＝4320次，在一小时內，左心室的血液流入主动脉或右心室的血液流入肺动脉当有：4320×2即8640英兩，約合540磅。如此大量的血液比食物所能供給者为多，同样也較比身体营养所需要的为多，于是就用了各种动物作实驗来重行多次的研究，十三年后即1628年終于發表了他的名著："关于动物心臟与血液运动的解剖学研究"(De motu cordis et sanguinis in animalibus)他写道："見心臟的运动迅如閃电，才見其收縮，倏忽已在扩張，有时竟莫辨其为收縮抑为扩張，找不到任何适当的話来形容，也找不出別人的話可以信賴。有人用亞里斯多德的話：像是海潮，忽来复往。而我以为实不能够形容心臟运动之迅速。在研究途中虽曾有时絕望，但經过坚持，日夜不断，細心的观察，实驗动物至80余种之多，終于解脫了許多迷陣，同时看出了心臟和动脉运动的目的，遂了我的初願。"接着，他記述了：①血液是循环着的，②动脉与靜脉的移行界在肢体的远隔部分，有的直接吻合，有的經由肌肉的間隙。③动脉是从心臟輸出的血管，靜脉是运回血液到心臟的血管，二者都是血液的导管。④心臟的运动和搏动是血液循环的唯一原因。其所說的循环是由大靜脉入右心房，由右心室經肺动脉到肺，由肺靜脉入左心房，由左心室經大动脉至全身，而后由靜脉返回右心房；这样的对血液循环的描述，除了还不了解血管的收縮性(他只認为血管是导管，)和沒有發現毛細血管以外，(他以为有多孔性組織为动脉靜脉交通的路逕。)可以說与今日所了解的血液循环完全一样了。

他这一本只有67頁的著作，却把前人关于心臟和血液的錯誤理論暴露無遺，粉碎了以前根深蒂固的旧观念；但和当时一切新的發現一样，虽然避免了塞尔維特那样悲惨命运，但是却不能避免譏笑和打击，爱丁堡大学的一位教授普利姆罗兹曾写了一篇特意攻击哈維的文章，其中說道："以前的医生不知道血液循环，但也会治病。"巴黎大学的教授們長期拒絕承認哈維的發現，仍根据盖侖的学說来講授。这些似乎哈維早已預料到了，在他的名著的序言中已經写道："本書所論关于血液的分量和来源，是很新奇而为一般世人所从未听見的，因此我不但恐怕少数人的嫉diagnos而有伤于我，而且恐怕所有的世人和我作对，因为習慣的思想差不多是人类第二天性。任何理論一旦种下之后，便生着很深的根蒂，对古人的尊敬，差不多人人都是如此，不过現在我的注已是下定了，一切都付託于爱眞理的热忱和思想开通者的同情。"

哈維的血液循环說虽然在一时受到了旧派的攻击，但是和历史上許多新事物、新理論被發現一样，他的学說終于被广泛的应用了。自此以后生理学才确立为一門科学，並且在生理学的基础上18世紀的病理解剖学才得以建立，以后才有近代临床医学的开始。

現代的偉大生理学家巴甫洛夫对哈維的工作給以很高的評价，在哈維著作的俄譯本序言中，巴甫洛夫写道："关于动物和人类机体活动的概念呈現出高度蒙昧無知和現在难以想像的混乱，可是这些概念却为科学經典遺著的不可侵犯的权威性所神聖化了，在这种情况下哈維医生發現了机体最重要的功能之一——血液循环，並由此給人类的精确知識的新部門——动物生理学奠定了基础。"

哈維除了發現血液循环以外，在晚年他还对动物在子宮內的發育进行了研究。他住在牛津（Oxford）地方的时候，大部分的时間是研究鷄雛的發育的，差不多每天要剖开一个雞卵，察看在24小时內的变化。他搜集了許多材料，在1651年著"論动物的生殖"（De Generatione animalium）一書，在書中他打破了傳統的迷信說法——以为动物是由泥土、腐草等所产生的"自然發生"（Spontaneous Generation）的說法。虽然这同样遭到保守人們的反对，但到以后显微鏡的进步終于証明了哈維是正确的。而且他的研究也終成为胎生学奠基者之一。

* * *

哈維的發現不是偶然的，这一方面固然由于哈維的不断努力，和繼承了他以前的先鋒們在解剖学和生理学的貢献，但更重要的是哈維所处的时代背景，和他所用的正确研究的方法——观察和实驗的方法。

哈維生活在17世紀初叶的英国，当时正是欧洲封建社会崩潰瓦解的时期，正当尼德蘭革命之后，欧洲一些主要国家的生产力大大增長，当时进步的新兴的資产阶級也在英国兴起。同时16—17世紀在自然科学中天体力学是起主导作用的，它使全部自然科学具有数学的机械学的性質，量、度的观念影响着自然科学的各个部門。当时英国名哲学家"英国唯物論和新时代实驗科学的始祖"（馬克思語）弗倫西斯。培根（Francis Bacon 1561—1626）肯定了唯物論的归納方法，他說："哲学是感覚器官所得到的知識。"培根要求："医生放棄一般的普通观点，要面向大自然"。这些观念正是与他同时代而比培根小14岁的哈維所贊同而且实行了的。哈維同样主張实驗在研究自然上的作用的观点，他在关于"动物心臟与血液运动的解剖学研究"一書中曾写道："解剖学家不应当根据書本来学習与教授，而应当根据标本，学問不在教条中，而在大自然中。"

在这时期以前，这一种归納的思維方法並未为人們重視，因为这一思想方法是在面向自然，对自然現象作直接观察和精密試驗的基础上才發展起来的。虽然在这以前人們已經自發的在应用着它，但是这种归納推理被人們自覚地作为一种科学方法則是自16—17世紀对自然的研究得到重視，並使自然科学开始得到向前迈进的时期，而哈維正是受了这些影响。

由此也可說明每一科学上和医学上的偉大發明，都与其当时的生产和其他有关的自然科学的水平以及哲学观点是有着密切的联系的。脫离了这些就看不清医学的發展。

其实几乎远在哈維前二千年，在我們祖国現存最早的医書黃帝內經中已記載了血液循环的概念："經脉流行不止，环周不休"（素問），"营周不休，五十而复大会，陰陽相貫，如环無端。"（灵樞）等等的記述，但是由于当时生产力和有关自然科学的發展水平的限制，这一偉大的思想，尙缺少精确的解剖学上的具体說明，直到哈維才用归納思維的方法把它發揚了。

現在，哈維逝世三百年了，生理学已經又有了不少的进步，20世紀偉大的巴甫洛夫已把生理学推进到更高的阶段，十月革命后的苏联在辯証唯物主义的观点影响下，巴甫洛夫的生理学得到更广泛的發展，已經較比17世紀哈維建立了生理学的基础之后，对其他的医学部門發生的影响还大；巴甫洛夫的學說范圍早已不限于生理学了，还影响着医学和有关的一些部門。可是在三百年前还是进步的哈維的祖国——英国，現在尙未能完全接受巴甫洛夫学說，生理学还停留在二元論的阶段，从这些不难看出社会制度的进步对于医学进步的关系了。

在苏联除了發揚他們祖国的偉大的医学家的学說之外，同时也尊重世界科学界的偉人，哈維就是其中之一，哈維的附有註釋的著作已在苏联出版过兩次，巴甫洛夫並为之写了序言；哈維的名著“关于动物心臟与血液运动的解剖学研究”一書的第二版，早已在1948年由苏联科学院出版了，此書除譯文外还有附录，共125頁，包括巴甫洛夫的后記和貝可夫的“关于哈維的生活和著作”，以及薩馬伊洛夫的“哈維及其貢献”。

在我們中国，正如我們对于資本主义国家不正确的医学学說还缺乏系統的批判一样，对于世界科学界有貢献的偉人的著作介紹也还是很不够的，在此紀念哈維逝世三百周年之际，希望我医史界同志能加强这方面的工作。此外，对祖国医学与世界医学在历史上的联系以及彼此的影响，也应当加强研究。

从黄帝到哈維

原著者 F. Boenheim*

十八世紀耶穌会神父 du Halde 氏报道認为中国人有权利提出：他們如果不是在公元前2697年，也至少在二千年前就已認識到血液循环。中国人堅持大宇宙和必然回复到原位置星辰的运轉的哲理，也同样适用于人体，因为宇宙和人身(小宇宙)遵循着同样的法則。宇宙和人类二者是不可分的，正因为每一事物都在运动和發生变化，所以在人的身体和心灵也發生变化。中国人指出：他們曾始終認为呼吸和心臟之間有密切的关連，根据他們的学說，在机体中有二十三蒸（联絡），例如有一脉管由心臟导向后頂，道教徒曾說：心臟統理着全身，並且是生命的精气所在处。既不是动脉、毛細血管，也不是靜脉的血，是通过欲望来分布的。心臟不是循环的發动机，而是一个接受器。血液和呼吸有相互关系，因此通过呼吸而又与空气有关。血液和呼吸二者是連續的动作，这动作是在三个鐘点的时候自肺开始的，如甲乙經所載："气傳之肺，流溢于中，布散于外。精專者于經隧；常營無已，終而复始，是謂天地之紀……"。

显然，呼吸比心臟更为重要，因为生活和血液循环二者都仰賴于它。一个人在24小时之內要呼吸13,500次，而在每一呼一吸之間，血液大約要运行14厘米。血在身体中运行的途徑最長的达到437毫米；由此計算出在24小时之內要循环50整次。有三个主流影响人的生命力，这三个主流是：呼吸和气息(气)，精液或种子(精)，和精神(神)。然而要着重說明的是，虽然"气息"是与呼吸以同一的节律在运动，可是它們並不是同一个东西。黄帝內經中記載有"营周不休，五十而复大会，陰陽相貫，如环無端"。显然，中国人与哈維的血液循环說法尙有不同，还不是生物科学的。

中国人認为血液是各种疾病的居所，若病人过着犯罪的生活，則罪惡將儲积在血液里。有效的医治法就如中国古代医家华佗所施行过的：是要激怒病人，使他在盛怒之下嘔出血来，因此血液就被認为是一种瑕疵，公元前500年的印度医生也有这样的看法。这种見解对自古以来各民族实施放血，和在中古时期相信移換血液能够改变一个人的性格，給以很好的解釋。在远东的其他国家里也發現有在哈維以前，关于血液循环知識的叙述，是因为在这些国家之間存在着密切的貿易关系，随着貿易帶来了文化和科学观点的交流，而产生的很自然的結果。

西藏人对于血液循环的观点可以从喇嘛教的一幅表示生死輪廻的圖（大約是1050年的）中推測出来。一个怪物携帶着地球，这地球被描繪成包含七个不等部分的圓圈。在中央有一只鷹，一头公牛和一条蛇。在相似的一幅画中，有一只猪，一个鴿子和一条大蛇，作为主要罪惡的符号。在一幅地獄的圖画中我注意到有一个子宮样式的結構，並在另一圖画上，是以一尊佛像作为中心部分的。

在印度根据"禳灾明論"（Atharva-veda），有101条动脉通向心臟，心臟是十个导管的根。这一概念和中国人認为心臟並不是一个唧筒，而是一个接受由肝和脾造出来的血液的器皿的概念是很相似的。古代印度的医生可能已把心臟看作循环系的中心。他們的观点和中国人認为心臟的地位远較腦子为重要，与以为"心臟是意識的唯一所在"的这一看法完全一致，这也是一件很有趣味的事。

在古代的埃及，心臟的活动始終处在主要的地位，"它照自己的意志思想每件事物，而否則根据自己的意志来發号施令。"各感覺器官將外界的事件报告給心臟。根据 Breasted 氏的記載，公元前2800年时最古代的埃及医生（已佚名），已很接近于發現血液循环。心臟的活动像一个唧筒，分配血液，但是 Breasted 氏在另一个地方又說，紙草文中"沒有表示已具备有血液循环的認識。"

盖侖（Galen）的观点有很多方面是和中国人的相类似。他的血液运动学說和生命精气的概念影响着医学思想。他把精气分为三类：心

* 德意志民主共和国，萊比錫，卡尔·馬克思大学

灵精气，在腦子里；生命精气，在心臟与血液混合；自然精气，分布在血管里。这一學說被以后的許多作者所接受，並由 Mondino 氏进一步地發展，在他的 Anathomia 一書中描述道：自然部分或即与消化关联的部分，灵的部分或即胸部的內容，和感覺部分或即在头內的部分。Ibn an-Nafis 氏（死于1288年）發現了肺循环或称小循环，但他仍然假設左右心室相通；他的研究修正了盖侖的一些謬誤。虽然 Mondino 氏是在耶穌紀元时期解剖过人体的第一个解剖家。他却教导說心臟位于身体的中部，肺的責任是在鎮定心臟。血液恒归回到心臟。利奧納多·达芬奇（Leonardo da Vinci）氏重視循环的力学远过于对精气的重視。按他所說，"心臟是至高主宰所創造的一个奇異的器皿"；它位于膈同性腺的中間，血管發端于心臟。"淚水出自心臟而不是来自腦子。"在他的一張素描中，繪出了一支联絡脾和肝的血管。这一观点是和中国人認为器官間彼此相溝通的思想符合。究之，他反对空气通过气管流到心臟的旧論調。

血液运动的知識也归因于文艺复兴时期的最多才多艺的，並且在历史上最难令人忘記的利奧納多（Leonardo），这个說法是根据如下的引語得出来的："在心臟开放时流回的血液，不是心門再度閉合时的血液。"和"水从海的最深处以不息地运动回到山嶽的最高峯，不遵守有重量物体的天性，这和有生气的动物的血液老是从心海流向头頂的运动相类似。"而根据这段引語还不能据以証明利奧納多就是血液循环学說的發現者的假定。

利奧納多又把血液运动的學說發展到新陈代謝上去。身体繼續不断的死亡，而因攝取营养得以不断的再生，因此，为了阻止消灭必須要供給身体足以維持生命所需要的营养物。生命也就有了它的盛衰。这观点是建筑在 Ptolemy 的宇宙誌上，利奧納多認为小宇宙所負的任务和它前面講过的文化上的看法一样。無疑地，利奧納多是見过盖倫和阿維森納的著作的。

Klebs 氏对作为解剖家的利奧納多的一篇評論中，正确地对他的"生命素"的旁註，这旁註是利奧納多意在进而加以發揮，以及"自然精气和动物精气"，提出反对，指出这頗似某古老的博物館中的陈列品。利奧納多企圖集中在血液运动的力学上来擺脫"精气"說的束縛。但是，当时还不是这种思想成熟的时候；甚至哈維仍然写着："無精气的血液不是血液，而等于流出的血液。"一如在他以前，欧洲發現了肺循环的 Servetus 氏所写的一样。哈維的出發点是亞理斯多德，亞氏曾以寒暖和雨的循环运动相对照，而这种循环运动主要是因受了太陽影响的地球上的气候所引起的。他写道："故此，同样的，寒暖經由血液的运动在身体里运行。身体的各部以温暖来滋补、保养和甦生，使它更充分、更旺盛、更有生气，因而我可以称之为滋养的血液；反之，血液和身体的这些部分接触后，变冷和凝固，故此說是精气耗竭的血液；这时血液回到它的主宰心臟，好像回到它的本源，在那里恢复它至美至善的性質。在这里因它的流动而收回，並且得到自然热的混合物，这混合物是有力的、热誠的，是生命的宝藏之一，还充滿了精气，可以把它叫作含了香膏的血液：因此，血液重新向外發散；这一切都是仰賴着心臟的运动和活动。

因此，心臟是生命的根源；小宇宙的太陽，一如太陽在它的运轉中可以叫作世界的心臟；因为由于心臟的力量和搏动，血液得以流动、完滿，易于施布营养，並且防止败坏和凝固；心臟是神明的家園，从这里發出它的功能、滋补、保养和育化全身，心臟确实是生命的基础，一切活动的根源"。

虽然哈維只描述了兩种的半循环，而其后 Malpighi 氏描述了毛細管在小的动脉和靜脉間吻合，Leeuwenhoek 氏發現了紅血球，Boyle，Hooke，Lower 和 Mayow 氏等認識了肺的实际功能，却是哈維应当承受發現血液循环的尊貴和荣誉。不管 Morgagni 氏說什么"我真希望你不是哈維的亲密門徒，"以及那些已被忘記了的其他十八和十九世紀的医学作者們的誹謗言論，而正是哈維的邏輯証明了循环系統的存在。他用簡單的計算，算出了在一小时內心臟排出三倍于人体平均重量的血液，並且他断定血液必須在一閉合的环中流动。

我已經指出过古代阿拉伯和近代欧洲的观点上的相似之处。但是各国对血液运动概念的發展是独立的呢，还是彼此傳播的呢；这一問題仍然不能得到解答。到底是那一国在先呢？数千年前巴比侖的医学家就堅决地相信，地面上的事和所观察到的天象有联系。这就把医学和占星术联接在一起了。反过来，占星术又是联接医学同各个自然科学的鏈环。大家都知道，远东和近东从記忆不到的远古时代彼此即有了交通，在迦勒底时期有交通是更可肯定的。在佛教的文学中有一些較古老的傳奇故事，是和耶穌教聖經中的一些相类似的，例如穷寡妇的小錢或令五千人吃飽的故事就是这样。根据 Dahlmann 和 Heck 二氏的叙述，在公元一世紀时，东西方之間就存在有頻繁的国际貿易。1202年的时候比薩的利奧納多（Leonardo of Pisa）比較了阿拉伯和西方数学的不同来源。从巴比侖早期和希腊文艺时期的兩种楔形文字原文的观察，就得出过“好像欧洲的知識是通过回教徒从中国傳来”这样的結論。

希腊的各种抄本都有一段独特的历史。这些抄本被譯成阿拉伯文，由阿拉伯征服者傳播到欧洲，在欧洲被譯成拉丁文，也很可能被傳播到远东，而印度抄本却有另一种說法，印度的生命气息（Prana）学說是否比希腊人精气（Pneuma）的概念較早，还是一个現在尙不能获得解答的問題，但是不能否定，有許多印度成分是和柏拉圖的学說完全一致的。

“精气十分相当生命气息，肝的分泌物代表火，並且相当于梵文的膽（Pitta），痰相当于水（Slesman）。肝的分泌物或是膽和火相当，是一个很特殊的学說，並且确实是印度的一个很古老的学說，在耶柔吠陀（Yajurveda）中已經論到火一如膽液。而且在病理学上有很多項目柏拉圖的学說与寿命吠陀系統的学說是相似的。因此，如若柏拉圖或是他学說的第一个希腊代表人已想到了在寿命吠陀系統的医生中已然流行的那个学說，倒是頗值得惊異的。無可怀疑地，柏拉圖有这一观念，因为这种观念在印度的医生們之中是一普通的学說，並且在波斯王朝时期的印度領域中是大家都知道的，波斯王朝扩張到一些希腊国家。”*

众所周知，印度和中国的关系早就存在。Bodisharma 氏在公元520年从印度来到中国。对西藏的影响也是周知的。在十七、十八世紀的时候，阿拉伯的商人与印度和埃及进行过貿易。为說明阿拉伯人这个在亞細亞文化的典型者的影响，只須提出 Constantinus Africanus 这个名字，就可充分达到目的，他在旅行中，很可能到过印度，但后来不得不逃离埃及，在薩勒諾（Salerno）傳播阿拉伯人的知識。

尽管解剖学的知識已有很大的进步，而1501年时 Magnus Hundt 氏在他的解剖木刻圖中表明各个不同器官的局部記載学仍然像中世紀早期的揣測一样。

Erkes 氏把道教徒和西利西亞的奉告祈禱（Angelus Silesius）的神秘主义进行比較，並且着重指出其与原始的黃教之最大相似处。哈維曾在巴丢阿（Padua）学習过，他可能熟悉阿拉伯的看法。但是和他的前輩一样，他不可能將循环的生理学說建立在亞細亞的方式上；因为在古代的文化中，还沒有像他所懂得的血液运动的概念。哈維的工作总結了他以前所有学者的思想邏輯。

（陆肇基譯自 From Huang-Ti to Harvey, Journal of the History of Medicine and Allied Sciences 12: 181—188, 1957.）

---

* Filliozat, J., Ayurveda and foreign contacts, Indian J. Hist Med., 1956.

1957年医学史上的紀念日

原著者 А. В. Алиева, И. В. Венгрова

一　月

2日　彼德·阿列克散德罗維奇·赫尔岑逝世10周年(1871—1947)——苏联著名外科医生,腫瘤学的奠基人之一。

14日　切奥道尔·施万逝世75周年(1810—1882)——十九世紀卓越的德国生理学家和組織学家,生物細胞構造学說的創立人之一。

28日　尼古拉·阿列克散德罗維奇·魯斯基誕生100周年(1857—1916)——俄国地方自治局的医生,發起建立俄国減低兒童死亡率协会,創建烏拉尔医学协会,烏拉尔地方自治局医疗設施的組織者,有价值的学校衛生学著作的著者。

二　月

1日　伏拉季米尔·米哈依洛維奇·别赫切列夫誕生100年(1857—1927)——俄国神經病理学家和精神病学家,神經系統的形态学和生理学家,精神神經病研究所的組織者和領导者。

2日　德米特里·伊万諾維奇·門德列叶夫逝世50周年(1834—1907)——偉大的俄国化学家。

3日　阿列克散德尔·阿列克謝耶維奇·約夫斯基逝世100周年(1796—1857)——著名俄国化学家、药学家,期刊"自然科学与医学通报"的創办人和編者,俄国第一部药物学指导書的著者。

24日　米哈依尔·尼古拉叶維奇·切包克薩罗夫逝世25周年(1878—1932)——苏联内分泌学家,他主要是研究内分泌腺的分泌活动。

25日　德若万尼·巴奇斯塔·莫干宜誕生275周年(1682—1771)——卓越的意大利解剖学家,病理解剖学的奠基人,"論疾病的所在和原因"一書的作者(1761年)。

三　月

6日　包列斯·涅斯切罗維奇·莫吉尔茨基誕生75周年(1882—1955)——苏联著名病理解剖学家。

7日　尤里·瓦格納·約列格誕生100周年(1857—1940)——奥地利神經病理学家和精神病学家,採用接种瘧疾的方法治疗进行性麻痺,因之获得1927年諾貝尔獎金。

12日　格里高利·伊万諾維奇·索考尔斯基誕生150周年(1807—1886)——俄国著名内科医生,他把風湿性关节炎与心臟病联系起来。又是俄国最早应用听診器並促进它的推广的人之一。

19日　列奥奇·彼德罗維奇·阿列克散德罗夫誕生100周年(1857—1929)——著名的俄国外科医生,小兒骨关节結核外科的奠基者,治疗骨病的保守疗法的先鋒。

22日　沃尔夫干格·哥德逝世125周年(1749—1832)——德国偉大詩人、哲学家与博物学家。

29日　阿列克謝·馬特維耶維奇·費洛馬費特斯基誕生150周年(1807—1849)——著名的俄国生理学家,莫斯科大学第一个生理学講座的領导人,首創醚和氯仿麻醉的实驗工作。俄国第一批生理学指导書的著者之一,第一部輸血方面的指导書的著者。

四　月

4日　赫利斯奇安·伊万諾維奇·洛杰尔逝世125周年(1753—1832)——俄国解剖学家,在莫斯科大学工作,以其解剖学上的成就和他創造了一套丰富的解剖学标本而聞名。解剖学教室和陈列舘的創建者。

5日　介奥尔吉·諾别尔托維奇·加伯利切夫斯基逝世50周年(1860—1907)——著名的俄国微生物学家,微生物学的奠基人之一。在莫斯科大学第一个把微生物学作为独立的科目講授。俄国第一个組織生产抗白喉血清的人。研究瘧疾並進行抗瘧工作的皮洛果夫委員会的創办人和領导人。

8 日 瓦西里·伊万諾維奇·拉祖莫夫斯基誕生100周年(1857—1935)——杰出的俄国外科医生和教育家，喀山大学及薩拉托夫大学的教授，建立了本国外科学著名的学派。俄国顱腦外科学的先鋒。

10日 約翰·普林格尔誕生250周年(一月18日是逝世175周年)(1707—1782)——英国医学家，因与軍队中的流行病斗爭而聞名。

14日 維克多·郝尔斯里誕生100周年(1857—1916)——著名的英国神經外科学家，神經外科学的奠基人之一。对腦各部的功能的探討有过許多貢献。提出在神經外科手术时使用蜂腊阻止出血的新方法。此法就以他的名字命名。

19日 查理茲·达尔文逝世75周年(1809—1882)——偉大的英国博物学家。

20日 阿里弗列德·弗拉季斯拉沃維奇·莫尔考夫逝世10周年(1870—1947)——苏联著名衛生学家和社会活动家。俄国第一个学校衛生学講座的組織者。曾担任皮洛果夫协会的衛生知識普及委員会的領导多年。

22日 維克多·彼德洛維奇·奥西波夫逝世10周年(1871—1947)——苏联卓越的精神病学家，精神病学中的病理生理学派的創立人之一。

27日 馬克斯·魯伯奈逝世25周年(1854—1932)——德国杰出的生理学家和衛生学家，以对新陈代謝的生理学方面的研究而聞名。

五　月

12日 讓·阿里弗列德·福尔涅誕生125周年(1832—1914)——法国卓越的梅毒病学家。所謂慢性-間歇性梅毒疗法的首創者。法国皮膚性病和环境衛生学协会的創立者。梅毒的科学知識的普及者。

13日 若日·居維叶逝世125周年(1769—1832)——杰出的法国博物学家，比較解剖学和古生物学的主要奠基人之一。

13日 罗納里德·罗斯誕生100周年(1857—1932)(9月16日是逝世25周年)——英国著名的微生物学家和寄生虫学家，發現了瘧疾原虫的宿主，以此获得1902年諾貝尔奖金。

23日 卡尔·林內誕生250周年(1707—1778)——杰出的瑞典博物学家和医学家。

30日 貝尔·阿列克散德尔誕生100周年(1857—1916)——匈牙利著名的放射学家。

六　月

3 日 威廉·哈維逝世300周年(1578—1657)——偉大的英国医生，科学的生理学的奠基人之一。在“关于动物心臟与血液运动的解剖学的研究”(1628年)一書中描述了並实驗地証明了血液循环。

4 日 阿列克散德尔·巴夫洛維奇·馬特維耶夫逝世75周年(1816—1882)——俄国著名产科医生，俄国第一批产科学指导書的著者之一。于1853年第一次使用2%的硝酸銀溶液为新生兒点眼以預防膿性眼炎。

5 日 伏拉季米尔·瓦列里严諾維奇·波德威索茨基誕生100周年(1857—1913)——俄国杰出的病理学家，彼德堡实驗医学研究所所長，在研究傳染和免疫的病理学方面及研究腺体再生过程方面有所貢献。1913年全俄衛生展覽会的領导者。

5 日 皮耶·讓·若日·卡巴尼斯誕生200周年(1757—1808)——法国著名医生和生理学家，法国革命时期医学教育及医疗事業方面的卓越的活动家，十八世紀唯物主义出色的代表人物之一。

11日 伏拉季米尔·伊万諾維奇·雅各文科誕生100周年(1857—1923)——俄国著名精神病学家，他从事于探討精神病救助組織問題及精神病統計。莫斯科省一所最大的精神病院曾以他的名字命名。

15日 尼古拉·伊万諾維奇·列波尔斯基逝世五周年(1877—1952)——苏联出色的治疗学家，大腦皮層功能狀态的臨床研究的奠基人之一，証实內臟疾患与中樞神經系統的关系。

17日　阿列克散德尔·叶伏葛拉弗維奇·普罗左罗夫逝世五周年(1889—1952)——苏联著名的放射学家，研究早期肺結核和非特異性疾患的X射綫診断。

17日　約日奥·巴里維逝世250周年（1668—1707）——意大利临床家和生理学家。他是克罗地亞人，在意大利研習医学。(克罗地亞人是南斯拉夫民族之一，——譯者)。解剖学和理論医学的教授，以其解剖学、病理学和生理学的著作而聞名。

24日　伊万·康斯坦琴諾維奇·斯皮札尔尼誕生100周年(1857—1924)——著名的俄国外科医生，莫斯科大学教授。

27日　尼古拉·德米特里耶維奇·斯特拉热斯科逝世五周年(1876—1952)——苏联杰出的治疗学家，他主要是研究心臟病、血液病、高血压以及年老問題。

七　月

3日　維克多·尼古拉耶維奇·謝夫庫年科逝世五周年(1872—1952)——苏联杰出的外科医生，手术外科学学派的建立者，創模型解剖学學說，提出关于統一的神經-血管綜合的概念。

14日　阿列克散德·根利郝維奇·介逝世50周年(1842—1907)——俄国临床家、皮膚性病学家，伏尔加河流域（嘉桑）第一批皮膚病和性病診疗所的組織者之一。

18日　弗蘭西斯·巴尔福逝世75周年(1851—1882)——英国胚胎学家。發展了胚胎学中的进化学派，繼承了俄国学者A.O.柯瓦列夫斯基和И.И.麦奇尼柯夫的工作。比較胚胎学的第一批著作者之一。

19日　利夫·尼古拉叶維奇·費德罗夫逝世五周年(1891—1952)——苏联优秀的生理学家和苏維埃保健事業的活动家。

19日　安德列·利沃維奇·波連諾夫逝世10周年(1871—1947)——苏联杰出的神經外科学家和創伤治疗学家，对于腹腔器官的病理学和外科学，四肢改造外科学及神經系統外科学方面有独到的研究。

八　月

17日　阿列克散德·約西佛維奇·杰曼諾維奇誕生75周年(1882年生)——苏联杰出的神經病理学家和精神病学家，以腦神經学方面的各种問題，特别是对神經感染方面的研究工作而聞名。

20日　尼古拉·尼古拉也維奇·巴然諾夫誕生100周年(1857—1923)——著名的俄国精神病学家，在俄国首次实行精神病人的家庭照拂並为此改革了护理制度。

九　月

1日　伏拉季米尔·季莫費也維奇·塔拉拉叶夫逝世10周年(1886—1947)——苏联杰出的病理解剖学家，創制薄板大型切片法，此法即以他的名字命名。

17日　謝尔蓋·彼特罗維奇·包特金誕生125周年(1832—1889)——卓越的俄国医生和治疗家。

十　月

5日　瓦連琴·伏拉季斯拉沃維奇·高林叶夫斯基誕生100周年(1857—1937)——著名的俄国医生和衛生学家，体育方面的活动家。奠定了医疗体育的理論基础並拟定其应用方法。

11日　季莫費·彼德罗維奇·克拉斯諾巴叶夫逝世五周年(1865—1952)——苏联出色的外科医生、小兒科医生、物理医疗家。

20日　太奥道尔·刘維格·比紹夫誕生150周年（12月5日为逝世75周年）(1807—1882)——德国著名的解剖学家、胚胎学家和生理学家。主要从事研究哺乳类胚胎学。

24日　安东·雷文虎克誕生325周年（1632—1723）——有名的荷蘭博物学家，科学的显微鏡檢查法、显微解剖学、动物学及植物学的奠基人之一。

31日　安东尼奥·斯卡尔帕逝世125周年(1752—1832)——卓越的意大利解剖学家和外科医生，曾有很多解剖学上的發現。許多解剖学名辭和手术方法与他的名字有联系。

十 一 月

1日 伏拉季米尔·安德列叶維奇·奥彼尔逝世25周年(1872—1932)——杰出的俄国外科医生，从事战伤外科学方面的研究，在內分泌学、植物性神經系統、偶發性坏疽和外科学史方面有許多著作。

7日 維克多·巴夫洛維奇·米罗留包夫逝世10周年(1947年逝)——苏联著名的病理解剖学家，病理解剖学的托木斯克学派的創立人，西伯利亞第一所病理解剖研究所和解剖室事業的組織者。

17日 若杰夫·巴彬斯基誕生100周年(10月29日是逝世25周年)——杰出的法国神經病学家，以临床神經病理学方面的工作而著名，很多病理反射是以他的名字命名的。

25日 格維多·巴切利誕生125周年(1832—1916)——罗馬医生。首創治疗梅毒的方法，此法以他的名字称之，並創治疗破伤風等病的方法。

27日 查理茲·斯考特·謝灵頓誕生100周年(三月四日是逝世五周年)(1857—1952)——英国杰出的生理学家和神經病理学家。由于神經病理方面的工作而获得1932年諾貝尔獎金。

30日 威廉·法尔誕生150周年(1807—1883)——杰出的英国医生，衛生統計学家，衛生統計学的奠基人之一。

十 二 月

15日 里夫·費道罗維奇·兹梅叶夫誕生125周年(1832—1901)——著名的俄国医学史家。

16日 彼德·佛基奇·包罗夫斯基逝世25周年(1863—1932)——俄国外科医生，曾描述东方瘤(又名热帶瘡)的病因。

19日 阿列克散德尔·尼古拉叶維奇·克留考夫逝世五周年(1878—1952)——苏联著名血液內科学家，創立血球起源的学說，創建莫斯科斯科利佛索夫研究院的緊急救护治疗所。

21日 奥斯卡·拉薩尔逝世50周年(1849—1907)——著名的德国皮膚病学家。在湿疹病程中所用的糊剂是以他的名字命名的。

21日 約翰·苗尔費誕生100周年(1857—1916)——著名的美国外科医生，胸廓成形术的奠基人之一。与意大利的佛尔拉尼尼分別提出人工气胸术，並在美国第一个施行之。

31日 伏拉季米尔·米哈依洛維奇·梅史逝世10周年(1873—1947)——苏联著名外科医生。主要从事骨关节病理学、神經外科学、化膿外科学、泌尿学、腫瘤学及輸血等方面的工作。

*　　*

法国薩尔彼特里耶貧民医院开办300周年(1657年5月1日)。

俄国軍事医院及其附屬医学校开办250年(1707年，莫斯科、列佛尔托沃)。

Н. Ф. 卜沙著的俄国第一部外科学指导書出版150年(1807年)。

不列顛(联合王国)医学会創立125年(1832年)。

С. А. 格罗莫夫著的俄国第一部法医学指导書出版125年(1832年)。

В. К. 維索考維奇在俄国軍队中在世界上第一次进行接种抵抗腸伤寒，75年前(1882年)。

廖夫列尔等人發現馬鼻疽病原菌75年(1882年)。

郭霍关于結核病病原菌的报告75周年(1882年3月24日)。

柯罗列夫医学协会在倫敦創立50年(1907年)。

国际公共衛生局成立50年(1907年)。

麦奇尼柯夫著的"乐观主义短論"出版50年(1907年)。

皮尔克应用結核菌素皮膚反应50年(1907年)。

瓦色曼应用梅毒血清診断法50年(1907年)。

Н. И. 皮洛果夫在烏克蘭共和国文尼茨克省維史尼村的庄园博物館建立10周年(1947年9月9日)。

(振嘉譯自 Знаменательные Даты Истории Медицины 1957 Г., Москва, 1956.)

罗振玉敦煌本本草集注序录跋的商榷

原著者　渡边幸三

証类本草之文献学的意义及其書写形式

所謂"証类本草"是以宋唐愼微經史証类备急本草为祖本，並加以重編增补的大观本草和政和本草兩系統的諸种版本的总称。其文献的改变之概要，叙述如下。

唐愼微經史証类备急本草是为了除去以前勅撰嘉祐补注本草和圖經分册刊行之利用上不方便的缺点，而將該二書适当地剪貼成为一書，更为适应时代之要求以自己之意增补了新的葯品、記文和方論的一部書。于嘉祐本草圖經之文首冠以"圖經云"，自己所加之新葯品則圍以墨框子，又記文之第一字上必冠以墨盖子，以与嘉祐本草之原有者相区别。該本草全系唐愼微之私撰，止于原稿形式，無刊行之形跡。又，世称大观本草者，其正名叫做經史証类大观本草，系大观二年（公元1108年）艾晟以唐愼微之原稿为底本，加以校定，並將陈承重广补注神农本草並圖經中的陈承之說以"別說云"的形式增补进去而予以刊行的書。此書，其后被重刻八次，而傳留至今。又，世称政和本草者，是政和新修經史証类备用本草之略称，系政和六年（公元1116年）曹孝忠等奉勅校修大观本草而刊行的，插圖、記文等与大观本草有相当大的差別。此書以后被重刻16次，其中特別値得注目的是金泰和甲子下己酉（公元1294年），平陽之張存惠晦明軒重修之重修政和經史証类备用本草，世簡称为重修政和本草。其特点在于：不是机械地重刻政和本草，而是將宋寇宗奭之本草衍义拆散並以"衍义云"的形式附入，其它繪圖方論等也作了許多的增改。从此以后，此种重修政和本草被重刊而傳留至今。到了明代，更出現了合編大观本草和重修政和本草二系統的書（关于这些，已詳論于拙稿"唐愼微經史証类备急本草之系統及其版本"——东方学报京都第二十一册）。有如上述，应注意被称为証类本草者之中，根据其系統的不同，其內容亦有很大的差別。

其次，考查一下唐愼微經史証类备急本草产生之历史过程。向来，中国本草的傳統編纂形式，虽有若干例外，但原則上是照样承襲以前本草書的葯品和記文，不然則明記其更変之理由，增补新的葯品和記文来編纂的，这是常例。因此，可以說經史証类本草中具备了神农本草經→陶弘景之本草經集注→唐新修本草→宋开宝本草→嘉祐补注本草等諸本草。但是，証类本草則仅指以經史証类备急本草为祖本之諸書，不可將更早的嘉祐本草，开宝本草也算在証类本草之中。

有如上述，証类本草之中，有从前的諸本草傳統地留傳下来。因此，証类本草是例如把神农本經的經文作白書之类，用各种記載样式、記事、記号，标示某种葯品和記文是来源于某本草的書写格式記載的。讀証类本草的人，首先須通曉此种書写格式。經史証类备急本草及所屬諸系統之增补的葯品和記文，已于前面叙述过，故略之。茲就經史証类备急本草之傳統的諸本草之書写格式略述如下。

如上所述，經史証类备急本草是原封不动地利用嘉祐补注本草而編纂的書。因此，由其傳統下来的諸本草的書写格式，也是承襲了嘉祐补注本草的書写格式。嘉祐补注本草的書写格式在嘉祐补注总叙中，列举"十五凡"，加以詳細的說明。此十五凡之一一的說明，容諸后日，这里仅就讀罗氏跋文上需要的下列二种書写格式作一說明。

收在証类本草卷一序例上之补注总叙中写道：

"凡补注欲詳而易曉。仍每条並以朱書其端云。臣等謹按某書云某事。"因此，証类本草中白書"臣禹錫等謹按葯性論云"以下之文，可知皆为嘉祐补注所附加之文。又，嘉祐补注总叙中說明道：

"其开宝考据傳記者，別曰今按、今詳、又按，皆以朱字別于其端。"即証类本草中白字"今按”“今詳”“又按”以下之文，皆为开宝本草所附加之文。

有如上述，以証类本草之文献学的意义及書写格式为准备知識来看罗氏跋文时，其說实有堪商之处。

罗氏跋文中說道：

“証类本草序例二卷，其上卷載隐居序例之上半，起序文訖合葯剂料理法則，其标題曰：‘梁陶隐居序’。下卷載諸病主葯起至葯对五条，亦隐居序例之下半，則不复注明为陶氏說。使不得此卷校之，几令人疑为作証类时之序例矣。証类既分隐居序例为二截，中間复夾入它家序例，凌杂無序。”

看一下大观本草，則如罗氏所言，于“合葯分剂料理法則”之后，有“徐之才葯对等序例”、“林希重广补注神农本草並圖經序”、“雷公炮炙論序”三序。其中“徐之才葯对等序例”上冠有“臣禹錫等謹按”六字，所以很清楚的是嘉祐补注本草所增补的。又其次，陈承重广补注神农本草並圖經上的林希之序一节，有如前述，把陈承之說以“别說云”的形式附入証类本草中的是艾晟的大观本草，此林希之序是艾晟所增入的。因此，其后的“雷公炮炙論序”，可以想到也是艾晟附入的。至于重修政和本草，除上述三序之外，还附有本草衍义序例。元張氏晦明軒是第一个將本草衍义附入政和本草，故此序例亦为張氏晦明軒所附入的。有如上述，如明确認識了証类本草之形成及諸系統的編纂經緯，即可知卷下序例亦是沿襲陶弘景的。罗氏未明此等經緯，故說成上面所記的那样。特别罗氏說“作証类时之序例”，他对“証类本草”是如何認識的，不明确。大約罗氏以为被称作証类本草的書，都是同一时代所作，並且有着同一內容的書，好像对其后重編等事不太了解。

其次，罗氏說：

“复加增竄于‘諸病主葯例’中，各病条下于隐居所書諸葯外，复据它書續增。”

今观大观本草，凡嘉祐补注本草所增添者，必于其首白書为“臣禹錫等謹按蜀本”等，然后列举葯品，又唐愼微所增添者，于其卷首声明“凡墨蓋子者並唐愼微續添”，本文中將續添之葯名用墨蓋子圍着，即在明示某本草所增添的書写格式之下增添的，因此如罗氏所說的“复据它書續增”是不可以的。恐怕罗氏对这种書写格式未能明了。重修政和本草系統的書之中，有的虽于卷首声明“凡墨蓋子下，並唐愼微續添”，但其本文中也有几乎把墨蓋子全部脫誤者。如果罗氏是以此种書立言的，那就不足以做为問題了。

罗氏又說：

“中品以后，增出汗等九目”。

但是，大观、政和兩系統之書皆于“出汗”之前行說“臣禹錫等謹按序例所載外，葯对主疗如后”，明白地記着嘉祐补注本草是从葯对增补了出汗以下九目的。因此，罗氏那种說法是不必要的。罗氏又說道：

“又將解毒一目析出，別为解百葯及金石等毒例，殊失隐居之意”。何时把“解毒”改为“解百葯及金石等毒例”，不詳。推想是以唐新修本草为据的頓医抄，其卷四十七諸葯功能引之，作“解毒”，故可推断至少是由唐本草以后的本草所更改的。或許是：这“解毒”条所列諸毒之中，与草木鳥兽虫魚等諸並列，尙有金石毒，故而根据其內容而改成“解百葯及金石等毒例”。据証类本草：开宝、嘉祐等本草校改从前的本草書时，通例是明記其校改理由的。而此条沒有明記其校改理由者，或系是依据蜀本草，或系傳刻时之脫誤。又，罗氏說道：

“又作証类諸人，似未見陶氏原書。隐居述諸病主葯，言：‘惟冷热須明，今以朱点为热，墨点为冷，無点者是平，以省于煩注也。’証类本引此書，乃作‘惟冷热須明，今依本經別录，注于本条之下，云云’，注‘今詳：唐本以朱点为热，墨点为冷，無点为平’。(校以此卷，殊为舛戾——本文作者漏脫此句，譯註)。証类誤以朱墨点記始于唐本，不知昉于隐居。”。此說是罗氏跋文中之白眉，可惜的是，他並未了解注文之首的“今詳”这一書写格式。有如上述，“今詳”是开宝本草所附加之文，故开宝本草之編纂者就已經沒有看到原書了。因此，罗氏之“作証类諸人”之說，尙不能成立。罗氏又說：

“历代官脩之書，無不鹵莽灭裂。……固不仅証类本草为然矣。”

由这句話推之，罗氏似乎把証类誤認为是官脩本。盖罗氏未明官脩本之开宝本草、嘉祐本草，唐愼微个人私撰之經史証类备急本草以及属于該系統的諸本草之有所不同，而把宋代証类本草一書誤解成为一时官撰的。这种情况也可由罗氏下列話語中感覺到："盖作証类者，改竄隐居序例，攘为已有，故不著其所自出，又改所不当改，增所不当增。"

以上要之，罗氏因未明了証类本草之文献学意义和書写格式，故其所說值得商榷。

本草經之卷数

罗氏又說：

"序文中称本草經謂'今之所存，有此四卷'。考神农本經，七录以下皆言三卷，未聞有四卷之本。四卷为三卷之譌無疑。而此卷与証类本均作四卷。"

主張陶弘景序之神农本經"四卷"为"三卷"之誤。罗氏此說完全依照嘉祐补注的說法。即陶弘景序之"今之所存，有此四卷"之下的嘉祐补注中有：

"臣禹錫等謹按，唐本亦作四卷。韓保昇又云：神农本草上中下並序录，合四卷。今按四字当作三，傳写之誤也。何則，按梁七录云：神农本草三卷。又据今本經，陶序后朱書云：本草經卷上卷中卷下；卷上註云：序药性之源本，論病名之形診；卷中云：玉石草木三品；卷下云：虫兽果菜米食三品。却不云三卷外别有序录。明知韓保昇所云，又据誤本，妄生曲說，今当从三卷为正。"

根据嘉祐补注說梁阮孝緒七录有"神农本草經三卷"及陶序后朱書有"本草經卷上"、"本草經卷中"、"本草經卷下"二事，而立論"四卷"应改为"三卷"。关于此說之当否考察如下。

首先，嘉祐补注說梁阮孝緒七录中录有"神农本草三卷"。但是，元大德本以下各隋書中，其"梁有"項下皆無"神农本草三卷"一書之著录。而隋志之本文却著录有"神农本草經三卷"。然而，陶弘景序之后的"本草經卷上"章所引唐本註中有"惟梁七录，有神农本草三卷"，又宋王应麟玉海卷六十三艺文中亦引用七录之"神农本草三卷"。因此，以今本之隋志来直接否定嘉祐补注之"梁七录云：神农本草三卷"之"七录"，是需要相当的考証。（隋志"梁有神农本經五卷"之"五卷"或系"三卷"之誤）。就算是七录中著录有神农本草經三卷，那是否就是陶弘景用作底本的神农本經，也是一个疑問。按：陶弘景本草經三卷是于齐永元二年（公元500年）左右編纂的，而阮孝緒七录是梁普通四年（公元523年）所作的。又，七录中著录有"陶弘景本草經集注七卷"，所以七录之"神农本草三卷"可能是指陶弘景的本草經。故如嘉祐补注，以七录著录有"神农本草三卷"为根据，即下結論說陶氏作为底本的神农本經是三卷，这是不可以的。

其次，关于朱書之"本草經卷上，卷中，卷下"是指陶氏底本之神农本經而言的嘉祐补注之第二个論据，如已于本杂誌第三卷第二号，第四卷第一号合册中刊載的拙稿"关于本草序例之神农本經的經文"中所詳述的，此"本草經卷上"等文是指收录了730种药品的陶弘景本草經而言的，决不是指陶氏用作底本的神农本經而言的，此15字不应朱書，而应墨書。並且，嘉祐补注既引有"卷上"之注"序药性之源本，論病名之形診"，而又于其下說"却不云三品外，别有序录"。此"序药性之源本，論病名之形診"一文，正是說"卷上"是序录，可以說嘉祐补注是自相矛盾。

有如上述，嘉祐补注为証明神农本經是三卷而列举的証据，都是不足以作依据的。反之，倒有使我們以为陶弘景用作底本的神农本經是四卷的記載。陶弘景所作药总訣自序說"于是神农本草，列为四經"，論述了神农本草是四卷。又，隋書經籍志中著录有"神农本草四卷，雷公集注"。此外，晋皇甫謐帝王世紀之"炎帝神农氏，著本草四卷"（太平御覽721所引）一文，亦是傍証神农本經为四卷的。

又，本草序录中有"上药120种为君……本上經""中药120种为臣……本中卷""下药125种为佐使……本下卷"之朱書神农本經之文。由此可知，神农本經上、中、下三卷中，各收录有上品、中品、下品之本草。除此三卷之外，自"上药120种为君"至"夫大病之主"，凡10章六百数十字之朱書神农本經之文，儼然存在。这正是神农本經之序录。因此，如嘉祐补注"不云三卷外，别有序录"之說，是不成立的。即神农本經有本文三卷，序录一卷，合計四卷，由此亦可推出。此外，据嘉祐补注所說，唐本草、蜀本草皆作"有此四卷"，故在文献学上亦应从敦煌本之"四卷"，不可輕易改为"三卷"。

（王有生节譯 自日本东洋医学会誌第五卷第一号，1954年）

文摘

明代医家繆仲淳及其本草經疏

繆廷杰 上海中医药杂誌 1957年8月号 16—18頁

本文首先概述繆仲淳的生平。其次簡單的介紹了本草經疏一書的撰写經过，历經許多艰难，終于在天啓乙丑(公元1636)春初版刊出。

"本草經疏"是一部偉大的葯学名著，在祖国医学上有很大的貢献，而且对于后世的医葯起了一定的啓發作用。全書30卷，凡數十万言，其內容特点有五：

(1) 校正过去本草疏傳文字的訛謬，逐条參訂，並將意义难通者，加以厘正。

(2) 本草所載諸方俱录入，主治參互，有未当于用者，已为删去，此后取录諸書良方甚多，亦皆紀述，以便採用。

(3) 总疏葯品凡1347种，以葯物品类浩繁，將离奇古怪的葯物及罕識难致者，存而不論，仅重点提出606种重要的葯品詳加注疏。

(4) 以科学观点分析葯物，謂葯物能随土地而改变它的性質，詳細指出如何审别葯物的眞伪及性質。更增补了过去本草所缺少的27种葯物。

(5) 分析葯物的性質，研究数葯同用的附加作用及副作用，而对不宜同用之葯物，更詳細指出，条述其害。

繆氏不但精研医术，对于医学道德方面特别著重。对診視病人，必先仔細檢查，然后用葯，絕不草率从事。所著"祝医五則"論戒作医生的基本道德，这是我国古代論医学道德的最好文献。他更憎恨当时的庸医誤人，趋炎附势之徒，輒重視金錢而草菅人命。(少祺)

威廉·哈維——实驗医学之父

在威廉·哈維逝世三百週年的月份里，全世界的科学家們对这位血液循环的發現者都表示敬仰之情。

威廉·哈維1578年4月1日生于英国肯特省的福克斯东。作为一个小康父母的兒子，他被送进堪特巴里(亦在肯特省——譯者註。)的皇家学校，在那里，他得到对古典文学的終生爱好。他讀过"劍桥"，1600年到了"巴丢阿"，当时，那是世界上最著名的医学校，在那兒，他从法不里秀斯(Fabricius ab Aquapendente)学習人体解剖。作为一个世界上最偉大的解剖学家和胚胎学及比較解剖学的先驅者之一的法不里秀斯之所以出名，是由于他在1574年發現了靜脉瓣。1602年，在"巴丢阿"取得医学博士学位后，哈維回到英国，同年內，在"劍桥"也得到博士学位。1607年，他取得倫敦內科学院院士資格；1609年，当他"31"岁时，被选为聖·巴尔索罗梅医院的內科大夫。不仅努力鑽研古典文学，並且努力于古代經典医学著作的研究，他很快地估价到：他的前輩們的著作中有許多錯誤；他的大部分工作要花在避免不加思索地接受繼續存在的武断。

公元前四世紀希波克拉底，曾經确認心臟是一种肌肉，但將血管的运动归之于脉搏。一世紀后，亚里斯多德認为心臟不仅是脉管系統的中心，还是身体热的中心和智慧的中心。爱拉西斯特拉他斯(Erasistratus)，(約紀元前290年)描写过心臟的瓣膜，但他相信动脉含有空气。所謂天才的实驗家和著名的生物学家，罗馬时代的盖侖，(約公元前150—200年)主張：当空气从肺里吸入到左心室的时候，"生命灵"便产生了。——列奥那多·达芬奇(Leonardo da Vinci)老早就曾責难过的一种論点。

"现代解剖学之父"，維薩里亚斯(Andreas Vesalius)在他的古典著作"人体之構造"(De humanis corporis fabrica)一書的第二版中說道：他找不到心室間有什么通路。色尔維他斯(Michael Servetus)，于1553年，由于他是異教徒被处火刑，他首先描述了小循环或叫肺循环。哈維的老师，法不里秀斯于1603年出版了他的关于靜脉瓣的書。虽然他並不能辨别出瓣膜的实际作用，却相信它們的目的是为了阻止靜脉血流向四肢后的回流。他的工作給哈維以啓發：用实驗方法証明血液循环。

当时，横亙在哈維与眞理之間的障碍是三种錯誤的信念：那就是，动脉中含有空气；兩个心室之間的中腊是洞穿的；以及血液只沿着靜脉流到身体周圍。1615年，哈維当选为内科学院的講师，从他的那些現存的講演笔記看来，很清楚地說明了：在他的偉大發現道路上，已經达到了几个重要阶段。他的結論記載：血液能从动脉透入靜脉；心臟，他亦認为是一种肌肉，它的瓣膜阻止了血液的逆流；'心跳'是为了"血液在循环时的一种不息的运动。"他又从事医疗和講学活动多年之后，（其間他也領导着实驗工作和施行解剖，）最后，于1628年，他認为他的劳动成果可以向全世界宣布的时候，于是，他的福蘭克福特·爱姆·麦因（Frankfurt-am-Main），出版了只有72頁的一本小册子，那就是一般認为在医学史中最重要的文献："动物心臟与血液运动的解剖学練習"（Exercitatio Anatomica de Motu Cordis et Sauquinis in Animalibus）是一个謙虛的書名，因为这一工作是永远超出了一种解剖学的"練習"，事实上，它表示出了以前从未見到过的一些內容：一个完整的实驗研究調查的記录，对揭露生命过程的每一步驟进行了討論。

哈維用着一种絕对定局的証明說：血液是由动脉流向靜脉，並且，"血液运轉是永远成为一种循环，它的完成由于心臟的搏动。"他描写的从动脉到靜脉的"細孔"与馬尔皮基（Marcello Malpighi）1660年用显微鏡所看到的毛細血管是相当的。

英国国內战爭結束后，他仍繼續他的胚胎学的研究。他是詹姆士一世和查理一世的御医。因为高龄，1654年，他辞去內科学院的領导地位。他于1657年7月3日，在罗汗浦东（Roehampton）逝世。

（郭成圩摘自 Discovery, june, 1957.）

紀念Ф.Р.包洛杜林

获得列宁勳章的莫斯科第一医学院杰出的医史学家包洛杜林教授（Ф. Р. Бородулин），在漫長的疾病以后于1956年12月14日逝世了，年享61岁。

包洛杜林是个乡村教师的兒子，他經历过艰苦的生活道路，曾十分頑强的劳动和忘我的为祖国和苏維埃人民服务。1919年，包洛杜林参加了共产党。在国內战爭及外国干涉的艰苦岁月里，他担任了革命委員会与执行委員会的副主席，並积極地同白衛軍匪帮和富农作斗爭，1921年，他曾接受任务参加鎮压喀琅斯塔德（Кронштадт）的暴乱。

国內战爭結束后，他从莫斯科医学校畢業（1923），以后又畢業于紅色教授學院（1928）。从1928年起，他从事于科学及教育工作。起初做普通临床工作，以后，相繼担任內科主任、助教、講师、医院临床內科教研組主任、馬克斯列宁主义教研組主任、塔基斯坦医学院院長等职务。

包洛杜林在从事临床工作的初期，就已对科学研究工作，尤其是在医学史領域方面的研究，發生了兴趣。1928年，他第一次發表了"现代医学的危机"一文，他用馬克斯主义的立場对国外学者許多錯誤的理論做了批判性的估价。1931年，在"反对医学中机械主义与孟什維克唯心主义"論文中，他創造性地运用了馬克斯列宁主义的观点进行分析，毅然地反对在医学中的机会主义与孟什維克的唯心主义，捍衛了党性。其后数年，在对广泛的医学史文献进行批判研究的基础上，他写出許多文章，如："氏族制度的医学"，"古代医学"等等，这些文章表現出对馬克斯哲学及医学史有深刻的認識，1941年，包洛杜林做了博士論文答辯，題目是"包特金学派"。

在偉大的衛国战爭年月里，他自願前往前綫，在整个战爭期間，执行陆軍內科医生的重大任务。由于包洛杜林的忘我劳动以及对苏維埃祖国有功，政府奬給他以紅星勳章。

1945年，包洛杜林回到莫斯科，在以謝瑪什科（Н. А. Семашко）命名的苏联医学科学院保健組織及医学史研究所內进行科学研究工作直至1955年，其間很少間斷。1950年，他被选为以謝切諾夫命名的榮获列宁勳章的莫斯科第一医学院医学史教研組主任，用他的固有的才能以及滿腔热情来教导从事医学史工作的青年干部。

同时，他有目的地在医学史領域中做了許多工作。包洛杜林在这个活动时期最光輝与最巨大的著作是兩篇專題論文："祖国医学神經学說史"及"包特金与医学神經論"。

在"祖国医学神經学說史"文中，包洛杜林領出祖国医学生理学方向的發源和早期的成。于1949年出版的"包特金与医学神經論"一書，是在巴甫洛夫学說会議以前，最先科学地論証与說明祖国医学按照生理学（神經論）道路發展的論点的代表；在这本書的第二版中，包洛杜林着重地指出这个学說的延續性，即包特金-謝切諾夫神經論与巴甫洛夫神經論之間的繼承性的关系。

在他的簡短而內容深刻的"苏維埃临床学的思想基础"一著作中（1953），他对苏維埃医学的生理学方向的論点做了嶄新的和光輝的論証。

包洛杜林的著作有一个共同特点——馬克思列宁

主义的医生和一切偏見与反动作斗爭的党性，原则性和不可調和性。包洛杜林一向对馬克思哲学有深刻的理解，並擅長把它們运用到医学史及医学理論中的最現实的問題上去。

虽然由于沉重的疾病，使包洛杜林晚年長期地困厄于病榻上，但是，直到他临終以前，並未停止其重要的与有益的科学活动。包洛杜林的思想在他的学生和繼承者的著作中获得了体現。

(陈維养摘自譯"Клиническая Медицина" 8:1957, СТР. 155—156)

奥地利医学史家M.那貝尔格

(Макс Нейбургер)(1868—1955) Х. И. Идельчик, Л. О. Капевский.

苏联医学史工作者当前的重要任务之一，是以馬克思列宁主义医学史編纂学的分析为基础的科学創作。直到現在为止，这方面的工作做得还很不够。至于提到外国的医学史家，有許多仍然是不知道的。

研究外国学者們的著作和活动，利用其正确之处，批評其缺点，是苏联学者的任务。这种研究是很有益处和有意义的。它可以說明不同国家的医学史領域中許多發展的問題，以及科学研究、团体、組織、教育活动的現况；發現医学史各种問題的丰富的实际材料，並揭露資本主义国家医学史所固有的某些特点。

奥地利的学者M.那貝尔格(Макс Нейбургер)是著名的外国医学史家之一。

那貝尔格1868年生于維也納，1887年中学畢業后就进入維也納大学的医学系。

当时許多著名的学者在医学系教研室里工作。对那貝尔格大学生时代影响最大的是著名的德国临床內科学家Г.諾特那蓋里(Герман Нотнагель)。他是第一位啓發大学生那貝尔格对神經病理学發生極大兴趣的人。这种兴趣在他以后的活动里一直沒有放棄过。

那貝尔格大学生时代就已經开始对T.普什曼教授(Теодер Пушман)(1844—1899)在維也納大学講的医学史發生特殊的兴趣。那貝尔格以大学生的身份所發表的第一篇医学史論文，就引起了維也納医学界極大的注意。

以后他虽然大部分时間致力于神經病理学，同时，也选定医学史作为自己的基本專業。

1897年他提出了为获得副教授学位的神經学史的巨著——"富罗蘭斯以前实驗大腦和脊髓生理学的历史發展"(Diehistorische Entwicklung der experimenteller Gehirn-und Rückenmarkphysiologie vor Flourans)。这篇著作最后使他成为医学史方面的專業者。

1898年他得到医学史講座的职权，1899年普什曼教授死后，他当了教研室主任，1904年得到临时教授的称号，1912年得到教授的称号，

他所选定的医学史家的道路，是很不容易的。医学史成为科学，而且作为教学科目是有許多困难的。但是，由于他对科学的热爱和忠忱，不屈不撓和孜孜不倦的劳动，使他能够战胜各种困难，並在医学史科学研究方面，在教学和科学社会活动方面得到許多成就。

在他的十八册書里，写了將近200篇医学史論文。

在他的医学史論文里应当指出的是1906年和1911年在斯圖加特(Штутгарт)出版的"医学史"(Geschichte der Medizin)。

除了很多奥地利的医学史論文外，他还研究德国，英国，西班牙，墨西哥，土耳其等国家的医学史。

他所写的許多論文是关于医学專科史和医学專門問題的历史；如神經病理学史，生理学史，精神病学史，衛生学史，抗毒素疗法，自然的治疗力量，听診，职業病，民間医学与科学医学的相互关系等等。

他所写的关于个别医学活动家的論文是非常丰富和多种多样的；如哈維(Гарвей)，帕拉賽尔蘇斯(Парацельс)和維蘇里(Везалий)，鸠尔克(Людвиг Тюрк)和雷耶尔(Христиан Рейл)、雷奈克(Лаэнек)和維尔荷(Вирхов)等等，还有关于匈牙利学者捷灭里維也斯(Земмельвейс)，捷克学者普洛赫斯克(Прохоск)和普洛金(Пуркинь)等等的論文，都具有高度的科学价值。

应当指出那貝尔格的关于編輯出版的积極活动。普什曼的三卷《医学史手册》(Handbuch der Geschichte der Medizin)(1901—1905)是他和帕盖尔(Юлиус Пагел)一起出版的。他还在維也納編輯出版了《医学大师》(Meister der Heilkunde)叢書，其中包括有維尔荷，欧立希(Эрлих)，究卜-列蒙(Дюбу-Реймон)，比尔罗特(Бильрот)，科賀(Кох)等人的書籍。

維也納大学之所以成为著名的医学史科学的中心，在很大程度上是由于那貝尔格努力的結果。

他积極地参加奥地利和德国科学医学团体的活动。

这一系列医学史方面的卓越活动，使他在医学史方面的功績得到了世界許多著名学者們的公認。

然而他作为医学史家的主要特点还不仅限于此。

他是有經驗和有广泛学識的神經病理学家，医学和哲学史家(他得到医学博士和哲学博士的学位)。他

在通史、文学、艺术方面也有極其淵博的知識，精通許多外国語言，使他能在科学的基础上研究医学史。

他不局限于註記个别的事实、理論、方法和过去的制度，而企圖作理論上的概括，联系它們，做出科学發展过程的批判性，概括性的結論。即使有些結論是不十分正确的。

他正确地認为医学史的知識不仅是为了一般地教育，而是为了經常的实踐活动；医学史的任务不是一系列的單純的兴趣；不是为了<單純的登記被人尊重的圖書舘里蓋滿了灰塵的宝物……和聚集枯燥的文献的学問>；而是为了正确地了解現在和將来的远景。

他許多医学史研究題目是重要的現实問題。

在他的創作里有許多正确思想，如認为物質是自然界發展的基础；認为物質因素是科学（包括医学在内）的發生和發展的先决条件；認为一般的研究者（包括医生在內）的任务，不是盲目地靜观自然的过程，而要积極地有效地干預它的过程等等。

虽然他有許多肯定的方面，然而也有許多一般資产阶級折衷主义者所固有的特点——不徹底性，不始終一貫性，企圖調和不同的思想原則，观点，理論以及資产阶級的客观主义。他企圖走入純粹的科学世界，不以社会的，阶級的态度去估价他所研究的現象。

他的缺点之一是对俄国医学史不够注意。

資产阶級学者們彷彿远离政治，在自己的著作里不表示确定的社会和政治观点。但是，他在生活里被强地直接碰到政治事件。1938年奥地利被法西斯所佔圍，70岁的学者被純粹从他自己所建立的大学医学史教研室里解除职务，並驅逐出奥地利国境。

帶着兩手提箱書和口袋里五先令錢乘着最后的飞机飞向倫敦，在倫敦著名的威尔康医学史博物舘工作了十年。

那員尔格是祖国的爱国者。1952年他已84岁了，回到了自己的故乡，繼續进行医学史的研究工作，直到1955年3月15日逝世为止。

（陈希鍒摘譯自 Советская Медицина 1957.2.）

苏維埃政权时代里沃夫*保健事業的發展

С. З. Ткаченко

烏克蘭西部地区包括里沃夫在內，許多世紀是在外国統治下的。被奴役的劳动人民毫無医疗保障。医院和防治所等医疗組織很少。医疗費很貴。1910年在里沃夫市內只有11名医生。在1870至1895的25年里只建立了三个医疗机構。基金不足，病床也少，1000到1,500个居民才有一張病床。1919年所有医院共有1007張病床。急性傳染病病人能住院的也極有限，只有5—8%的患者能住院。

在奥地利統治时期，因为没有結核防治机構，結核患病率非常高。任何保健措施也没有，因之广泛地傳播着花柳病、沙眼以及其他疾病。

1918年波蘭在佔領下，居民經济困難，生活条件極坏，成为里沃夫居民虛弱和多病的根源。据波蘭資产阶級官方統計的患病率，1929至1935年，里沃夫10,000居民里平均有腸伤寒3.5，痢疾2.5—3，沙眼3.5—4，結核18—20。在1925到1933的八年里，花柳病患病率由6.5增加到9.3（增42.9%）。虽然这样，波蘭資产阶級共和国政府对保健問題仍不認眞注意。医疗網發展很慢。烏克蘭西部地区在1932年共有121个医院，11,250張病床，平均3,680人有一張病床。里沃夫市是1,000至1,200人有一張病床。1934年里沃夫市5,292个人中有一名医生。根据1920年的規定，医生的診疗費是20—50馬克，夜間（晚9点至早8点）是100—140馬克，專家的診疗費还要另外增加50%。其他如理疗、X光透視、照像还要收費，医生接产費則更貴。各种医疗費都很高，所以城市的劳动者們有病也不能請医生或很少請医生。有些免費的医院都是帶有汚辱人格的慈善事業。兒童的医疗予防机構則更少。市內只有一个兒童医院。兒童傳染病在广泛傳播，死亡率很高。

自从这个地区解放，併入烏克蘭共和国以后，共产党和苏維埃政府为保衣里沃夫劳动人民的健康採取了許多措施。

1939年底和1940年初所有医疗机構都国有化，免費治疗使大家都得到医疗保护。

1940年初設立了省、市和区保健处，直接领导医疗预防机構的活动。極短时間內就在里沃夫設立了国家医院、門診所、妇女和兒童咨詢所、企業里的保健站和專門的救护机構。为培养医生和中級医务人員在1939年12月建立了里沃夫医学院，为工人、农民和劳动知識份子的子弟們敞开入学的大門。1939—1941兩年就培养了495名医生和100名药剂师。1940年在里沃夫开办了三年制的助产医士学校。烏克蘭西部地区包括里沃夫在內，1939—1941年保健事業的發展，很大程度上是苏联各族人民支援的結果。

保健事業最显著的成就是战后的五年。1955年1

* 里沃夫是苏联烏克蘭西部大工業城市之一

月1日里沃夫有107个医疗预防机構(工厂企業医疗站未算在內)。有四个医学科学研究机構。在苏維埃政权时代解决了極端重要任务之一，就是保証在各医疗预防机構里有熟練的高級和中級医务干部。1944年市內有381名医生和932名中級医务人員；1946年增加为790和1,200；1950年增加为1,380和2,350；1954年增加为医生1,740人，中級医务人員3,090人。10年間医生数增長为4.6倍，中級人員增長为三倍多。

在里沃夫迅速地恢复和新建了許多医疗予防机構。1944年有九个医院2,380張病床；1946年增加为16个医院3,300張病床；1954年增加为18个医院3,600張病床；1955年已經有24个医院4,080張病床。11年間医院数增加2.6倍多，病床增加71.4%。到1956年里沃夫每1,000居民可有10.6張病床。

增加医院的同时，防治所和診疗室的組織網也發展起来，1955年增加为1944年的五倍。綜合医院的增長，提高了为居民服务的医疗質量。

在發展居民医疗服务組織过程中，在里沃夫特别注意予防工人的疾病，为此採取了許多措施。解放后馬上在工厂企業里建立了保健站。1944年有22个保健站，1956年初增長为75个。

在保护母嬰方面也进行了許多工作。兒童和妇女咨詢所以及托兒所数1955年增加为1944年的三倍，而量为3.5倍。

为里沃夫劳动人民还設立了六个疗养院，有450个床位，主要是为結核病人。

战后，在医疗预防机構里的設备有很大改变。里沃夫所有医院里都有X光，物理治疗科或室、临床診断化驗室，有些还有生化、細菌化驗室，心电圖診断室等等。

在逐漸消灭城市和乡村医疗服务差異的同时，农村居民也有了享受熟練医疗的可能。城市各机構的熟練專家到农村医院做巡視，給农村居民医疗和幫助組織医疗预防工作，积極參加提高农村医生業务水平的工作。

为幫助保健事業，里沃夫医学院从1954—1955学年成立了專門科和医师进修班。烏克蘭和札卡巴齐西部地区的医生大多数都在这里学習过。1945—1954年里沃夫医学院培养出3,126名学生里有620名医生和122名中級医务人員是在里沃夫地区工作的。

里沃夫医学院的学者們科学研究工作，主要是注意解决烏克蘭西部地区保健事業中有現实意义的問題。如，里沃夫-沃林斯基煤区矿工們的工作与生活保健問題；甲狀腺病及降低甲狀腺病的措施；預防和治疗心臟血管机能不全以及与农業生产創伤作斗爭的方法等。

里沃夫結核防治院的科学家們特别注意結核病防治的研究，有些研究成果已在实踐中应用了。

里沃夫科学研究机構，医院和防治所在农村和地方进行了許多工作，仅1946—1954年許多專家就到农村巡視过4,980人次。里沃夫医学院的教授、講师和助教在1951—1954年进行过21,540次疑問解答。其中包括401次手术。

里沃夫医学院和里沃夫保健处共同組織了区域联合学术代表会議，会上除医务干部做报告外，还有地方医作报告。这种会議可以提高医生業务水平，在最新的医学科学成就上扩大他們的眼界。从1954—1955年曾进行过10次这样会議。

700年古老的烏克蘭城市里沃夫，在保健事業上的成就明確地表現了苏維埃的人道主义。表現了社会主义国家里对建設共产主义的人們的健康和長寿的关怀。

(丁 摘譯自"Советское Здравоохранение" 1957年2期。)

烏兹別克共和国居民外科救助的历史和發展

Б. И. Берлинер

偉大的十月社会主义革命使中亞細亞人民从封建和殖民压迫中解放出来，和我国各族人民一道加入到牢不可破的兄弟的联盟，开拓了走向經济文化繁荣發展的道路。

烏兹別克苏維埃社会主义共和国的建成，显明地体現了共产党的英明的民族政策，实現了偉大列宁的理想。

作为一般文化組成部份的保健事業，只有在苏維埃政权下在烏兹別克領土上才始获得了發展。

在封建統治下的烏兹別克保健事業几乎沒有，那时盛行着——各种不同的"江湖医"，給人民的健康帶来重大的損害，防疫措施未施行，流行病經常不断發生，居民都多人罹患，給成千成百人民帶来死亡。在当时烏兹別克既沒有医疗系統、也沒有医务人員。

在当时烏兹別克具有生命力的偉大学者阿維森納的进步理想，相当長时間沒有得到广泛的發揚，因为封建制度的社会条件限制了所有进步和先进的事物的發展。

中亞細亞合併到俄罗斯之后，在烏兹别克的領土上，开始出現了医疗救助，主要是在駐防軍队中为官佐們服务，再就是部分給外来的欧洲籍居民服务，仅仅是在極个别的場合給本地居民一点点救助。在廿世紀初葉烏兹别克仅一些最大的城市中（塔什干、撒馬尔汗、卡岡、費尔干、安吉然等）出現了外科救助，在部分乡村中，那时虽有一些医助担任医疗救助，也是極个別的。

烏兹别克保健事業的發展是开始在十月社会主义革命之后，不仅仅是一般的医疗救助而且專門性医疗救助也得到广泛的發展。在共和国所有的城市以及某些乡村地方区的中心，除了內科和傳染病科之外，还开設有外科乃至有專門的外科医院。如在塔什干有紅十字外科医院，在卡岡有卡岡外科医院，这些医院是有其單独預算的独立机構。

塔什干医学院在共和国的保健事業發展上起着非常重大的作用，在該学院的临床外科的基础上，出現而且發展了以下这些外科救助的專門形式：如泌尿外科、矯形外科和創伤外科、口腔外科、腫瘤外科等等。还有塔什干医师进修学院，撒馬尔汗医学院、矯形創伤和修复科学研究所、輸血研究所以及腫瘤門診部，对烏兹别克居民外科救助的發展具有很大的作用。在这些研究所和塔什干規模巨大的医院和地区医院的基地上，不仅仅烏兹别克共和国的医生而且中亞細亞和哈薩克斯担的医生，在这里得到專門化訓練和进修提高。

烏兹别克人民在苏維埃政权的年代里，在保健事業方面获得了空前没有的成就。甚至在共和国最远的边区人民也都得到了技术熟練的医疗救助。各种專門的民族医务干部也在培养起来。在共和国內有規模巨大的科学研究机構，在那里在研究着居民保健綜合性的問題。

烏兹别克共和国保健事業發展的历史，特别是外科的發展証明了共产党和政府对偉大苏联人民——共产主义的建設者的健康極大的經常的关怀。

（彭先导摘譯自 Очерк истории и развития хирургической Помощи населению Узбекской ССР Ташкент 1956.）

苏联斯达維罗保里边区的葯剂事業（1918—1953）

В. И. Криков

沙皇俄国，很少注意对居民的医葯照应，北高加索的整个保健系統很簡陋，比如革命前，斯达維罗保里（Ставрополь）省1,243,000居民中，总共只有49个医院，44个医务段，84个医助站，和49个葯房，在这个医疗網里服务的，只有82个医师，177个医助和仅仅60个葯剂人員。这些治疗机構和医务工作者多半都居留在省中心，农村居民实际上享受不到医疗和葯物的救助。1913—1914年按全州平均計算每29,000人才有一个葯房；个别农村，特别是少数民族地区，一个葯房要供应5—10万或者更多居民的葯物。那时，葯房归私人所有，且是出卖少效而賺錢的葯物的投机商店。

偉大的十月革命后，1918年5月建立斯达維罗保里省保健干事会，在改善保健事業和葯房国有化方面进行了很多工作；但国內战爭的扩大和随之而来的白匪佔領北高加索，摧毁了原来苏維埃政权的改革。

恢复时期分为为三个阶段。

第一阶段（1920—1921）：此时期全部葯房国有化，建立省葯庫和格林实驗室，轉移葯房为治疗机关管理，免費供应所有病人的葯物。斯达維罗保里省在这些年代里，差不多所有葯房都在治疗机关內，因为葯剂人員不够，且有医疗工作者参与葯房工作。根据联共（布）党省委的倡議，召开了全省医疗衛生代表会（1920年5月）和全省葯房工作者代表会（1921年6月），会上拟出进一步發展全省医疗和葯房工作的措施。1920年在边区組織了化学葯物实驗室，1921年出产148种不同葯物制品和成葯，还开設了半年期限的葯房干部技术訓練班。

第二阶段（1922—1924）：此时期在財經方面很困难。新經济政策时期，大部分葯房出租給私人經营。没有統一的葯房管理系統，全边区除政府的經济核算制葯房和治疗机構的葯房外，还有私人葯房或出租給私人的葯房，疗养院管理处的葯房和区执行委員会管理的葯房。

第三阶段（1925—1928）：取消出租和消灭各个部門領导葯房經济的分散性，順利地移交旧葯房和重新开設經济核算制葯房。为了領导葯房工作，組織了經济核算制葯房联合会。轉移为葯房联合会領导的葯房，其工作量在1925一年內，即扩大了2—4倍。

战前五年計划期間，葯房業务的各方面都有順利的發展。联共（布）中央委員会1929年10月18日关于"医葯为工农服务"的著名决議，对第一个五年計划期間医疗和药房工作的發展，起了决定性的作用。在此时期末，俄罗斯共和国药房網增加了二倍，仅在共和国农村里就开設了1,000个以上的药房。斯达維罗保里边区药房網的發展与农業集体化和疗养区的建立有直接联系，第一个五年計划期間，全边区药房数从62个增加到131个；农村药物供应採用了新形式，如流动的药房診所；在居民中大規模进行了医药商品的普及工作。1934年开設了药剂学校。

衛国战爭时期，斯达維罗保里边区药政管理分局，在地方党組織的帮助下，以自身为基础，吸收地方工業、各种实驗室、研究所及其他机構参加，組織了一系列药品或其他医疗商品的生产，产品名目將近40种，所生产的商品量，每年达到100万盧布。同时，还进行了組織措施，以調整和改善广大疏散医院及城市和农村居民的药物供应工作。

很多药用植物原料在边区有丰富的資源，这些資源在衛国战爭期間第一次被动員出来。由于青年团組織、学校、少先队夏令营及家庭兒童的积極参加，在药房工作者的領导下，收集和干燥各种植物，使得药用植物的收購得以順利完成。

党和苏維埃組織在各方面的大力支持，边区药房工作者才担負起了艰巨而复杂的任务，度过了战爭的岁月。

最近几年，药房工作在苏联發展得很順利，药房網年年扩大。苏联共产党中央委員会全会九月的及其后一次的决議中，关于进一步發展农村經济的問題，曾指出边区所有农業机器站，都必須开設农村药房或第一类药房站。1952年药房站的商品流轉額超过1940年三倍。分析处方說明，住院处方比門診处方增長快，1938—1940年住院处方佔12—14%，1946年佔21%，1934年佔34%。这是由于扩大了疗养院和医疗網和加强了預防工作的原因。

（成桂仁摘自苏联莫斯科药学院研究生
В. И. Крылов的候补博士論文提要，
Аптечное Дело в ставропольском
Крае(1918—1953年)）。

会 务 消 息

中华医学会北京分会医史学会举行庆祝苏联十月社会主义革命四十周年紀念会

11 月 15 日晚間七时，中华医学会北京分会医史学会举行庆祝苏联十月社会主义革命四十周年紀念会，到会的除本会在京会員外，並有北京中医学会部分会……院部分同学、中华医学会总会副会長……長鍾惠瀾、总会医史学会委員兼秘書……惠馨等均出席。首由分会医史学会主任委員耿鑑庭同志致庆祝詞，並报告中苏医学交流的史实，略謂：“今天是中华医学会北京分会医史学会庆祝苏联十月革命四十周年紀念大会，举行簡單而隆重的紀念”。接着耿同志介紹了苏中兩国文化交流的悠久历史、以及历代医药交流的历史、說明唐本草里記載的鵪鼠，是来自塔什干；（根据赵燏黄教授的考証）又說明第十世紀出生在今天烏兹别克和塔吉克兩个共和国接壤地方的阿維森納，在医药交流方面的史实；又介紹了清初中国派医生到雅克薩城为俄兵治風湿病；以及俄籍留学生的来中国学習种痘与接骨；又談到道光間書籍交換里的医書和清代药材交换里的大黄与羚羊角；並引了郭沫若院長苏联記行(1945)里記載的苏联科学院長、世界植物学权威科瑪諾夫同志，重視中国本草的一段談話；及苏联專家来华考察針灸的事实与华格拉立克教授在中华医学会十屆大会上，对于中医理論、和中国医史研究方面的見解。以后由衛生部顧問秦伯未大夫以“旅苏观感”为題介紹了他今年二月和八月兩次到苏联去的一些情况，他在介紹了苏联朋友純摯的兄弟般的友誼之后說：“苏联医家对于中医中药非常重視，而且对待中国医学好像热爱自己祖国医学一样地無分彼此。据我所接触的医家里，几乎大半对于中医中药有过深入的了解，迫切期待我們加以整理和發揚。我曾參观血液病研究所，医务主任杜拉琴教授对我說：‘中国医学具有丰富的內容，它的实际价值必須通过臨床来証实、單靠化驗去衡量其效果是不尽恰当的。’还參观了药物研究所，所里的負責人也說：‘研究药物当从單味药入手、但一种药物的秘密不是一下子能揭發無遺、中医有几千种药草和成千上万的驗方，应当擇要的有步驟地一方面分析成分，一方面重視成效，否則会脫离实际；另一方面、如果不注意复方的組織，也会減低药物的全面疗效、不能發揮它的高度作用。’类似这些簡單扼要而明朗的談話，忠实地指出了今后中医研究的正确方向，可見苏联医药家关心中医中药的一斑了。”以后他又报告了一些最近的事实說：“去年苏联保健部派了德柯琴斯卡婭教授和兩位副博士来我国考察和研究針灸医疗技术。回国后不过一年多时間，已在莫斯科中央医师进修学院和列宁格勒神經精神病学研究院等开办了針灸訓練班，有一百多位神經科医师正在学習，並在这些机構和其它医疗机構里添設了針灸治疗工作。在中苏科学技术合作方面，苏联决定最近期間派遣第二批專家繼續来我国研究設备和药物治疗，已經要求預先給予中医临床实驗資料，包括流行性乙型腦炎、慢性腎炎、糖尿病和高血压病等十三种病例之多。我第二次回国时，血液病研究所所長巴达沙洛夫教授亲自託我說：‘目前有很多病世界医学还缺少良好疗法，中医文献里可能發掘出不少經驗，已向中国有关部門取得联系，盼望中医們組織治疗小組參加合作，愈快愈好。’以上一系列的事实，足够說明苏联对中国医学不仅是思想上給以重視，而且見諸实际行动，在中国医学史上是值得記載的光荣的一頁。”

最后由程之范同志作了“从医学的發展談学習苏联”的报告，他从三方面說明学習苏联的必要性：(一)由世界整个医学的發展来看学習苏联的必要性、(二)由俄国医学史与十月革命后苏联医学的新成就来看学習苏联的必要性、(三)由發揚祖国医学来看学習苏联的必要性。最后並談到医史学的研究方向也必定要学習苏联等等，报告直到晚十时在掌声中結束。

（刘　同）

日本医史、法医專家石川光昭教授应邀来华講学

日本医史学会、法医学会理事長石川光昭教授經日中友好协会松本治一郎先生介紹应我会邀請前来講学及訪問，于 1957 年 10 月 19 日动身来华，22 日抵京。

（呂　沫稿）

医学史与保健組織 1957 年总目录

第一号

文　摘

第二号

文　摘

第三号

文　摘

第四号

文　摘

为了配合向科学进軍，及时报导世界各国医学最新研究成果及發展情况，以利国内医疗保健事業及医学科学研究的进展，人民衛生出版社近根据中华医学会第十屆全国代表大会建議，並經衛生部批准，籌創"世界医学文摘"杂誌一种，已定 1958 年元月創刊（每月五日出版）。該刊以国内医疗保健工作人員、医学科学研究人員及医学教学人員为讀者对象，內容包括世界各国医学文摘的选譯和原始文献的摘譯，並选刊国内医学文献的摘要。取材科目，分內科、外科、兒科、妇产科、神經病精神病科、皮膚病性病科、耳鼻咽喉科、眼科、口腔科、放射及放射生物科、公共衛生、中医、理疗及医疗体育科、医学史等十四大欄（一般不包括基础科及药科）。此外，並定期附編文摘标題索引，以便檢索，尤为特色。

"中华寄生虫病傳染病杂誌"將出版

为了配合政府消灭严重危害我国人民健康的寄生虫病和傳染病的任务，本会業經呈报上級批准，自 1958 年 2 月起創刊"中华寄生虫病傳染病杂誌"季刊一种，刊登有关寄生虫病和傳染病的研究論著（包括流行病学的調查报告）及祖国医学經驗介紹、病理报告等，借此交流經驗，提高防治效率。

这个杂誌由本会編輯，人民衛生出版社出版，交各地邮局發行。

中华医学会內科学会
中华寄生虫病傳染病杂誌編輯委員会启

更　正

本刊 1957 年第 3 号頁 226—230 "西半球內科学 75 年来的进展"一文譯者来信更正如下：

"西半球內科学 75 年来的进展"一文，其原著者应为 Dwight L. Wilbur 和 Millard H. Mclain 二氏，我在譯稿上誤將該書編著 L. H. Bauer 之名写上，特此更正。

启　事

本会学术活动及对外文化交流日益頻繁，原有会所远不敷用，現巳迁到北京市东四猪市大街东口路南新建大楼办公，所有函电稿件請直寄新址。

中华医学会总会

介紹日本医学通报第 1 卷內容

代售处：全国国际書店

医学史与保健組织

（季　刊）

1957年　第4号

（第1卷　第4期）

每季第三月二十二日出版

·編輯者·
中华医学会总会
医学史与保健組織編輯委員会
北京东四猪市大街
总編輯　錢信忠
副总編輯　李光陸　李濤　龙伯堅　王吉民

·出版者·
人民衛生出版社
北京崇文区緞子胡同36号
·發行者·
郵电部北京郵局
·印刷者·
北京市印刷二厂

本期印數：1,901册
每册定价：0.65元

上期实际出版日期：1957年9月20日
郵局發出日期：1957年9月21日

本刊代号：2—168

1958年　　第 1 号

（第2卷 第1期）　　（3月25日出版）

医学史与保健組織編輯委員会主編　　人民衛生出版

医学史与保健組織稿約

本刊性質

1. 凡屬医学史及保健組織，医疗衛生机構組織形式，工作方法，衛生統計等有关的論著，研究工作报告、綜述、經驗总結、文摘和会务消息等各类稿件均所欢迎。

文稿要求

2. 文稿希尽量精簡，每篇最好不超过一万字，文摘最好不超过一千五百字。

3. 医学名詞請按照衛生部衛生教材編审委員会所編"医学名詞彙編"使用。

4. 度量衡單位請採用中国科学院审定的統一名称。

5. 外国人名不必譯成中文；如譯成中文，將原文名以括号列在譯名之后（享有盛名者如巴甫洛夫等則除外）。

6. 來稿請用方格稿紙單面横写，並正确地加註标点符号，切勿了草及自創簡字。外文用打字或楷体写清。附圖勿繪在原稿紙上，須用黑墨色在另紙上繪出；画面应較預計印出的大一倍，綫条亦应較粗。照片須黑白分明，勿折損，背面註明著者姓名和圖号。照片的解說另紙按圖号写出。表格太長太寬不宜于排版，請注意整理精簡。表內数字务須准确無誤。

7. 文摘稿請將原文著者姓名，題目，杂志名，卷数和頁数写在文首，可能时附寄原文。

文献格式

8. 参考文献务以亲自閱讀者与主要者为限。国內主要文献的引用应予重視。文献須依引用的先后为序排列文末，並于文內引用处以角碼註明。文献中的作者姓名、題目、杂志名或書名、卷、頁及年份等，务須确实，切勿殘缺不全。列举文献請遵守下列的統一格式：

杂志按著者姓名、題目、杂志名称、卷数：頁数，年份，排列。

崔义田，我国第一个五年計划期間的人民衛生事業，医学史与保健組織 1:246，1957.

Lee, T., Achievements in materia medica during the Ming dynasty (1368—1643), Chinese M. J. 74:177, 1956.

書籍按著者姓名、書名、卷数、版次、頁数，出版者，出版地点，年份，排列。

張介宾，景岳全書，卷 28，頁 5，聚錦堂，清康熙 50 年。

Петров, Б. Д., История Медицины, ТОМ 1, СТР. 59—64, Москва. 1954.

投稿手續

9. 來稿应通过作者服务單位介紹。一稿請勿兩投。請自留底稿。

稿件处理

10. 本刊对來稿有删改权。

11. 來稿一經刊出即酌致稿酬並贈送單行本 30 份（譯文、文摘等不贈送單行本）。如一文有二作者以上，亦以 30 份为限。

12. 凡不合 6、7 条規定者，得寄还作者重行繕写整理，或由本刊請人代办，所需抄写、繪圖費用均自稿酬中扣除。

13 不登稿件由本刊退还，或轉送中华医学会其他杂志考慮。不願轉稿者，請預先声明。

本刊地址

14. 來稿請寄北京东四猪市大街东口中华医学会总会医学史与保健組織杂志編輯委員会。

1958年 第1号

全国除四害为中心的爱国衛生运动空前高潮的主要原因和特点

栗 秀 眞*

党与政府关心人民健康，指定了“预防为主”的衛生工作方針，这是我国保健工作史上划时代的决定。1952年春，为了有效地粉碎美帝国主义在我国东北及沿海地区，投擲帶菌的毒虫、毒物、兽类，进行万恶滔天的細菌战。在党与政府的領导下，展开了轟轟烈烈地全民性反帝爱国衛生运动。經过数个月的运动，使敌人的陰謀未能得逞。偉大的爱國衛生运动，提高了人民衛生水平，許多的城市、农村清除了多年遺留下，堆积如山的垃圾，疏通了臭水溝渠，墳墊污水坑窪，室內外打扫得清潔整齐，扑灭了大量病媒昆虫，改变了城市原来的衛生面貌，起了移風易俗的作用。通过运动，取得了开展羣众性衛生工作的丰富經驗。从而又肯定了社会主义保健事業，貫徹預防为主的衛生工作方針，还必須使衛生工作与羣众运动相結合。經驗証明，由于衛生工作，关系到每个人，保衛人民的健康，是每个人均要参与的工作。因此，只有把衛生知識普及到各个角落，动員羣众积極地参加，衛生工作才能發揮它应有的效能。

几年来，爱国衛生运动在各級党委，政府的直接領导下，根据各地区，單位羣众的生产，生活的特点，制定了行动計划，引导羣众前进，使衛生工作逐步深入人心，成为羣众生活中不可缺少的部分。从而減少了疾病的發生与流行，在社会主义衛生事業建設上起了有力的促进作用。例如南京市的五老村，解放前，該村每逢陰雨，村里污水到处泛濫，居民只有搭起門板，舖上稻草睡觉，小孩就睡在脚盆里，陣風陣雨时，粪便四溢，臭气燻天；夏天时，蒼蠅、蚊子成羣，一碗飯上往往密密地叮着一層蒼蝇，流行病严重的侵襲着五老村的居民，在1945年9月，五老村患病的人佔全村一千多人中的百分之八十。解放后，南京市人民政府，为該村居民兴建了下水道，裝了自来水管，电灯等。1952年展开全民性爱国衛生运动时，五老村的羣众就积極地参加了这次运动，用自己的智慧和双手把該村堆积几十年的垃圾，进行了清除，填平了污水塘、溝和窪地，开辟了新的道路，改良了厠所，栽种了树苗、花卉，建立了衛生組織，訂出了衛生清潔制度，不断地进行衛生宣傳教育，把原来又髒又臭的五老村，变成为清潔整齐而走向美化的五老村。过去羣众把五老村呼为苦臘村，而現在称为欢乐村，流行病也不再能危害这个村的居民了。又如，陕西省長安县五四农業生产合作社，由于从1952年开展了爱国衛生运动，並能堅持作到經常化，从而徹底改变了五四农業社原来的不衛生面貌，發病率由1952年前的百分之三十多，1955年降低到千分之二。在羣众衛生知識提高的情况下，妇女百分之百实行了新法接生，消灭了新生兒破伤風，並使劳动出勤率提高到百分之九十八，保証了农業生产的順利进行，由于清潔扫除又与积肥密切結合，自1952年以来，五四农業社連年增产，小麦由1952年每亩产180斤，1955年則增到325斤。羣众反映說，俺村是搞衛生發家的。这些模范單位，数年如一日的把衛生工作保持了經常化，成为現在展开除四害，講衛生运动中的旗幟与榜样。

自1957年冬，党的八屆三中全会，党中央再次提出除四害、消灭严重危害人民健康的疾病的指示，农業發展綱要修正草案的公佈，以除四害为中心的爱国衛生运动，全国各地响应党的号召，轟轟烈烈地开展起来。中共中央于1958年1月8日發出，中央关于开展以除四害为中心的冬季爱国衛生运动的通知，提出1958年的

* 中华人民共和国衛生部

具体要求。毛主席于一月上旬，亲自檢查了杭州市小营巷的衛生情况，这一振奋人心的消息，不仅鼓舞了杭州市人民"除四害，講衛生的革命干勁，"他們决心要在二年內变杭州为又清潔又美丽的七無城市，"無老鼠、麻雀、蒼蝇、蚊子、臭虫、蟑螂、釘螺"，而且鼓舞了全国广大羣众的积極性，积極地参加到这个战爭行列，向四害进行全面战斗。到目前为止，在27个省（自治区）、市基本上全部行动起来了，从城市到农村，从平原到山区，千軍万馬，排山倒海，到处热火朝天地与四害战斗。据新华社1958年2月16日报道，据25个省（自治区）、市，現有不完全材料的統計，消灭老鼠、麻雀共計三亿多只，消灭蚊蝇246,000多斤和454万多盆，挖蝇蛹3,392,000多斤，清除了数以千万吨計的垃圾，改善了城乡衛生狀况。出現了大批一無到四無的县、市、区、乡、街道、村、社、屯和單位。目前运动發展的形势，一浪高过一浪，保証的条件越提越高，运动內容越来越丰富，作到消灭四害规划的时間越来越短，地区是越来越多，情况真是日新月異，因此，我們可以肯定的說，除四害，講衛生，消灭疾病，移風易俗，征服自然的大战，在全国人人振奋是完全可以提前实現的。

除四害为中心的爱国衛生运动空前高潮与深入的主要特点：

首先是党中央、毛主席对人民健康的無限关怀，从根本問題上着手解决，变被动为主动，多次的提出除四害，講衛生，消灭严重危害人民健康的疾病的指示与号召，

各省市領导同志也均亲自掛帅，亲自动手，建立与整頓爱国衛生运动委員会的組織，向干部与羣众进行动員。据中央爱国衛生运动委員会办公室1958年1月27日統計，在吉林、安徽、山西、河北、浙江、河南、四川、北京、上海等九省、市，由省、市負責同志亲自主持召开了全民性誓师动員大会。辽宁、黑龙江、山东、安徽、江苏、山西、河南、福建、北京等九省、市，省、市負責人向各地羣众进行广播动員，收听的均在百万人以上。为了使运动迅速开展，在吉林、山东、黑龙江、安徽、山西、河北、浙江、甘肃等省召开过电話会議，其他还有通过負責干部会議，先进积極分子代表会議，評比獎模等会議形式进行动員。負責同志也有亲自参加羣众行列进行清潔扫除，除四害的活动，並及时解决运动中存在問題，提出行动口号，奋斗目标，大大地鼓舞了羣众革命热情，推动运动的展开与深入。使先进的地区更先进，落后的地区赶上先进。

其次是充分地發动了广大羣众，使运动規模大、声势大、决心大、干勁大、速度快。如安徽省在1958年1月14日，省委召开了誓师大会，参加会議的有全省各專、市、县委書記，直屬單位負責人，会后全省平均每日参加运动的人数达一千多万人，最高达一千六百多万人。各專、市、县紛紛提出挑战書，表示徹底消灭四害的决心，提出各地区的奋斗目标。广大干部与羣众連夜行动，組織捕鼠，捕麻雀，灭蚊灭蝇队，和各种突击小組，不分晝夜，不顧严寒，对四害展开了猛攻。从1958年1月14日到2月4日20天的战果初步統計，灭麻雀3,210多万只，灭鼠4,900多万只，灭蝇120多万盆，灭蚊20多万盆，挖蛹120多万斤，清除垃圾四亿多担。平均全省每人已捕鼠雀兩只多。又如吉林省長春市，經动員后，在一月份十天內即动員了三百万人次冒着零下25—30度的严寒，清除街道积雪，在1958年1月11日的一天內就动員了40万人，汽車354輛，馬車1,696輛，手推車3,592輛，水爬犁10,998个，把273条馬路上半尺厚的积雪全部清扫成堆。到1958年1月25日止，全市有六条街道作到無鼠，訓練了3,028名灭鼠投藥員。再如河北省的蠡县，發动了五万党团員，青少年和近十万羣众投入运动，以青年为骨干組織了218个战斗兵团，1,054个突击組，2,340个偵察組，156个火槍队，动員起59种10万多套捕打四害的工具，並成立20个联防司令部，划分战区向四害展开猛攻猛打。从1957年12月中旬到1958年1月中旬，基本消灭了老鼠和麻雀，在二万多个菜窖，暗室中消灭了越冬蚊蝇。安国县按地区划分了170个战区，在"百鼠百雀要搞淨，不讓蚊蝇过今冬"的口号下动員了7,045套工具，仅半个月的时間，就將全县麻雀基本消灭，繼后又提出"海、陸、空軍总动員，不讓殘鼠敗雀过年关，男女老少齐出动，不讓蒼蝇、蚊子过今冬"新的行动口号，形成春节前运

动的新高潮。在北京、上海、河南、山东及其他省、市也同样的出現了規模宏大的战斗队伍，提出响亮行动口号，投入战斗，战績輝煌。

第三个特点，密切結合生产，結合業务，統一安排，齐头併进。各地抓住了这一环，清潔扫除，处理垃圾粪便与农業积肥增产相結合，千百万吨的垃圾变为农業生产的財富。很多地方为了清潔、积肥，提出五有（人有厕，牛有欄，猪有圈，野粪有人拾，队队有粪窖等），清潔扫除又与消灭越冬蚊、蝇、挖蛹灭蛆相結合。兴修水利，疏通溝渠与剷除蚊子孳生条件相結合。清潔扫除又与羣众固有習慣，清清潔潔过春节相結合。灭鼠灭雀与防病保粮相結合。使羣众劳动一举数得，收事半功倍的效果。在劳动力的組織与时間安排上，許多地方也有妥善的安排，解决顧此失彼的缺点，如貴州省金沙县把除四害，兴修水利，积肥，植树綠化四大任务，妥为安排，如早飯前积肥，早飯后兴修水利，休息和赶集天造林和除四害。安徽省許多地方採取白天兴修水利，积肥，晚上或利用空隙进行除四害。合肥市郊区金斗乡的社員，白天一面拾粪，补田梗，一面則檢查鼠洞和麻雀活动的情况，晚上則分头出动，仅11个突击队兩夜就歼灭老鼠一千多只，麻雀245只。

第四个特点，領导运动的方法，抓兩头，帶中間，一道前进的領导方法，如北京市在运动开始时，針对着許多領导干部对四害能不能消灭缺乏信心与办法，市愛国衛生运动委員会即着手帮助福綏境街道办事处对該管界內羣众除四害，講衛生保持經常化的經驗进行研究总結，向其他地区單位推广。而福綏境街道办事处，又以很短的时間內实現四無为条件向其他地区提出挑战，推动了全市范圍的大竞賽。許多省、市对落后地区与單位，也採取千方百計，具体帮助，急起直追，迎头赶上。如上海市在1957年12月时，就有市委，市人委等單位領导同志亲自帶头，組成100个突击队，深入38个平时一向不重視衛生的單位进行突击活动来帶动这些單位搞好衛生。也有的採取先进單位向落后單位进行挑战，如北京市区內居住的黑色冶金設計院原来衛生很不好，經鄰居食品工業部向他們挑战后，积極行动起来。在山西、广东、山东、河南等省还採取了到先进地区，模范單位参观，就地学習介紹經驗的办法推动运动，如山西省組織干部到稷山县太陽村去参观学習，广东省在乐昌县歧乐社召开全省的愛国衛生会議，浙江省在吳兴县南潯鎮召开除四害灭釘螺积極份子座談会，山东組織干部到陽信县，河南省組織干部到登封县，林县参观，推动运动走向高潮，鼓起干勁。

第五个特点，領导上抓規划，抓評比，抓檢查，抓住关鍵性的問題；如上海市制定了大檢查大評比的办法，目的是使运动能够深入与坚持下去，办法內容着重在比勁头，比規划，比成績。安徽省也訂出除四害大評比的几項条件。該省界首县玉烈桥乡訂出十查十比，（①查發动，比人数，推向高潮，②查組織，比制度，推动包干，③查領导，比决心，推动帶头，④查行动，比战果，推动速度，⑤查街头，比清潔，推动积肥，⑥查工具，比創造，推广經驗，⑦查室內，比六淨，推动衛生，⑧查四害，比四無，推动人人动手，⑨查厕所，比規格，推动灭蛆挖蛹，⑩查办法，比成績，推动竞賽）。在抓規划方面，羣众的勁头是越来越大，如福建省原定为十年內基本消灭四害，現改为五年，江苏省原定八年現改为四年，吉林省要在二、三年內使吉林成为基本無四害省，山东提出在1961年內全省达到五潔（室內、室外、厨房、厕所、街道潔），四無（無老鼠、麻雀、蚊子、蒼蠅），另外还消灭白蛉、臭虫、蚤虱等，在1958年內全省衛生單位作到五潔四無。在檢查方面，除由省、市組織大規模檢查外还採取了層層負責檢查的办法及竞賽挑战單位的相互檢查評比。報捷会通过檢查評比激發羣众的革命竞賽热潮，使运动进一步的向前大躍进。

另外各地在抓典型，树立旗帜，創造經驗，即时总結經驗与推广，对先进的表揚、奬励，落后的帮助、批評，深入地採取多种多样式的宣傳动員，均是推动运动走向深入，走向高潮的有效武器。

全民性的除四害，講衛生运动，虽然在短时期內收到了巨大的战績，今后仍会結合各項工作繼續前进，但是运动中也同样的和其他运动一样存在着發展不平衡的問題。各地还有死角，部分地区的領导有保守思想，对除四害，講

衛生消灭疾病缺乏信心，对除四害，講衛生偉大的政治意义

“衛生运动是田增产，人增寿一举数得”認識不够，因此，領导無力，行动迟緩。也有羣众热情高，行动积極，技术指导跟不上，运动的經驗与創造未能及时总結与推广。更值得特别提出的是部分衛生部門行动落后于羣众，未能起促进的作用。

中央与国务院于2月12日發佈了关于除四害，講衛生的指示，將会在各地結合春季气候，四害及其他病媒昆虫的生态特性展开一个新的更大規模的战斗，全体衛生人員在各个战綫上应积極地，主动地参加这一运动的前列，成为运动的宣傳者、組織者、执行者，在羣众战斗行列中起帶头和核心作用。衛生机关，衛生防疫机構，应抽調干部成为当地爱国衛生运动委員会办公室組織的主要成員，掌握当地四害生态習性，运动情况，給予技术指导，解决运动中存在的問題。衛生宣傳部門应掌握运动的中心內容制定宣傳計划，組織衛生宣傳力量进行衛生常識的宣傳教育，做到家喻戶曉，人人皆知。衛生科学研究机構也应深入現場，將羣众的經驗行动加以研究，給予提高，指导羣众活动。医療預防机構根据中央三中全会，周总理对衛生工作的指示“扩大預防，以医院为中心指导地方和工厂的衛生預防工作”的精神，积極地参与当地爱国衛生运动。

在各級党委与政府的領导下用愚公移山，精衛塡海的决心，除四害，講衛生，消灭疾病，人人健康，保証社会主义建設事業胜利完成。

烏克蘭葯剂事業發展的几个阶段

俄国葯房起源于蔬菜店和杂貨店，在十五和十六世紀这些蔬菜店和杂貨店制备和出售葯物給居民。十六世紀末和十七世紀初俄国葯房获得广泛的發展。1715年在基輔建立了第一个供应地方駐防軍葯物的軍事医葯倉庫，1728年成立了第一个私人葯房。1839年基輔省的葯房数量扩大到37个。但是这些葯房里的葯物很貴，並且是广大居民阶層所买不起的。葯房除葯物以外，还制备醇、酸、香水、矿泉水等等。随着葯房網的扩大，和葯房工作人員数量的增加，葯房工作条件也随之逐漸惡化。因此，在二十世紀初革命前的年代里，在基輔、哈列可夫和熬德萨，都曾發現有葯剂人員的大罢工。第一次世界大战和外国武裝干涉时期，烏克蘭很多葯房都遭到破坏。到1920年一月止，尚保存的600个葯房中，很多都沒有葯物器械和裝备。列宁签署的葯房国有化命令（1918年10月）和1919年三月俄国共产党（布）第八次代表大会所通过的党綱，其中有关于人民保健和供应居民葯物部分，决定了在烏克蘭进一步發展葯剂事業的道路。在共和国內，很重視發展制葯工業，並在高等葯学院和中等技术学校內培养葯学干部。1930～1940的十年当中，葯房数量增加了一倍多。烏克蘭的葯房網拥有9000个葯事机構。到1936年为止，为供应农村葯物，在共和国內共开設了2170个葯房站。衛国战爭时期，共和国內的葯房，不仅供应葯物給居民，同时也供应治疗机構、后方医院和国防机構。法西斯侵略者，毁坏了75%的葯房，农村葯房站几乎全遭破坏。早在战爭时期，就很注意恢复被破坏了的葯事机構。1956年烏克蘭葯房总計为2898个；而1945年只有1818个；1945年葯房站計5995个，1956年为16372个。在共和国的个别地区，葯房網获得巨大的發展，如革命前頓巴斯只有283个葯房和696个葯房站，到1957年一月为止，达到364个葯房和1663个葯房站。烏克蘭現在創办了兩个独立葯学院；和附設在高等医学院的兩个葯学系，在基輔医师进修学院內附設了一个葯学系。这个葯学系任务在于提高葯事机構領导者的工作水平。

（原文載苏联 Врау. Дело 1957. 3. 317—320）

（成桂仁譯自 Медицинский Реферативный журнал 1957年第4期第74頁）

烏克蘭共和国切尔諾維茲省* 基層保健組織改組的先进經驗——訪苏記要

錢信忠

訪苏科学技术代表团由1957年10月19日到1958年1月20日在苏联进行了訪問学習，代表团的主要任务：(1)听取苏联科学家对我国12年远景科学規划的意見；(2)談判和签訂第二个五年科学合作計划的协定；(3)参观苏联科学研究机構。

当我們在苏联保健部及中央医师进修学院座談保健工作先进經驗时，曾談到县級基層保健組織的改組問題，中央医师进修学院函授班主任拉兹陶夫斯基講师向我們介紹了切尔諾維兹省的先进經驗。苏联保健部部長卡福利金娜曾亲自率領工作組，其中也包括医师进修学院保健組織教研組的教授和講师，去該省了解实际改組工作的經驗，並决定在該省开办全苏保健組織进修班，輪訓县省級衛生干部吸取經驗，为期10天：2天講授理論課程和介紹經驗，6天实地学習，2天討論和总結。

承苏联保健部的允許，並派了前部長助理卡兹洛娃同志，于12月15日伴同我們經烏克蘭首都基輔轉道去該省参观，实地了解基層保健組織改組經驗。

切尔諾維兹省位于罗馬尼亞人民民主共和国接壤处，在烏克蘭共和国西南部，全省不到一百万人，有12个县（苏联称区），是解放最晚的一个省，1940年前还在奥匈帝国与罗馬尼亞帝国統治下。劳动人民过着奴隶一般的生活，反动貴族政府不关心人民的健康，缺乏防疫組織措施，每年定期的流行着斑疹伤寒和腸伤寒。仅1920年因天花死亡了197人；兒童傳染病不断的流行，1934年兒童死亡率佔整个死亡率的30%，而新生兒的死亡率达50%。

由于劳动人民經济生活的貧困，結核与花柳的發病率一年比一年高，例如1930年結核病在1000居民中4.8，而1936年則为7.5；1930年花柳病在1000居民中7.2，而1936年則为17.1；地方性甲狀腺腫1945年平均發病率为55.7%；最高地区达90%。

这就是罗馬尼亞貴族残暴統治切尔諾維兹省的結果。

該边区省人民健康情况的改良是解放后才开始的。

解放第一个月共产党和苏維埃政府为着救护危亡的劳动人民，在切尔諾維斯城建立了三个門診部及三个县医院。烏克蘭共和国保健部号召医务人員支援边区，因此在該省聚集了很多技术优良，政治思想前进的医务工作者。他們在省党委和省苏維埃执行委員会領导下，进行了艰苦工作，使一个落后的边緣省变成为保健工作先进省。

衛国战爭胜利后，該省的保健机構迅速地發展着，例如省医疗机構1940年为141个，而1957年增加到625个；1940年每千居民2.4張病床，而1956年已达每千居民8張病床；1940年全省只有2个疗养院，至1957年已有11个。

医务干部同样迅速的增長着，医师人数1957年比1940年增加7倍，平均一万居民有17名医师，中級医务人員人数1957年比1940年增加了14倍。

此外同所謂"社会病"作斗爭中也取得了重大的成績，例如最近五年內肺結核發病率減少了32%，死亡率減少了3.5倍；花柳病發病率減少了5.4倍，最近三年內有八个县未發生一个花柳性疾病。

由于劳动人民物質生活水平提高，保健網的日益加强，該省一般死亡率一年比一年降低，

* Черновицкая область

1956年的一般死亡率比1950年降低了25%，其中主要是兒童死亡率的降低。1936年兒童死亡率估一般死亡率的30.1%，而1956年只估12.5%。

重視妇幼保健的結果，使最近十年內产妇死亡率減少了7倍，新生兒的死亡率在这一时期減少了12倍，而死胎減少了4倍。

上述保健事業的成就鮮明地証实了苏联共产党和政府对劳动人民的关心，社会主义制度的优良性。

12月16、17兩日在省衛生厅厅長維·維·哥薩克（В. В. Гусак）同志伴同下参观了斯道劳齐尼兹与維兹尼兹县（Сторожиницкий и Вижницкий район），18日参观了省立医院和衛生厅。

斯道劳齐尼兹县有235張病床，县医院150張病床，病床分科如下：內科24，外科22，（其中包括：耳科1，腫瘤1，眼科1），产科15，結核45，兒科18，妇产7，傳染10，精神神經5，其他4。該县有地段医院5个，其病床有10、15、25三种，医助产助保健站19个，集体农庄产院14个，每院有2—3張产床，中心药房5个。

解放前全县只有2名医师，主要为17名大地主家服务，現有医师28人，中級医务人員128人，药剂师5人，为45,000居民服务。

維兹尼兹县有190張病床，县医院有100張病床。地段医院5个，医助与产助保健站17个，集体农庄产院12个，此外有骨結核疗养院一所50張病床。

全县有医师27人，中級医务人員125人（医助25人，助产士19人，医助兼助产士22人，其余为护士）。

此外，該县林業工厂中有保健站3个，全县有幼稚园2个，經常性托兒所5个，季节性托兒所11个，兒童与妇女咨詢所各2个。

同时我們还参观了克林尼夫卡村的医助保健站。該保健站有一位医助，一位助产士，他們是一对夫妇，为482戶2,800居民服务。每天九时开診，耕种季节則七时开診和到田間去工作，門診与出診随到随診不分晝夜，有产床3張，去年有61位产妇在此接生。除每日进行診治外，对結核病、腸胃潰瘍、心臟血管疾病进行防治观察，有防治卡片，在县医院医师指导下进行工作，服务的半徑为10公里，用自行車为交通工具。馬丽依夫妇畢業于1937年，曾获得三次短期进修的机会，从交談中感到他們十分安心工作，胜任愉快地为人民服务着。

現在我們用县医院院長依此考夫（Я. З. Ицков），副院長果洛申斯基（Л. М. Хорошанский）的話来介紹一下基層保健組織主要經驗。

县級保健机構改組的目的是使基層保健工作更好的体現綜合性为主的方針。1956年10月莫斯科保健工作积極分子大会，曾討論过將县級衛生科、防疫站、医院合併起来減少多头，加强綜合性，使行政与業务，医疗預防从組織形式上統一領导、統一計划、齐心合力完成当前主要任务。1956年底省党委和省苏維埃执行委員会决定根据莫斯科会議的精神，学習摩尔达維与阿尔泰边区（Малдовий и Алтайский Край）的經驗，在全省改組农村基層保健組織，取消县衛生科，將县防疫站合併于县医院，成立衛生防疫科，全县的医疗与預防，行政与業务的領导由县医院院長負責。县医院院長下設三位副院長，其分工如下：一位主管乡村保健工作，一位主管衛生防疫兼衛生防疫科科長，一位主管医院与門診部兼門診部主任。一年来經驗証明改組后有下列优点：

1. **組織性增强** 以前县医院主要管理医院本身，改組后县医院的責任范圍扩大，院長統管全县保健工作，制訂医疗与預防的計划，同县党委和县苏維埃执行委員会經常保持密切联系，檢查和帮助地段医院与医助保健站的工作。改組后县医院各科医师同样参加全盤工作，所以一年来大大地減少了書面的通知与指示，医疗与預防問題都下去当場解决。由于全县医疗与預防力量更有組織性，使1957年进行乡村防治观察，及防治对象进行有計划的治疗和劳动就業人数比1956年增加了3倍，这对人民保健和巩固劳动生产力起着極重要的作用，同时也加强和提高了乡村医助保健站的工作質量及設备。县医院的各科医师有計划的下乡，解决疑难問題、会診病人、檢查治疗与防治效果，使許多疾病在地段医院或保健站即可治愈。例如县內科主任發現下洛卡夫采村医助保健站邱馬克同志未能有系統的进行防治观察，登記及对病人劳动就業关心不够，就亲自动手帮助拟訂計划，並同集体农庄主席商量，使病人得到对健康無損害的劳动就業。

2. **具体帮助下層工作** 县医院已成为業务領导中心，下面对县医院要求也提高了，对医助与产助保健站的領导形式更加具体。县医院的医师定期到乡村去，星期五为衛生日，医院的医师輪流下乡檢查衛生，星期四为出診日，县医院的医师有計划的出診，临时性出診例外。以前县医院医师出診是以督察員的身份，現在除看病以外还要檢查医助保健站的工作，同集体农庄、牲畜場、拖拉机站的人員进行座談，糾正缺点，解决問題；进行防止疾病及拖拉机站工人外伤事故的衛生敎育，帮助保健站的医助或地段医院的医师組織季节性托兒所，夏季兒童衛生健康运动；改良对周岁兒童的家庭訪視，小兒消化不良病的早期診断和住院。在县医院兒科与衛生医师的具体帮助下維兹尼兹县 1957 年比 1956 年兒童死亡率降低了 2 倍。

县医院的外科医师經常有計划地帮助医助保健站或地段医院組織預防农業外伤，参加农業机械工人衛生課的測驗，並同他們座談怎样預防小外伤，並組織在耕种季节前进行檢查农業机械，督促工人們进行調整修理，因而 1957 年农忙季节出勤率大为提高。

由于县医院的医师們經常給医助們專科治疗和預防性指导，参加門診治疗，帮助診断与填写医疗文件，提高了医助的業务水平，例如为 3000 居民服务的医助保健站，在县医院內科医师的帮助下，1957年进行了 60 病人的防治观察和治疗，36 人在地段医院和县医院完成了治疗周，22人經門診完成了治疗周，24人按健康狀況完成了劳动就業。这种积極的防治方法在改組前是难以想像的。

保健站工作質量的提高，引起了集体农庄負責同志的关心，自动的出錢为保健站添置理疗及其他医疗設备。

3. **充分發揮專科医师的作用** 县保健組織合併后，提高了县医院專科医师的作用，例如县医院內科与流行病医师协同衛生积極分子改善乡村生产条件与生活条件，檢查病源地，消毒飲水，开衛生座談会，迅速的停止了流感，流行性肝炎的扩散，使流感的流行沒有傳播开，这是难能可貴的。如果对 1956 年的医疗指标質量进行分析，那末主要缺点是医助保健站与地段医院的医务干部業务水平不高，並且注意了治疗而放松了預防，預防性的防治观察更不能令人滿意，表現了被动应付，計划性不够，随便填發病假証書。改組一年来專科医师們深入下層，亲自帮助制訂計划，糾正治疗及填写医疗文件、病假証書的缺点，發揮了地段医院与医助保健站的集体力量，医疗指标的質量也提高了。

改組后加强了医助在乡村中威信，他們能够参加健康檢查，並在医师指导下順利地治疗着各种疾病，参加討論病人的劳动就業与改善庄員的生活和居住条件等問題，扩大了他們預防工作范圍，眞正起着乡村保健工作者的作用。

專科医师的定期出診減少了誤診及入院不及时的現象，例如基夫滿斯基县1957年做到無一例迟延入院的病人。

4. **保健事業更进一步的取得了地方党委与苏維埃执行委員会的支持和領导** 斯道劳齐尼兹县苏維埃执行委員会主席得拉公諾夫（Л. Драгунов）同志說，我們对改組县保健組織机構，打破傳統習慣，开始时担心取消了县衛生科，县苏維埃执行委員会領导人民保健事業会有困难，而一年来的事实証明，我們直接同医院院長解决一切問題，过去衛生科、防疫站之間的糾紛和紊乱消除了，苏維埃执行委員会的同志和医师們的工作更为直接和方便了，苏維埃执行委員会更关心保健工作了。1957年县劳动人民代表大会曾討論过四次有关保健工作並解决了医疗預防机構的物質基础，按原来1957年預算显得不充足，县劳动人民代表大会决定在本县超額完成任务的公积金中开支 20 万盧布作为修理医院，添置設备，胸外科器械及新建保健站与集体农庄产院等用。同时也注意了提高人民衛生文化水平，改善乡村环境衛生，1957年建設了 2 个公共浴堂，而 1958 年計划再建設 6 个公共浴堂。

由于共产党与苏維埃执行委員会关心人民

健康，支持基層保健組織的改組，改善了医院治疗質量，斯道劳齐尼茲县医院已經可以进行胸腔肺和食道手术，临床与衛生医师的合作，1957年兒童死亡率比1956年减低了3倍。

5. 改組后衛生防疫工作也加强了 衛生防疫站改为县医院的衛生防疫科，医院与衛生防疫的檢驗室合併，充实了檢驗設备，無疑增加了衛生防疫人員的業务效能与动員能力，进行着有效的活动，衛生医师們感到自己是医院的成員，医院大集体中的一員，組織同傳染病斗爭，提高居民衛生水平，改善环境衛生工作中，已無孤軍作战之感。因为衛生防疫工作已是医院綜合性計划的組成部分，發动全院力量，同寄生虫病、职業病及傳染病作斗爭。在預防流行性感冒时，动員了全县医务人員的力量，組織医疗，挨門挨戶，为高体温的人进行治疗，並对兒童机構公共場所进行了广泛而有系統的消毒，不仅迅速地阻止了流感的流行，而且發現了小兒麻痹症的病源地。县医院的小兒科与衛生医师在衛生积極分子协助下，早期發現了病人和接触者，一方面进行徹底消灭病源地，另一方面使患者防止严重的后遺症，为接触者注射了丙种球蛋白，因此流行很快停止，發病者只是个别的兒童。

衛生防疫工作不仅医务人員通力合作而且得到了拖拉机站站長們的支持，因此，1957年缺工日比1956年減少了3.5倍，从發病率的分析中可以看到在拖拉机手中，皮膚化膿的情形显著的減少。

郝丁斯基县曾組織了一百个衛生組，提高居民衛生文化水平，医师、医助、衛生积極分子，村苏維埃代表参加向居民講解个人衛生，預防結核病，預防傳染病，改善庭院衛生，建立厠所，收集垃圾等办法，普及了衛生知識，因此一年来痢疾的患病率降低了2倍。

基層保健組織的改組，同时也改变了医务人員工作形式与方法，即是說更趋向于綜合性和主动性，力量更为集中。我們所看到的一切，都証明了县級組織机構的合併改組，給乡村保健事業帶来了新的气象，專業医务干部更高的發揮了作用，消除了多头領导，上下关系更加密切。

关于捷克斯洛伐克保健事業的某些資料

Г. Ф. Константинов, Некоторые данные о здравоохранении в Чехословакии, Сов. Здрав. (9):62, 1957.

在捷克斯洛伐克，按照1951年的法令制定了統一的国家保健制度。

目前在捷克斯洛伐克共有93859張病床，比1937年約增加了一倍（每1000人有7.11張病床）。这93859張病床分佈在設备完善的213所医院內（在捷克各省份內共有146所医院，在斯洛伐克共有67所医院）。換句話說，每个医院平均有440張病床。

門診医疗工作，由所謂的門診所来进行，門診所的数量，不包括兒童門診部、医疗站及其他医疗机構在內，共有3072所。

有400名工人以上的工厂，建立工厂医疗站，超过1600名工人的工厂建立工厂門診部。

目前共有52个工厂建立了工厂門診部，608个工厂建立了工厂門診所。除此以外，有132个企業設有医疗站。有42个企業設有初疗站。如果說1948年在工厂医疗机構內工作的医生总共为195名，則目前已增加到1616名医生。

到1956年末为止，兒童与妇女保健所已增加到6400所，比1946年增加了3914所。产院及医院产科病床比1948年增加了一倍（1948年为6821張，1956年为12647張）。医院兒科病床增加了二倍（从4416張增加到12244張）。托兒所收容量也增加了五倍（1948年共收容6050名兒童，1956年收容將近36000名兒童）。

目前捷克斯洛伐克全部医疗机構的医生总数已增加到19000名，平均每687个居民有一名医生，可是在1937年平均1218个居民才有一名医生。

由于对人民健康的关怀，在共和国內取得了一定的成就。目前捷克斯洛伐克人民的平均寿命。男人为66岁，女人为71岁。

肺結核、胃潰瘍、某些傳染病以及其他疾病的死亡率也大大地下降。一般死亡率比1937年下降了30%。

（刘 鳴摘譯）

哈尔濱东付家区居民寿命表

（1953—1955年）

楊 建 伯

为了提高衛生工作質量，必須研究居民健康情況。研究居民健康情況的主要途徑有三，即研究居民人口的自然变动过程及其平均可享寿命，研究居民身体發育情况和研究居民患病情况。就目前条件說来，研究居民死亡过程的工作在社会衛生工作中应該佔有較比重要的位置。其理由：我們还沒有具备研究患病率的充分条件，还不能掌握居民的一般患病动态；研究居民發育狀况的工作目前可能做，但是它离衛生工作直接需要較远，对解釋实际工作中迫切需要解答的問題帮助不大；至于研究居民死亡过程这一工作不仅現在可以做，而且具有相当的实际意义。

研究居民死亡过程与死亡原因时，寿命表是很有力的工具。寿命表能合理的表达出某时某地居民的死亡过程、寿命情况以及“生存能力”的特点。因此社会衛生工作者把它做为社会衛生学的工具之一，来研究衛生問題。哈尔濱市东付家区寿命表（以下簡称哈东寿命表）就是本着这个目的編制的。

哈尔濱是祖国北方重要城市之一，它在寒地城市中具有一定的代表性。所以研究哈尔濱居民死亡过程，不仅对了解本市居民健康水平有直接作用，而且可以供研究其它寒地城市居民健康情况作参考。可是，对这个城市居民的健康狀况过去很少研究；敌伪时代根本沒有研究，解放后虽然累积了一些資料，但还沒有来得及做深入分析。因而想考証以往的，尤其是敌伪时代的哈市居民健康水平是非常困难的，也几乎是不可能的。在“出生、死亡”統計方面更是如此。哈尔濱不曾有过寿命表，著者編制並提出这个寿命表是为了給这項工作初步地开个端。这个寿命表还仅是根据一个区的材料編制成功的，它不可能完全正确地反映出哈市的全般情况。

不过，如果把哈东寿命表跟以往其他城市的材料对比一下，还是能够看出哈东居民平均寿命、死亡过程的某些特征来。其中有的並且具有重要的社会衛生学的意义。哈东寿命表反映出哈东居民的平均寿命，不論男女，比能够查到的旧中国任何时期、任何地区的平均寿命都長。这說明人民保健事業已經發揮了相当大的威力，收到可观的效果。另一方面，本寿命表也反映出耗減哈东居民平均寿命的某些癥結。由所提出的寿命表可以得知，在东付家区，妇女比男人短命，並且其原因在于青春期、生育期妇女有較多的死亡。由所提出的寿命表也可以知道，东付家区幼兒死亡率还有迅速下降的余地。如果幼兒死亡率能合“邏輯”的下降，居民平均寿命將大大延長。

对上述現象，在后面还要作初步的討論。著者深信从这些粗略的分析中所看到的問題及其与哈市的自然环境以及社会生活环境有密切关系，是值得作更进一步探討的。

資 料

編制本文所提出的寿命表所需的人口学資料是哈市衛生局和东付家区生命統計室及哈市統計局分別供給的。作者对蒐集出生、死亡資料的方法和資料的正确程度都进行了考察，認为尚能供編制寿命表之用。

人口資料及其处理 著者蒐集到的东付家区人口資料有三份：1953年人口普查时性别年龄别人口数字以及1953年末和1954年末性別年令别戶籍人口数字。資料均取自哈尔濱市統計局。为編制本寿命表，著者採用1954年7月初戶籍人口（即1953年末与1954年末戶籍人口平均数）。使用戶籍人口的主要原因有以下几点。

（1）东付家区是住宅区，区内沒有大机关，大企業，所以有相当多的青壯年男子在外区工作或学習。普选时这些人在工作崗位参加选举。所以，这些人的戶籍虽然在东付家区，但是該区人口普査数字里却沒有包括他們。因此，如圖1所示，东付家区人口普查的結果在青壯年男子的一段显示出相当大的明显的缺口。显然，东付家区普查人口数並非該区实际人口数。因此用它来計算死亡率是不合理的。

（2）东付家区的出生、死亡登記实际上是以戶籍为依据的。戶籍不在該区而死在該区者並未記入死亡統計之內。同理戶主不在該区的新生兒亦未記入出生統計之內。所以用戶籍人口計算出生率、死亡率較为合理——人口范疇相符。

（3）將1954年7月初戶籍人口年齡別性別組成与1953年普查人口时的組成相比，便可見兩組曲線除青壯年男子段外，其它各年齡組段几乎都是平行的。这說明戶籍人口的年齡別性別組成也是确实的。参閱圖1。

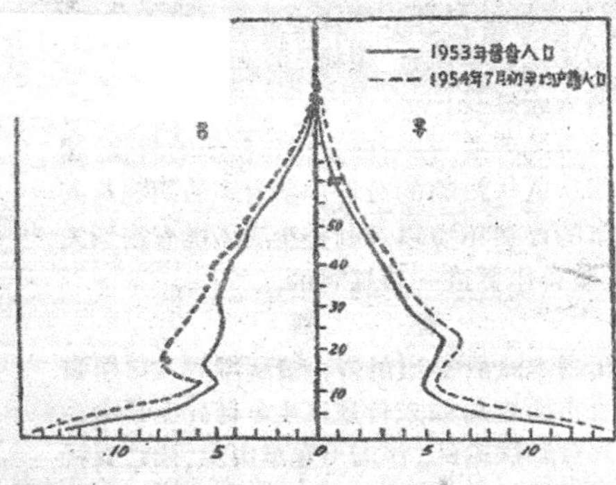

圖1 戶籍人口与普查人口之比較（按实数繪成）

基于上述理由，著者选戶籍人口，而不另用1953年普查人口来进行推算。

出生死亡統計 出生、死亡統計是东付家区生命統計室提供的。关于它們的可靠程度可以从以下几方面来了解。在死亡登記方面：

（1）有戶籍人口死亡（包括嬰兒在內）很难漏掉，实际也沒有漏掉的（指死去而未消戶籍者）。可能漏报的主要是尚未申报戶口便死去的新生兒。

（2）凡埋在公葬場的不能漏掉（包括新生兒）。

（3）私棄死嬰是存在的但为数不多（参照新生兒死亡人数佔嬰兒死亡总数之比）。生命統計室每發覺棄嬰事件均进行补查並与以登記。1955年出生、死亡登記轉由公安局办理，此类漏报有所增加。

在出生登記方面

（1）居民均注意戶籍关系，一般都主动申报戶口。粮食定量供应后更加如此。

（2）申报戶口的产家可以領到优待粮票与布票，也是鼓励居民申报戶口的一个重要因素。

上述条件能保証出生、死亡登記数字基本正确。哈东区嬰兒死亡率为64.03‰，出生率为47.92‰，死亡率为11.78‰，均較为合理，这也帮助說明这一点。

1955年，出生、死亡登記工作轉由公安部門管理后，停止了棄嬰漏报的补查工作，因此漏掉的棄嬰数稍增。为了讓它不致影响1953～1955年平均嬰兒死亡率，將1955年新生兒死亡数，按1953～1954年的經驗做了补正。补正后嬰兒死亡数是用下式算出的。

$$\text{1955年嬰兒死亡数} = \text{月齡有一个月以上的嬰兒死亡数(1955年)} \times \frac{100}{100 - \dfrac{\text{1953～1954年新生兒死亡数} \times 100}{\text{1953～1954年嬰兒死亡总数}}}$$

补正前1953～1955年嬰兒死亡率为59.20‰，补正后为64.03‰；补正前新生兒死亡数佔嬰兒死亡总数的26%，补正后佔32%。

本寿命表是按补正后的嬰兒死亡数計算的。补正前后寿命表各主要指标变动很小。补正前男子平均可享寿命为58.07，女子为54.62，补正后男子为57.67，女子为54.41，相差均在0.5以下。一岁后的平均余命补正前后几乎沒有差別。生殘人数減半的年齡亦無变化。

資料来源及資料的初步处理大体如上所述。經过对資料本身的分析以及与有关方面的核对，証明这批資料是确实的，它能反映出东付家区出生、死亡的一般情况。同时在一定意义上它亦可能反映出哈市的基本情况。所謂一定意义，系指相同的自然条件及相似的生活条件。

方　法

本表之編制方法主要参照Jenkins法和“日本第四回生命表”所用的方法。著者选擇方法的原則是尽可能使計算值符合于原始資料，並适当的照顧各曲線的平滑性。今將編制本表所用的主要公式記下。

1. 死亡率q_x之計算 計算和修勻年齡別死亡率是編制寿命表的主要步驟。随各年齡阶段死亡率之变化，計算方法亦異。

本表q_0～q_4之計算系利用出生人数与0到4岁死亡人数，参照“日本第四回生命表”的方法計算的。其公式为：

$$q_x=\frac{2D_x}{2S_x+D_x}\cdots\cdots\cdots\cdots\cdots\cdots(1)$$

D_x代表1953～1955年x岁人口死亡人数，

S_x代表x岁人口在1953～1955年間的延年数。

S_x的定义如公式(2)所示。

$$S_x=\int_h^{h+3}Pt\,dt\cdots\cdots\cdots\cdots\cdots\cdots(2)$$

Pt代表t时恰为x岁之人口，

h～h_{+3}表示t之变域。

q_5～q_{16}之計算。以Newton不等間隔插补公式补全q_4～q_{16}間尙缺之q_x。

q_{17}以上各年令别死亡机率乃係用Jenkins法的公式計算的。見公式(3)至公式(7)。

$$q_x=-.02777\,V_{x-10}+.1111\,V_{x-5}+.8333\,V_x+.1111\,V_{x+5}-.02777\,V_{x+10}\cdots\cdots(3)$$

$$q_{x+1}=-.0142\,V_{x-10}+.0086\,V_{x-5}+.7795\,V_x+.2715V_{x+5}-.0453V_{x+10}-.0002V_{x+15}\cdots(4)$$

$$q_{x+2}=-.0060\,V_{x-10}-.0417\,V_{x-5}+.6431\,V_x+.4613V_{x+5}-.0548V_{x+10}-.0017V_{x+15}\cdots(5)$$

$$q_{x+3}=-.0017\,V_{x-10}-.0548\,V_{x-5}+.4613\,V_x+.6431V_{x+5}-.0417V_{x-10}-.0060V_{x+15}\cdots(6)$$

$$q_{x+4}=-.0002\,V_{x-10}-.0453\,V_{x-5}+.2713\,V_x+.7795V_{x+5}+.0086V_{x+10}-.0142V_{x+15}\cdots(7)$$

V_x是用公式(8)求得者。

$$V_x=\frac{2m_x}{2+m_x}\cdots\cdots\cdots\cdots\cdots\cdots(8)$$

而 $$m_x=\frac{D_x}{P_x}\cdots\cdots\cdots\cdots\cdots\cdots(9)$$

在此，P_x代表X岁未滿$X+1$岁之实际人口数，

D_x代表X岁人口之实际死亡人数。

高年龄q_x之計算。 W. A. Jenkins 对高年龄死亡率的处理甚是粗糙，故著者未採用其法，本表参照“日本第四次生命表”採用以Makeham—Compertz公式間接算出q_x的办法。利用上述公式首先算出高龄之生殘人数l_x然后根据

$$l_x-l_{x+1}=d_x$$

$$\frac{d_x}{l_x}=q_x \text{ 間接算出高齡的 } q_x\text{。}$$

Makeham-Compertz 公式为

$$l_x=ks^xg^{c^x}\cdots\cdots\cdots\cdots\cdots\cdots(10)$$

亦即：

$$\log l_x=\log k+x\log s+c^x\log g\cdots\cdots(11)$$

为确定式中各項常数利用事先以Jenkins法求得之l_x。男子表、女子表均以48～79岁之l_x做为計算之基礎。所得各項常数如表1所示。

表 1

	男子表	女子表
log k	4.920784	5.0462442
log s	.0002838	−.0041228
log g	−.0011774	−.0001947
c^3	1.8796663	2.1557914

本表男子69以后、女子67岁以后的q_x便是用Makenham—Compertz公式推算的。

2. 生殘人数l_x与死亡数d_x之計算 假定同时出生人数为100000，亦即l_0，

$$100000\times q_0=d_0$$

$$100000-d_0=l_1$$

$$l_1q_1=d_1$$

$l_1-d_1=l_2$ 如此类推乃有一般公式：

$$l_xq_x=d_x\cdots\cdots\cdots\cdots\cdots\cdots(12)$$

$$l_x-d_x=l_{x+1}\cdots\cdots\cdots\cdots\cdots\cdots(13)$$

3. 平均余命$\mathring{e}_x$之計算

平均余命是用公式(14)計算的。

$$\mathring{e}_x=0.5+\frac{l_{x+1}+l_{x+2}+\cdots\cdots l_{x+n}}{l_x}$$

在此l_{x+n}为最末一項生殘人数。

編制本表所用之主要公式如上所載。

对本表的几点討論

討論寿命表，一般都注意兩个方面，其一是

与以往的情况做对比，从中看出居民的寿命、死亡过程的变动，其二是指出寿命表本身的特点。后者要求更广泛的比較与分析。哈市不曾有过寿命表，因此不能准确的指出本表的各項指标比以往有多大进步。但是为了一般的説明問題不妨將本表与以往其它地区的寿命表做簡單的对比。

解放前国內的寿命表並不很多。著者蒐集到的有薛仲三先生編的“1935年南京市寿命表”，日本人水島治夫編制的“1930～1935 滿洲(关东局管內)住民の寿命表”，Buck編制的“1929～1931中国农民寿命表”的摘要，袁貽瑾編制的“家譜寿命表”，罗志如編的“广州市寿命表”。其中有的过早有的不甚可靠，因此仅选“1935年南京市寿命表”与“滿洲(关东局管內)住民の生命表”做为以往情形的代表进行对比。但是这种对比並非沒有問題。南京住民的生活条件（包括自然条件与社会条件）与哈东迥然不同，兩地寿命表有别乃是当然的事。很难推測这差别是出自何种原由。“滿洲（关东局管內）住民の生命表”的参考价值相对的大一些，但也並非十分恰当。因为远宁南部的自然条件跟哈尔濱的情况相差亦相当大。可是根据手下仅有資料，只好使用它們。

——男 ----女 1953—1955哈市(东付家区)寿命表
——男 ----女 1930—1935滿洲（关东局管內）住民の生命表

年龄(岁)

圖 2　寿命表生殘人数 (l_x)

死亡率 q_x　哈东寿命表 q_x 比起水島寿命表有很大进步(參閱圖 3)。这进步主要表現在

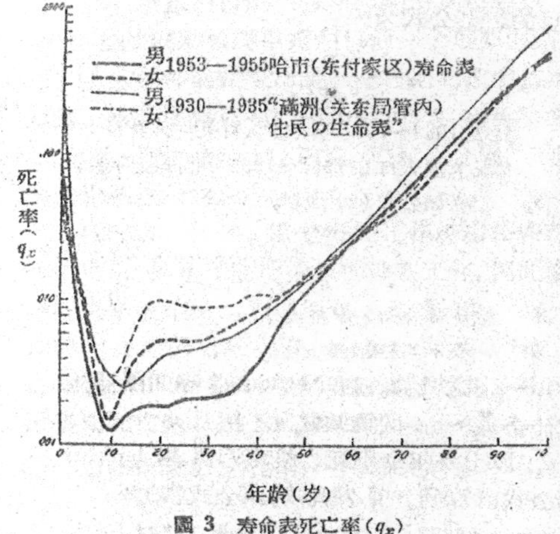

圖 3　寿命表死亡率 (q_x)

表 2　　年齡別死亡机率 (1000 q_x)

年　齡	1953～1955 哈东		1930～1935(水島表)	
	男	女	男	女
0	72.16	61.35	187.44	160.63
5	5.05	7.34	7.61	7.75
10	1.29	1.54	3.19	3.07
20	1.86	5.09	3.99	9.85
40	3.34	8.22	7.31	10.86
60	24.38	24.02	26.65	24.54

表 3　　0～3 岁每千人死亡人数

年龄	哈尔濱寿命表 1953—1955				“滿洲住民の生命表”（水島）1930—1935				东北日侨寿命表（水島）1930—1935			
	男		女		男		女		男		女	
	q_x	比	q_x	比	q_x	比	q_x	比	q_x	比	q_x	比
0	72.16	100	61.35	100	187.44	100	160.63	100	77.34	100	65.83	100
1	32.50	45	31.77	52	73.48	3.9	72.27	45	39.32	51	33.15	50
2	27.68	38	29.17	48	32.09	17	36.83	23	25.11	32	24.10	37
3	15.96	22	14.76	24	17.14	8	18.77	12	19.00	25	17.38	26

嬰幼年如青壯年 q_x 之較低。其原因，恐怕用解放后傳染病死亡率的显著下降来說明最为合适。60岁以后男性差别較大而女性差别絕小。值得注意的是解放前后兩地男性死亡率之差大于女性之差，尤其在生育期間更为明显（参閱表2）。

其次查哈东寿命表死亡率本身的特点。这特点主要有兩个。第一，哈东寿命表零岁死亡率不算太高，但从 q_0 至 q_1 q_2 的下降比較慢，男女都是如此。这情形跟1930～1935年侨居东北的日本人的情形几乎相同，与"滿洲住民の生命表"的情形略略相似，但跟其它国家比起来就有些不大相像。从表3上可以看到：美国寿命表当 q_0 为100时，其 q_1 男子为16女子为18，德国、荷蘭的情形亦与其相近；住东北日侨寿命表之 q_0 为100时其 q_1 男子为51女子为50与哈东情形相同。

根据对哈东死因材料的初步分析，估計这現像，主要是幼兒呼吸器疾病死亡較多所造成的。关于这个問題留待以后詳細分析。不过，至少这种現像已能啟示我們，哈东幼兒死亡率仍有迅速下降的余地，並且它是繼續延長哈东居民平均余命的重要关鍵之一。

第二个特点是生育期間妇女死亡率显著高于男人（参閱圖3）。这是妇女平均余命比男人短的直接原因。这情况很特别，只有1930～1935"滿洲（关东局管內）住民の生命表"与此相类。我国关內、其它国家以及日本的某些城市，虽然亦偶有青壯年女子死亡率高于男人的，但並無如此悬殊者。詳情参照表4与圖3。为了延長妇女的平均寿命，这是特别值得研究的課題。

表4 妇女生育期間死亡率（‰）

年龄	1953～1955 哈东寿命表		1930～1935 "滿州住民の生命表"		1930～1935 在东北的日侨		1925～1929 日本东京		1929～1930 美国寿命表		1921～1930 荷蘭		1933 德国	
	男	女	男	女	男	女	男	女	男	女	男	女	男	女
15	1.71	3.49	2.73	6.44	6.04	6.42	5.07	6.83	2.10	1.63	1.70	1.77	1.45	1.25
25	2.01	5.33	4.37	9.26	6.68	7.91	5.36	7.73	3.66	3.36	2.83	2.96	2.97	2.65
35	2.33	6.60	5.75	9.49	5.72	8.01	7.15	9.33	5.07	4.31	3.15	3.81	3.97	3.49
45	6.69	10.47	9.83	10.87	11.17	9.89	14.85	11.16	9.25	6.99	5.28	5.62	6.78	5.71

还有一点，即哈东青年（20岁前后）男子死亡率的平稳狀态。这虽然算不得什么特徵，但亦值得注意。这情形跟"滿洲（关东局管內）住民の生命表"的情形相同，但与别国工業城市的情况不同。例如日本及其某些大城市青年段男子死亡率都呈現一个較明显的峯。

生殘人数 l_x 1935年南京寿命表20岁男子生殘人数为62933人，女子为59437人；"滿洲（关东局管內）住民の生命表"20岁男子生殘人数为66929人女子为66650人；1953～1955哈东男子20岁生殘人数为82749人女子为81679人。新旧时代生殘人数之差非常大。詳見表5。

分析本寿命表生殘人数的变动时，特别引人注意的是性别的差異。从圖2上可以看到，15岁以前男女生殘人数並無大区别，可是一进入生育期間妇女生殘人数便开始銳減。15岁时男子生殘人数为83505人，女子为83447人，相

以及以 q_0 为基数的比

美国寿命表 1929—1930				日本东京寿命表1925—1929				荷蘭寿命表 1921—1930				德国寿命表 1933			
男		女		男		女		男		女		男		女	
q_x	比	q_x	比	q_x	比	q_x	比	q_x	比	q_x	比	q_x	比	q_x	比
60.86	100	48.21	100	116.10	100	99.99	100	65,28	100	50.62	100	84.99	100	67.66	100
9.88	16	8.71	18	41.19	35	37.79	38	14.83	22	13.12	26	9.33	11	8.16	12
5.33	9	4.65	10	28.54	25	19.35	19	6.25	10	5.33	11	4.45	5	4.10	6
3.75	6	3.30	7	16.44	14	16.11	16	3.99	6	3.36	7	3.40	4	2.80	4

表 5　　生 残 人 数 l_x

年 龄	哈 东 (1953～1955)		1935 南京寿命表		1930～1935 "滿洲住民の生命表"	
	男	女	男	女	男	女
0	100000	100000	100000	100000	100000	100000
5	85274	85959	67715	65953	70740	72678
10	84099	84381	65169	62840	68921	70830
20	82749	81679	62933	69437	66929	66650
40	79211	72561	56568	50963	60435	55041
60	63220	54402	40309	39817	45298	41224

差仅仅 58 人但是到 45 岁，情形就很不同了。45 岁男子生殘人数为 77465 人女子为 69355 人，相差达 8110 人为 15 岁时男女生殘人数差的 140 倍。20 岁男子活到 45 岁的机会是 93%，同龄女子活到 45 的只是 83%。这两个簡單的对比，說明生育期間妇女比男人有較多的死亡。这結果必然会造成靜止人口 (Stationary Population)的女方的"赤字"。妇女人口的"赤字"对再生过程發生一定作用。在同一"自然增力"的条件下，由于女性靜止人口数較少，人口再生产速度將被減慢。而这減慢实質上是由于生育期間妇女較多的犧牲。

平均余命 $\mathring{e}_x$　哈东居民平均余命比1935年南京寿命表与1930～1935 的"滿洲住民の生命表" 的平均余命都長得多。哈东寿命表平均余命愈是年幼愈高于另兩表，及至高令三者乃相差無几。参閱表 6 以及圖 4。

表 6　　平 均 余 命

年 龄	1953～1955 哈 东		1935南京		1930～1935 水島寿命表*	
	男	女	男	女	男	女
0	57.67	54.41	29.82	38.22	44.04	42.68
5	62.39	58.03	5.15	52.13	56.83	53.30
10	58.21	54.09	50.14	50.79	53.24	49.63
20	49.08	45.68	41.74	42.14	44.70	42.36
40	30.79	30.09	25.28	27.53	28.55	29.24
60	15.29	16.37	10.70	12.05	13.91	15.36
80	5.73	6.12	2.26	2.76	4.22	5.57
100	1.61	1.44	—	—	0.77	1.42

* 即"滿洲（关东局管內）住民の生命表"

三地有共同的特征：幼年段男子平均余命比妇女長，一定时期后女人寿命复高于男人。但是男女寿命曲線的交差点却各自不同。1935年南京，女人的平均余命从第 10 岁起便超过男

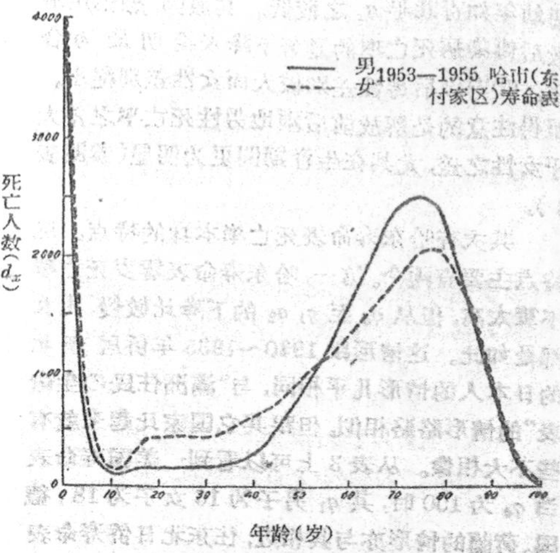

圖 4　寿命表死亡人数(d_x)

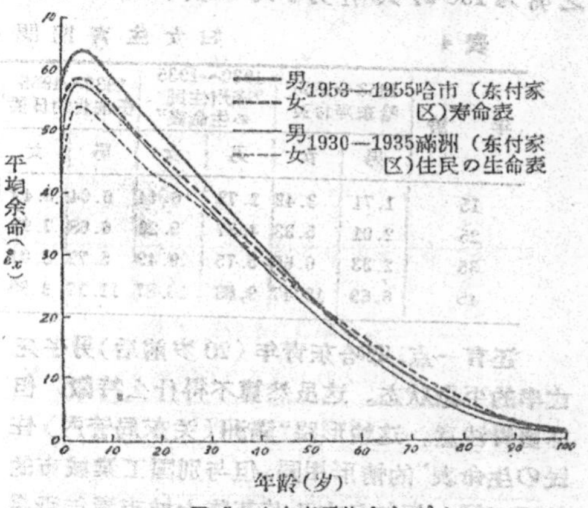

圖 5　寿命表平均余命($\mathring{e}_x$)

人，1930～1935"滿洲住民の生命表"的这一年龄是 32 岁，本寿命表的这个年龄是 46 岁。可見哈东情况与后者相近与前者相远。这是一个有趣而且很重要的差別。

結　語

（1）哈东(东付家区)寿命表所表現的情形比旧时代的情形有很大进步。

（2）从哈东寿命表本身，可以看到哈东民死亡过程的一些重要特征，这些特征具有重要的意义，有得进一步研究。

（3）根据初步观察，哈东寿命表的一些特征与妇幼衛生条件关系較大。

哈尔濱东付家区 1953—1955 年居民寿命表

根据上述的資料，应上述的計算方法，編制出哈尔濱东付家区居民寿命表：

哈尔濱东付家区 1953—1955 年居民寿命表

年龄 x	男子表				女子表				年龄 x
	生殘人数 l_x	死亡人数 d_x	死亡率 q_x	平均余命 $\mathring{e}_x$	生殘人数 l_x	死亡人数 d_x	死亡率 q_x	平均余命 $\mathring{e}_x$	
0	100000	7216	.072159	57.67	100000	6135	.061347	54.41	0
1	92784	3006	.032396	61.11	93865	7982	.031766	56.94	1
2	89778	2485	.037675	62.14	90883	2651	.029173	57.79	2
3	87293	1392	.015951	62.90	88232	1302	.014755	58.51	3
4	85901	654	.007611	62.91	86930	971	.011170	58.38	4
5	85247	430	.005046	62.39	85959	631	.007335	58.03	5
6	84817	281	.003317	61.70	85328	399	.004672	57.46	6
7	84536	189	.002232	60.90	84929	251	.002953	56.73	7
8	84347	137	.001623	60.04	84678	166	.001964	55.89	8
9	84210	111	.001324	59.14	84512	131	.001555	55.00	9
10	84099	108	.001281	58.21	84381	130	.001540	54.09	10
11	83991	112	.001332	57.29	84251	152	.001799	53.17	11
12	83879	118	.001408	56.36	84099	186	.002208	52.26	12
13	83761	124	.001477	55.44	83913	215	.002563	51.38	13
14	83637	132	.001582	54.52	83698	251	.003002	50.51	14
15	83505	143	.001705	53.61	83447	291	.003489	49.66	15
16	83362	152	.001828	52.70	83156	332	.003988	48.83	16
17	83210	152	.001828	51.80	82824	362	.004369	48.03	17
18	83058	155	.001860	50.89	82462	381	.004622	47.23	18
19	82903	154	.001863	49.98	82081	402	.004899	46.45	19
20	82749	154	.001858	49.08	81679	416	.005091	45.68	20
21	82595	152	.001837	48.17	81263	424	.005219	44.91	21
22	82443	152	.001848	47.25	80839	428	.005298	44.14	22
23	82291	155	.001885	46.34	80411	429	.005334	43.37	23
24	82136	160	.001943	45.43	79982	427	.005341	42.60	24
25	81976	165	.002008	44.52	79555	424	.005326	41.83	25
26	81811	169	.002067	43.60	79131	420	.005307	41.05	26
27	81642	172	.002103	42.69	78711	417	.005292	40.27	27
28	81470	172	.002111	41.78	78294	415	.005295	39.48	28
29	81298	171	.002098	40.87	77879	415	.005326	38.69	29
30	81127	169	.002083	39.96	77464	418	.005399	37.89	30
31	80958	168	.002073	39.04	77046	425	.005520	37.09	31
32	80790	168	.002077	38.12	76621	437	.005704	36.30	32
33	80622	172	.003137	37.20	76184	454	.005955	35.50	33
34	80450	179	.002220	36.27	75730	474	.006261	34.71	34
35	80271	187	.002331	35.35	75256	496	.006597	33.93	35
36	80084	198	.002468	34.44	74760	519	.006945	33.15	36
37	79886	210	.002626	33.52	74241	541	.007285	32.38	37
38	79676	224	.002807	32.61	73700	560	.007603	31.61	38
39	79452	241	.003037	31.70	73140	579	.007910	30.85	39
40	79211	265	.003342	30.79	72561	597	.008223	30.09	40
41	78946	297	.003756	29.89	71964	616	.008561	29.34	41
42	78649	339	.004305	29.00	71348	638	.008942	28.59	42

（續）

年 龄 x	男子表 生殘人數 l_x	男子表 死亡人數 d_x	男子表 死亡率 q_x	男子表 平均余命 $\mathring{e}_x$	女子表 生殘人數 l_x	女子表 死亡人數 d_x	女子表 死亡率 q_x	女子表 平均余命 $\mathring{e}_x$	年 龄 x
43	78310	392	.005006	28.13	70710	663	.009380	27.84	43
44	77918	453	.005819	27.27	70047	692	.009885	27.10	44
45	77465	518	.006689	26.42	69355	726	.010466	26.36	45
46	76947	582	.007564	25.60	68629	764	.011131	25.64	46
47	76365	641	.008389	24.79	67865	807	.011835	24.92	47
48	75724	691	.009130	24.00	67058	853	.012726	24.21	48
49	75033	738	.009831	23.21	66205	902	.013622	23.52	49
50	74295	784	.010556	22.44	65303	949	.014527	22.84	50
51	73511	836	.011373	21.67	64354	991	.015393	22.17	51
52	72675	897	.012344	20.91	63363	1025	.016180	22.51	52
53	71778	970	.013519	20.17	62338	1051	.016855	20.85	53
54	70808	1053	.014866	19.44	61287	1072	.017849	20.20	54
55	69755	1140	.016339	18.73	60215	1093	.018148	19.55	55
56	68615	1227	.017885	18.03	59122	1119	.018920	18.90	56
57	67388	1312	.019463	17.35	58003	1153	.019874	18.26	57
58	66076	1390	.021036	16.68	56850	1198	.021068	17.62	58
59	64686	1466	.022656	16.03	55652	1250	.022469	16.99	59
60	63220	1541	.024376	15.39	54402	1307	.024018	16.37	60
61	61679	1620	.026264	14.76	53095	1362	.025659	15.76	61
62	60059	1705	.028384	14.15	51733	1415	.027346	15.16	62
63	58354	1796	.030776	13.54	50318	1461	.029026	14.57	63
64	56558	1893	.033464	12.96	48857	1500	.030697	13.99	64
65	54663	1983	.036274	12.39	47357	1533	.032363	13.42	65
66	52682	2070	.039296	11.84	45824	1560	.034045	12.85	66
67	50612	2148	.042450	11.30	44264	1615	.036492	12.29	67
68	48464	2215	.045714	10.78	42649	1671	.039175	11.73	68
69	46249	2290	.049522	12.27	40978	1726	.042120	11.19	69
70	43959	2353	.053527	9.78	39252	1780	.045353	10.66	70
71	41606	2407	.057843	9.31	37472	1832	.048896	10.14	71
72	39199	2449	.062484	8.85	35640	1881	.052790	9.64	72
73	36750	2480	.067496	8.40	33759	1926	.057050	9.15	73
74	34270	2497	.072874	7.98	31833	1964	.061711	8.67	74
75	31773	2499	.078665	7.56	29869	1996	.066836	8.21	75
76	29274	2485	.084886	7.17	27873	2018	.072415	7.76	76
77	26789	2453	.091578	6.78	25855	2031	.078543	7.33	77
78	24336	2403	.098753	6.42	23824	2031	.085237	6.91	78
79	21933	2335	.106464	6.07	21793	2017	.092531	6.51	79
80	19598	2248	.114731	5.73	19776	1988	.100505	6.12	80
81	17350	2144	.123590	5.41	17788	1943	.109243	5.75	81
82	15206	2024	.133077	5.10	15845	1881	.118701	5.39	82
83	13182	1888	.143222	4.81	13964	1802	.129021	5.05	83
84	11294	1730	.153188	4.53	12162	1727	.142036	4.73	84
85	9564	1593	.166519	4.25	10435	1590	.152418	4.43	85
86	7971	1419	.178008	4.00	8844	1465	.165634	4.13	86
87	6552	1252	.191156	3.76	7380	1328	.179934	3.85	87
88	5300	1088	.205192	3.53	6052	1186	.195995	3.59	88
89	4212	997	.220063	3.32	4866	1032	.212083	3.34	89

（續）

年齡 x	男子表				女子表				年齡 x
	生殘人数 l_x	死亡人数 d_x	死亡率 q_x	平均余命 $\mathring{e}_x$	生殘人数 l_x	死亡人数 d_x	死亡率 q_x	平均余命 $\mathring{e}_x$	
90	3285	775	.235851	3.11	3834	882	.230049	3.11	90
91	2510	634	.252580	2.92	2952	736	.249349	2.88	91
92	1876	507	.270265	2.73	2216	598	.270043	2.68	92
93	1369	396	.288928	2.56	1617	472	.292156	2.48	93
94	974	300	.308608	2.40	1145	361	.315725	2.30	94
95	673	222	.329264	2.24	783	267	.340758	2.13	95
96	452	158	.350930	2.10	516	190	.367288	1.97	96
97	293	109	.373588	1.96	327	129	.395218	1.82	97
98	184	73	.397213	1.84	198	84	.424552	1.68	98
99	111	47	.421778	1.72	114	52	.455198	1.56	99
100	64	29	.447229	1.61	62	30	.487054	1.44	100
101	35	17	.473511	1.50	32	17	.519812	1.33	101
102	19	9	.500546	1.40	15	8	.553943	1.22	102
103	9	5	.528236	1.30	7	4	.588241	1.12	103
104	4	2	.556472	1.20	3	2	.623082	1.01	104
105	2	1	.585126	1.07	1	1	.658100	—	105
106	1	—	.614050	—	—	—	—	—	106

参考文献

1. Rietz, H. L., Handbook of Mathematical statistics, pp. 34～38, 1924.
2. Dublin, L. I., and Lotka, A. J., Length of Life, p. 339, 1936.
3. 日本内閣統計局，日本第四回生命表，pp. 58～61, 1929.
4. 水島治夫，滿洲(关东局管内)住民の生命表，pp. 62～63, 1940.
5. 許仲三，南京市寿命表，实驗衛生 2 卷 4 期 1944.

白喉后因多發性神經炎所致之麻痹的最早記录

Madelaine R. Brown, The Earliest Description of Paralysis due to Muliple Neuritis following Diphtheria. Bulletin of the History of medicne, 31:4, 1957.

“咽峽炎窒息”一名是 Samuel Bard 氏在其記述1771年流行于紐約的咽喉病的文章中所选用的。他在这篇文章中描述了白喉后的四肢麻痹。这个描述也是关于多种神經炎的最早記述之一，比 Lettson 氏所描述的酵毒性多發神經炎 (alcoholic Polyneuritis) 要早八年。病人为一兩岁半的女孩，是在發生膜性咽喉痛的一週后来就診的。在兩耳后有兩个大腺会合于咽喉处。15天后病人失音，吞嚥液体困难。“这种情况消失了，但是病人發音微而低，繼續一較長时期，以致病人在兩个月中几乎不能自己行走，發音也不高于耳語音。”

到19世紀中叶，白喉可以使四肢麻痹已是普通的知識了。这时候的几次大流行曾席卷英国和欧洲大陆，因而在医学文献上出現了許多文章。1859年 Peter Eade氏在 Lancet 上报告了四个在白喉后成为麻痹的病例。Trousseau 氏在“临床医学講义”中用一章的篇幅論述了白喉所致的麻痹，其中談到1860年 Maingault 氏的文章曾記載了90例，最后有力地把这种关系肯定了。

（田可文譯）

保健工作的方式方法的探討

陈 海 峰*

保健組織学的重要任务之一，就是研究有关保健事業的方法問題；研究如何更正确合理地运用既有的良好的方法，寻找新的最有效的工作方法。

研究保健工作的方式方法，是为了保証更好地完成保健事業各阶段的基本任务，消灭疾病，保护和增强人民的健康，为劳动人民創造合理的生活条件和劳动条件；發展社会生产力，加强生产建設与国防建設，以达到最大限度地满足劳动人民物質生活的需要。不断地研究和改进保健工作方式方法的目的是降低患病率、死亡率，使人們身体达到健壯延長人类寿命。

苏联衛国战爭，我国抗日战爭、解放战爭、抗美援朝战爭中成千上万伤員的战伤救活工作的胜利完成，就是依靠不断改进組織方法的保証。和平时期的保健工作、医疗預防、衛生防疫、妇幼保健、药政事業、医学教育，都需要良好的組織方法的保証。

正确的政策，具体的計划，必須通过各种組織形式与方式方法去貫徹，运用各种有利条件，俗語說："什么鎖必須用什么鑰匙开"，通过相适应的組織形式用一定的方法才能解决一定的問題。

研究方法問題和方法論的問題是極其重要的。"它好比船上的舵，如果不先把舵掌握好，就投入大量劳动力，結果便会走弯路，以致枉費許多气力。"毛主席非常注意工作方法問題，他說："我們的任务是过河，但是沒有桥或船就不能过。不解决桥或船的問題，过河就是一句空話。不解决方法問題，任务也只是瞎說一頓。"(1)"方法与原則問題，即决定方法的选擇和应用問題，以前总是，現在依然是最重要的一个因素，而科学的成功与否就是最后地决定于这个因素"。（克·貝柯夫院士1949年8月23日）巴甫洛夫亦說："与方法学向前进一步並行地，我們就好像就升高了一个阶段，同时就开拓一个更寬广的水平線，可以看見从前所未見的对象。所以，我們第一个課題就是方法的完成。"在保健实踐中常可見到这种情况：在同一个市或一个县內，各个区根据統一佈置的同一保健工作任务，但結果却常不同，有的区完成了任务，成績極佳，而有的区則未完成任务，結果很坏。这是什么原因呢？最主要的原因之一，是有的区採取了正确的合理的工作方法，有的区則採取了錯誤的工作方法的結果。因此，忽視工作方法問題，保健事業的領导机关在佈置任务时不同时交代工作方法，一般保健实际工作者在执行保健工作任务时不研究工作方法，是欠妥的。在方針任务制訂后，必須有一套完整的、有效的与任务相适应的工作方法，才能胜利地完成任务。

研究保健工作的方式方法时，得先了解什么是方法，什么是思想方法及其兩者的关系：

工作方法与思想方法是一致的，要有正确的工作方法就必須有正确的思想方法。因此，要不断地学習提高自己正确的思想方法，並运用到工作实踐中去。

苏联專家Г. М. 薩波什尼可夫說："每門科学都是研究一定范圍的規律的，……任何一門科学的規律体系只能在極其有限的領域內起作用，超出了这个領域，它就不能說明任何东西了。……每門科学都有自己的对象和自己的方法。"(2)因此，各門科学的方法也是不很相同的。但是，方法儘管不同，而正确的方法，都是客观事物的規律和特点的反映，而不是主观臆造的。工作虽有不同，可是在工作中都要受思想方法的指导。

正确的工作方法，是科学的工作方法从实踐中来經得起实际考驗的，不科学的方法是經不起实踐考驗的，而且会使工作失敗。因此，工作方法要有高度的原則性同时要有灵活性和創造性。同时，还要注意各种不同方法在实际运

* 衛生干部进修学院保健組織教研組

用中的相互配合。苏联教育学家馬卡倫柯說："任何一种方法，假如我們把它單独拿来离开其他方法，离开其他体系，离开整个綜合的影响势力的話，無論那一种方法，都不能認为是好的或是不好的。"唯一的最正确的工作方法，就是羣众路線。因此，保健工作的方式方法也就是羣众路線的。依靠羣众，走羣众路線；应該根据不同的具体情況、条件及地区特点，不同的保健工作要求与对象来决定。保健工作的方法是随着人們的認識發展，医学科学的水平及保健实践的日积月累的經驗而日臻完善的，而且是不断的發展着的。以下就几个有关保健工作的方式方法主要問題进行探討。

保健工作方式方法的原則

研究保健事業方式方法的基本原則：①一切保健工作必須在中国共产党的統一領导下和党所制訂的政策方針指导下进行；②为社会主义建設服务为生产服务的原則，为六亿人民的保健需要服务，而又根据需要与可能；③根据四大衛生工作原則，尤其是主动的、积極的、創造性的执行"預防为主"的总方針；④根据"勤儉办一切事業"的原則和重点建設的原則；⑤走羣众路綫的原則；⑥社会主义建設的計划性；从实际出發，实事求是的工作态度与作風。

保健工作应根据的具体原則是：①医疗与預防相結合；②衛生工作与羣众运动相結合；③衛生行政管理与提高羣众覺悟相結合；④团結中西医与接受祖国宝貴遺产相結合；⑤提高中医与积極研究祖国医学相結合；⑥环境衛生与防疫相結合；⑦工業衛生、乡村衛生与面向生产相結合；⑧城市保健工作与面向工矿、农村服务相結合；⑨城市組織联合性保健組織与地段負責制（划区医疗制）相結合；⑩衛生宣教与文化、文艺工作相結合；⑪药材供应与厉行节約相結合；⑫建立疗养机構与統一領导管理相結合，住院疗养与管理教育相結合；⑬培养医药衛生干部与普及进修提高相結合，紅与專相結合；⑭医学科学研究与組織协調、計划相結合，与防治疾病实际相結合；⑮發动羣众与科学指导相結合；⑯專家与羣众相結合，科学技术与羣众实践相結合；⑰医学科学研究掌握"运用自己之智慧、学習別人智慧"与"發揮集体智慧"相結合；⑱"組織起来"与"团結、教育、提高改造"相結合；⑲建設保健組織机構掌握"从小到大"与"由点到面"相結合；⑳衛生業务与政治相結合；㉑領导与羣众相結合；㉒"就地取才"与"就地取材"相結合；㉓計划檢查与調查研究、統計分析相結合；㉔运用工作方法与掌握政策方針原則相結合。

研究保健工作的方法，可以归納下列五点：

（1）进行有計划有系統的衛生調查研究的方法：正确运用統計分析的方法—新开始的保健工作缺乏資料或資料不足情况不明时，就应当用衛生調查研究的方法，从实际出發去进行工作的。克服思想方法主观偏面性，因襲，硬套。企圖避免麻煩，結果招至更多的困难。因此，从事实际工作，要重視調查研究統計分析的方法。通过統計分析的方法可評价工作質量，發現有效的工作方法。因此，它是保健事業中重要工具之一。

（2）宣傳教育的方法：是人民民主国家管理体制性質的表現。这个方法在人民民主的国家里有着良好的結合基礎，由于人民不断地在政治上的进步自覺性和紀律性的提高，自願履行人民法令及人民保健事業的义务，一切保健工作应建立在羣众自覺自願的基礎上。

"所謂教育的方法，並不仅是指的通过語言、文字及直观教育材料等去向羣众講清道理。此外，还要善于应用具体的事实和帮助来向羣众进行說服教育。因为羣众是耳聞不如目見的，他們更多地相信事实。"因此，从事保健組織活动的实际工作者，必須重視衛生宣教工作是保健工作的尖兵。

"——这是中国的特点，給予人們最深刻的印象。他們沒有时間等待具有現代化設备的房屋的建造。因此他們就在現有的条件下进行衛生宣教工作。經驗証明这样作是完全能解决問題的，至少在今日的中国是如此的。"(3)这就是国际上給我們对衛生宣教工作的估价。

（3）培养与运用积極份子：运用創模立功（个人、集体），給奬（奬旗、奬章、奬狀等）、表揚、評比等方式，使在进步中消灭落后現象，使良好的成果繼續得到巩固与發揚。1952年度爱国衛生运动評选的全国衛生模范名單中有：單位模范北京、南京、青島等城市、乡村、工厂、鉄路、机关、学校、部队共89个，个人模范有眷大媽、潘月仙、張公制等共62个人，即是范例。最近1958年1月初北京市召开了八千人的爱国衛生运动"除四害、講衛生、消灭疾病"的竞賽报捷大会，培养了許多"四無"單位，推动了北京市以致由此而影响了全国的爱国衛生运动的进步，走向新的高潮。

（4）科学的方法：列宁說："沒有革命的理論就沒有革命的行动"。良好的工作方法必須有科学的指导，經过实踐考驗。

（5）領导亲自动手取得經驗指导实踐：領导某項工作的正确开始，正常健康發展和完滿結束，領导者身临其境，取得經驗，找到規律和总結經驗。同时領导者經常研究和学習中央政策方針找寻新的工作方法，吸取羣众的經驗使工作取得更大的成績。

保健事業具体的組織方式与方法

保健工作的具体方式方法是很多的，这里想探討目前我国几个具体的組織方式与方法。

（1）正确地运用一切医药衛生团体"組織起来"的方式方法：把一切对保健事業有用的力量組織起来，發揮其积極性。

列宁曾經說过，为了有效的管理，必須善于"……实际組織起来"。毛主席在1943年11月29日曾發表了"組織起来"的專論，其中强調了組織羣众力量的問題，他說："把羣众力量組織起来，这是一种方針。还有什么与此相反的方針沒有呢？有的。那就是缺乏羣众观点，不依靠羣众，不組織羣众，不注意把农村、部队、机关、学校、工厂的广大羣众組織起来，而只注意組織財政机关……的一小部分人；……这就是另外一种方針，这就是錯誤的方針。"又說："……無論在什么問題上，一定要能同羣众相結合。……一生一世坐在房子里不出去，不經風雨，不見世面，……对于中国人民究竟有什么好处沒有呢？一点好处也沒有的，……中国人民中間，实在有成千成万的'諸葛亮'。每个乡村，每个市鎮，都有那里的'諸葛亮'。我們应該走到羣众中間去，向羣众学習，把他們的經驗綜合起来，成为更好的有条理的道理和办法……。"[4]这是保健事業也应当遵守的指示。

我国保健事業中，已有效地組織了各种医药衛生团体、中华医学会、中国药学会、衛生工作者协会、中医学会、中华护士学会、爱国衛生运动委員会、各地地方病防治委員会、全国血吸虫病防治研究委員会、各地行業衛生委員会、防痨协会等。这些团体是保健事業的有力支柱。

为了更好地开展人民保健，尙須依靠各种羣众团体和机关。例如：城市公安部門（环境衛生、出生死亡人口統計的配合），民政部門（医疗救济等工作），城市建設、公用事業（衛生工程建設、城市衛生設施規划等配合），农林、水利部門（农林衛生、地方病防治、除四害、林垦区衛生工作等配合），工商部門（配合衛生店場、药業的管理），文教文艺部門（学校衛生、衛生宣教的配合），劳动部門（劳保安全衛生工作配合），貿易、进出口公司（药材进出口管制、市場药材調节配合），法院（法医学鑑定、监獄衛生），工業部門（工業衛生），交通部門（交通檢疫、交通衛生）……等等；以及依靠工会、民主妇联、共青团、科联、科普、体协……等組織共同进行羣众性保健工作。在进行工作中相互支持配合，相互尊重，主动配合。希望人們尊重与帮助，首先必須尊重与协助別人，以免孤軍作战。

（2）羣众性的衛生运动：周总理在第二届全国衛生会議上指示："衛生工作与羣众运动相結合"，这一指示在实踐中証明是完全正确的。爱国衛生运动的經驗証明，羣众性衛生运动的巨大作用是發展保健事業的有效方法。將衛生科学經过羣众运动在羣众中普及的好方法。我国保健設施的基础还很薄弱，保健部門的力量还很有限，所以必須依靠羣众性衛生运动来达到普遍提高人民的衛生水平。

羣众性爱国衛生运动的广泛性、普遍性与經常性，其目标是以除四害为中心来消灭疾病：羣众性衛生运动可分为广泛性、全国性（如爱国衛生运动、消灭四害衛生运动）、局部性、地区性或專業性衛生运动，（上海的"七無"运动，灭釘螺运动等）。凡是羣众运动必須是有正确的政策指导的。在羣众运动中，經过一次接着一次的全国規模的爱国衛生运动，人民的衛生習慣文化水平就得以逐步提高。这个运动已經發生了作用，使得由于傳染病而引起的死亡率和發病率大为減低了。

爱国衛生运动組織的方法是:

1） 准备与口号确定中心要求，拟訂計划:

确定口号: 明确而簡短，通俗而有号召力，使有明确方向。

口号要符合羣众要求，适合当前情况，解决当前問題，能做到不是空話，有科学性，結合反迷信反封建的斗爭。例如为了消灭乙型腦炎提出的:"翻盆倒罐，堵树洞"的灭蚊口号。爱国衛生运动中有很多具体而有力的口号，如"人人动手，戶戶动員，講究衛生，消灭疾病"；"全民奋起，灭絕四害，移風易俗，改造国家"；"領导督战，全面搜索，鼠雀蚊蝇，碎骨粉身"；为創造"千百个'四無'机关；'四無'工厂，'四無'医院，'四無'学校而斗爭"；"五年內把上海变成一个徹底的'七無'城市"；"人人动手除四害，家家动員講衛生"；"家家無蝇、戶戶無鼠"，"講衛生、爱国家"，"清潔光荣"，"除四害"、"見蝇就打，見髒就扫"，"干干淨淨过春节"，农村"八淨"(孩子、身体、鍋碗瓢盆、屋內室外、院子街道、厕所、鸡窩、猪圈牛欄)，"机器都洗澡，工厂大翻身"(工厂中提出)……。"把首都尽早变成四無城"的行动口号，逐漸發展为"一定要把首都变成四無城"的有力的行动口号。任何具体的口号，並不是到处都可以适用的。

2） 反复动員与大力宣傳，層層打通思想、段段佈置工作是使运动取得良好成效的关鍵。要使人人認識清楚，个个任务明确。大力宣傳和普訓骨干与积極份子。

3） 檢查与評比是巩固运动成果的环节。运动發展是不平衡的，地区、單位、村与村之間，在檢查中發現不平衡原因，协助薄弱环节。培养典型、推动全盤。

(3) 医疗与預防如何統一起来的組織方法: 有步驟有計划的根据我国具体情况，开展个人預防与集体預防。在城市、工矿实施苏联先进的医疗与預防相結合的防治方法(逐步組織城市乡村的系統防治观察，繼續推行与巩固車間医师負責制等)。推广、总結提高划区医疗制的已有經驗，以便逐步过渡到医疗地段服务制。研究如何在大中小城市中推行这些优良的医疗与預防相結合的制度，尤其是中小城市中怎样創造与利用有利条件来实施划区医疗服务制的經驗。

从医疗工作着手开展衛生防疫工作。这在新开辟地区及过去無医無葯、缺医缺葯的偏僻农村山区或少数民族地区，从医疗着手是推进其他保健工作的一条紐帶，是开展保健工作中联系羣众的桥樑。在医疗工作的基础上逐步提高羣众的衛生防疫的水平，注意到羣众的可接受性。

必須注意建立"重点"單位，做到"層層有基点，事事有样子"。进行任何新的工作，要求能在基点先走一步，吸取經驗，推动全面；这样就可轉变一般化的領导作風。領导者应当在实际上把"基点"作为領导工作的基本陣地。可是，"基点"能否建立，"选点"又是决定关鍵。"点"是必須經过培养才能起作用的。[5]

建立基点工作可以解决:"深入工作、發現問題、創造經驗、树立榜样、貫徹政策和培养干部"等几方面的問題。

根据本地区保健事業上所需解决的若干問題，分別建立基点(典型)。一方面照顧到不同性質以培养不同典型——工業衛生(車間医师制)、医疗預防(如划区医疗或医院管理)、衛生防疫(衛生防疫站或对某种流行病的消灭方法)、血吸虫病防治，农村基層保健組織(山西稷山县农業社保健站)……等。

运用綜合性預防活动推进人民保健事業。將各种有利于防治疾病的方法都应用于預防措施的实踐中。在消灭某种流行病中則三个环节(傳染源、傳播途徑、居民感受性)都考慮到: 为了便于明了起見，現拟制一表式如下:

人民保健事業的預防活动:

(1) 改善外界环境方面的衛生措施:

1） 由各不同的主管机关和組織的相互配合而实現。

2） 由法律加以保証，制訂有科学根据的衛生法規。

3） 衛生防疫部門监督有关衛生法規的执行。

4） 动員居民积極参加改善环境衛生，食品衛生工作。

5） 目的是創造各种条件，消灭急性傳染

病，創伤，維生素缺乏症，中毒症，职業病等的致病因素。

（2）进行特殊的預防措施：

1） 預防个別的流行病，消灭疾病的疫源地。

2） 这些措施主要由衛生防疫机構，衛生防疫站实施。

3） 广泛吸收医疗預防机構参加配合。

（3）預防最重要的非流行性傳染病及特种疾病：

1） 包括結核病、性病及其他有危害意义的疾病，如癌腫、風湿病、心臟血管系統疾病及神經性疾病。

2） 这些疾病的預防，取决于預防方針的發展和社会条件以及保健事業的水平。

3） 由全部普通的和專門的医疗預防机構網、防治机構，疗养机構並吸收衛生防疫机構的参加而实現。

（4）系統的观察全体居民的健康狀态与体格發育和保証其合理的体格鍛練：

1） 首先照顧兒童及青少年。

2） 完成这任务起主要作用的是妇幼保健机構和指导体育运动的組織。

3） 門診机構对兒童健康的积極观察。

4） 包括系統地观察托兒所，幼兒园，小学校的兒童健康，对准备入伍者服兵役者，青年工人的体格發育和健康的医学监督。

5） 对从事体育和运动者詳細的医学监督。

（5）运用实驗研究和化驗分析的方法提高預防活动質量：

1） 現場实驗研究。

2） 实驗室实驗研究。一般的实驗方法和特殊的实驗方法。

3） 組織实驗研究的成果推广。

4） 用化驗分析方法以發現証实具体業务技术性的問題。

（6）运用总結提高及其他研究方法以提高預防活动的質量，尤其应用統計分析的研究方法。

結　語

保健工作的方式方法，是保健事業中不可忽視的問題。

本文重点的討論了研究保健工作方式方法的一些原則問題，提出了个人的看法，对爱国衛生运动作了重点的討論。

参 考 文 献

1. 毛澤东，关心羣众生活、注意工作方法，毛澤东选集第1卷133—138頁，1952.
2. 薩波什尼可夫，Г. М. “馬克思主义辯証方法对科学工作的意义”，北京大学学报，人文科学，1月号，1956.
3. “新中国保健事業和衛生运动之备忘录”（調查在朝鮮和中国的細菌战事实国际科学委員会报告書附件42）1952.
4. 毛澤东，組織起来，毛澤东选集第3卷，951—958頁，1953.
5. 陈彬，迎接新的建設任务，認眞做好“基点”工作，解放日报10月29日1953.

全国医院工作会議的重大意义

刁 業 純*

医院是复杂的科学技术部門，它综合医学科学的最新成就，应用着各种各样的方式方法，以达到迅速恢复病人健康的目的。因之，医院一向被認为是人类向疾病作斗爭的重要工具。然而在阶級社会里，医院並不能眞正完全地为广大劳动人民服务。剝削阶級使医院为自己服务，有时也利用了医院去緩和阶級对立的矛盾。在資本主义国家里，医院更發展为营利和剝削人民的商品。只有在消灭了阶級和剝削的社会主义国家里，医院才为劳动人民所掌握，为劳动人民服务，並把医院建設作为社会主义建設的組成部份，使医院获得了空前的發展，使医院眞正發揮了消灭疾病保障人民健康的重大作用。苏联、各兄弟国家和我国的建国經驗都有力地証实了这一点。

解放八年多以来，我国医院工作在党和人民政府的重視和关怀下，有了迅速的發展和提高，迄1957年底全国已有医院四千余所，病床276,000余張，比解放前最高年度增加了近四倍；医院工作人員已增加到32万多人。医院工作人員通过各种社会运动和政策理論学習，政治思想上有了很大提高，逐步树立了为人民服务的观点。医院管理制度有了很多改进，学習苏联医学科学和医院管理經驗获得很大成就，在繼承祖国医学方面也有了良好的开端。医疗質量和工作效率均已有显著的提高，仅1956年一年就完成了三亿多人次的門診和五百多万住院病人的診断和治疗。並在防疫、救災、抗美援朝和开展少数民族地区的衛生工作方面，都發揮了重大的作用，有力地保証和配合了国家的經济建設。成績是巨大的。

不过在医院工作当中也还存在着一些問題，譬如：还沒有很好地貫徹勤儉办医院的原則，尤其在城市医院的基本建設和設备上求大求新求全，盲目追求現代化的趋向是严重的；在医疗工作当中使用貴重药品和进行不必要的檢驗过多，病人伙食标准偏高，造成医院收費标准高，严重地脱离实际，脱离了人民的生活水平。根据全国十五个城市的統計，一般城市医院，病人每看一次門診平均要花費1.29元，住院一天平均要花費4.59元；县医院門診一次0.94元，住院一天2.79元；而現在全国每一个农民的全年平均收入只有60—70元，以致虽然国家为补貼医院付出了大笔的开支，而医院病人严重的欠費情况仍然長期得不到解决。其次是在医院管理制度和工作人員作風方面，有的是缺乏全心全意为病人服务的思想，往往有些制度是从工作人員的方便出發，而不是为病人着想。例如，門診病人一次只許看一个科，非急診不得轉科，医院門診时間和其他部門的上下班时間完全一致，病人非耽誤生产或工作不能看病；住院病人不管有沒有發热，一律每四小时檢体温一次，給病人帶来很多的麻煩和不安等等。另外，医院工作中为病人服务和保护病人的思想还很不够，隔离消毒制度不严格，医疗常規制度不健全，以致院內交叉感染和能够避免的事故差錯还比較普遍地存在着。

党的八屆三中全会上，周总理提出的今后医院工作的总方針应当是：

（1）为六亿人民服务，城乡兼顧。扩大門診，举办簡易病床。

（2）扩大預防，以医院为中心指导地方和工矿的衛生預防工作。医院和疗养院逐步交給地方統一管理，党的工作一律交給地方領导。

（3）降低医院和疗养院的設备标准，适当降低葯品价格。劳保医疗和公費医疗实行少量收費（門診、住院和葯品），取消一切陋規（如轉地治疗由医院开支路費，住院病人外出由医院开支車費等），节約經費开支。

（4）改革医疗制度，便利人民就医（如实行上午、下午和晚上三班門診制度），加强医务人員教育，树立为人民服务的医疗态度。

---

* 衛生干部进修学院保健組織教研組

(5) 私人診所,不易过早过急地实行联营。

为了貫徹三中全会精神、解决医院工作中存在的主要問題,衛生部于1957年12月2日在北京,以整風的精神,羣众大辯論的方式,召开了全国医院工作会議。会上細致深入地討論了衛生部的兩大报告即:"勤儉办医院,树立全心全意为人民服务的医疗态度"及"关于医院政治工作几个問題的初步意見"。

在討論中代表們批判了过去在办医院中的鋪張浪費,伸手要錢,張口要干部,和兄弟医院比建筑、比人員,向大城市医院看齐的錯誤思想。一致認为勤儉办医院不是技术問題,而是建設社会主义祖国所必須走的道路問題,是在医院工作中貫徹階級路線的問題,是徹底解决医院为誰服务的問題。勤儉的意义是积極的發揮潛力,使人尽其才,物尽其用,少花錢,多办事,而且要把事情办好,不是消極的少花錢、少办事。勤儉办医院,並不意味着医院不要發展,而是要研究如何更好的發展,如何在和人民生活水平相适应的情况下發展。勤儉的儉是該儉的儉,並非一切从儉。病人住房和伙食等生活标准可以降低,必需的治疗和用药不能減少,必須保証医疗質量。因之,勤儉办医院和提高医疗質量以及向科学进軍毫不矛盾。而在科学研究工作方面,只是要把科学研究工作摆在适当的位置上,即科学研究工作必須是在为病人服务的前題下进行。

在医院管理制度方面,代表們認为必須貫徹为六亿人民服务和从病人利益出發的观点,現行医院制度必須作进一步的改进。首先要加强門診工作,实行三班門診制度,並推广簡易病床。实行三班門診制度(上午、下午和晚上三班門診)不仅仅是簡單的方式制度的改变,而是一种革命的措施,意义是重大的,因为这种制度扩大了医院門診,有利于生产建設,充分發揮了人力物力的作用,並且还可以提高医疗質量(高級医师出門診能及时解决疑难病症;各科之間会診及时,便于早期确診、早期治疗);而簡易病床(簡單易行的,生活及住房标准較低的病床)的推广,就可以迅速扩大医院病床容量,滿足部份迫切需要住院病人的治疗要求,而較低的接近人民生活水平的收費标准,就可以使广大劳动羣众有能力住进医院治疗,同时也使国家不至于在优先發展重工業的方針下,过多地投資于文化福利事業,並且还可以緩和医务人員跟不上病床發展之間的矛盾問題。

总的来說,医院工作会議解决了医院工作中最根本的問題——明确了医院工作的方針——解决了根据什么办医院(根据人民的生活水平和需要)和如何办医院(勤儉办医院,树立全心全意为人民服务的医疗态度,以及加强党在医院工作中的領导和监督)的問題,这就为办好社会主义性質的医院打下了坚固結实的思想基础。事实証明,会議以来全国已有不少省市的医院在整風运动边整边改的高潮中,改革了門診制度,推广了簡易病床,受到了广大羣众的欢迎和讚揚,並且正在和其他部門一起,轟轟烈烈地开展反浪費的节約运动,可以預期不久的將来,医院工作面貌將会迅速改观,成为眞正社会主义性質的全心全意为人民服务的医疗預防机構,为消灭疾病和保障人民健康發揮出更大的作用。

参考文献

医院工作会議兩个大报告。

医院工作应进一步面向病人(載中华医学杂誌1958年第1期)。

內蒙人民保健事業發展簡史

李 俊

解放前的衛生狀况

內蒙古在解放前和其他各省或其他各少数民族地区一样，長期以来就遭受着封建統治阶級、帝国主义和国民党反动派的蹂躪、剝削、压榨，因而农牧業生产極其落后，人民生活極度貧困。特别是由于反动統治者对人民的健康漠不关心，对医疗衛生設施毫不过問，以致人民衛生狀况非常惡劣，各种傳染病長年蔓延不休，广泛地摧殘着人民的生命与健康。

例如鼠疫，解放前在內蒙地区几乎每年都有流行，据不完全的統計，由1928年至1946年解放前夕的18年中，就曾在13个旗、县和610个村屯中流行过。發病人数經初步統計即在20,956人以上（表1），当时各年死亡的人数虽無詳細記載，但仅据1934年在395个鼠疫患者中即死亡271人，可見各年死亡的人不在少数。性病对內蒙人民的威胁尤为严重，根据解放后在部分地区的調查了解，牧区性病患病率最高（特别是梅毒患病率），危害亦大，仅呼倫貝尔盟的四个牧業旗，在1950年至1953年于163,301人中檢查的結果，其中就有性病患者78,337人，發病率高达47.2%（表2）。按民族說蒙族發病率为47.2%，汉族为5.7%（表3），由此可見旧社会遺留下来的性病对蒙族人民的危害是何等严重了。

表1 1928—1946年內蒙古鼠疫流行情况

年 度	流行面积	流行时間（月）	發病人数	死亡人数
1928—1929	109个村屯	（不詳）	1,972	（不詳）
1933	4个县	（不詳）	1,643	（不詳）
1934	35个村屯	4—6个月	395	271
1935	18个村屯	1—11个月	217	（不詳）
1936	9个村屯	4个月	77	（不詳）
1937	20个村屯	7—11个月	650	（不詳）
1938	35个村屯	5个月	1,091	（不詳）
1939	19个村屯	6个月	673	（不詳）
1940	54个村屯	6个月	1,720	（不詳）
1941	75个村屯	4个月	1,658	（不詳）
1942	9个旗县	（不詳）	1,046	（不詳）
1943		（不詳）	2,980	（不詳）
1944	60个村屯	（不詳）	1,560	（不詳）
1945	92个村屯	（不詳）	2,540	（不詳）
1946	84个村屯	（不詳）	2,734	（不詳）
計	13个旗县，610个村屯		20,956	

表2 性病發病率的情况

	檢查人数	發病人数	發病率(%)	备考
牧業区	163,301	78,337	47.20	1950—1953年間在未經治疗地区的檢查結果。
半农半牧区	59,947	5,200	8.70	1956年間在未經治疗地区的檢查結果。
农業区	11,318	546	4.82	1956年間在未經治疗的重点地区檢查結果。
城市	6,139	437	7.20	1956年間在未經治疗的重点行業中檢查結果。
計	240,705	84,520	35.11	

表3 蒙汉族性病發病率比較

	檢查人数	發病人数	發病率(%)
蒙 旗	163,301	78,337	47.2
汉 族	18,453	1,053	5.7

医疗衛生机構在解放前虽然在部分較大的城市和个别的旗、县亦有設置，但都是破爛不堪，殘缺不全，且亦並非为了人民而設置。例如原內蒙地区的几个城市（如通辽、海拉尔、滿洲里、烏蘭浩特、扎蘭屯等市）在日偽时期均有医院的設立，可是这些医疗机構又是完全为了日本人或伪滿官吏所御用，而人民羣众却很少能問津。至于个别旗、县所設的衛生院所又因缺医少葯，根本不能解决問題，事实是形同虛設，徒具空名。原綏远地区在解放前的医疗衛生机

構更是寥寥無几，全省只有公立医院三所、县衛生院一所，当时蒙綏兩地不过共有綜合医院九所、旗县衛生院所四所，全部病床仅277張。在公立机構中的衛生技术人員是314人，連同行政人員亦仅358人。私人开業的中西医为数亦很少，仅有380多人而已，且这些机構与人員又多集中于城鎮，很少接近羣众。因此广大的农牧区人民有了疾病不是請喇嘛念經祈禱，便是讓巫医求神治疗，除此而外，則是听之任之，坐以待斃。妇女們因生育上得不到合理的助产或产后得不到适当的处置，因而母子同时死亡的慘狀更是司空見慣。因而，內蒙人民、特别是蒙族人民在解放前人口衰退的景象，实为不忍。据有些文献記載呼倫貝尔盟陈巴尔虎旗在20年前曾有巴尔戗人7,000人，到解放前只剩4,072人；錫林郭勒盟在清末有84,000人，到1936年仅剩36,000人；伊克昭盟在清初約有400,000人左右，到1949年所剩不足80,000人。蒙族人口下降的原因固屬很多(如因宗教关系男女不結婚等)，但由于疾病死亡的慘重确是重要的因素之一。解放初期經在呼倫貝尔盟陈巴尔虎旗和东新巴旗調查，有的村屯竟看不到15岁以下的兒童，这就是旧社会所造成的恶果，所給予內蒙人民的悲慘命运！

解放后在保健事業上所取得的成就

1947年內蒙古自治区人民政府成立后，中国共产党和人民政府根据当时內蒙的实际情况与人民迫切的要求，遂即提出了"人畜兩旺"的方針，大力改进了各族人民的經济文化生活。与此同时区內的全体衛生工作者，在党和政府的領导下，则和全区人民一道为改善人民的健康狀况、向威胁人民健康最严重的疾病进行了坚决的斗爭，在斗爭中各項衛生事業也就从無到有、从小到大的得到了迅速的發展。玆將解放后十年来在保健事業上所取得的重大成就分述于下：

（1）对危害內蒙人民最严重的几种疾病的防治。由于鼠疫長期以来就威胁着內蒙各族人民，故自治区人民政府于1947年成立后，首先將防治鼠疫列为中心任务。防治鼠疫工作大体上可分为兩个阶段：第一阶段是由1947年开始至1949年底，在这一阶段主要是以扑灭猖獗流行于人間鼠疫为重点。內蒙地区的鼠疫流行史甚長，从1901年發生后，几十年来則始終很少中断流行。1945年日本帝国主义的关东軍潰退及国民党反动派向解放区的进攻，因而更給人間鼠疫的大流行造成了有利的条件。在1947年自治区人民政府成立之初亦正是疫情日趋熾烈之际，这样就使当时的解放战爭与人民的生产受到了严重的影响。人民政府成立后，党政負責干部亲自領导了該項工作，並由党委發出了"扑灭鼠疫、搶救生命"的指示，同时又提出了"發动羣众、依靠羣众，把防疫工作变为羣众性工作"的工作方法，当时除將所有医务人員投入防治工作外，还动員了軍政人員約700余人亦参加了此項工作。1948年更明确的决定以"防鼠疫、打仗与生产並列"为三項中心任务，由于党政領导的重視与关怀，大大提高了羣众向鼠疫災害进行斗爭的信心。衛生部門在此时期內，集中力量建立了傳染病院、防疫队、組織了羣众性的基層防疫机構，着重的进行了檢診、隔离、搶救治疗，以及其它各种預防工作。截至1949年底已控制了人間鼠疫的流行。从1950年开始，防鼠疫工作由扑灭人間疫情轉入向动物間鼠疫进攻的阶段，此亦为第二阶段。这个时期是以"有計划的搜索动物間的病灶，控制鼠疫于鼠間"为斗爭的目标，其具体办法主要是發动羣众貫徹了預防性措施，即灭鼠、灭蚤、預防注射与檢索疫源等綜合性措施。灭鼠是防鼠疫工作中的重要一环，当时採取了由里向外、由近及远、保护村屯、防止家鼠交竄等办法。1950年原內蒙曾动員了988名脫产人員和18,334名不脫产人員参加了灭鼠工作，一年中即捕鼠14,153,313只。1951年原綏远地区亦展开了灭鼠工作，全年灭鼠1,225,000只。1952年原內蒙灭鼠18,905,930只，綏远捕鼠1,922,345只。1953年仅綏远一省即捕鼠485,812只。1954年蒙綏兩地区合併后全区共捕鼠6,670,316只。1955年捕鼠4,590,000只。1956年通过除"四害"在全区范圍內进行了54,107平方公里的毒鼠工作，在603,718間房舍內进行了葯物杀鼠，此外尙积極的开展了堵塞鼠洞工作，由于大力开展的結果，因而使鼠洞的密度降低。根据1956年在部分村屯的調查，家鼠鼠洞密度已由每百間房子27—84个降低到0.6—11.8个，通辽市平均每百間房子仅有鼠洞0.2个，昭盟在10个旗、县中出現了710个無鼠的村屯。灭蚤工作由1948年开始，先是以羣众所慣用的方法为主，經过广泛推行后，在历史疫区的羣众对燒、燎、抹、垫則变成了日常習慣。1950年又开始进行了药物灭蚤，採取了鼠洞与环境灭蚤兩种办法。1951年綏远曾在2,312个房間內进行了灭蚤。1953年仅哲盟一个地区即在六个旗、县境內进行了837,103个房間和60,350个鼠洞的灭蚤工作，同年綏远亦在87,693个房間进行了灭蚤工作。由1954年至1956年在各个流行过的鼠疫地区每年均进行了1—2次的药物灭蚤。据不完全統計三年共进行了1,507,544房間次和村屯內的1,627,452个鼠洞的灭蚤工作。內蒙地区溝鼠寄生的印度蚤在以往未开展灭蚤时每于七八月間其指数可达到鼠体蚤指数2.29—7.5，游离蚤指数每平方米为20—25，但經过几年来的大力灭蚤，于1956年底疫区城乡的鼠蚤指数几接近于零，这样就有力的切断了鼠疫傳播的途徑。在城鎮和交通要道每年均积極的开展鼠疫菌苗的注射。根据不完全的統計：1950年蒙綏兩地注射553,183人次；1952年注射1,088,449人次；1956年注射1,400,000人次，由此增强了社会免疫力。疫源的檢索工作是从1950年开始的，經过巡索調查，先后發現許多鼠間疫点。由于疫源檢索范圍日漸扩大，逐步弄清了疫源地区，因此为控制鼠疫于鼠間就創造了有利条件。此外在工作的过程中对技术的提高始終受到極大的重視。例如，原来判定鼠疫需时90小时，現在仅24小时內即可判定；鼠洞吸蚤器与三用薰蒸器經研究創造后，对檢蚤与消毒工作均起了很大作用；对于鼠疫患者的治疗效果也有了显著提高。从1953年始治愈率即达90%以上，因而解除了过去死亡率过高的威胁。几年来由于採取了上述种种措施，鼠疫發病人数和死亡人数即逐年有了显著下降，如以1947年發病人数与死亡人数均以1,000計算，則1955年底發病人数即下降到0.48‰，死亡人数下降到0.41‰，至1956年底人間鼠疫再未發現（表4），这是內蒙多少年来第一次出現的新情况。

表4 鼠疫發病率与死亡率降低情况

	1947	1948	1949	1950	1951	1952	1953	1954	1955	1956
發病率(‰)	1.000	107.50	13.60	0.93	1.89	0.52	1.37	2.85	0.48	0
死亡率(‰)	1.000	111.30	12.70	0.93	1.35	0.25	1.56	1.86	0.41	0

1949年在"防治鼠疫，兼顧其它傳染病"的方針下，也着重的防治了一些其它傳染病，如天花、伤寒、副伤寒、斑疹伤寒、痳疹、赤痢等。由于大力开展了接种牛痘工作，所以在1952年基本上消灭了天花；伤寒、副伤寒已逐渐减少，斑疹伤寒1956年發病人数为1947年的2.1%；对痳疹和赤痢的防治也取得了很大成績。

布氏桿菌病由1953年开始进行了流行病学調查和防治工作，至1956年經初步了解，全区11个盟、行政区、市均有人畜間的病例發現。根据內蒙古布氏桿菌病防治所在兩个盟、六个旗、县中的56个村屯和三个国营牧場的調查，人間患病率平均在10%左右，严重的地区高达36%；牛羊感染率平均为20%，严重者达50%。現估計全区約有布氏桿菌病患者10万人，家畜約有200—300万头。該病严重的情况既屬如此，所以1956年自治区党政領导即及时的提出了"对于我区布氏桿菌病，必須立刻組織起各方面的力量予以坚决的控制与扑灭"的要求，衛生部門遂即採取了以下具体措施，即：首先在各盟、行政区、市均設置了布氏桿菌病防治委員会，俾便統一領导各地区的防治工作；其次把布氏桿菌病防治工作列为各地区首要任务之一，並要求各級医疗預防、衛生防疫單位积極的、全面的开展預防和治疗工作；再次决定在各級衛生防疫、鼠疫防治、性病防治等机構內設立布氏桿菌病防治科(組)，負調查和預防之責，各級医院、衛生院、門診部、中蒙医院、联合診所以及个体开業医共同負責治疗的任务，並决定凡是布氏桿菌病患者均給予免費治疗。經此措施执行后，仅在1956年內即完成了3,000名患者的治疗任务，使許多患者恢复了健康、投入了生产。此外广泛的进行了羣众性的預防教育，对放牧、接羔等人員普遍給予防治常識的学習，这对防止感染上亦起到了很大作用。

因为內蒙古地区的性病对各族人民危害最深，在1949年当人間鼠疫得以控制后，遂即抽出一部力量轉入了防治性病工作。1950年成立了性病防治專業机構，首先进行了試点治疗。1951年确定以"扩大防治面积，縮小感染范圍，迅速完成普治一遍"为性病防治工作的对策，並根据这一要求不断的扩大了專業机構，採用普查普治的方法，以傳染力最大的初期梅毒、急性淋病为重点，以嬰幼兒童、孕妇、青壯年为主要治疗对象。截至1956年底共在46个旗、县內普查了406,087人，治疗了101,551人（表5）；其梅毒的治愈率根据部分地区調查是72.92%（表6），临床症狀絕大多数均已消失。这样就大大的削弱了性病对內蒙人民的威胁，促进了

表5　　历年来性病防治情况

	1950	1951	1952	1953	1954	1955	1956	計
檢查人数	3,840	32,807	117,534	36,415	8,884	823	205,784	406,087
治疗人数	1,707	14,701	44,916	17,934	834	214	21,245	101,551

註：1. 治疗人数仅指初治人数，复治者未包括在內。

2. 由1953年始原內蒙改用長期間歇疗法，原綏远仍采用青霉素短期疗法；自蒙綏合併后由1954—1955年均改用了長期間歇疗法，因此檢查与治疗人数均有遞減之勢。1956年后停止間歇疗法仍采用了青霉素疗法。

表6　呼盟陈巴尔虎旗驅梅疗效观察

方法	治疗人数	观察人数	血清轉陰情况		血清仍呈陽性情况	
			人数	%	人数	%
青霉素疗法	305	244	184	75.4	60	24.6
青铋剂疗法	101	81	53	65.4	28	34.6
計	406	325	237	72.92	88	27.08

註：治疗后采經过12—15个月的观察所得的結果。

生产。性病防治工作的組織方法是根据牧区人民的居住和流动性等客观情况而决定的，从一开始專業机構即採取了流动的工作方法，治完一区再治一区，由点到面循序而进。在檢查时又因地制宜的採用了檢治並行与先檢后治的兩种办法，前者是在居民集中，居住較近，無季节性限制的地区所适用，农区、半农半牧区或城鎮多採用此种办法；后者适用于居住分散、交通不便的地区，故牧区多採用此种办法。为了加强性病防治工作的組織領导，确定凡是开展性病防治工作地区均須把該項工作列为当地中心任务之一，由当地党政統一領导，並負責發动羣众、动員羣众、向羣众进行宣傳教育，基于这种措施的实行，所以对順利开展性病防治工作就得到了有力的保証。性病的診断与治疗是防治性病的重要关鍵，七年来在这些問題上亦曾进行了多次的研究与改进。診断上在剛开始工作时多偏重于血清的檢查，因之血清反应的判定正确与否就成了当时技术工作上的重要問題之一；1953年以前驗血多採用康氏沉淀試驗一种，以后則要求沉淀試驗与补体結合試驗相对照。从1954年以后，不仅要求血清檢驗要做到确实可靠，而且也强調了病史、体征、实驗診断的重要，如此即有效的克服了誤診誤治等情事，1951年間誤診誤治率高达10%左右，至1955年則降到1—2%，1956年后則再未發現。在疗法上力求避免中断治疗，为使患者能够坚持治疗，保証按疗程按剂量完成治疗，因此凡是治疗者，不仅給予免費；而且对其治疗期間的劳动生产亦由行政上給予必要的照顧。根据1956年普遍复查的統計，經过治疗后牧区的發病率平均为18.4%，較1950—1953年的發病率降低了28.8%，現有病人中急性淋病与早期梅毒已屬罕見，嬰幼兒童中的先天梅毒也已显著減少。个别地区在1951年檢查时，4岁以下的兒童血清反应陽性率为23.7%，5—15岁的兒童为22.9%，在1956年复查时分別降至3.1%和5.2%。

克山病在內蒙的部分地区也严重地威胁着人民的生命与健康。根据1950年在呼盟的东

三旗16,404人中檢查的結果，患該病者佔20%以上，为此特于同年成立了克山病防治队一队，对該病进行了积極的防治工作。几年来在克山病發病較严重的地区共建立了急救組76个，培养急救員7,950名，这些組織和人員曾配合事業机構担任了重要的巡廻檢查、簡易防治和危重病人的搶救工作，因而使克山病發病与死亡人数逐漸有了下降，如以1950年發病与死亡人数均以100計，則1956年底發病率已降到了1.89%，死亡率亦降到了3.45%（表7）。

表7 克山病發病与死亡率的情况

	1950	1951	1952	1953	1954	1955	1956
發病率（%）	100	3.442	26.024	35.456	12.048	4.819	1.893
死亡率（%）	100	3.458	29.310	9.770	9.194	6.896	3.458

（2）妇幼保健工作：从1950年开始在个别地区經过重点的調查后，进一步了解了妇女兒童疾病的严重狀况，特别是因旧法接生和兒童保温、营养不良而招致的疾病与死亡尤为突出。根据1950年統計，农牧区新生兒的破伤風病死率是50%；在烏蘭浩特市1,189名新生兒中死于破伤風者佔42%；牧区保温不好致使嬰兒死亡的也很多，如西联旗新生兒因保温不好引起死亡者佔30%。根据上述情况，妇幼衛生工作确定以推广新法接生、改善孕产妇和嬰幼兒的衛生为主，並經过重点推行、广泛开展与整頓巩固各个阶段，逐步的开展了各項工作。在工作的步驟上首先是开展了宣傳和訓練干部、建立机構而着手的。七年来曾在广大的农村、牧区、城鎮中利用各种机会与各种方法进行了妇幼衛生的宣傳工作，通过宣傳教育使广大羣众提高了衛生知識，改变了过去不講衛生的習俗，牧区不允許妇女在蒙古包內生产的風俗得以扭轉，农村产妇喝米湯的習慣也有所改变，特别是农牧区妇女对月經处理的問題有了很大进步。过去妇女月經来临时均以爛毡片破皮毛做墊子，現在多是使用"衛生月經紙"，尤其是牧民中的妇女使用的尤多，約佔80%以上。結合宣傳工作，在广大面积上普遍訓練了旧产婆和培养了新法接生員，建立了接生站与組織了联合保健站，到1956年底全区共訓練与培养了接生員26,556人，建立接生站2,684处，达到了乡乡有接生站、社社有接生員。此外还培养了初級妇幼保健員883人，建立了联合妇幼保健站28处（表8），並在中等衛生專業学校訓練了助产士500人，成立了城乡公立妇幼保健所、站182处（表9、10），各綜合医院内均設置了妇产科与小兒科。由1953年又开始設立了自治区妇产科医院一所，使之成为全区的妇产科技术指导中心。1953年根据"整頓巩固、重点發展、提高質量、稳步前进"的方針，对妇幼衛生机構进行了整頓編併，輪訓了接生員、保健員，加强了領导，改变了工作方式。經此整頓后，大大提高了工作質量。七年来妇幼保健工作上是取得了很大成績，新法接生在全区三分之二以上的地区已普遍开展了，新法接生率逐年在上升（惟1956年稍有下降），据在44个旗、县的調查統計，新法接生率1950年为20%，1956年到达80%（表11）。有基础的牧業旗新法接生率达到90%，农村一般在60—70%之間，城市在99.5%以上。由于新法接生的推广，新生兒的破伤風也随之下降，据个别地区調查，1950年新生兒破伤風發病率为29%，到1955年下降到1.2%，1956年則再未發生（表12）。随着人民生活的改善，住院分娩人数也急剧的在增加，城市的产科床位已大感不足，牧区孕妇到中心接生站待产者日益增多，有的牧区由羣众集資建立了小型产房。随着农牧業合作化的發展，各地均开展了劳动衛生的宣傳和监督工作，並依据农牧業

表8 农牧区妇幼联合机構及妇幼保健人員發展情况

	單位	1950	1951	1952	1953	1954	1955	1956	以1950年为100，1956年为
妇幼联合保健站数	个	4	8	24	27	27	26	28	700
妇幼保健員数	个	127	337	468	883	883	883	883	616.5
接生站数	个	61	134	893	1,893	2,131	2,269	2,684	4,400
接生員数	个	632	665	8,801	12,937	14,167	15,009	26,556	4,201.9

表 9　衛生干部增長情况

		內蒙解放前最高年(1946)	1947	1948	1949	1950	1951	1952	1953	1954	1955	1956	以解放前最高年为100,1956 年为
衛生技术人員	西医藥师	59	80	80	95	103	140	299	331	374	438	539	913.5
	中医藥师	0	0	0	0	3	4	13	18	27	41	546	0
	医士	19	10	15	21	180	223	479	777	911	924	1,245	6,552.6
	护士	87	125	134	198	248	303	530	840	1,047	1,029	1,280	1,471.3
	助产士	22	33	37	48	83	176	319	453	499	497	500	2,272.7
	其他衛生技术人員	127	200	275	979	1,302	1,805	2,445	2,921	2,885	2,542	2,725	2,145.7
	小計	314	448	541	1,341	1,919	2,651	4,135	5,340	5,743	5,471	6,835	2,176.7
衛生行政人員		44	177	204	328	373	684	1,370	1,764	1,792	2,335	2,493	5,665.9
計		358	625	745	1,669	2,292	3,335	5,505	7,104	7,535	7,806	9,328	2,605.9

註：1. “其他衛生技术人員”中包括藥剂、檢驗、护理、保健員以及其他高、中、初級衛生技术人員。

2. “衛生行政人員”中包括各級衛生技术人員担任行政职务者。

表 10　保健机構增長情况

	內蒙解放前最高年(1946)	1947	1948	1949	1950	1951	1952	1953	1954	1955	1956	以解放前最高年为100,1956 年为
綜合医院及專科医院数	9	11	10	11	12	16	18	22	19	20	21	233.3
旗县衛生院数	4	14	15	11	25	36	83	81	80	80	84	2,100
区乡衛生所数	—	2	1	4	28	48	111	136	123	98	147	—
疗养院、所数	—	—	—	1	2	2	9	2	2	2	2	—
門診部数	—	—	—	1	1	1	3	3	4	4	19	—
妇幼保健所、站数	—	—	—	—	13	51	81	208	231	200	182	—
專業防治机構数	—	—	1	4	7	9	14	24	20	26	26	—
衛生防疫站、队数	—	1	1	12	3	13	5	15	18	19	25	—
民族衛生工作队数	—	—	—	—	—	—	—	—	9	12	21	—

表 11　44 个旗县中的妇女采用新法接生情况

	1949年以前新法接生率为	1950	1951	1952	1953	1954	1955	1956
新法接生率(%)	0	20	49.71	48.95	72.8	80.02	90.7	80

表 12　嬰兒破伤風發病率下降情况

	如以1949年以前發病率为	1950	1951	1952	1953	1954	1955	1956
破伤風發病率(%)	100	29	7.2	10.6	5.9	6.5	1.2	0

註：系呼盟科右前旗巴拉格歹努圖克一个地区的調查

生产上和妇女生理上的特点，採取了各种保护劳动妇女的措施，对孕妇規定了必要的产后休息和合理調配劳动力等制度。在牧区規定了孕妇不走敖特尔(即游走放牧的意思)，因此減少了流产情事的發生。如錫盟西联旗孕妇流产率由1953年的8%到1954年即降到2.2%。为了保障牧区人口的增長，加强兒童保健工作，由1953年提出了“生一个活一个，活一个壯一个”的要求。在摸清牧区嬰幼兒童疾病的基础上，以防治嬰幼兒童腹瀉、肺炎、麻疹作为了兒童保健工作上的重点，並先后在各地試行了新法育兒。根据牧区經济的特点，和牧民育兒不合理情况，故首先开展了新法育兒的宣傳，教育母亲們懂得怎样帶孩子及小兒傳染病的防护知識，从改善喂乳、添加副食品、改善保温等方面着手，用事实来教育她們。經过几年来对此項工作大力的推行，因此农牧区嬰兒的死亡率已有了显著的下降，由1947年233.33‰到1956年下降为71.07‰(表13)，从而使各族人民、特别是蒙族人民由生得多死得多，逐步形成生多于死，人口日趋于欣欣向荣。1947年其人口的自然增加率为2.4‰，到1956年則为26.1‰(表14)。

表13 嬰兒死亡率下降情况

	1947	1948	1949	1950	1951	1952	1953	1954	1955	1956
出生嬰兒数	30	24	25	42	37	62	90	73	68	56
死亡嬰兒数	7	10	8	11	11	13	14	16	13	4
嬰兒死亡率(‰)	233.33	416.66	320	261.9	297.29	209.67	155.55	219.17	191.17	71.07

註：呼盟东新巴旗烏索木390戶蒙族中的調查

表14 呼盟烏索木390戶蒙民在10年間人口变动情况

	年初总人口数	年末总人口数	全年人口增减数	出生情况		死亡情况		人口自然增加率
				出生人数	出生率(‰)	死亡人数	死亡率(‰)	
1947	1,530	1,534	+4	30	19.6	26	17.2	+2.4
1948	1,534	1,525	−9	24	15.6	33	21.4	−5.8
1949	1,525	1,525	0	25	16.3	25	16.3	0
1950	1,525	1,531	+6	42	27.5	36	23.6	+3.9
1951	1,531	1,530	−1	37	24.1	38	24.7	−0.6
1952	1,530	1,558	+28	62	40.7	34	22.5	+18.2
1953	1,558	1,581	+23	90	44.9	47	30.2	+14.7
1954	1,581	1,613	+32	73	45.5	41	25.3	+20.2
1955	1,613	1,642	+29	68	42.1	39	23.2	+18.9
1956	1,642	1,685	+43	56	34.1	13	8.0	+26.1

(3) 医疗保健網的發展：医疗保健机構的發展是分两个阶段进行的。从1950年到1952年底，在这一时期主要是在农村牧区建立与設置旗、县衛生院、所，組織开業中、蒙医以解决广大面积上农牧民缺医少葯的困难。在城市則着重改进与整頓原有的少数医院，充实設备、扩大床位，挖掘潛力，改变服务态度，进行思想改造，为將来大發展准备条件。从1953年起国家已进入第一个五年計划建設时期，随着人民生活水平的提高与社会主义建設事業的需要，衛生保健机構也就有了巨大的發展：从城市到乡村都有了医疗預防机構，在全区范圍內形成了一个强大的医疗保健網，保証了人民的疾病治疗与防疫保健工作，至1956年全区城市綜合医院和專科医院發展到21所，其中設备較完善的大型医院有10所。各盟、行政区、市都有了自己的医院，床位一般均在50張以上，高級医务干部每院至少亦在八人以上。乡村也扩充与健全了旗、县衛生院的病床、設备，充实了医务人員，提高了工作質量，每个旗、县均有了衛生院，重点地区还設置了区衛生所和民族衛生工作队(表10)。到1956年全区病床計有3,593張，較解放前增加了1694.2%(表15)。

各类專業防治机構也逐漸的形成了独立系統，衛生防疫系統有鼠疫防治所、站，衛生防疫站、队，布氏桿菌病防治所，交通檢疫所等。性病防治專業机構目前有所、站九所，公立妇幼保健机構182处，分布全区各个角落。此外尚設置了中蒙医研究所和葯品檢驗所，分别从事中蒙医学术研究和葯品的檢定工作。

牧区和少数民族地区在發展机構时，一般都照顧了居民居住分散、地区辽闊等特点、对于

表 15　医疗預防机構床位增長情况

	內蒙解放前最高年(1946)	1947	1948	1949	1950	1951	1952	1953	1954	1955	1956	以解放前最高年为100,1956年为
綜合医院及專科医院床位数	272	327	317	454	499	694	953	1,580	1,862	2,370	2,569	944.5
旗县衛生院、所床位数	5	62	89	72	82	125	311	595	709	733	816	16,320
疗养院、所床位数	—	—	—	70	120	200	1,567	850	490	120	204	—
門診部观察床位数	—	—	—	—	—	—	24	5	20	20	4	—
計	277	389	406	596	701	1,019	2,855	3,030	3,081	3,243	3,593	1,694.2

註，1951—1954 年疗养床位数内包括一部收容部队的臨时疗养床在內。

人口較少地区的衛生机構，基本上做到了合理安排，即使人数很少的旗、县也設置了 20 人編制以上的衛生院，在牧業旗內还設置了民族衛生工作队，以巡迴或定点巡迴的方式进行了工作。少数民族自治旗、区都設置了衛生机構，如鄂倫春自治旗仅 1,400 多人，也設有 19 个医务人員的衛生院，平均 70 个人就有一个衛生工作人員，鄂温克族聚居区仅有 140 人即設立了五个医务人員的衛生所，平均不到 30 人就有一个衛生工作者，並对上述兩个民族都实行了全民免費医疗。

到 1956 年全区公立衛生机構中的各級各类衛生人員共 9,328 人，較解放前增加 26 倍多（表 9）。其中蒙族及其他少数民族干部約 1,600 人，佔全体干部的 17.1%，較 1947 年解放初增加了 27 倍多。

几年来除發展壯大了公立机構外，从 1952 年起对开業医也进行了一系列的整頓巩固工作，截至 1956 年共有开業医 8,291 人，發展了联合医院和診所 1,028 所，参加联合机構者共 4,869 人，佔全体开業医人数的 58.7%。随着农牧業合作化运动的發展，这些机構和人員在旗、县衛生院的指导下，通过合理分布，均划分了医疗責任区，积極开展了农村医疗衛生工作，絕大多数並与农業社建立了联系，以訂定医疗保健合同。优先就診、巡迴医疗、減少費用等办法，为农業社社員解决了許多疾病治疗上的問題。在牧区为了适应牧民生活生产的特点，在自願原則下由蒙医組織了以旗或佐(区)为單位的葯社，实行了統一供应葯品，分散进行医疗的办法，这样一方面保証了牧民的治疗，同时也解决了葯品的供应。

(4)衛生技术干部的培养教育：随着各項衛生業务的开展，大力培养了各种中、初級衛生技术干部。为了适应形势的發展与需要，在解放初期曾用短期速成的办法，开办了各种短期訓練班。在 1949 年原內蒙成立中等衛生学校一所，並以培养医士为主要任务。1951 年原綏远地区亦成立衛生学校一所，次年在包头又成立了护士学校一所。1954 年蒙綏合併后，为了加强教学力量，充实教学設备，以期提高教学質量起見，即將原来的三个学校合併为一个衛生学校，分設了医士、护士、助产士、衛生医士等四个專業，1956 年並在該校增設了一医士助产士專業班，專招收能用蒙古語文听課的少数民族学生（其它各專業虽也按比例的大量招收民族学員，但均系以汉文講課），从此給蒙文中学的学生投考該校开辟了道路，进而也給今后更好的开展牧区衛生工作創造了有利条件。截至目前止該校共有五个專業，發展規模为 600 人；全校教学人員 87 人，少数民族教学人員佔 25%。

对在职干部的进修曾給予了極大的重視，1954 年成立衛生干部訓練所一所。1956 年夏將該所扩大为进修学校，設置了医士、护士、助产士、葯剂士、衛生医士及衛生行政人員等六个进修班，每年抽調一定数量的在职干部給予学習提高，如此即保証了技术水平、工作質量的不断上升。

1956 年暑假后內蒙古医学院亦告成立，並开始招收学生，該院每年招生任务为 240 人，發展規模为1,200人，从此自治区有了專門培养本区高級医务干部的学府。

取得成就的关鍵

內蒙古自治区的衛生工作所以能获得如上所述的成就，归納起来是由于以下几个条件:

（1）在衛生工作中正确的貫徹了党的民族政策。从民族地区的实际情况出發，大力培养了各民族的衛生技术干部，建立了各种机構，向危害各族人民健康最大的疾病进行了斗爭。

培养各族人民的衛生技术干部，是在民族地区开展衛生工作的主要問題之一。解放之初医务人員異常缺乏，民族干部更是寥寥無几，而当时又迫切需要大批医务人員开展工作，因此在这种情况下就以短期速成、边做边学的办法大量培养了中、初級人員。当然，短期速成在技术質量上是不可能完全符合标准的，但从当时疾病严重、缺医少葯的实际情况来看，也是切合时宜的，而且以后又緊接着採取了反复輪訓进修的办法，所以基本上也达到了提高質量的要求。目前在各类專業机構以及基層衛生組織中，这些人仍然担負着主要工作，起着骨干作用，对完成內蒙各項保健工作任务是付出了很大貢献，这点在此特別应該提出的。

（2）衛生工作根据自治区的發展以及各族人民的实际需要，确定了本身的工作任务与步驟，並且在不同的發展阶段抓住了不同的重点，积極穩步的开展了工作。

1950年以前，因鼠疫的威胁所以当时首先集中力量防治鼠疫。在防鼠疫的过程中，不仅培养了干部，也奠定了各項衛生工作的基础。1950年到1952年在国家經济的恢复与發展时期，在鼠疫威胁解除后，即在牧区进行了性病防治工作，並有重点的在全区开展了妇幼衛生工作；与此同时，还大力發展了基層保健組織網，整頓与健全了城市医疗机構为以后的發展准备了条件。1953年到1955年在防疫、防治性病、开展妇幼衛生三項工作繼續深入的情况下，重点进行了基本建設，开展了工業衛生和布氏桿菌病的防治。1956年內在"全面規划、加强領导""又多、又快、又好、又省"的方針下，进一步开展了农村衛生工作，發展与整頓了联合医疗机構，广泛的开展了除"四害"运动，大規模的向各种傳染病进行了斗爭。

十年来就是按着这样循序漸进的原則，在各个阶段內进行了不同重点的工作。

（3）緊緊的依靠党的領导与羣众的支持，这是衛生工作取得成就的关鍵。

十年来由于党在每一个阶段均給予了重要指示，每一个时期均提出了明确的办法，这样才使衛生工作得到了胜利的發展，也才使衛生工作取得成就有了保証。

（4）內蒙保健事業在發展过程中，曾經不断的得到兄弟民族和国际友人誠摯的关怀和友誼的帮助，这些帮助是改进內蒙衛生落后狀况的重要因素。

十年来中央領导部門不仅在方針、政策上給予了不时的指示，而且在科学技术上也及时的給予了帮助，不仅給內蒙輸送了許多高級技术干部，同时也代为培养了大批的在职民族干部。在各項具体業务上中央曾一再的派專家、学者深入进行指导，甚至还不止一次的邀請了兄弟国家的專家、如苏联的麦斯基、拉古金、列兹烏施基娜、舒那耶夫、罗馬尼亞的波瑞里、捷克斯洛伐克的拉斯卡等，先后蒞临內蒙給予了工作上的指导。国內各地区也給了內蒙很大支援，如东北、河北、山西、福建等地区都曾先后派員到內蒙热情的帮助过工作。这些帮助与支援都意味着新的民族关系，深刻的体現了党的民族政策。如果失去了这些無私的援助，則內蒙保健事業迅速的發展，無疑也是不可設想的。

中国人民解放軍在第二次国内革命战爭时期的衛生工作組織情况及一般工作方法

戴　正　华*

一、"八一"起义时伤病員的处理

1927年国民党反动派叛变了革命，进一步依靠了帝国主义，使用了最残暴的手段来摧毁工农革命組織，屠杀革命羣众，想把中国变成一个独裁統治的黑暗世界。8月1日，在中国共产党周恩来、朱德、賀龙和叶挺等同志的領导下，發动了南昌起义，轟轟烈烈的打敗了当时的反动軍閥，建立了人民革命的武裝。在当时的武裝部队里，衛生医疗方面的力量非常薄弱，仅有几个医师和連队中的衛生員。現在××××空軍后勤衛生部長王云霖同志和刘荣輝同志，晃树隆同志等就是当时的衛生人員。因为力量有限，又缺少器械和药品，所以那时候的伤病員，凡是能够随队行动的，都由江西省会昌县运送到福建汀州的福音医院去治疗。伤情严重的病員，給資寄医在所謂"慈善机关"和老百姓家里。汀州福音医院当时是在傅連暲同志領导下接受了这个工作任务，在1933年这个医院迁移到瑞金，成为紅色医院。

二、井崗山根据地發揮了中西医的作用

名聞中外的革命搖籃井崗山，是1927年10月偉大的革命領袖毛澤东同志領导的工农革命軍第一軍(第一师)和朱德同志所領导的南昌起义的部队建立的第一个革命根据地。井崗山位于罗霄山脉中段，四个县的交界处(北宁崗、南遂州、东永新、西酃县)，周圍約五百余里，四面环山，形势險要。紅軍在不斷反圍攻中，有兩百余名伤病員，集中在小井医院，全部用中药治疗。根据当地居民傳授的單方和本地生产的草药，內服外敷，治愈輕重病員很多；治愈同志，立刻又參加战斗。

三、紅軍扩大和衛生工作的加强

1929年春到1930年春，紅軍主力一部(五軍)堅持井崗山根据地的巩固与扩大，另一部(四軍)向福建西部和江西南部一帶进發打击敌人，帮助了地方党和游击队的發展。当时伤員都可以有机会得到安置和治疗，医葯人員和物資，也能够得到补充。長汀叶青山同志，吉安戴济民同志等，均于此时随带其診疗所所有葯品和器械，参加紅軍医疗工作，充实了当时的部队衛生設备。

紅四軍扩大为一軍团，紅五軍扩大为三軍团的时候，党的領导正处在第二次左傾路綫的开始。国民党反动派內部正在进行互相混战，紅三軍团受命攻取長沙。1930年7月27日开始战斗，29日即占領了長沙城。所有伤病員由何复生同志、饒正錫同志，陈春甫同志等組織医院，給予安置治疗，並爭取了一部分青年医师、护士参加部队工作，但因这些人不能吃苦耐劳，后来在紅軍撤出長沙时，大部分均先后脫离部队，如曾育生同志之堅定不移，仍为今日衛生工作的骨干者，实屬鳳毛麟角。

四、紅軍总軍医处成立(1931年)和公布全軍衛生法規

紅軍击潰了敌人一、二次圍剿之后，开辟了广大的閩西根据地，使江西，福建兩省的根据地联成一片，奠定了中央苏区的規模。由于紅軍的日益壯大和战斗頻繁，处理伤病員的部队衛生医疗工作，亦日見重要。1931年春，毛主席指示賀誠同志組織中国工农紅軍軍事委員会总軍医处(其后改称为总衛生部)，並命令賀誠同志为軍医处長。在战斗环境中，迅速成立了軍医处，制訂了紅軍衛生工作組織系統(見后附

* 总后衛生部副部長軍医少將

附表 紅軍衛生工作組織系統

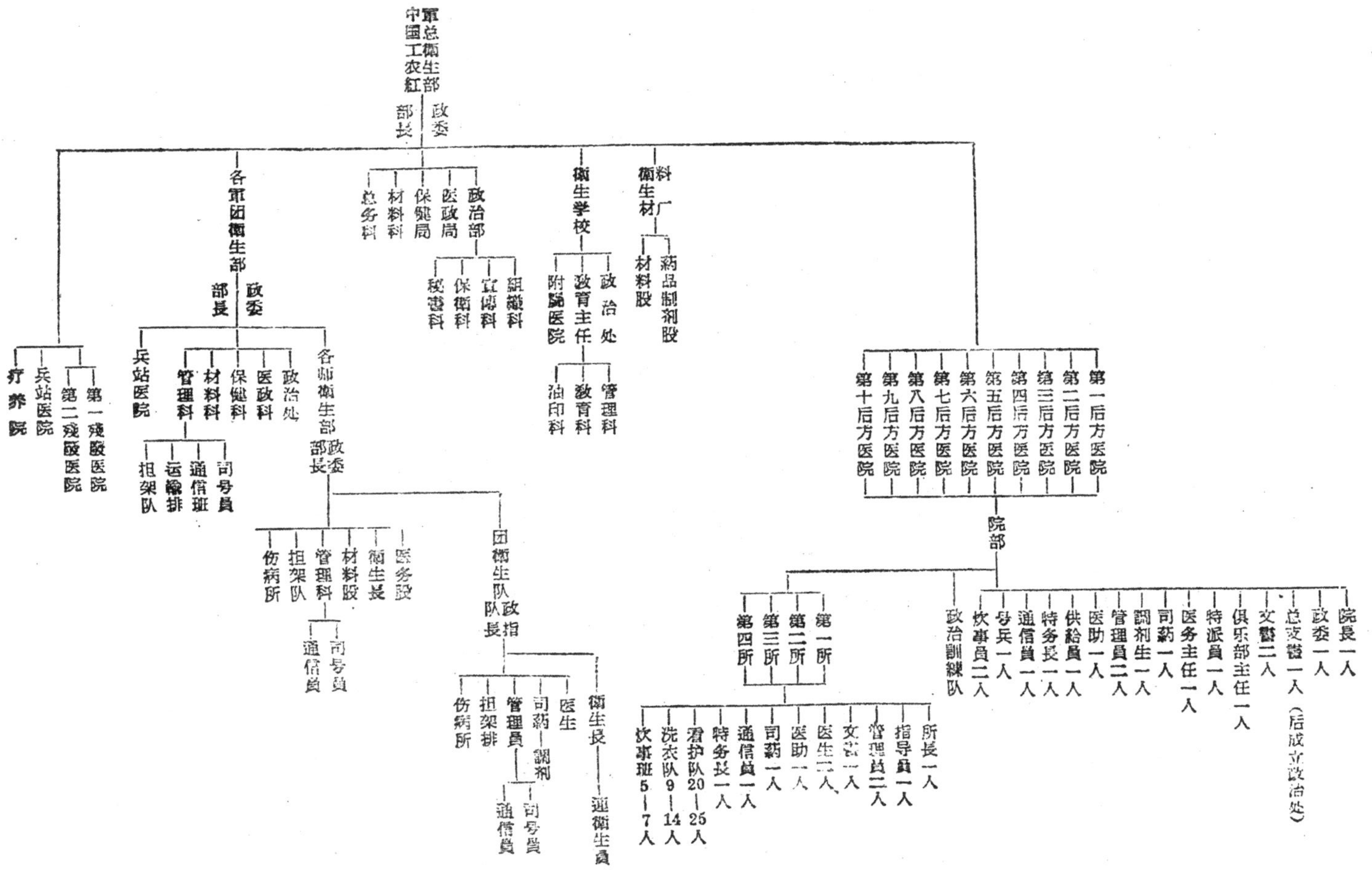

- 中国工农紅軍总衛生部（部長、政委）
  - 第一殘廢医院
  - 第二殘廢医院
  - 兵站医院
  - 疗养院
  - 各軍团衛生部（部長、政委）
    - 兵站医院
    - 管理科
      - 担架队
      - 运輸排
      - 通信班
      - 司号員
    - 材料科
    - 保健科
    - 医政科
    - 政治处
    - 各师衛生部（部長、政委）
      - 伤病所
      - 担架队
      - 管理科
        - 通信員
        - 司号員
      - 材料股
      - 衛生長
      - 医务股
      - 团衛生队（队長、政指）
        - 伤病所
        - 担架排
        - 管理員
          - 通信員
          - 司号員
        - 司药—調剂
        - 医生
        - 衛生長—連衛生員
  - 总务科
  - 材料科
  - 保健局
  - 医政局
  - 政治部
    - 秘書科
    - 保衛科
    - 宣傳科
    - 組織科
  - 衛生学校
    - 附属医院
    - 教育主任
    - 政治处
      - 油印科
      - 教育科
      - 管理科
  - 衛生材料厂
    - 材料股
    - 药品制剂股
  - 第一后方医院、第二后方医院、第三后方医院、第四后方医院、第五后方医院、第六后方医院、第七后方医院、第八后方医院、第九后方医院、第十后方医院
    - 院部
      - 院長一人
      - 政委一人
      - 总支書一人（后成立政治处）
      - 文書二人
      - 俱乐部主任一人
      - 特派員一人
      - 医务主任一人
      - 司药一人
      - 調剂生一人
      - 管理員二人
      - 医助一人
      - 供給員一人
      - 特务長一人
      - 通信員一人
      - 号兵一人
      - 炊事員二人
    - 政治訓練队
    - 第一所、第二所、第三所、第四所
      - 所長一人
      - 指导員一人
      - 管理員二人
      - 文書一人
      - 医生二人
      - 医助一人
      - 司药一人
      - 通信員一人
      - 特务長一人
      - 看护队20—25人
      - 洗衣队9—14人
      - 炊事班5—7人

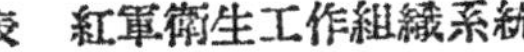

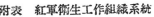

表)並頒布了全軍通行的衛生法規。

当时衛生法規的內容，根据瑞金革命紀念館現存的、很不完整的資料，就有留医伤病統計表，門診疾病分类統計表，死亡診斷書，死亡調查表，軍医調查表，衛生干部調查表，看护調查表，处方箋，診断書，葯品器材請領單，診断簿，葯品器材出納簿，領發葯品器材收据，負伤部位月报表，战役伤病分类統計表，殘廢証明書，住院証等。回忆1931年我担任紅三軍团衛生部医务科長时，每月25日就收集材料向上塡报，沒有間斷过。这可見衛生法規在当时已普遍实施，並且能够徹底执行。这对于紅軍衛生工作，具有檢查督促意义，提高工作效率关系甚大。虽然內容方面，在今天看来有些粗糙，但設想在那时的环境和条件下，能做到这个地步，已屬难能可貴了。

五、培养衛生教育干部——紅軍衛生学校的創办

中国工农紅軍的迅速發展和壮大，同时与敌人斗爭的紧張和頻繁的形势下，保証部队指战員的健康和伤病員的治疗工作，就具有極重要的意义。但当时衛生干部不但数量不足，而且水平不高。为了配合需要，即于1932年初在雩都創办衛生学校。开办时，由总衛生部部長賀誠同志兼任校長、政委、彭眞(和現在北京市長彭眞同志同名)、李治、徐建、曾守蓉等为教員。其后迁至兴国县茶嶺，1933年6月学校又迁至瑞金朱坊，增加孙仪之、李延年等为教員，校長改由陈义厚担任。学生每期四十人，一年畢業，入学时須有小学畢業文化程度。課程內容有政治、生理、解剖、組織、病理、細菌、葯物、內科、外科、眼科、耳科、咽喉科、衛生学、防毒淺說等，第一期学生有張汝光、游胜华、刘放等同志。衛生学校並設附屬医院，具有一般設备，有显微鏡、X綫机、外科手术室等。外科器械已相当齐全。在医院里，每日查病房，对疑难病症，均实行会診(在当时已成为一种制度)。同时期內，学校还設立保健班，后来担任部队团的衛生長、师以上的防疫科長和科員等职务的，大都是这批受过訓練的同志。此外，还相繼开办了調剂班和看护訓練队，又开办了衛生行政班(队)，畢業后分配到步兵团充任衛生長，管轄全团衛生宣傳教育和监督檢查衛生实施等工作。

在有計划，有系統的教育培养下，虽然时間不長，但由于在学校創办之初，即提出了訓練"政治坚定，技术优良"的紅色軍医的明确方針，以及採用教学一致、学用一致的教学方法，使这許多純潔的青年，基本上都获得了当时需要的知識，特別在訓練后，政治生活的严密和軍事战斗的紧張，把他們又鍛煉成一个坚强的革命战士。他們絕大多数只知道党的利益，爭取革命战爭的胜利，一般不强調个人兴趣和開名誉地位。

六、紅軍的衛生預防工作

中央苏区成立后，曾不断遭受反动派軍队的封鎖和圍剿，經常处在紧張的战爭狀态中，当时敌我双方，長年累月，炮火連天，敌人更以飞机濫施轟炸，我方伤亡甚重，医疗工作，繁重已極。又以苏区均屬山陵地帶，居民分散，交通不便，生产力很不發达，經济，文化比較落后，不良衛生習慣很多，傳染病流行終年不断。1934年1月15日中央政府内务部衛生管理局，中华軍事委員会总衛生部贈給第二次全苏大会代表的文件"衛生常識"，是有代表当时衛生工作方針政策的文献，在开头話中，它指出：

苏区現在是处于激烈的战爭环境中，整个革命羣众，都需要貢献出全部的体力与智力，爭取苏維埃革命的全部胜利。苏区革命羣众有一个害病生瘡，不但是这个害病者本身的痛苦，而且是减少了我們的战斗力量……

最后，它列举了苏区最普遍的不衛生現象，及目前急应举办的有关衛生工作，共二十条。①吃塘水，用塘水洗菜、洗米之害处；②吃生水的危险；③开井；④开井应注意事項；⑤住房要通風通气；⑥住房內不要放粪桶、尿桶；⑦房屋附近不可堆积汚水汚物；⑧叫魂治病等于自杀；⑨不可把死的小孩丢在河里；⑩停尸不埋之害；⑪早婚之害；⑫扑灭人类的大敌——蒼蝇；⑬要种痘預防天花；⑭傳染病的預防；⑮取締售卖不衛生飲食；⑯水之清潔法；⑰疥瘡之預防法；⑱爛疤子(下腿潰瘍)之預防；⑲可怕的赤痢預防法；⑳可怕的瘧疾預防法。

从以上二十条办法中，可以看到苏区衛生工作的重点已自觉的放在預防疾病与治疗伤患工作上了。並貫徹着羣众路綫的工作方法，广

泛教育宣傳羣众，推动衛生工作的开展。在飲水衛生、住房通風通气、环境衛生和各种預防疾病的措施，都提得具体实际，扼要中肯。苏区內，赤痢、瘧疾，对当时軍民健康威胁最大，每年因本病死亡的不下几千人。在預防赤痢方法第七項中規定，不吃辣椒等刺激强烈之物，在紅軍中就管得極严，几等于条令。某些將領偶一回忆当时情景，常用贊唉而又似批評的口气說："那时禁吃辣椒，眞是了不起！某些人还登了牆报呢！"在預防瘧疾措施中，除發动羣众扑灭蚊虫以外，又用金鷄納霜丸（每隔十天服0.5）和中葯常山、小柴胡湯，同时用于預防治疗。中西合璧，發揮了很大力量。

在毛主席所訂的三大紀律和八項注意中規定了衛生工作的基本內容，因此对作好个人衛生和公共衛生工作有極大的作用。在連队中衛生課經常是活躍的，按时講解。行軍中政治宣傳队也把衛生口号在沿途中用标語和口头宣傳，这对于部队衛生預防工作起了極大的推动作用。

七、紅軍的医疗工作

紅軍对反动派国民党軍队的作战，是全凴高度的政治觉悟与無比的剛毅英勇与智慧来获得胜利的。在作战中，經常以少数对多数，以劣势裝备对优势裝备以及战斗的頻繁，因此伤亡比較严重。救死扶伤，就成为当时部队中除了作战以外唯一的重要任务。衛生人員与武裝部队共同进退，不避槍彈，深入前綫，随时包紥搶救，背負伤員，脫离險境；重伤者，即在附近村庄临时救护所內施行手术。往往沒有局部麻醉，即扩大瘡口，摘取異物；对于盲管或貫通伤口，則以雷佛奴耳或紅汞紗布塡充，周圍塗抹碘酒，再以紅汞紗布复蓋；对于四肢复杂骨折，經过短期付木固定。在長时間运动，行軍作战情况下，过早採取截断手术，以期早日愈合，实出于不得已之举。

当时注射葯品，手术器械，必須在战爭胜利时繳获得之。很多医疗單位，用竹子做鑷子，探針，用木匠鋸子鋸骨……等等，在中央苏区还成立了葯材制造厂，如棉花、紗布均能自制，解决了当前需要，克服了胜利中的困难。分散的游击队員負伤之后，寄居在革命羣众家里，或在山間小屋中，完全用草葯医治。有个别伤員干脆用口嚼树叶敷治。伤口貼在流膿，略用破布包紥，又上前綫与敌人战斗。这种嚼树英雄气概英勇行为的人，並不在少数。

八、紅軍医疗工作的組織領导与工作竞賽

1932年到1934年10月長征之前，衛生医疗机構的發展非常迅速，組織相当龐大。据当年紅星报的不全材料，有第一至第十后方医院，每院下設5—6个所，每所收容約300名伤病員。此外，还有六个兵站医院，兩个殘廢医院，一个疗养院。在党政工作領导下，医疗伤員和預防疾病的方針非常明确。在連、营、团之間，都發动了革命的工作竞賽，竞賽的內容是以爭取減少發病率为主。在医院之間，所与所之間，則以十天或廿天时間治愈輕重伤病員並以提高出院率为主要內容。医务人員，均早起晚睡，积極工作。党的小組会、行政組織和各种座談会也經常研究如何治疗和护理伤病員，如何使重的減輕，輕的早日痊癒。政治、文化娛乐工作如牆报、演戏、跳舞、活报等，也都圍繞着愉快战士心情，鼓动战斗勇气；做到了交流經驗，加强团結，表揚成績，批評缺点，提高了阶級觉悟。一个运动，接着一个突击，大家热火朝天，不知疲倦是什么东西，找不到消極的影子。

九、小結

中国工农紅軍从"八一"起义到1934年10月長征阶段，衛生医疗組織从無到有，从小到大，在技术上也从低級到高級，从生疏到熟練，在堅强的党政工作領导之下成長起来。在工作中，貫徹了为工农兵服务的方針。

紅軍衛生医疗工作，完全为当前最主要的政治任务服务。为爭取战爭胜利，前后方上下級，一齐动手，积極努力，万众一心，發揮各种力量，取得最大成就，是当时特点。

紅軍衛生干部，刻苦耐劳，堅忍不移，朝气勃勃，能克服困难，富有进取心和創造精神，因此在中央苏区內的衛生工作，如預防保健，医疗衛生，培养干部，建立組織，制造葯材及普及衛生常識教育等，都能迅速發展和具有長远根本的建設意义。

以上資料，是1957年4—5月間在江西南

昌、瑞金、雩都、兴国、宁都、永新、遂川調查訪問所得，並加以本人回忆与同志們补充。在內容方面，还未深入研究，許多文件未能詳閱，姑暫記此概略，作为引玉之磚。至于这一阶段——1927至1934年的衛生历史完整材料，还將有待于專家广收博覽，續密整理而完成之。总而言之，这一段光輝燦爛的历史，不可付之闕如，使之湮沒，致当时衛生陣綫上的精彩事迹，羣众智慧所創造的灵巧方法，得不到發揚光大；先烈先士的丰功偉績得不到表彰，这就有愧前輩，也对不起后人。

最后希望全軍衛生干部，特別是当时經历过的同志，能动笔的就寫出来，否則就講出来。一件事情也好，一段經历也好，都是有帮助的。众志成城，集零为整，就可以使我軍的衛生工作史料更加完整。（轉載）

关于城市医院自願帮助农村問題

И. И. Гесик и Н. Я. Фссенко, О шефстве городских Больниц над сельскими, Сов. Здрав. (3):36—38, 1957.

近兩年，Запорож 省 Запорож 市第四医院自願对Ново-Васильевский 区进行了經常的帮助，該区离医院有150公里，而且离鉄路也有30公里。

医院行政部門对区保健机構的工作进行了了解之后，即与区保健科科長和区医院院長共同制定了1954年自願协助的計划，以后又制定了1955年的計划。

按照計划的規定，各主要專科的医生（內科、外科、耳鼻喉科、小兒科、眼科、神經病理科、腫瘤科及其他科）曾每月定期一次到其所要經常帮助的区里去，进行医疗会診施行手术以及衛生宣教工作，同时在門診部、区文化教育館以及医院內进行有关医学課題的講課。

同样对中級医务人員也組織了有关慢性化膿性中耳炎治疗及預防問題的討論。在区里面曾召开了兩次医务工作者会議。为了使專家們給予技术优良的医疗帮助，曾派遣了神經病理学家、耳鼻喉学家、內科学家、外科学家、妇产科学家、外科腫瘤学家等到区里去做一个月的出差工作。

市立第四医院为了帮助集体农庄建立农忙托兒所，曾在医院所屬地区的一个托兒所內培养了保育員，同时在农忙时期，从医院派出四名护士协助集体农庄組織托兒所，並在托兒所工作四个月。

市立第四医院在医疗器械及設备上也不断对区医院进行了帮助。

在秋收时期，曾兩次派遣医疗队到农村去，医疗队由31名医务人員組成。

根据最近兩年来市立第四医院自願帮助Ново-Васильевский 区医疗地段和区医院的实际工作經驗，我們認为以下几項应作为自願帮助的內容：

（1）各專科医师应有計划地下到区里去进行会診、施行手术和做衛生宣教工作。

（2）定期召开区的会議，由医院各科科主任做报告，解决現实問題。

（3）应不断地在市医院提高区医生、医士和助产士的技术，他們的工作由市医院的医务人員下到区去代替。

（4）在城市托兒所培养农忙托兒所的領导人和保育人員。

（5）在夏季派遣一批护士帮助建立农忙托兒所，並在托兒所里工作。

（6）有系統地协助乡村进行防治工作，並根据区保健科負責人的需要与要求派遣各科專家。

（7）选送区里病人到城市医院住院。

（8）在医疗器械和設备上应給予区必要的协助。

（9）应在年初与区負責人共同制定协助計划。

（10）医务工作者协会省委会与省保健厅应监督工作計划的执行。

（11）在医学报刊上应不断地报导自願帮助这項工作的进程。

（刘 鳴摘譯）

匈牙利的医学發展及其現狀

匈牙利科学院院長
匈牙利医学代表团团長 István Rusznyák 教授

1951年我曾經非常荣幸的以匈牙利文化代表团团員的身份，在中国渡过了五个星期。虽然五个星期的时間並不是很久，却使我获得了一些关于这个偉大的国家和人民生活中的一些見識。回国以后我曾通过演講和写文章报道了我的体会，同时我敢肯定，匈牙利的听众和讀者們，普遍表示对人民中国的無尙关怀和最高的尊敬。如果我只說：由于我們的基本問題在各方面都非常近似，而使得經驗交流成为極其重要，这还不够恰当的。地理的距离，气候和种族的特性，甚至不同的語言都不能使我們人民分开。全世界的人民在渴望和平的意志下团結一致，同时全世界善良的人民在前进的事業中力求彼此互相了解和帮助。这一点在同一友誼陣营里为建設社会主义偉大的理想团結起来的人民来說，就更加真实了。

你們都知道去年十月在匈牙利所發生的重大事件。匈牙利的人民和它的社会主义制度，曾經遭到艰巨的考驗。經历这种严重考驗之后，今天我們仍能站在你們面前向你們报道屬于一个重要部分的文化發展情况，这件事就証明匈牙利人民繼續生活着，她已經恢复了自己的力量，同时在我們国家里人民民主也更加巩固了。当然如果沒有兄弟国家的支援这是办不到的，因此我首先要在开幕詞的序言里，对中国人民团体和政府，在那危急的日子里，給我們偉大無私的援助，表示深深的感激。讓我們將这次对相距遙远而精神亲近的国家的拜訪，作为我們衷心感謝的表示，讓我們把將要發表的这一系列的演講，作为我們向共同理想的事業中努力的貞潔标誌。

在我們兩国之間，經济和文化的連系逐年增加，同时相互間訪問的人数也在逐步增加。我們这次的訪問，也是为了文化接触以及更好地了解彼此的工作。我們是从匈牙利来中国的第一个医学代表团，因此我深信把过去和現在匈牙利的医学作一番概括的介紹是很恰当的。首先講一些关于匈牙利医学誕生时的情况，以及为匈牙利医学奠定基礎的一些偉大的匈牙利科学家。目前这个題目也恰逢其时，因为今年匈牙利医学界要庆祝中央医学杂誌創刊一百周年。今天由于时間短促，我不可能完全透澈的处理我的題目，因此只得將范圍限制在叙述匈牙利医学在世界上某些卓越人物的突出成就，来說明匈牙利医学的發展情况。

Semmelweis 氏就是最著名的人物中之一，全世界都熟悉他的名字。在上世紀四十年代，他在当时奥匈帝国首都維也納，开始了他的活动。在哈布斯堡(Hapsbury)專制政治的束縛下，匈牙利是被压迫的国家，正像中国处在滿清帝国的情况下一样，由于过去匈牙利沒有适当的学校和科学机構，渴望学習的青年們都不得不到国外去学習，大多数都去維也納。Semmelweis 氏当时还是一位年青的医生，他注意到在維也納产科医院产褥热的死亡率非常高，而在訓練助产士的医院中这种病的死亡率要低得多。由于感受的直觉，他企圖用下列事实来解釋这种惊人的差別，那就是在产科医院他的同事們要从事屍体解剖的工作，而訓練助产士的医院中医生們則不做。他于是得出一个惊人的結論：是医生們自己用他們感染了的手和器械，把产褥热的病原菌帶給产妇們，同时他想出办法来避免这种感染的危險。Semmelweis 氏首先提出消毒的原理。由于用漂粉液洗滌和适当消毒的結果，产褥热的死亡率由33%降到1%。然而官方的医学界不相信他的發現而且和他敌对起来。在維也納，反动的教育部頑固的拒絕給 Semmelweis 氏教学的地方，不久他就被迫离开了那所医院。于是 Semmelweis 氏回到了匈牙利；虽然当时在匈牙利正是科学活动遭到严重的挫折和压迫的时代，但是却在他的祖国，成功的实现了他的数学工作，挽救了数以千計的母亲生命。当几十年以后 Pasteur, Lister, Koch 以及 Metsnikoff 等氏科学研究的光輝，照耀在科学的一个新的分枝——細菌学上的时候，全世界医学界公众的輿論終于認識到天才的匈牙利医学家，Semmelweis 所發現的學說的正确性。

由于消毒原理的倡用，以及后来的無菌方法，使妇产科成为有效的学科，而且其影响及于医学的每一部門。Semmelweis 氏热心医学工作的成就給匈牙利医学帶来一种朝向实际活动的趋向。正在庆祝創刊壹百周年紀念的匈牙利医生的中央医学杂誌，不久就創刊了，它第一次發表匈牙利医生們的論文，报道关于他們的观察和实驗的新方法。曾經为匈牙利医学的独立性而斗爭的优秀爱国的医生們，在这个杂誌的周圍欢笑。当奥地利專制政治的国际地位被削弱的有利时机，他們达到了用匈牙利文代替拉丁文和德文来教学的目的。他們組織了医学会，同时为了印行匈牙利的和外国作者們的医学論著，他們創立了一个印刷所。

在十九世紀中叶，为了匈牙利人民和匈牙利医学的独立而参加向反动势力斗爭的人們中，最著名的一位是匈牙利現代外科学的創始人 János Balassa 氏。他和 Semmelweis 氏一样也是在維也納学習，通过实际和科学的工作，他熟習了有关專業在当时的一些新發現，並且介紹到他的祖国。他是匈牙利第一位使用 Csermák 所發明的喉鏡的人，数月后乙醚麻醉术为人們所熟知时，他使用乙醚麻醉成功的进行了手术。由于他淵博的学識和优良的技术才能，他創立了匈牙利外科学派，他的一生都值得我国医学界的驕傲。

Polyá 氏治疗胃潰瘍的方法是世界聞名的。Manninger 氏和 Tibor Vērebely 氏是首先以全部切除胃的潰瘍部份来代替胃腸吻合术的。一位名为 Petz 的乡村医生創造了縫合胃的器械。半世紀以前，外科医生 Dollinger 第一个应用了三叉神經根横断术和在半月神經节內注射酒精的方法。

匈牙利現代內科学的基础，是和 Frigyes Korányi 的名字分不开的。他的父亲是一位医生，同时他的兒子和繼承者 Sándor Korányi 也是一位偉大的匈牙利医学家。如果我們深入叙述这个著名的医学家族的活动將更有兴趣，但是我只能談一些最重要的事实。原来 Frigyes Korányi 氏想做外科医生。他也是在維也納学習，但由于他的革命观点，反动当局先后把他从維也納和布达佩斯驅逐出来，不得不安身在一个农村小鎮。在那里也改行內科。他的淵博的学識和無旁的毅力很快地使他名声远揚。当在农村工作时，他不仅專心于医学方面的研究，同时他也了解了貧窮受压迫的人民的生活和灾难。早在 1860 年他就提出改善公共衛生条件的建議，並且注意到結核病和瘧疾極高的死亡率和对人民的毒害。在現代公共衛生条件下使我們很难想像当时疾病流行的可怖情况。譬如在Korányi 氏时代，从农村来到城市参加工業建設的工人們，三分之一感染了結核病。由于 Frigyes Korányi 氏不屈不撓的努力，匈牙利出現了第一所疗养院和診所来照顧結核病患者。他在这个农村小城鎮广泛的活动和卓越的工作，引起了权威人士的注意。从国外他也得到了崇高的評价。維也納有名的外科家 Billroth 氏邀請这位曾經被驅逐的匈牙利医生参与他的手冊的編輯，最后反动派被迫讓步，于 1866 年 Frigyes Korányi 氏被任命为布达佩斯大学的內科教授。他創立了第一所內科临床医院，並設置了新式設备，在我国他是第一位把临床工作和科学研究联系起来的人，在他們医院里，介紹了現代的檢查方法。同时他还是偉大的內科学派的創始人，这个学派在匈牙利和世界上其他地方都一直称为 Korányi 氏学派。

在进一步叙述这个学派的其他活动之前，我想应該先把注意力引到另一个声誉很高的学派，那就是 Jendrassiks 学派。老 Jendvassik 是一位生理学家，他研究的主要內容是肌肉活动的机能。他的兒子 Evnö Jendrassik 是当代广泛使用的內科学教科書的作者。除內科外他也从事神經病学的工作。引起膝腱反射的 Jendrassik 方法是有名的，可是只有少数国家知道的另一事实，即汞利尿剂的前身，甘汞的应用于利尿这件事也是和他的名字联系在一起的。現在由我所領导的寬敞的現代化內科医院是当时按 Erno

Jenkrassik 氏的計划建造的。

卓越的，全世界聞名的 Korányi 学派成員之一就是 Frigyes Karányi 氏的兒子 Sándor Korányi 氏。1909 年他被任命为布达佩斯医科大学第三內科医院院長，一直到1936年退休前，他都担任着这个領导职位。他死于1944年。他的研究工作开始于神經系統生理的观察，他有着一种坚强的信念，認为除非重視实驗並与临床工作緊密結合，否则研究工作將得不到結果。他的著名格言是："研究工作必需从临床而来，而又回到临床"。一个極普通的临床病例使他發現了腎功能的規律。

曾有一外科医生为一女病人手术时，不愼將一側的輸尿管割断，于是把輸尿管縫合在腹部皮膚上。此后病人很感苦惱，要求解除这种痛苦。这位外科医生就請 Korányi 氏会診並征求意見如摘除这一側腎臟是否会有不良后果。Korányi 氏首先确定，从腹壁瘻管所排出的尿液中鹽类、尿素和磷酸鹽的含量与对側腎臟排入膀胱的尿液中者相比較要少些，而且波动也較少。由此他推断帶有縫合輸尿管的这一側腎臟的功能受到損害，这一側腎臟本身已有病，因此可以摘除它。这是世界文献上記載的头一个腎功能試驗。随着这个發現以后的紧張工作，使他明确，腎臟的功能和情况可从血液和尿中反映出来；在这个基础上，他介紹了尿比重固定的概念，澄清了滲透調整紊乱(Osmoregulatory disorder)以及腎性水腫的机制。通过对腎臟功能規律的認識，Korányi 氏把这种新的革命的功能的概念，运用到治疗中去。这种概念使我們能够用新的解釋来說明一些疾病。虽然他知道了形态和構造的重要性，他首先將病人做为一个人的整体来了解並观察他們与周圍环境的关系。不論解剖学的診断有多大重要性，病人的命运主要决定于机体通过調节机轉的帮助，对日常生活需要的适应能力。

現在的医务工作者所熟悉的腎功能試驗如 Volhard 氏的濃縮試驗，Schlayer 氏的一日試驗，或 Albarran 氏实驗性多尿試驗，都是 Korányi 氏所介紹的。虽然是在他初步發現的基础上，泌尿学家 Géza Illyés 教授才从事分别从兩側腎臟收集排泄物的研究，通过这些研究，建立了現代泌尿外科的基础，但由于 Koranyi 氏謙遜的特性，他並不为了在这方面發現的优先权而爭論。

如果以为 Sándor Korányi 氏把功能性的概念，只应用在腎臟病的病理机轉那就錯了。由于 Koranyi 氏生理学功能原理的建立，把功能性概念，应用到全部內科領域中也都是正确的。法国偉大研究者 Claude Bernard 的意見就是如此。从这个概念出發，他說明了迄至当时各种疾病尙模糊不清的地方，解釋了环境和过敏疾患之間的关系，澄清了心臟疾患与紅血球增多症的关联，于是使我們对高空性紅血球增多症，以及氧气对紅血球数目的影响有了更进一步的認識；他对心怯喘息發病机制的解釋，仍为現在的科学水平所採納。在他深奥的演講里，他討論了老年的病理，同时指出順势疗法(Homeopathy)的持久特点。他繼續着他父亲的崇高事業，站在对全世界結核病斗爭的最前列，首先創立了压縮疗法。

如果想把他的个性描述得更清楚，須要談的將很多。也不能多談关于他对經典性医学的評价，以及他如何繼續和發展那些他認为永久有价值的，那些在机械化的今天也不应完全忽視的方式和方法。

当德国一个大的刊物要我在我的老师(Master)七十岁寿辰的时候，写一点关于他的材料，我曾这样写道："很少見到一个临床医师能够在他的活动中的三方面同等地完成其突出的成就：既是一个医生，又是一个教师，同时还是一个科学家"。Frigyes Korányi 氏和他的兒子 Sándor Korányi 的努力，对匈牙利医学影响是無限的，今天絕大多数 Sándor Korányi 氏的学生，都是卓越的匈牙利医务工作者，我認为这就是一个教师所能得到的最大的成績。

在上世紀初期，小兒科还不是一門独立的科学分枝，而只是屬于內科学附加的范圍內。在当时小孩被看作成人的縮影，到后来才發現嬰兒和兒童的生理是和成人完全不同的；这就是为什么兒童医院在比較晚的时期才建立起来的原因。繼巴黎，彼得堡和維也納建立兒童医院之后，布达佩斯是世界上第四个建有兒童医院的城市。值得提出的是，这个医院的創办者

Schöpf-Mérei 氏从各种意义来說都是个革命者，他曾經参加过 1848 年的独立战争，失败后他被迫逃到国外避难。在英国他定居下来，同时在曼徹斯特（Machester）建立了一所兒童医院，在那里他經常發表有关兒科方面的講演。

老 János Bókai 繼承 Schöpf-Mérei 氏为医院院長。Bókai 也是当代第一流医生。他的兒子也繼承了他的事業，在布达佩斯大学担任教授。Bókai 氏把他的精力集中于傳染病，特别是白喉。这是很容易理解的，因为在上世紀末期，白喉的死亡率經常高到 60% 以上。此时在德国由 Behring 制成血清，Bókai 氏很快就与 Behring 接触，同时他首先用这种血清作出治疗性試驗。同样，他是第一个开始用插管法治疗克魯布。此外他还認識到水痘和帶狀疱疹病原学的关系。

早于維也納大学的布达佩斯大学的第一所眼科临床医院，是在十八世紀末期建立的。匈牙利眼科学昌盛的一个重要因素，是由于十九世紀头几十年，所謂的革新年代里，国家意識的醒觉，它鼓舞进步的匈牙利知識分子不仅繼承其他民族的科学成就，而且將其进一步發展。由于公共衛生的落后狀況，广泛流行的眼部疾患特别是砂眼，迫使这种發展前进。如果我列举那些使匈牙利眼科学达到高度水平应該受到我們尊敬的优秀的匈牙利眼科專家，將要用很多时間。时間不容許我来介紹匈牙利实用医学其他許多分枝所获得的优良成績。在皮膚病学，耳鼻喉科学、矯形学，神經病理学，以及精神病理学等方面，匈牙利医学丰富了对这些疾病进行斗爭的武器，同时由于許多新的观察和發現，也丰富了我們关于疾病病理学方面的知識。

在医学理論領域里，解剖学和組織学一直是匈牙利医学科学研究中走在前面的部份。几十年来，匈牙利解剖学研究的發現，和解剖学的教学，都和 Lenhossék 氏一家的名字相联系着。这个有名的医学家族中最老的成員，老 Mihály Lenhossék，是上世紀初期布达佩斯大学的解剖学和生理学教授，是开辟肌肉功能生理的研究者之一。他的兒子，József Lenhossék，被鍛鍊成为一位卓越的解剖学家，是中樞神經系統精細結構的最早研究者之一，並且發展了新的操作技术。这个家族的第三位解剖学家 Mihály Lenhossék，也从事神經系統精細結構的基础研究。他和 Ramony Cajal 以及其他学者們共同奠定了“神經元学說”。在 Guthers 氏以前，他就發現了鼠的 X-染色体，同时他是第一个努力依靠科学基础来解釋性别决定的問題的人，以前人們只是从外行的角度来观察这个問題。值得注意的是对神經元学說提出尖銳批評的也是一位匈牙利作者。Apáthy 氏在上世紀后半叶所进行的研究証明，神經系統不仅包括神經細胞和分佈于全身的神經纖維，同时他們彼此之間还有一种更細致的纖維，神經原纖維相联系着。今天，很明显的 Apáthy 氏的研究工作，直接推动了医学上新概念即神經論（Nervism）的形成他作为生理学家巴甫洛夫同时代的人，为神經論打下了形态学的基础。我們应該归功于另外一位著名的形态学家 Huzella 氏，他發現細胞間物質，不論在正常或病理的情況下都是和細胞本身同样重要的。在今天膠元性疾患在临床上取得了前所未有的重要性时，Huzella 氏的研究的意义也随之而增長。

在匈牙利著名的病理解剖学家中我只提出来 Anal Genersich 氏和 Ödön Krompecher 氏兩位，他們兩位都是創立过学派的科学家，所以在他們死后，他們工作的影响，仍然繼續存在和發展。对我个人来說特别感到兴趣的是在我們国家里 Genersich 氏是第一个从事研究淋巴管的人。Ödön Krompecher 氏是由于他的基底細胞癌的定义，以及細胞分裂机轉的深入研究而聞名的。

匈牙利医学界一位傑出的人物就是 Endre Högges 氏，对于他的活动，即使是在国內，仍然有些片面的看法。Högyes 的工作中最著名的是关于狂犬病的研究。他是和巴斯德同时代的人，他的实驗差不多是和巴斯德同时进行的，而且在某些方面更进一步發展了巴斯德氏的成就。通过長期辛勤的劳动，他找出了一种方法，即稀釋法，由此才能够投予一个可靠而絕对無害的狂犬病病毒的剂量，虽然他为 Bárány 和 Sherrington 兩位的研究提供了重要的材料，而使他們获得了諾貝尔奖金，但关于他对內耳与眼之間的关系的研究工作，人們却知道得不多。

Högyes 氏首先發現当兩側迷路被毁坏或切断兩側所神經后，代償性眼球运动就完全消失。旋轉性与热性眼球震顫的証明也是 Högyes 氏功績。基于 Högyes 氏的發現，所有生理学家和哲学家的研究，都承認除了五种感覚之外，还存在第六种，即平衡感覚。虽然在巴斯德氏的国家所举行的巴黎国际病理学会上，一致决議宣佈根据 Högyes 氏的基本原理制备的血清是当时最好的，可是 Högyes 的名字在国外却很少知道。一年前在他逝世五十周年紀念日的时候，匈牙利医务工作者，都以許多貢献，来紀念这位匈牙利偉大的兒子。

在医用化学和生物化学方面，匈牙利的学者們也获得了显著的成績。偉大的世界聞名的生化学家之一就是 Leo. Liebermann 氏，他通过对細胞核的代謝，有关尿胆素的問題，以及免疫学的問題等方面深入的研究，而建立了匈牙利生化学派，从开始这学派就达到很高的水平。Ferenc Tangl 氏，Pál Hári 氏和其他一些人的活动，也都是全世界公認的。匈牙利生化学家 Albert Szent-Györgyi 由于發現了維生素 C 和 P，也由于他的研究根本改变了我們对肌肉收縮的認識，而获得諾貝尔獎金。

一般說来，匈牙利科学家們曾經从事于很多有关肌肉的構造、成份和功能的研究。这些研究显示出三磷酸腺苷对血管的特殊葯理作用，而且它也保証肌肉收縮所需的能量。这种發現对重要的匈牙利調剂上，产生了实际应用价值。

Jancsó 氏关于化学疗法作用机轉的研究，都是些基本性的，他的研究为胍类抗瘧葯物的發現准备了基礎。由于另外一些匈牙利研究工作者对瘤組織气体代謝的研究，而产了氮介疗法，像这类实例，我还可引証得更多的。我不說在匈牙利也有其偉大历史的血清細菌学方面的研究工作，也不再說抗生素的生产和新抗生素的發現了，虽然这属于另外的科学分枝。

这样不完全的概括描述，可以說明匈牙利医学有其偉大的过去，無疑的也將有其偉大的未来。如同我国的生命一样，1945 年也是我国医学的轉折点。胜利的苏联軍队把我国从法西斯統治下解放出来，他們給我們人民帶来了長期渴望的自由，这种自由，也使我們能够推翻資本主义制度的束縛。随着經济和社会制度的改变，科学的整个特性也产生了变化。社会主义建設的特征，不仅反映在国家与科学之間的关系上，也反映在我們的科学家們对人民和国家事業的責任感的提高。对科学工作的支持和鼓励，有了显著的增进。匈牙利科学院經过 1949 年改組以后，积極的採取了果断的方式協助、支持並調整了科学研究工作。自从科学院成立以来到这时才建立了医学的独立研究部門。现在也和过去一样，研究工作主要是在大学里进行，世界上沒有几个国家像我国一样，人口虽少却拥有这么多著名的医学校。匈牙利有一千万人口，却有四所規模宏大的独立的医科大学。在大学里进行的研究工作，从匈牙利科学院那里得到很多的物質援助。近代医学的發展非常广泛和深入，因此大学中的研究工作，無論是怎样有用和丰富，但並不能完全滿足近代發展的要求，所以必須建立新的医学研究机構，專門从事科学研究。

匈牙利科学院已經建立了实驗医学研究所，虽然它还只是初具規模，但几年来已經有了卓越的成績。衛生部已經設立了国立神經外科研究所、营养学研究所、劳动衛生研究所和結核病研究所等。重大的研究工作正在国立公共衛生研究所中进行。科学院中央物理研究所的放射学部正在訓練研究工作者在研究和实用中使用放射性同位素。

具有偉大意义的一件新的社会主义建設，就是葯物工業研究所的成立，从科学問題的解决到工業生产阶段，从动物試驗到临床应用都由它来指导。在我們旧有的和那些新建的制葯工厂中，紧張的科学工作也在繼續进行着。例如 1902 年建立的 Gedeon Richter 化学工厂，在制造器官治疗制剂方面享有很高的名誉。在开始的时候，仅仅能制造簡單的器官浸出物，而現在能把一些有效成分制成結晶，最近，在制造合成的黄体內分泌素方面获得了成功。Richter 工厂还生产所有的麦角贋碱，毛地黄的純有效成分，以及加速或阻止血液凝固的因子，另外一个具有悠久历史的工厂，就是 Chinin 工厂，它向人工合成化学方面發展，其中最著名的产品之一利尿剂 Novurit 是大家知道的。

由于衛生部的巨大努力，普遍社会保險的实施，医院病床的显著增加，和近年来医学的突飞猛进等自然对全国公共衛生事業上产生了明显的效果。我仅仅举几个例子来說明：在1938年新生兒死亡率是13%，到1956年降为6%；1938年每一万居民中死于傳染病的是18.8而1956年降为4.7。我不再談其他方面的統計材料了，每个数字都証明偉大的进步，但是和其他国家特别是苏联和人民民主国家比較無疑的在某些方面我們还不够满意的。关于医学方面最近的成就，我不再一一的举例說明了。接着在一系列演講中，我們將介紹这方面的一些成就。

我將結束这篇演講，我知道我这篇关于匈牙利医学發展和目前情况的报告是很不全面的，这还不單純是由于內容丰富而时間太少的关系；非常重要的是通过社会环境来透視和估計成就，方能圓滿的解决这項任务。个人和社会間的統一或矛盾是令人兴奋的問題之一，科学的历史，充滿了所謂偶然的發現，然而对Rentgen氏發現了X-綫或巴斯德發現了微生物学的基本規律等不能看成是單純的机会問題。著名的神經組織学的开拓者Ramony Cajal氏写道："像任何其他智力活动一样，人們的科学工作是严格的依賴于他們物質和精神环境的特定狀况"。說得明确一些，就是依賴于經济和社会条件。对于自从上世紀中到現在这样充滿着矛盾和苦难的一个时代来說，这种論点是具有权威的正确性的。如果有人不考虑时代而把問題孤立起来看，他一定不能理解匈牙利医学的發展和現在的狀况，現在对这个决定性的問題，任何一个有清醒判断力的人都承認个人和社会，科学和进步是不可分割的。

（本文系开幕詞，1957年9月9日在北京中国协和医学院礼堂报告）

（黄松如譯）

关于 Н. И. 皮洛果夫事業新發現的資料

В. М. Корнеев, Новые материалы о деятельности Н. И. Пирогова, Нов. Хир. Арх. (6):23—24, 1956.

作者在文中所引証的关于Н. И. 皮洛果夫事業新發現的資料是1955年在列宁格勒中央国立軍事历史档案室及其分室中發現的。引起兴趣的是皮洛果夫关于"达格斯坦軍医院在战場上的工作报告"的一封信，在这封信上記載有俄罗斯医学在乙醚麻醉应用上的居先地位。同时也發現了皮洛果夫对 Рклицкий 教授关于外科綳帶术指南的評論，对病理解剖室主任 Шчиц 的兩篇文章的評論以及对 К. М. Бэра 科学院士关于組織学教程学生参考資料的評論等。

（刘 鳴摘譯自 Нов. Хир. Арх. 6(23—24)，1956年）

介紹"医学名詞的起源及其形成"一書

F. Roberts

本書为帮助不熟習古代語言的專業工作者，扼要地敘述了医学名詞的概念。作者指出医学名詞是为反映一定的医学概念在历史發展过程中形成的。原書分为兩部分。第一部分追溯了名詞的起源，它們产生的出处，形成的原理及医学專門名詞結構的規則。作者举出一些保存有原始概念或原意已变了的名詞，或現在医学名詞內不准确和不正确的例子，指出其字源学上的錯誤，及英文和美文名詞上的某些差異。第二部分所引用的名詞，取决于这些名詞所标誌的意义（顏色、構造、运动、感觉等等）；这样就給我們提供了同义語、反义語及医学名詞上所含的意义。

（原書为1956年倫敦出版：Medical terms, Their Origin and Construction.）

（成桂仁譯自 Медицинский реферативный Журнал 1957年第3期）

疑獄集、折獄龟鑑、棠陰比事的釋例

汪 繼 祖

疑獄集是石晋时和凝及其子㠓合編，折獄龟鑑（又名决獄龟鑑）是宋代郑克所著，棠陰比事是宋代桂万荣所著。后二者均以和凝父子疑獄集为主要資料，参以己意，編著成秩。而前二者也和宋代宋慈所著洗冤录一样，不仅是原著者搜集了前代列朝的事例，予以採用，而且也經后代列朝的編校者給予刪正补缺，所以在內容方面，包括有宋代以后的元、明、淸各朝的案例。

这三份古本法医学資料，均有共同的特点，即每举一例，均提出人名、地点及官銜，甚之仅單列人名，其目的着重于揚名、效法、愼刑、审查、揭暴、鋤姦等平反冤獄之事。但从所列举的事例中，集合千余年来的紀事，使后世从事偵审及法医工作者，得有准繩，所以对祖国的貢献極大。

由于这三本古典名著互有雷同处，为了要發揚祖国文化遺产，特將有关法医学檢驗及鑑定部分，选出若干，其內容相同者，給予备考註明，俾資研究祖国法医学史和資供考察祖国法医学檢驗及鑑定方法的来源。仿世界各国先例，將其發明創造者指出其業績，發揚祖国对法医事業的貢献，同时更可採用有关案例，补充为教学上的資料。

这部分的釋例，著者限于学識淺陋，考証尚不充分，遺漏和錯誤，必然很多，希請国內外法医工作者及讀者給予批評指正。

現場勘驗篇

甲、火場应注意者

一家数口被焚，应屬謀杀

【选例】 疑獄集“寿隆疑火”：朱少监寿隆知彭州九隴县，吏告一家七人以火死，寿隆曰，豈有一家無一人脫者，此必有姦，逾月获案，乃杀其人，而縱火尔。

【备考】 按折獄龟鑑有“朱寿隆察盜有姦杀人縱火”，其辞句大致雷同。

【解釋】 火燒时，縱使有人酣睡，斷無数口之家，而全被焚斃。因朱寿隆有这种卓見，能及时严于緝捕兇犯，案遂得破。此政法工作者，所应注意之事，値得选出。

乙、屍处应注意者

（一）發現沉屍，应即进行偵查

【选例】 疑獄集“郑洛書”：郑洛書知上海县，崇履端謁郡，归泊海口，有沉尸压以石磨，忽見之，歎曰，此必客死，故莫余告也。遣人偵之，近村民家有石磨失其牡，执来脗合，一訊即伏，果江西卖卜人，岁晏將归，房主利其財而杀之。

【备考】 按疑獄集后附有附录二十九則，是淸金鳳淸增輯。本选例中屬于疑獄集例，但書其姓名而不叙事由者，均屬附录中选出，謹先註明。

【解釋】 沉溺以石，多見于他杀，选例中未言其死因，但旣云沉石为磨，就是可靠的物証，从近处必可获得石質相同，琢石溝紋相脗合的磨心，因此犯罪偵查，貴于神速，果然获得失磨人家，当可追究謀害問題，所以一訊即伏。

（二）沉屍于海，应有移屍踪迹

【选例】 疑獄集“蔡高驗屍”：蔡高調福州長溪尉，县媼二子漁于海而亡，媼指某为仇，告县捕賊，吏皆难之，曰，海有風波，安知不水死乎，虽果为仇所杀，若不得屍，則于法不可理。高独謂媼色有冤，不可不为理也，乃陰察之，因得其迹，与媼約曰，十日不得屍，則为媼受捕賊之責。凡宿海上七日，潮浮二屍至，驗之皆杀也，乃捕仇家伏法。高端明殿学士襄之弟也。

【备考】 折獄龟鑑有“蔡高察媼色冤为理所訴”及棠陰比事有“蔡高宿海”，其內容意义均同。

【解釋】 入海捕魚，倘有風波之險，即难免沉于海，但老媼旣云为仇所害，即不可拘于常規，而疏于探求。所謂漁于海而亡者，水深浪大，屍便难还，倘杀于道而棄之于海者，縱有浪潮，必不甚远，且海难移屍，旣有足迹可寻，而屍当期待获得。高約日期十天，乃期待屍体漂浮，浮于水上，故宿海上，避免漏失，果获其屍，屍伤即可發現，因此破案。故其明情察理，具有法医学及犯罪对策学的諸項卓見，是值得后人效法的。

（三）水中屍，須驗明果由溺或因伤

【选例】 疑獄集"徐裕夺杀"：浙西有游徼徐裕，以巡鹽为名，肆掠村落間，一日過諸暨商，夺其所齎錢，扑杀之，投屍于水。走告县曰，我获私鹽犯人，畏罪赴水死矣。官驗視，以有伤疑之，遂以疑獄釋，貫师泰追詢，复按之，具得裕所以杀人狀。

【解釋】 既云畏罪投水，身上可無重伤，既有致死性重伤，即应严鞠来告者，豈可以疑獄为辞，不予深究，貫师泰能做到追詢复按，因此获得徐裕杀人罪狀。

屍体現象及屍体檢查篇

（一）屍体上附有稻芒，能偵知为移屍

【选例】 疑獄集"周紆屍語"：后汉周紆字文通，为郘陵侯相。廷椽憚紆严明，欲損其威，乃晨取死人，断手足立于寺門。紆聞便往，至死人边，若与死人共語笑狀，陰察視其口眼中，乃有稻芒。密問守門者曰，誰載藁入城。对曰，惟有廷椽耳。又問鈴下曰，外有疑吾与死人共語者否。对曰，廷椽疑君。乃收廷椽拷問，具服云不是杀人，但取道边死人也。自后莫敢犯之。

【备考】 折獄龟鑑有"周紆問藁 問疑溺死人姦"，棠陰比事有"周相收椽"，其內容意义均同。

【解釋】 無手足的屍体，立于寺院門口，当然可以理解为別人移屍。由于周相聞报，立即查驗，既然發見屍体口眼部附有稻芒，即可理解在移屍时，必用稻藁为其掩盖，因之訊問守門人，了解是誰运藁进城。由于接近屍体，仔細察看，获得眞实情况，心中有數时，类与死人言語狀，而廷椽仍在議論，当可推定应由廷椽在故意搬弄，所以一經詢問，便得其实。著者对于这位卓越的政法兼法医工作者所应愼重提出者：不应嫌惡屍体腐敗而不接近观察，虽然屍体上附有此項微小迹象——"稻芒"，亦可导致偵查屍体的来源，和运藁移屍的情况。

（二）蠅集屍体的腔口，即能藉此發現創伤处

【选例】 疑獄集"严遵疑哭"：严遵为揚州刺史，巡行部內，忽聞哭声，惧而不哀。駐車問之。答曰，夫遭火燒死。遵疑焉，因令吏守之。有蝇集于屍首，吏乃披髻視之，得鉄釘焉。即按之，乃伏其罪。

【备考】 又疑獄集"韓滉听哭"，"子产聞哭"及折獄龟鑑有"子产聞妇人哭知其有姦"，其意义均属听到妇人哭声並不悲哀，而怀疑有姦行，因而訊知果有姦情。又折獄龟鑑在子产疑哭之后，由作者郑克又引証疑獄集例有"莊遵疑哭"、"韓滉听哭"及"張詠聞哭"三例，均为腦中取釘例，玆不多贅。

【解釋】 前述諸例，著者認为这在于平时能与羣众接近，巡行时，听見羣众發生議論，怀疑妇人之夫死因可疑，因此傳出妇人，当面見到哭的形象，才会体察到所謂"惧而不哀"的声調，与羣众議論相結合，即有鞠訊的必要。至于在头部有創伤，誘引蒼蝇飞集，引起先进法医工作者注意，披开髮髻，發現有鉄釘釘入于腦。在法医学屍体現象篇，叙述屍体被动物破毁，首先即为蝇产其卵于屍体各腔口，有时在夏天就能产出已孵化的小蛆，直接鑽入各腔孔內。宋慈所著洗寃录載有"暑月九竅（头部七竅，陰部二竅）內未有蛆虫，却于太陽穴，髮際內，兩脇腹內，先有蛆出，必此处有損。"是說明在損伤处，附有膿血，容易被蝇产卵而孵化成蛆之意，此外就是腦質容易腐敗，如有創伤，則其腐敗之血水，容易从創口中向外溢流，当然更容易引誘蝇类蝟集。由此可知，此"蝇集于头頂，得获鉄釘或創伤"，至宋时又为宋慈所採用。

机械性損伤篇

甲、銳器伤亡部分

（一）辨伤眞伪

【选例】 疑獄集"李公驗欅"：尙書李南公知長沙县日，有斗者甲强乙弱，各有青赤痕。南公以指捏之，曰乙眞甲伪。訊之果然。盖南方有欅柳，以叶塗肌則青赤如毆伤者，剝其皮横置膚上，以火熨之，則如棒伤，水洗不去，但毆伤者血聚則硬，伪者則不硬耳。

【备考】 折獄龟鑑"李南公捏痕驗实以証毆伤"，又棠陰比事"李公驗欅"，其意义均同。

【解釋】 按欅柳树皮含有色素，能使剝樹

皮的工人手上染成青色，因之伪伤者每以其叶或皮做成假伤，水洗酒精塗擦均难立即褪色。著者曾在某县，遇到一种假伤，确能使皮膚表面形成紫紅色，並有灼热感。后据了解，是应用树皮焙覺制成。此項伪伤的特征，色澤單調，边緣界限明显，而且皮下並不腫硬，根据所訴受伤后时間亦毫不符合。吾人应知，受伤后能立即表現紫紅色的损伤，通常多見于捏伤及巴掌伤，以及其他压迫性挾縮所致的损伤（如汽車輪胎花紋間的挾縮伤），所以根据局限部位与范圍，即可判定。若是应用拳头或器械打击所致，由于暴力作用，易使深在肌層或骨膜中存在有皮下血腫，因之局部必有腫硬。由于深在組織中血色素改变，須通过多層組織的吸收，氧化及还元等变化，其所表現于皮膚表面的着色現象，既不能立刻表現（須經三至五天后），而且色澤也不会是單調的。因之除器械形狀依接触面（即打击面），部分形成伤斑外，在其周圍尚可表現多种顏色的混杂（紫紅、綠、黃、青、紅等），相互層叠，或隐或現，很难呈現明显的界限。由于李南公了解此原理，經过亲自查驗，立辨眞伪。驗伤时必須按捺局部，是驗伤的要訣，值得后人效法。

（二）辨認杖伤

【选例】 疑獄集“提举驗杖”：宋提举楊某为越录事参軍郡守，严治盗。凡保內捕賊不获，則被盗物責保長償之。有一人家被盗，持杖追击仆地。执送保長，保長苦之，乃即械系解官。适盗死，郡因治保長制死。獄具后，公閱狀，云左肋下致命一痕，長寸二分，中有白路，必背后追击，是其死非因保長制縛也。獄吏爭案已成，公不听，即追詰元捕賊者，果得其情。索致杖首有裂，証益明。乃引法止坐保長杖罪，免死。

【解釋】 上述选例，可能有二个死因，一为杖击左肋下致有內伤，另一为制縛死。当然有無內伤致發生內出血，以及細縛范圍程度与經过时日，既未叙述詳細，难還解釋。茲所值得提出解释者，系証明是否曾被杖伤。

著者早在1929年屢遇凡被軍棍打伤，均能表現为兩条並列紅痕，中夾白痕，在紅痕处显著隆腫，有炎症性狀，而白痕处显著平坦，俗称竹打中空。凡被圓筒形物（柴棍、手杖、竹干、籐条、竹枝、鞭之类）的打伤，均有此項特殊形成。按在圓筒形干狀物打击时，不仅使皮膚及其皮下組織直接受到襲击，同时还有抽打性質，使未被接触（压迫与貼緊）在圓筒形物体之外的鄰接皮膚，其皮下組織血管，能由抽打时被牽引而撕裂，遂致血管破裂，故能表現与圓筒形物接触面相一致寬度的兩条並列紅痕，中央部位只有压迫性貧血，故現白痕。垂直打击即显著表現为三等分的性狀，由于兩側紅痕显著腫脹隆起，故其白痕亦显著凹下。

紅痕的寬度，須視打击力的强弱而有不同，愈强則愈寬，愈弱則愈狹，而其兩紅痕間的最大寬度，决不超过击襲物直徑的寬度，故可根据兇器的直徑，核对伤痕的寬狹，可以鑑定用力的大小。

倘偏側打击时，即可形成为一側有狹的紅痕，另一支重側有寬的紅痕，倘为柔軟性条干，則其末端可以指示傾向打击方向的弯曲，故可借以鑑定打击的方向。

由于抽打时，具有挫擦作用，故物面愈糙者（例如竹节、柴棍、树枝类），尚可伴有表皮剝脫，故亦推定兇器的性狀。

倘上下端並不一致粗細（例如手杖），同样也能形成非屬並行排列的，也为一端較粗他端較細的紅痕及白痕，故可鑑定兇器的形态，以及执持端与接触面的情况。

关于圓筒形物，能使皮膚形成兩条並列紅痕的皮下出血，在斯密司氏及萊依斯基氏均有述及。著者曾数經自我試驗，並从案例实际观察，获得鑑識关于用力大小，打击方向，兇器形态性狀以及执持端的情况，屢証不爽。故选例所述“白路”二字，是確認由杖伤所致。著者認为宋。提刑楊某之所以有此卓見，必因在囚犯受杖伤后亲自察驗所得。由于了解案情經过，追捕者持杖追击，打伤左肋下，長一寸二分，中有白路，符合于杖击伤。所謂兩脇肋，自古已列为致命伤部位的所在，故根据此項特征，判为杖击死而非制縛死，因之堅决主張追詰原捕者，並且發現杖端有破裂，当然更可核对其伤痕，有無与破裂性狀相一致的损伤，証明更加確实。故宋提刑楊某对于杖伤現白路，即証明圓筒形物能形成兩条並列紅痕的業績，是值得頌揚的。

(三)發現額上压迹,知非七年的僧人

【选例】 折獄龟鑑"張詠察其額痕知僧为賊":張詠尚書,知江宁府,有僧陈牒出憑,詠据案熟視久之,判医司理院勘杀人賊。翌日羣官聚听,不曉其故。詠乃召問为僧几年。对曰七年。又問何故額有系巾痕。即惶怖服罪。盖一民与僧同行,于道中杀之,取其祠部戒牒,自披剃为僧也。著者郑克按曰,案善察賊者,必有以識之,使不能欺也;善鞫情者,必有以証之,使不可諱也。詠实兼此二术矣,可不謂之明乎。

【备考】 棠陰比事有"乖崖察額",其內容意义均同。

【解釋】 古裝戴冠必以絹帛束其額。久之,即能使額部显有压迹。僧是剃光头髮的和尚,縱使戴有僧帽,絕对不形成压迹。当張尚書正在据案熟視时,已發現这是假冒的僧人。可能由于認識久經剃光的头皮,能使髮內皮膚与額部皮膚趋于一致的色澤,而新剃者色澤即不一致,堪为辨戴帽及披剃与否的重要証明,何况加以額有束巾压迹,当然更能判定。这种無微不察的卓見,法医工作者值得学習。

乙、鑑鑿伤亡部分

(一)自他伤的辨識

【选例】 疑獄集"惟济辨伤":錢惟济留后知絳州、民有条桑者,盗强夺之不能得,乃自斫其右臂,誣以杀人。官司莫能辨。惟济引問,面給以食,而盗以左手举匕筋。因語之曰,他人行刃,則上重下輕,今下重上輕,正用左手伤右臂也。誣者引伏。

【备考】 折獄龟鑑有"錢惟济辨自伤臂以誣桑者",又棠陰比事有"惟济右臂",其內容均同。

【解釋】 古律强盗如被捕获,一律处死,因之为了要避重就輕,自己伤害反而誣害别人杀人,但自己伤伤最初因疼痛切入不深,欲达到誣害目的,始决心加深,而他杀行为,猛力砍击,必然起手就重,随后力竭才輕。这絳州錢惟济,理解自他伤机制,並且当面了解强盗在飲食时确为左利,符合以左手伤自己右臂的部位,所以作出这肯定,很符合科学理論。

(二)刃与創伤的大小是否符合

【选例】 疑獄集"良肱驗刀":余良肱大卿,初为荆南司理参軍,有捕得杀人者,既自誣服,良肱独以驗其屍与所用刃疑之,曰,豈有刃盈尺,而伤不及寸,白請别捕,果获真杀人者。

【备考】 折獄龟鑑有"王利留獄案盗雪平民寃"附余良肱例,其內容同前。

【解釋】 以刀砍人,除非是重疊砍击,才会加大加深。以刃刺人,刺創管应比刃的横断面为闊,即因有刃刺器,由切割作用而放大;所以只有刃之短小者,使創伤变大,而断無杀人已死,而刃之盈尺者,其伤反不及寸。这种以兇器比对創伤是否符合,是檢驗屍伤的重要环节,所以余良肱具有这种法医学知識,才会使無辜者釋寃。由于掌握治獄貴緩,而不苟簡,並詳于緝捕,所以既不失有罪,亦不及無辜,是值得学習的。

(三)生前死后伤的辨識

【选例】 疑獄集"尹見心":民有利姪之富者,醉而拉杀之于家。其長男与妻相惡,欲借姦名並除之。乃操刃入室斬妇首,並取拉杀者之首以报官时,县令尹見心,方于二十里外迎上。官問报时夜已三鼓,見心从灯下視其首,一首皮上縮,一首不然。即詰之曰,兩人是一时杀否。答曰然。曰妇有子女乎。曰有一女,方数岁。見心曰,汝且寄獄,俟且鞫之。别發一票,速取某女來。女至,則携入衙,以果食之,好言細問,得其情,父子服罪。

【解釋】 拉杀即勒死,是用繩索横繞頸項,抽紧其兩端,用結节固定,使頸部气管血管神經均受压迫,因而窒息死亡。生前被砍,由于皮膚組織纖維有彈性,所以在切断或砍断之后,皮肉即收縮。在帶有骨的組織,显然就表現为皮卷肉縮骨突的特征。同时因为生前出血,血必凝結,因此在創口上附有鮮紅凝血,水洗不去。如果在死后被砍就表現为無血汚,蒼白色,皮肉不卷縮。如与骨同时截断,則皮肉与骨即在同一水平面上截断。而今这个案例,父子因謀財害命,先將其姪勒死,並因其子与媳不睦,乘机再加上因姦,捉姦,杀死而不抵命的企圖,砍杀其媳。显然在死因的机制已不相同。一般認为均屬用刀砍下的头顱,可以混淆。殊不知生前死后的創伤,各有显著的不同。行兇者父子,由于利令智昏,居然敢于杀人而反誣。而尹見心頗有見臉，在發現兩头顱有不同的現象时，——即一皮卷肉縮，另一則否——而且奔走在二十里以外，只是半夜三更，可見在杀人时亦非在夜間。所謂因捉姦而双杀，便是虛妄。尹見心由于仔細考慮問題，所以在灯下察知底細之后，随即推托翌日詢問为理由，將杀人者暫留监禁，另一方面又随即票傳死者之女，細心款語問明詳細，居然不出所料，确是謀財害命兼又反誣。著者非常佩服这种审慎詳察与英明果断的处理問題，使杀人者难以倖免于法網。是科学的，合理的。

高溫伤亡篇

驗火燒死，口鼻有無灰燼

【选例】 疑獄集"張举燒猪"：張举（三国时）吳人也，为句章令。有妻杀夫，因放火燒舍，乃詐称火燒夫死。夫家疑之，詣官訴妻。妻拒而不承。举乃取猪二口，一杀之，一活之，乃积薪燒之，察杀者口中無灰，活者口中有灰，因驗夫口中果無灰，以此鞫之，妻乃伏罪。

【备考】 折獄龟鑑有"張举特燒二猪証夫杀死"及棠陰比事有"張举猪灰"，其內容均同。

【解釋】 火燒时一切可燃物質均被燃燒，因此必有煙灰炭末在空間飞揚，活人有呼吸能力时，即將灰燼吸入于口鼻中，甚至深入肺胞內，死后再燒，縱使在口鼻外端部分可以有少許附着，但决不侵入于肺。張举燒猪的办法，辯証生前死后被火燒，所表达于呼吸道的征象，当然是創造性的檢驗方法。从而可以証明祖国早在三国时代，已知应用动物实驗用于法医学之鑑定。

法医中毒篇

(一)催吐剂的应用，始于汉朝以前

【选例】 疑獄集"彥超驗吐"：汉慕容彥超，有献新樱，彥超令主者收之。俄而为給役人盜食之，主者白于彥超。彥超呼給役人，伪安慰之曰，汝等豈敢盜吾所食之物，蓋主者誣执耳，勿怀憂惧，可各賜以酒。彥超潛令左右入藜蘆散，既飲之，立皆嘔吐，則新樱桃在焉，于是伏罪。

【备考】 折獄龟鑑有"慕容彥超吐酒見樱盜食者服"，內容与前述同。

【解釋】 飲食之物，特别是植物性物質，难于消化，不仅是嘔吐物，就是排泄物，亦可檢出，俗称入口無贓之說，是認为入口即被消化之意。所以慕容彥超用催吐剂，使之当場暴露，虽然是細事，但要揭發窃盜，即不得不运用計謀。藜蘆散具有催吐腹瀉的毒性葯物，可見汉时已知毒物应用于医疗，並进而应用于犯罪偵查。換言之，偉大祖国在汉时，已知用藜蘆散为催吐剂。

(二)服毒自裁，伪为斗毆死，以达誣害目的

【选例】 疑獄集"王臻辨葛"：王諫議知福州时，閩人欲报讐，或先食野葛而后鬪，即死其家，遂誣告之。臻問所伤果致命耶。吏曰伤不甚也。臻以为疑，反訊告者，乃得其实。

【备考】 折獄龟鑑有"王臻辨食野葛以誣斗者"，又棠陰比事有"王臻辨葛"，其內容均同。

【解釋】 野葛即鈎吻，因入口鈎人喉吻，故曰鈎吻。广西人謂之胡蔓草，又名断腸草，滇人称为火把花，岳州人称黄籐。其草近人則叶动，蔓生，叶圓而光，夏春苗嫩，甚毒，其毒理作用与毒芹硷相似，能使呼吸中樞麻痹。死亡后显著表現窒息現象，因此屍斑明显，有时出現紫斑，每与伤斑相混淆，而且在毆斗前服用此毒草（其嫩头十数个即可致人于死），当然更易引入怀疑为暴力死。过去缺乏解剖知識，至使审問，但从而可以获知，用毒葯杀人或自杀，特在野葛之应用，早已流傳于民間。

性能妊娠篇

(一)人疴（男性假半陰陽及女性假半陰陽）

【选例】 疑獄集"彭剌二形"：宋咸淳間，浙人寓江西，招一尼，教其女刺繡。女忽有娠。父母究問。曰尼也。父母怪之。曰尼与同寢，常言夫妇咸恒事，时偶动心。尼曰，妾有二形，逢陽則女，逢陰則男。揣之，則儼然男子也，遂数与合。父母聞官。尼不服。驗之無狀。至于宪司，时翁丹山会作宪，亦莫能明。某官曰，昔端平丙申年，广州尼董师秀，有姿色，偶有欲濫之者，卒揣其陰，男子也。事聞于官，驗之女也。一坐婴曰，令仰臥，以鹽肉水漬其陰，令犬舐之，已而陰中果露男形，如龟头出壳，轉申上司。时彭节齋为經略，判云，在天之道，曰陰与陽，在人之道，曰男与女，董师秀身帶二形，不男不女是为妖物，所历諸州县，富室大家，作过不可枚举，豈可复容于天地間，額刺二形兩字，决脊二十，枷令十日，押下摧鋒軍寨，拘鎖，月具存亡，申之。

如其說驗之，果然，遂处死。

【解釋】 在法医学中有性狀态的檢查，其中有人病，即半陰陽一节，是具有兩性特征，但眞性半陰陽（即旣有男性生殖腺，亦有女性生殖腺，一般兩者發育不全）則屬罕見，通常所遇者为假性半陰陽，即男性假半陰陽与女性假半陰陽。通常在某种程度上，具有他性特征。例如男性假半陰陽，睾丸隱藏于深部，陰莖小而陰囊彷彿如大陰唇。反之，女性假半陰陽，由于陰梃形成为假龟头，尿道下裂与肥厚無孔的处女膜封閉了陰道，冒視之似为男性，实际上具有卵巢，所以每在月經来潮时，从假龟头处流出月經血，因此由診病，才被發現是女。著者曾見此例，行人工造腔术，始复女性生活。前述的选例，可能包括有兩种假半陰陽，前者能使閨女受孕，应为男性假半陰陽，而足貌甚美，当然尙具其他女性姿态，可屬女性假半陰陽。就其檢驗方法，利用犬所喜愛之肉汁，洗漬于被檢者的陰部，用犬舌舐它，使富于神經的龟头或陰梃發生兴奋而勃起。按坐婆（婆）即穩婆亦即接生員（見下文妊娩診断）从而可以証明，有关医学問題的檢驗，在宋时已請医务工作者承担法医学鑑定工作。

妊娩診断篇

(一)請接生員承担胷否妊娩的法医学鑑定

【选例】 疑獄集“韓出乳医”：宋参政韓亿知洋州日，有大校李甲，以財豪于乡里，誣其兄之子为他姓，賂里嫗之貌类者，使認之为己子，又醉其嫂而嫁之，尽夺其貲蓄之物。嫂姪訴于州，及提轉，甲賂獄吏，嫂姪被笞掠，反自誣伏，受杖而去。积十余年，洎公至，又出訴。公察其寃，因取前后案牘視之，皆未尝引乳医为証。一日尽召其党，立庭下，出乳医示之，众皆伏罪，母子复归如初。

【备考】 折獄龟鑑有“韓亿証以乳医誣子者服”，又棠陰比事有“韓参乳医”，其內容均同。

【解釋】 乳医俗称穩婆，古称看产，今名接生員或助产士，以及更高級的为产科医师，能視产乳疾病。妇女有未妊娠分娩，在法医学上，即將曾經妊娠分娩所貽留之特征，給予証明。如腹部曾膨大有妊娠瘢痕，乳房增大或有皺縮，乳暈色素沉着，特以自己哺乳者乳嘴亦显著变形，其最主要者，为子宮口的变化，由于产时兒头曾將子宮頸及子宮口掙大，因此子宮口即变形，未分娩或小月份流产者則仍为点狀或小口狀，边緣光滑，已分娩者即呈現为皺裂性質，用手摸触或用子宮鏡观察，均有显著之皺裂性缺陷，特以經产妇分娩超月嬰兒，而子宮口的破裂痕跡更显著。选例中土豪李甲，所提示的証据，可能誣指其嫂未曾生育，抱別姓里嫗子領养長大。在过去封建社会，子承父产需为亲生子，否則应由姪兼祧。此土豪硬說亡兄無亲生子，將己子兼祧，即以独占家产为手段，但这位偉大的政法工作者，具有精深的法医学知識，在宋时可能更早时期已知請乳医証实妊娠与分娩，因此在羣众面前証明揭發，不仅使寡嫂孤姪十余年寃屈一旦伸雪，而且也啟發后来官吏勿忘法医学的鑑定。故引証折獄龟鑑作者郑克所按的意义，“在推事时必須察情辯証兩者兼备”，否則單憑片面言辞而不辯証，或憑片面伪証而不察情，都是主观的，唯心的。

法医精神病篇

(一)知遇瘋狂，应由医师鑑定証明

【选例】 折獄龟鑑“高防复讞杀妻病風断罪”：高防、初事周为刑部郎中，宿州有民剸刃其妻，而妻族受賂，給州言病風狂不語，並不考掠，以具獄上，請大理断令决杖。防复之云，某人病風不語，医工未有驗狀，憑何取証，便坐杖刑。况禁系旬月，豈不呼索飲食，再劾其事，必見本情，周祖深以为然，終寘于法。

【备考】 棠陰比事有“高防劾病”，其辞句内容亦同。

【解釋】 杀人后而伪裝精神病，是企圖以精神失常中缺乏判断力免于刑事責任能力着想，确否患有此症，必須由医师証明之。上項选例，足征古时遇有关医学問題，早已委請医工充任鑑定人，堪为今日所宜效法。

(二)精神上受刺激，而变为狂态

【选例】 疑獄集“王罕理狂”：大理王罕知潭州时，有狂嫗数邀訴事，言無倫理，从騎屏逐之，罕令引归厅事，扣堦徐問，嫗虽言語杂乱，然时有可採者，乃是人之嫡妻，無子，其妾有子，夫死为妾所逐，累訴不直，因恚而狂，罕为直其事，尽以家貲与之。

【备考】 折獄龟鑑有“王罕引归徐問伸狂者寃”，又棠陰比事有“王叩狂嫗”，其內容均同。

【解釋】 在封建时代，妻有嫡庶之分，家事归嫡掌管，但亦有寵妾独占其貲者，遂引起家庭糾紛。倘出之訴訟，以尊嫡为尙。此嫗因無子而被逐，數訴而不得直，乃具狂态。王罕能細声靜問，获得眞实情況，理直其事，实为处理社会安宁秩序和为民父母官所宜尽心之事。

物証檢査篇

甲、兇 刀

(一)現場遺有兇刀，应辨認为誰所有

【选例】 疑獄集“澤民釋僧”：汪澤民为平江府推官，有僧淨广与他僧有憾，久絕往来，一日邀广飲，广弟子急欲得师財，且苦其棰楚，潛往他僧所杀之。明日訴官。他僧不胜拷掠，乃誣服。三經审，录詞無異，結案待决，澤民取行凶刀視之，刀上有鉄工姓名。召工問之，乃其弟子刀也。一訊吐实，即械之而出，他僧人惊以为神。

【解釋】 鉄工煆制刀器，今具店舖名称，昔时則刻鉄工姓名，乡間地險人稀，确能指認定制者为誰。死僧与他僧素有嫌隙，久絕往来，一夕邀飲，事有可疑，但預謀杀人者类多暗藏兇器，如遺留于現場，应考虑有無栽害，此他官之疏于辨察，遂致掠及無辜。澤民能追問鉄工，获悉佩刀人姓名，故能一訊即伏，他僧出死入生，自当惊以为神。

(二)从屠夫中，辨認是誰的屠刀

【选例】 疑獄集“刘集屠刀”：唐刘崇龟鎮南海之岁，有富商子少年而貌皙，稍殊于負販之伍，泊船于江岸次，有高門中見一姬，年二十余，豔态妖容，殊不避人，得以縱其目逆，少年乘便言曰，某黄昏当詣宅矣，亦無难色，微笑而已。既昏暝，果啟扉伺之一此子未及赴約，有盜者徑入行窃，見一房無燭，即突入，姬即趋而就之，盜以为人擒己也，以刀刺之，遺刀而逃，其家亦未知覚。商家之子旋至，纔入其戶，即踐其血，滑而仆地，初疑水也，以手捫之，聞透血之声未已，又捫之，有人倒臥，遂走出，乘夜解維，比明已行百里余。其家跡其血至江岸，遂狀訟于主者，旁詰岸上居人云，近日有某客船一只，夜来徑發。官差人追及，械于圜室，掠拷备至，具实吐之，唯不招杀人。其家以刀納于府主，乃屠刀也。府主乃下令曰，某日大設会，合境庖丁，俱集于毬場，以俟宰杀，既集，乃傳令曰，今日已晚，可翌日而至，乃各留刀于廚而去。府主乃命取入諸刀，以杀人之刀換下一口。来日各令詣衙取刀，諸人皆認本刀而去，唯有一屠最在后，不肯持刀去。府主乃詰之。对曰，此非某刀。又詰之，此何人，刀邪？曰此某人之刀也。乃問其所居处。命擒，則窜矣。府主乃以他囚合处死者，以代商人之子，侵夜斃之，于是窜者之家，日日潛令人伺之，既斃其假囚，不兩夕果归家，即擒之，具首杀人之罪，遂置于法。商人之子，夜入人家，杖背而已。君子謂彭城公察獄明矣。

【备考】 折獄龟鑑有“刘崇龟換刀获賊釋富商寃”，又棠陰比事有“崇龟認刀”，其內容均同。

【解釋】 行兇的現場，获得兇刀，根据刀的形狀，辨識为屠夫刀，設計取得全城屠夫的刀，則杀人者之刀，必然已易新刀，但屠夫們，朝夕相聚，經常工作在一起，某人有某刀，式样利鈍如何，必然有人認識。今該刘公以杀人刀(惜已洗去其血跡)換取留屠刀中任何一把，則其被調刀之主人，必然能發現此事，認为恐已被人拿錯，可是杀人者又亲眼見到那天杀人时所遺失之刀，当然理解到案已發了，因之必然逃之夭夭。但刘公既已获知眞兇为誰，既然擒而不获，便又設計第二个計謀，以死囚假借商人子漏夜处死，即能誘引杀人者重返家园，从而日日伺之，予以緝获。杀人者难逃法網，自古不移，而刘公以刀緝兇，这种敏捷的审察能力，当可为后人效法。

(三)从刀匠中辨認是誰購有此刀鞘

【选例】 折獄龟鑑“司馬說視賊遺物釋張堤寃”：后魏司馬說，为豫州刺史，有上蔡董毛奴齎錢五千，死于道路。或疑張堤行刼，又于堤家得錢五千，堤俱掠楚，自誣言杀。說疑不实，引毛奴兄灵之問曰，杀人取錢，当时狼狽，应有所遺，什得何物。答曰，得一刀鞘。說取刀鞘視之曰，此非里巷所为也。乃召州內刀匠示之。有郭門者，言此刀鞘，其手所作，去岁卖与鄰人董及祖。

說收及祖詰之，具服。灵之又于及祖身上，認得毛奴所服皂襦，遂釋張堤。

【备考】 棠陰比事有"司馬視鞘"，其内容与前同。

【解釋】 刀匠制刀鞘，必有标記，以資辨識，买刀及鞘，价值較昂，故能辨認买主是誰。犯法現場，杀人而留刀鞘，或因曾經爭夺，或因杀人后，由掠夺其錢，又复携取其衣衫，則刀鞘可能遺留。此亦杀人者在匆忙中仍不免漏失，誠如作者郑克所按，議獄緩死，用以慎刑，便能詳察無失，卒由刀鞘緝获眞兇，可証物証之搜取，相当重要。

乙、子　弹

比对彈丸，明辨是非

【选例】 疑獄集"孙登比彈"：吳志孙权長子登，字子高，为太子。嘗出，有彈丸飞过，令左右求之。見一人操彈佩丸，咸以为是。辞对不伏，从者請捶之，登不听，使求飞过彈丸比之，不类，遂釋之。

【备考】 折獄龟鑑有"孙登求过圆比佩釋操彈寃"，又棠陰比事有"孙登比彈"，其内容均同。

【解釋】 古时彈丸，多由鉛制，因之形狀大小，各家所鑄不一。太子出巡，彈丸飞来，大有行刺意，倘非孙登有这物証比对的卓見，則此操彈佩丸（古体圓字）者，將負不白之寃。

丙、笔　跡

用透視法，揭露补葺与凑合的字跡

【选例】 疑獄集"楚金辨补"：唐垂拱年，則天监国，罗織事起。湖州佐史江琛，取刺史裴光判書，割取字，合成文理，詐为徐敬業反書以告。及差使推光，疑云書是光書，語非光語，前后三使，尽不能决，奉敕令，差能推事人劾之。当見实狀，曰張楚金可令劾之。又不移前款，楚金憂悶，仰臥向牕，透日影，照之，其字皆补葺作者。若平看則不覺，向日則見之，因集州县官吏，索一杯水，令琛取書投于水中，字一一解散。琛叩头伏罪，奉敕令决一百，然后斩之。

【备考】 折獄龟鑑有"張楚金臥看反書而辨其誣"及棠陰比事有"佐史誣裴"，其内容均同。

【解釋】 唐武則天时，佐史江琛剪集刺史裴光判書字跡凑合成文，制成徐敬業反書，云由裴光亲笔，先差三使，均在注意是否裴光字跡，故均未察出其姦。張楚金偶然利用日光透視，遂看破拼补手段，观其平視不得發現，向日光始能發現，可見补葺工夫非常精巧，虽然神乎其技，但落水仍不免一一解散。著者在核对笔跡时，特以塗改的字跡，屢用透視法，用以察出墨跡的重疊，而剜补者，亦可借以察見。今日科学昌明，已可应用紫外光線照射，能將已褪色之字跡，重予發現，尤以紅藍色澤之不同者，复可应用濾色及紅外線的攝影术，給以区别，並可借其紙質的致密程度，以及墨色的濃淡有別，凡紙愈糙而色愈濃，均能吸收較多的紫外光線而显著表現，而其剜补塗改之狀，遂得益显。当然設無此設备者，則張楚金的先进方法，仍得重視之。

丁、印　鑑

(一)州印更时改鑄，致不相同

【选例】 疑獄集"王珣辨印"：少师王珣知昭州日，有誣告伪为州印文書獄，久不决，吏以印文不类，珣索景德旧牘，視其印文，則無少異，誣者乃服，盖其文書乃景德时者。

【备考】 折獄龟鑑"王珣視旧牘印辨其非伪"，又棠陰比事有"王珣辨印"，其内容均同。

【解釋】 州县大印，均由銅質鑄成，虽然各各朝代，类須更改，而年月經久，亦須更新，此选例是景德时事，应索景德以前之旧牘相核对，吏不知此，故久不决，累及無辜，备受囹圄之苦。后人当知印文更时，庶不致誤。

(二)辨識印鑑与字跡相疊，研究先后的关系

【选例】 疑獄集"章辯朱墨"：侍御史章頻知彭州九隴县时，眉州大姓孙延世，为伪契夺族人田，久不能辯。运使委頻驗治，頻曰券墨浮朱上，决先盗用印而后書之。既引伏獄未上，而其家人后訴于轉运，更命知华陽县黄夢松复案，亦無所異，黄用是召为御史。

【备考】 折獄龟鑑有"章頻察伪券姦墨浮朱上"，棠陰比事有"章辨朱墨"，其内容均同。

【解釋】 先写字而后盖印，則印泥复盖在字跡之上，其字跡墨色能完全透入紙背，而字跡亦完整。倘先用印而后写字，由于印泥油漬紙質，墨便浮于印上，有时且可不着墨色，因是墨色在印紋处不透紙背，向陽光透視，墨迹中断，無論紙質致密与否，亦皆如此。鉛印印刷品，在印制初期，其油質尚未揮發，在書写不含膠質之墨水（如紅藍墨水），亦有同样表現。

戊、腸胃內容

【选例】 疑獄集“破雞辨食”：有爭雞者，季珪問，早何食，一云粟，一云荳，杀雞破嗉，有荳焉，遂罰言粟者。

【备考】 棠陰比事称“季珪雞豆”，其內容与前同，而折獄龟鑑称“傅炎破嗉有粟証食豆非”。按傅炎字季珪，但其內容則为破嗉得粟，其爭論事則同。

【解釋】 飲食在胃腸中，如前选例“彥超驗吐”，可用催吐剂使之吐出，但对雞禽則唯有取决于解剖。可征古时在法医学檢驗方法上，已啟發到剖驗的办法。

己、滲入物

【选例】 疑獄集“孙亮辨蜜”：吳廢帝孙亮字子明，曾暑月游西苑，方食生梅，使黃門以銀瓶並蓋，就中藏吏取蜜。黃門素怨藏吏，乃以鼠屎投蜜中，啟言藏吏不謹。亮即呼吏，吏持蜜瓶入。亮問曰，既盖之复复之，無緣有此，黃門非有求于尔乎。吏叩头曰，彼尝从臣覓宮席，不与。亮曰必为此也，易知耳。乃令破鼠屎，燥。亮笑曰，若鼠屎先入蜜中，当內外俱濕，今內燥者，乃枉之耳，于是黃門伏罪。

【备考】 折獄龟鑑有“孙亮破矢辨誣黃門服罪”，及棠陰比事有“孙亮驗蜜”，其內容相同。

【解釋】 鼠在蜜中窃食，遺屎于其中，屎初濕，后被蜜侵入，不仅內外俱濕，亦是里外均有蜜質，倘取新鼠屎剛才投入，虽然內外俱濕，而蜜不入于屎中。俟鼠屎已干而后投入蜜中，則破屎內仍燥。可見孙亮破鼠屎以辨誣，确具慧見，实际上瓶既有盖，而盖上又有掩复，鼠固無緣遺屎于蜜中，故其破鼠屎的举动，实际早已胸有成竹。事虽微末，可以当場道破，倘果如轉送有司，日久亦难免浸入俱濕，故孙亮的行动，誠可謂当机立断，勿遊豫，免周折，使誣者不获狡辯，寃者立昭伸雪，凡此均堪为犯罪对策学家及法医学者所宜效法。

庚、附着物

【选例】 疑獄集“惠击羊皮”：后汉李惠尝为雍州刺史，有負薪負鹽者，爭一羊皮，各言其借背之物。惠因謂州吏曰，击羊皮即可知主。羣下默然。惠乃令置羊皮席上，以杖击之，見少許鹽屑，使爭者視之，負薪者乃伏共罪。

【类例簡述】 疑獄集“季珪鞭絲”是叙述有卖糖卖鍼兩老母爭一絲团，經鞭絲得鉄屑，屬卖鍼者所有。又疑獄集“显杖蒲团”是銀店失去蒲团为鄰家收藏，互不相讓，經鞭蒲团，有碎銀屑落下，确認为銀店所有。

【备考】 击羊皮得鹽例在折獄龟鑑有“李惠击皮見鹽負薪者服”，棠陰比事有“李惠击鹽”，其內容均同。类例鞭絲得鉄屑例在折獄龟鑑則附录击羊皮例之后，而棠陰比事称“傅令鞭絲”其內容亦同。

【解釋】 从衣服上所附着的灰塵污垢，可以辨識职别，例石工有石屑，煤炭工有煤屑，理髮师有短髮，磨工有粉屑，鉄工有鉄屑，銅匠有銅屑，銀店有銀屑，机匠有油垢，均可借其附有物以辨識之。前选例惠击羊皮，是因負鹽者在于避免鹽被汗漬而潮解，借以襯墊，彼負薪者何用羊皮。至于古时之針，系由鉄絲磨成，用絲由以措去手污，故有鉄屑附入。凡此諸例皆为法医学物証檢查的知識，值得后人学習。

本篇全文經陈康頤教授，悉心审校，謹此誌謝。

参考文献

1. 和凝，疑獄集，桐乡金氏校刊清咸丰元年(1851)及嶺南徐氏版本，咸丰三年(1853)。
2. 郑克，折獄龟鑑，署內廠版清光緒壬午年(1882)及叢書集成本，1937.
3. 桂万荣，棠陰比事，上元朱氏影宋本道光二十九年(1849)及木犀山房版，同治六年(1867)。
4. 阮其新，重刊补註洗寃录集証，浙江書店版清光緒三年(1877)。
5. 波波夫法医学(1953年)人民衛生出版社
6. 萊依斯基法医学(俄文1953年)
7. 斯密司法医学(英文1955年十版)

祖国古代医学在飲食营养衛生学方面的貢献

湯玉林

具有悠久历史的祖国医学，是祖国燦爛文化的重要組成部分，"預防为主"的医学思想，是祖国古代医学的重要特点之一；远在二千多年以前，素問(始于公元前3—4世紀)四气調神大論就已載曰："聖人不治已病治未病，不治已乱治未乱"，又說："夫病已成而后葯之，乱已成而后治之，譬犹渴而穿井，斗而鑄錐，不亦晚乎"！在这种預防为主的医学思想指导下，飲食营养衛生学的發展和講究是必然的結果。据周礼天官載，当时社会的医学分科，就已經有專司飲食营养衛生的"食医"，祖国古代飲食营养衛生学的發展情形，由此可見。

近代国內学者对与此題目有关的問題，已經發表了不少論文。早在1936年侯祥川与李濤，就分別对"中国食疗之古書"与"中国人常患的几种营养不足病"等进行了詳尽的論証(中华医学杂誌22卷11期)；1953年李濤、刘思职發表"生物化学的發展"一文(中华医史杂誌1953年3号)，对祖国古書有关生化的記載，作了系統的考据报告；1954年侯祥川著"我国古書論脚气病"(中华医史杂誌1954年1号)，确切的論証了我国先人在对脚气病的發現、記載与防治等方面，都远早于其它国家；1956年張昌潁、李玉瑞，以現代营养学的观点並运用了現代营养学的理論，对"黃帝內經所載的祖国古代完全膳食"作了充分的分析和討論(营养学报1卷1期)。本文从飲食营养衛生学角度出發，把几年来对祖国医学初步学習的讀書札記加以整理，而扼要的归納成以下四个方面来敍述。

一、飲食营养与保健

祖国古代医学保健所採取的措施，首先就是注意日常生活飲食起居，如素問上古天眞論中所載"……法于陰陽，和于术数，食飲有节，起居有常，不妄作劳……精神內守，病安从来"？而又特別重視飲食营养在医学保健上的重要性，如素問陰陽应象大論篇載曰："味归形，形归气，气归精，精归化；精食气，形食味；化生精，气生形。味伤形，气伤精；精化为气，气伤于味"。素問痹論篇又曰："荣者，水谷之精气也，和調于五臟，灑陈于六府……衛者，水谷之悍气也"，"却御諸邪，言扶生也"(素問陰陽类論)。所以积極提倡"五谷为养，五果为助，五畜为益，五菜为充，气味合而服之，以补精益气"(素問藏气法时論)的飲食原則，並主張"飲食以时，飢飽得中"，而反对痛飲暴餐，認为"飲食自倍，腸胃乃伤"(素問痹論)。"数食甘美而多肥，肥者令人內熱，甘者令人中滿，故其气上溢，轉为消渴"(素問奇病論)"酒(亦)不可久飲，恐腐腸胃潰髓蒸筋"(元朝忽思慧飲膳正要，1330年)。对于病人，"凡欲診病者，必問飲食居处"(素問疏五过論)，若"診病不問其始，憂患、飲食之失节，起居之过度，或伤于毒。不先言此，卒持寸口，何病能中？妄言作名，为粗所窮。此治之四失也"(素問征四失論)。而治病之法，則要求以"大毒治病十去其六，常毒治病十去其七，小毒治病十去其八，無毒治病十去其九，谷、肉、果、菜食养尽之"(素問五常政大論)，認为："安生之本，必資于食……不知食宜者，不足以生存也"(孙思邈备急千金要方，652年)。又說："胃为水谷之海，喜谷而惡葯，葯之邪所入，不若谷气先达，故治病之法，必以谷气为先。是以聖人論眞邪之气者，謂汗生于谷，不归于葯石；辯生死之候者，謂安谷則生。凡明胃气为本，以此知五味能养形也；虽葯攻邪，如国之用兵，盖出于不得已也"(金、刘完素素問病机气宜保命集，1186年)，强調"水谷之海不可虛怯，虛怯則百邪皆入矣"，因此"虽立食禁法，若可食之物一切禁之，則胃气失所养也，亦当从权而食之，以滋胃也"(元、李杲脾胃論，1249年)；而"若夫大病之后，客邪新去，胃口方开，宜先与粥食，次糊飲、次糜粥、次稀飯，尤当循序漸进"(明吳有可瘟疫論，1642年)。

同时祖国古代医学家还認为，一个人的精神狀态对其飲食保健有極大的影响，如灵樞口問篇載："悲哀愁憂則心动，心动則五臟六府皆搐"，而"五藏不定，食飲輒嘔"（隋、巢元方諸病源候总論，610年）；故"人之当食、須去煩惱"（唐孙思邈备急千金要方，652年）。又如"项关令之妻病飢不欲食，常好叫呼怒駡，欲杀左右，恶言不輟。众医皆处药，几半载，尚尔。其夫命戴人視之，戴人曰：此难以药治。乃使二娼各塗丹粉，作伶人狀；其妇大笑。次日，又令作角觝，又大笑。其旁常以兩个能食之妇誇其食美；其妇亦索其食，而为一尝之。不数日，怒減食增，不药而瘥"（張从正儒門事亲）。

此外，祖国古代又有"手足之动，腹腸之养"（监铁論）之說，認为劳动和运动，对人体的营养保健，有着非常积極的意义。东汉末医学家华佗（112—212年間）曾指出："人体欲得劳动，但不当使之極耳；动揺則谷气得消，血豚流通，病自不生"，又說"五禽之戏亦以除病，兼利手足，以当导引；体有不快，起作一禽之戏，恰而汗出，周身輕便"。据說他的門生吳普就按照着这种說法去做的，結果活到九十多岁，还是耳聪目明、齿牙完坚。

二、食物的消化、吸收与代謝

1.消化 素問載曰："五味入口，藏于腸胃"（素問六节藏象論）；"水谷入口則胃实而腸虛，食下則腸实而胃虛"（素問五藏別論）。又曰："脾胃者，倉廪之官，五味出焉"；"小腸者，受盛之官，化物出焉"；"大腸者，傳道之官，变化出焉"（素問灵蘭秘典論）。灵樞（約公元前3世紀—公元1世紀）則載："水谷入于口，輸于腸胃"；"胃中消谷"（灵樞五癃津液別篇）。"胃者，水谷之海也"（灵樞玉版篇）；"水谷之海有余則腹滿，水谷之海不足則飢"（灵樞海論篇）。而"齿者，骨之所終，髓之所养，摧伏諸谷"（宋聖济总录，1126年）。

2.吸收 "中焦亦並胃中……泌糟粕，蒸津液，化其精微"（灵樞荣衛生会篇），而"孙絡之居也，浮而緩，不能句积而止之，故往来移行于腸胃之間，水湊滲注灌"（灵樞百病始生篇），故"腸胃受谷……中焦出气，如露上注谿谷而滲孙豚，津液和調，变化而赤为血，血和則孙豚先滿溢，乃注于絡豚，皆盈，乃注于經豚"（灵樞癰疽篇）。

3.代謝 "食气入胃，散精于肝，淫气于筋"（素問經豚別論）；"眞气者，所受于天，与谷气並而充身也"（灵樞刺节眞邪篇）；"谷始入于胃，其精微者先出于胃之兩焦，以溉五藏，別出兩行营衛之道，其大气之搏而不行者，积于胸中……出于肺，循喉咽，故呼則出；吸則入天地之精气……故谷不半日則气衰，一日則气少矣"（灵樞五味篇）；"五谷入于胃，其糟粕、津液、宗气分为三隧，故宗气积胸中，出于喉嚨，以貫心豚而行呼吸焉……其津液注入于豚，化以为血，以荣四末，內注五藏六府，以应刻数焉"（灵樞邪客篇）；而"上焦开發，宣五谷味，熏膚、充身、澤毛，若霧露之溉"（灵樞决气篇），故"足受血而能步，掌受血而能握，指受血而能攝"（素問五藏生成篇）。

三、飲食衛生与預防医学

周口店含中国猿人骨化石的地層中，曾發現遺留的灰燼和燒过的动物骨骼与燃燒过的土石，考古学家們确切的証实：約五十万年前，生存在我国土地上的原始人类，已开始用火燒烤食物。此种煮熟后再吃的習慣，对傳染病的預防，特别对腸道感染的預防，起了决定性的作用。古書礼含文嘉載曰："燧人始鑽木取火，炮生为熟，令人無腹疾，有異于禽兽"。基于这种認識，所以"百沸無毒"就成了祖国人民所特有的观念，"縱細民在道路，亦必飲煎水"（宋、庄綽語）等措施，在很早的年代，祖国民間就广泛的实施着。

同时，祖国人民远在春秋战国时代，就已經懂得"魚餒而肉敗不食；色恶不食；臭恶不食；失飪不食；不时不食……"（孔子論語乡党篇）。稍后，又主張"虫墮一器，酒棄不飲；鼠涉一筐，飯捐不食"，虽然"捐飯之味，与彼不污者均；以鼠为害，棄而不御"（汉、王充論衡，27—104年）；並認为水源应該是最清潔的地方，謂："井，清也；泉之清潔者也"（三国、刘熙釋名釋宮室篇），因此强調"井上設樾，常扃鐍之，恐虫鼠墜其間，或为庸人孺子所褻"（宋沈括忘怀录）；进而，又認識到水源若为粪污所污染，就会造成疾病的流行，如說"……沿河居民，日傾粪桶污水，蕩滌無从，郁积日增，病症日作"（清、梅伯言白下瑣言）。

以上所列举的数例，都是祖国人民在漫長的生存斗爭中，对飲食物选擇所累积的宝貴經驗。祖国历代医学家們，則不断地將这些經驗加以綜合整理，所以祖国古代医学对飲食衛生有着更为全面的認識，东汉張仲景（150—219年）就指出：“凡飲食滋味，以养于生；食之有妨，反能为害。自非服葯煉液，焉能不飲食乎！切見时人，不閑調攝，疾疢竞起，若不因食而生，苟全其生，須知切忌者矣。所食之味，有与病相宜，有与身为害，若得宜則益体，害則成疾”；例如“穢飯、餒肉、臭魚食之皆伤人”，“六畜自死皆疫死，則有毒”，“肉中有朱点者，不可食”，“菌仰卷及赤色者，不可食”，“果子落地經宿，虫蟻食之者，人大忌食之”（金匱要略方論）。晋葛洪（281—342年）則明确認为：“凡所以得霍乱者，多起飲食”（肘后备急方）。隋巢元方除指明“凡諸肉脯若为久故茅草屋漏所湿，則有大毒”，“六畜自死及著疫死者皆有毒，中此毒者亦令人心煩吐、利無度”外，还首先創用了“飲食中毒”这一名詞，他給飲食中毒下了一个相当确切的定义，曰：“凡人往往因飲食，忽然困悶，少时致甚，乃致死者，名为飲食中毒”。他並認为蒼蝇和老鼠对飲食衛生是極为有害的；如指出“蝇瘻”就是“由飲食內有蝇窠子，因誤食之，入于胃腸”所致，而“食鼠殘食，（則）作鼠瘻”（諸病原候总論）。元朝忽思慧所著之飲膳正要（1330年）則談到：麵鯤、飯餿、肉敗、魚餒和諸果核未成熟者；以及腊肉糟魚之类，或經湿热变損、日月过久者，或为雨漏所漬、虫鼠嚙殘者，皆不能食用。明朝李时珍（1518—1593年）不但提到对食物的选擇，而且又指出了飲水水源的选擇方法，他說：“凡井水有远从地脉来者为上，有从近处江湖滲来者次之，其城市近溝渠，汚水杂入者成碱，用須煮滾，停一时，候碱沉乃用之，否則气味俱惡，不堪入葯、食、茶、酒也”（本草綱目）；陈士鐸則倡議对飲水用作沉淀处理，“用貫众一枚，浸入水缸之內，加入白矾少許，逐日飲之”（石室秘录，1687年）。清朝王孟英更認为，疏濬河道，使水通暢而清潔，也是預防急性傳染病的重要措施，特別“人烟稠密之区，疫癘流行……平日宜疏濬河道，毋使积汚，毋使飲濁，直可登民寿域”（霍乱論）。

四、营养缺乏病及防治

素問本病論載曰：“……云雨失令，万物枯焦，当生不發，民病手足、肢节腫滿，大腹水腫，填臆不食，飧泄脇滿，四肢不举”；这是关于热能与各种营养素缺乏之原因及其主要症狀的确切描述。此外，有关某一种营养素缺乏及其治疗方法，同样在祖国古代医葯書籍上記載甚早，有的論述亦頗詳。

1. 維生素A的缺乏症狀与防治 夜盲为維生素A的缺乏症狀之一，祖国古代称为“雀盲”、或“雀目”、或“眼幕無所見”，公元493年梁朝医学家陶宏景在名医別录及610年隋朝医学家巢元方在諸病源候論中，都有較透徹的敍述，“雀盲，乃人患黃昏时無所見，如雀目夜盲也”（別录），“人有晝而晴明，至瞑不見物，世謂之雀目，言其如鳥雀，瞑便無所見也”（病源）。防治方面，远在公元前一、二世紀左右，本經就有“狗胆明目”和“鯉魚胆治目热、赤腫、青盲”的記載，稍后又有“鼠胆主治目暗，令人明目，能夜讀書，术家用之”及“牛胆益目精”（別录）、“青羊胆主青盲。明目”、“鷄胆主疗目不明”（千金翼方）等敍述。这都說明胆汁能防治夜盲；关于这一点，已由中国人民志願軍某部試用，証实效果确卓（赵鈞：介紹胆汁酒精溶液治疗夜盲。护士与衛生員，1954年）。根据素問金匱眞言論載“开窍于目，藏精于肝”的啟示，肝臟之应用于治疗眼症，亦远在公元493年就有“牛肝补肝明目”（別录）的記載，七世紀唐朝医学家孙思邈在千金翼方中，更極力主張用肝或以肝为主的成方来治疗“眼幕無所見”。另一眼科專書龙木論（8世紀末）也肯定提出了“兩目初医何葯妙，卓肝入口火燃薪”的主張。同时医学家苏恭等还認为“目赤，青羊肝吞服之極效”（唐朝、新修本草，655年）。稍后，傳信方（8—9世紀）中又載：“崔承元病內障喪明，有人惠方極德；服之遂明”，其方为“白羊肝一具，黃連一兩，熟地黃二兩，同搗，丸如桐子大，日三服，每服七十丸”。这些都是極有价值的資料。

远在五世紀末，梁朝医学家陶宏景又指出了富含胡蘿卜素的薺菜与肝臟一样，能“和中益气，利肝明目”（別录），千金翼方亦載“薺：主利肝气、和中”，而富含胡蘿卜素的其它植物，如蒼朮等，亦很早就被用来治疗夜盲症。

又如：經近三十年来很多学者的研究証实，維生素A除了具有合成視紫質的生理功能以外，还能够維护上皮組織之健全，缺乏时就会發生上皮变形角質变性及脫屑，並影响各种腺体的正常分泌，以致毛髮焦脆与皮膚干燥及毛囊角化；故富含維生素A的食物，除能防治夜盲以外，还有防止上述症狀發生的功能。公元655年祖国唐新修本草就載“酪，除胸中虛热、身面上热瘡、肌瘡”，与此同时期，千金翼方則載“酥，主热毒止渴、解散發利；除胸中虛热、身面上热瘡、肌瘡”；明朝李时珍之本草綱目，更进一步指出：“酥本乳液，潤燥調营…能除腹內塵垢，又追毒气發出毛孔間也”。酥和酪已經营养分析証明，其中含有大量維生素A，故确能防止上述缺乏症狀之發生。

2. 維生素 B_1 的缺乏症狀与防治 脚气病为維生素 B_1 的缺乏病。我国古書对此病記載甚多，早在內經就載有：“其身重，善肌肉痿，足不收，行善瘈，脚下痛”（素問，藏气法时論）、“腰股痛發，膕腨股膝不便，煩寃，足痿清厥，足下痛，甚則胕腫”（素問，气交变大論）以及左傳所謂“沉溺重腿”、詩小雅所称“微尰”，史記所載“踣蹶”和其它如“痿痹”、“脚弱”、“緩風”、“江南之疾”等名称，都可能是与此症有关的描述。

張仲景著金匱要略方論，有烏头湯治脚气疼痛、不可屈伸；矾石湯治脚气冲心；並引附崔氏八味丸，治脚气上入，小腹不仁；越婢加朮湯治脚气腫滿等。而东晉医学家葛洪（281—342年）所著的肘后备急方，其中則曰：“脚气之病，先起嶺南，稍来江东，得之無漸；或微覺疼痹；或兩脛小滿；或行忽弱；或小腹不仁；或时冷时热，皆其候也。不即治，轉上入腹，便發气，則杀人”。可見在公元二世紀以前，祖国古代医学已有脚气病及其治疗方法的記載，而公元四世紀以前，对脚气病的症狀和預后，就有了明确的認識。稍后，巢氏病源（610年）又載：“得此病多不即覺；或先無他疾而忽得之，或因众病而后得之。初甚微，飲食、嬉戏、气力如故。常熟察之，其狀自膝至脚有不仁或若痹，或淫淫如虫所啄；或脚指及膝脛洒洒尔，或脚屈弱不能行；或微痛，或酷冷，或痠痛；或緩縱不适，或攣急；或至困不能飲食，或見食而嘔吐，惡聞食臭；或有物如指，發于踹腸，逆上冲心气上者；或举体轉筋，或壯热头痛，或胸心冲悸，寢处不欲見明；或腹內苦痛而兼下者；或言語錯乱有善忘誤者，或眼濁精神昏憒者，此皆病之証也。若治之緩，使上入腹，入腹或腫或不腫，胸脅滿，气上便杀人；急者不全月，緩者一、二、三月”（脚气緩弱候篇）。公元652年唐朝医学家孙思邈著备急千金要方，其卷七風毒脚气篇对脚气病的症狀及其流行狀况作了詳細的描述（李濤与侯祥川兩氏已作詳尽論証，本文从略），进而將脚气分腫、不腫及脚气入心三类：“凡人久患脚气，不自知別，于后因有他病而發动，治之得差后，直患嘔吐而复脚弱，余为診之，乃告为脚气，病者曰“某平生不患脚腫，何因名为脚气？”，不肯服湯，余医以为石發，狐疑之間，不过一旬而死。故脚气不得一向以腫为候，亦有腫者，有不腫者；其以小腹頑痹不仁者，脚多不腫。小腹頑后不过三、五日，即令人嘔吐者，名脚气入心”。同时还强調指出：“凡脚气病，枉死者众，略而言之，有三种：①覺之伤晚；②驕很恣傲；③狐疑不决”。就是說：得脚气病不应該死而死了的，其原因很多。但主要有以下三种原因：①未能早期診断；②未能听从医囑；③未能及时有效的治疗。他又在千金翼方中指出，用谷白皮煮湯去渣，煮米粥常食之可以防治脚气病。此外，如猪肝、赤豆、薏苡仁、杏仁、黑大豆等食物，亦早被广泛应用以防治脚气病，其科学性，侯祥川氏曾作詳尽的論証。

3. 維生素 B_2 及 P. P. 的缺乏症狀与防治 素問气交变火論篇載：“岁金不及……复則寒雨暴至，迺零冰雹、霜、雪杀物……丹谷不成，民病口瘡”，也就是說在某些年岁中，由于寒雨突然而至，冰雹、霜、雪將食用植物摧殘破坏，使之不能成長，因此人民都患了口瘡。这是关于維生素 B_2 缺乏病發生原因的生动描述。而公元1150年刘昉等所著的幼幼新書所載的“鱗体”，則可能就是維生素 P. P. 的缺乏病—癩皮病（此点李濤氏亦曾論及）。防治方面，千金翼方有“酥，补五臟，利大腸，主口瘡”，小品方有“小兒口瘡，治以羊乳”，普济方有“小兒口瘡，大栗煮熟，日日与之”，日华諸家本草有“男子陰囊湿痒，鷄子（鷄蛋）醋煮食之”和“鰻鱺魚治女人陰瘡虫痒”，本草綱目有“口糜舌腫，赤小豆汁、桑叶、冬青汁服”等等的記載。

4. 富含維生素 C 及 P 之食物的应用

坏血病为維生素C及P的缺乏病，由于祖国所处环境气候温暖，四季都有蔬菜出产，同时在很古以前，祖国人民就習惯于以蔬菜佐食，提倡"五菜为充"，因此少有坏血病之發生，然而祖国古代医学家們却善于运用富含維生素C及P的食物来防治有关疾患，懂得"取其散血消腫之功"，本經有"水芹保血脉"，别录有"藕散留血，生肌"，千金翼方有"松叶主風湿瘡"、"柏叶主吐血、衂血，利血崩"，宁原食鑑有"山渣化血塊…活血"等記載，中国医药匯海則載有"四生丸一生荷叶，生艾叶，側柏叶，生地，等分搗爛，丸如鷄子大，每服一丸"以治"血症"，並強調指出：此"四味皆清寒之品，尽取其生者，而搗爛为丸，所以全其水气，不經火煮，更以远于火令矣"。东晋医学家葛洪在肘后方中写道："連日病困者，蔓菁菜入少米，煮熟去渣，冷飲之"，此为無渣飲食增加維生素C及P的例子。公元627—650年唐朝医学家甄权著药性本草，用"卵黄和常山末为丸，竹叶湯服，治久瘧"，既以常山治瘧，以卵黄增加蛋白質、鉄和維生素A及B_2，又以竹叶湯补充維生素C及P的消耗，实合于营养原則。十世紀末宋聖惠方治大風惡瘡，用"豬肉、松叶二斤，麻黄去节五兩，剉，以生絹盛，清酒二斗浸之，春夏五日，秋冬七日，每温服一小盞"，也有其独特之处。

5. **其它营养素方面** 有关其它营养素問題，如本經有"大豆逐水脹"与"龟甲主治小兒顖不合"，肘后方有"海藻一斤去鹹，漬酒二升，一服二合"以治"癭"（即甲狀腺腫），别录有"乳补寒冷虚乏"、"脂膏悅皮膚"与"羊齿治小兒惊癇"，千金翼方有"虎骨止惊悸"、"狗骨主金瘡止血"与"猪骨主小兒惊癇"，七世紀医学家孟詵著食疗本草有"时魚补虚劳"，公元713—755年医学家陈藏器著本草拾遺有"鱘魚补虚益气，令人肥健"与"烏賊骨炙研飲服，治妇人血瘕"，医学家昝殷著食医心鑑有"豬肉主治寒劳虚羸"，公元1057年医学家苏頌著圖經本草有"鷄肉补虚羸"，本草綱目有"海蛇治妇人劳損"与"羊脛骨健腰、脚，固牙齿"等，这些敍述充分說明了祖国古代医学家們，对富含蛋白質、脂肪与鈣、磷、鉄、碘之食物的应用，亦具有丰富的实踐經驗。

此外，祖国古代还有將近五十部百余卷專門論述飲食疗法与飲食营养衛生的書籍，其中像唐朝孙思邈所著的千金食治，孟詵所著的食疗本草和昝殷所著的食医心鑑，以及元朝忽思慧所著的飲饍正要等，都是極有价值的作品（关于这方面，侯祥川氏曾作过全面的考証）。本草綱目則归納了我們祖先長期选擇食物的經驗，記敍了近千种动、植物，为近代营养学的研究，提供了很多資料。因此，所謂"中国只講究好吃，不懂营养"的論調，实無根据。

对"滇南本草的考証与初步評价"的兩点商榷

曾育麟

看了在"医学史与保健組織"杂誌一卷一期上，于乃义、于蘭馥共著的"滇南本草的考証与初步評价"一文以后，我認为有很多論点和引述是正确的，如："滇南本草"是現存的較完整的区域性本草書；"滇南本草"記录了一部分少数民族的医药經驗；它所記述的药物有很多在今天还是具有很好疗效；以及提出应从多方面来研究整理"滇南本草"……等。以上这些我具有同著者們一样的感觉和見解，这些也的确是应該引起人們加以重視和研究發掘的。

但是，因为这篇文章是"滇南本草"的考証和初步評价，而不是一般介紹性質的文章，这对今后乃至后人研究和了解"滇南本草"是会有一定的联系和影响；为了避免后来"將錯就錯"、"以訛傳訛"，現在我把我認为欠妥当和有錯誤的地方提出来，与著者或更多一些的人进行商榷。

一、关于著者

本来对"滇南本草"的著者的看法，古今人們大概有三类見解，一类認为不是蘭芷庵的著作，一类認为是蘭芷庵的著作，另一类則認为是蘭芷庵及后人所共著。

为什么人們会有如此分岐的見解呢？他們各自的依据又是什么呢？这从他們各自所提出的論据中是不难理解到的，同时也是应該容許和承認他們那样提出来的。我認为很显明是由于他們所見有不同的版本，不同的內容所形成的分岐，这也是客观存在的許多不同版本的"滇南本草"成为了他們的依据，所以应該看出他們的推断都是比較客观的、有所根据的。如：

顧祠孙和阮元兩人所見到的"滇南本草"，是自序題为崇正甲戌的版本，难怪他們要提出"其为依託可知矣"的論断来。吳其濬因見到有一种題为"正統元年識"的版本，故复提出"疑是原本"的意見。又吳其濬將这一版本和云南通志稿所录內容加以比較时，發現"多寡既殊，即同一物而主治全別"，而又提出"蓋后人增益者"的見解。这兩种版本現均遺佚，而經利彬等氏編"滇南本草圖譜"时所見到的是云南叢書本、务本堂刻本，見其內容載有"野烟"和"玉麦鬚"，認为二者均系蘭芷庵卒后始从外国輸入我国，故得出"非出自蘭氏明矣"的結論；經利彬等氏又將現存本与"植物名实圖攷"比較，發現其中蘘荷、水朝陽草、蘭花双叶草、飞仙籐、繡球籐、石胆草等均"不見于今存刋本，或有之而圖說均異"，故又提出"必定尚有逸本，而今習見之刋本，均非蘭原本也。"的論断。

凡上所述，說明既有如此多的不同的版本，前人由于时間和条件的不同，他們根据自己所見的版本，提出了对著者的看法，这完全是可以理解的。但于乃义等氏在考証时却避开了这一客观存在的事实，不但沒有就一种版本或所見版本来考証，就連引述吳其濬的考証也存在着牽强附会和主观臆断的地方。至少欠妥当之处有：

(1) 于氏以吳其濬所見的"正統元年識"的版本，去否定自序題为崇正甲戌的版本所存在的疑点，还認为"多年疑惑不解的問題，得此証据，渙然冰釋了。"，兩种不同的版本，如何辨明誰是誰非，著者並沒有提出确切的根据，問題又怎么会"冰釋"了呢？甚至連当时还亲自看見过"正統元年識"这一版本的吳其濬氏，都还沒有作这样考据的論断，去否定自序題为崇禎甲戌的版本中的問題，而採取"書非一种，刻鈔互異"的从客观存在的事实去分析的态度。又吳氏对"有一种題正統元年識"的版本，所作結論为"疑是原本也"，沒有更多肯定論据，仅为了"……載之以备考"而已。但于氏考証时却概括地、不加版本区别地說："足以消除'是否蘭氏所著'的疑謁了"。

（2）于氏在考証中，很多地方是对"滇南本草圖譜"的著者进行反駁的。但我認为由于缺乏全面地考証，片面地去論断是沒有說服力的，如文中只說明"野烟"並非"滇南本草圖譜"所說的是烟草（淡芭菰），而是气死名医草；但对圖譜所提出玉麦鬚的問題，說約在1540年在蘭氏卒后約64年始輸入，于氏却隻字未提，到底能否解决这一疑点尙成問題。又圖譜作者將現存本与"植物名实圖攷"对照，發現有蘘荷等六种，均"不見于今存本，或有之而圖說均異"，而認为"足証明吳氏所見之滇南本草，与今刊本不同，必定尙有逸本；而今習見之刊本，均非原本也。"都是針对現存本而言，这本是合乎情理与邏輯的事实；但于氏对此却認为是"沒有詳細查考"，接着避开別人正面所提出的疑点，說："不知吳氏明明記出他所根据的多种本子，就有題为'正統元年識'的本子在內，足以消除'是否蘭氏所著'的疑問了。"这种文不对題、缺乏論証的考証是無法令人信服的，也是欠妥当的。当然，更談不上駁倒圖譜提出的疑点，有时还表現出沒有全面体会圖譜的原意呢。

（3）在于氏之前的考証都有一定的版本作依据和对象，而于氏不但沒有以某一版本提出考据来，仅籠統地最先認为是蘭氏所著，后又說"……但'滇南本草'的撰述，說为劳动人民的集体創作，也未始不可。"，这使人感覚到其文的考証缺少論据和內容，有些牽附和勉强的地方。如現知的古今版本有如下表，不知到底于氏認为何本是蘭氏所著？何本是"劳动人民的集体創作"？恐怕要弄清楚还需花大量的劳动去考証才行吧！所以不以一定版本去下功夫考証，籠統地含糊地企圖說明問題是欠妥当的，不能产生效果的。（見附表）

我本人对考証这門学問是外行，对本草学也研究得不多，以上不过仅就我所了解到的和認为欠妥当之处提出，供原著者和大家參攷研究罢了。

二、关于独丁子

于乃义等二氏在他們对"滇南本草"的初步評价中，曾提到制造云南白葯的原料之一——

版本名称	年代	內容	存佚情况
崇正甲戌版本	自序題为崇正甲戌	不詳	清戴桐孙，阮元均見到，現已佚。
正統元年版本	題为正統元年識	不詳	清吳其濬見过，現已佚。
*滇南本草圖說	1763年昆明朱景陽重写本（守一子述，高公鈔）	未詳	現存 2—4 卷
务本堂刻本	1887 年管文明等校訂	分三卷，共 458 种，68 圖。	現存
琴硯齋抄本	清代抄本	共184种，無圖。	現存
宝翰軒藏抄本	清代抄本	共135种，無圖。	現存
李璠昌藏抄本	清代抄本	共174种，無圖。	現存
云南叢書刻本	1914 年云南圖書館根据一抄本（現佚）校刻	共 280 种，無圖	現存
世界書局印本	1937 年据务本堂刻本鉛印	共 458 种，68圖	現存

*此書和"滇南本草圖譜"已知著者，而非蘭止庵所著作。

独丁子，他們認为这也是"滇南本草"所收載的葯物之一。不錯，"滇南本草"确是收載有現在白葯中的独丁子，但不是他們所采的或加以推論引述而来的"山皮条"，这是事实。

于氏文中"据苏采臣医师說：'独丁子就是矮陀陀，一名金絲矮陀陀，又名山皮条。'"，因此，就接二連三地引述了云南通志稿卷68、务本堂本滇南本草和兩种抄本的山皮条項下的原文，来說明独丁子的效用。这样去評价一种葯物看来似乎不錯，但是正因为它是云南白葯的原料，正因为这是苏采臣医师說的，那就是完全錯了。首先，云南白葯並沒有用山皮条当独丁子作原料；其次，对某葯物的考察和評价，决不应仅根据某一医师所說，不去实事求是地弄清楚，就大做文章。不然，这些人为的混乱材料会把后人搞得头痛，那时就难于考証清楚，当然更無法去評价了。

对独丁子的評价，实际上应該是"滇南本草"所載的"金鉄鎖"，事实上过去和現在白葯都用它作原料。經过实地的調查和科学的鑑定，証明一般所叫的独丁（定）子或金絲矮陀陀，就是"金鉄鎖"，是石竹科植物 Psammosilene tunicoides, W. C. Wu et C. Y. Wu，白葯原料系用它的根部，它的原植物形态如下：

多年生草本，平卧散漫，莖叶上多具細柔毛。根單生，外表呈黃褐色，長圓錐形，直徑約12毫米，尖端部很長，具少数細小根，莖紫綠色，

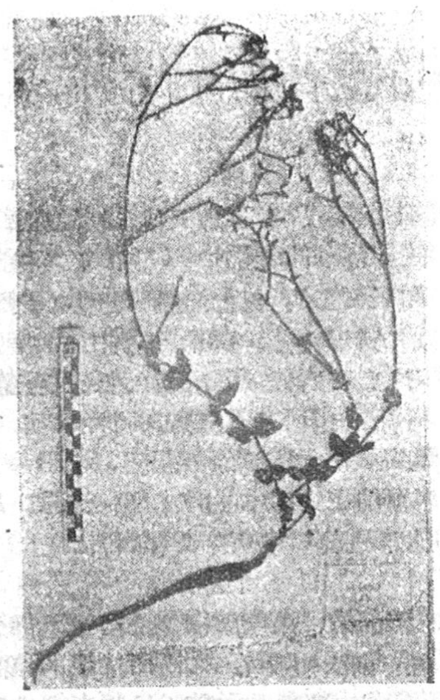

金鉄鎖原植物形态圖

圓柱形中空，从底部兩岐分枝，長达32厘米。叶小、綠色、对生、殆無柄，肉質狀，有中脉，卵形，基部鈍圓；叶片表面有稀少細柔毛，叶片下面除沿中脉外，皆禿淨，基部略有細柔毛。上部大，長1.5—2.0厘米、寬0.7—1.2厘米；下部叶下，成类苞片狀，長約2毫米、寬約1毫米。花兩性，形小，近于無柄，組成頂生之三岐，二出聚繖花序，花后傾下，花長6—9毫米，直徑約3—5毫米。萼筒透明，稜及脉綠色；花瓣紫堇色。花絲長7—9毫米，葯黃色，广橢圓形；子房倒披針形，花柱長約3.5毫米。果实長棍棒形，長約7毫米。种子長倒卵形，腹背向扁平，長約3毫米，种皮褐色。

"滇南本草"卷下載："金鉄鎖：性大寒，味苦辛，有小毒，食之令人多吐；嵩治面寒疼痛，胃气心气疼，攻癰瘡，排膿，細末，每服五分，燒酒送下。"根据这样的記述，也符合現在白葯的部份疗效。

我認为于氏等对其評价是不够踏实和严肃的，把独丁子誤为山皮条这也有些"人云亦云"的态度，任何葯物应从它的疗效情况来作評价的基础才是可靠的。云南白葯的确有相当的疗效，但确未用山皮条作原料，故不能因此評定其价值是显而易見的事。据我所知山皮条在"滇南本草"記載又名矮陀陀，是瑞香科植物 Wikstroenia Cauescens (Wall.) Meisn.，但沒有听說过叫金絲矮陀陀或独丁子，那种由于有"矮陀陀"三字，而推論至山皮条是完全錯誤的。

以上是仅我見到的兩点欠妥当和有錯誤的地方，为了便于今后了解，提出来和大家討論，希望原著者和有关的同志們研究參攷和批評指正。

医疗卫生处車間医师的防治工作經驗

В. Н. Евстигнева, Опыт диспансерной работы цехового участкого врача медико-санитарной части, здрав. рос. федерации (3):17—20, 1957.

在日丹諾夫(列宁格勒)依耶夫斯基工厂貫徹車間医疗服务的原則是正确組織工人防治工作的基础。貫徹車間医疗服务原則为深入研究衛生技术条件、生产条件以及工人劳动特点創造了条件，同时也为全面地研究医生所服务的对象以及吸引行政部門和社会团体解决保健措施創造了条件。防治观察对象包括高血压病人、潰瘍病人、慢性胃炎病人、風濕症病人、心臟血管疾患病人等、战爭殘廢者及劳动殘廢者以及和那些对机体可能产生有害影响的物質接触的工人。所观察的范圍太广(一个車間地段250—280人)，可能影响服务的質量。吸收医疗衛生处各科医生參加防治工作，可以減輕車間医师的工作，直接受他們观察的共有150人(佔全地段的10%)，同时防治工作的質量也有显著的提高。在6年当中，車間医师共观察了459人，其中316人已取消登記，而且有102人是由于痊癒而取消登記的。工人在2—3年內再未患原来的疾病(防治观察适应症)，則認为是痊癒。受防治观察的工人当中，已住院治疗的佔需要住院治疗的96%，得到疗养治疗的佔需要疗养治疗的60%，劳动調动的佔90%，营养治疗的只佔需要治疗的1/2。防治的結果，有61.5%改变了健康狀況，有24.5%無变化，其余的病人發現有惡化。受观察的工人，他們喪失劳动能力的情况大为減少。如果設1952年每100人喪失劳动能力日数为157.9日，人次为7.3人，則1955年減少到52.1日，2.6人。

(刘 鳴摘譯)

評龙伯堅的"黃帝內經的著作时代"

何 爱 华

龙伯堅先生在1957年第二号"医学史与保健組織"杂誌上發表的"黃帝內經的著作时代"一文,还有不少問題,我願在这里提出来,請大家指教。

一、

"黃帝內經"这个名詞,源出于汉書艺文志,我們認为它是一部医書,来研究它的著作时代,就必远溯西汉或西汉以前的戰国时代的历史来进行研究。因为这个时代,才是所謂:"黃帝內經的著作时代"。而龙先生把上起公元前474年的周元王三年,下迄北宋的公元1126年間的1600年,統謂之为"黃帝內經的著作时代"。

把历代的羼入和增补,都列为著作时代,說成"黃帝內經",經历了1600年的历史过程,才算編著成書。这是極不科學的,是与客观历史完全不相符合的。因为:"黃帝內經"这个名詞,它源出汉書、艺文志,但肯定地講,在西汉时代,毫無疑問,"黃帝內經"这部古代医書,确早已存在,这是事实。不然,司馬迁不会說有:黃帝扁鵲之脉書等,李柱国,班固等更不能把它收載于汉書或七略的艺文志之中。因此,西汉时,由于根本就有"黃帝內經"这么一部古医書——名称的存在。那末,西汉以后,也根本就不是"黃帝內經的著作时代"。其次,現存書——黃帝內經素問中,所載:天元紀,五运行,六微旨,气交变,五常政,六元正紀,至眞要等七大論,是唐王冰把另一古籍补入的,刺法、本病兩論,是北宋刘温舒补入的,以至其他一些后补的东西,它們都是現存書的內容。根本就不是艺文志的"黃帝內經"的基本內容。这是众所週知的事实,只要有这方面知識的人就不会搞錯。但龙先生不加区别,等量齐观,一槪而論,就把它們也一同全部納入到"黃帝內經的著作时代"的一个选題之內,統而考之,把这些篇章也当成了"黃帝內經"的基本內容。

殊不知"黃帝內經"这个名称,仅是艺文志以前的名称。艺文志的"黃帝內經"的基本內容,也根本就不可能,也决不能包括这些篇章在內。而这些篇章的著作时代,也决不可能,根本就不能和艺文志的"黃帝內經"的基本內容,相題並論,統而考之。因此,龙先生的学术性錯誤,是不能原諒的。至于后补入的这些篇章,虽屬后人增补,但因其具有現实科学价值,当然与后代医書著作一样,不容歧視。我以为龙先生这篇文章的主要缺点,首先便在这里。所以龙先生的水平也就很成为一个疑問。

二、

龙先生說:"素問前期作品的主要部分,不講陰陽五行的大槪是公元前四世紀的作品,講陰陽五行的大槪是公元前三世紀中期或后期的作品"。在我个人看来,这个結論,龙先生似乎下的过早。龙先生說:陰陽五行学說,是由鄒衍發展完备的。不錯,陰陽五行学說就是由鄒衍合而为一發展完备的,但是,仅据此便說:素問中講陰陽五行的部分,大槪是公元前三世紀中期或后期的作品。这种說法,就有問題,难道陰陽五行学說,在沒有被鄒衍合而为一,統一起来或發展完备之前,就不許人們或医学家来运用它嗎?大家知道,早在公元前541年,魯昭公元年时,医和就說:陰、陽、風、雨、晦、明,六气不和可以致病。可証,医家在公元前六世紀的中叶即已通曉陰陽之理,並运用以闡釋疾病之机制。龙先生不考陰陽何出?不考五行何出?便下此斷言,殊難令人置信!殊不知,陰陽源出于周易,周易是孔子刪訂的,足証陰陽是在孔子(公元前552年)以前,就早已存在的一种朴素的辯証法。五行源出于尙書洪范,尙書洪范据考証也是春秋时代写出的,足証五行也是公元前六世紀以前,早已存在的一种古典朴素的唯物論。这兩种學說,已为大家所公認,是古人用以解釋宇宙的兩种不同的哲學思想。历史上,公元前511年,晋国史官史墨給赵简子占夢,預言六年后,吳將攻入楚都,但不能灭楚,理由火勝(克)金。墨子不信五行,駁斥占卜术用五色龙定吉凶等，不胜枚举的史实，足証陰陽五行学說，早在春秋时代的后期，久已被推行运用。至于鄒衍不过是把兩种朴素的思想，披上一層神密的唯心主义的外衣而已，成为一个謂談天衍的陰陽五行家。这正說明，在公元前四、五世紀，医学家完全有可能，早已全部来运用陰陽五行学說，闡釋疾病，生理的机制，著述医書。因此，我个人表示，决不能尾随龙先生，仅从鄒衍一个人的發展来看問題，便說：素問講陰陽五行的部分，是公元前三世紀中期或后期的作品。显然，这种論断，实难令人置信！

三、

龙先生表面上沿用着姚际恒的旧史学的尋章摘句，断章取意的方法（实际上是胡适的实用主义），以历法將黃帝內經的一些篇章，尽量向后拉，說是秦代作品，这也不能令人十分置信！龙先生說："灵樞第41陰陽系明篇說：'寅者正月之陽生也'。素問第49脉解篇說：'正月太陽寅，寅，太陽也'。秦代和汉初用的是顓頊历，顓頊历是以亥月做正月的。到了汉武帝太初元年（公元前104年）頒佈太初历以后，方用寅月做正月。本篇說：'正月太陽寅'，可見是汉武帝太初元年以后的作品"。我以为，龙先生这种說法，也尙难令人完全置信！战国史的著者，楊寬先生就主張战国时代，在我国境內的古代各国中，就曾使用"殷正"，"周正"，"夏正"三种不同的历法。楊先生强調指出："夏正"最符合于四季气候的轉变，最便利于生产，到战国时代，夏历也就普遍地推行了。楊先生的这一主張，是不是沒有根据呢？我以为是相当有根据的，請看！竹書紀年是在公元281年晋太康二年出土的，公元282年晋太康三年杜預作序說："其紀年篇起自夏，殷，周，皆三代王事，無諸別国也。惟記晋国，起自殤叔，次文侯，昭侯以至曲沃庄伯。庄伯三十一年十一月，魯隐公元年正月也，皆用夏正建寅之月为岁首，編年相次。晋国灭，独記魏事，下至哀王之二十年，盖魏国之史記也"。杜預所看到在古竹書上，晋国以及战国时代的魏国。确曾"夏正"紀年，用寅月做正月的，难道說这也是不眞实的嗎？这还不算，而在出土晋国器物的銘文中亦載有："正月季春，元月己丑"，也足証晋国在春秋时代，却曾使用"夏正"紀年。举凡此类之說，在左傳中尤饒記載，这里不胜征引。由此可見，由于"夏正"本身具有最适于农業生产的优点，在战国时代，已經在人民中更加普遍推行，那末，战国时代的人民早已用寅月做正月，这是很自然的事情。而在汉書或七略、艺文志的"黃帝內經"中——龙先生所謂素問或灵樞的前期作品中有："正月太陽寅"、"寅者正月之陽生也。"这正表明，它应是战国时代的著作，並不足以为怪。只是龙先生仅站在旧史学的立場上，認为历法在未經統治者——皇帝的頒佈之前，虽然人民早已推广使用，那也不算使用，只有通过統治阶級——皇帝的頒佈后，才算是人民使用。殊不知，統治阶級的每次改革，都是在人民的压力之下，才迫使統治阶級改革实行的。历史上汉武帝的廢除顓頊历，改太初历是由司馬迁所主持的，請問龙先生，司馬迁为什么要主动的主持改历呢？他在这次主持改历的过程中，是站什么立場上，为誰服务，为誰办了一件一直为千古人所称頌的好事呢？

其次，龙先生仅从詞句上，尋章摘句，断章取意，便肯定說："第9六节藏象論，重視六数，这是秦始皇統一天下后才有的風气，可見这一篇是秦代作品。又第25宝命全形論中有'黔首'这一名称，用'黔首'作全国人民法定名称，这也是秦始皇統一天下之后才有的事，可見这一篇也是秦代作品。"我認为：龙先生此說，尙須斟酌，现存素問，灵樞以至整个中医学术中，用"六"这个数字的地方很多，难道說，这都是受秦始皇的風气影响而感染的嗎？前面已經談过，早在公元前第六世紀的中叶，医和就运用"六淫"——"六气"来闡釋疾病的机制了。难道这也是受了秦始皇的風气影响感染的嗎？龙先生援引姚际恒所考出的"黔首"二字，便尾随姚氏說，有确鑿的証据，这也是秦始皇統一天下以后才有的事，我看並不十分可靠。而龙先生更別有用心的来穿鑿附会，試問"黔首"二字，它就眞能代表一部黃帝內經的著作时代性嗎？

英国倫敦不列顛博物館藏——敦煌卷子中的古代医葯方文献圖片(一)

王庆菽搜集 陈邦賢說明

1949年至1951年，王庆菽同志留学英国倫敦，有机会遍閱了藏在英、法二国的敦煌抄卷一万二千余卷。她在倫敦博物舘的七千卷遍閱后，曾經加以分类，並將有关文学的資料，和历法、占算、医葯及其它的資料，重点的拍了一些显微照片。

这些古代的医葯文献共18卷，計80余頁。去年王庆菽同志將这些显微照片送中医研究院魯之俊院長加以处理，邦賢不揣冒昧乃作初步檢查分析，約分5类：(1)張仲景五藏論及平脈略例殘卷計8片，按隋書經籍志和唐書經籍志都有五藏論，惟不記著者名氏。新唐書艺文志、通志艺文略，宋史艺文志有張仲景五藏論的記載，是否就是此殘卷，尙待研究考証。(2)关于脈学的，計五片，系屬脈經殘卷。另3片，待考。(3)关于本草的，食疗本草殘卷計5片，新修本草殘卷計3片，本草序論殘卷1片，採葯法1片。(4)关于医方的，比較最多，7类，約40片，計84方，类別很杂，这些葯方，出于何書，有待于研究。(5)关于灸法的，灸圖兩类計9片，灸經明堂1片，系屬灸經殘卷。

其它有屬于迷信的数片，槪不列入。

以上各殘卷，似为唐及五代或宋初产物，对于研究医史，作为一种資料的参考，还是必要的。原拟將殘卷譯文全部刊出，因限于篇幅，經本刊編委会决定，暫將各殘卷比較清晰容易看出的圖片，陆續發表，以供研究医史的参考，並向王庆菽同志表示感謝和歉意!

五藏論及平脉略例殘卷

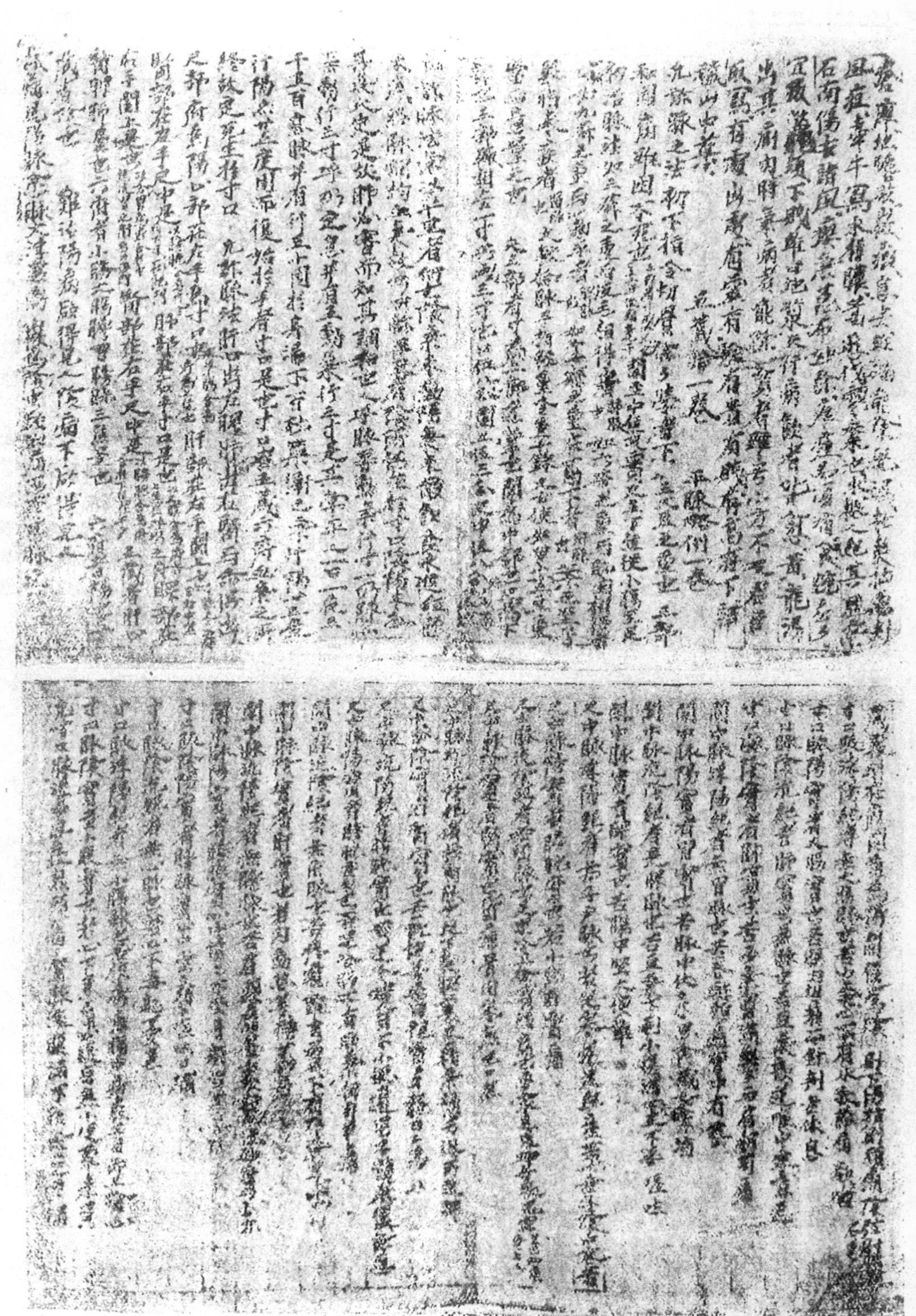

2. 脉經殘卷

戰而汗出，因得解也。何以知之？脈浮而緊，按之反芤，此為本虛，故當戰而汗出也。其人本虛，是以發戰。其脈反浮，故當汗出乃解。若脈浮數，按之不芤，此人本不虛，若欲自解，但汗出耳，不發戰也。

問曰：病有不戰而汗出解者，何也？答曰：其脈大而浮數，故知汗出而解。

問曰：病有不戰不汗出而解者，何也？答曰：其脈自微，此以曾發汗、若吐、若下、若亡血，以內無津液，此陰陽自和，自愈，故不戰不汗出而解。

問曰：傷寒三日，其脈浮數而微，人涼身和，何也？答曰：是為欲解，解以夜半。脈浮而解者，濈然汗出；脈數而解者，必能食；脈微而解者，必大汗出。

問曰：脈病欲知愈不，何以別之？答曰：寸口、關上、尺中三處，大小浮沉遲疾同等，雖有寒熱不解，此脈陰陽為平，雖劇當愈。

問曰：立夏得浮大脈，是其本位，其人病身體苦疼痛重，發其汗者，明日身不疼不重者，不須發其汗。汗濈濈自出者，明日解。問病者何時發病，假令夜半得病者，日中愈；日中發病，夜半愈。何以言之？立夏脈浮大，是其時脈，故使然。四時相放。所以言日中得夜半愈者，陽得陰則解；夜半得日中愈者，何以言之？陰得陽則解矣。

寸口脈浮在表，沉在裏，數在府，遲在藏。今脈遲，此為在藏。趺陽脈浮而濇，少陰如經，其病在脾，法當下利。何以知之？脈浮而大，氣實血虛；趺陽脈浮而濇，故知脾氣不足，胃氣虛也。少陰脈弦沉纔見，為調脈，故稱如經。而反滑數者，故知當屎膿也。

寸口脈浮緊，浮則為風，緊則為寒；風則傷衛，寒則傷榮；榮衛俱病，骨節煩疼，當發其汗。趺陽脈遲而緩，胃氣如經。趺陽脈浮而數，浮則傷胃，數則動脾，此非本病，醫特下之所為。榮衛內陷，其數先微，脈反但浮，其人必堅，氣噫而除。何以言之？本數脈動脾，其數先微，故知脾氣不治，大便堅，氣噫而除。今脈反浮，其數改微，邪氣獨留，心中則飢，邪熱殺穀，潮熱發渴。數脈當遲緩，脈因前度數如前，病者則飢。數脈不時，則生惡瘡。

師曰：病人脈微而濇者，此為醫所病也。大發其汗，又數大下之，其人亡血，病當惡寒，而發熱無休止時。夏月盛熱，欲著複衣；冬月盛寒，欲裸其身。所以然者，陽微即惡寒，陰弱即發熱。醫發其汗，使陽氣微，又大下之，令陰氣弱。五月之時，陽氣在表，胃中虛冷，陽微不能勝冷，故欲著複衣。十一月之時，陽氣在裏，胃中煩熱，陰氣弱不能勝熱，故欲裸身。又陰脈遲濇，故知亡血也。脈浮而大，心下反堅，有熱屬藏，攻之不令微汗；屬府，不令溲數，即堅；汗多即愈，少汗便難，遲尚未可攻。趺陽脈微濇，少陰反堅，微即下逆，濇則燥煩，少陰緊者，便即為難，汗出在頭，穀氣為下，便難者愈微溏，不令汗出，甚者遂不得便，煩逆鼻鳴，上竭下虛，不得復通。脈浮而洪，軀反如沾，濡而不休，水漿不下，形體不仁，乍靜乍亂，此為命絕。未知何藏先受寒，汗出髮潤，喘而不休，此為肺絕。陽反獨留，形體如烟熏，直視搖頭，此為心絕。脣吻反青，四肢漐習，此

[illegible]

1958年医学史上的紀念日

原著者 А. В. Алиева И. В. Венгрова

一　月

2日　弗利德利赫·沃尔夫(Wolff)誕生225周年(1733—1794)——杰出的俄国科学院院士，解剖学家和胚胎学家，生物發育学說的奠基者之一，最終确定了器官是从胚叶發育而来的原則为以后的胚叶学說奠定了基础。他的基本功績是：推翻預成論(胚胎只是简單的数量上的增長)，科学地論証了新生論(epigenesis 發育是由于胚胎或成長的机体的各部分的新生和再生)，他的論文"胚胎学說"(1759年)对此作了闡述。他还对心肌，疏松結締組織等进行了精密的解剖学研究。他很注意畸胎結構的研究。

日　瓦西里·依里奇·葛列宾契考夫(Гребенщиков)誕生100周年(1858—1906)——俄国的优秀医生，人口統計学家、医学統計工作者。死亡統計表的最早的作者之一。

13日　阿列克謝·盖拉西莫維奇·波罗切伯諾夫(Полотебнов)逝世50周年(1838—1908)——俄国著名的皮膚病学家。最早指出神經系統对皮膚病發生与發展的作用的学者之一，这就規定了苏联皮膚病学进一步發展的道路。他推动了广泛实行对皮膚病和性病患者的專科門診治疗。世界上第一个叙述了青霉菌的治疗作用(1872年)。

二　月

17日　利維里·奥西坡維奇·达尔克舍維奇(Даркшевич)誕生100周年(1858—1925)——俄国杰出的神經病理学家、神經組織学家和社会活动家。創立喀桑地区的神經病理学派，在神經系統的解剖学和組織学方面有不少著作。他在中腦發現的核(內側縱束核——校註)是以他的名字命名的。他發現周圍神經的完整性破坏时的退行性变現象。俄国第一部神經病学巨著的作者，这部著作在世界神經病学文献中佔有显著地位。建立了俄国第一个治疗酒精中毒患者的医院。

23日　彼得·波里索維奇·岡努斯金(Ганнушкин)逝世25周年(1875—1933)——苏联杰出的精神病学家，莫斯科大学精神病学教研組主任苏联精神病学家的莫斯科学派的創始人。研究不完全型精神病的"小"精神病学的奠基人。創办並主編"現代精神病学"杂誌。莫斯科的一所大精神病院是用他的名字命名的。

23日　弗里德利赫·埃斯瑪赫(Esmarch)逝世50周年(1823—1908)——德国著名的外科医生，他用止血帶进行"人工停血"，此法以他的名字称之。德国外科医师学会的創立人之一。

26日　符拉基米尔·彼德罗維奇·謝尔伯斯基(Сербский)誕生100周年(1858—1917)——俄国卓越的精神病学家和社会活动家，对精神病各种临床类型問題写了許多著作。俄国第一部法医精神病学参考書的著者，这部書詳細闡述了法医精神病学的理論和实际問題。"С. С. 考尔薩考夫神經病学与精神病学杂誌"的創办人和編者，"俄国精神病及神經病医师联合会"的創始人和积極領导者。

三　月

1日　阿·讓·艾米尔·哲新(Jersin)逝世15周年(1863—1943)——法国微生物学家。与盧斯(É. Roux)一起分离出純白喉毒素，並确定白喉帶菌現象。和Ш. Китазато同时，独立地發現了鼠疫的病原菌。

3日　尼考拉依·亞力山大罗維奇·赫洛德考夫斯基(Холодковский)誕生100周年(1858—1921)——俄国卓越的动物学家，他的人体寄生虫和昆虫的研究工作在科学上有巨大价值。他广泛搜集寄生虫並出版了"人类寄生虫圖册"原著。著有多种昆虫学及动物学教科書，这些書至今仍有科学意义和实用意义。

5日　米哈依尔·尼吉佛罗維奇·阿胡秦

(Ахутин) 逝世10周年(1898—1948)——苏联著名外科家，战場外科学方面的天才組織者。在哈桑湖畔、哈尔兴-高尔及芬蘭諸战役中，他是外科工作的积極參加者和領导者。他提出了許多治疗火器伤的新的原則。第一个实行前綫梯运送治疗制度以便对全体伤員进行早期外科治疗。确定了鏈球菌感染沿淋巴系統扩散的基本途徑。

9日　弗蘭茨·約瑟夫·哈尔(Hall)誕生200周年(1758—1828)——德国著名生理学家、解剖学家，在研究腦的解剖学方面作出了巨大貢献，顱相学(Phrenology)的奠基人。

13日　約謝夫·普列斯特利(Priestly)誕生225周年(1733—1804)——英国杰出的化学家，唯物主义哲学家，發現氧，最早研究呼吸生理的"燃燒"过程的学者之一。

17日　依万·巴甫洛維奇·麦尔热叶夫斯基(Мержеевский)逝世50周年(1838—1908)——俄国杰出的精神病学家，俄国精神病学的奠基人之一，神經病与精神病的彼得堡学派的創始人之一(与И. М. 巴林斯基一起)。对精神病患者的軀体狀态最早进行研究；並对进行性麻痹、慢性酒精中毒等进行了一系列研究工作。与B. A. 别茲同时發現大腦皮層的大椎体細胞(1872年)。俄国精神病医师第一次代表大会的組織人之一，彼得堡精神病医师学会的主席，"临床精神病、法医精神病与神經病学通报"的編者。

20日　維廉·佛尔古遜(Fergusson)誕生150周年(1808—1877)——苏格蘭著名的解剖学家和外科家，許多手术方法的首創者(兎唇、上頜骨惡性腫瘤的切除法等等)，發明医疗器械(佛氏鉗)。

23日　卡尔·弗利德利赫·魏斯特法(Westphal)誕生125周年(1833—1890)——德国卓越的神經病学家，第一个指出膝腱反射消失是脊髓痨的症狀(魏氏征)。他对糾纏性精神狀态及神經系統形态学方面的研究是很有名的。他記載了許多疾病和反射，这些都以他的名字命名。

27日　彼得·依万諾維奇·庫尔金(Куркин)誕生100周年(1858—1934)——苏联医生，俄罗斯衛生統計的創立者之一。皮洛果夫协会的統計学常委会的領导人。第一本苏联祖国的，即皮洛果夫疾病分类法和疾病术語集的作者之一。

四　月

3日　阿尔伯特·奥克斯納尔(Ochsner)誕生100周年(1858—1925)——美国卓越的外科家。他对急性穿孔性闌尾炎所引起的急性腹膜炎施行保守治疗。美国外科学院的創办人及院長(1923到1924)。

14日　維廉·法尔(Farr)逝世75周年(1807—1883)——英国杰出的衛生統計学家、衛生統計学的奠基者之一。第一个發現一些傳染病的典型曲綫(法氏規律)。

19日　亞諾什·沃卡依(Bókay)誕生100周年(1858—1937)——匈牙利著名兒科学家，兒科学教授，布达佩斯斯捷潘諾夫兒童医院院長。

21日　卡尔·弗蘭茲維奇·魯里耶(Рулье)逝世100周年(1814—1858)——俄国杰出的生物学家和自然科学家。达尔文以前的进化論观点的天才代表人物。最早宣傳和普及自然科学知識者之一。莫斯科自然研究者协会的秘書，該会的杂誌"自然科学通报"的編者。

28日　符拉基米尔·奥努弗利也維奇·考瓦列夫斯基(Ковалевский)逝世75周年(1842—1883)——俄国杰出的科学家，进化古生物学的奠基人之一。他对生物界的历史發展观的巩固和發展起了重要作用。

28日　約翰尼斯·米勒(J. Müller)逝世100周年(1801—1858)——德国生理学家，現代实驗生理学的奠基人之一。生理学重要学派的創立者。杂誌"Archiv f. Anotomie, Physiologie u. Wisseuschaftli cheMedizin"(解剖学、生理学及科学医学文献)的創办人和編者。

五　月

5日　皮耶·讓·若日·卡巴尼斯(Cabanis)逝世150周年(1757—1808)——法国著名的医生和哲学家，法国革命时期医学教育及医疗事業方面的大活动家，18世紀唯物主义的优秀代表人物之一。

14日　瑪丽亞·卡皮托諾夫娜·彼德罗娃

（Петрова）逝世10周年（1874—1948）——苏联著名的生理学家，巴甫洛夫的学生及其学說的繼承者。她主要研究有关高級神經活动的病理学問題。她研究了由于大腦皮層的兴奋和抑制过程的过度緊張和冲突所引起的实驗性神經官能症。她研究了实驗性神經官能症同动物神經系統类型的关系，確定了皮層病等和动物大腦皮層的病理狀态的关系。

日　哈伯利艾里·胡斯塔夫·瓦連亭（Valentin）逝世75周年（1810—1883）——德国生理学家与解剖学家。他主要是以組織学的研究而出名。一些显微鏡下的結構是以他的名字命名的（纖毛上皮細胞的淀粉样顆粒等）。与普尔金耶氏一起記載了顫毛上皮的纖毛运动。

25日　瓦茨拉夫·魯别斯卡（Rubeska）逝世25周年（1854—1933）——捷克卓越的外科医生，妇产科医生，捷克妇产科学派的創始人。在培养产科医生方面做了很多工作。

31日　弗利德利赫·克劳斯（Kraus）誕生100周年（1858—1936）——德国內科医师，在临床心电圖的研究方面有重大貢献。他主要是研究植物神經系統、新陈代謝疾患、及医学理論。他以反法西斯的观点而聞名。

六　月

2日　亚力山大·艾都阿道維奇·拉烏艾尔（Раурэ）逝世10周年（1871—1948）——苏联杰出的外科家和教育家，苏联領面外科学的組織者和領导者。發明很多面部成形手术的方法，發明軟腭缺損的閉合法及利用放置一小片軟骨于骨膜下来治疗習慣性下頜脫臼的方法。他提出在施行关节强直手术时利用斜截骨术法，这在苏联已被广泛採用。發明移植游离的軟骨恢复咽喉的方法，此法聞名于国外。

3日　本杰明·考林斯·布洛代（Brodie）誕生175周年（1783—1862）——英国外科医师，临床家。因記載了多种疾患而聞名，这些疾患以他的名字来命名（布氏膿腫、布氏脛瘤等）。

15日　切奥道尔·麦納特（Meynert）誕生125周年（1833—1892）——德国著名神經病家和精神病家，腦組織学的奠基人之一，發現了腦的解剖学和組織学方面的一些新材料。

16日　潘切雷蒙·奥西波維奇·斯莫稜斯基（Смоленский）逝世50周年（1854—1908）——俄国著名的衛生学家和衛生知識普及工作者，А. П. 道布罗斯拉文的学生。著有許多有关衛生学和战場衛生問題的著作，有些著作在国外也很有名，並譯成外文出版。

16日　約翰·斯諾（Snow）逝世100周年（1813—1858）——英国流行病学家，著有“論霍乱”优秀論文（1855年）。斯諾根据很多的观察，發現了霍乱的傳播方式，指出水对傳播本病的重要作用。在霍乱弧菌尚未發現三十年前，他就確認霍乱是經口傳染，霍乱病菌能够繁殖，其構造与細胞相似。

18日　亚力山大·尼吉奇契·馬尔杰叶夫（Марзеев）誕生75周年（1883—1956）——苏联卓越的衛生学者及公共衛生工作者，烏克蘭衛生事業的組織者，苏联环境衛生学的奠基人之一，烏克蘭衛生法規的制定者之一。在研究制訂烏克蘭大工業企業草案时以及在修建和战后恢复城鎮时他領导了衛生鑑定委員会。烏克蘭衛生防疫站的發起人，这些防疫站在苏維埃时代得到了推广。在烏克蘭創办瘧疾、医学寄生虫学研究所，营养衛生研究所，以及环境衛生研究所，並領导該所直至逝世。

七　月

11日　維廉·西潘（Shippen）逝世150周年（1736—1808）——美国著名的外科医生，宾夕法尼亚大学的創办人之一。

24日　盖奥尔基·費奥道罗維奇·蘭格（Ланг）逝世10周年（1875—1948）——苏联著名的內科临床医师。主要研究心臟血管的疾病問題。他發明了研究血液系統的新方法，創立了心血管疾患的現代分类法。拟定了預防和治疗高血压病的一系列組織上的措施。第一个試驗把医院和門診部联合起来的人（1927年）。“內科文献”杂誌的創办人之一，“临床医学”杂誌的編者。

24日　阿列克謝·亚力山大罗維奇·奥斯特罗烏莫夫（Остроумов）逝世50周年（1844—

1908)——俄国杰出的內科临床医师，他創立了机能研究法的完整体系，規定了估計到神經系統一般狀況的新的治病原則。他的主要功績是确定了环境对机体的影响的巨大意义，环境在發生疾病和治疗病人上的作用。第一个証明第一心音是瓣膜产生的（1873年）；証明在血管壁內有血管收縮神經和血管舒張神經（1876年）；确定了水腫及發汗是神經性的（1879年和1876年）。

24日 彼得·依万諾維奇·彼列梅日科（Перемежко）誕生125周年（1833—1894）——俄国杰出的組織学家，基輔組織学学派及基輔医学院組織学教研組的奠基人。發現並記載了动物細胞的間接分裂，这个發現被不正确的認为是外国学者的功劳，並以外国名辞"有絲分裂"和"絲狀核分裂"称之。他指出了肌纖維核在肌纖維新生中的作用；詳細研究了垂体的構造，記載了甲狀腺細胞的功能和隨着年齡的变化等。

八 月

4日 約翰·利特尔·奥波尔澤（Oppolzer）誕生150周年（1808—1871）——奥地利卓越的临床家。以其在內科临床上应用和宣傳客观檢查法（叩診法，听診法）及对病理解剖的研究而聞名。

14日 优斯翠·优里安諾維奇·詹涅里杰（Жанелидзе）誕生75周年（1883—1950）——苏联卓越的外科医生、苏联保健事業的組織者，对心臟，大血管及腹腔器官的开放伤和疾病，对燒伤及胸廓开放伤的併發症的治疗以及对成形外科和修复外科方面都有許多重要的研究。

24日 依万·罗曼諾維奇·塔尔哈諾夫（Тарханов）逝世50周年（1846—1908）——俄国优秀的生理学家，最积極普及生物学及医学問題的学者之一。他对电生理学的研究是最令人感兴趣的。最早对神經系統的重疊（Суммация）現象进行实驗研究的人之一（1869年）。証明了用輸入生理鹽水的方法可能使失血动物失掉的功能恢复。他还研究各年龄的生理学及X射線的生物学作用。

30日 尼考拉依·叶茵罗維奇·庫舍夫（Кушев）誕生100周年（1858—1941）——苏联优秀的瘧疾学家和社会活动家。他以在坡沃尔日地区組織規模巨大的抗瘧工作而聞名。發起創立薩拉托夫抗瘧站並主持了五次抗瘧会議。积極參加了开办薩拉托夫大学。担任薩拉托夫物理-医学协会的主席达20年之久。"薩拉托夫保健通报"的編者。

九 月

1日 瓦尔特尔·克魯杰（Kruse）逝世15周年（1864—1943）——德国細菌学家，以研究痢疾聞名。痢疾桿菌以他的名字命名（志賀-克魯杰桿菌）。

1日 彼得·瓦西里叶維奇·尼考里斯基（Никольский）誕生100周年（1858—1940）——苏联杰出的皮膚性病学家，皮膚病学中功能学派的代表人物之一。奠定了皮膚病患者疗养治疗的科学基础。一貫宣傳机体的完整性，和皮膚病和神經系統失調之間的关系。世界上最早研究和記載了許多新的皮膚病，第一个解釋了焦痂（eschar）發生的机制。因記載了叶狀疱疹的表皮脫落征狀而聞名于世界——尼考里斯基現象（1894年）。

6日 符拉基米尔·謝尔蓋叶維奇·古列維奇（Гулевич）逝世25周年（1867—1933）——苏联卓越的生化学家。他的研究为比較生化学奠定了基础。他主要是研究动物体的含氮提取物質浸及蛋白質化学。他創造了合成氨基酸的新方法。

18日 亞历山大·彼德罗維奇·奈留宾（Нелюбин）逝世100周年（1785—1858）——俄国杰出的药学工作者，俄国制药事業的奠基者之一。是制药技术与化学分析方面的發明者与革新者。創造了气体分析的新法（与哈罗薩克無关）。他不倦地与国外唯心主义体系（布魯塞、汉涅曼、拉佐利等人）作斗爭，並反对各式各样的專卖药和秘方药。

26日 尼考拉依·彼德罗維奇·貢多宾（Гундобин）逝世50周年（1860—1908）——俄国杰出的小兒科医生，科学的兒科学的奠基人之一，卓越的社会活动家和医学知識的普及者。第一个从年龄的观点对兒童机体的解剖生理特点做了全面的研究，这样就为俄国兒科学的独立發展奠定了科学的基础。他强調兒科学与教育学的关系。"俄国減低兒童死亡率联合会"的創立人(与 H. A. 盧斯基一起),"人民保健協会"学校分会的主席。

29日　盖利赫·依万諾維奇·圖尔涅尔(Турнер)誕生100周年(1858—1941)——苏联杰出的矯形外科医生,俄国临床矯形外科学的奠基人,防治小兒殘廢的最卓越的工作者。在軍事医学科学院組織了俄国第一个矯形学教研組和医院。他主要研究先天性發育缺陷和脊椎疾患,同时研究运動支持器官外伤和某些疾病时神經因素的作用。列宁格勒第一个矯形学会的組織者。該学会現以他的名字命名。

十　月

6日　弗蘭苏·馬然济(Magendie)誕生175周年(1783—1855)——法国杰出的生理学家,生理学中的实驗派的奠基人之一。他对神經系統的生理进行了巨大的研究,从这些研究中他与貝尔共同得出一个定律(貝尔-馬然济定律)。

8日　格利高利·米哈依洛維奇·穆哈杰(Мухадзе)逝世10周年(1879—1948)——苏联杰出的外科家和血液病学家。格魯吉亞社会主义共和国科学院实驗和临床外科学与血液病学研究所的奠基者。格魯吉亞的第一位外科学教授。他的重大功績是在格魯吉亞的医疗机構中採用了輸血。他主要的研究是輸血、心臟外科、麻醉、泌尿学和胃及十二指腸潰瘍病、諸問題。

16日　阿尔伯列赫特·哈勒(Haller)誕生250周年(1708—1777)——德国最卓越的生理学家,一个完整的生理学学派的創立人,实驗生理学的奠基者之一。

17日　依万·尼古拉叶維奇·格拉馬奇卡契(Грамматикать)誕生100周年(1858—1917)——俄国卓越的产科医生、妇外科医生。托姆斯克大学妇产科教研組的創始者、組織者及第一个教授。他在西伯利亞第一个組織了托姆斯克妇产科学会(1905年),为了在西伯利亞訓練助产士他組織了附属产育院的接生訓練所(1899年)。發現了治疗妇科病的新方法,通称为"格拉馬奇卡契氏法",及治疗晚期子宫癌的手术方法。第一个在横位难产时应用典型的剖腹产术。

28日　阿尔伯尔·卡尔麦特(Calmette)逝世25周年(1863—1933)——法国卓越的微生物家。以其抗痨工作而聞名。与介連(Guérin)共同發明抗結核病的預防接种法。此方法以他命名。

28日　亨利·考普利克(Koplik)誕生100周年(1858—1927)——美国卓越的临床家,兒科医师,在1896年描述了麻疹的早期征狀——頰部粘膜、糠样斑点(費拉托夫-考普利克征)。美国兒科学会主席。

31日　約翰·弗利德利赫·小麦克尔(Meckel)逝世125周年(1781—1833)——德国卓越的形态学家和病理解剖学家。他主要是研究比較解剖学、人体正常与病理解剖学。他記載了許多解剖構造並以他的名字命名。著有著名的病理解剖学圖譜,哈尔地区比較解剖学博物館的收藏家之一。

十一月

3日　札哈利·約西弗維奇·盖依馬諾維奇(Гейманович)逝世10周年(1884—1948)——卓越的外科医生,苏联主要的神經外科医师之一,烏克蘭神經外科学派的創始人。烏克蘭第一个神經外科医院的組織者和領导者。著有許多有关外科問題的著作:神經外科解剖学和临床学,神經系統的手术外科学和实驗外科学、神經疾患时的矯形手术、感染的外科学等。在外科学中他有許多新的建議。

3日　艾米尔·盧斯(É. Roux)逝世25周年(1853—1933)——法国杰出的細菌学家。第一个指出細菌毒素在患傳染病时的作用。与伯頓(Behring)同时發明抗白喉血清,因此二人共同获得諾貝尔奬金。巴黎巴斯德研究所的創立人之一。

5日　培納吉諾·拉馬齐尼(Ramazzini)誕生325周年(1633—1714)——意大利医生,職業衞生学的奠基人。

12日　亞力山大·坡尔費里叶維奇·保罗金(Бородин)誕生125周年(1833—1887)——俄国著名作曲家、杰出的化学家、卓越的社会活动家、医生。他的主要工作是研究醛的聚合作用与凝結作用。他首先發現了醛的凝結(Condensation)作用，並在历史上第一次用合成法获得有机氟化物——氟化苯。他从事研究生理化学問題，解决衛生-化学問題(設計出用氮定量法測定尿素量的仪器，从事研究消毒药剂)。

13日 亞力山大·瓦西里叶維奇·維斯涅夫斯基(А. В. Вишневский)逝世10周年(1874—1948)——苏联杰出的外科家，創立了一个巨大的外科学派。他主要是研究外科学和神經外科学中的各种問題。首創用奴佛卡因施行局部匍行浸潤麻醉法(1930年)，此法在苏联国內和国外得到广泛应用。提出了神經营养在炎症过程中的作用的科学概念，並提出治疗炎症，化膿創伤及創伤性休克的新方法。

13日 詹姆斯·馬倫·西姆斯(Sims)逝世75周年(1813—1883)——美国著名的妇科医生，妇科学的奠基人之一。特别因在尿道生殖器瘻手术时应用銀絲縫合而著名。發明許多妇科器械和手术方法都以他的名字命名。

19日 安德列·亞力山大罗維奇·克留考夫(Крюков)逝世50周年(1849—1908)——俄国优秀的眼科医生，莫斯科眼科医师学会的創始人之一，"眼科学通报"杂誌的編者。第一部俄文眼科参考書的作者，著有"視力檢查表"(1882年)此表获得广泛应用。第一个精密确定視網膜色覺部分的范圍；第一个应用灰底彩色視野計在俄国第一个在眼科手术应用奴佛卡因，提出了許多新的眼科手术方法。确定青光眼是兩側性的(1896年)。

25日 包利斯·謝苗諾維奇·道依尼考夫(Дойников)逝世10周年(1879—1948)——苏联杰出的科学家，临床神經形态学家，在周圍神經系統的正常組織学和病理組織学方面的研究創立了新的方向。他提出並应行完整的"全面的"方法研究神經系統，因此确定了在傳染病时神經系統的各种損害。他研究神經系統外伤的形态学和临床、神經系統的感染病和血液循环紊乱等問題。

26日 尼考拉依·馬尔琪諾維奇·沃尔考維奇(Волкович)誕生100周年(1858—1928)——俄国杰出的临床外科家，出色的社会活动家，基輔外科学会的創始人及常任主席。創立了許多以他的名字命名的新的手术方法，还創造了許多新類的骨成形术及成形手术，新的治疗方法、診斷方法。骨折功能疗法的奠基者。發明了很有名的籃形夾板，也以他的名字命名。發現了鼻硬結病的病原菌(1888年"沃氏桿菌")。

十二月

2日 弗利德利赫·萊克林哈斯(Recklinghausen)誕生125周年(1833—1910)——德国最优秀的病理解剖学家。以研究多發性神經纖維瘤及纖維性骨炎而著名，这兩种病都以他的名字来命名。他还对佝僂病和軟骨病以及第一頸椎进行了卓越的研究。

3日 卡尔洛斯·芬雷(Finlay)誕生125周年(1833—1915)——古巴卓越的医生和生物学家，黃热病帶菌者的發現人。

16日 里查德·布萊特(Bright)逝世100周年(1789—1858)——英国著名病理学家、临床家。記載了慢性腎炎(Bright氏病)及其它一些疾病。

24日 盖尔曼·亞力山大罗維奇·阿里布列赫特(Альбрехт)逝世25周年(1878—1933)——苏联著名的矯形外科医生，苏联国家义肢規格制度的最出色的組織者。他設計了新的人工自动假手，制定了做矯形鞋、梏架背心的新原則。創造了一些新的手术，改进了一些旧的手术。

* * *

波倫大学創办800年(1158)。

馬德里大学創办450年(1508)。

考尔納罗的"个人衛生論"出版400年(1558)。

荷蘭医生布尔哈夫的著作"Institutiones medicae"出版250年(1708)。

布达佩斯大学創办175年(1783)。

俄国科学院成立175年(1783)。

瑞典医学会成立150年(1808)。

德国生理学家米勒的"生理学教科書"出版125年(1833)。

莫斯科市立第一医院成立125年(1833)。

"健康之友"报發行125年(1833)。

俄国内外科医学科学院（現在的 C. M. 基洛夫軍事医学科学院）附設的医师进修学院創立100年(1858)。

伯尔納(C. Bernard)的著作"神經系統的生理学和病理学"出版100年(1858)。

魏尔嘯的著作"細胞病理学"出版100年(1858)。

巴斯德进行推翻自生論的实驗100年(1858)。

达尔文的"物种起源"在倫敦林內学会上第一次宣讀100年(1858)。

"莫斯科医学报"創刊号發行100年(1858)。

A. B. 別茲的著作"人大腦表層的解剖"出版75年(1883)。

麦奇尼科夫在奧德薩举行的俄国自然科学者代表大会上作"論机体的治疗力"的报告75年(1883)。

巴斯德發明抗炭疽疫苗75年(1883)。

郭霍發現霍乱的病原菌75年(1883)。

克列伯斯發現白喉桿菌75年(1883)。

Mantox 施用結核菌素反应50年(1908)。

B. H. 沙莫夫在全烏克蘭外科医师第三次代表大会上作"論从屍体取血进行輸血"的报告25年(1933)。

（振嘉譯自Знаменательные Даты Истории Медицины 1958 г.）

保健組織者函授进修制度

И. Б. Ростоцкий

保健組織領导干部函授班一年来的工作經驗証明这一新的制度是很好的。这种制度是根据苏联保健部1954年9月30日所頒佈的第454号命令进行的。函授班的学員包括有医院院長、衛生防疫站站長、保健机关工作工員、中央各部工作人員、苏共省委和市委、加盟共和国中央委員会指导員等。53%的学員有一年到五年的工作經历。在改进所規定的作業上，教研組工作人員的評論是起了很大的作用。学員用当地的資料充实了作業的內容。經过审核出版的学員的作業都具有研究性質的。一年的时間是很緊的，对完成所規定的八項作業是不够的，許多学員不得不延長六个月。函授班有关农村保健資料与各專科資料比較少，这是缺点。函授討論应按短期每月輪廻的形式进行組織，並且在中央医師进修学院的生产实習計划当中应加以考慮。作者詳細地指出了函授班的工作缺点。函授班学員当中較好的作業准备以彙集的形式出版，在1956——1957学年，函授班的学員將增加到1500名。

（刘 鳴摘譯自 Сов. здрав. 4(28—33), 1957年）

張仲景的遺文

原著者：东京．大塚敬节

張仲景的遺著除了現存的"伤寒論"及"金匱要略"兩書外，在若干重要古代医学書籍中也可散見引用仲景文字的，如王叔和脉經，巢元方諸病源候論，孙思邈备急千金要方，王燾外台秘要以及丹波康頼的医心方等書。

現將張仲景的遺文录之如次：

(1)"張仲景云：妇人本肥盛，头举身满，今羸瘦头举中空減胞系了戾，亦致胞轉"。(諸病源候論卷四十，妇人杂病諸候，胞轉候)。

(2)"張仲景云：妇人經水过多，亡津液者，亦大便难也"(巢氏諸病源候論卷四十，妇人杂病諸候，大便不通候)。

(3)"仲景曰：凡欲和湯合葯針灸之法，宜应精思，必通十二經脈，知三百六十孔穴(明版：三百六十五孔穴)，榮衛气行，知病所在，宜治之法，不可不通，古者上医相色，色脉与形不得相失，黑乘赤者死，赤乘青者生，中医听音，声合五音，火闘水声，煩悶干惊，木闘金声，恐畏相刑，脾者土也，生育万物，廻助四傍，善者不見，死則归之，太过則四肢不举，不及則九竅不通，六識閉塞，犹如醉人，四季运轉，終而复始，下医診脉，知病元由，流轉移动，四时逆順，相害相生，审知藏腑之微，此乃妙也。"(千金要方卷第一序例，治病略例第三)

(4)"張仲景曰：欲疗諸病，当先以湯蕩滌五臟六腑，开通諸脉，治道陰陽，破散邪气，潤澤枯朽，悦人皮膚，益人气血，水能淨万物，故用湯也。若四肢病久，風冷發动，次当用散，散能逐邪，風气湿痹表里移走，居無常处者，散当平之，次当用丸。丸葯者，能逐風冷，破积聚，消諸堅癖，进飲食，調和榮衛，能參合而行之者，可謂上工，故曰：医者意也。"(千金要方卷第一序例，診候第四。医心方卷第一，服葯节度第三)。

(5)"又曰：不須汗而彊汗之者，出其津液，枯竭而死，須汗而不与汗之者，使諸毛孔閉塞，令人悶絕而死。又不須下而彊下之者，令人开腸，洞泄不禁而死。須下而不与下之者，使人心內懊憹，脹滿煩乱，浮腫而死。又不須灸而彊与灸者，令人火邪入腹，干錯五臟，重加其煩而死。須灸而不与灸之者，令人冷結重凝，久而弥固，气上冲心，無地消散，病篤而死"。(千金要方卷第一序例，診候第四)。

(6)"仲景曰：人体平和，惟須好將养，勿妄服葯，葯势偏有所助，令人藏气不平，易受外患；夫含气之类，未有不資食以存生，而不知食之有成效，百姓日用而不知，水火至近而难識"。(千金要方卷第二十六食治，序論第一)。

(7)"蜀椒，……仲景云：數用之"。(千金要方卷第二十六食治，菜蔬第三)。

(8)"張仲景曰：若热結中焦則为堅热也，热結下焦則为溺血，亦令人淋閉不通，明知不必悉患小便利，信矣，內有热气者則喜渴也，除其热則止，渴兼虛者，須除热而兼宜补虛，則病愈。"(外台秘要第十一卷消渴消中十八門，强中生諸病方六首)。

(9)"張仲景云：足太陽者，是膀胱之經也。膀胱者，是腎之腑也。而小便數，此为气盛，气盛則消谷，大便硬，衰則为消渴也。"(外台秘要第十一卷消渴消中十八門，近效祠部李郎中消渴方一首)。

(10)"張仲景云：四肢者，身之支干也。其气系于五藏六腑，其分度淺薄，灸之不欲过多，須依經数也。过謂余病則宜依之；若脚气不得拘此例。風毒灸之务欲多也，依此經数，則卒难愈疾。"(外台秘要第十九卷脚气下一十六門，灸用火善惡补写法一首)。

(11)"养生要集云，張仲景曰：人体平和，惟好自將养，勿妄服葯，葯势偏有所助，則令人藏气不平，易受外患，唯斷谷者，可恒將葯耳。"(医心方卷第一，服葯节度第三)。

(12)"張仲景述，夫病其脉大者，不宜灸也"。(医心方卷第二，灸例法第六)。

(13)"張仲景葯弁訣云，凡春戊辰巳戊午，夏丁亥戊甲乙酉己丑己未，秋戊子戊辰庚辛(蝦蟇經作辛亥)，冬乙卯辛酉己未己亥"。(医心方卷第二，針灸服葯法第七)。

(14)"張仲景方治卅年欬大棗丸方：大棗百枚去核，杏仁百枚熬，豉百三十枚，凡三物，杏仁搗令相得乃內棗搗令熟和調丸如棗核一丸含之稍咽汁，日二漸增之，常用良"。(医心方卷第九，治欬嗽方第一)。

(15)"張仲景方治消核腫黄耆怙方：黄耆三兩，眞当归三兩，大黄三兩，芎藭一兩，白斂三兩，黄芩三兩，防風三兩，山葯二兩，雞子十枚，黄連二兩，凡十物，搗簁以雞子白和塗紙上怙腫上燥易。又方搗吳萸以醋和薄胗上所可令速消升，多得效驗"。(医心方卷第十六，治惡胗腫方第九)。

(16)"張仲景方云黄芩湯治散發腹內切痛方：梔子二兩，香豉三升，黄芩二兩，凡三物切綿裹，以水九升，煮取三升，分三服，以衣复臥，且应有汗。"(医心方卷第二十，治服石心腹痛方第十五）。

（17）“張仲景云：解散發煩悶，欲吐不得，單服甘草湯方，甘草五兩切，以水五升，煮取二升，服一升，得吐便止。”（医心方卷第二十，治服石煩悶方第二）。

（18）“張仲景云半夏湯治散發干嘔不食飲方：半夏八兩洗炮，生姜十兩，桂心三兩，桔皮三兩，右四物以水七升，煮取三升半，分三服，一日令尽”。（医心方卷第二十，治服石不能食方第卅）。

（19）“張仲景方治寒食散大小行难方，香豉二升，大麻子一升破，右二物，以水四升，煮取一升八合，去滓停冷一服六合日三。”（医心方卷第二十，治服石大小便难方第卅六）。

附註：譯者見周亂天官疾医賈疏有“張仲景金匱云：神农能尝百葯，則炎帝者也”之句，按金匱無此文，不知賈公彥先生引自何处，是否出自金匱佚文？存疑。所有以上遺文，我們应当估計到在文字上与仲景原著或有出入者。

（陳可冀节譯自：日本东洋医學会杂誌，第5卷第1号，第35頁，—39頁，原題为：“逸文より見ナニる張仲景の医學”）

从格林时期到公元1600年末擦剂的应用

E. Giani

从格林时期到公元1600年末，治皮膚病，除內服葯外，擦剂是唯一的治疗方法。阿維森那在其“医典”內举例用热油膏以治破伤風。意大利的学者在十三和十四世紀时曾介紹用硫和汞的擦剂治痲瘋和用硫黃浴以治結石。文艺复兴时期，外用葯物又用得多起来；曾用汞擦剂治各种皮膚病，梅毒。除作擦剂外，汞还用作熏蒸剂以治梅毒。

（原文載意大利 Igiene e san pubbl. 期刊，1956.12，9—10，599—605）。

（成桂仁譯自 медицинский реферативный журнал. 1957年第4期第76頁）

文摘目录

各省市除四害初步战果統計

項目 / 地区	規划年限	統計时間	統計單位	消灭老鼠（以万只为計算單位）	消灭麻雀（以万只为計算單位）	消灭蚊蝇	消灭蝇蛹	清除垃圾（以万为計算單位）
北京市	2年	2月16日	全市	115	120			
天津市	1—2年	1月底	全市	8	（11个乡）50			1.5吨
上海市	3年	1月底	全市	16	6			
河北省	1年	2月5日	全省	776	1,319		6,414斤	3,289車
山东省	5年	2月10日	6專3市	356	305	493斤	78,000斤	177車
山西省	5年	2月5日	全省	249	764	1,004斤	2,800斤	36,000車
河南省	3年	1月31日	全省	243	339	986斤	296,647斤	7,070車
安徽省	5—8年	2月9日	全省	5,981	3,785	4,630,000合	1,791,720斤	64,653担
江苏省	4年	1月20日	52个市县	769	551	1,079斤	222,000斤	37,874担
江西省	5年	2月10日	50个市县	250	720		13,500斤	25担
浙江省	5年	1月31日	68个市县	141	87	565斤	132,000斤	5,078担
福建省	5年	2月10日	全省	683	162	104,110斤 28,750合	199,000斤 （包括蒼蝇）	1,260担
湖北省	7年	2月6日	全省	7,517	558		160,000斤 （包括蚊蝇）	72,000担
湖南省	7年	2月8日	全省	320	135		70,072斤	45,499担
广东省	5年	2月10日	全省	610	50	8,200斤		2,580担
四川省	（缺）	2月6日	全省	723	470		617,781斤 （包括蚊蝇）	31,930担
云南省	5年	2月2日	部分地区	3	0.8	32,929合	4,952斤	54担
貴州省	（缺）	1月25日	全省	366	294		75,400斤 （包括蒼蝇）	47担
陝西省	5年	2月6日	全省	157	345		2,877斤	
甘肅省	3—5年	2月10日	全省	511	1,071	130,352斤	14,708斤	394吨
青海省	（缺）	2月10日	全省	26	33		607斤	38吨
辽宁省	5年	2月7日	全省	347	704			258吨
吉林省	2—3年	2月5日	38个市县	73	164			1.8車
黑龙江省	5年	2月7日	全省	518	1,014			
內蒙	5年	1月份	部分地区	50	110			
总計				20,808	13,156.8	24万6千余斤又469万1千余合	368万8千余斤	46,537.8車 又261,000担 691.5吨

註：因有些地区消灭蚊蝇的数字未分开計算，所以將各地消灭蚊蝇数字全加在一起計算。

（轉載1958年2月18日健康報）

医学史与保健組织

（季 刊）

1958年 第1号

（第2卷 第1期）

規定出版日期：每季第3月25日

·編輯者·
中华医学会总会
医学史与保健組織編輯委員会
北京东四猪市大街东口路南
总編輯 錢信忠
副总編輯 李光蔭 李濤 王吉民

·出版者·
人民衛生出版社
北京崇文区綫子胡同36号

·發行者·
郵电部北京郵局

·印刷者·
北京市印刷二厂

本期印数：2,042 册
每册定价：0.70 元

上期实际出版日期：1957年12月19日
郵局發出日期：1957年12月20日

本刊代号：2—168

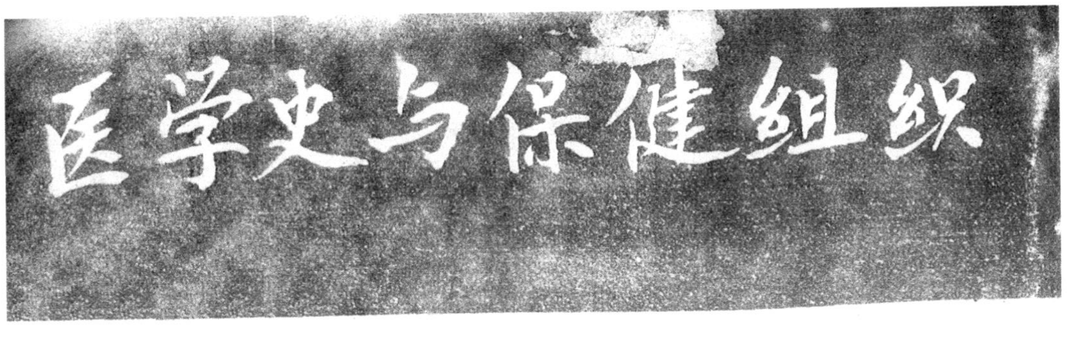

1958年　　第2号

（第2卷 第2期）　（6月25日出版）

医学史与保健組織編輯委員会主編　　人民衛生出版社出版

文 摘 目 录

啓 事

本杂誌自創刊以来，遵循党与政府的政策方針，交流保健工作經驗，促进保健事業的發展，並發揚祖国医学的光輝历史，介紹世界医史中的重要事蹟。但因編輯工作还缺乏經驗，尤其是对讀者的需要了解不够。为了更好地完成本杂誌的使命，克服結合实际，联系羣众不够的現象，我們恳切地盼望亲爱的讀者同志們，本着爱护杂誌的精神，提出你們所需要的內容和要求，我們將会按照大家的意見和要求去改进組稿和編輯工作。办好杂誌，为大家服务。

从本期开始本杂誌將充实有关医院行政管理方面的稿件，希望医院組織領导同志提出要求和意見，踊躍投稿。

医学史与保健組織杂誌編輯委員会

1958年 第2号

苏联保健組織与医史研究所*的科学研究工作

錢 信 忠

一

保健組織学是偉大的十月革命胜利之后誕生的。苏維埃的医学院里，从1923年就設立了“社会衛生学”的課程，訓練医学生积極地以預防为主的原則来为劳动人民服务。社会主义医师不仅要会治病，而且要会防病；因此他們的社会責任是：医疗者、預防者、組織者、宣傳者。保健組織学科的任务就是培养医学生使他們成为具有預防思想、組織才能、宣傳艺术的新型医师。后来由于衛生学的發展，由公共衛生学衍化为：劳动衛生学、营养衛生学、环境衛生学、学校衛生学，以及一般衛生学，而“社会衛生学”就改为了保健組織学。

1957年6月第八屆衛生、流行病、微生物与傳染病工作者代表大会上，苏联俄罗斯社会主义共和国保健部部長庫拉索夫（С. В. Курашов）等倡議保健組織学易名为“社会衛生学”，理由是：①保健組織在建設共产主义社会的斗爭中將具有更广泛的意义，特别是要研究人民健康与生活狀况以及長寿因素。倡議者認为今后保健組織工作者的任务，應該是組織研究自然界与社会对人体健康影响的綜合因素：居住生活、社会营养、劳动条件、自然环境以及其他因素。②將保健組織学易名为社会衛生学可以使保健組織工作者有專業名称“社会衛生医师”。目前苏联許多組織領导干部已进行了多年的保健机关的組織行政工作，他們对以往所学的專科已經生疏，称之为某科医师已不相称；因此，有人主張把他們統称为“社会衛生医师”或“社会衛生学家”。当然，在現阶段反对易名的还是主流。兩派之間进行着爭辯，都用新的学术內容和观点来駁倒对方，無疑地会使保健組織充实新的內容。③保健組織学实質上是保健事業的綜合性的学問，它的使命不仅做好預防，更重要的是做好对臨床医疗、科学研究的組織領导，使之更切合实际，更能为人类健康服务。因此从字义上來講，“保健”兩字比“保健組織”所含有的意义更为广泛。“苏联保健”杂誌就是这样的含义。由于国內同志們很关心这一方面的問題，故笔者在訪苏期間曾和保健組織与医史研究所付所長謝威列夫（Б. Д. Шевелев）教授及莫斯科第一医学院保健組織教研組主任庫拉索夫（Курашов）同志进行了交談。現將所了解到的問題，在这里略加介紹以供关心保健組織学易名为“社会衛生学”的同志們參考。

苏联保健組織与医史研究所为了适应体制下放后保健事業新的發展以及保健部的重視，于1957年充实了研究內容，並相应地补充了研究工作人員（由80人增到205人），合理的設置了組織机構和組織系統。

二

現在根据研究所付所長謝威列夫（Б. Д.Шевелев）教授詳細介紹，將該所各科研究任务摘录于下。

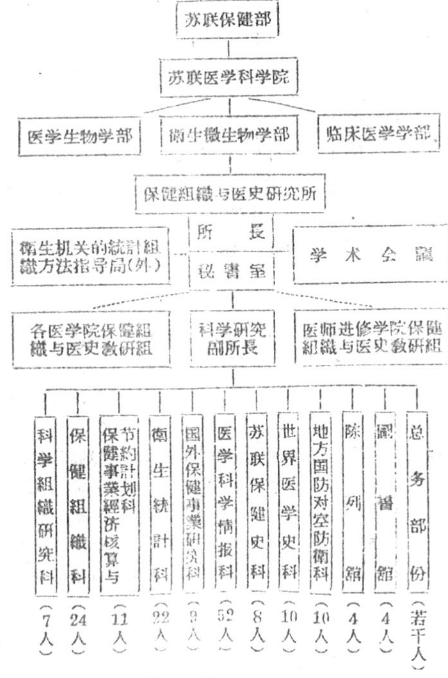

（1）科学組織研究科：該科成立于1958年。这个科是自从苏联保健部將科学研究計划的編制审查任

* Институт Организации Здравоохранения и Истории Медицины имени Н. А. Семашко Министерства здравоохранения СССР.

务交給苏联医学科学院后而成立的。成立該科的目的在于使該科成为研究組織方法的中心，即是保健組織研究計划的中心，来負責全苏高等医学院保健組織教研組及有关研究所科学研究計划的統一綜合，結合專題委員会进行討論审查协調，最后由研究所学术委員会批准。該科的主要任务是：①研究科学工作的組織方法；②制訂年度計划或远景規划，全苏保健組織与医史研究計划；③組織学术活动，制定科学出差和参加現場学术会議的計划；④負責檢查和总結計划执行情况。

（2）保健組織科：該科分三个部分：妇幼、城市、乡村，其职能相等于保健机关之医疗預防，衞生防疫，妇幼保健，其研究任务是：①研究改善妇幼，城市与乡村居民的医疗、衞生組織及服务方法；②研究保健工作先进經驗，組織"試驗田"式的实驗区，即將某地的先进經驗在不同地区进行实驗，使之适合实际，避免命令主义或教条主义式的硬搬生套，强迫施行；例如苏联曾經进行过医院与門診部合併，出現过强迫命令机械搬用的形式主义。因此，苏联保健部重視培养典型，进行实驗，組織参观的方法，推广先进經驗。近年来苏联十分注視我国爱国衞生运动的經驗，白俄罗斯社会主义共和国羣众性衞生运动也积累了不少經驗。1955—1956年白俄罗斯社会主义共和国玻利薩夫（Борисов）城羣众性衞生运动在市委書記阿納托修（Ю. Д. Анатошю）、苏維埃执行委員会主席金科夫（А. Я. Кинков）的領导下發动了衞生"星期六"的清潔运动。在运动前，新建的"革命大街"上，存留着很多垃圾，公共汽車站附近的工地上也遺留着成堆的破碎玻璃与瓦礫，这些同新修的壯丽的大街是極不相称的。1955年十月組織了第一次衞生"星期六"。由于党委書記、市長亲自动手，羣众越来越多。因此由清除革命大街的垃圾發展成为全市性的清潔衞生运动，將全城划为137个地段，每一地段配备了苏維埃劳动人民代表，医务工作人員，人民警察，衞生积極份子帶头，而人民代表与医务人員为当然的負責人，制訂了街道和家家戶戶的清潔衞生計划，进行广泛的衞生宣傳，使居民們能普遍了解到环境衞生、个人衞生、綠化、保护水源、文化、体育在保証人民健康方面的意义。經过羣众性的衞生运动，該城出現了合乎衞生标准的食品店与菜市；公共机关、学校、托兒所、門診部週圍出現了美观的小花園，人們积極地培植林蔭道，栽种了8,700棵果树，10,365棵裝璜树，10,900棵灌木树，花壇与草地將近8,000平方米。重新修繕了城郊的水井及城市自来水；填平了長約3,000米的溝渠；修繕了房屋与牆壁將近一万平方米。这个羣众性的衞生运动，很快地在白俄罗斯社会主义共和国及苏联其他地方傳播开了。保健組織科在保健部的指示下研究和总結了羣众性衞生运动的經驗，在各地分别組織推广。1956—1957年白俄罗斯社会主义共和国首都明斯克發动了大規模的衞生运动，組織了社会主义竞賽，不久在摩尔达維，吉尔基斯，烏克蘭等社会主义共和国都掀起了羣众性衞生运动；③研究保健机关的指示、决議的执行情况，例如1956年10月莫斯科保健工作者积極份子会議倡議改組基層保健組織，摩尔达維和切尔諾維茲省进行了实驗*，保健組織科研究了这种新的基層組織形式和为保健部計划提供資料。

（3）保健事業經济核算与节約計划科和保健部計划提供資料财务司有直接关系，其主要研究任务是：①研究保健事業經費的合理分配，如何少化錢多办事；②研究医学衞生物資裝备标准，适应科学技术的新發展，及时地將供应規定去旧补新，避免工業生产品过时，积压浪費；③研究保健經費的核算，包括企業化机構，使經費使用切合实际，提高質量，节約經济，發揮潛力。

（4）衞生統計科：苏联的学者近来有一种思潮，認为衞生統計这个名称不能适应其范圍和实質，拟改为"保健統計学"名付其实的为整个保健事業服务。該科同保健机关的統計与組織方法指导局（处）保持緊密的联系，其主要研究任务是：①对居民健康狀况的研究，为了进行选擇性的研究，目前已开始为1959年人口普查作准备，打算研究100个城市，100个乡村的人口統計学即人口的变动、民族、年龄、性别的死亡率、嬰兒死亡率及其特征，制出死亡表、平均寿命表、出生率、死亡率、自然增長率等表圖解；②研究疾病动态（心臟血管病、高血压等），选擇性研究城市，資料以門診卡片、医务鑑定、劳动力鑑定、症历为基础，研究致病因素、生活与劳动条件、年龄、职業、何时开始影响工作、死亡，和內科合作；③协同保健組織科研究保健事業的标准，防治方法，劳动鑑定，病假与缺勤率的原因；（4）研究發病率分定期的和全年的兩种，分析疾病結構，死亡原因；（5）研究居民身体發育，小兒由0—17岁为标准，各共和国統一标准，便于对照。

（5）国外保健事業研究科：該科下設二个組，分别研究社会主义国家和資本主义国家的保健事業，其主要研究任务是：①掌握世界各国保健事業的立場、动态等資料；②世界羣众衞生組織、医学团体的立場、动态等資料；③研究資本主义国家的保健組織形式和政策；④研究社会主义国家保健組織方面新的理論和成就；⑤研究世界保健历史。

（6）医学科学情报科：其主要研究任务是：①搜集国內資料編輯医学文摘，国家医学出版社負責出版，每月四期，第一次內科，第二次外科，第三次妇科、兒科，第四次衞生、流行病、微生物、保健組織、医史，全年48本，其內容包括文摘、書評、目录；②編輯和出版医学簡訊，刊载出国科学代表团的报告及档案資料，每次

* 医学史与保健組織，1958年1号5頁。

印刷400—800份供領导机关参考。

(7) 保健史科：其主要研究任务是：①研究苏联保健历史，編著历史、出版各时期的保健政策，方針，命令指示，干部政策，医疗預防，衛生防疫，妇幼保健，衛生監督等保健事業；②研究各种代表会議，学术会議的內容和历史作用；③研究羣众团体的历史作用；④科学研究的發展史和医学教育的發展史。

(8) 医史科：其主要任务是：①世界医学史，革命前俄国医学史，苏联医学史同保健史的分工是医史重点放在医学科学上的發明發展史；②編輯医学史彙編1958年出第二册；③組織編写各專科史，規定內容与方法同各專科的执笔者共同拟訂計划，以便有計划的出版。

(9) 地方国防对空防衛科：省立医院的院長是对空防衛的組織中心，以高等学校，医院及研究所为研究基础，例如細菌防衛則以微生物研究所为基础，以此类推，其主要任务是：①研究緊急动員和特殊情况下的医疗救护網；②研究后备力量的組織訓練。

三

当我們这次訪問苏联时，适遇保健組織与医史研究所在編造全苏这方面的三年远景規划，共分6个研究方面。現在介紹在下面，供有关于这方面工作的同志参考。

(一) 社会主义与資本主义国家保健事業的历史与理論有6个研究題目：

(1) 苏联保健的理論基础，总結苏联保健四十週年建設經驗与理論，奠定今后發展的理論基础。以馬列主义学說为基础分析苏联保健理論，和批判資产阶級社会衛生学者的錯誤論点。研究保健建設的經驗与人民經济、文化、物質生活条件改变的关系。

(2) 人民民主国家保健事業理論問題的研究，进行对人民民主国家保健事業理論的分析，确定民主国家保健事業今后發展的理論基础。通过研究这些国家保健事業理論方面的出版物及深入的分析公佈的保健事業發展的統計資料。

(3) 主要資本主义国家保健事業政策，理論与思想，批評的分析現代資本主义国家的保健理論，暴露現阶段資本主义国家保健政策的矛盾，从原則与途徑上影响主要資本主义国家(美、英、法及其他)保健事業發展的历史因素。通过研究这些国家著名的保健理論与思想的著作，深入分析官方公佈的統計資料。

(4) 某些社会主义国家(波蘭、捷克、罗馬尼亞)保健史綱要。發現不同經济、文化、生活条件，不同民族保健事業的規律性。

(5) 医学团体的学术性代表大会对苏联保健建設的作用(1917—1952)，研究历屆各專科代表大会对保护人民健康的作用。

(6) 苏联医学教育的發展史总結高級、中級和进修教育的經驗。

(二) 人民健康問題的研究，分为12个研究題目：

(1) 苏联居民人口增長过程(1939—1959年)。确定人口增長的动态，新的趋向和規律，苏联与資本主义国家作比較。

(2) 莫斯科新生兒的死亡率(出生至一月)以出生証書和病历为原始資料，研究其动态，制定繼續降低死亡率的措施。

(3) 資本主义国家衛生人口統計学的变动过程，評价与指出影响衛生人口統計学变动性的原因，編制各种类型資本主义国家的衛生人口統計表解。

(4) 城市和乡村居民的总發病率。在以往选擇性研究的基础上利用1959年人口普查来确定不同經济、地理、职業、年龄、性別的發病率水平和結構，採用选擇性門診与医院的統計資料深入研究。

(5) 城市和乡村居民心臟血管疾病發病率的动态。研究不同經济、地理、职業、年龄、性別的發病率与死亡率。提出改善預防治疗的措施，根据門診卡片、病历、医务鑑定和劳动鑑定証書、死亡証書及临床統計資料作选擇性深入分析。

(6) 苏联精神病的动态。确定各地区、社会、年龄、性别組的精神病的动态。

(7) 苏联主要內分泌疾病的分佈性。选擇內分泌疾病發病率高、中、低的地区按社会职業、性別、年龄研究其基本規律性，改善預防和治疗措施。

(8) 城市和乡村兒童的生理發育，指定兒童机構的国家衛生标准。

(9) 研究苏联居民健康發展規律与假設其發展远景，研究發病率、劳动力一时性丧失，死亡率及其原因的統計資料。

(10) 逐年居民健康狀况，"居民健康統計"供給保健工作者关于居民健康發展的有系統經过分析的資料，改善保健事業的領导。

(11) 苏联疾病分類与死亡原因的設計。准备新的疾病分类名称与診斷名詞詞彙，根据全苏地方疾病的特点与国防疾病分类資料。

(12) 40週年衛生統計文献与科学圖書参考目录。供研究者参考。

(三) 医疗服务組織的科学基础有19个研究題目：

(1) 各种工矿企業的医疗預防組織，不同工業中医疗預防組織形式与方法，根据已有資料的分析及先进經驗的研究尋求更合理有效的工作方法与組織标准。

（2）城市居民專科医疗組織問題，几个主要專科医疗服务的合理組織，分析以往住院發病率先进經驗及进行試点。

（3）乡村医疗预防組織的合理化。研究不同地理的医疗組織形式与工作方法。分析有关發病率，住院，門診病例的資料，分析不同的劳动条件及先进經驗，进行試点。

（4）乡村兒童的医疗预防組織。改善乡村兒童的医疗预防工作，研究切尔諾維茲省的先进經驗。

（5）城市与乡村居民防治工作。研究基層組織防治工作的作用，改善其組織形式与方法，选擇工厂与农村进行实驗。

（6）乡村嬰兒的防治組織。充分發揮現有医疗預防系統的力量，組織"家庭諮詢"，以省为單位进行实施与分析已有資料。

（7）組織医师与中級医务人員的劳动。研究發揮專科合理的劳动組織系統。

（8）城市衛生防疫組織形式与方法。城市衛生防疫机構統一于衛生防疫站后的工作內容与范圍，制定衛生防疫站的組織編制及內部工作关系。研究国內外衛生防疫机構的資料。

（9）衛生防疫站在工厂，农村預防心臟血管病，腫瘤病的作用。研究更有效的形式和方法来預防心臟血管病和腫瘤病，以及衛生防疫站对非傳染性疾病的預防問題，在工厂中寻找更有效的形式和合理的方法。

（10）預防性衛生监督与今后發展的途徑。确定衛生防疫站执行預防性衛生监督的意义与作用及有效形式与方法，研究住宅与公共場所，工業与食品衛生工作經驗。

（11）大型水电站建筑中医疗衛生工作科学基础。确定建設大型水电站医疗衛生工作的組織系統与服务原則，研究国內外資料及进行現場实驗，使之合理化。

（12）研究区基層組織改組的有效性，研究摩尔达維亞共和国与阿尔泰边区的改組經驗，分析其医疗衛生工作数量与質量的指标。

（13）城市衛生局的改組問題。研究吉尔吉斯共和国的經驗，寻找改善城市医疗衛生工作領导質量。

（14）保健机关各科总医师的任务，組織与工作方法。为着提高保健机关中各科总医师的作用，改善其工作形式和更好地組織其劳动。

（15）苏联与外国医疗衛生干部的数字与居民人数的比較，以便更有計划地培养干部。

（16）苏联战后（1946—1960）时期保健事業發展的动态。根据主要的共和国經济地区闡明保健事業發展的規律性，速度与方向。

（17）医院与医疗机構劳动消耗与成本計算的經济評价，降低医疗机構成本，提高質量和效率高的工作方法，分析財务标准，預决算資料，根据不同类型的医疗任务，研究其标准。

（18）充分發揮医疗机構的物質力量。如何保証医疗机構物質供应及充分利用物質力量，通过研究現有的裝备标准和規程，評价医疗机構經济的实际狀况，保証更有效的物質供应系統与方法。

（19）研究綜合和推广保健事業中的先进經驗。系統地發現保健机关工作中的先进事蹟，进行实驗，宣傳，建立通訊組織科学研究。

（四）保健事業远景規划的科学基础，共分5个研究題：

（1）确定远景規划中成人和兒童对医疗衛生的需要及其科学基础。城市和乡村居民医疗衛生的需要是根据經济、文化、物質生活水平，研究苏联人口移动的規律性，人民健康的規律性，医疗服务的保証程度，假設其远景發展。

（2）城市和乡村需要医师与中級医务人員的規划。决定工作量和合理分配干部。

（3）确定城市和乡村成人对医疗服务的需要标准，分住院、門診、及某些疾病的專科防治，分析居民年齡結構的变动，以及預計發病率的动态，而后决定需要标准。

（4）乡村兒童对医疗服务的需要标准。內容与方法同上。

（5）紡織与縫紉工業中兒童保育机構的需要。分析工厂女工們的願望和需要，設計兒童保育机構。

（五）国外保健組織問題：

（1）資本主义国家医疗服务組織。因为苏联至今还沒有一本書專門介紹主要的資本主义国家的保健組織狀况，以供分析国外医疗衛生事業的情况。

（2）世界衛生組織的活动。1958是世界衛生組織BO3成立已經十週年，这个国际組織的活动苏联及外国尚未进行研究。从各方面进行批評性的分析，总結它的政策，成就和缺点是必要的。

（3）世界衛生組織欧、亚地方委員会的活动。关于这方面的資料在苏联与国外公佈得更少，因此对欧、亞地方委員会的活动有必要进行系統綜合地評价。

（4）国外保健与医学科学計划和組織問題。闡明資本主义陣营的美国、英国、法国、意大利及社会主义陣营的中国、波蘭、捷克、东德、罗馬尼亞、南斯拉夫等国家的医学科学的組織計划。

（六）医学史問題：

苏联医史的研究分二个部分：編写医学史的补助

教材供高等医学院参考。内容分革命胜利前与苏維埃时代。其次編著苏联医学專科史，例如解剖史、病毒学史、生理学史、临床医学史、預防医学的方向史、以及各科的历史，同时編写重要專題历史如神經論，輸血等历史。編著的方法是首先制訂出章节的詳細提綱，再分别吸收有关科学工作者参加著述。並且要在三年內准备好苏联医学史的資料。

这个研究計划負責單位是保健組織与医史研究所，参加研究的單位有莫斯科一二医学院，中央医师进修学院的保健組織教研組，罗馬尼亞保健組織与医史研究所，捷克保健組織研究所，苏联保健部医学統計科及各司列宁格拉兒科研究所，各共和国和省的統計組織方法指导科，各医学院的保健組織教研組，精神病研究所，医学科学有关研究机構及各級保健机关。

这个規范巨大包括多方面的研究計划的实現，將促进保健事業的躍进。

論保健組織学科学研究工作的任务

Е. Д. Ашурков, Л. Б. Шевелев, О задачах научной работы по организации здравоохранения.

作者首先介紹了苏联保健事業在苏維埃政权时期所获得的輝煌成就，並从各方面列举了許多数字和具体事实。

尽管苏联保健理論有很大成就，但是在某种程度上仍然落后于实踐。因此从全苏保健工作者积極份子大会的总結中得出了一項主要結論，这就是保健組織学的科学研究工作者要特别注意今后發展苏联保健理論的問題。

为了实現这項任务，Семашко 保健組織学与医史研究所和許多保健組織学教研組，其中包括莫斯科第一、二医学院和中央医师进修学院的教研組在內，着手在1957年共同編著論苏联保健事業科学基础的專題論文。在这篇論文中准备从理論上总結四十年来苏联保健事業的經驗及其今后發展的理論根据，确定苏联保健事業作为一門科学学科和教学課程的理論內容，反映出苏联保健事業在国际上的意义以及在人民民主国家社会衛生学与保健事業發展的总的規律和特点，並对資产阶級社会衛生学进行批判分析。

当然，对苏联保健理論的研究不仅仅限于此，在最近几年，还有很多主要保健問題必須确定保健組織学科学研究工作的內容。

作者首先指出即將到来的一年有兩件大事，有兩个偉大的日子，第一，在1957年我国將总結我們社会主义国家四十年来的發展；第二，在社会主义建設的实踐当中將制定第一个十五年远景計划(1961—1975年)。这兩項具有全国性意义的任务，就是苏联保健事業的發展基础，因此，它必須确定保健組織学及其理論与实踐方面科研工作的主要方向。

在总結苏联保健四十年工作时，必須闡明在人民保健方面的巨大变革以及苏联保健事業發展过程中的新的規律和趋势。

科研題目中有兩項課題必須从 1957 年开始进行深入研究，第一，1961～1975年城乡居民在医疗預防及衛生防疫服务方面的要求；第二，1961～1975 年城乡居民在医师和中級医务人員方面的需要。解决这兩項任务就能制定十五年保健事業远景計划。

文中还指出，到目前为止，保健組織学研究所和教研組几乎沒有对保健事業的經济問題进行过研究。远景計划提出了要系統和深入研究这項課題的迫切要求。

作者在談到制定远景計划时，指出不仅要广泛运用国內的先进經驗，而且也要吸收国外的經驗。这里首先要談的是比較苏联和国外对居民保証医疗和医务干部的指标。我們不仅应該运用这些国家保健系統中的数字和事实以及先进經驗，而且要吸收国外科研工作者的理論主張。同时还必須对資本主义国家建立在唯心主义世界观基础上的保健理論和社会衛生学的原則进行严肃地科学选擇。

在文章中还介紹了苏联保健理論研究的主要內容：①研究过去人民健康和保健事業發展的規律和趋势；②研究国外保健事業建設的先进实际經驗；③根据科学預見建立假想；④广泛採用实驗田和綜合性的科研組織。

Семашко 研究所和各保健組織教研組必須保持經常的联系，这对完成科研題目是非常必要的。特别对那些要考虑地方特点与条件的重要而复杂的科研工作更需要进行密切的配合。作者同时还指出与其他医学学科的科研机構联系的必要性，並举出像"研究1961—1975年远景發展的假想"課題，显然絕不是一个研究所所能完成的，必須与有关的医学科学研究所配合密切进行合作。

作者最后指出，为了順利完成科研工作，如果不吸收实际保健工作者的科学創造和科学地总結他們的先进經驗，也是不成的。

(刘学澤摘譯自 Советское здравоохранения, 1957, 2, 3—8)

防治血吸虫病与羣众观点羣众路綫

齐 仲 桓

(一)

血吸虫病流行在長江流域和長江以南的12个省市、322个县(市)、4,620个乡,釘螺分佈面积約在85亿平方公尺以上(广东、广西、云南未計在內),患病人数約为1,000万人左右,通过了与水接触的生产方式和生活方式,迅速地流行蔓延,威胁着流行地区大約一亿人口的安全。

中国共产党和毛主席关心到这个疾病对广大人民的危害,在党中央成立了防治血吸虫病的九人小組,領导着各流行省市展开消灭血吸虫病的斗爭。各省、市、区、乡也成立了各級党委的領导小組,把防治血吸虫病列入各地生产規划,發动广大羣众投入这一斗爭。各地衞生部門也建立了專業机構,設立了17个防治所、180个防治站、1,282个防治組,直接参加斗爭的專業干部16,722人。各地联合診所和广大中医在防治工作中作出了优異的貢献。科学研究工作在技术指导方面也發揮了重要的作用。

几年以来,已經治愈病人130万以上,消灭釘螺23亿平方公尺以上,出现了740个以上的基本無螺乡,15个基本消灭血吸虫病的县、市,(有江西的余江、婺源、上犹、峯新、浮梁,湖北的谷城、襄陽、大冶,湖南的慈利,安徽的祁門、太平,浙江的德淸县和紹兴市,上海市的北郊区和东郊区。)又出現了32个基本無螺县市。使受疾病侵襲的人恢复了健康,恢复了劳动力,从而增加了生产,繁荣了农村,教育了广大羣众,提高了覚悟,更坚决地在共产党和毛主席的領导之下,走社会主义的道路。

通过防治血吸虫病,鍛煉了防治队伍,取得了經驗,对于进一步消灭其他疾病,也起到巨大的作用。

(二)

防治血吸虫病是一項征服自然的大战,的壮举。广大防治队伍和羣众一道,在各級党政領导之下,积極投入了消灭血吸虫病的斗爭。竞竞業業,不避艰辛,克服一切困难,从胜利走向胜利,勁头越来越大。这股力量是在什么思想指导之下产生的呢?这是由于广大医务人員深入接触了建設社会主义的劳动人民,体会到羣众所遭受的疾病痛苦,在党的啓發教育之下,产生了治病救人的同情心和責任心。从而激起革命干勁,敢于断然作出前無古人的壮丽事業。並且一再躍进,一天比一天出現令人欢欣鼓舞的新的胜利形势。

党对广大干部隨时鼓励提高"一切从六亿人民出發"的政治覚悟,树立正确坚强的羣众观点,培养为人民服务的道德品質,提高为人民服务所需要的技术才能,使广大干部在为人民服务的道路上,从政治到技术又紅又專,成为一支光荣豪迈的人民子弟兵,一心一意,为羣众服务。

在防治血吸虫病工作中,存在着貫澈羣众观点和違反羣众观点的一些經驗教訓,檢討起来,可以起到"前事不忘,来者之师"的积極作用。

例如在治疗病人中曾經有一个时期主張对晚期病人不予治疗,說是"不合治疗規格"。这一清規戒律,曾經納入防治条例。使各地相当于百分之十的病人失去了被治疗的机会。許多农村里丧失劳动力的晚期病人自己也埋怨說"不合治疗規格",感覚非常失望。而科学家們的解釋是晚期病人健康条件不能胜任銻剂治疗,羣众需要必須服从于科学条件,因而不治。这究竟应当如何呢?經过反复的討論、辯論、爭論,終于树立了救死扶伤的正确观点,使科学服从羣众需要。于是中药治疗晚期病人的办法产生了,中西合治晚期病人的办法产生了,外科治疗晚期病人的办法也被提出来了,防治条例也修改了,各地也开始有計划地組織收容晚期病人了。因此,全国各地晚期血吸虫病人就得到了被治疗的机会,得到了指望。湖南省1957年經过一年的努力,把全省晚期病人,首先治疗完畢。他們的論点是優先治疗晚期,使健康損失最严重的人,優先恢复健康,使劳动力損失最严重的人,優先恢复劳动力。在这一正确观点指导之下,不仅使若干晚期病人获得了恢复健康的希望,对于發动广大羣众参加防治运动,也起了鼓舞斗志、坚定信心的重大作用。同时,也教育了广大医务人員明确树立了技术为政治服务的正确观点。

銻剂長程短程疗法,又是一个鮮明的例子。二十日疗法曾經是个常規,"安全第一",不可超越一步。但是在实踐中証明三日疗法比之二十日疗法有許多优点,为广大羣众所欢迎。不論在安全方面,在疗效方面,三日疗法均不次于二十日疗法。相反二十日疗法比之三日疗法使病人多費治疗时間,而时間对于劳动人民是一个不可忽視的实际問題。許多医务人員对于这样有关羣众的实际問題,墨守陈規,視而不見,其主导思想正是羣众观点薄弱。經过反复爭辯,三日疗法在广大农村中推行开了，效果良好，羣众欢迎。保守主义者的一些束縛手脚的戒律，也被实踐所冲破。湖南血吸虫病先鋒治疗小組，在銻剂治疗方面，从便利羣众出發，从科学出發，大胆提出了技术革新的方案，为广大农村作出了优異的貢献，为防治血吸虫病提供了先进的榜样。

除了長短程以外，从治疗方式上，过去也死啃住病人就医生，把病人集中起来按照办医院的一套常規办事，認为这是科学技术問題，天經地义，不可动摇。湖北省黃梅县一个治疗組住在县鎮上等病人，等了半年只治了 158 个病人，医生窩工，病人不便。經过了整風，提高了思想，在 1957 年搬下了乡，搞起了巡廻駐社，医生就病人了。这样一来，病人不必跑路，飲食有家里照顧，影响生产的顧虑也減少了，于是在不到五个月的期間，就收治了 550 个病人。最近浙江富陽县創造了三人二点治疗組織形式（护士二人，医生一人，护士分二点，医生来回跑。）嘉善县提出了对家庭妇女离不开家的，採用上門治疗，对漁民离不开船的，採取水上巡廻上船治疗。“便利病人”的思想鼓励着一些关心羣众痛苦的人，敢想敢說敢作，千方百計的寻找口服銻剂和寻找非銻剂的方向大胆前进，这在保守主义者所視为妄为，为广大羣众所視为福音。归根結底，仍然必須以“羣众观点”来明辨是非，肯定方向，鼓舞干劲。整个社会主义建設事業無一不是从六亿人口出發，这正是推动革命事業前进的思想动力。

在与其他疾病作斗爭中，以及在其他种种衛生事業的建設中，策动衛生工作者奋勇前进的动力，仍然是为六亿人口服务的羣众观点。羣众观点不仅是推动工作前进的思想动力，又是思想斗爭的一把銳利武器。深入羣众，和羣众接触，和羣众同生活共呼吸，才可能培养羣众观点，才可能把羣众的願望視为自己的願望，把个人的願望服从于羣众的願望。对于羣众的需要，耳聞，目見，产生感情，才可能想方設法，鼓足干劲，毅然决然地为人民服务。与此相反，脫离羣众，脫离实际，从个人出發，就必然和劳动人民站在兩条道路上，对羣众的疾苦听而不聞，視而不見，無动于衷，当然也不会有什么实际的行动。用“羣众观点”这一面鏡子，随时檢查思想，就可以提高警惕，引导迷失方向的人納入正規的道路，鼓励暮气沉沉的人振作起来。这不仅在防治血吸虫病工作中是必要的，在其他种种衛生事業建設中，也同样是必要的。

有了为羣众服务的願望，还必須密切联系羣众，堅决履行羣众路綫。毛主席一再教导我們，“相信羣众，依靠羣众”。“凡事和羣众商量”，“向羣众学習”，“在党的領导之下發动羣众”。循循誘导我們要善于走羣众路綫。

党的領导是胜利的保証。其所以成为保証是由于党掌握方針政策，組織有关部門和社会上一切积極因素，統一在党的領导之下，共同作战，使政策得以貫澈实現。其所以胜利，是在于一切从羣众出發，並且教育羣众，提高羣众的覺悟，使羣众自覺地行动起来。党又不断地从羣众的实踐中总結經驗教訓，得出規律，得出理論，再来指导羣众，提高羣众的行动效果。党的領导和广大羣众的行动結合一致，就成为战無不胜攻無不克的偉大力量。

官僚主义者不能理解“走羣众路綫”。虽然往往也在形式上接触羣众，只不过是指手划脚，向羣众号召一翻，交代一翻，絲毫不了解羣众的眞情实况，以自己的孤陋寡聞，去指导羣众，这对于工作当然不会产生任何效果。另外也有一些人，視羣众为無知，無視羣众的智慧和才能，自己單干，依靠自己的教条，妄想取得成就。認为發动羣众是走彎路。当然这一类的人对于走羣众路綫是不肖于一論的。

但是在轟轟烈烈的社会主义建設运动中，雄辯地显示了羣众力量的偉大。許多事实告訴我們，羣众發动起来，在党的領导之下，可以移山倒海，百事都能作成，防治血吸虫病也不例外。

例如：江西余江县，原来有四个乡，一个鎮和兩个农場流行血吸虫病，疫区总人口 35,152 人，居民患病率有的地方高达 69.4%，釘螺密度最高达每平方市尺 26.4 只，釘螺陽性感染率有的地方高达 38.5%。过去因为流行严重，田园荒蕪，村舍毁廢。1955年該县党委成立了防治血吸虫病的領导小組，把防治工作列入党委的議事日程，又組織了有关部門成立委員会，向羣众大張旗鼓地进行宣傳，从思想上把羣众發动起来了、掀起来防治高潮。在灭螺方面發动广大羣众进行开新溝塡旧溝土埋釘螺；在处理糞便方面号召改良糞窖，廢除不合用的厠所，專人管理；提倡了保护水源和个人防护，作到安全生产，防止感染；大力开展了治疗工作。由于上述措施余江县今天已經基本消灭了血吸虫病，成为基本消灭血吸虫病的一个县。該县石塘乡曾因病人多，劳力少，每年須出工資二千元僱短工，經过防治以后，去年劳动力反倒多余出来七千个劳动日。全乡由缺粮乡变成为余粮乡，患病多年不能生育的妇女也生了孩子。羣众反映“田增产，人增寿，人畜兴旺，五谷丰登”。

像这样的事例在各流行省市到处可見。再再說明，發动了羣众，領导和羣众結成为一体，在建設社会主义的任何一个事業上，都必然会取得胜利。湖北省新洲县楊棐乡的羣众說：“没有过不去的火焰山，没有消灭不了的血吸虫病；有了党，有了合作社，没有办不到的事。”这句話出自內心，正是千眞万确的眞理。

在防治血吸虫病的运动中，也有一些脫离羣众，脫离实际的表現，到头来仍然必須补上这一課。各地的成功經驗說明了必須通过羣众，才能完成这一翻天复地的大事。

例如：消灭釘螺，就存在着躲避發动羣众，强調“灭螺以化学药学为主”的說法，認为發动羣众土埋灭螺是人海战术，劳民伤財。只有少数人用化学药物，才能够保証質量。化学药物对于灭螺在一定的場合，原有其一定的作用，可是在十二个省市这样广大的地区，在一定的时間里作到消灭釘螺，这需要極大量的化学药物才行，这在今天是很难作到的。即使在使用药物的地区，也必須發动广大羣众，才能取得效果，防止偏差。可是發动羣众，結合生产，进行土埋，在今天处处都可以作得到。事实告訴我們，实行土埋灭螺，又正是結合兴修水利的一項必要措施。在这兩項措施中，存在着相助相成的作用。江西余江县，就提出了“开新溝塡旧溝，消灭釘螺，保証灌溉，有利排洪”的口号。結果不仅消灭了釘螺，並且在灭螺过程中由于調整了水系，增加了可耕面积二千亩，一年可以增产粮食 60 万斤。福建省海澄县在三天的时間动員了 15,000 人，採用开溝土埋的方式，結合了兴修水利的办法，一面消灭了全县釘螺，一面又作好了調整溝渠的工作，同样一举兩得。江苏昆山县城南乡在發动羣众突击灭螺中，經过短短十天在 143,737 丈長的河流，200,798 丈長的水溝，和 664 万亩的窪地上，全部基本消灭了釘螺。通过灭螺，作好全部河流的兴修，又挖去河泥一万担，解决了积肥問題。羣众說：“一炮三响”，認为是社会主义性質的好事。可見羣众路綫正是唯一正确的路綫。

又例如对于管理粪便和个人防护，也存在着分歧的看法。說是“管了人粪管不了动物粪”，並且“人多也难管”。事实又告訴我們，广大农村合作化以后，农民組織了起来，有利农業建設的事，通过羣众，样样都可以办到，並且样样都能办好。湖北省对于管理粪便提出了“五有”，“猪有圈，牛有欄，人有厠所，野粪有人拾，队队有粪窖”。为了积肥連野粪也都有人拾，漫山遍野已經見不到野粪，还有什么动物的粪管不了呢？厠所、粪窖、甚至田間厠所也建立起来了，这正是因为人多才办得到，劳动人民觉悟提高了，就能自己管好自己。“人多”正是極为重要的一个建設因素，必須善于从本質上發現羣众的积極性，如何因人多粪便就反而难管了呢？个人防护也是这样，湖北汉寿县在 1957 年春季打湖草中，發动了羣众，利用双層布袜，綁腿，松香酒精等作好了个人防护，又改进了草山环境，搭桥修路，挖水井和临时厠所，保証了安全打湖草。並且由于保护了皮膚，預防了外伤，行动方便，勁头大，工效高，因而超額提前完成了任务，同时也防止了血吸虫病的感染。可見通过羣众的集体力量，使防治血吸虫病取得胜利，正是一条唯一的道路。

許多没有和羣众接触过的人，不能体会羣众力量的偉大，不能想象羣众智慧的丰富。只看見自己的力量，看不見羣众的力量。只看見自己的技术，看不見羣众的創造才能。这一类的人在社会主义事業的建設中，依靠誰的問題，还没有得到正确的解决。甚至对衛生技术人員也只看到高級專家，看不到中級初級广大人員的力量，看不到基層衛生組織和广大中医的力量，由于脫离羣众，脫离实际，就只好埋头在实驗室和办公室里鑽自己的牛角尖。由于不能从实驗室和办公室里拔出腿来，就越發脫离羣众，脫离实际，結果許多本来可以办得到的事，偏偏認为办不到，助長許多保守右傾思想，助長許多教条主义，經驗主义，把自己培养为驕傲自大，三風五气俱全，落后于社会主义高潮形势。这种思想，必須極力扭轉。

衛生工作者当前的任务，就在于深入羣众，深入实际，到羣众中去体会与学習和羣众結合起来，使自己得到政治鍛鍊，得到自我改造。与此同时，也才可能实事求是的使科学技术和羣众智慧融匯貫通，从而提高羣众的行动效果。科学技术本身，通过羣众的实踐，必然又可以得到充实、丰富、提高和發展，从而对于社会主义建設事業也就提供了更为有利的条件。

衛生工作者，一面自我改造，一面还必須学会在党的領导之下發动羣众，向羣众宣揚党的政策；把羣众的自觉行动組織起来；总結羣众行动的經驗教訓；再进一步地指导羣众。

人类历史的發展，本来是羣众劳动創造出来的。新中国的今天，羣众政治觉悟和革命干勁，日益高漲，广大羣众的行动在党的領导之下，使社会主义建設正以惊人的速度，排山倒海，飞躍前进。这正是一条革命路綫，一条又多、又快、又好、又省的社会主义路綫。防治血吸虫病，正是在这条正确的路綫上，开始收取了胜利的果实。並且也一定要在这一条路綫上，取得最后的胜利果实。

(三)

全国各地防治血吸虫病的羣众运动，正在各地党政領导之下，鼓足干勁，全面躍进。各省市一再縮短了自己的規划，分别拟訂提前在一年、二年、三年以內，基本消灭血吸虫病。这眞是前無古人的壯举。在防治工作中，許多新記录，一再被突破。新人新事，不断湧現出来。这都說明党的政策的正确，党的路綫的正确。

防治血吸虫病工作，在党的領导之下，已經取得許多經驗，其中主要的是：(1)領导与羣众相結合；(2)羣众运动和生产相結合；(3)羣众运动与科学技术相結合；(4)發动羣众貫澈綜合性的防治措施；(5)發动羣众进行反复的斗爭；(6)建立和壯大衛生工作中的羣众队伍。这些宝貴經驗，总括起来說，就是在党的領导之下，广泛發动羣众，为广大劳动人民服务。

中国共产党第八届全国代表大会第二次会議基本通过了的农業發展綱要和中共中央与国务院关于除四害講衛生的指示，給衛生工作提出了重大的任务和長远的奋斗方向。全国衛生事業，随着社会主义建設的要求，正在飞躍地向前躍进，对于許多种类危害人民健康的疾病，也都規划着在一定时期內达到基本消灭或者积極防治的目的。研究討論防治血吸虫病所取得的經驗教訓，作为防治其他疾病参考，就十分必要了。

当前全国正在进行整風运动，衛生工作者，参加防治血吸虫病所取得的經驗教訓，作为借鏡，从政治思想上进行整頓，批判資产阶級的思想作風，堅决走社会主义的道路。进一步解放思想，鼓足干勁，力争上游，使衛生工作按照党的观点——羣众观点，按照党的路綫——羣众路綫，多快好省地大步前进，就也是十分必要的了。

罗馬尼亞人民共和国保健組織与医学史研究所的活动

Иля. Теодор, Деятельность института организации здравоохранения и истории медицины Р. Н. Р.

作者首先介紹了罗馬尼亞在人民民主制度时期保健工作获得了很大的成就。总死亡率1955年比1948年降低38.5%，兒童死亡率降低43.5%。

保健組織与医学史研究所和附設在大学內的六个衛生組織与医学史教研組共同为保健措施研究科学的根据。

該所的主要活动是在社会主义建設的各个阶段，根据全国保健事業的發展，研究和实驗最合理的組織形式与工作方法。科学研究題目是在分析全国衛生狀况的基础上，考虑到保健任务，並根据党和政府的指令制定的。根据已进行的研究工作制定了綜合医院工作改进建議。目前在13个城市中研究医疗預防机構工作标准与定額問題。还研究保健站的工作形式，对工人的防治观察方法，一时性劳动能力丧失患病率的研究方法等。

1956年該所准备出版"保健組織手册"一書及其他著作。該所很重視对"罗馬尼亞人民共和国保健事業"杂誌的領导。該所应用苏联保健組織文献，並与莫斯科，列宁格勒保健組織学教研組密切联系，丰富了自己的科研工作方法。

該所現有圖書28,000册，200余种定期出版刊物和30,000种卡片。

(刘学澤摘譯自 Сов. Здрав. 1957, 3, 54—58.)

波蘭人民共和国的保健

B. Kozusznik, Охрана здоровья в народно демократической Польше.

波蘭人民共和国在战时遭受到严重的破坏，80%的医院被法西斯毁掉和破坏。1938年共有12,917名医生，到1945年只剩下7,732名医生，牙科医生由3,686名减到1,581名。因此，培养干部是当时最重要的任务。1938年每10,000名居民有3.7名医生，1945年为3.5，而1955年已为6.6名。医生除在一般医学院培养外，还有8所葯学系，7所口腔学系，3所小兒科学系。1953年曾建立了医师專業化与进修学院。中級医务干部也处在类似的情况，为了提高医师的技术，曾大量出版了有关医学各方面問題的書刊。为此也成立了波蘭医学会。病床从1938年的69,361張增加到1955年的136,000張。按照五年計划規定还要繼續增加病床。門診机構網也大大扩展了。發展更大的是乡村保健工作。例如，战前乡村只有68所保健机構，而現在已有1,099所，不包括医師站，医士站，接种站及其他站在內。疗养網也有很大的發展。建立了輸血站。对腫瘤的治疗，結核和性病的防治也很注意。保健工作是与羣众相結合，並通过紅十字会組織來进行的，这对保健事業的發展具有極重要的意义。特别是与苏联和人民民主国家的友誼联系，具有更重大的作用。代表团正在进行广泛的来往和經驗交流。

(刘学澤譯自 Мед. Рефер. Журн., 1957, 8, 3.)

保健事業中的常見标帜

陈　海　峰*

前　言

在保健事業的实践中，各个保健机構，医葯衛生羣众团体，医务衛生工作者及社会开業医生們常常使用着或遇見各种有一定代表意义的徽帜，标誌。但人們往往只知其然不知其所以然，因此，本文想介紹一下有关保健事業中常見的几种标帜。

大家知道，国有国徽和国旗，人有人名，商店有店号，商品常有商标，旗也常有旗徽，社团和职業亦常有一定的徽帜，标誌。例如，見到一个画面上有一个穿白大衣戴口罩的人掛上一付听診器，就使人們一望而知他是医生。

所謂标帜或标誌的意义，是这样：标帜就是作記号以識別或代表某一事物。标誌是事物的屬性，代表一种意义，代表一种东西的質量。标即高枝，帜即旌旗之屬。标帜是古代人們記号及原始社会氏族"圖騰"演化的引伸。所謂圖騰（Totem）即是記号的意思，本来是北美印第安人語。是一个部落或一个氏族的标帜，簡称族徽。美洲少数民族的家族各有所祀，如熊、狼或蛇等动物。刻画所奉祀的物形于华表（华表即一种柱識，用木制或石制，墓旁的石柱亦称华表，亦叫望柱或圖騰柱；在北京天安門前金水桥兩旁，即有二个雕刻精致而高大的石制龙形华表，）植在屋外，叫做圖騰。因为看到所繪的东西，即知道自己氏族的出处。所以，看他們的华表即可知道他們的家系氏族。虽然血系不同而圖騰相同，即亦以亲屬看待。圖騰崇拜不仅在印第安人中存在，人类社会各种族最初大概都經过这种圖騰崇拜时期，它是原始人类对自然的無力和現实狹隘性的反映。这种圖騰遺跡現在仍可到处看到，特别在落后民族中（如澳洲、非洲許多部落仍盛行着圖騰崇拜）。我国古代有龙的崇拜，我国广西許多地方的傜族中現在尙不准杀狗，不准有汚辱狗的行为；这也就反映他們原始圖騰氏族社会时的一些情况。一个民族的"風俗習慣，在自己的历史的不同發展阶段，不可避免的会刻划上自己的历史痕跡"。

許多保健事業的徽帜标誌中有的是古代圖騰崇拜的引伸，有的是在保健事業發展中創造的，代表着一定的意义，有的有濃厚的宗敎色彩，有的是有它的实际价値。現將几种常見的徽帜标誌介紹于下，以供保健实际工作者和保健組織学及医学史敎学人員参考研究，並請指正。

一、國際性醫學標帜——蛇徽

世界各国几乎都用蛇作为医学标帜。但是，形式是各国不同的，不統一的；例如，在附圖1—13即可觀知。可是，都离不开一条蛇的标誌。这蛇是像征着健康、長寿、不死、吉祥的。苏联的医学徽帜和解放前中国所用的徽帜也是有一条蛇。这有蛇的医学徽帜，据說在公元前五百年左右即已用之（約相当于我們的春秋战国时代）。在世界各国許多医用商品上及医学書籍上或医学衛生社会团体亦常飾以蛇的标誌。

我国开始正式使用蛇徽是中华医学会，于解放前（1948年）曾一度作为会徽的主要組成部份。会徽是1948年1月27日中华医学会常务委員会通过的，这种会徽式样如圖5，开始登載于中华医学杂誌中文版1948年4月号封面（外文版一月份首次应用），連續刊載至解放后，它的說明登載在中华医学杂誌英文版（C. M. J. Vol. 66, No. 3）1948年3月号上，說明中充滿了不正确的观点。解放后已不使用这一会徽。

这一圖案的設計中包括有蛇徽及神杖和中国地圖、中华医学会的外文縮写名等。

这蛇徽帜来源的解釋虽有各种各样，但都是大同小異。兹叙述于下：

阿斯卬雷彼（Æsculapius, Asklepeos, Асклепия）傳說是医神阿波罗（Apollo）的兒子（据說在公元前四百年罗馬人已奉阿波罗为医神）关于他的故事，在希腊神話里傳說着，在許多医学史，保健史，衛生史的著作中亦常記載着。

一般阿斯卬雷彼的形像是帶着一根長杖，長杖的周圍蟠繞着一条蛇（所謂無害的灵蛇）——長杖以表示遊行各地之意，蛇就是表示健康、長寿和医学的象征。"在古代东方国家的神話中，也常常有蛇的出現，通常总是和人的健康以及医术有关的一些神同时出現；也看到在做宗敎仪式的，做禱告的，或供献祭品的祭司手上持有蛇。"[1]如我国高山族羣众至今仍把蛇作为吉祥的象征，在許多用具上、神位上都刻有蛇的浮雕。"这种象征起源極古；它起源于原始圖騰崇拜。……許多民族把蛇和鳥鴉看成是智慧的化身。有一些民族曾有关于吃蛇人的傳說，謂吃蛇的人，結果能获得深湛的知識，特别对于治疗和診斷疾病的知識。这些傳說也見

* 衛生部衛生干部進修学院保健組織教研組

于文艺中和諺語中，如說'可成为如蛇一样的聪明智慧的人'(Estote prudentes sicut serpentes)。'智慧'就是懂得人所能懂得的各种知識，在古代知識未被区别为各种部門，所以蛇象征一切知識。代表特种职業的医生从'有学間'的人們中較早被分化出来。医生的职業标誌仍然是蛇。大家都知道，蛇的形象一直到今日仍沿用在許多国家的药房和其他医学机構的招牌上，医学团体和个别医生所用的表格上，作为書籍标誌等等，虽然早已失去它的原始意义。"[1]

阿斯叩雷彼，傳說生活于希腊北部，荷馬(Homer是希腊大詩人)称他为十全的医师，在史詩"伊里亚特"中称他为偉大的無疵的医生；后来他被人崇拜，在希腊和世界文献上被称为医神。希腊古时信奉的医神多到几十个，往往随地区不同而異，因为希腊是一个多神教的国家，有所謂800万神，而將阿斯叩雷彼奉为救治疾病，保护健康的医神。古代希腊的許多偉大医生都被認为是他的后裔。一些个别医学部門的庇护者，如衞生学的庇护者健康女神海吉亚(Hygeia, гигиея)(Hygiene, гигиена 衞生学一詞即由此而来)，亦被認为是他的女兒。

傳說阿斯叩雷彼的塑像或画像是極庄严、文雅、慈慧的(如圖1)。

以后，希腊建筑供奉阿氏庙約300余处，都称为阿氏庙(Asclepieia)。他的弟子都叫做阿氏徒。这种庙宇兼有宗教与治病的兩种用途。附有沐浴室、健身室、庙堂与旅舍。主持的人都是医僧、徒弟、侍僧、看护与奴隶等。

庙里的牆壁上都繪滿了宣揚治病神效的事跡。以供来求治的病人流覽。病人到庙中后，先要听取各种治疗故事。然后沐浴、按摩或塗油。飲酒一杯后，在庙里安卧。第二天寺僧代为解釋所做的夢。如不能做夢的人，寺僧則在暗中放置各种予兆在床前，甚至放药一杯。庙中更貯有蛇及其他动物，以愚惑人民。

以后，寺庙內漸有專門掌管医疗的人，开始叫做阿氏俗家弟子，他們收集临床記录，研究治病結果，更偶然試用一二新药。这些阿氏弟子，实际是欧洲独立医师职業的开始[2]。

阿氏庙以后宗教性逐漸減少，慢慢發展为疗养院医学校及医院。所以，阿氏庙实际上是希腊古代的医学中心。

古代希腊医学为什么以蛇为徽幟的另一原因是这样的：古代希腊的医学發达于意大利半島东南方的地中海沿岸一帶。当时希腊是由好多民族組成。据說其中对医学發达最有帮助的是多利亚民族(Dorians)和爱奥尼亚民族(Ionians)。它們所有医学来源于小亚細亚的西部，可能發源于密諾亚(Minoa)，美索不达米亚，埃及的医学。据說密諾亚民族曾在公元前1000年以前的地中海沿岸繁荣过。据考古学上的研究，这种民族当时有相当进步的文化程度。考古学家考知密諾亚中世(公元前1900—1750)已有排水裝置及浴室等設备，其晚世(約公元前1450—1200)的衞生工程尤为进步。它們曾被希腊所征服，但其文化则影响了希腊医学的發展。密諾亚民族曾以蛇为宗教上的表征，希腊人則有以蛇为医学标誌的習慣，这就可能是希腊医学發源于密諾亚民族的証据[3]。

尙有一种和阿斯叩雷彼医神有关的傳說是这样的：阿斯叩雷彼是幻想出来的医神。他的傳說是随着古代塞薩利人南迁和东下，漸漸傳遍了培罗波尼薩斯(Peloponnisus)和科斯(Cos)。

在荷馬詩中，阿斯叩雷彼是一位塞薩利国的太子，他的兒子波多利拉斯(Podalirius)和馬場(Machon)也都精通医术，虽然較差，也是荷馬詩里的英雄。

最初祭祀阿斯叩雷彼的祭壇很簡單，不过是在露天之下或洞穴之內，但是經过数世紀以后，全希腊即佈滿了祭祀他的庙宇，尤其在埃彼道拉斯(Epidaurus)最为著名(一說最著名者以在意大利的科斯地方，希波克拉底医聖亦求学于此)。至于这地方为什么成了祭祀他的中心，据当地傳說，他的母亲柯綠絲(Coronis)怀着他时，曾与他父亲到过这里，在这里將他生下，並將他遺棄在一个靡永紅的乱叢中，所以这个生靡永紅的山就把它叫做乳兒山[4]。

現在人們从那坡利(Napoli)海口往內地去，經葡萄园到一小村，尙可見一片敗瓦頹垣。其中有埃彼道拉斯庙的遺跡，就是那阿斯叩雷彼庙，仍可看出以往輝煌建筑的痕跡，庙旁有許多許願頌德的碑文。

傳說在公元前293年，鼠疫流行于罗馬，当地派人去埃彼道拉斯城的阿氏庙祈求免疫之法，医神仅將所畜养的蛇賞賜給了他們，叫他們帶回罗馬；这些罗馬人乘着順風揚帆急回，經过意大利中部的台伯河(Tiber)，偶一不愼，这条蛇竟爬入台伯島里，当时人便悟称照着阿斯叩雷彼的意思，人們要避疫就得隔离入島(是隔离的傳說来源)他的庙也应建筑在那島上，从此病人来者日众，終于成为祭祀的地方。

这个傳說，說明过去很多人患病后，仍求診于僧侶而不求診于医生，而且說明古代医学与宗教傳說的关系。据說，直到18世紀仍有不少病人去阿氏庙求治疾病。

但是，我們仍然应当肯定，"古希腊医学与其他民族的古代医学相比，受宗教的影响程度較小。……当奴隶制度發展和宗教也因之巩固的时候，希腊的寺院也正如其他古代国家一样，变成治疗場所，祭司也佔有医学的职責；但管这样，除寺院僧侶医学以外，畢竟还存在着民間(非宗教的)医学。"[1]就是在以后的阿氏庙的治疗方法，也結合有合理部分，他們在治疗方法中对水疗和按摩特别注意；而且由于衛生及用心理治疗法之故因此治病常有效，但有时也做較积極的处置，包括外科手术在內。外科手术在某些情况下是由医生来做的，有时医生做为祭司的助理人員。其治病是宗教与医疗二者目的皆有。

如上所述，希腊医学曾分为兩大派：一派是具有科学精神的，其始祖是希波克拉底，另一派是富有神話性的帶有迷信思想及宗教色彩的巫术，其代表是崇奉医神的阿斯叩雷彼。但前者仍导源于后者。“据說希波克拉底的曾祖父是有名的医生，其父系的祖先是出于阿斯叩雷彼。他是从父受医术之教的”[3]。

二、国际防痨标帜——双紅十字

这一双紅十字标誌，有的人甚至是防痨工作者，認为是結核病的外文字首“T”（Туберкулёз, Tuberculosis）字加上“十”而成。这样解釋是不正确的，事实上，双紅十字的来源有下列几种解釋：

（1）1900年国际防痨联合会在法国成立，1902年在柏林开会时，有法国医生塞西隆氏（G. Sersiron）提議，万国防痨組織应有标誌，建議用双十字。1904年，美国也开始用双十字。中国开始使用的防痨标誌，是沿用美国式的双十字。例如直到1948年初發行的庆祝新年的“中国联合防痨”紀念邮票上仍是用的美国式的双十字。

为什么用双十字呢？

据說是这样，法国人洛林，他不是医生，在1099年十字軍东征的所謂“聖战”中有功，法王賜給他双十字章。他是十字軍东征的指揮者。他的后裔对創始防痨有捐助之功。因此，就用双十字作防痨标誌。[5]

（2）关于国际防痨运动的标誌的較可靠的資料，在中国防痨1958年1月号有較詳細的介紹，玆摘要如下：

1902年10月23日在柏林召开的第一屆国际防痨会議上，法国 Georges Sersiron 医师向大会建議採用“双紅十字”作为防痨运动的国际标誌。他說：“国际防痨运动应有一面旗帜，应該有一个集合队伍的标誌，使这个‘和平十字軍’的士兵們和領袖們能互相認識和統計力量。許多貧苦人們为了获得麵包，掙扎得精疲力尽，終于在充滿着生产年齡时患了結核病……应該使我們的旗帜……成为全人类团結一致以对抗疾病和死亡的象征……。”这一建議立即被大会接受採用。

关于“双十字”的来源是很早，至今說法不一。“双十字”是从东方来的，早在埃及和亞西利亞（即亞达，亞洲西部古国）就用双十字代表 Amsu 及飞昇的 Horus（白天的神），这是复活和不死的象征。在欧洲也是先从东欧採用，以后傳到西欧。据稗史記載在君士坦丁堡接位的古罗馬帝国的大君士坦丁皇帝（公元324—337年）曾用双十字。“故有俄罗斯双十字”、“希腊双十字”、“东方双十字”等名称。在中世紀以前欧洲許多国家都在兵器上、錢幣上画有双十字。在法国、德国、意大利的教堂、修道院、古老医院的屋頂上也可以看到双十字。

在西方很多人都知道有一个“洛林双十字”（double Croix de Lorraine），这是在十字軍东征时，法国洛林的 Godefroy de Bouillon 从耶路撒冷回来后，就把双十字的旗帜掛在洛林的大教堂鐘楼頂上，作为胜利的标記。1477年1月5日洛林的貴族領袖 René IId' Anjou（1473—1508年）与南錫（Nancy）的貴族交战获得了胜利，这是法国历史上一件重大事件，是使洛林强大的起因。洛林的人民把南錫战爭的胜利日当作国庆日，而把 Anjou 家大門上的“双十字”紋章当作护符。这就是洛林双十字的經过情形。

（3）根据法国“世界防痨組織通訊”（№ 9, 1957年12月份）杂誌中，Frederick D. Hopkins 氏关于世界防痨組織和会議的历史專文中指出：“虽然世界防痨組織是从1899年开始正式第一次会議，但在1902年法国举行年会时，法国防痨协会秘書長 Dr. Gilbert Sersiron 建議採用双紅十字为世界防痨組織的标誌，从此以后双十字記号就成了世界各国羣众团体防痨的标誌。”[6]

中国預防痨病协会，是1933年11月21日在上海成立，也同时开始使用防痨的双十字标誌。中国預防痨病协会后改为中国防痨协会。

在1902年規定的双十字防痨标誌式如圖14。

1906年时美国亦使用国际防痨标誌式样，到1912年改为如圖15式，都为45度的宝劍式，其取义是以武士精神杀病魔。[5]

1948年1月28日我国开始在上海中国防痨协会成立大会上，决定採用現在通用的防痨双紅十字标誌（如圖16），是以象征中国民族形式的宮殿斗栱飞簷形态，作为防痨双紅十字的。1953年9月1日在中国防痨协会召开的防痨工作代表会議上，又通过採用双紅十字防痨标誌，后来並經中华人民共和国內务部、衛生部批准使用。現在全国各地防痨协会，結核病防治所及防痨書籍刊物以及防治結核病所使用的表格上都广泛地通行使用这种民族形式的双紅十字防痨标誌。

三、国际性的救护标誌——紅十字

紅十字是全世界各国紅十字会在战时或平时救护时所使用的标誌。

討論紅十字的来源必須联系到紅十字会的历史。

資本主义国家为了各自的利益，土耳其、英、法和沙俄1853年在黑海之濱的克里米亞半島發生了战爭。双方士兵的伤病者很多，由于双方后方遥远，补給甚为困难，軍队中医务人員又少等原因，战地救护工作很差，因此死亡者很多。为了战争利益，双方先后都曾派遣了救护队去战地工作。著名的俄国外科学家皮罗果夫(1810—1881)在1853年当年就率領一个救护队去

1. 世界用阿斯叩留彼画像 2. 日本用阿斯叩留彼像 3. 联合国世界衛生組織 4. 苏联

5. 中国 6. 美国 7. 美国

8. 英国 9. 英国 10. 英国·加拿大

11. 加拿大

12. 德　国

13. 1562年盖倫全集封面之蛇帜

14. 双十字

15. 美国双十字

16. 中国双十字

17. 苏联紅十字紅新月联合会标帜

18. 中国交通檢疫标帜

19. 公医制度标帜

工作，其中有志願参加工作的妇女120名。1854年10月，英国政府也派遣了以南丁格尔为首的，由38名妇女志願組成的救护队去克里米亚担任救护工作。这便是战时救护組織紅十字会的萌芽。

战后好几个国家的医生都曾提出进一步組織战地救护工作的必要性。皮罗果夫医师則更进一步提出了建立国际性伤兵救护組織的建議。

1859年法国拿破侖第三联合意大利与奥地利在意大利北部發生了相互爭夺利益的战爭。在这次战爭中有一經商的瑞士人亨利·杜南(Henri Dunant 1828—1910)經过战地苏菲奴，目击战地慘象，动員組織进行伤兵救护工作，因事先無准备，遇到許多困难。战后他在皮罗果夫的思想影响之下，向各国政府提出了有关伤兵救护的具体建議。他的主張得到了各方面的支持，最后在德、奥、法、意、俄等国的支持下，邀請英、奥、西、瑞士、瑞典等国代表，于1863年10月23日在瑞士日內瓦召开半官方的有各国代表36人参加的伤兵救护会議。討論通过了日內瓦伤兵救护委員会(或称：国际战时救济会)的建議，决定在各国籌設由人民志願参加进行战地救护工作的全国性救助协会。[7]

1863年瑞士国人民設立国际紅十字委員会，1864年各国簽訂第一次日內瓦公約(亦称紅十字公約)，当时簽字者为14国。以后，各国先后成立了紅十字会。

中国于1904年成立紅十字会，1906年始向日內瓦总会登記，1907年改組为大清紅十字会，1911年改称为中国紅十字会。1912年获得国际紅十字会正式承認，1919年加入紅十字会国际联合会为会員，1933年改組为中华民国紅十字会，解放以后1950年重新改組为人民的中国紅十字会。全世界至1954年已有71个国家有紅十字会。

紅十字会的标帜：为了紀念第一次开会地点及瑞士国为永世中立国(瑞士是1815年經各国承認为永世中立国)。决定以瑞士国徽，紅地白十字改为白地紅十字，作为該組織及其救护人員，在战地进行救护工作时的标帜。

国际紅十字委員会是由瑞士人組成的組織。因为它是全世界第一个称为紅十字会的，据历史傳統及国际紅十字大会的决議，它的任务是正式認可各国紅十字会組織，維护日內瓦公約及紅十字标誌。

此外，許多实际工作机構在採用制作紅十字标帜时，它的描繪标准常被忽視，往往繪得不合要求，將"十"字不是繪得过于狹長，就是过于粗壯而短。描繪的标准要求应当是由五个正方形所組成，如✚形式。

四、医院、診所的标帜——綠十字

我国南方各个城市中(如上海等)，常見在医院及診所的招牌上和救护車上、徽章上及表格上綴繪或印刷以白地綠十字标誌；甚至在一些药品商标上也使用了綠十字。例如上海农業药械厂出品的药品商标上亦曾用之。但这綠十字标帜解放后並未經統一規定照常使用。

过去使用綠十字是因为各地濫用紅十字标誌，甚至食品、成药、江湖医生亦用作商标，經中国紅十字会(?)議决和国民党政府衛生署决定，一律禁止濫用这庄严的救护标誌的紅十字，紅十字只限于政府認可的救护团体、机構始准使用。而医生、医院則規定改用綠十字以求区別。此規定約在抗战初期(原文待査)。採用綠色的原因，据云世界各国大都以綠色为代表医务工作者之故。

五、紅新月与紅十字、紅新月标帜

由于基督教和伊斯蘭教为爭夺聖地耶路撒冷引起了十字軍东征，因此阿拉伯民族就非常忌諱"紅十字"标記，所以阿拉伯各国紅十字会团体为尊重民族風俗習慣起見，就不得不改为紅新月会。經过是这样的：第一次十字軍东征(1095)，教皇烏尔班二世在法蘭西的克勒蒙召集一次宗教大会，参加者除僧侶外，还有封建主、商人和附近地方的农民。教皇号召远征，出席者宣誓組織远征。远征軍身上都縫上紅十字的符号，因此他們就叫做"十字軍"。1957年阿曼人民英勇抗击英軍进攻中，阿曼教長駐开罗代表哈尔賽在7月28日就对整个阿拉伯世界的紅新月会發出呼吁，請求給予医药援助。至于阿拉伯民族为什么尊重紅新月的問題，因为沒有確切的史料，所以目前尙不能肯定解釋。但是伊斯蘭教內有些問題確是和它有关的，阿拉伯民族使用的是太陰历，宗教內一切封齋节日等都是根据全朔时新月可以看見办事。夏季每天早晨四点二十分要禮"邦塔"，晚上七点二十分要禮"沙目"，八点四十五分要禮"伏虎灘"，这样都是按新月的出沒而規定的(冬天时間还要推迟)。此外阿拉伯地区酷热，所以他們对星、月比作慈惠、恩典，有不少伊斯蘭教国家如埃及、巴基斯坦等把它定为国旗。其他是否还有更深刻的解釋現在尙不清楚。[7]

苏联的紅十字会組織名为苏联紅十字与新月联合会。是由于苏維埃社会主义共和国联盟的建立，在1925年統一組成的。它的标帜是"紅十字与紅新月"(如圖17)。

苏联的紅十字与紅新月联合会是由16个会員加盟共和国組成的。其中有四个会員加盟共和国是紅新月会，即阿塞拜疆苏維埃社会主义共和国、烏玆別克苏維埃社会主义共和国、土尔克明苏維埃社会主义共和国、达吉克苏維埃社会主义共和国。

所有参加苏联紅十字与紅新月联合会的紅十字会和紅新月会享有平等权利，並各有經其所屬加盟共和国部長会議批准的会章。

六、紅　卍

我国曾經有一种封建迷信的社会"慈善救济"团体——紅卍会。使用的标帜为紅卍。

卍，讀作万；据說是卐字之誤。卐是印度相傳为吉祥的标誌。梵名"室利靺瑳洛刹曩"即吉祥海云相。唐譯华严經："如来胸臆有大人相，形如卐字，名吉祥海云。"

中国紅卍字会1922年10月开始創設于济南。1923年世界紅卍字会中国总会設北京，是道院的附設机構。曾經举办过医院、育嬰堂、施药等慈善救济事業。当时分会遍佈上海、东北及华北各地。封建軍閥張作霖、吳佩孚、盧永祥等皆曾入过該組織的上層組織道院。該会自已宣傳所謂信奉五教之义。可能当时受軍閥支持。它們"經常用扶乩等迷信聚斂金錢，而以慈善事業为掩护。（在抗日战爭期間，卍字会的負責人是日寇的帮兇），这种組織已久經人民政府取締了"。[9]

卍字原是佛教标誌，当时使用紅卍字表面上是取紅十字与卍字二者的意义。[9]

七、紅寿字

在以往的一些書刊上，有时可以看到一种紅寿字的标誌（如圖19）。这种标誌是解放前反动的国民党政府，企圖以採取英美式改良主义的"公医制度"来欺騙人民，当时的衛生部門就設計使用了这一所謂"公医制度"的标誌。

标誌規定为：中心是紅色的寿字，周圍繞以24个齿輪，齿輪內底色上半部为綠色，下半部为白色。其表面原意是：以赤紅的热誠，服务延長羣众的寿命，24个齿輪是代表晝夜24小时不停服务的意思，綠色代表医学，白色代表純潔。在反动統治的旧社会，不論其設計的意义如何之好，实質上仅是一种欺騙人民的裝飾品而已；因其社会制度、政权的性質就决定了它的反动本質，絕不可能希望他們实施眞正的，如苏联一样的社会主义的公医制度。

八、中国交通檢疫标帜

中国交通檢疫标誌，按1950年12月8日衛生部衛公防字第1369号通知頒發的"交通檢疫标誌及服裝暂行規則（修正案）"規定为（如圖18）：

綠地黃色鉄錨。輪盤及螺旋槳代表水、陆空交通工具，綠色代表医务工作，黃色代表檢疫，用于檢疫交通工具或其他用具时，須繪于显明处所，其尺度依使用时之具体情况，按照比例放大或縮小之。

按照該規則第三条規定：交通檢疫所用之旗帜，为黃色，其尺度比例依国旗之規定；中嵌綠色鉄錨、輪盤及螺旋槳檢疫标誌，其大小系以全旗寬度的1/4長为半徑。

中国的交通檢疫标帜有如照規定的明确的意义及使用标准。現在我国各檢疫机構都使用这一标誌。

九、中国医学标帜——壺盧

我国俗称医生开業应診治病为"悬壺"，俗語中有"不知壺盧里卖什么药"的話。在王吉民和伍連德先生合著之中国医史（英文本）的封面上亦飾以壺盧（如附照片），中国若干与医事有关的圖象，往往附以壺盧，实际上壺盧（葫蘆）已成为我国医药上的特殊符号（标誌）。其来源和意义是值得探討的。

"壺盧（日华本草，宋人大明著）

釋名：瓠瓜。說文：匏瓜。

論語，壺：酒器也。盧：飲器也。此物各像其形，又可分为酒飯之器，因名之。俗作葫蘆者非矣。葫乃蒜名，蘆乃葦屬也。……古人壺、瓠、匏三名皆通称，初無分別。故孙愐唐韻云：瓠音壺，又音护；瓠，𤬛瓢也。陶隐居本草作瓠𤬛云，是瓠类也。……壺之細腰者为蒲蘆……蒲蘆今之葯壺盧也。郭义恭广志謂之約腹壺，以其腹有約束也。……壺匏之屬，既可烹飪，也可为器，大者可为甕盎，小者可为瓢，……可以浮水……。"[11]

壺盧在詩經中載明是通常的蔬菜，可見周代已是很普遍的存在，"豳風"（豳）、古国名，同邠，今陝西省西

伍連德、王吉民所著之"中国医史"（英文）封面上印有中国医学标誌——壺盧。

北涇水边的县名);"七月":"七月食瓜,八月断壺(葫蘆)……。"論語:"雍也篇"記載顏回"一簞食、一瓢飲,在陋巷。"这就是顏回当时原是一个貧农,他有志于学,要想爬到"士"的阶層,到城里变成一个城市貧民,只能住在貧民窟(陋巷)里,用一个竹兜作飯碗,破开一个老壺蘆瓜的壳来盛湯的生活情况的描写。这也証明了在周代壺蘆已作为广泛家用之品,隨手可得。

壺蘆的应用于医药,在后汉書及神仙傳上亦皆有記載。在古代很早就用壺蘆作盛裝药品之用。古代为什么用壺蘆裝药呢?其优点有五:①輕便易携帶;②坚韌不易破;③涉水不易潮湿,可免药品損坏;④可盛放丸、散、丹、药酒、水等固体、液体;⑤为古代自然界广泛野生物及家庭日常用具,甚易取得。古代遊走四方出診行医,在腰間可携帶束腰大小壺蘆若干以应診治之用;或用繩索携繫束腰部以扭挑負遊走四方行医。現在已極少用壺蘆盛物了,壺蘆自然物及瓷制品等,現已成为古玩及家庭裝飾品,或用作鼻烟壺等。在壺蘆瓷制品上常描繪焙燒以各种寿字、蝙蝠、百子圖案、八掛圖案等,以示祈求福寿,健康等意义。至今,北京市許多酒店門首尙有悬壺(紅色大葫蘆)应沽者,可能亦是悬壺的另一遺風。因酒亦为古代重要治病药品之一。在一些民間傳說的神話里,也常將葫蘆作为長寿,寻找幸福的形象。例如民間故事"天女散花"中即描写葫蘆协助寻找救死灵药及寻找幸福为故事中心內容。又因为我国古代医药不分,医生兼卖药;所以称医生掛牌行医为悬壺,亦說明了医生由秦汉前的巡廻医疗,走方出診方式形成定居的反映。在战国时医生尙是走方出診方式診治的。如史記所載:"扁鵲名聞天下,过邯鄲聞貴妇人,即为帶下医;过雒陽聞周愛老人,即为耳目痹医;来入咸陽,聞秦人愛小兒,即为小兒医;隨俗为变。"

"悬壺"之称的来源可能是这样:傳說后汉时有一壺公(即壺翁),佚姓名,常在汝南市卖药,口不二价,治病甚驗,悬一壺在門口为記号。

古代書籍上关于壺公卖药事記載不一,茲介紹如下,以作参考:

(1)葛洪神仙傳:"壺公不知其姓氏,……时汝南費長房为市椽,見公从远方来,入市卖药,人莫識者,卖药口不二价,治病皆愈,……日入錢甚丰,俱施于市之饑者,唯三五十文悬之杖头,入夕則跳入壺中,人莫之見唯長房見之。"[12]

(2)施壺公,云笈七籤:"施存,魯人,学大丹之道,遇張申,为云台治官,常悬一壺,如五升器大,……自号壺天,人謂曰壺公"。

(3)王壺公,后汉費長房傳:"市中有老翁卖药,悬一壺于肆头,及市罢,輒跳入壺中……。"

(4)水經,汝水注:"昔費長房为市吏,見王壺公悬壺鄉市。"据此,則后汉書所說的壺公是王壺公。

(5)謝壺公,三洞珠囊:"壺公謝元,历陽人,卖药于市,不二价,治病皆愈……。"

如上所述,壺蘆已成为中国医学的特殊标誌,而且是从实用的基础上形成的,是实际事物真实的正确的反映,而不像世界医学标誌那样帶有濃厚的宗教色彩。虽然,宗教是一种意識形态,它亦是現实的反映,"是人們意識中对于統治着他們的自然力量和社会力量的一种歪曲和荒誕的反映……是人們备受压迫和愚昧無知的反映……。"但从根本上說宗教終究是帶有一种落后的和消極的意識形态。它經常阻碍人类历史的發展,是反科學的。正如恩格斯所說:"宗教不是別的,正是人們日常生活中支配着人們的那种外界力量在人們头腦中的幻想的反映。在这反映中,人間的力量採取了非人間力量的形式。"[13]

結　語

本文有重点地探討与介紹了保健事業中常見的徵幟(标誌)的来源及其意义。以使某些使用的人或遇見这种标幟的人知其然亦知其所以然。同时,亦糾正个別使用者的不正确的解釋,並适当的提出了自己的看法。但由于手头資料不足,对闡釋某些标幟尙有不足之处。

(1)研究探討保健事業中的各种标幟是有其实际意义的。以使更正确的使用各种标幟以免混淆濫用,以及較确切地認識各种保健事業中的标幟。

(2)保健事業中世界性的标幟,大都帶有濃厚的宗教色彩,而我国的医学标幟則具有实用价値,並含有現实意义。

(3)在探討了保健事業中几种常見的标幟后,可知每一种标幟都具有一定的含义及来源,並有鮮明的可以区別的特点。各国使用同一意义的标幟常是不絕同的,而且在資本主义国家中一个国家使用亦是多种多样而不統一的,社会主义国家使用的标幟是統一的。以英美与苏联的蛇徽相比,即可一目了然。本文中仅介紹英美資本主义国家常見的几种蛇徽标誌,实际上尙有更多的描繪形式。

参考文献

1. Петров, Б. Д., История Медицины 60—61, 1954.
2. 李濤,医学史綱,初版,中华医学会,1940.
3. 石川光昭,医学史話,商务版第4頁,1951.
4. 李濤,世界名医傳,医潮1卷4期33頁,1947.
5. 上海第一医学院肺科教授吳紹青之口述笔录。
6. Frederick D. Hopkins, International Congresses and Conferences on Tuberculosis, News Letter. Bulletin of the International Union against Tuberculosis, No. 9, p. 4, December 1957.
7. 日本赤十字社,日本赤十字社發达史 13—24 頁。
8. 北京回民学院資料, 1957.
9. 中国佛教协会:中佛办字第709号函,1958.
10. 末光高义,中国的秘密結社与慈善結社(日文),"滿洲"評論社,1932.
11. 李时珍,本草綱目,明万历版,菜部卷28,第4頁。
12. 王吉民,中国医史文献圖說四則,醫旦医刊4卷4期,1933.
13. 恩格斯,反杜林論,人民出版社,333頁,1956.

中国保健事業中的联合診所

周 寿 祺

組織起来，为人类健康服务，这个理想，在人民的中国得到了实现，並且得到了广泛地發展。

这个理想的实现，除了由政府举办大量的国家保健事業体现出来以外，就是人民保健事業中佔相当比重的、由医务人員自願組織起来的、民办的、联合診所的組織形式。

这种联合診所的組織形式是适合我国国情的。它已經具有較長的历史，今后將長期存在。

我国在保健事業上的国情是怎样呢？我国經历了經济上的社会主义革命（在生产資料所有制方面）以后，生产資料已基本上轉化为全民所有制和集体所有制。广大劳动人民的生活水平也随着逐步得到了提高。如1956年全国职工年平均工資比1952年的年平均工資就提高了將近37%[1]。由于人民生活水平的提高，广泛地医疗就成为广大劳动人民的迫切要求了。經济上的翻身，必然会促进衛生事業的發展，这是客观發展的必然規律。为了适应这种要求，革命以后，国家會撥出了巨額經費来兴办各种国家保健事業。如以1947年为100，則1956年的衛生經費增加到707.7；医院床位增加到398.1；門診部、区衛生所增加到3,279.6。[2] 虽然这种發展的速度是我国历史上空前的，但由于我国人多，疆域辽闊，經济上長期遭受帝国主义、封建主义、官僚資本主义的剥削，經济基础很薄弱，所以国家保健事業的發展还不能完全适应人民日益增長的需要。同时，国家也不可能違背在發展生产的基础上逐步改善人民生活福利的社会主义原則，撥出更多的衛生經費来兴办国家保健事業。在这种情况下，貫徹羣众路綫，提倡羣众自己举办福利事業，發揮民間力量就显得十分重要了。联合診所就是面对这种国情發展起来的。

联合診所在我国已有較長的历史。它的前身就是人民革命战争中老解放区的医药合作社[3]。河北省宁津县在1946年就建立了羣众集股的医药合作社[4]。解放后就叫联合診所了。

联合診所在人民保健事業中發揮了一定的作用，显示了組織起来的优越性。

首先，它是一支保健力量，在国家"統筹兼顧，适当安排"的方針下，和国家的、个人开業的基層保健力量各得其所。目前，我国基層衛生組織的形式，大体有国家办的、羣众办的和个人开業的三种类型。它們的力量是这样：国家办的，主要的形式是区衛生所，1950年是759所，1956年达到13,000余所；羣众办的，主要的形式是联合診所（此外尚有农業生产合作社保健站等形式），1950年是803所，1956年达到51,000余所；个体开業的，1956年約有100,000余人[5]。从中我們可以看出，联合診所在基層保健力量中是佔相当比重的。它的發展也是迅速的，六年中即增長了64倍。确实是一支不可忽視的保健力量。

以上三种基層衛生組織，在我国經济恢复时期，曾存在着互相竞争業务的情况，但是当进入国民經济建設时期，尤其是近年来，由于党和政府提出了"統筹兼顧，适当安排"的英明方針以后，这种情况正在逐步克服。位于城市的联合診所，在实施划区医疗服务时都作了按排，划区內病員的初級医疗由联合診所来担負。位于农村的联合診所，衛生行政当局也採取了措施，通过整頓、調整分布地点、明确区衛生所和联合診所的职責，使它們各得其所。有些地区，还讓联合診所担負部分的公費医疗任务，加以鼓励和扶植。

其次，联合診所在各項保健工作中起了作用，作出了貢献。联合診所是防治疾病的积極参加者。江苏省苏州專区1955年共治疗了血吸虫病患者14,000余人，其中联合診所負責治疗的就有8,300余人[6]。浙江省嘉兴專区1956年共有108个防治組，联合診所就担負了80个。長兴县和平区联合診所提前完成了查螺和灭螺任务，並創造了鮮石灰水灭螺法，受到嘉兴專署的通报表揚[7]。

联合診所在衛生防疫工作中也是重要的助手。它們一般都担負了傳染病管理工作，如疫情报告、預防接种等等。北京市1953年1月至1954年9月，它們就担負了109,400人次的預防接种[8]。

联合診所广泛地担負着初級医疗的任务，大大減輕了医院的負担，帮助医院克服忙乱現象，使医院有可能去解决急重疑难病症，为提高医疗質量創造了条件。如江苏省江宁县1954年全县門診287,000多人次中，联合診所就担負了201,476人次，佔71%[9]。同时，由于它們大部分位于农村，据1954年初全国統計，22,832个联合診所，位于农村的有21,655个，所以农民的医疗是比較方便的[8]。

再次，組織起来以后，發揚了集体主义精神，便于互相学習，分工合作，达到互助互利，改善服务观点和服务作風，提高医疗質量，更好地为人民健康服务的目的。联合診所組織起来后，在集体生活中逐步培养了集体主义精神，[illegible]政治覺悟是提高了，逐步确立了为人民服务的观点，从而改善了服务作風。如河北省宁津县保店区蘆集联合診所中医宋方德，年已68岁，不辞劳苦的为社員服务，他从1953年起連續四年当选为一等模范工作者[4]。同时，由于公积金的积累，逐步添設医疗設备，改善了医疗条件。並且能够选送人員参加輪訓、进修，提高技术水平。

联合診所在保健事業中所作的有益貢献，不但得到政府的承認和羣众的贊揚，並且得到国际上的好評。前中华人民共和国衛生部首席苏联顧問T. E. 波尔德列夫同志說："今天私人医务人員和私营医疗机構对人民是有好处的"[8]。越南医学代表团团長郑庭宮博士說："我們感觉到联合診所的組織形式很好"，"联合診所是具有社会主义性質的組織形式，它在滿足人民需要上，長久的起着作用"[10]。

应該指出，联合診所它所以能够發揮这样的作用，作出貢献，是和中国共产党和政府採取了正确的方針、政策，妥善地解决了联合診所一系列的問題分不开的。党和政府对联合診所貫徹"有利生产，簡便易行，民主管理，勤儉办所"的方針和鼓励、扶植的政策[5]。例如，中央財政經济委員会1950年11月發布了关于医院診所免征工商業稅的規定。1955年12月11日中华人民共和国衛生部、財政部、工商行政管理局發出通知，更进一步地放寬了免稅范圍[11]。銀行也对联合診所实行貸款[6]，等等。各地在实际工作中也創造了不少經驗，現在分別評述如下：

（1）关于联合診所的性質問題。1955年全国文教工作会議对联合診所的性質作了精辟的規定："联合診所是由独立腦力劳动的医务人員自願組織起来的合作社性質的社会福利事業"[12]。它是社会主义性質的福利机構。为什么联合診所只能是社会主义的合作社的性質，而不可能是其他性質呢？首先，必須明确：医务人員是屬于知識分子范圍的，它不是一个阶級，而只是一个阶層。它必須依附于一定的阶級，为一定的阶級服务。目前在我国的时势是条条道路必走社会主义，正如刘少奇同志在北京各界庆祝十月社会主义革命四十周年大会上講話中所指出的那样："大势所趋，人心所向，这条路总是要走的。区别只在于多数人是自己走，少数人則是被强迫地走，先走后走的某些現象是容許的，不走这条路的自由却是沒有的。"[13]由于我国的社会制度是社会主义的，所以联合診所的性質只能是为劳动人民服务的社会主义的福利事業；而不可能是为剝削阶級服务的資本主义的福利事業。

其次，医务人員是独立腦力劳动者，依靠自己的劳动来維持生活的。联合診所是集体所有的，集体的劳动所得又是按照"各尽所能，按劳取酬"的社会主义原則来分配給所有成員的，它既不存在將盈余上繳給国家，更不存在剝削与被剝削的关系，所以它是合作社性質的。

这兩个方面从根本上肯定了联合診所的性質。

（2）关于联合診所的發展方向問題。联合診所的發展方向在我国是有过爭論的，尤其是在1956年社会主义改造高潮中，曾經發生过兩种偏向：一种認为联合診所是非社会主义性質的福利事業，只是一种过渡的形式，不适应社会主义的需要，因此主張由国家接办，有些地区也确实接办了联合診所；一种認为联合診所兼营葯檯，应当同資本主义工商業者一样对待，实行社会主义改造，有些地区也确实这样办了，如山东省东阿县耿集区就是这样，成立了中西医葯商店，医生当了营業員[14]。

为什么会發生这种偏向呢？其根源主要是由于主張国家接办或主張同資本家一样实行社会主义改造的人，否定了联合診所的社会主义性質。前者不相信發揮民間力量，依靠羣众能办好联合診所，实質上是不相信羣众的一种表現；后者錯誤地把医务人員当作資本家一样看待来实行社会主义改造。

这种錯誤的主張和錯誤的做法，在一个时期中曾造成联合診所成員思想上的混乱，尤其是后者，給党和政府帶来了不良的政治影响。因此，必須坚决地加以反对。

那末正确的結論是什么呢？1957年8月7日中华人民共和国衛生部在"关于加强基層衛生組織領导的指示"中更进一步地、明确地作了下列的結論：联合診所，国家不应該接办，也不应該当做資本主义工商業者实行社会主义改造，应該長期存在。（其实这个精神早已貫徹）由于中央一再重申联合診所的性質，指明發展方向，所以上述兩种偏向逐步得到了糾正。

（3）关于联合診所的任务問題。联合診所是基層衛生組織，所以它担負着基層的医疗預防、衛生防疫、妇幼衛生和衛生宣教等任务。但由于各个联合診所的技术力量配备不同，所以在执行上述任务时，应該实事求是的分配。过多、过重的任务是不适当的。

联合診所在完成了政府所分配的、为公众服务的某种任务后，如預防接种、工地巡迴医疗等等，应給予合理的报酬。單純的使用观点，只使用不給报酬的做法是不对的。

（4）关于联合診所的形式問題。目前我国的联合診所大体有四种类型：中医联合診所、西医联合診所、中西医联合診所和各种專業性的联合診所，如牙病、眼病、針灸、伤科联合診所，等等。各地区採用那种类型为宜，应該因地制宜，視当地羣众的需要、現有衛生事業的設置和技术人員的条件来决定。但从便利羣众出發，目前多發展綜合性，即中西医多科性的联合診所是适当的。尤其是位于广大农村的联合診所更宜为多科性。我認为，应当实行在普及的基础与加以提高的原則。过早地强調專業化是不适当的，尤其在农村，不能有利于农民就診。

有些地区实行了"大联合"，即將全县、市的联合診所組成一个总的联合診所，下設分診所。这种形式目前尙处在萌芽狀态，有待今后研究总結。

联合診所的命名，冠以地名比冠以次序名称較好，因为这样容易把診所的名称和地名联系起来，便于羣众尋找就診和記忆。

（5）关于联合診所的領导关系問題。目前，在轄区范圍少的县、市，联合診所的行政和業务都由县、市衛生科、局領导；轄区范圍大的县、市，联合診所的行政受乡、鎭人民委員会或街道办事处領导，業务上受区衛生科（所）領导。

有些地区的衛生行政当局，已經組織医院和联合診所建立了技术指导关系，联合診所接受医院的業务指导。这种指导关系規定：联合診所可以派員到医院进修、听学术报告、参加病例討論会、观摩先进操作方法……等；联合診所在初級医疗中發現疑难病症，可以向医院轉診、轉院，医院有責任將診治結果或对診治方法的指导意見，通过回执告知联合診所。在可能条件下，医院指派高級医師到联合診所定期門診或会診，就地指导則更有作用。因此，这种指导关系是医院帶动联合診所，幫助他們提高技术水平的一种極有成效的方式方法，值得推广。

联合診所管理委員会由各联合診所选举若干委員共同組成，負責領导和檢查各所業务、財务的执行情况和协調各联合診所之間关系等任务，起着幫助衛生行政当局管理联合診所的有力的助手作用。經驗証明：这是依靠羣众，办好联合診所的羣众路綫的工作方法。

（6）关于联合診所的成員問題。联合診所是以医疗技术来为人民服务的福利事業，不是企業。所以組織起来的成員应該是医务人員，以及一些必要的行政事务人員。至于不懂医务技术，借投資来参加联合診所的人是不能允許参加的。

組織起来，实行自願的原則，即入社是自願的，不予强迫。参加的成員有退所的自由。新成員参加診所必須經过全所成員大会的討論同意和上級衛生行政当局的批准。只有堅持自願这个根本的原則，才能使所有成員成为自覚地劳动者，眞心誠意地搞好診所，使診所得到巩固和發展。無数实踐証明，任何强迫命令不会給組織起来帶来任何好处。

参加的成員享有一定的权利，如有选举权、被选举权和表决权；有建議、批評、监督和檢举违法失职人員的权利；有享受联合診所举办之文化福利事業的权利，等等。但必須履行一定的义务，如遵守政府各項政策法令及診所規章制度和决議；参加劳动，按时完成所分配的任务；爱护公共財产；提高政治、業务水平，加强全所团結，同破坏联合診所的活动展开斗爭，等等。

（7）关于联合診所的組織原則問題。根据"民主管理"的方針，联合診所採取民主集中制的組織原則是正确的，即实行在民主的基础与集中，在集中的指导下民主。具体地体现在：全体成員大会为最高管理的組織形式，一切重大問題，如診所章程、工作計划、总結、財务預决算、新成員的吸收，等等均由大会来討論决定；联合診所的所長、主任或所务委員会由全体成員民主选举产生，並报当地衛生行政当局批准。

在推行民主集中制时，要反对家長制的領导，即反对所長、主任独攬大权，独断独行，否則所的領导就会严重脫离羣众，挫折全所人員的劳动积極性；同时也要反对民主極端化，不論事情大小都要大家討論决定，容易造成会而不議、議而不决、决而不行，甚至無政府狀态。

（8）关于联合診所的地点問題。苏联的地段服务制是我国医疗預防組織形式的發展方向（但在我国毋須完全由国家保健力量組成）。目前城市已在逐步实施划区医疗服务，乡村也在逐步实施分片（一个或几个农業生产合作社或者一个或几个乡、鎭）負責。所以联合診所的設置地点应該从以下三个方面来考虑决定：

1）接受衛生行政当局按照"对于国家办的、羣众性質的基層衛生組織和个体开業医生必須統籌安排，密切結合，使之各得其所"的原則統一安排[12]；

2）有利生产，便于羣众就近就医；

3）由服务区域內居民的分布环境、交通条件、基層現有衛生單位的力量来决定其服务半徑。

（9）关于联合診所的財务問題。財务問題是联合診所中較为复杂而又十分重要的、能否巩固和發展联合診所的一个关鍵問題，是联合診所的命脉。因此，党和政府十分重視这个問題的妥善解决，主張实行"民主管理，勤儉办所"。我認为在財务問題上，"民主管理"主要是做到財务分开，接受羣众监督，以杜絕貪污、舞弊；"勤儉办所"，"勤"就是要勤勤恳恳地为病員服务，"儉"就是要办事一切从簡、从儉，反对舖張浪費。

1）开办費：联合診所的开办費由每个成員籌集，可以用現金，也可以用医疗器械設备、药品或傢俱折成現金来計算。这笔开办費的償还，有的联合診所採用定股金分紅办法；有的採用民主协商作价后定期归还的办法，或者加以补貼适当的利息，由公积金項下支付。从各地的經驗来看，前一种办法是資本主义的分配方法，虽具有吸收游資来开办联合診所的优点，但和联合診所的社会主义性質是不相容的，应該推行后一种的社会主义分配方法。

2）經常費：日常的行政費用开支应本着节約的原則开支。另星开支可以由所長或主任批准支付，較大的开支可以經过所务会議討論批准后开支；重大开支必須經过全所成員大会討論批准后开支。

3）工資：党和政府主張实行社会主义的分配原則——"各尽所能，按劳取酬"。目前各地主要採用兩种办法："死分活値制"（即民主評定每人底分，將扣除必要开支和积累外的淨收益，除以总底分，求得每一底分值，再乘以每人底分即得）和"固定工資制"。由全所成員按照各人的技术水平、服务作風、适当照顧羣众威信等条件和全所業务收入定期的（半年至一年）民主評定。有些地区也採用"診金医务人員分，其他收入由行政事务人員分"[15]，"以旺补淡"[16]等办法。从实踐經驗来看，"死分活值"的工資分配方法适合于初建时期和業务收入不穩定的联合診所。这种方法具有提高經营积極性的刺激作用，但有滋長資本主义經营作風的弊病，如濫用药物、拖長治程，以牟取暴利。所以，当業务收入穩定，积累了一定数額的公积金后，採用固定工資制比較适当。

4）公积金：公积金是联合診所發展的物質基础。它的积累应該随着業务收入的增加而逐步增加，以供發展業务所需，如基本建設、装修設备、充实医疗器械等。它的提取比例应由成員大会視業务收入情况决定。收入好，就多留，收入差，就少留，在不能保証开支工資时就不留。只顧增加公共积累，而不顧成員收入或者只顧成員收入，不顧公共积累都是片面的，因而也是錯誤的。应当双方兼顧，把集体利益和个人利益結合起来。

5）公益金：公益金是联合診所的福利基金。用于成員的集体文化、福利和帮助解决成員特殊困难的救济。它的提取比例，同样应該由成員大会視業务收入情况来决定，但提取比例不宜超过提取公积金的比例。在不能保証开支工資时不宜提取。

6）收費标准：可以按照药品材料的成本和适当的加成本，參照当地羣众的負担能力，自行制訂标准报請当地衛生行政当局批准后执行，或者按照衛生行政当局規定的統一收費标准执行。联合診所的收費标准略高于国家衛生事業單位的收費标准应該是允許的。因为联合診所是实行自給自足的，它不同于国家衛生事業是全民所有的，可以实行"差額补助"或"定額补助"等办法。

为了杜絕貪污舞弊和浪費，联合診所应該建立帳册和健全的財务制度，並定期的向成員大会报告执行情况，接受羣众的監督，只有这样才能达到"民主管理"、"勤儉办所"的目的。

（10）关于联合診所的政治、業务学習問題。不断地提高政治思想水平和技术水平是巩固联合診所的重要保証。所以，联合診所应該定期地組織成員进行政治和業务学習，並选送人員参加輪訓和进修。

目前，在全民性整風运动中，加强对联合診所的社会主义思想教育，运用大鳴大放、大爭大辯、貼大字报、开座談会等社会主义民主方法也是可行的。从已經这样做的联合診所的經驗来看，这是整頓和巩固联合診所，解决政府和联合診所、联合診所和其他衛生單位和联合診所內部矛盾的一个重要方法。經驗証明，"堅決地放、大胆地放、徹底地放，堅決地改、大胆地改、徹底地改"的方針，对联合診所也是适用的。湖南省衡南县覌音桥片試点的工作就証明了这一点[17]。

此外，建立会議、奬懲等制度也是必要的，以保証联合診所工作的正常开展和鼓舞所有成員的劳动积極性。

綜上所述，"联合診所是由独立腦力劳动的医务人員自願組織起来的合作社性質的社会福利事業"。它是社会主义性質的福利事業。它是适合我国国情的一种基層衛生組織形式，今后將長期存在。

联合診所是一支保健力量，在各項保健工作中發揮了作用，对人民作出了有益的貢献。

党和政府对联合診所实行"統籌兼顧、适当安排"、"有利生产，簡便易行，民主管理，勤儉办所"的方針和鼓励、扶植的政策。同时，正确地解决了联合診所的一系列的問題，使得联合診所健康地成長。

參考資料

1. 周恩来，政府工作报告，第24頁，人民出版社，1957.
2. 解放后衛生事業在飞躍前进，健康报，558期，1957年8月2日。
3. 健康报社論，讓联合診所發揮更大的作用，健康报，509期，1957年2月12日。
4. 陆偉，宁津县衛生部門是怎样領导联合診所的，健康报，419期，1956年1月6日。
5. 李德全，党能領导衛生科学技术，中华衛生杂誌4:195，1957.
6. 健康报評論，帮助联合診所解决当前困难，健康报，468期，1957年1月4日。
7. 吉佩洵，联合診所在"血防"工作中，健康报，526期，1957年4月12日。
8. 中华人民共和国衛生部办公厅編，T.E.波尔德列夫建議和报告集，28—31頁，1956.
9. 顧逸农，江宁县領导联合診所的經驗，健康报，478期，1956年10月26日。
10. 郑庭宮，訪問上海的观感，健康报，575期，1957年10月1日。
11. 中华人民共和国財政部、衛生部、工商行政管理局，关于黨辦医疗机構免征工商業稅的联合通知，健康报，419期，1956年1月6日。
12. 中华人民共和国衛生部，关于加强基層衛生組織領导的指示，衛生工作通訊，36:3，1957.
13. 刘少奇，在北京各界庆祝十月社会主义革命四十周年大会上的講話，第8頁，人民出版社，1957.
14. 王治安等，为什么把医生当私商改造，健康报，462期，1956年8月31日。
15. 齐齐哈尔市，联合診所工資改革总結，衛生工作通訊，38:34，1957.
16. 河北省文教办公室衛生組，关于联合診所的几个問題，健康报，422期，1956年1月27日。
17. 湖南省衡陽專署整頓联合医疗机構試点工作組，結合社会主义教育整頓巩固联合診所，健康报，598期，1957年12月20日。

編者按 作者对联合診所有关資料的綜合是好的。但目前联合診所在經营管理上还存在一些問題，工作作風上还有資本主义殘余，也缺乏全心全意地为人民服务的医疗态度，技术水平須要普遍的提高。必須在整風的基础上进一步加强联合診所的政治思想改造，改进工作作風，从而更好地为人民服务。

关于工矿企業慢性病的防治問題

丁　道　芳*

在工矿企業中开展慢性病的防治工作，对降低企業的患病率有着巨大的意义。

衞生部和中华全国总工会在过去所發出的关于加强工矿企業衞生医疗工作的联合指示中，就曾經談到了有計划防治疾病工作的問題，其中也包括慢性病的防治。

在工矿企業中开展慢性病的防治工作的重要意义，首先在于慢性病的劳动能力丧失日数是極高的，对工業生产的發展有很大影响。从沈陽市的几个大型企業的統計数字就可以看到这一事实。例如：沈陽化工厂感冒平均每例丧失劳动能力日数为1.3天，咽喉炎和扁桃腺炎为2.3天，而肺結核則为48.5天，風湿症則为17.5天。又例如，因慢性病而丧失劳动能力日數在整个丧失劳动能力日数所佔的比重也是極大的。以几种主要慢性病——肺結核、風湿症、慢性胃炎的統計来看，沈陽变压器厂这三种慢性病佔总劳动能力丧失日数的46.8%，沈陽化工厂为31.4%。

特别值得注意的就是老工人罹患慢性病的比重是相当大的。大家都知道，老工人是生产中最宝貴、作用最大的人，因此他們对生产的影响是較大的。根据沈陽机床一厂的統計，肺結核、心臟病和高血压这几种慢性病，老工人（八年以上）的病人佔全病人数的1/3。

另外，慢性病的求診频度也是很高的。它使得門診工作終日处于非常被动的地位，加深了求診过重与医疗力量不足之間的矛盾。

由此看来，在工矿企業中开展慢性病的防治工作有着極特殊的意义。这一工作开展的結果，不但有助于生产任务的完成，而且能使企業的患病率和求診率大大下降。同时也会促进工矿企業求診过重与医疗力量不足之間矛盾的解决。因而，工矿企業的医疗衞生部門必須把这件工作視为自己最主要的工作之一。

本文仅根据沈陽市的几个工厂的經驗，特别是沈陽机床一厂的經驗提出几个問題加以探討。

下面就防治观察对象的确定及其选择，防治观察的方法，防治措施和防治計划等問題分别加以叙述。

关于防治观察对象的确定及其选择問題

在开展慢性病防治工作时，首先要在分析患病率的基础上提出几种主要的慢性病做为防治工作的重点。这样做並不排斥其他慢性病做为防治观察对象，而是要使主要慢性病的防治能获得更好的效果。提出主要慢性病在于使医生能在診断及治疗技术和医疗設备方面有重点的安排和提高。提出主要慢性病必須是劳动能力丧失患病率和求診率較高的，或是長期經过和易傾向于恶化的疾病。此外，也应考慮到防治工作的条件和防治的效果。

以沈陽机床一厂为例（表1），可以明显看出，結核病、慢性胃炎、胃及十二指腸潰瘍和風湿症这四种慢性病是防治意义最大的。这四种慢性病，丧失劳动能力的人数仅佔总丧失劳动能力的人数的8.7%，而它們丧失劳动能力日数竟佔总丧失劳动能力日数的31.9%。就是說，如果使这四种病人（只有292名）防治好，不使其恶化，那么就可以減少1/3左右的劳动能力丧失的日数。

表1　沈陽机床一厂1956年一时性劳动能力丧失患病率

疾　病	人　数		日　数	
	人数	%	日数	%
1.結　核	147	4.4	6109	24.7
2.外　伤	526	15.6	4384	17.7
3.感　冒	987	29.3	1948	7.9
4.皮膚化膿、癤、膿腫、瘭疽、癰	247	8.1	1435	5.8
5.慢性胃炎、胃及十二指腸潰瘍	110	3.3	964	3.9
6.風湿症	35	1.0	813	3.3
7.闌尾炎	35	1.0	632	2.5
8.胸膜炎	11	0.3	479	1.9
9.急性胃腸炎	225	6.7	445	1.8
10.其　他	1024	30.3	7556	30.5
共　計	3374	100.0	24765	100.0

此外像高血压、冠狀动脉机能不全、狭心症、心肌梗塞、糖尿病、癌瘤和肝炎等慢性病也应列为防治观察的对象之中，当然从上述患病率的分析結果，显然不能做为当前防治工作中的重点。

由于各工矿企業所处的地域，企業內的生产的特点，企業內部的構成（性别、年龄）等差異，患病率的構成肯定是有差異的。因此各企業还应根据自己企業的特点来加以确定。

* 沈陽医學院衞生学保健組織教研組

防治观察对象的选擇，必須在下列資料的分析基础上选定。

（1）根据一般患病率个人卡片（或口袋）的分析，將一切患有慢性病的病人發現出來。

（2）根据預防性健康檢查卡片，將一切"隐蔽"的慢性病人發現出來。

（3）通过一时性劳动能力丧失患病率个人卡片（或口袋）的分析，帮助确定已發現的慢性病人是否应做为防治观察对象。

（4）通过病历的分析，对所發現的慢性病人确定是否应做为防治观察对象，並对以后的观察也具有很大參考价值。

总之，防治观察对象的發現主要是依据（1）（2）兩种資料；防治观察对象的确定則要依据（3）（4）兩种資料。

关于防治观察的方法問題

当我們进行防治观察时，必將遇到防治观察对象的分組，防治观察頻度的确定，防治观察使用文件的設計，防治效果的評价以及防治观察的形式諸問題。

医生在进行防治观察时，不能建立在不分組的粗糙的对象的基础上，还应对所进行防治观察的对象按疾病的性質、病因、临床經过、代償机能程度等基本特征加以更細致的分組。因为不如此，既無法拟定切合实际的措施，又会严重地浪費医疗力量。譬如，对高血压的防治，不細致的、正确的区分那一期就籠統的防治观察，是很难設想会收到預期的效果。

慢性病防治的分組应当考虑以下几个原則：

（1）疾病的类型、期別和代償机能等全面情况；

（2）在实际工作中易于区別；

（3）对防治措施有实际意义；

（4）易于决定劳动能力和預后。

在确定好防治慢性病的分組之后，应按这些分类来确定观察頻度。目前苏联所使用的观察頻度举例如下：

胃及十二指腸潰瘍：

（1）既往症潰瘍病人——每六个月观察一次；

（2）潰瘍加剧病人——每三个月观察一次；

（3）曾行手术的病人——每三个月观察一次；

（4）消化液缺乏性胃炎病人——每三至六个月观察一次；

風湿性心瓣膜症

（1）代償阶段病人——每二至四个月观察一次；

（2）第一期代償阶段病人——每一个月观察一次；

（3）第二及第三期代償阶段病人——根据具体情况确定或入院治疗。

防治观察頻度是根据每种病病人惡化期的一般限界的原理而确定的。我們在防治观察頻度方法的研究尙为缺乏。在利用防治观察頻度时，切不可机械执行，还应考虑医生的工作量以及每个病人的具体情况。

在防治观察中，採用防治观察卡片，对有計划进行防治措施和評价防治效果是必不可缺的。

除防治观察卡片（附表2及表3）外，为了某些疾病的特殊需要还可以附以副頁做为补充項目。例如对慢性胃炎和胃及十二指腸潰瘍病人的防治观察，在副頁上就应記載：既往的詳細情况（手术否、得病年月日、惡化次数等等）、生活制度（休息、睡眠）、飲食習慣、嗜好（吸煙否、飲酒否）、劳动条件（劳动时間、班次、作業环境）等項目。車間医师和車間保健站人員拥有这样資料，在防治观察时是会感到非常便利的。

表2　　　　　　　　　　　　　　　　（正面）

防治观察卡片

編　号____

病历号____

姓名____性別____年龄____工种____工龄____　X光号____

工作地点________________住址____________

防治观察的疾病________________合併症________________

日期	診　断	休假日数	于　年　月　日解除防治观察，原因：恢复健康、轉走、或其他________
			备註：
			医师签章

表3　　　　　　　　　　　　　　　　（背面）

日　期	疾病程度	拟定的处理	效　果

卡片按車間和疾病种类分别放在特制的卡片箱內。

門診病历与防治观察卡片是否有重复現象呢？根据經驗它們是不相矛盾的，因为防治观察卡片並未代替病历，而是补充病历在防治工作中的不足。病历是記載医学檢查的詳細所見和疾病發展及治愈的过程，而防治观察卡片則是着重記載防治措施項目、观察日期和执行的效果。为了能很快区別門診病历中那些是防治观察对象，可以在他們病历的左上角塗以各种顏色做为記号。

这些防治观察卡片，在一定时期（一般为半年）要进行一次全面的整理。整理的目的，一方面是重新确定防治观察对象的定额，另一方面也可借此来評价这一时間的防治效果。評价防治效果的方法是以（1）鑑定該阶段病情（好轉、無效、恶化）和（1）鑑定該阶段劳动能力丧失日数做为評价的基本指标。

慢性病人的防治观察主要是由車間医师担当，車間保健站的人員和門診护士也应当对这一工作加以协助。

慢性病防治的种类是繁多的，均属于內科和結核科的業务范圍之內。結核的防治工作虽然可以得到地方結核防治所的协助与指导，但由于大多数企業没有專門的結核科，只好把这龐大的防治对象仍然放在內科医生的身上。因此，有重点的进行防治是解决这一問題的最有效方法。

車間医师防治观察的形式不应只限于門診，而应当扩大到車間保健站、車間、業余休养所甚或家庭。只有运用多种形式的观察才能更清楚的了解病人。

关于防治措施問題

防治措施中最基本的措施首先就是防治观察。防治观察是可以达到早期治疗，早期入院和及时發現疾病恶化的目的，但是它却不能达到延長劳动能力和使病情向良好方向發展或防止疾病恶化的目的。如果欲达到后者的目的还必須进行更多的其他措施。

系統治疗的措施是慢性病最重要的措施之一。进行这一措施应当（1）及时地应用先进的医学科学新疗法；（2）重視採用綜合疗法（葯物的、理学的和疗养的等等）和（3）系統的、有計划的治疗。如果能够在治疗时滿足上述几点要求，是会收到較好的效果的。例如沈陽水泵厂用中葯合和丸和舒筋丸同时配合針灸和硫黃浴治疗風湿性关节炎；沈陽变压器厂用中葯健脾丸、溶血疗法和食餌疗法治疗慢性胃炎，由于堅持不断的、有計划的治疗，都收到了良好的效果。

但是从沈陽地区的慢性病的防治工作来看，有許多工矿企業只注意系統的治疗，而忽視衛生預防的措施。大家都知道，有許多慢性病至今尚無有效的治疗方法，即使有一些較好的治疗方法也並不能保証長期不会复發或恶化。医生应該以巴甫洛夫学說为医疗預防工作的指导思想来闡明病源，要特別考虑到疾病發生和發展中外界条件所引起的重要作用。因此，医生幫助被防治的病人改善生活条件和劳动条件就成为防治措施的最重要內容。这些措施对防止疾病恶化，导至疾病往良好方向發展是具有特殊意义的。由此看來，單純对慢性病的系統治疗的方法只能認为是防治措施中的一种方法而已。

沈陽机床一厂在改善慢性病人的生活条件和劳动条件进行了很多有益的工作。例如他們防治的24名心臟病人，經过不断的医学观察、及时轉換病人到适宜工作崗位和改善病人作業条件的結果，使这些病人至今尚無發生一例恶化。

改善病人的生活条件和劳动条件既有極其重大的意义，也有其广泛的內容。只要車間医师能深入了解各种条件，那么就会在劳动作業，劳动时間和班次，住宅环境，飲食衛生等方面發現許多問題。

这里特別值得提出的就是对防治观察对象的衛生教育。这一措施不能單純理解成狹隘的衛生教育的傳播，如果就其广泛来說可以称作是一种特殊的“治疗”方法。例如沈陽風动工具厂对神經官能症的防治措施中最主要的方法就是衛生教育的方法。这种衛生教育方法是不同于一般的衛生宣傳教育，而是有系統的、有計划的衛生教育。他們对这种病人进行12个題目的教育：

（1）机体与环境的关系，大腦的主导作用；

（2）巴甫洛夫高級神經活动的生理規律，第一、二信号的作用；

（3）睡眠与夢的問題；

（4）神經类型个性問題；

（5）什么是神經衰弱，为什么产生神經衰弱，神經衰弱的症狀；

（6）病源分析（根据攥表）；

（7）神經衰弱治疗的基本原則（包括認識病的本質，勿对症狀祉分煩惱，导找和消除致病原因……等等）

（8）合理的用腦，合理的休息、合理的生活制度；

（9）失眠的处理；

（10）各种治疗的介紹；

（11）治疗成功的介紹；

（12）本厂治疗成功的介紹及巳患者的自我介紹。

这种講座式的提綱虽然是对神經官能症的患者設計的，但这种方法却具有普遍意义的。

講座式的衛生教育的方法不但在治疗和預防疾病中具有巨大作用，而且对于有計划的观察病人（病人常常不按医生指示来观察）也能起到良好作用。因为这种教育能使病人对自身所患的疾病性質和观察的意义有更深刻的理解。

此外，如合理的营养、身体鍛鍊以及疗养等方法对不同的某些疾病的防治也是有效果的。

关于防治工作計划問題

几年来，工矿企業的医疗衛生部門的工作有了显著的改善，創立了較完善的組織，配备了大批的医务干部和医疗設备，並且在企業中还建立了許多福利設施。这一切只要我們能加以合理的、充分的利用，並在医疗衛生工作中运用正确的組織方法，开展慢性病的防治工作完全可能的。不过这些有利条件至今並未得到充分發揮和利用。例如有些企業的業余疗养所，常常把一些不应入所的人送入了所；相反有些迫切需要入所休养的病人却得不到机会。也有些营养食堂，沒有把它成为防治胃及十二指腸潰瘍病和慢性胃炎病人的有效設施，而把它变成健康人的單純福利設施。这奕出地說明了缺乏全面的防治工作計划。

我們对慢性病的选擇以及許多措施的运用必須建立在科学的、有計划的基础上，否則难以保証患病率的不斷下降。細致分析研究患病率和客覌的具体条件（人力、物力）来規划一个全面的防治工作計划是非常必要的。

計划的內容应包括治疗方針、观察頻度、防治方法和防治的基本措施等重要項目。防治工作計划的制定应考慮下列諸原則。

（1）尽可能应用現代医学科学的新成就；

（2）尽量有效地利用自己企業中的一切可能利用的条件（疗养院、休养所、营养食堂等等）；

（3）措施的內容一定要和医疗衛生部門的人力和物力相适应；

（4）計划中的內容必須是具体的和切实可行的。

結　語

在工矿企業中开展慢性病的防治工作，特別是結核、慢性胃炎、胃及十二指腸潰瘍和風濕症的防治，对降低劳动能力丧失患病率和求診率具有重大意义。

为了能順利而有效的把慢性病防治工作开展起来，必須：

（1）在分析患病率的基础上确定防治重点，选擇防治观察对象。

（2）在防治观察时，深入地研究防治观察对象的分組，防治观察的頻度、防治观察使用的文件，評价防治工作效果的方法和防治服务形式等問題。

（3）在进行防治措施时，使用治疗与預防相結的方法，加强改善病人的生活条件和劳动条件以及衛生教育等措施。

（4）加强防治工作的計划性。

印度的医疗和保健

Кришнан, Медицинская помощь и здравоохранение в Индии.

印度的保健狀况从 1947 年开始已大大改善了。1954年已有 33 所高等医学院校，每年招收 3,000 名大学生。病床数从1947年的 80,163 張增加到 1952 年的 123,349 張。組織医疗的責任由各州担負。成立了中央保健委員会，由各州保健部部長参加，主席为中央政府保健部部長。对瘧疾和結核的防治进行了巨大的工作。曾建立了 120 个組，对 3,300 万人进行了結核菌素試驗，並对 1,100 万人进行了預防接种。結核病床从1947年的 8,000 張增加到 1954 年 16,500 張。对麻瘋、絲虫病、性病和雅司病进行了广泛的預防措施。建立了麻瘋科学研究所。乡村防治所也进行了对兒童保健工作。为了培养具有高級技术的做为高等医学院校的教师和專家，曾建立了科学研究中心——全印医学科学研究所。除此之外，在某些高等医学院校和科学研究机構內实行了研究生培养制度。

（刘学渾譯自 Мед. Рефер. Журн., 1957, 12, 9.）

巴黎公社时期的藥剂事業和藥剂工作者

М. Е. Палкин, Аптечное дело и фармацевты во время парижской коммуны.

巴黎二十个区內实行了对貧苦居民免費出售藥物。公社委員会尙沒有来得及实現建議革命的藥物供应組織的計划，但在凡尔賽人侵入的前三天，在巴黎正准备开設中央公社藥房。此一时期藥剂人員中傑出的領导人为 Эммль Эд，他是 Бланкие текой 党的工作者，另一人为 Жиль Мио 他是 1848—1871 革命的参加者。1871 年的革命，促进了藥剂人員卓越才干的湧現。医学博士 Франсуа Лун. Паразаля 为公社粮食委員会的領导者。

（成都譯自 Медицинский реферативный журнал 1957 年第 9 期，原文載 Апт. Дело, 1957. 2. 84—86.）

实行三班門診便利病人就医

王　甲　午

北京市医院为了貫徹多快好省，勤俭办医院的方針，改革医疗制度，便利病人就医，树立全心全意为人民服务的医疗态度，結合整風运动的整改工作，普遍的实行了三班門診制，簡化了看病手續；基本上消灭了看病掛号、取药、交費的排队現象，扩大了門診量，便利了病人就医。

北京市各医院的門診工作，虽然在1953年以来就进行了整頓，改进了看病的"三長一短"，並推行了分級分工医疗，調整建立了医疗預防網，使市民得到了方便的就医机会，对滿足人民医疗需要，保証生产建設起到了一定的作用。但是由于缺乏从全市人民出發和全心全意为病人服务的思想和没有很好的貫徹多快好省，勤俭办医院的方針，在門診工作中还存在着不少問題，主要是：

（1）門診人力、物力浪費，病人掛不上号，看病困难。市屬医院的統計，180个門診科約有26%的科是半日門診，有100多个医师只作半日医疗工作。有的科不顧病人需要，为了医院的工作和学習的方便，每週只看二三个半日門診。門診中病人掛不上号看不上病的情况很严重，有的医院初診病人，不能当天看病，甚致有的医院每天有一、二百个病人掛不上号，合同單位的病人要憑預約票才能掛号。

（2）門診"机关化"。医院看病时間和机关上班时間一样，星期日和星期三、六下午为政治業务学習时間都停止門診，全年門診只有250多天，門診以外的时間，急診条件限制也很严，工人、干部、学生看病，必須佔用工作、生产和学習时間，直接影响着社会主义生产建設。

（3）掛号、取药、交費时間長，普遍的存在着掛号取药交費的排队現象。有的医院掛号窗口前常常排队長达二三十人，要等二十多分鐘才能掛上号，交費时有的也排一二十人的長队，候診时間長，病人很不滿意。

（4）門診質量低，有的医务人員存在着重病房、輕門診的思想，忽視門診工作。很多院長科主任不参加門診工作或沒有固定門診时間。門診工作忙乱，不能詳細診疗。有的門診医师对病人不能一貫負責进行治疗，影响門診質量。

以上問題的存在，严重的影响着医院为社会主义建設，为劳动人民服务的質量，使医院脫离羣众，市民很不滿意。在居民整風运动中对門診看病不方便提出的意見最多。为了適应全国的新形势，改革医疗制度，实行三班門診，便利病人就医，就成为医院工作大躍进的重要內容和任务。

各医院是在"消灭看病排队"和"質量好（医疗、护理、扩大預防的質量都好）、态度好、收費少、人員少"的口号下結合整改工作实行了三班門診制，从上午八时到晚上八时連續門診，晚八时后的时間放寬或取消了急診条件。兒童、第七医院等單位还作到了24小时門診隨到隨看，星期日及星期三、六下午学習时間也照常門診。这样就延長了門診时間，便利了病人。各医院在实行三班門診制中进行了以下几項工作：

（1）要發动羣众和作好思想动員工作，对各种思想障碍要組織辯論进行批判。如有的医务人員存在着認为"三班門診沒有什么好处"，"工人、干部不会晚上来看病"和認为医院应該首先管好病房，偏重門診是輕重倒置等保守思想；有的人怕門診工作不能提高技术，怕門診工作累，怕改变上班时間后打乱生活規律，影响身体健康，怕不能看电影等思想顧虑和个人主义打算。針对这些思想問題，發动羣众进行了討論，使工作人員認識到三班門診制的好处和意义，扭轉了不从病人利益出發的思想，树立全心全意为病人服务的态度，为实行三班門診奠定了思想基础。

（2）根据病人的就診規律，进行排班和組織門診力量是一項重要的組織工作。各医院是在不增加人員，不延長工作时間和保証工作人員有适当的学習和休息时間的要求，按照病人就診时間进行排班的。实行三班門診前对病人的就診时間进行了調查，如耳鼻咽喉医院的調查是願意在上午8到12时看病的人数是50%（主要是妇女和小孩），下午5到8时的人数是36%，下午1到5时的人数是12%，12时到1时及晚上八时后的人数2%。根据調查按照不同时間、病人的多少，安排了門診力量；並在門診中还隨时調查病人就診时間的变化，及时調整人員。工作人員每日的工作时間仍为八小时，每人的上班时間，一般的是上午和下午班，或下午和晚上班，部分人員採取上午和晚上班下午休息的办法。在排班中适当的安排了每个同志的政治、業务学習时間。为了使医师系統的治疗病人，固定了医师的門診工作时間和診台。

（3）实行三班門診，制定和認真的执行每个医师的門診定額，加强工作的計划性，使病人保持均衡，避免病人向后拖延和积压而發生候診时間延長和忙乱現象。

（4）医院的管理制度和住院处、化驗室、药房等部門的工作必須根据三班門診制的需要改进工作制度和时間，以便更好的配合門診工作和保証医务人員的工作和生活上必要的照顧。

（5）为了消灭看病排队，在实行三班門診的同时，簡化了看病手續，各医院根据具体情况实行了掛号时不收掛号費，診后統一交費的办法，掛号速度快了三倍多；实行了由各科預約复診病人，电話掛号、集体掛号，增加掛号窗口，延長掛号时間，流动發牌掛号等办法。兒童医院实行了复診病人直接到候診室試表，护士代取病历的掛号办法；实行了內部記賬，一次交費多次复診等办法。有的医院把过去門診的六种不同收費价額簡化为兩种，告訴病人交費的錢数作好准备，減少交費时間。有的医院实行了流动發药台，根据协定处方和协議定量进行預制預裝，作好發药前准备工作。还提出了不超过三、五个人排队的要求，在掛号、交費、取药的病人多时，其他人員隨时支援窗口掛号、收費和門診的調剂發药工作；門診病人多时病房医师支援門診工作，消灭了看病排队縮短了看病时間。化驗、X線檢查密切配合門診，当日报告檢查結果。

（6）向病人进行業余时間看病的宣傳，組織工人干部在業余时間来就診。各医院召开了厂矿單位座談会和进行了候診宣傳，各科大夫在看病时，隨时动員病人在業余时間看病，晚班时間看病的人数逐漸增多。

为了提高門診質量，技术院長、科主任、主治医師固定了門診时間，加强了門診的領导。为了保証对急重病人的及时救治和急診的質量，实行三班門診后，急重病人仍然在急診室診疗。

在医院实行三班門診的同时，各基層医疗机構，根据街道，机关，工厂的具体情况，实行了業余时間門診和巡迴医疗等便利病人就医的制度。

实行三班門診以来，体会到这是医院貫徹多、快、好、省、勤儉办医院的方針、更好的为生产建設、为劳动人民服务的重要措施和优越的制度，取得了以下的收效：

（1）充分的發揮了医疗潛力，扩大門診，使医疗上供不应求的情况，有了很大的改善，基本上消灭了掛不上号的現象。实行三班門診后，各医院可以增加門診定額20%以上，有的医院可以增加50%。只市屬医院就可以增加門診四千多人次，等于新建十一个四百人的門診部和增加了一百多个医師。全市医疗机構估計扩大的門診人次要增加一万多次，目前各院基本上作到了当天掛号，当天看病和隨到隨診，不少医院还清理了积压的病人，消灭了掛不上号，看不上病的現象。使病人得到及早就医的机会，受到了市民的欢迎。

（2）便利了病人就医，节約了看病时間。实行了三班門診和星期日門診以后，每天門診由八小时延長为十二小时，全年門診由250多天增加为350多天，大大的便利了病人就医。業余时間看病的人数約佔門診病人的20%以上，全市在業余时間看病的人数，每人每次門診按兩小时計算，則每天等于节省了五千个劳动力，如果把这些时間用于生产上，那对于社会主义建設的作用是非常惊人的。

消灭了看病的排队現象，縮短了門診时間。掛号窗口一般情况都不超过三、五个病人，大部分病人能在五分鐘內拿完药，医院中有百分之四十到八十的記賬病人作到了先取药后划价記賬，縮短了看病时間，減少了看病排队的痛苦。

（3）提高了門診質量，实行三班門診后进一步明确了全心全意为病人服务的思想，扭轉了輕視門診的偏向，各医院的專家、院長和科主任都固定參加門診，使門診中的疑难問題得到及时解决。医师可以从容的診疗病人了，对于減少因病人过于拥挤忙乱而發生交叉感染和医疗差錯事故也有一定的作用。市民有病能够及早治疗，貫徹了早期診断，早期治疗的原则。如有一病人說：“我病了一个多月，就是因为沒有时間看，現在晚上看病太方便了，就可以早治早好”。

实行三班門診，使医院工作有了很大的改进，取得了一定的成績，医院在羣众中的威信提高了。但是不能滿足于此，还有不少的缺点和問題，如有的医院領导干部和医务人員对于門診工作还不够重視，存在着保守思想，沒有充分的發动羣众和依靠羣众来改革医疗制度和簡化看病手續。少数医院星期日还沒有門診，有的医院沒有很好的掌握病人的就診規律，作好宣傳教育工作和合理的調整門診力量，因而有的科存在着忙乱情况。今后还必須貫徹多快好省勤儉办医院的方針，树立全心全意为病人服务的医疗态度，从便利病人出發，依靠羣众，在現有的基础上进一步推行三班門診制，改革門診制度，便利病人就医，提高医疗質量，爭取医疗工作　　。

吉林省四平市医疗預防机構改革門診制度的初步报告

四平市人民委員会衛生科

四平市各級医疗預防机構，和全国各地一样，自1953年起，針对羣众对医疗部門所提的"三長一短"門診工作上的缺陷作了些努力，並有所改进，但是，正由于沒从問題的根本上加以切实的解决，所以，門診工作上問題仍严重的存在着。門診工作中医疗質量低、治癒率不高，复診患者比重大，医院設备利用率低，医务人員潛力未發揮。从而，事業收入少国家差額补助相对的增加，大量患者得不到及时治疗。

四平市衛生行政部門，为貫徹党的三中全会改革医疗制度，扩大門診，便利人民就医精神和全国医院工作会議所确定的"勤儉办医院，树立全心全意为人民服务的医疗态度"的医院工作方針。在整風运动基础上，于1957年11月末提出了"四平市各級医疗預防机構改革門診制度試行草案"，先后經各医疗預防單位領导和羣众討論，以及試点实行的实际考察，經市長批准在全市范圍內，对各級医疗預防机構（包括联合医疗机構）門診制度进行了一次全面的改革。

改革門診制度，总的是从"便于生产建設，便于工作、学習，便于病人就医"原則出發，結合客观上行政区划（屬于不設区的中小城市）人口稠度分佈情况（16万人口居住集中）考虑到現有医疗設施（机構、設备、人力、技术、服务对象及單位所在地的分佈）和历年來門診人次等具体因素，根据羣众需要和可能条件，因地制宜的对全市各級医疗預防机構門診制度作了如下各种的安排：

第一种，門診連續工作24小时，分早、午、晚班的三班門診制度、也就是由0—8，8—16，16—24点的三班；

第二种門診連續工作16小时，分上、下班的二班門診制度，也就是說由6—14，14—22点的兩班；

第三种門診連續工作12小时，分正付甲付乙班的正付班門診制度、也就是說由8—12，12—16，16—20点的正付班；

第四种門診工作仍为8小时的一班門診制；

第五种巡迴医疗制度。

根据我市具体条件，第一种門診制度适用于医疗單位在中心地区，力量比較充足，服务对象主要是职工，技术較高，不設中医科的医疗預防單位；第二种門診制度适用于不住于中心地区，並离第一种門診制度医疗預防單位尙远，人力一般，技术水平高，設备好，服务对象主要是职工及郊区农民，市內、外轉診前來的疑难重症患者的医疗預防單位；第三种門診制度适用于位于各街中心点和机关、企業、工厂附近，周隣並有执行第二、三种門診制度的單位，門診对象以职工为主，医疗設备、技术条件一般，衛生人員較困难的基層医疗預防單位（此种形式是我市的絕大部分單位）；第四种門診制度适用于住在偏僻，分散的居民区，附近沒有机关、工厂、企業單位，門診对象主要是居民羣众，衛生人員不足、医疗設备簡漏、技术力量薄弱，周隣宜有执行第三种門診制度的医疗預防單位（在我市个别的仅有二个联合医院門診部）；第五种門診制度适用于郊区农村的医疗預防單位，工作时間外設值班人員。

由于平日門診时間的延長患者得到了及时治疗，而在公休假日里患者就不会增多也作到随到随診。

改革門診制度是在国家不投資，不增加人員編制基础上实施的，如不按患者就診情况妥善安排人員，衛生人員工作与休息即無法解决，所以必須在公休假日抽出大部分人員休息，而当班的少數人員放在星期1—6几天內按排輪休，作到了兩全齐美。

衛生工作者的政治理論、業务技术学習是必須的，但影响患者就診則是不对的，在合理安排，妥善調配了力量，在不影响治疗的基础上，灵活运用时間进行学習。

一种新制度的建立，必須採取相应的措施，合理的安排各項制度，以适应新的要求，为此就要加强政治思想領导，提高医疗業务管理，合理調配人員，妥善处理生活福利等几方面的問題，以便保証胜利的实現这一重大改革。

改革門診制度就是为了發揮医院潛在力量，事实亦証明，通过算細帳，合理調整劳动組織，医务人員基本不須增加，只是病案（掛号）及划价，收款等人員应适量增加。每天門診300—500人次的門診部病案管理人員仅需3—4人（每班一至二人，晚班由护士等人員兼作），收款、划价人員需2—3人，患者少的班可由一人全作或与病案人員結合作。其人員來源从現有总务、財务人員中抽調配备，門診医务人員可按每班患者多少編花班来安排。于工作时間外，値班人員市医院採取由各科病房医生（士）来担任，这样病房和門診結合起来不仅节省人力而且也克服了單設値班时仍有个别科患者得不到妥善处理的缺点。

扩大門診不仅是就診患者数量上的增加，而更应注意医疗質量的提高，所以必須通过思想教育，扭轉高級医师"重病房輕門診"思想。通过制度規定高級医师（主任、主治医师）均要参加一定的門診治疗工作，担任本科的業务技术領导解决疑难重症。这样不仅会提高門診質量培养下級医师（士）而且可以改变医疗部門旧的工作作風。

改革門診目的之一是为了便于生产、便于工作、便于学習，为此將机关、企業、工厂、学校的职工、学生与市民的就診时間，加以統一安排。除了各医疗單位广泛的宣傳外，四平市人民委員会还对市內各單位下达了"为协助医疗部門作好試行改革門診制度"的通知，向各單位領导强調了改革門診对便于生产、工作、学習的意义。

新制度的試行，必会受到一系列保守思想的阻碍，所以必須加强政治思想領导工作，着重貫徹"从六亿人民出發，便于生产便利病人"的社会主义新的医疗作風。批判那些不为病人着想和不从生产建設出發的思想，通过"講道理、摆事实"精打細算的方法，發动羣众、教育羣众、依靠羣众，挖潛力、找窍門、想办法、順利实現門診改革工作。

全市性的改革門診制度，是一項新的重大改革措施，我市尙缺乏經驗，所以采取了审慎稳妥的开展。因此四平市决定分三步走：

第一步研究及羣众討論，最后确定試行方案，並进行思想教育与組織工作准备的准备时期。

第二步是試点时期。摸索規律、总結經驗，給全市展开打下基础。

第三步全面展开推广。

一种新的制度誕生，自然会与原有的一些制度發生矛盾而出現一些新的問題，但应指出这决不是新制度本身的缺点而是由于我們缺乏經驗，缺乏計划，安排不够完善而形成的，所以对改革門診工作是不容存有絲毫怀疑。

首先是旧的保守思想問題。領导同志主要是中小城市不適合，白天能看完，改革与整風时間的矛盾等强調困难，伸手要人，沒人改不成的思想。或者認为是"患者不多呀、八小时能看完不必要改"，以及改革門診是"大城市大医院的事、咱們中小城市小衛生單位不適合"的一种缺乏对改革門診目的明确認識，而从个人利益出發，怕麻煩的思想。医务人員亦存在怕門診忙影响学習，怕太累、怕麻煩、怕起早貪黑，这些不正确的思想，通过"講事实、摆道理"的办法、發动羣众經整改鳴放，从正面貫徹改革門診意义和批判了片面認識，因而把問題逐步解决了。

其次是医疗力量如何合理安排的問題。在試点較成熟的基础上，尽早的全面展开；否則先开始的門診量增多压力很大，工作忙乱。这不仅不能有步驟的提高医疗質量，医疗力量也不能全部發揮，而且患者集中、候診时間長，不能徹底解决問題，失去改革的意义。根据每班患者就診人次多少的規律来安排工作人員是必須的。平均分配人員，結果有的班患者多，医务人員忙，有的班則出現医务人員沒事沒患者，浪費了人力。几个科集中到接近的几个或一个大的診察室，減少門診护士，上年紀的老中医生就不値早晚班增加到白天班等办法，在安排力量上亦是应当注意的事。

在門診工作制度上亦出現一些新問題，如改革便很难堅持門診一貫負責制，患者有意見，医生也較困难。可採取尽量固定門診人員減少变动，或公佈門診工作人員时間表，患者根据医生当班时間前来就診，以及加强复診預約。为避免医师（士）長期固定門診患者可能發生的偏差，可加强各級医师（士）技术領导和疑难症逐級請示及会診制度。如一般患者由住院医师初診，确診后由医士負責，重症疑难患者主治医师初診，确診交住院医师負責，主任医师全面負責，重点門診于各科的会診工作。至于急診与門診的安排問題，在門診时間內將急診与門診合併还是益多弊少，急診患者由各科指定診察室随时檢查处置，可得到及时治疗，而且对复診預約無大影响，还解决了过去急診室人力不能充分發揮作用而診察室忙不过来的現象。此外，門診时間的扩大門診人次的增加，病床需要量也要相对的增加，但由于医疗質量的提高对門診患者及时得到治癒，对住院患者又可縮短住院时間，病床週轉率就会提高。同时稍加些簡易病床，就解决了床位問題。

改革門診制度已收到了良好的效果：便于就医、便于生产、發揮潛力、勤儉办医院，医疗質量大有提高，服务态度大有好轉。

扩大了門診，合理安排就診时間随到随診，便利病人就医，支援了生产建設。自实行后門診时間分别由八小时延長到12，16，24小时的結果，門診人次有了显著增加。一般的均比过去增長25--50%左右。医院增加了收入，改革前后对比收入約增長20—30%。

（李文玉 齊圣煌整理）

資本主义世界的保健狀況

傅 振 輝*

保健的形式、內容和范圍决定于社会生产方式。在阶級社会里，保健帶有阶級色彩，服从于統治阶級的利益；它不仅不保护被压迫被剝削阶級的健康，反而成为剝削的一种手段。

馬克思和恩格斯早就指出資本主义是人类健康的死敌。馬克思所發現的資本积累的法則是劳动人民絕对和相对貧困化的法則。这一法則表現为一端是財富的集中和剝削阶級安逸享乐；另一端却是对無产阶級剝削加緊，失業增多，工人阶級日益貧困以及劳动生活条件的急遽惡化。

在帝国主义阶段，資本家利用各种"科学"的劳动組織和生产过程的極端强化，"無情的消耗工人的全部精力，双倍迅速的吸尽他們的神經肌肉的每一滴能量。"（列宁全集第18卷）帝国主义时期虽然社会的物質財富有所增加，生产技术有了改进，然而这並沒有給劳动人民帶来什么好处，反而扩大並加深了剝削，並且变得更巧妙更隐蔽。資产阶級只有在流行病威脅着他本身的健康和在工人运动的压力下，才不得不进行某些改善劳动者健康狀況的措施。

美国是資本主义国家的首腦，它的医疗衛生事業和商業建立在同样的原則上，即主要是为了賺錢。由于医疗費用太貴，大多數人民难以享受。艾森豪威尔在1954年給国会的咨文中也承認沉重的長期患病使許多家庭破产，几乎半數以上的家庭不能負担医疗費用。每年由居民支出医疗費102亿美元，而地方和联邦机关只花費18亿美元。因医疗而負的債务很大，15%的家庭欠債总計超过10亿美元，平均每家負債121美元。

美国預算的絕大部分是軍事費用，而用于公共衛生方面的不足1%。当討論两亿美元的医疗救助撥款时，国会以引起課稅增加为藉口加以否决，而正是这个国会却慷慨的撥款數百亿美元来进行軍备竞賽。美国沒有国家的社会保險，从1943—1953年間所提出的实行国家疾病保險的法案都为国会所否决或者甚至未曾討論。美国的保健政策不是保护居民健康，而是保証投資于医疗、制药、保險等企業中的資本获得最大限度的利潤。因此这里不容許有国家保險和社会保健措施，因为这些可能減少医疗商人的收入。美国有自願的保險組織，1953年参加住院治疗保險的有9200万人，外科救助的7,300万人，其他救助3,600万人。医疗救助保險在收入为5,000美元以上的人中最普遍（80%保了險），收入为3,000美元以下的要少得多（41%保了險）。城市有70%的家庭，农村只有45%的家庭保了險。1953年保險公司仅負担了美国居民支付医疗費102亿美元的15%，保險公司获得了大量利潤。由于这种政策，尽管美国有著講究的华丽的第一流的医院，有著名的專家和高度發达的制药工業，而美国人民广大阶層却缺乏必要的医疗救助。按官方材料来看，美国有80%的重病人的家庭無力支付医疗費用。在病院中治疗要花1,000到3,000美元，而美国半數的家庭全年收入也不过3,000美元。

1953年美国的病床數达1,580,654張，平均每千人10.4張，而其中精神病床倒佔有691,855張，將近为病床总數的一半。每万人平均有13.7名医师。从这些平均數看起来是医疗条件很好，应当能充分保証美国人民的健康。但是这些平均數掩蓋了問題的本質，美国劳动人民，特别是有色人种的健康狀况是極端惡劣的。

首先表現在人口構成上呈現出最有生产能力年龄人口減少，1850年1—5岁年龄組佔总人口的15.9%，5—19岁佔37.4%，45—64岁佔9.8%，65岁以上佔2.6%。1940年以后則發生显著变化，1—5岁为8%，5—19岁为26.5%；45—64岁为19.7%，65岁以上为6.8%。按照美国人口学者的計算，至2000年情况將是这样：1—5岁6%，5—19岁18.4%，45—64岁为27%，65岁以上为14%。这种情况引起了五角大楼在征集炮灰时感到不安。美国杂志"每日新聞与世界报导"1953年6月报导近十年来青年人減少"大約同軍队損失100万人相等"。同时应当补充說明，在青年人口減少中特別严重的減少最有生产能力的男性人口。如1950年20—34岁年龄組中男人比女人少1,148,265人。这些現象不是偶然的，而是由于剝削的加剧，必然使这部分人迅速死亡。

由于医学科学的进步，美国的一些傳染病減少了，但是像結核、梅毒等社会病並未減少，如1949年發生梅毒256,463人，1950年为214,000人，結核在1938年的新病例为94,052人，1953年却有109,837人。神經精神病患病率不断增加，根据杜魯門的官方材料有一千万人患有这种疾病，其中有750,000人要住院治疗，佔全部住院病人的55%。劳动强化的結果使生产

* 沈陽医学院衛生学与保健組織教研組

中的不幸事故和疾病增加。在底特律城举行的美国工業衛生情况的全国会議报告中說:"工業中大部分人都死于因加快傳送帶的轉动而引起的心臟病。"美国"經济展望"杂志指出:在美国"平均每 16 秒鐘有一名工人成为生产中不幸事故的牺牲者,每 4 分鐘有一名工人遭到死亡或严重殘廢,每年有二百万以上的工人成为各种不幸事故的牺牲者,或是在生产过程中招致了各种职業病。"像美国这样工業發达的国家,工業企業中的医疗衛生組織是極不發达的,根据对 3,598 个公司的調查(佔全国工人的22%),仅有 4.8% 的企業有常駐医师、17.1%有兼任医师,而其余的或者是完全不請医师,或者仅在極端需要的情况下才聘請医师。工業企業中工作的医师也完全不作預防职業病和外伤的工作。按劳动統計局的材料,1953 年企業工人中發生外伤 2,034,000 次,其中死亡15,000人,引起殘廢84,000人。

由于种族歧視,美国的有色人种与白人的健康狀况有着很大的差別:1950—1951 年白人死亡率为每千人 9.5,有色人为 11.2,嬰兒死亡率白人每千活产为 25.8,有色人为44.6;1951—1954年新生兒破伤風死亡率(每十万活产)白人为 1.0,有色人为 10.2,結核死亡率(1946年)黑人为每十万人 92.3,白人为 29.8。平均寿命(1953 年)黑人比白人少 12 岁。被美国政府当作陈列品保存在指定的保留地內的印第安人的情况更为严重。从 J. N. Hadley 对 Navajo 印第安人(美国西南各州中居住的一支印第安人)的調查材料(見表1,2,3)可以看出印第安人 30 岁以下的死亡率比全美国平均要高四、五倍,因結核等死亡的比率为全美国的八倍。几种主要疾病的發病率比美国平均要高很多。正因为如此,美国的印第安人正面临着毀灭的危險,从这里可以充分看出"自由世界"的所謂文明。

表 1　1949—1951 年年龄別死亡率

年龄組	Navajo 印第安人	全美国	比率
0—4	36.8	7.5	4.91
5—9	2.1	0.6	3.50
10—14	2.1	0.6	3.50
15—19	3.9	1.1	3.55
20—24	6.7	1.5	4.47
25—34	7.8	1.8	4.33
35—44	6.3	3.6	1.75
45—54	8.9	8.5	1.05
55—64	13.4	19.1	0.70
65—74	27.6	40.7	0.68
75以上	57.1	109.6	0.52
全部年龄	12.6	9.6	1.31

表 2　三个主要死因每千人的死亡率 1950 年

死因	Navajo 印第安人	全美国	比率
各型結核	1.9	0.2	8.29
胃炎、腸炎等	1.3	0.1	25.65
不明确和未知的原因	1.2	0.1	7.87

表 3　几种主要疾病的發病率（每十万人）1953 年

病名	Navajo 印第安人	全美国	比率
各型結核	1042.5	66.2	15.75
沙眼	581.7	0.5	1163.40
肺炎	1137.7	11.2	101.58
痢疾	148.0	13.3	11.13
伤寒	6.4	1.5	4.27
旋毛虫病	3.9	0.2	19.50
落磯山斑疹热	2.6	0.2	13.00

老牌的資本主义国家——英国的情况与美国有些不同,这与它的历史条件有关。在 19 世紀上半叶末英国就建立了国家保健机关和衛生立法,当时資本主义的發展使工人阶級的体力和衛生狀况極濾惡化,正像恩格斯在"英国工人阶級狀况"一書中所描述的那样。英国資产阶級一方面在工人运动的压力下,另方面为了使工人阶級支持加强剝削殖民地的人民,在保护工人健康方面作了某些讓步。这种讓步政策的結果是:1897 年关于工人不幸事故和职業病时补偿費的法律,1911 年关于社会保险的法律,1936 年关于工作室衛生福利設施的工厂法等。第二次世界大战的后果和工人阶級的要求,迫使英国資产阶級于 1946 年頒佈关于組織"国家保健服务"的法令和扩大根据社会保險法的医疗服务。其目的在于減輕工人对于反动的对內对外政策的注意。1946年的法律同过去的法律的区別在于資产阶級国家第一次不仅把实行衛生措施,而且也把医疗事务負担起来了。但是保健的实質並沒有改变,沒有改变保健的物質基础,这使新的法律成为冠冕堂皇的公文。这一法律有以下几个要点:

(1) 私人开業医可以給国家服务,从国家那里获得享用免費医疗的病人的診察費,但是这个医生有权私人开業,允許他接診国家医疗設施中自費的病人,結果病人只有成为自費病人而落入医生手中。

(2) 公民有权获得免費治疗,但沒有物質保証,医院和門診部的数量不够,因此造成大量的人排队等候床位。

(3)所有的私人和慈善机关的医院(它們佔英国

床位的1/3以上）收归国有。这些医院的財政情况已經崩潰，新的法律从倒閉中挽救了它們，医院仍由“国有化”以前的同一个人管理，国有化使慈善团体把費用全由国家負担。但每个医院仍有15%的床位是收費的。

这种国家保健服务，按英国衛生医師工党分子S. Leff的說法，是由“馬克思和恩格斯的著作所煽动的”，他認为施行某种医疗救助“不是为了改善給病人服务的目的和预防疾病”，而是“常常服务于解决某些政治或行政問題，而且常常大半是財政上的理由”。換言之，这是統治阶級被工人阶級逼迫的讓步。

保守党获得政权后，加紧向劳动人民生活水平方面的某些胜利果实进攻，企圖取消国家保健服务，想把这些資金用于軍备竞賽。但是国家保健服务已經有很大的声望，“以致最微的企圖停止或削減它，都会引起政治上的剧变。”但是保守党分子仍然以更謹慎和隱蔽的形式向工人阶級这一斗爭的成果进攻。国家保健服务的撥款1949—1950年度为总預算的3.80%，1953—1954年下降为3.42%。国家的投資从来未达到1%，而1953—1954年度下降到0.53%。在实行国家保健服务的七年（1948—1955）中未开設一个新医院，甚至在14个新城市也未建一个医院。

英国的御用学者力圖以虛假的平均数来証明衛生狀况良好。根据英国保健部的报告1948年百日咳显著增加（增加50%），猩紅热，麻疹，脊髓前角灰白質炎也大大增加，天花也在增加，在苏格蘭甚至發生过天花的流行。結核的患病率也未降低，1946年每十万人为98.3，1948年为102.8，苏格蘭登記的結核病人十年来（1939—1949）增加了80%。花柳病在广泛蔓延，根据不完全的登記材料，英格蘭和威尔士的病例数在增加（見表4）。这是因为使劳动人民罹患这些疾病的社会条件没有消除。

表4　性病的發病数

年份	梅毒	淋病
1940	11,319	26,939
1942	15,071	26,369
1944	15,918	27,275
1946	22,878	47,343

各不同阶級的健康狀况有着很大的差異，如倫敦的結核病死亡率：大資产阶級14.6（每十万人），中資产阶級24.2，熟練工人40.4，失業工人62.4。新生兒死亡率：大資产阶級为每千活产8名，中資产阶級11，熟練工人19，作杂活的工人30。由此可見英国所实行的国家保健服务並未使英国劳动者的健康狀况有所改善。这种政策只是英国統治阶級在一定的历史条件下，由于工人阶級的压力而作的讓步，当“这种讓步对于为了保护自己統治阶級利益所必要”时（馬克思）。

上面以英美为例說明工業發达的資本主义国家的保健狀况，像法国、意大利、比利时、日本等国的情况也大致类似，不一一叙述。这些国家近百年来不仅剝削本国的工人阶級，也剝削成千上万的殖民地的奴隸。使他們的健康狀况呈現出極其悲慘的景像。

殖民地和附屬国的人口佔資本主义世界人口的三分之二，其中70—80%从事农業。这些地区的劳动人民被剝夺了基本权利，他們遭受双重压迫和剝削，所以他們的生活是非常艰苦的，許多人不能获得生理上最低要求的食物。每天食物的热量平均只有2,000卡，例如巴西盛产甘蔗的地区还在战前就只有1,700卡，1947年玻利維亞为1,200卡，厄瓜多尔为1,609卡，薩尔瓦多为1,500卡。在非洲檢查学校兒童有84%每天只吃一頓飯，只有0.6%的兒童每天吃三頓飯。

这个地区按人口平均国民收入同發达的工業国比較要低得多。例如地中海东部各国年平均收入为60美元，东南亚为52美元，主要非洲殖民地58美元，美洲大陆諸国99美元，而美国为1,798美元，英国为630美元，法国为614美元。在这些平均数字里尙隱藏着穷人富人之間分配不均的眞像，这些国家劳动人民的收入要比这些平均数字低。

由于生活条件的惡化，必然伴随着健康狀况的惡化。比方死亡率很高，一般都在10‰以上（見表5），而許多較發达的国家都低于10。这里列举的資料受人口構成的影响，不能完全揭露落后国家的駭人听聞的眞像，但已可看出这些国家同美国比起来是要高得多的。如果按主要死因分析时就会更加明显。例如結核死亡

表5　几个国家的死亡率

国名	1951	1952	1953	1954	1955
埃及	22.1	20.5	22.3	—	—
南非联邦（有色人）	19.4	19.9	18.9	18.4	17.5
巴西	12.7	11.8	11.7	12.0	—
智利	15.2	13.2	12.6	13.1	12.8
墨西哥	17.3	15.0	15.6	13.0	—
危地馬拉	19.6	24.2	23.2	18.4	—
美国	9.7	9.6	9.6	9.2	9.3

表6　每十万居民的結核病死亡率

資本主义工業国	1950	1951	1952	經济落后的农業国	1950	1951	1952
英国	36.6	31.3	24.1	阿尔及利亞	103.4	105.5	57.9
荷蘭	19.0	16.2	12.3	巴西	195.3	184.7	—
法国	56.8	59.9	43.0	智利	160.1	151.5	—
美国	22.6	19.6	16.1	菲律賓	198.8	201.4	178.7

率在落后国家要比資本主义工業国高好多倍,(見表6)非洲有40万人患結核病, 佔人口的5%. 胃腸疾病的死亡率更严重(見表7), 这是由于腸伤寒、痢疾、蠕虫症的蔓延、半飢半飽和几乎全是植物性食品的飲食的后果。瘧疾和麻風也是这些地区最广泛流行的疾病。如苏丹、伊拉克26—50%的居民患瘧疾, 怯尼亞540万居民中有五万多麻風病人。落后国家的資料由于医疗網不普遍, 当然还未反映出疾病的实际情况。

表7 每十万居民的胃腸病死亡率

資本主义工業国	1950	1951	1952	落后的农業国	1950	1951	1952
英国	4.2	3.5	3.0	埃及	845.1	849.4	—
荷蘭	3.6	3.0	2.6	葡萄牙	124.5	106.1	122.7
法国	4.1	3.0	—	墨西哥	278.9	344.3	250.7
美国	4.8	5.2	5.6	錫尔島	162.0	225.3	207.9

嬰兒死亡率是容易由于保健工作的努力而显著下降的, 但落后地区的嬰兒死亡率仍然很高, 如南非联邦非洲人的嬰兒死亡率为每千活产242名, 伊朗为278(1955), 智利为124(1953), 埃及为162(1952), 巴西113(1954), 比英国(25), 美国(27)要高出許多倍。

这些国家人民的平均寿命也很短。例如南非联邦非洲人的平均寿命只有36岁(1955), 60%的人活不到18岁, 智利为50岁(1952), 印度为32岁(1941—1950), 哥斯达黎加为55.7岁(1949—1951), 比屬剛果的非洲人为37.6岁(1950—1952), 巴西为49.8岁(1949—1951), 而美国白人为66.6(1952), 英国为67岁, 可見不發达国家的人民的平均寿命比發达国家要短10—30岁。

殖民地和附屬国的医疗衛生組織也是非常薄弱的, 远不能滿足人民的需要。根据联合国的材料可以看出医师(見表8)和病床(見表9)都是非常少的, 根本不可能保障劳动人民的健康。

表8 每名医生所服务的人口数

落后的农業国和附屬国	每名医生平均服务的人口数	資本主义工業国	每名医生服务的人口数
苏丹	75,000	比利时	1,066
衰橡欧皮亞	170,000	法国	1,300
摩洛哥	14,000	荷蘭	1,300
莫三鼻給	37,000	挪威	1,000
老撾	36,500	美国	770
薩尔瓦多	7,000	瑞士	750
危地馬拉	6,500	加拿大	900
秘魯	5,500		
伊拉克	7,000		

殖民地和落后的农業国的人民同疾病飢餓的斗爭与为爭取独立自由, 爭取和平的斗爭交織在一起。因此美英帝国主义者假借保健援助为名, 扩大其"和平"扩張, 利用人道的假面具掩飾他們的政治經济目的。J.A. Logan在"通过保健的外国援助計划来反对共产主义"一文中(載于Amer. Jour. Publ. Health. 45:1017, 1955)写道: "整个世界都卷入自由和共产主义間的冷战中, 它的最特征性的因素之一, 是为爭取在發展落后国家中的領导作用。"所以Logan提出不要吝惜資金流入落后国家中去。美国艾森豪威尔政府提出增加撥款給世界衛生組織, 解釋其理由說: "总統指出, 对于人类的一半, 疾病和残廢是平常的現象, 而这个对傳播共产主义是有益的土壤。"

表9 每千居民的病床数

落后的农業国和附屬国	每千居民的病床数	資本主义工業国	每千居民的病床数
巴基斯坦	0.32	英国	9.9
土耳其	0.8	法国	14.5
印度尼西亞	0.1	瑞士	15.2
怯尼亞	0.3	瑞典	11.2
埃及	1.1	加拿大	9.6
哥斯达黎加	0.5	美国	9.4
哥倫比亞	1.1	澳大利亞	8.6
		丹麦	10.3

从这里可以看到人类事業中最人道的活动——医学成为資产阶級政治投机和向外侵略的工具。也可看到劳动人民为爭取改善生活条件、健康狀况的斗爭同政治斗爭緊密的联系在一起。在資本主义制度下只可能有某些改良主义措施, 要想徹底改变劳动者的健康狀况, 首先要求得政治上經济上的徹底解放, 粉碎資本主义的社会制度后才有可能。

参考文献

1. Смулевич, Б. Я, Буржуазная политика здравоохранения и её противоречия. Советское здравоохранение (2): 12, 1958.
2. Большая Советская Энциклопедия, Том. 7, стр. 325, Том. 39, стр. 620.
3. Гражуль, В. С, Кризис народонаселения в США. Советская медицина (5): 50, 1955.
4. Гражуль, В. С, Здровье сельского населения в капиталистическом мире, Советская медицина (8): 112, 1958.
5. Гражуль, В. С., В странах Латинской Америки, Медицинский работник № 42, 24/V, 1957.
6. Баткис, Г А., Проблемы здравоохранения в слаборазвитых странах, Медицинский работник 6/IX, 1957.
7. Hadley, J. N., Health conditions among Navajo Indians, Public Health Reports 70: 831, 1955.
8. Molina, G., and Puffer, R. R., Report of health Conditions in the Americas, Public Health Reports 70: 943, 1955.
9. 厚生省統計調查部, 諸統計, 公众衛生 21(5)·63, 1957.

从証类本草看宋代葯物产地的分佈

王　筠　默*

道地葯材，自古为人所重視。如神农本經，陶氏本草經集注等亦皆强調葯材产地的重要性。后世医家亦均習用道地葯材以期获得医疗上更好的效果。处方时，輒在葯名上冠以产地的代表字以示需要的是那一路貨色。如川芎、杭芎、象貝、广郁金、江枳壳……等。这样將葯名和地名連成一体地習用，显示着重視道地葯材的精神。

几年来，大家都在努力从事中医葯学术研究，学者也从不同角度来研究古代本草。个人在研究本草上某些葯物时，往往因为古今产地地名不同而採取道地葯材作为实驗材料时，感到不方便。在参考古代典籍时，也因古今地名有異而不能驟断为今之某地。因此，决心把有关古代葯物产地弄清。

早在唐初孙思邈曾説过：“按本草所出郡县，皆為古名，今之学者卒尋而难曉，……”今又逾千年，葯产地名較昔日更易尤多，則今之“难曉”，更可想而知。例如在研究本草綱目时，因为李时珍編写本草主要是根据証类本草，所以多从証类轉引。在集解一項引据了宋圖經有关葯物的产地，而現在無論参考証类本草圖經文字或本草綱目集解項的引文，都势必遇到宋代的一些地名，而一时不易搞清究竟是現在甚么地方。

其次，关于現在中葯产地的調查以及各地区葯产情况（包括品名、質量及数量等）的資料，有关部門虽做了些工作，但往往没有很好地和古本草产地相結合。如果以古今产地产葯品种及貨色結合研究，必会扩大一些貨源，找出更多的产地，从历史的線索上探測，找出更多的根据，从而对葯产資源得到比較全面的結論，而因以克服目前的某些葯材供应的緊張狀态。明确“道地”，便可定出傳統上的优良貨色。如果古代的名产或多产，而变成缺产或减产者，亟应很好地找寻原因，积極扶植名产，划出明定的葯区，加以大力保护，恢复名产，並增加其产量。

基于上述兩方面需要，我先从紹兴校定經史証类备急本草画[1]着手，將地名葯名記录下来，再校以重修政和經史証类备用本草[2]及圖經集注衍义本草[3]，將地名及其葯产列出，次將产地今昔地名考出，然后再观察其产地分佈及唐宋葯产地区流变之情况。

又关于古本草产地的考証，本草經上的地名，（根据孙星衍，孙馮翼森立之等所輯本草經，本草經原無郡县地名。从証类本草大字所看到的地名，乃名医別录的地名。本經只有生山谷平澤等出处而無那些后汉郡县的地名），李鼎氏作过分析[4]，千金翼上道地葯材，王曉濤氏作过研究[5]，所以对于汉、唐兩个时期的葯产情况，已經有过介紹。宋代葯产增多，葯区扩大，宋圖經本草又較汉唐二代記录尤为丰富，且今之証类本草及本草綱目引据宋代資料亦較多較詳，故提出这个問題，对于研究中葯資源来説是有必要的。

一、宋本草中道地葯产的情况

辰州：丹砂。

宜州：丹砂、無名異、鬱黄、山豆根、桂、金櫻子、杉菌、木鼈子、豆蔻。

兗州：云母、黄精、人参、天門冬、赤箭、卷柏、千岁蘽、石龙芮、連翹、茯神、山茱萸。

江州：云母、玄参、菝葜、虎掌、南燭。

道州：石鍾乳、滑石、石南。

晉州：矾石、續断、紫参、款冬花、烏头、威灵仙、胡麻。

峽州：朴硝、貝母、百部、側子、金星草、干漆、蜂子。

濠州：滑石、銀星石、紫参、零陵香。

信州：石胆、空青、綠青、砒霜、大青、馬兜鈴、衛矛、生金、自然銅、細辛、大戟、桑黄、烏葯。

澤州：白石英、芍葯、白芷、連翹。

潞州：赤石脂、白石脂、長石、礬石、不灰木、人参、黄芩、款冬花、牛膝、五灵脂。

河中府：石中黄子、石防風、王不留行、大戟、遠志、秦皮。

广州：無名異、石硫黄、蜜陀僧、珊瑚、木香、肉豆蔻、蓽澄茄、胡黄連、蒔蘿、白豆蔻、續隨子、胡蘆巴、丁香、沉香、檳榔、阿魏、騏驎竭、龙腦、蘆薈、没葯、訶藜勒。

階州：雄黄、雌黄、礬石。

汾州：石膏、凝水石、甘草、虎杖。

益州：金屑、伏牛花。

饒州：銀屑、生銀。

磁州：磁石。

德順軍：凝水石。

齐州：陽起石、薑石、朮、澤瀉、远志、防風、秦艽、半夏、薤白。

青州：陽起石。

南恩州：石蟹、甘蕉根。

解州：太陰玄精、鹽精、黄精、远志、防風、通草、知母、紫菀、桔梗、藜蘆。

信陽軍：桃花石、草龙胆、木天蓼。

永州：石鷰。

* 上海中医学院

火山軍：自然銅。

幷州：金星石、銀星石、藁本、大戟、商陸、威灵仙、甕樸。

深州：井泉石。

陝州：花蕊石。

越州：蛇黄、朮、續斷、五味子、貝母、白前、牽牛子、吳茱萸、虎杖、秦椒。

滁州：黄精、人参、牛膝、甕樸、升麻、車前子、青木香、蘹猪、巴戟天、決明子、蒼耳、当归、百合、知母、白鮮、紫参、白斂、牡丹、鎖陽、射干、白薇、青葙子、大戟、天南星、馬兜鈴、刘寄奴、鶴虱、蚤休、夏枯草、地錦草、楮实、虎杖。

丹州：黄精、柴胡、茅香、寧麈。

商州：黄精、朮、远志、白头翁、厚朴、黄蘗。

荊門軍：黄精、朮、萆薢。

永康軍：黄精、薯蕷、芎藭、淫羊藿。

洪州：黄精、白药。

相州：黄精。

戎州：菖蒲、地不容、仙茅、骨碎补、巴豆、菴摩勒。

衢州：菖蒲、玄参、知母。

衡州：菖蒲、菊花、栝楼、地榆、百部、馬鞭草、五加皮、烏药。

邓州：菊花。

威胜軍：人参、远志、知母、藁本。

夔州：天門冬、前胡、梔子。

汉州：天門冬、升麻。

温州：天門冬、石斛、生薑、狗脊、蓬莪茂。

西京：天門冬、苦参、何首烏、茯苓。

梓州：天門冬、附子、草烏头、楝实、楝花。

府州：甘草。

冀州：地黄、蠡实、小薊根、虎掌、澤漆、萹蓄。

沂州：地黄、草龙胆、漏蘆、淫羊藿。

石州：朮、秦艽、威灵仙、狼毒。

舒州：朮、萎蕤、白前、鬼臼、骨碎补、金櫻子。

歙州：朮。

單州：菟絲子、牛膝、漏蘆、紫草。

归州：牛膝、沙参、厚朴、巴戟天、秦椒。

怀州：牛膝。

襄州：防葵、柴胡、草龙胆。

淄州：柴胡、沙参、徐長卿、狗脊、前胡、京三稜、茅香、貫众、闾茹。

江宁府：柴胡、茵陈、王不留行、前胡、敗醬、白鮮、菝葜、地榆、烏头、甘遂、牙子、天南星、仙茅、紫葛、谷精草、桑上寄生。

銀州：柴胡。

随州：麦門冬、丹参、沙参、京三稜、旋复花。

睦州：麦門冬、草龙胆。

文州：独活、羌活、当归、甘松香、麝香。

鳳翔府：独活、芎藭、商陸。

茂州：独活、升麻、麻黄、枸杞。

宁化軍：羌活、秦艽、藁本、威灵仙。

秦州：升麻、菴蕳子、蒺藜子、漏蘆、五味子、苦参、秦艽、款冬花、黄耆、骨碎补、木賊、谷精草、橡皮、紅药。

海州：青木香、卷柏、漏蘆、葛根、通草、石韋、菝葜、蜀漆、山踯躅、豨莶、骨碎补、山茱萸、欒荊。

明州：蘹香、天名精、艾叶、蜀漆、蓖麻、楮实、黄药。

眉州：薯蕷、決明子、狗脊、紫参、使君子、蔓荊、枇杷叶。

泗州：远志、徐長卿、紫菀。

邢州：澤瀉、玄参、京三稜。

华州：細辛、赤地利。

岢嵐軍：細辛、茅香。

春州：石斛、木鳖。

宁州：菴蕳子。

蔡州：蓍实、木宜、水蛭。

福州：馬藍、莽草。

江陵府：吳藍、梔子、秦龟、鱉。

蜀州：藍叶、地膚子、惡实、蕘花、大黄、陆英、牡荊、木鳖、食茱萸、莽草、鼠李、蜜、桑螵蛸、露蜂房。白頸蚯蚓、木瓜、李核人。

澧州：黄連、雄黄、莎草。

宣州：黄連。

同州：白蒺藜、防風、麻黄。

兖州：黄耆。

泰州：香蒲。

絳州：續断、茵陈蒿、瞿麦、前胡、茵芋。

虢州：五味子。

施州：旋花、白药、小赤药、金星草、刺猪苓、崖椒、赤药。

南京：蛇床子、芫青。

密州：地膚子、側栢。

瀛州：云实。

成德軍：王不留行、苦参、狗脊、萆薢、菝葜、苧藤。

涪州：生薑。

成州：葛根、百合、紫菀、前胡、烏头、桔梗、鶴虱、杜仲、枳实、秦皮、蓬蘽。

均州：栝楼、王瓜。

邵州：苦参、烏头、天麻。

兴元府：通草、白药、苦药、鈎藤、萆薢。

隰州：知母、郁李人。

耀州：黄芩。

潼州：茅根。

鼎州：茅根、連翹。

东京：紫草。

邛州：萆薢。

梧州：澤蘭、补骨脂。

徐州：澤蘭、百部、白头翁。

黔州：防己、鼠尾草、海金沙、鶴虱。

兴化軍：防己。

儋州：高良薑、蓖麻。

雷州：高良薑、海桐皮、益智子、石決明、烏賊魚。

雍州：款冬花。

端州：蓽撥、蓬莪茂。

潮州：郁金、烏药。

宾州：零陵香、藿香。

新州：缩沙蜜。

滁州：蔷薇、藕草、辛[illegible]。
临江军：白药、吴茱萸、栀子。
龙州：乌头、猪苓。
豐州：紫菀。
和州：桔梗。
兴州：蛇含、白及。
岳州：連翹。
果州：山豆根。
台州：紫葛、乌药。
黔州：预知子。
楊州：鷄头。
宾州：桂。
高邮軍：槐实。
乾州：稻实。
無为軍：五加皮。
韶州：木鼈。
崖州：沉香。
泉州：金樱子、雨藤、牡蠣、甲香、橄欖。
雅州：落雁木。
汝州：枳壳。
洋州：五倍子。
簡州：蜜蒙花、楝子。
郢州：橡实、水牛、鹿茸、虎骨、豹肉、楮实。
渠州：卖子木。
陇州：眞珠子。
滄州：海蛤。
棣州：白殭蚕。
常州：石蚕。
蕲州：白花蛇、烏蛇。

二、宋代疆域分佈略圖及产区古今地名对照

上面已列出許多州名，並記出产药名目，但对于八九百年前的行政区域划分及这許多州名，陌生得很，乍看之下，仍不得要領。茲特繪制宋代疆域略圖以資參考[6]。古代地圖繪制經緯度虽不够精确，但从整个地形来看各州的所在，大概可得印象。如再結合下面的古今地名对照考証，即較清楚。[7~12]（附圖）

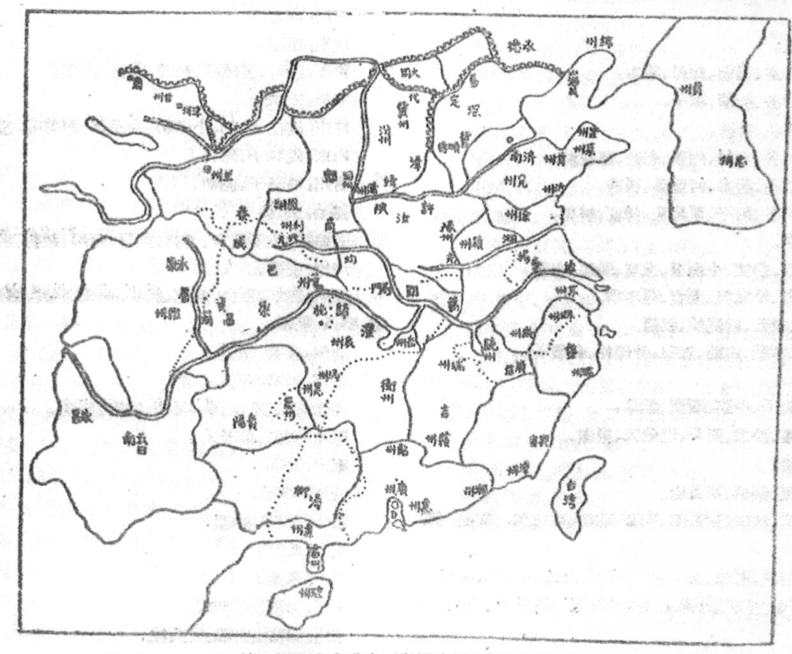

宋，南渡疆域圖略（據楊守敬等原圖重繪）

宋本草地名	宋后郡邑沿革	现代地名
辰　州	明，湖广辰州府	湖南沅陵
宜　州	明，广西庆元府天河县	广西宜山
兗　州	明，山东兗州府	山东滋陽
江　州	明，九江府	江西潯陽
道　州	明，湖广永州府，清永州府道州	湖西道县
晋　州	明，直隶安庆府；又山西平陽府	山西临汾
峽　州	明，湖广荆州府夷陵州	湖北宜昌附近
濠　州	明，直隶鳳陽府	安徽鳳陽附近
信　州	明，江西广信府	江西上饒
澤　州	宋为澤州高平郡，清为澤州府，治鳳台	山西晋城
潞　州	元为中書省晋宁路，清为山西	

	潞安府長治县	山西長治
河中州	宋，为陕西永兴軍路，元中書省晋宁路，清山西蒲州府永济县	山西永济
广　州	明，广东广州府	广州市
阶　州	明，陕西巩昌府，清，甘肃阶州	甘肃隴西
汾　州	宋，为河东路，明，汾州府，清，山西汾州府汾陽县	山西汾陽
益　州	明，四川成都府	四川成都市
饒　州	明，江西饒州府	江西鄱陽
磁　州	清，直隶广平府磁州	河北磁县
德順軍	明，陕西平凉府靜宁县	甘肃靜宁县东
齐　州	明，山东济南府	山东济南
青　州	明，山东青州府	山东益都
南恩州	明，广东肇庆府陽江县	广东陽江
解　州	清，隶山西省，轄芮城、平陆、安邑、夏四县	山西解县
信陽軍	明，河南汝宁府信陽县	河南信陽
永　州	明，湖广永州府	湖南零陵
火山軍	明，山西太原府河曲县	山西河曲
并　州	太原府（北朝至唐以旧太原府为并州，在今山西陽曲县。）	山西太原
深　州	宋，深州，治靜安	河北深县南
陕　州	清，陕州，轄灵宝、閿乡、盧氏三县	河南陕县
越　州	明，浙江紹兴府	浙江紹兴
滁　州	清，安徽滁州	安徽滁县
丹　州	明，陕西延安府宜川县	陕西益川
商　州	宋，陕西永兴軍路，明，陕西西安府，清，陕西商州	陕西商县
荆門軍	唐，宋，为江陵府，明，为湖广荆州府	湖北江陵
永康軍	明，四川成都府灌县	四川灌县
洪　州	明，江西南昌府	江西南昌
相　州	明，河南彰德府，又直隶广平府	河南安陽
戎　州	明，四川叙州府	四川宜宾
衛　州	明，河南衛輝府汲县	河南汲县
衡　州	明，湖广衡州府	湖南衡陽
邓　州	明，河南省南陽府	河南南陽
威胜軍	明，四川成都府彭县	四川彭县
建　州	唐，置建州，宋改建州建安郡	福建建甌
汉　州	明，四川成都府，清成都府汉州	四川广汉
温　州	明，浙江温州温州府	浙江温州
西　京	明，河南府（不在西安）	河南洛陽
梓　州	明，四川順庆府	四川三台
府　州	宋、为河东路，清，陕西榆林府府谷县	陕西府谷
冀　州	明，京师省真定府，清、冀州	河北冀县
沂　州	清，山东沂州府蘭山县	山东蘭山
石　州	元，中書省冀宁路，清，山西汾州府永宁州	山西离石
舒　州	明，直隶安庆府	安徽怀宁一帶
歙　州	明，直隶徽州府	安徽歙县
單　州	明，山东兖州府單县	山东單县
归　州	明，湖广荆州府，清，湖北省宜昌府归州	湖北秭归
怀　州	明，河南怀庆府，清，怀庆府河内县	河南沁陽
襄　州	明，刘文泰等釋注为河南南陽府叶县，疑誤	湖北襄陽
淄　州	明，山东济南府淄川县	山东淄川
江宁府	明，直隶应天府	江苏南京
銀　州	明，陕西延安府葭县	陕西米脂县西北
隨　州	明，湖广德安府，清，湖北德安府隨州	湖北隨县
睦　州	隋置，在今浙江省淳安县西	浙江淳安
文　州	明，陕西宁夏文县，清，甘肃阶州文县	甘肃文县
鳳翔府	清，陕西鳳翔府	陕西鳳翔
茂　州	清，四川茂州	四川茂县
宁化軍	明，清为汀州府	福建宁化
秦　州	明，陕西巩昌府，清，甘肃秦州	甘肃天水
海　州	明，南京省淮安府，清，江苏海州	江苏东海县东北
明　州	明，浙江宁波府	浙江宁波
眉　州	清，四川省眉州	四川眉山
泗　州	清，安徽泗州盱眙县北一里	安徽泗县
邢　州	明，直隶順德府	河北邢台
华　州	清，陕西省同州府	陕西华县
岢嵐軍	明，山西岢嵐州	山西岢嵐
春　州	明，广东肇庆府陽春县	广东陽春
宁　州	本草品彙精要注为江西南昌府宁县，有誤。盖宁县相应的宁州为元代始置，而宋之宁州产[illegible]子、与唐之宁州同。当如讀史方輿紀要所云，其治在云南郡。	云西祥云
蔡　州	明，河南汝宁府上蔡县	河南汝南
福　州	明，福建福州府	福建福州
江陵府	明，湖广荆州府	湖北江陵
渝　州	明，四川重庆府	四川重庆
澧　州	明，湖广岳州府，清，湖南澧州	湖南澧县
宣　州	明，直隶宁国府	安徽宣城
同　州	清，陕西同州府大荔县	陕西大荔
宪　州	清，山西忻州靜乐县	山西靜乐
泰　州	明，南京省揚州府，清，江苏揚州府泰州	江苏泰州
絳　州	明，山西平陽府，清，山西絳州	山西新絳
虢　州	明，河南府盧氏县	河南盧氏
施　州	清，湖北施南府恩施县	湖北恩施
南　京	明，河南开封府（不是今日南京）	河南商丘
密　州	清，山东青州府諸城县	山东諸城
瀛　州	本草品彙精要注为潮州府，非	河北河間

成德軍	明，直隶真定府	河北正定
涪　州	唐属，明，清隶四川重庆府	四川涪陵
成　州	有書注为广东肇庆府封川县，非	甘肃成县
均　州	清，湖北襄陽府均州北	湖北均县
邵　州	明，湖广宝庆府	湖南宝庆
兴元府	明，陕西汉中府	陕西南郑
隰　州	明，山西省平陽府	山西隰县
耀　州	明，清皆属西安府	陕西耀县
澶　州	明，直隶大名府开州	河北清丰县西南
鼎　州	注为河南府閔乡县者，非	湖南常德
东　京	明，河南开封府	河南开封
邛　州	清，四川邛州	四川邛崍
梧　州	明，广西梧州府	广西蒼梧
徐　州	清，江苏徐州府銅山县	江苏徐州
黔　州	明，四川重庆府彭水县	四川彭水
兴化軍	明，福建兴化府	福建莆田
儋　州	明，广东省瓊州府，清，瓊州府儋州	广东儋县
雷　州	明，广东雷州府	广东海康
雍　州	三国魏置雍州，在今陕西長安西北，后屡迁废毁	
端　州	明，广东肇庆府	广东高要
潮　州	明，广东潮州府	广东潮安
彭　州	明，四川成都府彭县	四川彭县
新　州	注明湖广德安府安陸县者，非	广东新兴
潤　州	明，直隶鎮江府	江苏鎮江
临江軍	明，江西临江县	江西临江
龙　州	宋，称龙州江油郡，后崇龙州	四川平武
曹　州	清，山东曹州府菏澤县	山东菏澤
和　州	清，安徽和州	安徽和县
兴　州	明，陕西汉中府略陽县	陕西略陽
岳　州	清，湖南岳州府	湖南巴陵
果　州	清，四川顺庆府南充县北	四川南充
台　州	明，浙江台州府	浙江临海
達　州	明，四川保宁府通江县	四川通江
揚　州	清，江苏揚州府江都县	江苏揚州
賓　州	清，广西思恩府賓州	广西賓陽
高邮軍	明，揚州府高邮州	江苏高邮
乾　州	清，陕西乾州	陕西乾县
無为軍	明，直隶無为州	安徽無为
韶　州	明，广东韶州府	广东曲江
崖　州	明，广东瓊州府，清，瓊州府崖州	广东崖县
泉　州	明，福建泉州府	福建閩侯
雅　州	清，四川雅州府	四川雅安
汝　州	明，本草品彙注为河南府內鄉县，非	河南临汝
洋　州	明，陕西汉中府洋县	陕西洋县
簡　州	明，四川成都府簡县	四川簡陽县东
郢　州	明，湖广德安府安陆县	湖北鍾祥
渠　州	明，四川顺庆府渠县	四川渠县
廉　州	明，广东廉州府	广东合浦
滄　州	宋，滄州在今滄县东南	河北滄县
棣　州	元，中書省济南路，清，山东武定府	山东惠民
常　州	清，江苏省常州府武进县	江苏常州
蘄　州	明，湖广省黄州府，清，黄州府蘄州	湖北蘄春

从以上古今地名对照，可以看出，产药区域遍及中原边疆，計有湖南、广西、山东、江西、山西、湖北、河北、广东、甘肃、四川、河南、浙江、安徽、陕西、福建、云南、江苏等省。分佈面很广。应怎样結合古代医書出产药材的这些道地地方来和今日产药区加以比較，是非常重要的。不但可以扩大药产的領域，恢复名产品种，並且可以看出药产地区的流变情况。如果能掌握药材产地的历代流变情况，再去研究它的流变因素和历史社会等条件，是極复杂細致而有价值的工作。

三、从千金翼和証类本草道地药材的对比看唐宋药材产地的流变

几年来对于药材的現在产地調查及出产情况虽有一些資料，但尚不能比較宋明以后产药区域的分佈做出系統的总結。因为許多产区可能尚未發現，發現了的药材产地出产品种調查也不見得完备，至于其所产品种及規格，更是不容易短时間做出結論来的，所以这步工作需要再等若干年。茲先就文献上的历史資料加以統計比較，先看看唐代到宋代这一段时間药材产地的流变情况，这种比較結果是对于現今或今后从事药材調查的人具有啓發性的。

根据上面統計資料，証类本草所記出产药材的道地計有 144 名。(包括州、軍、京、府)比較孙思邈所謂："其出药土地凡 133 州，合 519 种"的情况，地方已有些扩充和發展。王曉濤氏总結千金翼产地有十三道，每道各有若干州。我今根据州名比較，發現唐初某些药材出产的名州而到宋代已非道地名产的有以下各州：岐州、豳州、原州、延州、泾州、鹽州、灵州、洛州、谷州、郑州、許州、豫州、萊州、蒲州、代州、蔚州、箕州、幽州、檀州、营州、平州、梁州、鳳州、始州、通州、渠州、金州、邓州、夔州、硖州、房州、唐州、寿州、光州、黄州、申州、婺州、吉州、潭州、朗州、彬州、蘭州、武州、廓州、宕州、涼州、甘州、肃州、伊州、瓜州、西州、沙州、綿州、嶲州、嘉州、瀘州、巂州、松州、当州、扶州、柘州、賀州、象州、封州、瀧州、恩州、桂州、柳州、融州、潘州、交州、峯州等共 72 州。这些州虽不敢說已不产药，但起碼在宋圖經編制时召各州县繪圖上药之际，該处州官未曾献药繪圖，这說明了出产減少在量的方面已不足惹人注意，或品質不好已不为当时医师所乐用。無論是那一种情

况，但确是使道地变成不道地了。

与上面情况相反，千金翼未著州名，在唐代不著名或非道地而为宋本草提出有州名标記者，又有宜州、遺州、峽州、濠州、信州、河中府、阶州、德順軍、青州、南恩州、解州、信陽軍、火山軍、深州、滁州、丹州、永康軍、洪州、戎州、衢州、衡州、邓州、威胜軍、汉州、溫州、西京、梓州、府州、冀州、石州、單州、归州、江宁府、銀州、随州、文州、鳳翔府、宁化軍、海州、明州、邢州、岢嵐軍、蔡州、福州、江陵府、蜀州、灤州、兖州、泰州、施州、南京、德州、成德軍、涪州、邵州、兴元府、耀州、潭州、鼎州、东京、黔州、兴化軍、雷州、端州、潮州、濠州、新州、潤州、臨江軍、曹州、和州、兴州、儋州、果州、台州、壁州、宾州、高邮軍、乾州、無为軍、崖州、雅州、簡州、郢州、渠州、廉州、棣州、常州等88处。又唐檀州出产人参，宋潼州出茅根。唐陝州出杜仲，宋峽州出朴硝、貝母等。唐之恩州出蚺蛇膽，宋之南恩州出石蟹、甘蔗根。出产完全不同，故予标出。葯产的变迁，有历史进展上長期过程中自然的和社会的种种因素。唐宋五六百年間大自然的变化如气候土壤等对于植物的影响是很微小的，但乱唐五代之际，十国割据，羣雄角逐，此种政治經济特别是战爭对于葯用植物的种植保护的影响是較大的，也是流变的主因。当然大多数葯产的發掘，还是人們艰苦劳动的結果。

上面虽作了唐宋时期葯材产地的概括而粗略的比較，然如对每一产地所产葯材品种加以比較，則又可發現許多問題。即以商州（即今陝西商县）而論，唐初产香零皮、厚朴、熊膽、龙膽、楓香脂、昌蒲、楓香木、秦椒、辛夷、恒山、獺肝、熊、杜仲、莽草、枳实、芍葯；而宋时則产黃精、朮、远志、白头翁、厚朴、黃蘗。又例如千金翼建州产黃連；宋本草建州产天門冬、前胡及梔子。虽为同一地方，前后时代不同，葯产有了大的差異。这样細致地加以比較，又可發現許多葯产流变的情况。这留待以后再另写專文。据上所考，不但唐宋二朝盛产葯材或品質道地的产地不同，即同一产地，所产葯物种类，也有不同。至于各葯品質規格、产量等，更不用說了。可見在今天要調查葯物出产的情况，必須掌握过去所有材料，充分研究各个产区所出的葯物种类、品質、数量、自然气候土壤条件、野生或种植栽培情况，生長季节及採集时月等等全部資料，詳細勘察，方有所成。如只靠学术机構突击閃电似地調查，或学校师生假期走馬灯似旅行調查，或葯材公司派員只抱着完成数量的任务去採購，資料都不会全面。建議有个專設机構專門从事这部分資源的統計調查工作。

陶隐居在本草經集注中說得好：“諸葯所生，皆的有境界……”自古中葯講道地。拿現代知識来观察，也是非常合乎科学的。因为不同地区的客观条件不同，自然地理方面有山川丘陵平原湖澤之分，气候方面有寒热溫凉以及雨露風霜之異，土壤有显著差别，地土有肥瘠之不同，各种植物之生長和發育自然的要求不同，故表現了盛产少产或絕产的区别。再加上一些人为的因素如爱护、培养採集等等方式方法，也就自然影响品質。疗效的大小，現在講求有效成分的含量，而实际上有效成分的含量乃决定于上述各种客观条件。並且現代科学家可用人为方法改良土壤改造气候条件来提高葯用植物某种有效成分的含量，这更有力地說明古代提倡道地葯材的科学性。

参 考 文 献

1. 汪繼先，紹兴校定經史証类备急本草画，元和江标灵鶼閣藏日本人抄繪本，又日本春陽堂刊本。
2. 唐慎微，重修政和經史証类备用本草，（曹孝忠重修，晦明軒附衍义。）明成化刊本。
3. 寇宗奭，圖經集注衍义本草，涵芬樓影印道藏本。
4. 李鼎，本草經葯物产地表釋，医史杂誌 4:167，1952。
5. 王筠默，唐代千金翼方中記載的道地葯材，上海中医葯杂誌 4:184，1956。
6. 楊守敬、饒敦秩，历代輿地沿革險要圖說，参考宋南渡疆域圖一幀。光緒24年（1898年）王氏重繪本。
7. 刘文泰，本草品彙精要卷42総附录地名表（旧地名即今当代郡邑一項，当代二字系指明朝。）商务版重印本，頁961，1956。
8. 舒新城等，辞海，中华書局，1938。
9. 方毅等，辞源，商务印書館，1937。
10、李兆洛，历代地理志韻編今釋，合肥李氏重刊本。同治九年（1870年）。
11，刘鈞仁，中国地名大辞典，国立北平研究院出版部，1930。
12. 謝寿昌等，中国古今地名大辞典，商务印書館，1931。

本文在上海第十一人民医院研究室完成。蒙該院給予工作条件、供給資料，並承丁济民院長鼓励和指正，非常感謝。稿成后又承龐京周、王吉民二位老先生审閱並提供宝貴意見，借以补充修正，均致謝忱。

蒙古人民共和国的保健事業

Ту-Ван, Здравоохранение в Монгольской Народной Республике.

蒙古人民共和国1954年的保健預算比1927年增加190倍。1954年医疗机構的数量比1934年增加了12倍；同一时期病床数增加了8倍以上。全国助产机構的数量从1934年到1954年为止，共增加了110倍。在全国各省都建立了急救組織。1952年还建立了流动医疗站，对牧民进行預防性檢查。死亡率在全国也降低了20%以上。斑疹伤寒和天花疾病已被消灭。

（刘学澤譯自 Мед. Рефер. Журн. 1957, 12, 6）

西北各地掘出古物和墓葬对衛生史料之参考*

余　新　恩

1957年夏天，我曾参加上海市高等学校教师参观团到西北参观了祖国偉大的工業建設和水利、鉄路工程，並有机会观看了在西北一帶出土的文物遺址和墓葬。这些材料尚在研考之中还沒有公开展覽，其中直接与医学有关的佔極小的一部分，但若結合着医史是文化史中的一部分来看，那末其有关的地方还是不少的。

解放以来，党对文物的保护是十分重視的，尤其是几年来配合各地的基本建設，进行了巨大的勘探工作，因此發掘了許多極有价値的文物，这些給今后研究我国古代的历史文化是增添了許多宝貴資料和物質的依据。

我們所看到的文物遺址和名胜古蹟，主要是在郑州、洛陽、西安和蘭州，現按各地的情况分述如下：

郑州的商代遺址

郑州是个三千多年的古城，一千三百多年前即正式定名为郑州。从这几年較大規模的考古發掘工作中，在郑州一个重要發現即是商代的遺址，它的范圍之大，約有40平方里，就在这广闊的遺址区內，發掘了南北長約2,000米，东西寬約1,700多米呈長方形的城址，而在城垣建筑之外，却發現有燒制陶器的工場，制骨器工場，和煉銅工場多处。这些工場不設在城內而設在城垣之外是具有衛生学意义的，可見古代人民已知这些燒煉的工場，冒着濃厚的气烟是有害人民健康的，所以都設在居民区之外；象这种城市的規划是很合乎現代衛生学的要求的。

从这三种手工業来看，一方面可以說明商代的生产力是相当高的，因已有了青銅的冶鑄，可以鑄造金屬的生产工具了，如發現有銅钁、銅錛和銅刀等，同时亦發現有大量金屬的生活上用具如銅制的酒器即銅爵、銅斝、銅觚等。这不难說明由于生产力的提高，有大量剩余粮食可以釀酒，因此就有大量的酒可作飲料。制陶和制骨工業在原始社会已經存在，但在商代虽已有了青銅器的制造，究由于当时採矿的困难，所以在狩獵工具中除了有銅鏃和銅魚鈎之外，仍然有許多石器和骨器的制造。在商代制骨器工場中的特点是發掘有許多骨鏃骨簪的成品和半成品等計四百余塊，据專家鑑定，其中除鹿角、牛骨和猪骨外，还有半数以上的是人骨。据知商代人死后都要挖土穴来安葬的，为什么还有人的骨架沒有得到埋葬而和兽骨一样用作制造工具的原料呢？这一方面也就說明了商代是个奴隶社会，如果不是由这个阶級的关系所决定，那还有什么可以来作解釋呢？

同样的在这个阶級关系上，从郑州所掘出的商代一百多座墓葬中就可以看出，奴隶主的墓葬就随葬有許多銅器，玉器和石器，但多系生活用具和艺术珍品，生产工具基本上是沒有的，除此之外还有以奴隶和动物作为殉葬的，如發現在棺旁二層台上各有人骨架一具。而相反的，奴隶的归宿，不是作为殉葬品，就是被制成工具，再就是和兽骨混葬在一起，当成垃圾一样来看待，如在許多灰坑窖穴中曾發現有成年人骨和猪骨埋葬在一起的遺跡。

洛陽的古蹟和墓地

洛陽位于黃河流域的腹心，从东周时起，以至东汉、曹魏、西晉、北魏、隋、唐、后梁、后唐，成为我国的"九朝故都"。在古蹟方面今天依然留存而具有特别意义的有白馬寺和龙門石庫，这些和印度佛教的傳入中国以及其后的流广，对中印文化交流和对我国医学的發展，都有相当的影响。

白馬寺是佛教傳入中国后第一个佛寺，位于洛陽市东25里，建筑在东汉永平年間即公元68年，虽然今天我們所看到的白馬寺已經數度破坏而再重建的，但在其建筑材料中却还存留有汉代的木門和砌牆的扇面形石塊，以及最早南北朝的磚头。白馬寺以东和以西都为汉和北魏的遺址；北魏是中国佛教的極盛时代，当时洛陽的佛寺就有一千多所，而从北魏开始直至隋唐五代均有开鑿的龙門石窟，至今还庄严地壁立着。龙門石窟是羣散于洛陽城南的伊水兩岸山上，共有石洞和露天石龕二千多个，大小造像八、九万尊，以及無数的碑記；其中有一个石洞叫药方洞，为北齐时代的代表作，在洞口的石碑上刻有药方甚多。

古老的洛陽在今天还給我們留下了極其丰富的民

*本文曾于1957年12月20日在中华医学会上海分会医史学会报告

族遺产，在短短数年内已發掘出从新石器时代到宋代的墓葬多到數千座。古来有句俗話"生在苏杭、葬在北邙"，因洛陽是背負邙山，面对伊阙(龙門)，河山拱戴，形势甲天下，由于它的地下水較深，約在十米以下，故有利埋葬。就以我們去参观的洛陽拖拉机制造厂来說，它原拟建在王城公园区内，但文化局未能同意，因由王城公园起一直到洛河边，就有長达数公里的地洞埋藏着無尽的古物和墓葬，尤其是周朝的，所以不得不移建在現址；即使如此，亦就在厂基内一年之中掘出有一千多个古墓和三千多个墳塋，此中以汉朝的最大，不但能放棺材，还有馬房等等。在洛陽掘出的周朝墓葬是很重要，因对我国封建社会究由周朝开始抑在其后提供了丰富的研究資料。

西安的溫泉、文物、和新石器时代遺址

距西安50里的臨潼县南門外，是名胜驪山、始皇陵和华清寺的所在地。傳說西周幽王就曾在此住过，到秦代开始用石头砌成屋宇，名"驪山湯"，也叫"神女湯泉"。傳說秦始皇曾満臉生瘡，用溫泉水治好，說明在很早的古代，人們已經發見溫泉水是有医治疾病的效能，因此各地人民到溫泉来洗浴的很多。在唐天宝年間(公元742—758年)，唐玄宗每年冬季十月总要攜帶楊貴妃来此居住，岁尽乃还。現在华清池內的貴妃池，相傳就是楊貴妃沐浴的"芙蓉池"的所在地。解放后此溫泉已設为羣众沐浴之用，泉水經測驗溫度是攝氏43度，每小时流量为45,000加侖，含有石灰、炭酸錳，炭酸鈉、硫酸鈉、氯化鉀、氯化鈉、二氧化矽、三氧化鋁、有机物質等化学成份，适宜沐浴疗养，並能医治風湿症、关节痛、肌肉痛，以及各种皮膚病、痔漏、脫肛、癱瘓、消化不良等病。現每日前往沐浴的人最多一天达5,800余人。

西安原是古都長安，从西周开始有秦、汉、西晉、前赵、前秦、后秦、西魏、北周、隋、唐等十一个王朝在此建都，历时共1,160年，因此近年来在陝西省出土的古物就多不胜数。如秦代有鉄制秤錘等衡器，沙土地方箍井用的井圈，和裝在地下通水用的水道(在临潼县始皇陵附近出土)。汉代的水道，在咸陽县店上村出土，陶井、陶杯、陶勺的殉葬品。魏晉南北朝的石刻佛象，以及男俑、女俑、和动物等各种类型的陶制殉葬品，今天所能看到的陶俑，时代最早的是战国的作品。唐都長安是我国古代一座建筑很壯丽和完备的大都市，在地面下也是有系統地安置了排水的設备即地下水道(在东門外中兴路出土)和鉄閘門(在北門外紅店坡出土)；鉄閘門尤为突出，它是安置在水道的入口作为濾渣物用的。还看到孙思邈所著千金方的拓片。聞說原碑尚存在孙氏祠堂中。

在西安1953年發掘的半坡村，其面积就佔有44,000平方米，为新石器晚期的遺址，有保护部落安全的城外水槽，深6米，寬7—8米；居人的半地下室、有最早方形的和以后圓形的；此外並有地窖，深4—5米，从地窖中發現有裝在罐內的小米和泥牆中掺杂的小麦叶来看，說明新石器时代已有了农業。有的地窖很大，可放存20—30担的粮食，也有口小底大的地窖，可見已有飼养动物的方法，因上小下大，动物就不易逃出。在生产和生活工具方面，發掘有完整的計达四千余件，如石斧等石器，骨針骨鈎等骨器，而且非常細小精致，还有耳环，腰貝壳等裝飾品。彩陶亦是非常精致，上面都有生动活潑的动物和植物的繪画。在發掘的130多个墓葬中，都为成人的遺骨，無棺，头皆向西，有仰、俯和曲葬的形式；仰葬的約佔90%，並都有裝飾品随葬，俯葬的則無裝飾品，約佔7—8%，曲葬的最少，約2—3%。为何具有这种不同形式的埋葬，現尚未能解釋，因当时並非阶級社会，是否有人犯了錯誤而予以这种形式以处罰呢？这是値得研究的。

蘭州的史前物和汉代物

甘肃的历代人物最早是有上古傳說的太昊伏羲氏，生于甘肃秦州地方；黃帝軒轅氏，生于軒轅之邱，長于姬水；此外还有孔子的弟子壤駟四子、秦子等。甘肃因很早有了人类居住，所以出土的主要是新石器时代的物品，如石斧、石杵、刮削器等石器，細小精致的骨器，以及类型多样和花紋复杂的彩色陶器，其在甘肃省的分布区域是非常广泛的。此外还掘出有二十多个墓葬，多半为單身葬，有仰、俯和曲葬的不同形式，在手腕和頸項处还載有骨珠的裝飾。

除了史前物之外，在甘肃汉代出土物亦是不少的，因为甘肃省自从汉代建置了河西四羣即武威、張掖、酒泉和敦煌之后，即成为东西交通的要道，所以汉代的文物埋藏在地下的也就很多、如汉代具有灰色繩紋的陶器、銅鏡、銀手鐲、印章、石刻、木彫、以及生产工具鉄犂、鉄鏵等，还發現有汉磚墓多座以及汉墓壁画等。

修筑包蘭鉄路时，在中衛县还掘出一个明代的合葬墓，其中發現有一个屍蜡，为刘姓的明嘉靖武將，51岁，現保存在蘭州医学院內，身体肥胖、眼珠突出，毛孔都可看出，头髮長30厘米，額上还有帶冠之印留存，关节可予前后推动。掘出时因他是独埋在水中故未腐爛，其他的則皆已成为遺骨了。

結語

从西北一帶掘出的文物遺址来看，我国古代人民早已有了保护部落安全的措施，如在新石器时代已筑有深濶的城外水槽。在衛生方面，商代已知將各种工場規划在城垣之外，使居民区不受污染；秦代不但有地下水道的安置和井源的保护，亦知用溫泉水来治病；到

了唐代更能發揮这方面的作用，除了有系統地安置了排水的設备外，还有鉄閘門來濾除水中的渣物。

古代对埋葬亦是非常重視和考究的；新石器时代是無棺的埋葬，有仰、俯和曲葬的形式，还隨葬有裝飾品。到了奴隶社会則显有阶級的懸殊区别，奴隶主的墓葬是隨葬有生前的各种珍貴生活用具，甚至以奴隶和动物來作殉葬的，而奴隶的归宿不是作为殉葬，就是和动物埋在一起，亦有以其骨骼制成工具使用的。到了封建社会則以陶制的俑來代替奴隶作为殉葬品，最早的是發現在战国时代。

从东汉时起，中国就有了第一所佛寺其后中印医学也不断交流，唐都長安时，由于文艺、科学和医学各方面的卓越成就，也就流傳到海外，引領世界向前迈进。

达尔文主义和医学

（紀念达尔文逝世75週年）

П. П. Бондаренко, Дарвинизм и Медицина.

作者說明达尔文为科学生物学的奠基人。达尔文建立进化論的理論，澈底地粉碎了形而上学关于自然界永恆不变的观点。达尔文成功的發現对医学科学的發展是有利的。麦赤尼可夫首先提出这样的观念，認为达尔文主义和医学互有俾益。維尔荷是达尔文主义的反对者之一，他在1877年德国自然科学家代表会上，發表了敌对性的演說，認为达尔文主义是有害的学說，散播危險的社会主义思想。伯尔納（C. Bernard）对达尔文主义也采取反对的立場。他認为达尔文主义为無益的形而上学的概念。但是，达尔文学說在俄国也受到了欢迎。它創造性地被应用于研究病理学，生理学及其他科学。謝巧諾夫运用达尔文的理論建立了唯物的进化論的精神病学。巴甫洛夫認为达尔文的进化論为自己学說的思想來源之一。他要求用比較的进化論观点，來研究机体的高級神經活动，而且他自己也是进化論生理学的創始人之一。神經論理論是达尔文学說的光輝發展，它用以解釋机体对"特殊刺激"(чрезвычайных раздражителей)作用的調节。达尔文理論在研究疾病方面也收到很大的成效。麦赤尼可夫創立了进化論的比較病理学。他發現了發炎、免疫这些現象的实質，建立了吞噬細胞的理論，以达尔文的观点，解釋了复杂的机体保护作用。吞噬細胞的理論是建立在进化論原則的基礎上的。麦赤尼可夫比較地研究了各种动物細胞內部的消化，並确定了进化过程中細胞的分化作用。在他研究細菌的生物对抗性的著作中，也創造地运用了达尔文主义。苏联学者 A. A. Заварзин 科学院院士在形态学方面也成功地运用了达尔文主义。認为他是进化論組織学的奠基人是無可非議的。苏联的生物科学徹底地粉碎了各种影响医学發展的反达尔文主义的思潮。苏联很注意机体的变異問題。苏联微生物学家为了获得致病菌的無毒菌种和活疫苗以防治傳染病，在有效的研究机体的定向变異問題。現在很多研究机構正在从事于建立微生物的进化論体系。

（成都譯自 Медицинский реферативный журнал, 1957年第9期，原文載 Вестник АМН СССР, 1957. 2. 45—51）

介紹"中华医学杂誌外文版"全部影印本

本会主編的"中华医学杂誌外文版"，自1915年創刊，至1956年出版了52卷323册。其中所載，都是中外医学專家在中国所做的研究工作。各地医学院、医院、圖書館及其他研究机关缺乏这种杂誌的很多。現在我們向科学进軍，需要它做参考。本会同永光科技資料供应社（北京郵政信箱567）商量，决定迅將本会所藏这种杂誌的全部影印出來，來适应大家的需要，預約章程另由供应社規定，先此介紹。

中华医学会

明代的军医制度

龚 纯

明代的医事制度，也和历代的医事制度一样，反映出剥削的封建社会制度的一般特点，它完全是为統治阶級服务的，当然这种医学在相当程度上，也为接近封建主的阶層服务，例如，为了巩固封建政权的統治，不得不为它所建立的軍队服务，所以在明代軍队中有軍医的編制和免费医疗的制度。

京軍及內地衛所軍中的軍医

明代京兵制度，洪武时分为二大营，一衛宫禁，一衛京城。永乐时，增神机营，專習神槍火箭，与五軍营、三千营合称三大营。景泰时，偽拉特入寇，于謙以兵冗不能用，乃于各营中选精兵15万，分十团营，各設提督統領，宏治中增为十二团营，正德中集九边突騎数万人聚于京师，号称威武营，后因边防告急，选二万人从征，号东西二官厅，各設都督一人。团营剩余的兵，私隸于中貴之家，不复加以訓練，于是兵数大減。嘉靖中，复改为三大营，并將三千营改称神樞营，名目虽更換，但冗濫如故。按大明會典①的記載，京軍中的医官、医士由太医院差撥，在太医院“各处用药医官医士員名”項下，有如下的規定：

表 1　明代京軍太医院差撥医官医士人数表

名　称	医　官	医　士	备　註
五軍营	1	2	
神樞营	1	3	永乐旧名三千营
神机营	1	4	以上总名京师三大营
团　营	1	12	景泰时、于謙設置
錦衣衛	0	3	禁軍，掌侍衛、緝捕刑獄
府軍前衛	0	2	禁軍，掌守衛巡警

根据洪武4年（1371年）的統計，三大营的兵士約为207,800名，医务人員仅12人，平均每17,300人才有医官或医士一人。从封建社会中京兵的重要性來看，似乎医务人員較少，可能因为太医院即在京城，可以随时調遣撥用，且高級將領患病时，多由太医院派遣医官或御医治疗，即令駐守在外，也都由太医院官馳驛前往，或將領本人請假还乡（或回京）治疗。故京兵中的医官医士多半只負責一般軍官与士卒的医疗工作，故从人数看来，比边境衛所軍的比例还小。

景泰中于謙所設十团营，兵士共約15万人，宏治中虽增为十二团营，而每营只一万人，总共12万人，至嘉靖时，京軍团营册籍上有38万人，实际只存14万人，而其中可以算作兵的，只有二万人而已②。根据表1，团营有医官一員，医士12人，則平等每一万人左右，有医士一人。

至于一般內地衛所軍中也有軍医的編制，如金幼孜北征录說：正兵以外，还要挑選各色材技，分为二十八將。其中有藥材將，由善于能合药餌的人充当；医人將，招募于医治疾病的人充当；医馬將，招募医馬病的人充当③。很清楚地說明部队中必需有司药、軍医和兽医的編制。

嘉靖时，为了平定倭寇，戚繼光完成了三千名浙江金华、义烏民兵的訓練，号戚家軍，在他的軍队中有医士二名，医兽一名④，則約1500人中有医士一名。

由以上記載，可以看出明代軍队中的軍医人数是極其不够的，可能由于太医院只規定了医官和医士的員額，不包括医生在內，因为医生的地位，当时等于士兵，所以不記載。据明神宗实录：万历11年（1583年）6月，蓟辽督撫官周詠等，請汰除杂流以充实軍伍的奏疏中說：“軍队中所用旗鼓、伴伴、医生、匠役等人，不下万余，这些人既不操練，又不作工，应該裁革編入队伍，一体操練，”可見实际上軍队中的医生不在少数，可惜無法知道具体数字。

边境衛所軍中的軍医

屯戍边防部队中的医药工作，也很早被当时統治阶級所注意，因为防御边疆对統治者的利益有重大关系，为“社稷安危所系”，明代由于經常与蒙古等民族战

表 2　明代边关衛所太医院差撥医士人数表①

地　名	人　数	地　名	人　数
宣　府	1	广宁衛	2
紫荊关	2	寺子峪	1
居庸关	1	开　原	1
龙門千戶所	1	永宁衛	1
万全右衛	1	磁　石	1
怀来衛	1	餓馬关	1
山海关	1	白羊口	1

①大明會典，卷224，太医院。

②明史，卷89，兵志1。

③續通典，卷92，兵一，揀才附。

④中国軍制史，黄聖叔。

争，沿边关一帶，設置衛所与关隘，如山海关、怀来衛、龙門千戶所等，常川有軍队駐守，当时边关衛所共14处，均由太医院派医士一或二人担任医疗工作，依照衛所的編制，則平均每衛或所有医士一名，約为1120—5600人中有医士一名。如表2。

如果軍中医生缺乏，尚可由总兵或巡撫官奏請，由太医院撥用。

实际上边关軍医多感缺乏，在明实录中有不少記載。如宣宗宣德5年（1430年）8月，副总兵都督方政，因独石、赤城及鵰鶚各御官軍中有患病的，但無医生治疗，請求由太医院派遣医士二人，並携帶药物前往治疗，半年更代。

同年10月，巡視边关监察御史刘敬报告：自山海衛境內，黄土嶺自薊州衛迤北豬圈头，駐紮兵士22营，每营官軍多至七、八百人，少則五、六百人，遇有疾病都無医药，請求每兩营置医生一人，由官給药餌治疗，則每一千或一千五百人中有医生一名。

英宗正統元年（1436年）4月，独石等衛各御官軍患病，命医生前往治疗。

2年（1437年）2月，因延安、綏德、庆陽等地極临边境，当地缺乏医生与药物，官軍疾病多致死伤，請求由陝西布政使司發給药品，並在境內所属县份內，撥派医生随軍治疗，等边境宁靜时，再行停止。則由地方医生充任軍医。

3年（1438年）12月，大同等地边軍缺乏医生治疗，命山西布政使司及都司各选医生一人，随軍往来，並由官給医药。

10年（1445年）5月，延安、綏德等沿边各寨軍士約数万人，因荒远偏僻不近州县，並無药物，疾病流行时只有坐以待斃，請求于东至孤山寨，西至定边营等共十六处地方，各設医一人，随营治疗，由官支給医药。

代宗景泰元年（1450年）2月，总兵官石亨因出关巡哨，由太医院量数給予医药發給边关。

三月，黄花鎮边軍患病請求派医調治。

3年（1452年）3月，居庸关因五軍操練，軍士患病，缺乏医生，命太医院派良医前往。

英宗天順元年（1457年）九月，万全等衛城堡与鯀堡官軍，因連年多疾疫，命太医院派遣医士一名，一年更代。

总之，明代边境衛所的重要据点，大都派有医士一名担任医疗工作。缺乏医药的地方，也都由总兵官等呈請派遣。

軍队医疗工作制度

明初，太祖与成祖因建国伊始，患乱未平，且出身农民与行伍間，比較重視士卒的疾苦。如洪武五年（1372年）七月，太祖因軍士多疫死，派遣医官前往治疗，病重的由官給舟、車送还家乡，並令沿途給予医疗。

永乐7年（1409年）成祖因迁都北京，命令凡南京扈从來的軍士患病，由行在太医院給与医药。

8年（1410年）6月，命中官巡視营內外將士，有病的都給医药，使不至流离失所。並命將官行軍时加以巡視，士卒有病的，都舁載赴軍营，如有死亡，就地埋葬，不得暴露野外。

12年（1414年）4月，頒佈軍中賞罰号令中，也有关于飲水衛生与医疗的条款，如"一、下营掘井必須令人监守，不許作踐及隐蔽占用，違者治以重罪。一、营队官員及总旗小旗常点閘（巡查营房），軍中有病的即令医疗治，各軍各营药料官員及医士，亦应常加巡視，不許指取財物，違者俱治罪"。

永乐20年（1421年）4月，命太医院增添医士于各营，並命医者朝夕巡視各营將士，有疾病的人应給良药，不得視为具文。

明初，軍队实力尚强，对士卒的健康也較重視，但自明中叶以后，屯政的破坏与軍士的逃亡，使衛所制度名存实亡。同时軍队的素質下降，营中常常是些"老弱疲憊，市井游販"之徒，軍官都是"世胄紈袴，不嫻軍旅"的人。軍队的訓練只是"四集市人，呼舞博笑"而已。（明嘉靖实录）这种情况之下，軍医当然也不能發生良好的作用了。

嘉靖32年（1553年），倭寇大举侵入浙东西、江南北地区，濱海数千里告警，明朝命戚繼光等到浙江防倭，戚繼光訓練了一枝强有力的民兵，号戚家軍，並且規定了軍前医疗工作的制度。据戚繼光練兵实紀中紀載⑤，凡軍士有疾病或負伤，应馬上按級申报，以便从速医治。但实际上，一个伤病員获得上級批准治疗，必須通过層層手續，首先由同伙房报知本管队总，队总报告旗总，經查驗属实后，向百总报告，然后再报告总管把总，把总报告千总，千总报营將会知，这是平时軍中的医疗上报制度。

紀效新書⑥上也有关于病員报請医治的記載："凡各兵遇有疾病，本日同伙即报本队長，队長亲看緩急，报赴哨官，哨官报赴本总，本总即日报本府，以憑批医治疗，遇在本戍，本府亲詣赴視，这可能是屯駐在地方部队的批准伤病員治疗的制度。

在練兵实紀中，还有更具体的規定，使兵士患病能迅速上报："凡报病者，不論大小衙門，啓閉冗暇，即时报入，如有人把門阻攔，及將官施行迟誤者，罪坐所內；报病迟过一日者，罪在报迟之官；若因迟报致病兵身死者，究其迟誤之人以軍法"。

大明彙典中也記載了將官与軍医忽視士卒健康的

---

⑤練兵实紀、卷13、訓將篇第十一、恤病伤。

⑥紀效新書、卷5、教官兵法令禁約篇第五。

处罰，如洪武27年(1394年)規定：守衛兵士"若当值之时，本身若有暴疾，本管官旗，即放归营所請医調治，或看視迟慢，故回耽誤，致令病甚，亲管小旗杖一百，总旗杖九十，百戶住俸一月，其病軍食錢帮去"⑦。

因为随軍征伐，比較辛苦，有的軍医不願随行，又規定了管理办法："若医工承差关領官葯随軍征进，轉雇佣医冒名代替者，各杖八十，雇工錢入官。

如果軍士在鎮守地方患病，負責長官不亲自給予医葯的，笞四十，因而致死的，長官应杖八十，若長官已經通知管理机关，而不差撥良医，或不給对症葯物医治的，与之同罪⑧。

軍队医生的訓練

由于軍队医生的缺乏，以及派遣的不易，所以有不少將領要求于衛所中設立医学，教授軍士医学知識，以解决医疗問題。如正統12年(1447年)7月，山西右参政林厚，因沿边士卒劳苦过甚，疾病很多，請求在衛設立医学，选軍士中擅長医术者为医官、医士，本來是一个很好的建議，但保守的統治阶級，因为变乱旧章，不但不准，还險一些加上了罪名。

景泰5年(1454年)7月，因山西右参政叶盛奏請，命太医院选派曉諳方脉的医士一名，往口外独石等八城，教軍士学習医术，每年更代一次。

成化16年(1480年)10月，陝西、甘肅等十余衛所，医葯缺乏，疾疫無法治疗，奏請当地布政司各立医学一所，选精通医术的人，教授軍余子弟学習，获得批准，才算有了專門訓練軍医的学校。

軍中葯物的供給

明代軍中的葯物都由国家免費供給，在軍队中沒有管理葯料的官員(見成祖实录12年4月)。

在軍队中也有特設的惠軍葯局，如大明彙典⑨中載：神机营有四个惠軍葯局，並叙述其中服役医士九年考滿陞职的办法。

至于南京各营应用葯餌，除撥医士随病供給外，並于嘉靖10年(1531年)于各营設置葯局，从南京礼部督同太医院，考选精通艺業的医士一人，在葯局工作，三年無过給予冠帶医士头銜，九年后則送吏部銓叙署任吏目，但仍在惠軍局服务。至于各局葯材，都从南京礼部劄行太医院解發。

在各府州县还設有惠民葯局，除治疗貧民外，还治疗軍士，免費供給葯物。如永乐9年(1411年)7月，陝西軍民大疫，責令陝西布政使司撥医調治，並令各布政司府、州、县的惠民葯局，应儲備道地葯材，遇軍民疾病，由官給葯。

成化16年(1480年)10月，令全國的惠民局，应加郵边軍。

有时疾疫大流行时，也由朝廷派員往軍中施葯，如嘉靖24年(1545年)1月，侍郎孙承恩等在京师施葯后，認为边防軍民也应同样拯济，便命錦衣衛千戶等，到宣府、大同、山西等边关衛所，会同撫按官立法給散。

40年(1561年)閏五月，御史張有功請求清查京师三大营軍士的患病人数，每人給予葯餌与銀兩。但这些不过是統治者用小恩小惠籠絡人心的手段而已，並不是經常的制度。

營房及养济院

洪武15年(1382年)4月，命羽林等衛，建造軍士营房二千間，每十間相連，闊1丈2尺，長1丈5尺。可知京軍有独立的营房。

17年(1384年)8月，命建筑府衛軍士营房3600間，不过以上都是皇帝禁衛軍的营房。

至于殘廢及年老軍人的居住，在洪武初，在南京新造宮殿的宮牆外面的隙地，建造营房以居住殘廢伤兵，他們日中必須工作，夜晚担任巡邏工作，由国家給粮贍养，使不致流离失所[2]。

23年(1390年)2月，命兵士年老及殘疾者，同到各衛設营居住。

宣德7年(1432年)9月，命全国衛所軍士中年老退役，篤廢殘疾而無依靠的人，收养于各府州县的养济院中。

养济院系明初設立于全国各州县的慈善机关，收养鰥寡孤独無依的人，並有医生担任治疗，但到仁宗即位(1424)时，各郡邑的养济院，已經居室敝坏，肉帛布絮不按时給予了，所以軍士老年生活还是缺乏保障的。

海軍軍医

在15世紀初年，郑和、張謙等，曾多次帶兵巡視南洋(当时称为西洋)，根据成祖实录記載，随船帶有軍医和民医⑩，在馮承鈞注"星槎覽校註"中引明鈔說集本瀛涯胜覽卷首，列举有郑和下西洋时的宝船及官兵总数，其中說道："宝船63号，大者長44丈4尺，闊18丈，中者長37丈，闊15丈"。"下西洋的官校、旗軍、勇士、通事、民稍、买办、書手，通計27,670員名，官868員，軍26,800名、指揮93員、都指揮2員，千戶140員，百戶403員，戶部郎中1員，陰陽官1員，教諭1員，舍人2名，医官医士180員名…"則平均約150人即有医官医士一名，也就是說每只船平船有医官、医士三人，至于民医的数字未見記載，实际医生人数似尚超过180人。

但当时軍医的地位不高，从永乐时的陞賞例中來

⑦大明彙典、卷143、兵36、守衛。
⑧大明彙典、卷166、刑8、律例7、兵律。
⑨大明彙典、卷170、刑12、律例11、刑律3、杂犯。
⑩大明彙典、卷117、礼76、南京礼部。

看，其等級与乐舞生、力士、厨子、工匠等相当。这是关于我国海軍軍医最早的記录。而且海軍軍医名額的众多，也是史無前例的。

兽　　医

明代軍队中除軍医外，还設有兽医，如戚繼光的軍队中，除医士二名外，还有兽医一名。所有部队中的馬病，都由太医院供給药物[1]。如宣德元年(1426 年) 2 月，征西將軍参將保定伯梁銘，因宁夏边衛軍馬多有疾病、無药治疗，請求陝西布政使司由官帑买药供給。

嘉靖 2 年(1523 年)，依照洪武 28 年(1395 年) 事例；將馬 50 匹为一羣，每羣設羣長，下面选擇聪明子弟二到三人，学習医兽，必須学成一人，專門看治馬病，医兽每半月应呈报医疗的馬匹数字，其中死亡及痊愈各多少，医兽如治疗無效，加以撤換。

成化 8 年(1422年)于各地設医兽，每州定額二名，每县一名，以保証軍馬的供給与健康⑪。

七、小　　結

明代系中央集权的專制制度获得高度發展的帝国，强大的軍队組織，刺激了軍医組織的發展，改变了历代由太医院随时派遣軍医的办法，而在京軍及內地或边境衛所軍中，沒有正式的軍医編制与固定名額，每一据点和队伍中，至少也有医士一名，(即平均每千人至一万五千人中，有医士一名，医生⑫尚未包括在內。) 和医兽一名。所用药物，全部由国家免費供給，在軍医史上是一大改革。

明代在边境衛所中設立医学，或由太医院派遣医士，專門教授軍人子弟的医术，解决了边疆駐軍中軍医的不足。在历史上，有專門訓練軍医的場所，还系少見。

明代海外交通發达，在郑和下西洋时，平均每 150 人中有医士一人，亦即每只船上有医士 3 人担任医疗工作(民医尙不包括在內)，是我国海軍軍医史上最早的紀录，且海軍軍医人数的众多，在历史上也是創举。

附　　註

凡文中未加註，而写明某年某月者，均系引自明实录，如宣宗宣德 5 年 8 月，即系引自宣宗实录 5 年 8 月中所記事实。

参考文献

1. 明实录，江苏国学圖書館傳抄本之影印本，共500册。
2. 申时行等，大明彙典，万历 15 年(1587 年) 2 月。
3. 清高宗勅撰，續通典，商务版，乾隆 32 年(1767 年)。
4. 黃堅叔，中国軍制史，商务印書館 1941 年 2 月。
5. 張廷玉等，明史，开明版，乾隆 4 年(1739 年)。
6. 李洵，明清史，人民出版社 1956 年 6 月。
7. 金兆丰，中国通史，中华書局 1937 年 5 月。
8. 王桐齡，中国通史，北平文化学社 1934 年 8 月。
9. 馮承鈞，星槎胜覽校註，中华書局 1954 年。
10. 戚繼光，練兵实記。
11. 戚繼光，紀效新書。

⑪明实录、成祖实录：

(1) 永乐 9 年(1411 年) 8 月，兵部議奏下西洋官軍，錫蘭山战功陞賞例。

(2) 15 年(1417 年)5月己亥，遣人賚勅往金乡，劳使西洋諸番內官張謙等……。

⑫大明彙典，卷 150，兵 33，馬政一。

⑬明代的医生尙低于医官与医士，並非現在的通称医生。

印度出版医史杂誌

印度医史杂誌，主編者是 Subba Reddy，第一卷第一期已于 1956 年 6 月出版，每年出版兩次(六月与十二月)由印度医史学会主編。

"印度医史杂誌"的宗旨，在第一期的封里上有这样的說明。

"本誌首先要努力促进对医学史的研討，包括哲学的、社会的、文化的和人道主义的背景，以及变化多端的影响和新的傾向。本誌將致力于促使文化界和医学界注意各种对研究印度医学史有用的东西：考古学上的和碑銘上的証据，傳統的文集、古代文学(無論是宗教的、世俗的或科学的)的摘录、原稿目录、文件記录、古艺术集及艺术品。本誌將搜集古代印度医学对古代和中世紀时期各国和各民族医学的影响的線索和暗示，並將其發表。本誌並企圖批判地考察欧洲文艺复兴及欧洲医学对于印度現代医学的發生和發展的影响(这对印度本国医学和印度健康狀况有深刻的反响)。本誌还要以密切联系医学和人道主义的关系为目标。"

第一期的主要文章的題目是："阿輸吠陀与国外接触"；"古代印度医学关于心臟和血管的观念"；"古代印度对医疗技术的訓練"；"阿剌伯医学"；"古代印度医学系統的护理"；"佛陀論医药、治疗及护理"；"Rhazes 氏的偉大著作'阿尔—哈維'(Al-Hawi)"。此外，該刊还登載了各种有关医学史的活动，有过去的也有現在的。無疑該刊將成为推动印度医学史向前發展的一个重要工具。

(寶譯自 Bulletin of the History of Medicine (4): 379, 1957.)

五运六气説起源的商討

王士福

"运气"学說，自宋、元盛行以来，到清末差不多有兩千年的历史，历代医家畢生精力投于此說者，亦不乏其人，可見其对祖国医学影响之深了。本文首先談談"运气"竄入素問中的年代，次則探討"运气"学說的起源。

范行准先生在医史杂誌三卷一期曾發表了"五运六气說的来源"一文，其中有些論点、是値得商榷的。

一、"运气"竄入素問的年代

(1) 素問部分亡佚的时代

王冰次註前的素問面貌已不得見，但从前代有关文献記載中，尙可看出一些問題。如張仲景伤寒論序文"乃勤求古訓，博採众方，撰用素問、九卷。"

晋皇甫謐甲乙經序："今有鍼經九卷，素問九卷，二九十八卷，即內經也，亦有所亡失。"

隋志載：梁，八卷。又据宋、林亿和丹波元簡引全元起註本目录，亦無第七卷，更無王冰註本之"运气"篇目，故原七卷当失于皇甫謐之前。

(2) 运气是什么时代竄入素問的

唐宝应中（公元762—763年）王冰次註素問，其序云：

"今之奉行，惟八卷尔。……时于先生郭子齋堂受得先师張公秘本，文字昭晰，义理环周，一以参詳，羣疑冰釋。恐散于末學，絕彼师資；因而撰註，用傳不朽。兼旧藏之卷，合八十一篇，二十四卷，勒成一部。"

林亿新校正序中亦云：

"迄唐宝应中，太僕王冰篤好之，得先师所藏之卷，大为次註。"

根据以上材料，可以說明素問中"运气"七篇及六节藏象部分文字，当为王冰次註素問时所竄入。

(3) 对于范先生"五运六气說的来源"一文的商榷

据范先生意見：

"运气之說，唐以前是沒有的，到了唐末五代时候它才出現，但宋初其說犹未盛行，……然則五运六气究起于何时？創自何人？……但可約略証明，它为第十世紀之初，即五代末年許寂之流所倡导的，……許寂伪元和紀用經，为現存最早有关运气之著作，……再观元和紀用經一書共分三章，上篇專言运气用药，其文也有与素問伪篇相同的，但未引用素問之名，即沈括夢溪笔談中也有談及运气的，也同样不引素問之名，由此我們知道五代时运气說，尙未竄入素問，但到了宋治平（公元1064—1067年）后，林亿校正素問时已有天元紀大論以下七篇伪佚之文被竄入的本了。"

按北宋、史載之所著"史載之方"卷首即論"六經所胜生病""六气复而生病""六气所生病"等，該書上下兩卷共論三十一門，数十病症。每一論之卷首皆冠以"五运六气""司天在泉""胜复加臨"之理，其論病、处方、用药無不本"运气"，並皆引据素問"运气"諸篇文。

关于史載之年代，据宋、施彦执"北窗炙輠"[1]載：

"蔡元長苦大腸秘固，医不能通，蓋元長不肯服大黃等药故也，时史載之未知名，往謁之。……已診脉史欲示奇曰：請求二十錢，元長曰：何为？曰：欲市紫菀耳，史遂市紫菀二十文，末之以进，須臾遂通。"

考蔡元長即蔡京，为熙宁三年（公元1070年）进士，亡于靖康元年，（公元1126年）故載之当为熙宁前后人。而林亿等校正素問时期，据范先生称在治平間（公元1064—1067年），而林亿校正素問序言中称："臣等承乏典校，伏念旬岁。"

故書校成后梓行，又当在熙宁十年（公元1077年）以后。"史載之方"可能著于林亿等校正之素問梓行以前。史載之所引素問"运气"篇文可能是未經林亿校正前的王冰原註本。

又据陆心源引"宋稗类鈔"[2]云：

"眉州人彭师古，年三十时得異疾不能食，聞葷腥气則嘔，……医莫能愈，乃趋郡謁史。史曰：君之疾在素問經中，其名曰食掛。"

考林亿所校正的素問本中，無此食掛一名，此又可作"史載之方"所引用之素問当为林亿校正前之王冰註本的旁証，可見"运气"諸篇文竄入素問，早在未經林亿校正以前，並不是治平以后才有的。

北宋沈括（公元1030年生，1094年亡，1063年进士）著"夢溪笔談"[3]所論"运气"亦多引素問"运气"諸篇之文，如"补笔談"[3]第十卷后七卷云：

"黃帝素問有五运六气，所謂五运者甲乙为土运，乙庚为金运……。"

而范先生論証，"夢溪笔談"中也有談及运气的，也同样不引素問之名，这是不符合事实的。

另外范先生以为五运和天干的配合是用"納甲"一类方式的。据沈括"补笔談"卷二象数說：

"世之言陰陽者，五行家則以戊寄于己，巳寄于午，六壬家亦以戊寄于巳，而以巳寄于未，唯素問以奎壁为戊分，角軫为巳分，奎壁在亥戌之間，謂之戊分，則戊当在戌也，角軫在辰巳之間，謂之巳分，則巳当在辰也，遁甲以六戊在天門，天門在戌亥之間，則戊亦当在戌。六己在地戶，地戶在辰巳之間，則巳当在辰，辰戌皆土位，故戊己寄焉，二說正相合，……"

素問遁甲相符矣。”

按以上根据沈括意見，素問的“运气”五运分東干支法与遁甲相符，故其法可能出于遁甲，但据范先生意見，却認为有的和納甲相同，現就各家关于对納甲的解釋引証如下：

夢溪笔談卷七象数：

“易有納甲之法，未知起于何时，予尝考之，可以推見天地育胎之理，乾納甲壬，坤納乙癸，上下包育之也，震，巽，坎，离，艮，兑納甲，戊，己，丙，丁者，六子生于乾坤之包中，如物之处胎甲者……”

朱熹参同契考異[4]：

“参同契本不为明易，姑借此納甲之法，以寓其行持进退之候……然其所言納甲之法，則今所傳京房占法，見于火珠林者，是其遺法，所云甲，乙，丙，丁，庚，辛者，乃以月之昏旦出沒言之。”

王应麟六經天文編卷上八卦納甲条引赵氏[5]：

“……一陽在下震之象，其生魄也。一陰在下巽之象。二陽浸長，上弦为兑。二陰浸長，下弦为艮。三日明于庚，震納庚也。十六魄于辛，巽納辛也。八日弦于丁，兑納丁也。廿三日弦于丙，艮納丙也。日月相望于三五，月盈于甲，故乾納甲。日月合符于晦朔，月沒于乙，故坤納乙，明滿于甲，而尽乎壬，壬廿九日也，过則晦矣，故乾复納壬。”

以上各家所論納甲的道理，实与“运气”不相同。天元紀大論所說的是五运統干支法，如甲巳之岁土运統之等，甲巳統土运这与五行家及医家戊己为土也是不相同的。而納甲所論为八卦納干支法，如“乾納甲壬”“坤納乙癸”等。范先生所云五运和天干的配合是用納甲一类方式的，不知是何所据。

現在再談一談五代末年“运气”学說發展概况。按褚澄遺書[6]为五代蕭淵伪託南齐褚澄所著，在其“辨書”中云：

“尹彥成問曰，五运六气是耶非耶？大撓作甲子，隶首作数志，岁、月、日、时远近耳，故以当年为甲子岁，冬至为甲子月，朔为甲子日，夜半为甲子时，使岁、月、日、时积一、十、百、千、万亦有条而不紊也，配以五行，位以五方，皆人所为也。……故疾难预测，推驗多舛，祗救昜誤，俞、扁弗議，淳、华未稽，吾未見其是也。曰：素問之書，成于黃黃，运气之宗起于素問，將古聖悉妄耶？”

按蕭淵序褚澄遺書时为五代唐末清泰二年（公元935年）五月十九日。

再按五代史許寂傳称：

“清泰三年六月卒，年八十余。”

二人为先后同时，而蕭淵之褚澄遺書所談“运气”只云起于素問，反未提及同时期之許寂及“元和紀用經”，更值得注意的是蕭淵之褚澄遺書明确的对“运气”提出否定意見，因此我們可以理解在当时“运气”学說恐已流傳了一个时期，这一点可以很好說明素問中的“运气”出于許寂“元和紀用經”之前了。

另外如宋代的“郡齋讀書志”、“書录解題”、“崇文总目”等都沒有載“元和紀用經”之名，关于論“运气”的書籍則有署名啓玄子的“天元玉册”和“玄珠密語”二書，都是伪託啓玄子王冰所著。按道理講，某人所以被后人伪託其名者，必須具备一个前提，即該人对此学具有較高的造詣，享有盛名，后世伪託者利用其盛名藉以广傳。“运气”学說正因王冰次註素問竄入而享名，故唐后談“运气”者，亦多乐于伪託其名。即五代之許寂“元和紀用經”伪托啓玄子王冰者，恐亦不出此原因吧！

范先生的論証，“五运六气为五代許寂之流所倡导，元和紀用經为現存最早有关运气之著作”。是沒有充足根据的。

根据以上有关文献資料，虽然說明素問之“运气”学說五代时期已流傳了，但还不如北宋时期流傳之盛，亦不很普遍，有的医家尚未接受此說。如蜀、何光远之“鑑誡录”載[7]：

“虞洮，蜀之医也。萱太尉瑋久患渴疾，求医孟蜀，遣虞往。……虞洮曰：洮聞天有六气，降为六淫，淫生六疾，害于六府者，陰、陽、風、雨、晦、明也。”

按五代史称：

“萱瑋为五代梁（公元907—923年）驍將，以軍功进指揮使，梁亡事唐（公元923—936年）为邠宁节度使。”

蜀医虞洮亦与許寂、蕭淵先后同时，而三人論“运气”者，一为許寂所談虽有和素問之“运气”相同处，但未引素問之名。一为蕭淵所談只云“运气”起于素問，並且还对“运气”提出否定意見，一为虞洮只談“六气”尚宗医和之陰、陽、風、雨、晦、明之說。根据以上材料，可以論斷素問之“运气”当出于五代元和紀用經之前；五代时期“运气”学說虽已流傳，但尚未普遍；而当时談“运气”者又多伪託王冰。所以我們認为素問中“运气”諸篇，为王冰竄入的較为近理。

二、“运气”学說与緯書

探討“运气”思想的起源，首先要研究了解古代先民的世界观。古代先民首先接触到的是大自然界一切現象的运动变異，如日、月、星、辰、寒、暑、風、雨等；再有是人身的变異現象，如生、死、病、老、凶、吉等。这些現象經过他們的不断观察結果，認为自然界一切变異現象和人身的变異現象具有密切的关系，並还相互的影响着。这就是我們古代先民的“天人合一”的世界观，逐漸的發展而成为一种学說——“災異說”。

在汉前其最早的記載如周礼的“保章”“馮相”观測日、月、五星的变动，用以推測季节，並以此占驗凶吉災異，同时它也是我国古代的天文学。

又如尚書“洪范”以人事的“貌、言、視、听、思”和天气的“雨、暘、燠、風、寒”以說災異，这也就是我国比較發展最早的哲学。

又如呂氏春秋月令則以某令失則生某災異，但它的災異說較前者为丰富了，主要特点是联系到疾病方面。

到了兩汉，其說更加盛行，如郑玄註"尙書緯"[8]"五行傳"云：

"貌不恭是为不肅，厥咎狂，厥罰恒雨，厥疾恶，时則有服妖，有龟孽，有雞旤，有下体生于上体之痾……有口舌之痾。……有目痾。……"

后来經刘向父子把古来的災異說分門別类著成專書，还由班固录入"汉書五行志"可見当时的災異說盛况了。我們可以看一看汉后的学术如天文、曆象、音律等所沾有的災異思想都比前代要濃厚，同时我們医学理論中也相对的滲进了有关天文、曆象、音律等学說及災異思想。

在汉元帝（公元前48—33年）前后，有一位專治易的京房（公元前77—37年）倡导一种"卦气"說，其方式把周易六十四卦三百六十爻，一爻值一日，余震、离、坎、兑四卦，分主二分二至为一年，並以風、雨、寒、溫之气化，以定所占之凶災病疾。如汉書京房傳云：

"房治易，事梁人焦延寿，其說長于災变，分六十四卦，更值日用事，以風、雨、寒、溫为候，各有占驗，房用之尤精。"

又如唐李淳風所著"乙巳占"[9]引京房語云：

"北方坎風，主冬至四十五日，四时暴風起于北方，主盜賊起，天下皆动兵，令人病濕飲精下，难以起居。东方巽，淸明風，主夏至四十五日，民多泄痢，乳妇暴病死丧。"

可以說这种理論思想，对"运气"学說的产生是有一定影响的。

我們認为"运气"学說的思想起源是和盛行于兩汉說災異的緯書具有密切关系的。

甚么是"緯"呢？据四庫全書总目提要解釋：

"刘向七略不著緯書，然民間私相傳習，則自秦、汉以来有之，非为盧生所上見史記秦本紀，即呂不韋紀称某令失則某災至，伏生洪范五行傳称某事失則某征見，皆讖緯之說也。汉書儒林傳称孟喜得易家候陰陽災变書，尤其明証。荀爽謂起自哀、平，据其盛行之日言之耳。"

下面我們再看一看素問"运气"諸篇內容出处，可更进一步了解它与緯書的密切关系了。

（1）"五运六气"之名見于緯書者：

易緯河圖数[10]："五运皆起于月初，天气之先至乾知大始也。六气皆起于月中，地气之后应坤。"

按：明儒楊愼，升菴全集云：[11]"五运六气者，医家五运皆起于月初，天气之先至乾知大始也，六气皆起于月中，地气之后应坤作成物也。"此为明儒以易緯此节解釋医家之五运六气說之理。盖"五运"和"六气"相併称可能起源于易緯。

（2）六节藏象論：

"五日謂之候，三候謂之气，六气謂之时，四时謂之岁，而各从其主治焉。"

1）易緯乾鑿度[12]："天气三微而成一著，三著而成一体。"郑康成註："五日为一微，十五日为一著，故五日有一候，十五日为一气也。"

2）易緯通卦驗[13]："冬至前五日，商甲不行，兵甲伏匿，人主与羣臣从乐五日，以五日一候也。"

3）易緯是类謀："冬至日在坎，春分日在震，夏至日在离，秋分日在兑，四正之卦，卦有六爻，爻主一气。"[14]（引惠栋、易汉学）

4）周禮郑玄注："四十八箭，易一气一箭也，气間五日有余，故一年七十二候也。"

5）朱子發卦气圖說[15]："二十四气，七十二候，見于周公时訓，呂不韋取以月令焉。其上見于夏小正，夏小正者，夏后氏之書，孔子得之杞者。夏建寅故其書起于正月，……具十二月而無中气，有候应而無日数。至于时訓，乃五日为候，三候为气，六十日为节。二書詳略虽異，其大要同。"

（3）六微旨大論：

"帝曰：其有至而至，有至而不至，有至而太过，何也？岐伯曰：至而至者和至而不至者，来气不及也。未至而至，来气有余也。帝曰：至而不至，未至而至，如何？岐伯曰：应則順，否則逆，逆則生变，变則病。"

易緯通卦驗[13]："冬至晷長一丈三尺，当至不至，則旱多温病。未当至而至，則多病暴逆心痛，应在夏至。

小寒晷長一丈二尺四分，当至不至先小旱，后小水，丈夫多病喉痹。未当至而至，病身热，来年麻不为。

大寒晷長一丈一尺八分，当至不至，則先大旱，后大水，麦不成，病厥逆。未当至而至，多病上气嗌腫。

立春晷長一丈一尺二分，当至不至兵起麦不成，民傳痛，未当至而至，多病燥疫疾。……"

按：六微旨大論所云至而不至，未至而至之理与上述易緯通卦驗略同，据明、孙瑴、古微書[10]第十五卷易緯通卦驗按語云："按此緯以晷影候病厄通于內經五运六气矣，謹剌其要。素問天元紀，夫变化之为用也，在天为玄，在人为道，在地为化，化生五味，道生智，元生神，神在天为風，在地为木，在天为热，在地为火，在天为濕，在地为土，在天为燥，在地为金，在天为寒，在地为水。"

此儒家次註緯書，引素問"运气"之言以解釋，盖可見緯書与"运气"是有密切关系。

（4）六节藏象論：

"天为陽，地为陰。日为陽，月为陰。行有分紀，周有道理。曰，日行一度，月，日行十三度十九分度之七。"

1）尙書緯考灵曜[10]："日月东行，而日行迟，月行疾何？君舒臣劳也。曰，日行一度，月，日行十三度十九分度之七。"

2）白虎通义[16]："日行迟，月行疾何？君舒臣劳也。曰，日行一度。月，日行十三度十九分度之七。"

按：六节藏象所論日月行度，是与尙書緯考灵曜、白虎通所論相同。

王应麟之六經天文編多引諸緯書，其卷下日度篇亦引六节藏象此节王冰語文为註。如："素問註曰：日行迟，故晝夜行天之一度，而三百六十五日一周天，而就有度之奇分矣。月行疾，故晝夜行天之十三度余，而廿九日一周天也。”

此又有說明宋儒常以緯書和素問“运气”互註併談，可証儒家早于宋时已了解緯書和“运气”之間关系了。

（5）五常政大論：

“帝曰：天不足西北，左寒而右涼也。地不滿东南，右热而左温，其故何也？歧伯曰：陰陽之气，高下之理，太少之異也。东南方陽也。陽者其精降于下，故右热而左温。西北方陰也，陰者其精奉于上，故左寒右涼也。”

1）河圖緯括地象[10]：“天不足西北，地不足东南。西北为天門，东南为地戶。天門無上，地戶無下。”

2）詩緯含神霧[10]：“天不足西北，無有陰陽消息，故有龙銜燭以往照天門中。”

3）春秋緯元命苞[10]：“地不足东南，故陰右动終而入灵門。”

4）艺文类聚引元命苞（引癸巳存稿卷六天門条）[17]：“天不足西北，陽極于九，故周天九九八十一万里。”

5）易緯乾元序制記[18]：“东北为雨，西南为正，东南为溫，西北为寒。”

6）淮南子天文訓[19]：“天傾西北，故日月星辰移焉。地不滿东南，故水潦塵归焉。”

按：五常政大論所述天、地、东南、西北、不滿、不足、高、下、寒、溫之理，与諸緯書及淮南俱同。清儒兪正燮所著癸巳存稿卷六[17]天門条云：“乾位在西北，以天門所在，蓋天之說也，渾天則不然，故說經宜通蓋天。素問五常政大論云：天不足西北，左寒而右涼，地不足东南，右热而左溫。列子湯問篇，淮南天文訓俱云天傾西北，日月星辰移焉。乾鑿度云：日者提，不者殆，易物之績命不在。……春秋元命苞曰：精出于天，精出于天，提日而西北之也。”前例举宋、明儒家以素問“运气”之文解諸緯書者，此为清儒以素問“运气”解緯書者，蓋宋、明、清儒家通緯書者，虽沒有能够明确提出素問“运气”学說本源于諸緯書，但他們都理解到二者同出一說，故用以互解。

（6）五运行大論：

“臣覽太始天元册文，丹天之气經于牛女戊分，黅天之气經于心尾己分，蒼天之气經于柳鬼危室，素天之气經于亢氐昴畢，玄天之气經于張翼婁胃。所謂戊己分者，奎、壁、角、軫則天地之門戶也。”

1）周髀：“冯相掌廿八宿也。”

2）淮南天文訓：“星分度，角十二，亢九，氐十五，房五，心五，尾十八，箕十一四分一，斗二十六，牽牛八，須女十二，虚十，危十七，营室十六，东壁九，奎十六，婁十二，胃十四，昴十一，畢十六，觜嶲二，参九，东井三十，輿鬼四，柳十五，星七，張翼各十八，軫十七，凡廿八宿也。”

3）易緯乾鑿度[12]：“星二十八者七宿也。”

4）易緯坤灵圖[20]：“五帝东方木色蒼，七十二日。南方火色赤，七十二日。中央土色黃，七十二日。西方金色白，七十二日。北方水色黑，七十二日。”

按：古微書卷十五易緯坤灵圖註云：“按运气全書太古占天望气，定位之始，見黅天之气横于甲巳方为土运，素天之气横于乙庚方为金运，元天之气横于丙辛方为水运，蒼天之气横于丁壬方为木运，丹天之气横于戊癸方为火运。……每运各主七十二日零五刻，总三百六十五日二十五刻共成一岁。”

这是古代先民以間接参酌月亮在天空的位置，来推定太陽的位置；由太陽在二十八宿星的位置，便可知道一年的季节。

（7）六元正紀大論：

“帝曰：願为其行，何謂也？歧伯曰：春气西行，夏气北行，秋气东行，冬气南行。”

1）尙書緯考灵曜[10]：“春則星辰西遊，夏則星辰北遊，秋則星辰东遊，冬則星辰南遊。”

2）郑玄註：“天旁行四表之中，冬南、夏北、春西、秋东，皆薄四表而止，地亦升降于天之中。”

3）易緯乾坤鑿度[21]：“万形經曰：太陽順四方之气，古聖曰燭龙行东时肅清，行西时䁌昧，行南时大暇，行北时严杀。”

按：兪正燮癸巳存稿引乾坤鑿度云：“此言日之四遊也……亦蓋天之意。”

顧观光武陵山人杂著云[22]：“緯書之意，蓋以地之近日为南，远日为北，后日为西，先日为东，所謂东西南北，皆在太陽之四周，不在黃道之中心也，即自西而北、而东、而南，則其行必成圓形，而不成直線，故有人在舟中之喩，明謂日不动而地球环之。”蓋此亦即言自轉公轉之理，緯書及素問“运气”已早明此理。

（8）六节藏象論：

“三而三之，合而为九，九分为九野，九野为九藏。”

1）尙書緯考灵曜：“天有九野，九千九百九十九隅，去地五亿万里。”

2）淮南天文訓：“天有九野，九千九百九十九隅，去地五亿万里。”

按：“运气”九野之名，見于考灵曜及淮南天文訓。

（9）六微旨大論：

“天符岁会何如？歧伯曰：太一天符之会也。”

易緯乾鑿度：“故太一取其数以行九宫，四正四維皆合于十五。”

按：“太一”之名見于易緯乾鑿度，其太乙遊九宫之說，亦見于灵樞。

結語

关于“运气”学說的起源問題，根据范行准先生考証，認为是五代末年許寂之流所倡导，而其所著之“元和紀用經”則为現存最早有关的“运气”著作。北宋时期其說犹未盛行，到了宋、治平間，林亿等校正素問时，已有“运气”諸篇被窜入的本，而本文看法却与范先生的看法有些出入：

（1）唐、宝应中王冰次注素問时，即將"运气"諸篇窜入，故素問中的"运气"諸篇为現存最早有关"运气"較成熟的著作。

（2）五代时期素問中虽有"运气"学說的本子，但流傳还不很普遍，更有的如五代末年即清泰二年序的褚澄遺書，对它提出了否定的意見。但到了北宋由于医家及文人的提倡，方始盛行起来。

（3）至于"运气"学說的思想，根据本文看法，当起源于古代"天人合一"災異說，而盛行于兩汉的緯書即为災異說的流派，我們看到"运气"学說有些是与緯書的內容相类似，因此提出这样看法。

（4）范先生以"天元紀大論"的"五运"統十干法，有的与"納甲"符合。但据本文看法："运气"的五运統十干法与"遁甲"有的相同，却不同于"納甲。"

参考書目

1. 施彦执，北聰炙輠，叢書集成本。
2. 史載之傳、陆心源引，宋槧类鈔，宋人医方三种，商务。
3. 沈括，夢溪笔談及补笔談，叢書集成本。
4. 朱熹，参同契考異，叢書集成本。
5. 王应麟，六經天文編，叢書集成本。
6. 蕭淵伪，褚澄遺書，六醴齋程永培校本。
7. 何光远，鑒誡录，知不足齋本。
8. 郑玄註，尚書大傳，万有文庫本。
9. 李淳風，乙巳占，叢書集成本。
10. 孙瑴，古微書，叢書集成本。
11. 楊愼，升菴全集，万有文庫本。
12. 郑玄註，易緯乾鑿度，叢書集成本。
13. 郑玄註，易緯通卦驗，叢書集成本。
14. 惠棟，易汉学，叢書集成本。
15. 王应麟，六經天文編，叢書集成本。
16. 班固，白虎通义，叢書集成本。
17. 兪正燮，癸巳存稿。叢書集成本。
18. 郑玄註，易緯乾元序制記，叢書集成本。
19. 刘安，淮南鴻烈解，叢書集成本。
20. 郑玄註，易緯坤灵圖，叢書集成本。
21. 郑玄註，易緯乾坤鑿度，叢書集成本。
22. 顧观光，武陵山人杂著，叢書集成本。

更 正

1958 年第1号

頁	欄	行	誤	正
封面		倒4	搜隻	搜集
1	左	1	指定	制定
2	右	19	万盆	万盒
2	右	20	盆	盒
4	左	15	衛生机关	衛生行政机关
18	左	14	救活工作	救治工作
19	左	15	方法的基本原則	方法应依据的基本原則
19	右	8	研究保健工作的方法，可以归納下列五点	保健工作的基本方法，可以归納为下列五点
21	左	4	确定口号	确定口号应依据
21	左	5	明确方向	明确方向的要求
21	右	10	必須注意	(4)典型推动全面的方法：必須注意
21	右	27	运用綜合	(5)运用綜合
21	右	31	現拟制一表式如下	分述如下
48	左	4	判医	判浚
50	左	14	造腔术	造腔术
52	右	7	寨	寨

关于医学史分期問題

唐志炯

医学史的分期問題，是近年来医史学界中的一个重視問題，其所以如此，一方面故然是分期問題的本身，在医学史的課題中有其重要的地位；另一方面，也說明了因医学史研究工作的逐步开展和各高等医学院校先后开設医史課程后所必然引起的。本人曾于1955年在中华医学会上海分会医史学会的討論会中，提出了医史分期的論点和分期法，但因那是座談性質，只能作提要式的發言，对于立論不能作詳細的闡明，更不能周密的考慮各方面的問題。現就近年来教学研究工作中摸索所得，对分期問題，提出关于分期的理由、原則、具体划分法和分期若干問題的看法等四方面的意見，以作进一步的探討。

一、为什么要研究医学史的分期問題

（1）从医学史的性質看分期的意义和目的。

医学史虽是一門自然科学史，但並不是孤立的，毫無依附地存在着，相反的，是在各个不同的社会历程中所生長和發展的，因此，是与当时社会的各种条件密切地联系着；苏联学者在最近出版的医学史一書中，也說明了这个問題，"医学史是与社会經济結構的發展和改变密切結合地，即与各民族的一般文化史密切联系地研究医疗活动和医学知識的一門科学"。[1]因此研究医学史，勢必要联系到当时社会的特点，只有在深刻地理解社会特点的基础上，才有可能正确地分析这个时期医学的特点和医学的發展的規律性、成就方面与阻滞方面的原因、理論与实踐的正确性、以及当时的社会思想和制度与医学的关系等等。

可是社会的特点（包括社会的政治、經济、意識形态、文化等）、主要是在各个不同性質的社会中来認識，而人类社会的历程，已有了五种不同性質的社会，这五种不同性質社会的各个时期，各个阶段中，又有其質的区別，因此也就造成了它的复杂性；而这个質的区別，又是与医学的發展有密切关系。在这样的情况下，研究医学史的分期目的，也就是为了更明确地来掌握它發展中的特点和規律，反过来說，所以要分期，是医学史这門科学特定的性質所賦予我們的任务。

（2）从医学史的研究范圍看分期的需要

我們現在所称的医学史，包括了医学中各个不同性質的科目其發展历史的总称。而它的实际研究对象，以最粗略的划分，应該包括：一般医学史和軍事医学史兩大类，兩者又須分为通史和專科史，在通史中，又可分为世界部分，苏联及各民主国家部分，和中国医学史部分，而各部分，又須分划各个不同的时期，为了清楚起見，列表如下：

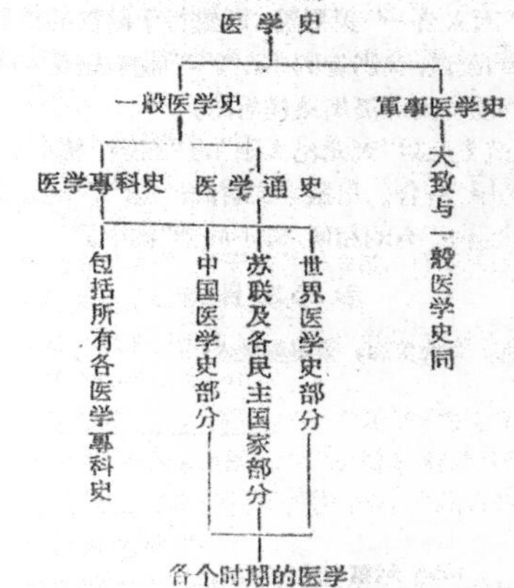

按上述的內容，不难看出其研究的横面，是如何的寬，又是如何的复杂，而不論那一个部分，同样都与其他国家的医学發展有联系的，也都起着互相影响作用，因此，沒有清晰的分期，本国的医学与世界各国的医学在發展中的关系就很难說明。

再从縱的方面来說，因为医学史是医学發展的历史，它是包括自人类脫离动物界后的医疗活动起，一直至目前的若大历程，（即使是从有文字开始算起，也已有三四千年的內容），这样長的一个时期，如沒有明确的分期，是不可能完成医学史的使命的。

（3）为了教学和研究工作的需要。

除了医学史本身的性質与范圍，提出了对分期的要求以外，而这样的要求，同样体現在我們医史工作者的具体工作进行中，在教学工作上，医学史的教科書，講义，以及講解的过程中，如果沒有明确的分期，学生們又如何能系統的了解医学的發展，医学与每个时代中的生产水平，社会制度等的关系，和所引起的变化呢？又如何了解当时佔統治地位的哲学思想对疾病的認識，医学理論，技术等發展的影响呢？又如何客观的总結过去經驗，而这經驗又是如何与当时条件所密切結合的呢？等等。

在研究工作上也是同样，不論研究題目的大小，总之，是研究医学史的題目。医学史决不是另星的把某个疾病，某个医生，某本著作的堆积，它是在發展过程中与各个社会特点有密切联系的一个整体。因此，研究某一个問題，非但与其他医学問題有联系，与各部門科学有联系，而且是与当时的社会特点有联系，研究工作者，借医史分期的帮助，更能掌握明确的方向。苏联历史学者曾指出分期工作："即令是一种假定的圖式，但究不失为研究者一种指导性和卓有建树的工作。"[2] 不然，一个医史的研究工作者，就没有一个明确的历史發展綫索可以遵循。

二、分期的原則和依据

(1) 应根据社会性質来划分，因为医学虽然是一門自然科学，但正同其他自然科学一样，它与当时的社会条件——政治背景，哲学思想，及当时各方面的文化水准，物質文明等有密切联系的。我們既不能把历史事实向后倒退，也不可能要求过去的史实来适合現在的要求，因为这是历史条件限制了的，誰也無能为力，虽有的人因認为自然科学不是上層建筑，也就是說，自然科学不是随基础轉移而轉移的，于是也就把它孤立起来看，認为它可以独立地自生自灭。其实，問題並不是这样簡單，恩格斯說："不管自然科学家們高兴採取怎样的态度，他們总还是在哲学支配之下"。[3] 我們無論如何也不能否認，当时社会的条件，是对医学起着直接或間接的影响，在有些方面，甚至起决定性的影响，回顧一下中国医学的历史，順手拈来就有許多例子可說明这个問題。在医学理論上貫穿着陰陽五行思想，就是春秋战国以来的哲学思想，宋代的医学教育和王陽明的政治改革是分不开的，元朝的医学分科增加了骨科这是蒙古人的遊牧生活与以騎兵为主要武裝力量有密切的联系，清朝的閉关自守政策对国外医学的吸收，是起了很大的阻碍作用，而鴉片战爭后，作为帝国主义的文化侵略一部分的教会所办的医学校又紛紛的建立，諸如此类不須多举，而对保健組織，衛生預防等更是与社会性質有直接的关系。

因此，在一定的社会条件下，对医学不能不起到一定的影响，而医学史以此为分期的依据，正是可以更明晰的分析医学發展道路上的特点，它的一般性和特殊性，它的內因与外因。

(2) 在同一性質的社会中，可以再分为几个时期或段落，所以要这样，其原因不仅仅是因为某一社会的时期特別長(如中国的封建社会)，長的故然要分，短的同样須要考虑，問題是在于当时社会的变化，对于医学的影响如何的問題，这样是更可以把社会發展的特点与医学發展的特点結合起来，如我国的半封建半殖民地社会，时間虽然較短，約一百余年，但按該社会的發展上来說，却不是自始至終都是一模一样的，而是有其深刻的变化，自鴉片战爭起，經过甲午战爭，八国联軍，到五四运动，到蔣介石統治，資本主义成分逐漸增加，帝国主义奴役加深，人民的反抗越来越激烈，而医学在这个时期，也有显著的变化，中国傳統的医学与西洋医学比重上逐漸的变化，並引起激烈的斗爭，因此，不講某一个社会的时間長短，如有必要，就可分为若干段落，其目的是为了求得医学發展过程的認識更深刻化。

我在1955年的中华医学会上海分会医史学会中，曾提出过对中国攸長的封建社会，也可考虑用另一种分期的办法，即分为前，中，后三期，前期是封建社会的形成期，中期是封建社会的發展和巩固期，后期是封建社会的衰落和解体期，但也仅仅是我个人的一种想法，沒有更深入的鑽研过，当然这样的分期，也有它的困难，主要是封建社会十几个朝代，几百个皇帝，究竟每期的起止于何时，是需要通史方面更进一步明确后才有可能。

(3) 对医学上的重大成就，作为医学史分期的依据，这是有好些人想尝試的[4]，我認为这样的分期法一方面不甚妥当，另一方面也很难解决問題，因为某些特殊成就，对医学發展上虽有很大貢献，但这个貢献，並沒有使医学各部分起决定性的影响，比如說，麻醉学的創始，毫無疑問地在医学發展中佔了重要地位，它使人們毫無痛楚地接受手术治疗，但对內科来說就显得不是那么重要，假使各科都按自己的角度来分期，那是無法得到統一的，从而也無法得出在發展中統一的概念来。

看来，医学通史要按这样的分期，是有困难的。但是在各專科史的分期上，却是值得考虑的問題，專科史以这样来分期，是容易結合專科的特点，也容易明确这个專科在發展上的关鍵問題，但有一个标准，就是这个發明或發現，势必对这个專科發展道路上起着决定性的影响，才能作为專科史分期的依据，例如假使我們承認，沒有消毒学和麻醉学，就沒有近代外科的話，那么，它就可以作为外科史分期的一个阶段，当然我也不摒棄对專科史其它的分期法。

(4) 中国医学史的分期，应該是根据中国通史的分期为准，这是不言而喻的事情，因为世界各国的社会發展过程，各有各的特点，但有人企圖硬套，要把世界各国（起碼是欧洲）的社会各个进程与中国划一条等綫。另一方面，中国的医学理論和实踐，是与中国通史所总結的發展过程不能分割的。問題是在目前中国通史对有些問題尚未作出最后定論以前，將如何办？在这样的处境下，我認为暂时的办法，可按照現在高等学校的历史教学大綱中的分期法，特别是各师范大学的，因为他們培养中学教师，又与中学教本的历史分期統一的，但这並不是一个定論。我認为暂时採用这样的办法总比較妥当，因为医史工作者总不能来研究通史，替通史問題来下一个結論，而通史沒有决定的問題，我們也不能因此把分期問題擱下来，好在待定論后，还是可以修改的。

三、中国医学史的分期意見

根据上述的原则与要求，我提出如下的分期法：

（1）原始社会的医学

这个时期应自人类脱离了动物界后（依中国来說，自中国猿人开始），經过了原始羣，原始氏族公社一直到殷商前为分界，这个时期的医学资料，大部分是依靠地層的發掘、化石、骨骼、工具用品、艺术等为依据，一部分是傳說和后人的追記。

这里須要說明一点的是夏代問題，現在有些医史学家，把夏代列入为奴隶社会，但所提出的証据很薄弱，大部分是根据傳說来推測，而且到現在，夏代的文化地層發現很少，所以我仍把夏代作为原始氏族社会的末期，列入在这个时期內。

（2）奴隶社会的医学

中国奴隶社会按現在通史的分期是殷商开始这样划分問題恐不大。其下斷至春秋，历經殷商，西周。这个时期是我国有文字可作考据的开始，自最初的甲骨文至金文以及流傳的書籍，出土的銅器，陶器等也較丰富，宗教哲学思想已形成，並得到發展。这个时期的中国医学从对疾病的認識、治疗、到医学的組織、药物的發現等，都有了基础，其主要特点是医学往往結合着宗教和迷信的色彩。

中国的奴隶社会是屬于古代东方类型的早期奴隶制形态，並沒有發展成为希腊，罗馬一样的古典奴隶制形态，因此，反应在医学問題上，同样的与希腊，罗馬时代奴隶制的医学很难作一統一比較的。

（3）封建社会的医学

封建社会的开始与奴隶社会的下限，是同一个問題，这个問題在史学界中論爭了几十年，意見分歧，立說甚多，归納起来，主要有三，一是主張西周即封建，二是春秋战国开始为封建社会，三是魏晋南北朝为封建社会，我个人是同意第二种意見的，其下斷是至清末鴉片战爭为止。

这个时期的我国医学是有很大的發展，医学脫离了巫术的束縛，針灸法的普遍使用，繼扁鹊之后，張仲景，华佗等奠定了內外科的基础，医院、医学校的設立，以及以朴素唯物論的哲学思想为医学的理論，药用植物的普遍使用，各种專科的医学著作等等，特别表現在封建社会的初期和中期。

关于封建社会的分段問題，暫拟如下：

春秋战国：农村公社瓦解，封建的經济关系开始，陰陽五行思想为医学的理論，医巫分立。

秦汉三国：中央集权制形成，文字和度量衡等的統一，对医学的流傳起到一定作用。文化發达，第一部医学著作內經产生，名医甚多。

兩晋南北朝：集权的統治分裂，外族入侵；統治北中国，医学發展受到一定阻碍。王叔和的脉經，皇甫謐的針灸学，葛洪的化学制药等，都为兩晋时代的医学貢献，而到南北朝时，在医学上实無更显著的建树。

隋唐：中国重新統一，这时期为中国封建制極盛之时。道教和佛教盛行，斗爭激烈，对医学也起了部分影响。

宋元：运气学說对医学的影响。医学开始分为学派。金人和蒙古人的統治，中国文化受到摧殘，也影响了医学的發展。

明清：明朝对自然科学引起注意，医学人才也較多，国外的貿易逐漸發展，对中外的医药起着交流作用。清代滿族人的严历統治，医生同样受迫害，医学也着重在考据。更因閉关政策，对吸收国外医学，受到很大影响。

把封建社会分成如此六段，这也並不是說最合理的分法，例如明清，也似可以分作为兩段；主要还有待于大家进一步探討，如何更能合乎分期目的与結合医学特点。

（4）半封建半殖民地社会的医学

这一个时期，虽然很短，約百余年，但却很复杂，通史是將这个时期列为近代史，但下斷至五四运动，以后是作为現代史，而按社会性質来說，到1949年前，还是屬于半封建半殖民地社会，在医学史分期上因我以社会性質来划分，所以这个时期仍至1949年为止。

这一个时期的分期，在历史学界也有許多論爭，有的主張分为七个，有的四个，有的三个，我認为为了結合医学發展的特点，暫可分为二段：

从鴉片战爭起，至五四运动止（1840—1919年），为一阶段，这一阶段是中国半封建半殖民地社会的形成和加深的时期，这个时期的医学特点主要是随着帝国主义的侵略，教会所办的医学校和医院大增，中国傳統的医学在国內，特别是大城市內已起了变化。

五四运动至中华人民共和国成立（1919—1949年）作为一个阶段，这个时期是半封建半殖民地的崩潰时期，在医学上"中西医之爭"更激烈，狂妄的提出要取消中医，医学上又有"英美派"与"德日派"的之爭，而在老解放区，新的医学觀点与制度在逐漸形成。

（5）社会主义社会的医学

因为中华人民共和国的成立，中国新民主主义革命已基本上完成，在第一个五年計划前的过渡时期，是向建設社会主义社会过渡，所以应該是屬于社会主义的范疇內。

这个时期虽然短，但随着社会主义制度的優越性不論在医学理論和技术上、保健組織上、衛生設施上、医疗上，都得到了迅速的發展，發揚吸取祖国的医学遺产，团結中西医，已成为国家的政策。

总括上述的分期法和簡略的說明，現列簡題如下：

（1）原始社会的医学；

（2）奴隶社会的医学；

（3）封建社会的医学；

春秋战国

秦汉三国

兩晋南北朝

隋唐

宋元

明清（1840年鴉片战爭止）

（4）半封建半殖民地的医学

鴉片战爭至五四运动（1840—1919年）

五四运动至中华人民共和国成立（1919—1949年）

（5）社会主义社会的医学，（中华人民共和国成立起）

四、对医学史分期若干問題上的意見

（1）認为分期本来是人为的，是为了教学研究的方便。

关于这个問題，假使作为一个人的工作来說原是無可厚非的，因为什么工作都是人做出来的，历史本身也是人所創造的。但历史的分期，它是具有一定的科学性和目的性的，我們所以要分期，是明确了該社会在当时的性質，（是一种質的区别），从而也明确了与当时社会性質相結合的医学發展史中的規律和特点，也帮助了医史工作者來掌握医学發展的規律和特点，所以这不能只圖方便，因为历史是客观存在的，它不能随人的主观意願而轉移，因此，也不能随自己意志任意來划分摆佈。

（2）分期並不是分割：一切科学的發展，都是有繼承性的，医学也不能例外，没有前者，也就没有后者，原始社会的那怕是一点最簡陋的医疗活动，也就是今天医学的最早基础。历史的分期，决不是机械的把它切成兩段，好像上下没有了联系，这是不可能的，因为一切事物的变化，都有它內因和外因，並且都是在漸变中才有突变，分期不可能是一刀切成兩面光的，例如封建社会的医学，还是繼承着奴隶社会的医学而發展的，它是随着社会的發展，随着經济，文化，等發展而發展的，但是它們自己有它的特殊性，这个特殊性，也就是以正确的分期来認識它，掌握它。

（3）按朝代划分的問題：有些医史工作者，主張按朝代分期[1]，我感到这样似乎是失去了分期的意义，事实上也就沒有什么分期的問題了，因为它只要按朝代排列，把每个朝代所發生的医学事件，納入进去就行，这是不能进一步說明問題的，而且往往造成只是一种資料的堆砌，而不是有系統概念的完整的發展史。

（4）按古代，中世紀，近代，現代的分期問題：按上述的題目，作为历史学的分科，这是应該的，因为它本身还是要借分期的帮助，来达到認識与闡明历史發展的目的。但假使就以这样来作为医学史的分期就大有問題，例如所謂"古代"的概念，最起碼要包括二个以上不同性質的社会（原始社会和奴隶社会），或者也可包括中国封建社会的初期。又如中世紀，这个名字来自拉丁語，最早是德国历史学家所使用的[6]，馬克思主义者所指的中世紀是以罗馬帝国的灭亡起至十七世紀的英国革命止的整个封建社会[6]；而我国的中世紀，又很不明确，在概念上往往是以魏晋南北朝起，这样的分期，框子大，既籠統，又含糊，而且最大問題，是不能与社会性質相結合来闡明医学科学的發展。

以上数点，是我个人对現存分期問題上的一些不同看法，並沒有抱着对这样看法就是完全正确的信念，还希望大家共同来研究探討。

参 考 文 献

1. Б. П. 彼得罗夫編，医学史，第一卷，第二頁，人民衛生出版社，1957年。

2. 石父輯譯，苏联历史分期問題討論，第96頁，中华書局，1954年。

3. 恩格斯，自然辯証法，第173頁，人民出版社，1955年。

4. 中国医史研究方法座談会各次开会暨發言紀录（二），中华医史杂誌，7:314—315，1955年。

5. 同（4），7:238—240，1955。

6. 謝緬諾夫著，中世紀史，第7頁，三联書店，1956年。

中文医史論文索引出版

上海市中医药学术研究委員会医史研究組主編的中文医史論文索引第一、二、三集均已先后在上海出版。

該索引第一集共收論題1650篇（1906—1954年），第二集466篇（1955—1956年），第三集343篇（1957年）。資料是採自二百几十种报刊所登載的論文編纂而成，每集各有分类綱目、作者索引、篇名索引，是医史研究者很好的参考工具書。

該索引須文由上海市北京东路342号中华医学会上海分会医史博物館代售。第一集定价2.00元，第二集0.86元，第三集0.80元，需要的，可直接函購云。

再談“滇南本草”

（並答曾育麟先生提出的兩点商榷）

于蘭馥

我与于乃义合写“滇南本草的考証与初步評价”一文，（載本刊1957年第1期）仅就我們所見到的文献，作初步的介紹推論，拋磚引玉，就正于先进。因倉卒屬稿，限于水平，錯誤遺漏滋多；近来得到各方面提給很多宝貴意見和重要的參考資料，尤其是湯溪范氏所藏明清兩代傳鈔本的“滇南本草圖說”，現已由云南省衛生厅征得范君同意，全部攝制書影，交付參考；这書的發現，对滇南本草的研究，帮助甚大。这里我再提出有关的几个問題，談談管窺之見，玆將新获資料，作簡要介紹，以补前稿之不及。

一

“滇南本草”从明代正統初年（公元1436年）流傳到現在，有500多年了[1]。它之所以被云南人“奉为至宝，”也成为“專重一区域內之本草，在吾国五千年史上並不多覯”的書[2]，是有其历史淵源和客观条件，不是出于偶然的。

云南是祖国动植矿物丰产的省份，是生物学家的乐园。以葯物說，早在神农本草經和名医別录內，就收录有“犀角、木香、扁青”等滇产葯物。陶弘景还說：“青木香，永昌不复貢，今皆从外国舶上来”。可見在此之前，滇产木香，已屬于名貴的貢品[3]。至于草葯，在云南也有悠久的历史；諸葛亮南征孟获，得“芸草”解啞泉之毒，这个故事，也有文献的根据[4]。唐代樊綽的蛮書，叙述南詔国“大雪山的薏苡，丽水的护歌諾木，永昌的麝香”等[5]。五代时，李珣著“南海葯譜”，也曾提到大理国的葯材[6]。从上面征引的文献記載，說明云南也和祖国其他地区一样，我們的祖先——古代的劳动人民，認識自然，利用自然，不斷的对疾病作斗爭，积累了丰富的經驗，因而掌握了丰富而有效的葯物。到了明代初叶（公元14世紀末到15世紀初），由于中原向云南大規模的移民，中原和云南的經济文化交流，使地方葯物知識与祖国的本草学相結合[7]，“滇南本草”就在这个有利的条件下輯成專書，对古代云南流傳的葯物知識，作了一次总結。

二

关于“滇南本草”原著者是誰的問題，就我在前稿中征引的文献看，不外兩种說法：一說是肯定为蘭茂所著，如清代師范在“滇系”里所記述和現存务本堂、和云南叢書本所标列。另一說則否定蘭茂与滇南本草的关系，認为署名蘭茂，出于依託或值得怀疑，如戴絅孙修昆明县志，和道光云南通志稿中的按語，以及經利彬在“滇南本草圖譜弁言”中判断“滇南本草之非止庵蘭茂所著也明矣”。这兩种說法，虽各有根据，但所掌握的版本文献，都是較晚的，持片面的理由，自难于获得接近事实的眞相。因此經利彬也曾提出几点意見：

“（1）蘭茂是否著有滇南本草一書，此疑問極难解答；而坊間所見之兩种刊本，均为后人依託之偽作，則無疑义。

（2）蘭茂或著有滇南本草一書，后經他人增加刪改，以成今日習見之刊本，而此增加刪改者則为近代人。

（3）今日習見之兩种滇南本草，为近人依託蘭茂盛名而作，此外尚有逸本。”

按：經氏仅就务本堂及云南叢書兩种版本来推断，因而引起怀疑。可是現存的滇南本草就不仅有这兩种版本，其他刻本抄本，也都标名蘭茂，为經氏所未見到。我在前次所写的文稿，根据吳其濬在植物名实圖考內的按語[8]，从吳氏叙述他見到“正統元年識”的本子，“疑是原本”，“書非一种，刻鈔互異，蓋后人增益者，並載之以备考”的說法，复按以各种刻鈔本的流傳情形，我認为蘭氏的原本，虽不可得見，但現存的各种本子，都淵源于蘭氏，因此我有这样的推断——“蘭氏对云南葯物倡首結集的功劳不可沒，而滇南本草的撰述，說成是劳动人民的集体創作，也未始不可”。从最近見到三种較早的版本来看，也証实了这样的推断：

一种是昆明画家胡云龕旧藏的“滇南本草”鈔本，有圖有文，收葯物26种，与务本堂版卷一上相同。書前載蘭氏自序，訛为“崇禎元年識”，但仍标名为蘭氏所著。

另外兩种版本，見于新出的“現存本草書录”。收录有“滇南本草三卷，明蘭茂撰，清初云南刊本（即云南叢書祖本）”又著录“滇南本草圖說殘卷（存卷二至四）守一子述，高公抄，清乾隆28年癸未（1763）昆明朱景陽重写本”經展轉函詢，得知此兩書均系湯溪范氏所藏，我去函請教，承函告云：

“滇南本草圖說系十二卷。缺第一、二兩卷。本草書录作存卷二至四，誤也。此書系用云南綿皮紙鈔写，圖用水墨繪制，亦甚逼真，蓋据实物白描者。本書虽題'楊林蘭茂止庵先生著釋'，然据各卷后小序，知为明嘉靖丙辰滇南范洪撰。（洪号守一子）至康熙丁丑滇南高宏業鈔录之。乾隆三十八年二月朱景陽又重鈔之，未有刊本，各家簿录未有記載。然其書有記及吳三桂寵姬陈圓圓进菊花参于吳王事，則又非范書之旧矣；当有高氏之說竄于其間。所謂抄与重抄，可作續撰再撰之义看也。鄙齋尚有清初云南刊本滇南本草三卷，題名蘭止庵先生纂訂，無序跋（本草書录所署即据此本，惟題作明蘭茂撰，文字亦有出入）审为云南叢書之祖本。大著中曾涉及此書版本，而未之著录，知流傳亦罕矣。"

从范君函告各节，已經知道"滇南本草圖說"这个明清兩代遞抄本的大略。再將全部書影与其他版本对校，更認明这書的特点，首先对原著者的問題，提供了有力的佐証。

据書影卷九載范洪后序云："蘭子因母病留心此技三十余年，其学皆探本穷源，得古人精奥，其方餌專一真切，不事枝叶，投人数剂無不立愈"。按：范洪集撰此書在明嘉靖丙辰35年(公元1556)上距蘭茂逝世之年(明成化12年公元1476)只80年，范洪序文中提到的蘭子，当即指蘭茂言。而此書每卷开端均署名"楊林蘭茂止庵先生著釋"。誠然这部圖說，是范洪所撰，經高宏業、朱景陽增益傳鈔，並非蘭茂原本，但仍然标列蘭茂名义，則范洪之淵源于蘭茂，自無疑义，这証明了蘭茂是撰著过滇南本草，是最早的紀录；而湯溪范氏另一收藏的清初刻本滇南本草，也标名"蘭止庵先生纂訂"，合上我在前文所引吳其濬叙述他見到的滇南本草的板本情况，正如范氏說："証明蘭氏曾撰此書，一扫以前疑云，"足为定論了。

至于經利彬所提出的三点疑問，我有这样的看法：

（1）蘭茂曾撰有滇南本草。此后各种刻本鈔本以及别撰的圖說等，均与蘭氏有淵源关系，比之原本有所增減，逐漸丰富了內容，但不能認为"后人依託之伪作。"

（2）現所見到的滇南本草，無論何本，均無从分别辨明那些是蘭茂的原文，那些是后人增改的。就中、有明代的范洪，清代的高宏業、朱景陽、刘乾、管暄、管濬等，或系重撰，或作校注，他們並非都是近代人，而且詳查地方志，这些人都沒有任何科名官阶，甚至可以說，从蘭茂起，都是布衣老百姓，是封建时代認为不登大雅之堂的人物，应該認明確是劳动人民的集体力量，長时期积累的成就。

（3）今日習見之兩种版本：云南叢書本是翻刻清初的本子，务本堂版則是根据管氏藏本刊刻，也不能認为"近人依託蘭氏盗名而作"。至滇南本草版本既多，我們所見到的仍屬有限，此外尚有逸本，則是可能的。

三

"滇南本草圖說"，不仅提供了考証的資料，它还有許多优点：

（1）全書十二卷，現在虽缺少第一、二卷，但从卷三至十二看，共收葯物274种。其中只有36种未繪圖。其余238种，則有圖有說。圖系水墨写生，既多且精与务本堂和植物名实圖考繪圖的風格不同，而很像近年發現影印"南方草木狀"的圖。文字中很多地方說明形态，虽不可能"按圖索驥"，但补救了其他版本少圖和很少提到形态的缺点。

（2）这274种葯物当中，有78种是别本所沒有的。其余各种，葯名虽見于别本，但文字說明詳尽得多。比如人參，在"务本堂版"仅有十余行文字叙述，而"圖說"則詳征博引，本經、别录、伤寒論等，叙述疗效尤詳。

（3）"圖說"中著录少数民族的医葯經驗，为别本所無的：如金剛杵"夷人用此，用蕎麦搗为丸，治臟結热病，服一丸即通瀉之。若瀉不止，速將于冷水內即止，故名冷水金丹"。連枝大楓草，"生滇中，形似車前草，俗名大螺螄叶。夷人种盆內常栽，"主治"止血、除虫……等症"。白菓，"採树枝，燒灰，調油，搽牛皮銅錢癬有效。此方出土司处"。按：土司是明清兩代統治少数民族的官，"此方出土司处"也即是得之于少数民族。

此外叙述葯物的地道，和植物品种从何地傳来等都有參考的价值。

四

曾育麟先生对拙作的兩点商榷一文，讀过之后，給我啓發甚大。由于我在前文中的粗疏，因而發生錯誤，我誠恳的接受意見，加以探討改正。現在就这兩个問題，再談談我的意見：

关于著者：曾先生指出我"概括不加版本的区别"，仅就吳其濬"疑是原本……載之以备考"的說法，不能就認为"足以消除是否蘭氏所著的疑問"。又对經利彬氏"进行反駁，缺乏全面地考証，片面論断沒有說服力"。而且"沒有某一种版本提出来考証"，"仅籠統地最先認为是蘭氏所著，后又說为劳动人民的集体創作，使人感覺到缺少論据和內容"。

曾先生要求"全面考証，不要片面論断，"是必要的，我在前文中，沒有分别版本，确定那一种是蘭茂所著，那一种非蘭茂所著，正是考慮到从全面看問題。为了实事求是，明白真象，我除了介紹現存各种版本的內容与有关的人——如校訂者增补者收藏者等；加以叙述而外，企圖从各种版本的比較与各种旁証，探寻淵源所自，和原著者是否蘭茂？就現存的刻、鈔本及引用于他書的文字看，文字互異和葯物多寡不同的只是一小部份，大多数葯物和叙述則是相同的。即如云南通志引"崇禎甲戌識"的本子，既見于引录，仍可以窺見原文的內容，不能就認为佚失，吳其濬引用的本子也如此，和刻鈔本相同的不少，不同的仍屬少数，乃至新近發現的范洪"圖說"体例虽不相同，其中無圖部分的文字，也与刻本鈔本相同。我們不能由少数的差異而忽略了多数的相同的关系，而經利彬氏所根據的只是兩种刻本及植物名实圖考所引的文字作为論據，不但未見过范洪"圖說"也未涉及其他刻、鈔本及云南通志物产一門所收載，因此他提出的三点疑問，是可以理解的，但由此遽然判断"滇南本草之非止庵蘭茂所著也明矣，"所否定的已不仅是某一板本，而是否定滇南本草与蘭茂的关系，这不符合于文献著录事实的。

就曾先生的商榷意見，和所引經氏的話，我再提几点資料，以供參考。

（1）"滇南本草圖說"虽是"守一子述"，但仍然标列"楊林蘭茂止庵先生著释"，因曾先生仅凭"現存本草書录"的著录，沒有見到原書，因此得出"非蘭止庵所著作"的判断，是不全面的。

（2）昆明县志、云南通志按語中由于所見滇南本草的序文有"崇禎甲戌"的年代，認为时代不合，但由此判断序文为伪託是对的，（新近所得胡云龕藏本序文，也有崇禎年代）由这一条孤証，就否定全部書，認为伪託，我以前对这个問題，疑惑不解，經全面比对內容，即如云南通志所引，也与刻本、抄本相同的多，再由吳其濬見到多种本子，就有"正統元年識"的本子，吳氏說："疑是原本……載以备考"，这比起县志、通志只据某一板本的个別文字下判断不同，对我过去也以为蘭氏与滇南本草無关的問題，消除了疑惑，因此，我認为"仅以某一版本提出来考証，"孤立看問題，难于得出眞象的。

（3）經利彬說："玉麦鬚、淡芭菰均系蘭止庵卒后，始从外国輸入"，並說"今日習見之滇南本草刊本非屬原本"都是对的，我並無異議，我也曾提出明代万历年間龔廷贤所著"寿世保元"中的話見引于务本堂版，說明有一部分是后人增入。但經氏以此証明"非出于蘭氏"則是以部分概全体，不合于情理与邏輯事实。如史記中曾叙及司馬迁死后年代的史实，不能就判断史記非司馬迁著。唐愼微撰"証类本草"宋金元明各代，就有多种翻刻、增修的本子，書名和內容都有改变，仍不能不承認是在唐愼微总結古代本草的基础上發展出来的。我之所以判断滇南本草原著者蘭茂"倡始之功"，沒有武断的說某一板本是蘭茂著，某一板本非蘭茂著，也正是实事求是，說明各个本子，都与蘭茂的原本有关，同时也說明流傳的板本，經过后人增改，至于那些是原本所有？那些是誰增加的，各种本子都沒有分別註明，就無从臆断。至于"野烟"之非"淡芭菰"，在前文中，系列于药物方剂簡介項下，未作为考証之依据。

此外，我認为滇南本草是劳动人民長期积累、集体創作，也是有文献的根据，已見前段这里不重述了。

关于独丁子的問題，曾先生糾正了我前文中把独丁子認为山皮条的錯誤。这的確是严重的錯誤。曾先生从实物的分辨、科学的鑑定，說明白葯原料"独丁子"不是山皮条，而是金鉄鎖，是正確的。

把山皮条和矮陀陀（即独丁子）混淆起来，不仅現在有人誤認，在范洪的"圖說"中，即已一再指出：

"山皮条、性微温、味辛苦、有小毒。人每誤認作矮陀陀治百病，而不知此有小毒也。……"[9]

"眞矮它它類，……多产于西番国。独滇中迤水亦有。而今錯認山皮条为矮它它。况眞矮它它類，歘枝，大叶，無花，叶上生黑子。……气味甘辛無毒。……至山皮条則有小毒。"[10]

由于我在前文中，仅憑口头的說法，沒有和实物对証，文献的根据也不全面，因此致誤，关于药物文献与实物相配合研究的問題，根据植物分类学鑑定原植物，是必要的。但也应留意前人的研究紀載。即如独丁子原植物是什么？1956年印行的"云南葯用植物"一書，叙述"云南白葯的处方和原料"說明独丁子的原植物尚待鑑定，而金鉄鎖的学名为 Psammosilene Tunicoides, W. C. Wu et C. Y. Wu，則是吳蘊珍、吳征鎰兩氏鑑定的新屬[11]。植物名实圖考"昆明沙参"条引証了滇南本草的"金鉄鎖"，也引証到丽江的土人参[12] 滇南本草圖譜又轉引了圖考的話。而在圖考中另有"金絲矮它它"[13]則与金鉄鎖形态全異，滇南本草中存在"同名異物""異名同物"的問題，不只独丁子一种，所以还有待于深入研究。不能因噎廢食，忽視历史文献，更应广泛搜集文献和草葯医的經驗相印証。对曾先生指出的正確意見，我是衷心感謝的。

五

1956年11月，云南省衛生厅召开第一次全省中医代表会議，为了充分發揮中医中葯力量为社会主义建設服务，領导同志曾指出："滇明名医蘭止庵所著滇南本草，对丰富我国的医学，有重大的意义。"刘明輝副省長也指出"我省有無数蘊藏着的中草葯物，如医葯先賢蘭止庵先生的滇南本草，就是明証。"出席的各地代表，各少数民族的中草医，不但貢献出經驗秘方[14]也帶来了数以千計的草葯标本，一部分即是滇南本草所收录过的。与此同时，衛生厅举办中医中葯展覽，展出三迤各地珍貴的、特效的、丰产的葯材，也以形象化介紹了"滇南本草"的历史情况。很多观众，提出要求印行一部較完善的滇南本草，以便进一步發掘滇省的有效葯物，为广大人民健康服务，衛生厅和云南人民出版社为滿足这需要，約集有关的工作者，对滇南本草作"集校圖說"。进行的方法，即是搜集各种版本，作精密的校勘，同时根据实物标本，繪圖及加以說明。回顧过去也曾有人从事滇南本草的鑽研，而抱殘守缺，收获不大。惟有在中国共产党領导下發动羣众的力量，發揮羣众的智慧，人民夢寐以求的願望，才能够見諸事实。工作进行中，获得植物学家、葯物学家的指导，尤其是得到許多药农、草药医的大力协助，把他們从祖先傳下來的經驗貢献出来，显现出社会主义的优越，羣众高度的覺悟。使我們受到很大的鼓舞。我不憚繁复写这篇短文，也即是希望得到各方面的支持，正如曾先生所說引起"更多一些人进行商榷"，来做好这項药物文献的整理研究工作，更是我們所深切企盼的。

附註

1. 根据著录，"滇南本草"的各种版本，以序文中标有"正統元年識"的一种为最早，此本失傳，見植物名实圖考商务本第818頁引。

2. 見滇南本草圖譜弁言。

3. 孙星衍等輯神农本草經引名医别录："扁青出朱提，木香、犀角、假子出永昌，"按：朱提，西汉时設置，在今昭通、鲁甸一帶。永昌东汉时設置，在今滇西保山一帶。

4. 見清張澍輯："諸葛武侯集附录"及馮甦："滇考"。

5. 樊綽原文是："大雪山，多薏苡，收此充粮。蘧𧄼諸木，丽水山谷出，……丈夫妇人久患腰脚者，浸酒服之，立見效驗"。

6. "南海药譜"未見傳本。惟政和証类本草及本草綱目等書中征引过。綱目作"海药本草"。如"貝"条叙明"大秦国用貝"。

7. 正德云南志說："蘭茂原籍河南洛陽"，滇南本草中有的药物如"五叶草"叙明"出京都者良，……河南衛輝亦出"。可以証明滇南本草吸收了外地的經驗。

8. 同註一。

9. 滇南本草圖說卷九第25頁。

10. 同上卷三第16頁。

11. 滇南本草圖譜第一圖。

12. 植物名实圖考商务本535頁。

13. 同上第405頁。

14. 云南衛生工作資料第20期。

璽印木簡中發現的古代医学史料

陈直著　原文載于科学史集刊1958年第1期，頁68—76.

在出土的战国璽印中，及汉代木簡中，罗掘不少医学上的新材料，作者根据这些材料作了一些整理，借以証明我国文献流傳之可信，並可补文献証据的不足。

本文首先根据从山东、河南等省出土的战国古璽中来說明战国时期，医学分工的細密。作者共列举41璽，計有不同的病名28种。9璽仅标明所治的病名，所兼治病名，不冠以姓氏。31璽皆标以姓氏，下标所治病名。包括內、外科，由头至足，范圍極为广泛。另有1璽屬于兽医。

在居延敦煌發現的兩批木簡中，有一部分医方，有治人病的，有治兽病的。居延木簡部分，开始于武帝太初三年(前103)，止于光武建武九年(33)，絕大部分皆屬西汉之物。敦煌所出皆兩汉之物，最早的始于武帝时。敦煌木簡載有完备及殘缺的医方11片。其中治伤寒的医方4片；治食物中毒2片；治馬病的有2片和治馬病的丸方一片，据此可知丸方已然在兩汉时开始了；另有殘簡2片，一为脉案，一不詳何方，这兩片皆署有医人的姓名。

最后叙述了秦汉医官制度，並列举出1953年7月在西安白家口汉墓中掘出药府半印。

(少祺　摘)

中印历史上的医药关系

刘成基著　原文載中医杂誌1958年第4号，頁280—283.

后汉建和二年(148年)由安息高來洛陽譯經，可說是中国佛教之最初开拓者。自此后，印度的佛教和医药在中国流傳下去。隋書經籍志里記載有11种印度医籍的翻譯。在北朝时，有跋陀罗譯五明論合一卷，唐朝义浄三藏更介紹了印度的重要医籍医方明。

中国医学之病理观，原以五行为主，而印度認为是由四大構成，患病是由于四大失調。这种病理生理观，后由中国医籍所吸收，从千金方，外台秘要中，可以找到。

兩晋南北朝以至隋唐的医書，都混入了印度的医学，如肘后百一方，百一兩字，就是佛教一百一病之說。宋代的医学也受了印度医学的影响。

印度医学影响中国極大的，莫过于眼科。中国眼科多推宗唐王燾的外台秘要，外台秘要天竺經註明作者隴上道人，于西国胡僧处受眼科医术。文中的病理，也提到四大，还記載了傳自印度的金針拔內障法。此外，在眼科全書眼科大全和銀海精微等一些眼科医籍里，都載有撥下法。

印度的眼科药物，在很早时就用硫酸銅、硼砂、明矾等矿物質了。而外台秘要天竺經也开始介紹了矿物質，此后，便逐漸的增加起来。並且印度的眼科医生也有到中国来治病的。

本草綱目中曾註明出自印度的药物即有12种。

(少祺　摘)

对"中国医学人名誌"一書的一些意見和訂正

陈 夢 賚*

"中国医学人名誌"是陈邦賢与严菱舟二位先生合編，1956年四月人民衛生出版社出版。解放以后，由于党与政府之重視医葯衛生，所以医学各科著作的出版，呈現着一片蓬勃气象，而医史一项工作，出版界寂然無声，偶然听到此書出版消息，自然十分高兴。后来于某报上看到該書評介，以为"中国医学人名誌"一書，收录了自上古以至清末的医家，二千六百多人，其資料的来源，多採自經史子集，叢書类書，和各种笔記杂录，及医学書籍；每一人名，都注明出处，凡历代医家，有医学著作者，虽年代事蹟未詳，也一一列入，务必做到以書存人，減少遺漏"。該書的开头例言說："本書对历代名医的学术貢献，和临床上实际經驗，均皆搜录；就是对于导引，祝由，厭禳等，不过于玄妙的，或者在医德上，有特殊表現的，也都擇要列入。"又本書对每一医家的介紹，約分为姓氏、年代，別号，籍貫，住所，师傅，履历，职官，事蹟，著作等，都尽量搜入；尤着重于著作一項……該書以姓名笔划为主，查閱时确实便利，全書仅248面，但我看完后，觉得其中有問題的地方，着实不少，兹就管見所及，提出与編者和讀者們，共同商榷。

本書作者編纂时，虽費一番苦心，脫稿后，恐怕沒有細心审核，或且付印之时，校对功夫，做得很差，以致譌誤很多，有的姓名舛錯，有的朝代失考，有的書名訛夺，有的顚倒差錯，甚至張冠李戴了。就該書誤字，偶然發現者，已有数十条。如加以細心校讀，恐怕尙不只此。我讀完了該書，覺得許多傳略，往往于字号籍貫，忽而未录，至于职官事蹟，更屬簡略，据說編者对本書的重点，首先是著作一項，並且欲以書存人，減少遺漏。而实則举其人，而遺其書者，很多很多，然該書中每見名下脫字，或名号顚倒，或征引一种文献，而未加考覈祖本，以致随人舛誤，不一而足。

其他若古之聖賢帝王，与医事本無若何之关系者，偶因文献上稍有牽涉，而亦强行收入，濫竽充数者，亦屬不少。如伏羲画卦嘗葯，引用帝王世紀之文(38頁)司馬迁著史記，其中有扁鵲倉公列傳(27頁)揚子云之著太玄經，(184頁)均与医葯無关，皆列入医家之中。隋煬帝之敕撰四海类聚單要方(194頁)唐玄宗之敕撰开元广济方，(28頁)因有功于医学，亦均强行收入。此等人物，似应刪去，使其名实相符。

再有如編著本草成書之郑樵，植物名实圖考之吳其濬，姓氏書名以外，一無所見，明之吳崑，仅言其歙县人。而遺其字号。編著溫热逢源之柳宝詒，别号籍貫，一字不提，其类此者，指不胜屈，似觉过于簡約，与例言所說，未免距离太远了。

本書內容，虽然有些地方节而無要，簡而不明，但是有些地方，却重复叠出，往往一人分列二条，既标其名，又列其字，或引用兩書，而不加以归納考覈，或引用文献，而不究其来源和是非，以致姓名歧異者有之。

兹为讀者淸楚起見，就管見所及，將原書校对审核不够精細，發生舛錯或重复之处，特为之訂正如下：

一頁"丁德用宋嘉祐間济陽人，补注难經，著伤寒'滋'济集。詳文献通考"按滋字誤，应作慈。

三頁"元希声唐撰行要备急方一卷，見通志艺文略"而七四頁又重出"希声元著行要备急方"应刪。

四頁"孔毓礼淸黎水人，字以立，"应增著痢疾論。

十頁"王文德明著有是病总覽緊要眞方"。按此条未注明出处，查王文德应改作王大德，見紀多元胤医籍考卷六十一。

一一頁王仲光条，仅节录苏談之文，殊未全面，应另考其他文献补以名宾，字仲光，明長洲人，为王观之曾祖，著有光菴集，虎邱詩集等書……

一三頁"王作南宋著有增釋南陽活人書。"按王作南，应改作王作肅。

一八頁"王惟一一作惟德。宋仁宗时为尙葯御……"按御字上应加一奉字。

二一頁"王汉东宋著有小兒形証方二卷，宋史艺文志"而一九七頁有又汉东王先生一条。

二七頁"田云槎淸汉川人，字宗海，著伏陰論二卷"按此条，应改作田宗汉淸汉川人，字云槎，号瀹嶓，著有医寄伏陰論二卷。

三一頁"朱丹山淸仙居人，字載揚，著麻症集成四卷。"按此条名号互易。应改作朱載揚淸仙居人，字克壿，号丹山，著有麻症集成四卷。

三三頁"朱遂唐撰明堂論一卷。見唐書艺文志"然崇文总目：朱遂作米遂，不知誰是，也应注于該条下，以备参考。

三九頁"何夢瑤……著有医編"。按編字誤，应改作碥。

四十頁"何鎭……著有伤寒盛間"。按盛字誤，应改作或。

四二頁"余霖淸安徽桐城人。……医以張介宾法

* 浙江省黄岩县三甲区联合診所

参死，以有性法亦不尽验。……"按有性上，应加一吳字，比較完善。

四三頁"吳本立（应改作吳立本）清海塩人，字道源，著痢証匯参十卷，女科切要八卷"而四七頁又重出"吳道源清著有女科切要"。

五一頁"吕震清浙江錢塘人，字榛村……"按吕震应改作吕震名，遺了一个名字。

五三頁宋俠者……按者字应該删去，因旧唐書本傳原文云：宋俠者，洺州清漳人，遂誤以者字連上为名了。如再考以唐書艺文志，及通志艺文略，自然明白。

五三頁"宋森……著有丹毒备急方三卷"。按森字誤，应改作霖，見宋史艺文志，及医籍考卷七十。

五四頁"成無已宋世習儒医……"按成無已聊攝人，地淪于金，遂为金人。此宋字誤，应改作金。

五五頁有李中梓傳略，而五八頁又重出"李念莪明松江人，著有內經知要二卷"按李中梓字士材，又字念莪。

五五頁李中立与李中梓二条，应点明为兄弟；五八頁李延昰条亦应点明为李中立之子，或李中梓之姪，使数条前后互相照应。

五六頁"李世勣唐以医鳴于唐，注本草葯性有功，詳古今医統"按李世勣历史，有唐書本傳可考，似不应仅引古今医統之文为已足；且李勣著有脉經一卷，見崇文总目。

五七頁李言聞条，过于簡略，应补以蘄州人，字子郁，号月湖，为李时珍父，如此則使閱者易于領会記忆。

五八頁"李延是清辰山人……"按是字誤，应改作昰，李延昰一字辰山，不是辰山人。見曝書亭集高士李君塔銘。

六〇頁"李　炳清仪征人，字振声，号西垣……著金匱要略註，辨疫瑣言，見中国医学大辞典"而六三頁又引揚州画舫录有"李鈞清著有金匱要略註"按李鈞即李炳之另一別名，应删其一而併之。

六六頁"杜本金号清碧学士，嘗广敖氏伤寒金鏡录为三十六圖。見中国医学大辞典"按杜本字伯原，一字原父，元清江人，順帝时以处士召为翰林待制，兼国史院編修官，不就。今該書竟照抄中国医学大辞典原文，以訛傳訛，指为金人。

六九頁"沈子祿清著有經絡全書"按沈子祿明嘉靖末年人，著有經絡分野，徐师魯改編为經絡全書。見医籍考徐师魯自序，今竟以为清人，殊失考証。

七一頁"沈李龙清著有食物本草会纂"按季字誤，应改作沈李龙，字云將，杭州人。

七一頁"沈　柄宋著产乳十八論"按柄字誤，应改作沈炳。

七二頁"沈貞明崑山人，字士怡見崑山县志"同頁又有"沈奠明字士怡，别号絕听老人……詳見苏州府志"二人之名，音同字異，俱字士怡，籍貫同，而事蹟亦同，疑是一人，应詳加考証。

七三頁"沈应暢"按暢字誤，应改作沈应暘。

七五頁"周于蕃清著秘傳推拿妙訣"按于蕃名嶽甫，字于蕃。

八二頁"林能干宋……見郡齋讀書志"按羣字誤，应改作郡。

八四頁"芮养仁……著医学原始，五方宜范等書"按应改作五方宜范等書。

八八頁"兪弁明字子容，著有續医說，見中国医学大辞典"而八九頁又有"兪辨明著有續医說十卷，見明史艺文志"按兪辨即兪弁，应删其一而归併之。

九十頁"姚　和著众童子秘訣二卷，見唐書艺文志。"按姚和应作姚和众，著有童子秘訣二卷，保童方一卷，俱見通志艺文略，唐書艺文志原誤。經史証类本草中，多引姚和众方，可以作証。

九七頁"胡大卿宋著有痘疹八十一圖"按大卿明时人，見医籍考。

九七頁"胡文煥明……著善生导引法各一卷"按善字誤，应改作养字。

一〇五頁唐秉鈞条，应注明为唐千頃之子，如此則上下数条，互相联系了。

一〇七頁"孙文胤明休宁人，字微甫，著有丹台玉案，見中国医学大辞典"而一〇八頁复重出孙在公一条，按在公为孙文胤之别号，亦应归併为一。

一一〇頁"孙应奎……著有医家大法，大旨必用……"按应改作医家大法，医家大旨，医家必用。

一一二頁"徐用誠明会稽县人，字彥純，著本草發揮三卷，玉机微义五十卷"（应改作医学折衷）而一一三頁又重出徐彥純明著本草發揮"相隔一頁，而不加复校。

一一六頁"徐敬玹明著有医家纂論"按玹字应改作弘字，見殷仲春医藏目录及医籍考。

一一九頁"秦之禎清著有証因脉治及伤寒大白"按此条既無籍貫住址，又無別号履历，如此簡略不全，使閱者殊覺乏味，应稍加补充如：

秦之禎字皇士，上海人。昌遇从孙，少时慨然有利济天下之志，遂精研医学，而于古今方書，無不通徹。著有伤寒大白，女科切要，及編輯昌遇之証因脉治四卷。

一二四頁有高果哉，引用中国医学大辞典。而一二六頁又列有高隐一条，引嘉善县志。按高隐字果齋，一字果哉，嘉善县人，二条应归併于一。

一二八頁常仲明条，应改作常用晦字仲明，同頁常德条应註明为仲明之子。見元裕之遺山文集常用晦墓誌。

一三五頁"張卿子明著卿子伤寒論"而一三七頁又有"張遂辰明字卿子……"亦应删却一条。

一三六頁"張暗川明著有痘疹便覽"按暗字誤，应改作張晴川。

一三八頁"張筱衫清宝应人，字醴泉……"而一四一頁又重出張醴泉一条。

一四〇頁"張錫三明应天府人，字叔永(永字誤，应改作承)著有医学六安(安字誤，应改作要。)十九卷，詳見中国医学大辭典"。按張錫三应作張三錫，見医籍考及四庫全書提要，中国医学大辭典原書已誤，故以誤傳誤耳！

一五〇頁"郭仁善宋……"按善字誤，应改作郭仁[illegible]。

一五五頁"陈　虬清瑞安人，字葆善，又字蟄廬，著瘟疫霍乱問答一卷，白喉条辨一卷"按陈虬字志三，陈葆善为陈虬之同邑弟子，著有白喉条辨一卷，燥气緫論一卷，本草时义一卷等書。此条殊誤。

一五六頁"陈亮卿清著有伤寒論註"按卿字誤，应改作陈亮斯。

一五七頁"陈飞霞清罗浮人，字复正，精于幼科，著有幼幼集成六卷"而一五八頁又重出陈复正一条。按复正字飞霞。

一七四頁萑一麟誤作董一麟。

一八一頁"愼柔明僧人，从周之干習医，著有愼柔五書五卷，石震为之傳，"而二四五頁又重出"釋住想明本姓胡，字愼柔……"而繁簡稍有不同。

一八七頁"叶香侶清杭州府人，著有平易方"按香侶名慕樵字香侶。

二〇六頁刘洙誤作刘沫。

二二〇頁"郑兼山清著論証瑣言"按兼山名樀，字兼山，長洲人。

二二三頁盧　銑誤作盧　銑。

二二六頁錢峻誤作錢浚俱見医籍考。

二三五頁"戴同父元建業人，名起宗；任儒学教授"，而二三六頁又有"戴启宗明字同父，著有活人書辯"下条誤作明朝人。

二三五頁"戴天章清江苏上元人，字麐郊……"而二三六頁又有"戴鄰郊清著有溫疫論四卷"。按应改作广溫疫論四卷。

上面拉杂举出一些問題这可能由于：一、脫稿以后未經編者亲自审覈；或付印的时候，倩人校对，敷衍了事，所以造成这般样子。二、編者採用文献，未經互相核对，补充，所以既不全面，而又發生訛誤与重复。三、編者过于重視类書文献，而未兼考其所引之祖本，往往謬信古人，不知反被古人欺騙，竟致以誤傳誤。四、本書編者，既欲尽量搜录無遺，又要做到简明扼要。二者不可得兼，所以弄成繁简失当。我以为简而不明，还不如繁而寡要。本書再版之时，我希望編者，細心校訂，大量补充，使成为医界一本選材精湛，內容充实的医史專書，这是我們医界一致企盼的。

宋代医学家楊介对于解剖学的貢献

宋大仁著　原文載中医杂誌1958年第4号，頁283—286.

楊介是宋代的名医，治病有奇效，著作有四时伤寒总病論、伤寒論脉訣、存眞圖。

他对解剖学作出科学的貢献。在宋以前，所傳人体解剖，只有文献上提及，沒有著录成書。吳簡綴繪的欧希范五臟圖，完全从实地观察而来，但不免錯誤。楊介存眞圖，是宋代第二次解剖屍体实地观察繪画而成，原圖現在已失傳了。而且晁公武郡齋讀書誌、僧幻云史記标注等文献的有記載。从今存的抄本內照圖看来，首先在解剖圖譜方面，不仅繪有胸腹腔內臟的前面圖及后面圖，而且繪出胸部內臟的右側面全形圖，右側胸、腹腔的主要血管关系，横膈膜及在其上穿过血管食道等的形态，以及消化系統的全圖。泌尿系統和生殖系統圖。各圖都有很詳細的說明，其所繪的解剖位置与形态，基本上都是正确的。比欧洲14世紀意大利Mondino的"解剖学"(1315年)一書，更为詳細。

作者最后对楊介的生卒年月，作了初步推測。楊介可能是熙宁元年(1068)至紹兴10年(1140)間的人。存眞圖成于崇宁4—5年間，当时楊介年約37—38岁。

（少祺　摘）

韋慈藏傳略

（約生于公元644—741年左右）

宋大仁

韋氏为我国藥王之一[1]，民間崇仰，千古不衰，但其事蹟，唐書無專傳；医史之書，亦語焉不詳；神仙傳記所說，又誕妄無稽。且各家紀录、名号、籍貫，俱有出入。因此參考旧唐書張文仲傳，徐春甫古今医統、沈汾：續神仙傳、耿鑑庭：藥王与藥王聖誕等書，加以考証整理，重写傳略，初稿如下：

韋慈藏、名訊[2]，唐京兆人[3]，性沉默少語[4]，精医术，武后初年（公元684）为侍御医。与同僚洛陽張文仲、李虔縱並以方藥擅名，（張氏善疗風疾，撰有疗風气諸方，及随身备急方三卷，已佚，王燾外台秘要中尚保存其若干則）。自則天中宗以后諸医者，咸推韋、張、李三人为首[5]。景龙中（中宗年号公元707—709）官光祿卿（掌膳食之职）时，已屆杖乡之齡，为貫徹其济世之素願，以年老为辞，自請休退归里。开始發揮其丰富技术經驗，为广大人民治疗疾苦，深入民間，常帶黑犬（名烏龙）随行，博施济众，时人敬之，称为藥王。

慈藏于开元二十五年（公元737）嘗到京师，杖履而行，腰系葫蘆数十，广施藥餌，疗人多效，李隆基（唐玄宗）器重之，召入宮，擢官不受，囑画工圖其形，赐号藥王。开元末年尚在，推算年齡当已百岁左右。宋韓無咎桐陰旧話云：忠献公（指韓琦）年六七岁时，病甚，忽曰："有道士牽犬，以藥餇我，俄汗而愈"可見其予人印象之深。

我国各地村鎭常有藥王庙之設立，所供奉者多为孙思邈（藥王）配以韋慈藏（藥聖），每年誕日（陰曆4月28日）[6]羣众往祭者甚盛。

一千二百余年以来，医家不断紀念韋氏，但亦有抱不同观点者，如：王宏翰：古今医史云："慈藏随身帶犬而行，乃江湖遊方道流，何可称为藥王？……"清康竹林：三皇藥王考云："吾医之有三皇，犹儒者之有孔子也。若夫藥王，較之程朱諸子，尚有間焉；譬諸欧范諸賢，庶几相近。今以若聖若神之号，而与开物成务之大聖人相混，褻慢甚矣。"更有使之流于神話者，如神仙傳所記："韋氏成仙时……犬化为龙，騎龙坐定，五色云捧足，冉冉昇天而去"。妄誕無稽之談，于韋氏，于人民，虽少裨益，但同时亦可見民間对其作無限之崇敬，而昇华为神仙之幻想。

人民对韋氏紀念之原因，当在其高貴品質与实事求是之作風。蓋慈藏晚年思想轉变，不再臣侍統治阶級，遂拋棄功名利祿，宁願刻苦耐劳，深入农村，为广大人民服务，且耄期之年，不辞跋涉，一心一德，以救死扶伤为己任，堪为典范，故人民尊之为聖为王。

附　註

1. 我国民間信仰藥王之風甚盛，藥王有五：（1）神农（2）扁鵲（3）孙思邈（4）韋慈藏（5）藥师佛各地乡鎭常有藥王庙之設立，所供何人，随各地習俗信仰而不同。
2. 耿君鑑庭謂其名可作兩种句讀，即單名"訊"，道号"慈藏"。或名"訊道"，号"慈藏"。列仙傳及宋李昉等太平广記名"善俊"，耿君謂善俊或即訊之音轉唐本草序及惊听录：名"古"字"老师"；沈汾：續神仙傳名"古"，道号"归藏"。
3. 旧唐書，及桐陰旧話引列仙傳均作京兆人；仙傳拾遺謂为京兆杜陵人；續神仙傳作西域天竺人；唐本草序作疏勒国人。
4. 見太平广記引惊听录。
5. 見旧唐書張文仲傳。
6. 陰曆四月廿八日之藥王聖誕，出于佛書，原系印度藥王誕辰，不知起于何时，以該日作为祭祀藥王之期，不限于某一藥王，想系便利記忆，久而成俗也。

医史学家斯格里西逝世

王吉民*

斯格里西（H. E. Sigerist），名亨利，瑞士人，生于1892年四月七日，初在苏黎支 Zurich 高等学校讀書，習希腊和拉丁文，至十五岁又習阿拉伯文，他对語文有特别天才，很早就学会欧洲大陆各国主要的語文，到后来竟通十四國的文字，包括东方的梵文和汉文。

他学医是在瑞士的苏黎支大学和德国的慕尼克大学，旋得医学博士学位。第一次世界大战时，曾充任瑞士軍医兩年，停战后赴德国来比錫大学，从医史学家蘇

* 中华医学会上海分會医史博物館

德荷甫氏 Sudhoff 專攻医史，期滿后回到瑞士苏黎支大学任医史講师，不久升作副教授，1925年被聘为来比錫医史研究所所長，以繼蘇氏之职

美国霍布金大学在 1929 年設立医史研究所，是名医韋列支氏 Welch 所創办，自兼所長。1932 年韋氏年迈告退，特聘斯氏赴美繼任所長，因他曾于1931年应召在美国講学，極受社会欢迎。斯氏就任后，異常活躍，建树甚多，除將該所內容充实大事扩展外，並培养医史师資，創办医史杂誌，組織医史学会，成績斐然。他对于医史研究的推动，更不遺余力，曾赴欧洲，英国，加拿大，南非洲，印度等地考察和講学，各大学都以名誉法学、哲学或文学博士学位相贈。

斯氏学識淵博。他非但勇于任事，不畏艰苦，更大胆地提倡社会医学，常和資本主义医学的見解相左，受到了不少压力。他的学說影响很大，人們多称他为现代医史学权威，欧美医史工作的青年，大都出自他的門下。斯氏著作等身，据 1947 年他离开美国返家乡时候的統計，霍布金医史研究所在二十年来师生所作的論著，总共有 457 件，其中斯氏一人就佔了書籍 23 种，論文 195 篇，在別处工作的文章，还不在內。

他对苏联的医学，極感兴趣，为着要实际研究苏联历史，社会和經济結構並苏联的組織，事前用了三年的功夫，学習俄文，然后在 1935 年花了一个夏季，到苏联考察衛生工作，第二年再到苏联，作进一步的調查，就根据所得，写成了"社会化的医学在苏联"一書。1938年他第三次到苏联，搜集許多新的資料，又將前書大加修正，改名为"苏联的医学和保健"。在1947年出版。据斯氏自己說，他一生的事業中，当以三次訪問苏联，印象最为深刻，收获亦最宏大。他声称苏联当局，極重視人民的健康，不論男女、种族、貧富、信仰、在城市、在乡村、一律得到尽量的医疗保护。这些是在美国还是空談，而苏联已早在实行了。当他每次回到美国將事实报告同道时，非但得不着人們同情，反受誣蔑。直到紅軍获得了輝煌的战果，医务人員作出惊人的成績时，他的話才被証实。

斯氏于 1934 年結合同志，組織美苏医学会，發行"美国苏联医学評論"双月刊，自己担任总編輯，該刊銷路甚广，至 1947 年停刊。

斯氏和我国医界，尤其是和中华医史学会也有相当的联系。早在 1932 年，他的名著"人与医学"已譯成中文，由商务印書館出版，这是他的名字初次在我国医界見面。1951年他另一傑作"苏联医学和保健"由宮乃泉翻譯中文，由华东医务生活社出版，因此声誉更盛。至中华医史学会方面，虽然成立不久，由他的介紹在1941年加入国际医史协会为成員。除此以外，在他主持的霍布金医史研究所里，也很重視中国医史的研究。如該所研究員韋达 (Ilza Veith) 費了兩年的光陰，將內經素問譯成英文，于 1954 年出版。这对于宣傳我国医药文化，起了不少作用。

斯氏很早就有意用新观点来写一部医史全書，他預計到 60 岁时，可能在教学中抽出一部份时間，从事写作，但是事与心違，兩者終难兼顧，經过長期的考虑，在 1947 年获得雅礼大学的資助，决意辞去了医史研究所的一切职务，遄返瑞士，擇居在風景优美的 Pura 湖濱，專心專意撰纂他的巨著。这部大作，拟分为八册，每年出版一册。第一册是原始的医学，已于 1951 年刊行。第二册为印度医学，第三册为中国医学。第二册原定于 1952 年出版，聞已付手民排印，因临时增加材料延期，不料这一次的擱置，使这書与世人見面，不知何日！

斯氏原患高血压，忽于 1954 年腦栓塞，时輕时重，延至 1957年 3 月 17 日，竟与世長辞，同道莫名悲惜。斯氏享年 65 岁，遺下妻子和三个女兒。長女爱丽佳，现任职在日內瓦联合国衛生組圖書舘，曾协助她父亲排印出版第一册世界医史工作。

斯氏著作很多，其中重要的有"人与医学"（1932年），这本書有瑞典，荷蘭，法，意和中文譯本，"大医人"（1933年），"美国医学"（1934 年），"苏联医学和保健"（1937及 1947 年），最后的傑作"世界医史"。可惜这部巨著，仅出了一册，就此中断。深願繼起有人，能完成他的遺志，这是我們医学界同人所渴望的。

祖国中古时代的医院——安剂坊

馮　汉　鏞

祖国的医疗制度，在赵宋时候有兩大創举，一个是安剂坊的出現，給后来医院的組織和形式，奠定了初步的基础。一个是設置出售成品葯物的太平惠民和剂局，使缺乏医疗的穷乡僻境，也能够买到对症治病的葯品。这兩种組織，对后世医学制度的影响都很重大。除惠民和剂局在医文杂誌里曾經有人介紹外，对安剂坊有必要再来介紹一翻。

安剂坊又称病坊[1]，病坊一名，在唐开元 22 年时（734），就已經出現了。不过那时的病坊所收容的病人，都是一些無依無靠的乞丐，与后世悲田院或收容所

的性質相同[2]，而和宋代的病坊則有根本上的差別。宋代的病坊(安剂坊)，其組織形式有管理人員，有病房，有医生，並且还有最重要的病历表，用来記載病人的痊愈和死亡情形。管理人員最初是以和尙充当，后在宋徽宗崇宁四年时(1105)，又由政府派遣軍典一人来协助和尙管理全坊的事务[3]。大的安剂坊設有病房十一間，來隔离病人，以防傳染[4]。並配备有医生一人至数人，每一医生各給一本日曆(即現在所称的病曆表)，專門記录治疗的得失，以便年終考績。同时还根据考績，来奬励那些成績卓異的优良医师。茲將当时所訂的奬賞条例，逐一列出如下[5]：

(一)从三月一日起，至第二年三月一日止，治疗人数在一千以上，而死亡率不及百分之二十的，奬度牒一道。

(二)起止日期同前，每年治疗人数在五百以上，而死亡率不及百分之二十的，賞錢五十貫。

(三)起止日期同前，每年治疗人数在兩百以上，而死亡率不及百分之十的，賞錢二十貫。

(四)起止日期同前，每年治疗人数，在一千左右，而死亡不及百分之十的，則特別給奬。

实施这种奬賞办法的結果，就直接鼓励了医生們的工作热情，而減低了若干病人的死亡。当时的政府不單对安剂坊的業务人員有奬励，同时对坊里的管理人員也有懲奬的設置。凡坊中的保正長，如以無病的人，冒充为病人，来騙取錢米，則給杖一百[6]。至于管理安剂坊的僧人，如三年內能医愈千人的，便賜与紫衣和祠部牒一道[7]。从这些懲奬条例，就可看出安剂坊虽然是在宋代才新兴的一个医疗机構，但它的制度却制訂得相当的周密，給后来的医院奠定了雛型。

尝考宋代的安剂坊，它的創立时間，一般都認为是徽宗崇宁元年(1102)。創始人是开封府尹吳居厚[4]。而事实上，在吳氏未于开封創設該坊之前，神宗时的苏軾，就已經在杭州創立病坊了[1]。苏軾之所以会在杭州創立病坊，其主要原因則是受了他們客龐安常的影响。龐氏在蘄水(湖北蘄春)行医时，凡有远道来請求診視的病人，安常就把他們一律安置在病房里面，並观察其病情变化，而予以治疗。張来右史集卷59龐安常墓志說："有輿疾自千里踵門求治者，君为辟第舍居之，覗其饘粥药物，既愈而后遣之，如是常数十百人不絕"。

又黃庭堅豫章集卷16龐安常伤寒論后序也說："然人以病造之，(安常)不擇貴賤貧富，便齋曲房調护以寒暑之宜，珍膳美饘，时节其飢飽之度，爱其老而慈其幼，如痛在已也"。

龐安常辟第舍来作为病房，以安置病人和治疗病人的行动，就是苏軾在杭州設立病坊的藍本。因此我們与其說安剂坊是發軔于苏軾或吳居厚，無宁說是發軔于龐安常，还比較确切而适当。

在宋代除了政府設有病坊外，其間也有私人設立的病坊，私人病坊的名字，通常称为养济院。但其性質則与安剂坊相同，一样的有病房和日遣医师診病。宋会要149册食貨58第15頁淳熙九年十二月十二日新知婺州錢佃說："臣前知隆兴府，于城外置养济院一所，收养貧病無依之人，先是漕臣丙輝以俸錢千緡合药以济病者，赵汝愚以俸錢千四百緡买田，以給病者食，臣又益以千緡，增置長定一庄，仍創造屋一区，差人看守，輪遣医工診視，日給口食药餌，委官提督，首尾九年，乃得就緒。恐后来官吏或不究心，便致廢坏，乞詔本路漕臣常切提督，所有錢物，不許移用，从之。

从錢佃的話，就可知私人設立的病坊，也同安剂坊組織一样，有病房医师和管理人員，制度仍然是相当的完备。所可惜的，就是当时在全国地区內，設有若干个私人或政府的病坊，由于史料的缺乏，目前已經無法統計了。

附 註

1. 宋会要150册食貨60第四頁。
2. 唐会要卷49及馬鑑續事始。
3. 宋会要160册食貨68第131頁。
4. 宋会要150册食貨60第三頁及160册食貨68第12頁。
5. 宋会要150册食貨60第八頁及160册食貨68第131頁。
6. 宋会要150册食貨60第四頁。
7. 周煇，清波別志卷上及宋会要150册食貨60第四頁.

公元13世紀我国的一所大医院

張 承 道

公元1231年在我国苏州出现了一所規模宏大的医院——济民药局。南宋吳淵有济民药局記，載退庵先生遺集卷下[1]、明錢谷編吳都文粹續集卷8[2]及清馮桂芬总纂苏州府志(1877年序)卷22[3]。茲录其全文如次：

"淵犹及見先生長者談乾淳間事，其言曰，聖朝体列聖好生之德，每以民命为重，一念悬惻，無所不用其至；乃至济葯疗病，亦加宸虑，一日忽遣中使，宣索太平局龙虎丹。既进御，命捐其价十之九，盖聖意謂亲尝則主者不敢苟，直廉則貧者易以得。嗚呼！神农氏日試百葯，周官医师掌医之政令，自十全以至十失，必次第而躬行誅賞，实此意也。近世天下郡国台府开設广惠局，以便民服餌，皆所以广此意也。

姑苏城大人众，余領郡适有春疫，亟擇郡医之良，分比閭而治，某人某坊，某人某里，家至戶到，悉給以葯。窶而無力者，則予錢粟；疾不可为者，复予周身之具。由二月訖七月，其得不夭者，一千七百四十九人。

因念倉卒取葯于市，旣非其眞；非惟不眞，且弗可以繼，乃創济民一局，为屋三十有五楹，炮澤之所，修和之地，监临之司，庫廩庖湢，鱸碓鼎臼，翼然井然，罔不畢具。总夫匠木石之費，錢以緡計者，七千八百四十五；米以石計者，三百二十三。

旣落成，复以二万緡实之，为市材費。凡川广水陆之屋，金石草木之品，無珍不致，無远不取。冀有益于人，故眞其剂；弗求羸于官，故輕其直；料實丰盈，薰味芳烈；較市之衒玉賈石者，相去不啻万万，列肆闤闠，过者惟悅。他日設遇流行之灾，四时之沴，則分医以疗，捐葯以济，其为吳門之利，盖未有已也。

恭惟聖天子仁同阜陵，視四海之痒疴疾痛，如在一体，淵幸叨选擇，出守是邦，求牧与芻，不敢不勉，此局之設，盖亦所以推广德意万分一云。

紹定四年（1231）八月奉議郎直煥章閣知平江軍府事兼除浙西提刑吳淵記。”

按明錢谷編吳都文粹續集及清馮桂芬总纂苏州府志均有附註云：“济民葯局在魚行桥东，紹定四年吳淵創于广惠坊之左，自为記。开庆元年（1259）馬揚祖重于子城內路分厅之故址建之，繼又迁于其北[4]。”

这篇文章里面所提的“炮澤之所”，当是制葯配葯处；“修和之地”，当是医院病房；“监临之司”当是院長等管理人員；“庫廩庖湢”，当是貯藏室与厨房。这样一所拥有35楹房屋的医院，而且一切必要的設备，都是“翼然井然，罔不畢具”，眞可說得上“規模宏大”了。

按宋史卷416有吳淵傳，他于嘉定七年（1214）举进士，宝祐五年（1257）卒[5]。

附　註

1. 参知政事金陵侯吳淵撰，退庵先生遺集，卷下，9—10頁，載南宋陈起編，南宋羣賢集，1801年讀畫齐重刊，第27册。
2. 錢谷編，吳都文粹續集，四庫全書珍本初集，卷8，31—32頁。
3. 馮桂芬总纂，苏州府志，1877年序；卷22，53頁。
4. 錢谷，吳都文粹續集，卷8，33頁；馮桂芳：苏州府志，卷22，53頁。
5. 开明二十五史，55 53面。

我国关于职業病的最早文献記述

張　承　道

有人說：我国記載职業病的文献，以李时珍的本草綱目（1596）、申拱宸的外科啓玄（1604）和宋应星的天工开物（1637）为最早[1]。但事实上，北宋孔平仲的談苑中就有有关职業病的叙述。这本書說：“后苑銀作鍍金，为水銀所薰，头手俱顫。卖餅家窺爐，目皆早昏。賈谷山采石人，石末伤肺，肺焦多死。鑄錢监卒無白首者，以辛苦故也[2]”。“头手俱顫”恰是汞中毒的症狀。”“石末伤肺”則所患应为石末沉着病。

根据四庫全書总目提要的考証，北宋孔平仲談苑，可能不是出自孔平仲的手笔，其著作者“或在平仲前，或与平仲同时[3]。”但他是北宋（960—1126）时人，殆無庸置疑。考宋史卷344孔平仲傳，他于宋哲宗（1086—1100）和宋徽宗（1101—1125）做官[4]。那末，此書当是11世紀至12世紀人的作品。

而在歐洲关于职業病的最早文献記述首推巴拉塞尔薩斯（Paracelsus, 1493—1541）对于矿工疾患的零星叙述[6]。直到拉馬志尼（B. Ramazzini, 1633—1714）的“論手工業者的疾病”（“De morbis artificum diatriba”，1700年初版，1713年增訂再版）出版，对于职業病方才有了系統的叙述[6]。兩者相較，我国关于职業病的最早文献記述要比歐洲的早四、五百年。

附　註

1. 刘广洲，祖国文化遺产中有关劳动衞生資料簡介，中医杂誌，1955年第5号，頁1；刘广洲：从史籍中看我們祖先在劳动衞生上的貢献，中級医刊，1955年第5期，頁8。
2. 孔平仲，談苑，宝顏堂秘笈，續集第一，卷1，5頁.
3. 欽定四庫全書总目，大东書局，1930年3月再版，第6册，子部下，卷140，12頁。
4. 开明二十五史，頁53 96。
5. Castiglioni, Arturo, A History of Medicine (translated and edited by E. B. Krumbhaar), Alfred A. Knopf, 1941, p. 445.
6. 同(5), p. 564.

从几位太平天国的医家事蹟里看医务工作者应如何的参加革命*

耿鑑庭

太平天国的革命初期，参加起义的医生有李俊良、黄益芸、黄惟悦等人，他們不但对天国医疗工作有很大貢献，而且都是实际战斗的將領。

当时南京解放后，参加工作的医生，有宋耕棠、哈文台、王震田等人。

李俊良旧营药材業，並精医理，参加革命，即为中軍長，深得羣众的信任，以高級將領而兼軍医，軍中病号，診治即瘥，因此益增其威信。諸王侯患病，悉由俊良辨症投药。壬子二年(1852)七月，大軍达長沙，升指揮，癸卯三年(1853)二月建都天京，升檢点。在京征聘医士，选办药材，为內医的首領，罗致当地名医十余人在他的館里。这年五月，封恩賞丞相。七月，东王患目，俊良率領諸医悉心診治，各述經驗良方精选施用。甲寅四年(1854)四月，封补天侯。

黄益芸参加革命时，年巳四十，初隶东王楊秀清統下，能以草药疗急病，所以由金田到道州，皆不离东王左右。太平天国壬子二年(1852)封前一軍"拯危急"职同监軍，"拯危急"是軍中急救的医生。大軍下金陵，領右一軍攻旱西門，三月升土官正將軍。四月升殿右18指揮，奉命率众北上，接应林鳳祥，軍至六合，营中失火，为敌所趁，战死，这年九月，天王酬北伐諸將功，追封灭胡侯。

楊斐成，任天朝內医，宋耕棠隶其統下，后宋氏甚得天朝信任，頗有貢献，这和楊的推荐是分不开的。

宋耕棠，原居江苏上元县，課蒙兼治病，江宁解放后，天国組織羣众，百工技艺，分送各典官处服务，能医的，則送入內医功臣諸衙，耕棠当时隶內医楊斐成統下。一次东王部屬典輜軍二患时疫，請耕棠診治，以民間單方治愈，众目为神医。后随国医李俊良等入診，升职同指揮，管理內医。甲寅四年，天王后有病，詔耕棠診治，二月封恩賞丞相。

哈文台，是金陵的医生，太平天国軍解放江宁，定都为天京，哈氏应李俊良之征，参加政府医疗机構，东王楊秀清患目，文台等每日必随俊良入診，切脉拟方，东王目患得愈，哈氏之功为多，然並不居功，仍归其功于李俊良和全体同道。

王震田，也是金陵医家，应李俊良之征，参加政府医疗机構，东王病目，每日随俊良及哈文台会診，敌方聞之，很忌恨他，尝說："若果得之，必杀無赦"。可反証王氏在天国的声誉。

黄惟悦，任天朝督內医，紀律严明，凡在京畿的医务工作者，每朔望必召到他的館里集会研究，交流經驗，作学术上的探討，每会必亲自点名，遇缺席及迟到者，分別輕重，予以記过及懲罰，以加强医者的責任心，提高医者的業务水平。故極得东王的信任。

肖性忠，行医日久，世故極深，参加革命时，年几六十，其人缺乏斗爭性，常同情落后分子，黄惟悦任督內医时，克尽职守，要不断提高医者的水平。性忠不同意，就成为阻力，常有抵触，而且妄發議論。黄稟告东王，东王批評他，肖竟托老罢診，实际上巳是脫离革命。

湖南医者，不詳其姓名，庚申十年时(1860)年巳五十余，修髯花白，長身鶴立，平日卖菜黄州，大軍过黄，遂参加革命，以其秦擅針灸术，故軍中称便。江宁李小池(圭)随大軍入溧陽，五月中，与陆締偕同往剧場，中暍几乎死，众人都說不可救，拟置之僻处待斃，適湖南医者亦在場，立用金針治疗，取委中、人中、承漿、三穴，竟得复甦。后来李氏在笔記中，表示非常的感謝。

刘春山，曾任天朝国医，其人革命性不强，当时潜伏天京的奸細張炳元，謀为不軌，察知刘的动摇心里，遂罗織其名，后被天国偵知，案發，棄市。

楊獎，湖北江夏名医，大軍过境，听說他疗效很好，就聘請他，因他缺乏革命心，竟乘間逃走，当时汉奸曾国藩，利用特务張德坚，多方刺探太平天国情况，編"賊情匯纂"一書，作为他軍中的参考手册，楊也参加了編纂，因为太平軍团結技术人員，所以未加保密，楊的这一背叛革命行为，是应当杀無赦的。

在这几位医家事略里，很可以看出作为医生应該是：学术要为政治服务。不能抱極純技术观点自高自大，不能自由散漫，要有組織性，紀律性。不要三心二意，要全心全意地为人民服务。

如果不这样做，便会走入歧途，像某些人的恶劣行为是要不得的。如刘春山走上了反革命的道路。楊獎竟做了奸細。肖性忠的种种則是脫离了革命。

可是有些人的良好行为是值得我們学習的。如李俊良的团結医务工作者，使其为革命服务。黄惟悦的認眞負責，使得全体同道，都能提高業务和政治水平。哈文台的謙虚美德。楊斐成的推荐人材。宋耕棠的服从領导，以及王震田、黄益芸的效忠革命，都是我們的好榜样。湖南医者虽不知姓名，但其为人民服务的精神並不因之泯灭。

---

* 本文系中华医学会北京分会1957年年会医史学会宣讀論文摘要

祖国医学文献中关于葯物避孕法的資料*

朱　顏

我国的傳統風尚，每以子孙繁衍为喜庆，因此祖国医学文献中，每多种子之方，用以医治不孕症，在另一方面，为了限制生育过繁和保护难产者，祖国医学中又有"断产"或"絕子"的方法，也就是現在所說的避孕法。

中国共产党和人民政府，对人民健康，給以極大的关怀，正确地貫徹了預防为主的衛生方針，妇幼保健事業空前的發展了，宪法上也制定了保护母亲和兒童的条文，为了減少过多或过密的生育对母亲健康和嬰兒發育的影响，採取一些避孕方法，是合理的。現在避孕的方法很多，並且在有計划地安排生育方面，已經起了很大作用，但是有效的內服葯物避孕法还很少，因此不揣陋謭，仅就知見所及，將祖国医学文献中的一些內服葯物避孕法的記載，臚列于后，作为同道們进一步研究的参考資料。

一、避孕复方

（1）四物湯（当归、地黃各三錢、川芎一錢半、芍葯二錢），每服五錢，加芸苔子二撮，于經行后空心溫服，（千金要方、妇人大全良方、济陰綱目、本草綱目、景岳全書）。

（2）白鶴仙根（即玉簪花根），白鳳仙子各一錢半，紫葳二錢半，辰砂二錢，搗末，蜜和丸，梧子大，产內三十日，以酒半盞服之，不可着牙齿，能損牙齿也（本草綱目引摘玄方）。

二、避孕單方

（1）馬檳榔核仁，欲断产者常嚼二枚，水下，久則子宮冷，自不孕矣（本草綱目引汪机）。

（2）烏賊骨，張鼎曰，久服絕嗣無子，时珍曰，誤（本草綱目）。

（3）蚕子故紙（一作故蚕子布）方一尺，燒为末，酒服之，終身不产（千金要方、千金翼方）。

（4）印紙，主治，妇人断产無子，剪有印处燒灰，水服一錢匕，效（本草綱目引陈藏器）。

（5）薰草（即零陵香），妇人断产，零陵香为末，酒服二錢，每服至二兩，即一年絕孕，蓋血聞香即散也（医林集要）。

（6）白麪麯（一作白麪）一升，無灰酒五升，作糊，煮至二升（一作三升）半，濾去滓，分作三服，候經至前一日晚次早五更及天明各吃一服，經即行（一作不行），終身無子矣（丹溪心法、济陰綱目，本草綱目、景岳全書）。

（7）油（麻油）煎水銀一日勿（一作方）息，空肚服棗大（一作棗核大）一枚，永断孕，不損人（千金要方、妇人大全良方、济陰綱目、本草綱目、蒼生司命）。

（8）薇銜，妇人服之，絕产無子（本草綱目引陈藏器）。

（9）木耳，煅灰存性，熬枯黑糖調，經行后或产后月內服之即不孕，孕妇服之，其胎即下（中国医学大辞典）。

木耳乃木所生，故有衰精冷腎之害（李时珍）。

（10）漿水，妊娠勿食，令兒骨瘦、冰漿尤不可飲，令絕产，（本草綱目、飲膳正要、养生食忌）。

（11）淫羊藿，丈夫久服，令人無子（千金翼方）。

（12）猪腎理腎气，多食腎虛，久食少子（厚生訓纂）。

（13）羊腦男子食之，損精气，少子（千金要方，养生类纂，厚生訓纂）。

（14）魚無腸胆，食之三年，丈夫陰痿不起，妇人絕孕（千金要方、养生类纂）。

（15）四月勿食暴雞肉，作內疽在胸脇下，出漏孔，丈夫少陽，妇人絕孕（千金要方、养生月覽）。

（16）凌霄花（即紫葳）凡居（指居住之处）忌种此，妇人聞其气，不孕（三元參贊延寿書）。

濫服避孕葯对身体健康是有害的，明蔣已云："大抵断产之剂，多用峻厉，往往有不起者，是則产之害未若断产之害也……"，归有光母，因为多子苦，一老嫗以杯水盛二螺进，服后即喑不能言（見归震川集）。因此，选服避孕葯，極須謹慎，上述文献資料中，水銀有毒，不宜用，無腸胆魚不知何物，暴雞系晒太陽的鷄，与猪腎、羊腦等，人們亦常食，是否富而避孕之效难必，其中四物湯加芸苔子一方據上海市衛生局統計 365 名女工試服五个月后，怀孕者仅20名，値得进一步研究。薰草、薇銜、馬檳榔等亦可进行实驗。

---

* 本文系中华医學会北京分会 1957 年年会医史學会宣讀論文摘要

談談保健組織工作者的培养

原著者 Г. Е. Островерхов

保健組織研究所和医学院校保健組織教研組的科学研究工作，已落在苏联保健事業發展速度的后面了；研究所和教研組的工作者們，在很大程度上仍耽溺在对个別保健問題作教条式的討論和抽象推理上。不仅是教研組的科学研究工作如此，对大学生和医师們的教学工作也存在着很大的缺点。

在培养大学生的計划中，有很大比重是去研究各种不同的报表，而很少注意研究保健部在該时期所实施的各項主要措施。因而保健組織教研組的講演和課堂討論的題目是落后于生活实际的。不但如此，在医学院培养專門人才的工作中，保健組織这門課程的問題与主要的临床学科是脫节的；因此，大学生們也就不会了解到，沒有这門学科的知識，將来工作会很困难的。

保健組織的教学，有时是脫离保健机構的活动进行的。教学大綱上的許多材料是用一些枯燥無味的圖解和标准的形式傳授給学生，而不是去研究医院、門診部、托兒所等机構工作組織方面的活生生的經驗。因此，必須改变对医师有关保健組織問題方面的培养工作。

改善对大学生們保健組織方面的培养，不应該仅仅是保健組織專業教研組的事情。保健組織問題必須反映在五年級和六年級主要学科的教学大綱上，並应在医疗預防網的主要环节和具体对象上应用教学方法。在高年級的各种主要学科中貫穿保健組織原則的教学，能改善对青年專門人才的实际培养。

保健組織放在大学四年級学習，而这时学生还缺乏应有的临床知識，这是对大学生保健組織方面的培养工作不能令人滿意的原因之一。如果在六年級最終授予青年医师保健組織的問題，在教学法上和实际上是比較更正确的。这时，大学生們能更成熟地認識教研組所授予的保健的理論和实習課題。

目前医学院校內已有65个保健組織教研組，但迄今犹未編写出一本良好的能作为每个医师参考的保健組織教科書，应当認为这是非常不正常的現象。

医学院的領导者和保健組織教研組的教师們应当認識到，要提高培养專門人才的水平，不仅取决于大学生能否掌握專門的学科，也还取决于未来的医师能否組織自己的工作，能否評价保健工作和各个居民集团的健康狀况。

我們曾在土尔克明尼亞苏維埃社会主义共和国看到有很好的乡村地段医院，但在那里工作的一些青年医师們却由于不会組織自己的工作而感到束手無策。1956年10月在莫斯科第二医学院举行的会議上，莫斯科的青年地段医师們同样也談到自己在保健組織方面知識不够。

在改进保健組織者的培养方面，不仅是該專業的教研組，医学院的全体教师們同样还有許多事情要做。在这方面，医师进修学院也負有重大的任务。但是，我們可以举出一些例子，說明医学院和医师进修学院的保健組織教研組是忽視解决保健工作的实际問題和对保健机关进行帮助的。

例如，阿捷尔拜疆和格魯吉亞苏維埃社会主义共和国保健部沒有动員医学院的工作人員去深入研究居民的患病率和制訂綜合性的疾病防治措施。这些共和国內医师进修与專科化的計划，主要是以培养外科医师、內科医师、神經病理医师、理疗医师来完成的，但是却沒有有目的、有計划地去培养那些为解决当前首要任务所必需的，沒有他們不能提高对居民医学服务質量的專門人才。

由此自然得出結論，必須改变医学院和医师进修学院保健組織教研組的工作，这些教研組应与各加盟共和国保健部和省保健厅一起研究各地方的保健工作狀况，研究改进医疗預防机構的組織構成，合理使用医务干部和推測保健事業近年發展远景等問題。

目前这些任务执行起来会遇到很多的困难，因为在保健組織教研組的教授和教师們中間，还很少有人具有領导保健机关的經驗，而有經驗的保健組織工作者也很少被吸收来参加医学院的教学。

根据1955年6月27日苏联保健部部务会議的决議，保証实施了一系列最重要的有关加强保健組織教研組，首先是有关改进为保健組織教研組培养干部的措施。于是研究生和博士生的招生数扩大了，举办了函授研究生制，有經驗的保健机关領导者們被請到医学院里参加教学工作。除此以外，为了加强教研組和保健机关之間的联系，規定必須聘請加盟共和国保健部部長和省保健厅厅長来为大学生們作关于保健事業最現实的問題方面的講演。

为了提高医学院保健組織教研組教师的水平，並为了帮助完成学位論文，預定1956年在中央医师进修学院內举办一个为期三月的保健組織教研組助教講習会。

在提高医师們保健組織水平的过程中，建議集中最大的注意力去研究保健先进工作者的革新建議，並大胆吸收医师們去研究对居民医学服务的个别措施。

保健組織教研組不仅应該探索提高各机構組織工作水平的办法，也要仔細地研究医师进修的情况。政府每年撥出巨大的經費用于医师的进修，然而这些經費却未使用，不能認为这种情况是正常的。例如，根据对俄罗斯苏維埃联邦社会主义共和国10个省的調查資料，發現有44.9%的城市医师和33.1%的乡村医师一次也沒有經过專科化或进修。同时，1954年的进修和專科化計划只完成了63.5%，其中在中央进修基地完成66.1%，在地方进修基地只完成58.7%。

保健組織課程的进修計划完成得特别不好，300張听講証只用了83張(27.6%)。必須着重指出，在有医学院的一些省份（罗斯托夫省等）內，提高医师水平的計划的完成情况，在大多數情况下反較其余的省份为低。

总之，医学院及其保健組織教研組在医师进修这样重要的問題上，不使人覺得起了多大的作用。这是因为教研組並未研究提高医师們水平的方式和方法，沒有把这些問題列入自已科学研究工作的計划內的緣故。同时迫切地需要帮助省保健厅制定有根据的医师进修計划。1954年鄂木斯克省保健厅計划使28%的医师去进修，庫尔斯克省計划22.5%，普斯可夫省計划20.3%，不能認为这是正确的，因为这样數量的医师离开工作，一定会影响到医疗預防網的工作。

如果說拟訂医师需要进修的計划問題，主要是屬于保健机关职权范圍內的事，而在研究医师在地方进修基地內的学習方法方面，起主要作用的应該是保健組織教研組的領导者。

必須改变医师进修的制度，使能确实有效地符合于保健工作的需要。为此，首先应广泛地实行將医师短期（1—2个月）派出学習，以掌握本專業的各个具体部分，或学会新的診断和治疗方法。

必須使医师的进修改用个人的計划，在計划中要撥出充分的时間进行实际訓練。

同样也应当扩大把医师暫派到一些医疗預防机構在工作崗位上进修的措施。除了那些需要复杂的設备和專門的实驗室（医学放射学、病毒学等）的情况外，通常在地方进修基地內进行專科化。

为了改进保健組織教研組的工作，必須有經常性的基地固定給教研組，以进行科学研究工作、教学法工作和实际工作。省和市的医院、省衛生防疫站、衛生教育館应当作为这样的一些基地。教研組和上述机構之間应建立起有机的联系，如同医学院各个临床教研組和医院各科之間存在的那种联系。

为教研組配备一些能够解决保健工作的現实問題，教育年医师們这方面的知識，以及能够与保健机关的領导者一起共同拟定进一步發展对居民医学服务远景計划的教师，是这項巨大工作中最具有决定性意义的。

直到現在，保健組織教研組对培养科学教学干部的工作做得不够，因而許多教研組还由医学副博士在領导，並且未保証配备有水平高的教师。

在培养教学干部方面存在这种情况，說明了教研組主任和医学院院長們对这項工作缺乏应有的責任心。謝庫什科保健組織与医学史研究所同样也沒有利用本單位巨大的能力来培养水平高的科学干部。

各加盟共和国保健部部長、省保健厅厅長，必須更大胆地吸收医学院保健組織教研組的工作人員来研究保健事業的实际和理論問題。

（許谷凡　摘譯自苏联保健事業，1956年，第3期。）

埃及的保健狀况

埃及衛生部技术研究司司長 Swelim

埃及的总面积是38万5千平方英里，开墾的或已經有人居住的地区只佔其中3%。行政上分16个省，省以下又分設区，市，小区、直到村，在目前共有4000余村。近世紀来，埃及的人口，有显著的增長，1850年时人口仅450万1930年增長到1,450万，1940年为1,600万，1950年为2,000万，估計1960年，能增加到2,300万，現在每年約增加50万人。根据1950年的記載，每平方公里，有人口460人，有人居住的地方，是世界上人口密度最大的地方之一。人口的增加，都在城市，乡村的人口，基本上还是和从前一样。人民的平均寿命是很短的，埃及人民的平均寿命是38岁。出生率，在穩步地上升，如1917年为40‰，而1952年，为45‰；死亡率在1924年是25‰，1952年降为17.7‰；嬰兒死亡率1917年每千活产有250以上，1955年降为120。

埃及衛生部，是全国的最高衛生保健机構，部長受总統委任，下設秘書及三位助理，部的下面，設16个司，每司皆設有处，这些司和处，都設在埃及的首都开罗。这些司計划各方面的工作，做好各种計划与預算，並組成一个視察組，下去到各方面督促檢查工作。每省設有衛生厅，总管全省衛生保健工作，有問題向部長，司長請示。厅長也有三位助理，分别負責預防医学，治疗，与乡村衛生工作。下面簡單介紹一下1952年革命以后的衛生部所屬各司的工作簡况：

胸科病司，分設三处：結核病治疗处，結核病預防处与人員訓練处。估計埃及有結核病人20万，（差不多佔总人口的百分之一）迄1957年6月，埃及全国，有大疗养院10个，病床5,279張，小疗养院13个，病床1,612張；骨骼結核医院5个，病床815張；兒童預防疗养院2个，病床140張；門診部36个，附設病床720張，（合計8,566張床位）。

在防治結核病方面，还有67家药房，为門診病人的治疗服务。5个流动組，12个固定組为羣众照放射線像。2个区为恢复期病人疗养，可容380家庭。因为結核病候診的病人很多，乃採取了家庭治疗的方式，自1955年以来，已治了近1万人，並做了167,312次家庭訪視，計划在今后十年內，增到2万人，並拟在15万人中，成立一門診部。自1957年6月，已做了8,064,849次結核菌素反应試驗，接种了2,125,744人卡介菌，在1956年3月，埃及制訂了一項法律，指定有些人，必須接种卡介苗。埃及目前所产的卡介苗，足够为整个中东之用。埃及結核病的社会因素，最主要的認为不是無照顧，而是由于复員、轉業和健康教育等等。

医院司管理全国的医院，現共約有2万床位，每省的省会，有一大的医院約100—500床位，这是綜合性的医院。各区的医院，約設有60—100床位，但有些区还沒有医院，今后10年中，計划使未設医院的区，都建設医院，使城市每千人中有3病床，乡村每千人中，有1.5床位。

此外还有医学院附屬医院，共約有8000張病床，系由医学院直接管理，还有慈善机关設立的私立医院，約1万床位。有些医院，經济上受衛生部的补助。今后数年內，还准备建立專門的腫瘤医院与嬰兒麻痺医院。

地方流行病司，下設血吸虫病治疗医院处，热帶病研究所，病媒控制处，瘧疾控制处。这司領导127座医院，在1956年曾治了125万人，其中約50万人是血吸虫病，50万人患蛔虫病，166,000人有鈎虫病。須要說明的是这些医院，不論是不是血吸虫病，每个病人来此必須先作血吸虫的檢查（如大小便等），發現有病，立即治疗。在埃及的农村人口中，約有45%都有血吸虫病。而农村人口，佔全国总人口的75%左右。消灭釘螺处，近来做了許多关于杀灭軟体动物的药物研究工作，發現一种五氯苯鈉，檢查了近500万个釘螺其中0.14%是有感染的。在1956年，受檢查的小河流，共达327,536公里長，其中23%是有感染的。

热帶病研究所，有50床位，研究埃及的各种多發病，今年这个研究所，还添設了放射和同位素学系。

病媒消灭处，在研究消灭傳播疾病的病媒，他們在研究絲虫、臭虫、蚊子、蒼蠅和其他。

瘧疾管理处負責消灭蚊子，与治疗瘧疾病人，于1956年內，曾用了100万公斤杀虫剂，在400万平方米地区內消灭孑孓，有29万人檢查了瘧疾26,570人查了絲虫病。

預防医学司，在埃及所有人口，都4年接种牛痘一次，每4个月噴射D.D.T.一次，天花，斑疹伤寒，只有散發的病例。1947年3月，消灭了霍乱，这年霍乱流行，曾死亡3万人之多。全国傳染病院的病床，共有6000張，在發生疫情时，还可臨时增加床位。

社会保健司，分設妇幼保健处，皮膚性病管理处，麻風病管理处和健康教育处。在埃及全国各地，都有保健中心，內分产前門診，家庭接种与家庭拜訪，並照顧小孩，直到5岁为止，共有750个这样的中心，其中有的是独立的，有的是附設在乡村保健中心內的。今后10年拟在乡村每15,000人中，即設一中心，在城市，每5万人設一中心。在这些中心內，訓練助理助产士，每年約400人，到新的中心去工作，代替老法接生婆（这些老法接生婆約有8,000人，分散在全国。）麻風病管理处有40个門診所与分2个区域来管理，在埃及約有3万麻風病人，隔离区域，約容納1,500人，明年还准备建立新的隔离区与診疗所。以及兒童麻風預防院。健康教育处，在全国均有中心，各中心都有一輛汽車，配备發电机、电影机、留声机、扩音机等，以广宣傳。

学校衛生司，下設預防医学处、学生医疗处、社会医学处、精神病处，此外还有統計处、营养处和附設的一个眼鏡厂。

农村保健司，埃及有1,500万以上的人口，散居在4,000个村子里，每村約有1,000—10,000人，村与村相距約1—3公里。我們把农村，分为860个区，每区約有15,000居民，区領导着2—4个自然村。在中心村內，政府建立了保健中心，什么叫农村的保健中心呢？这中心設有門診部与小的住院部，仅12張床位，一个保健办公室，这是做預防工作的。此外还有一个妇幼保健中心。这一机構設有医生一人，护士一人，助产士2人，衛生督察員1人，以及其他附帶的人員。迄目前为止，埃及有600个中心，有些中心，附設在学校和社会中心。所謂社会中心，是通过建立合作組織和教导地方性小工業，提高当地居民的收入，促进人民的福利，在提高健康方面，有着积極作用，被誉为全世界农村工作的榜样。

环境衛生工作，如上下水道房屋等問題，是屬于另一个部的职責的。最后談到科学技术研究司。这等于衛生部的技术秘書一样，它管理統計，国际健康情况，註册，为各司做年报，訓練各种医务人員和發給各种医务人員执照等。埃及共有3个医学校，有学生6,000余人，每年畢業者500人。目前全国註册医师7,500人，其中4,000余人在公立医院工作，其余的都是开業医。此外有牙医700人，药剂师1,900人。

此外还有一些别的司，如管檢疫的，管精神健康的，管化驗的，管药局的，最后一个管經費与人事的。

（周立新摘自1957年12月10日应中国科学院邀請在北京文化俱乐部座談会記录）

医学史在苏联*

原著者 Б. Д. Петров

苏联医学工作者在研究医学史时，是遵循着列宁的这种指示：馬克思的事業的繼續"应当是人类思想史、科学史和技术史的加工"(哲学笔記)。列宁指出，作为認識論的馬克思主义的辯証法，其本身应当包含全部科学史的哲学概括，其中包括自然科学史的哲学概括。

在医学科学上展开的理論工作中，医学史的作用是非常巨大的，它的意义越来越大了。

医学史的研究应以列宁的关于两种文化的指示为指南。大家知道，列宁曾指出："在每个民族文化里面都有，哪怕是不發达的，民主的和社会主义的成分，因为在每个民族中都有劳动和被剝削的羣众，他們的生活条件不可避免地会引起民主的和社会主义的思想。"(列宁全集17卷137頁)。

对我国(苏联)科学史的描述，或説成漆黑一团，或則相反，説得天花乱墜，以及其它的錯誤和錯誤的方法，基本上都是忘記了列宁的这个指示。这类缺点在某些情况下是由于把过去理想化，由于未能看出这个或那个科学家是在什么历史条件下工作。列宁的話在这方面也可作为可靠的准則："历史功績的評价，不是以历史中的人物没有考虑到今日的需要来判断，而是以和他們的先人比較，看貢献了什么新的东西来判断。"(列宁全集第二卷51頁)。

党性在历史工作中是最重要的。列宁曾明确指出，唯物主义本身包含着党性，因为在估价事件时必須站在一定的社会集团的观点上。(列宁全集，第一卷，380頁)

按照列宁的党性原則必須不仅説明这一个或那一个学者或医生的活动的肯定的或者否定的方面，而且还要对他这个人的历史作用給一个总的評价。仅限于批判或仅限于表揚都是不对的。

在解决重大理論問題时，历史的方法是更加广泛地採用起来了。特别是，近年来在医学方面进行了各种討論，参加討論的人应用了这个方法，同时也就应用了历史唯物主义。像疾病理論、預防法在保健及医学中的作用等这些重要的問題，如果用历史的观点来研究，会能得到更深刻的分析。

近年来在研究医学史方面有了一些成就。研究人員大大增多——广大的医生和学者参加到医学史的研究中来。出現了一些有价値的專題論文——关于 Басов, Боткин, Склифосовский, Миславский, Пашутин, Дияконов, Губарев, Бабухин, Бурденко, Дядьковский, Клодницкий, Лавдовский, Щепин, Манассеин, Груздев 等及其他一些人。杰出的祖国医学家——Павлов, Мечников, Корсаков, Высоцкий、Спасокукотский 等人的最有价值的文章的选集已經出版或正在編选。討論医学各科史中常見的問題的作品出現了几十种。关于医学史的副博士和博士学位論文的数目增多了。

許多高等学校的教科書都辟有一章講述該科的發展史。

"医学史指南"(Руководство по историй Медицины)第一卷已出版，現正在繼續編写第二卷和第三卷。

在1945—55的十年間，出版了关于医学史的書籍300种，文章2,700篇，1955—57年出版的更多了。

医学史書誌学的工作也有發展。Д. М. Российский教授的四卷集書誌学著作"祖国医学与保健通史"圖書誌(996—1954年)第一卷已經出版(1956年)，其中講到几千种医学史的作品。

伊本·辛納(阿維森納)的"医典"(Canon)的翻譯工作正在进行、其中兩卷已譯成俄文和烏茲別克文，並已出版。

这些肯定的进展当然还是不够的，还是不能适应新的已經提高的任务的。特别是至今为止仍是对局部問題，对个别学者的研究居多，而研究整个学科、学派和流派的重要著作則几乎没有，这也是很不够的。

苏联医学史没有受到应有的注意，許多苏联十分优秀的医学家的工作没有加以説明，他們的成就也没有提及，这是医学史研究方面的缺点。有一些苏联医学科学和苏联保健方面的重要部門，除了少数膚淺的紀念性文章以外没有写出什么东西来。

医史科学常常是脫离实际，脫离思想斗爭，避而不談困难，当然更談不到克服这种困难的途徑了。

在論述苏联时期的文章中，作者往往忽视那些敌视馬克思列宁主义的思潮，而苏联医学乃是与这些思潮斗爭中發展起来的。

苏联医学史和苏联保健史提供了同反动的唯心主义理論斗爭的最丰富的武器。

在講述苏联医学史問題时缺乏党性，忘却苏联医

---

* 本文是作者在波蘭第八次医学史工作者会議上的报告材料

学与之斗争而發展起来的那些敌視馬克思主义的思潮，結果就是对事实的歪解、粉飾和渲染。

* * *

医学史科学机構和教研組

在大約二百所医学研究所中，大多都进行医学史的科学研究工作，苏联七十所医学院的許多医学史教研組以及其它教研組和临床也都进行这种研究。

統一这个研究工作的是 Н. А. Семашко 保健組織与医学史研究所。

在該研究所中有医学史部和一个不很大的医史博物館。

在各加盟共和国科学院也进行医学史的科研工作。例如在阿尔明尼亞社会主义共和国科学院就有医学史中心研究所，領导人是 Л. А. Оганесян 教授

医学史是所有医学系的必修課程，在四年級第二学期講授。講授內容包括講授課和实習課，实習課是学生自己分析古典医学著作，还有考查。在有些医学院，如莫斯科第一和第二医学院、奥德薩、托木斯克、基輔、列宁格勒、梯比利斯等医学院有独立的医史教研組，在其它一些医学院是与保健組織教研組合在一起，或者开有独立的医学史課程。

教研組常常就医学史的个别問題組織討論会，提出傑出的医学家和生物学家的紀念日。

下面这些医学院有独立的医学史教研組：

莫斯科 И. М. Сеченов 第一列宁勳章医学院主任是 Б. Д. Петров。莫斯科第二医学院，主任是 М.П. Мультановский。

中央医师进修学院(莫斯科)，主任是П. Е. Заблудовский。列宁格勒衛生学院，主任是 Б. С. Сигал。列宁格勒第一医学院，主任 М. А. Тикотин。基輔医学院，主任 Р. Я. Бенюмов。喀山医学院，主任 Т. Д. Эпштейн。奥德薩医学院，主任 Ф. Ф. Бурлаков。塔什干医学院，主任 А. Я. Карасев。梯比利斯医学院，主任 М. Г. Саакашвили。哈尔科夫医学院，主任 П. Т. Петров。托木斯克医学院，主任是 Н. П. Федотов。

定期刊物

苏联没有医学史的專門杂誌，"苏联保健"杂誌經常刊載有关医学史的文章，是这方面的主要杂誌。現在苏联約有六十种医学杂誌；其中大部分都經常刊登关于医学史的文章：論文、随笔、評論、發表历史文件。

医学大百科全書

医学大百科全書有各專科医学 25 部分，每一部分都力圖刊載广泛的医学史材料。此外还有医学史部分，它統一这个工作，並校审医学史的一般問題。

学会

苏联有不少医史学会，如：

莫斯科医史学会(主席 Е. Д. Ашурков，秘書 Г. Э. Рябов)，在莫斯科，Б. Новинский пер., 6—а，Н. А. Семашко 保健組織与医学史研究所。

列宁格勒医史学会(主席 К. М. Быков 院士，秘書 Б. С. Сигал 教授)，列宁格勒，Лазаретный Пер., 2，軍事医学博物院。

国际联系

苏联医学史的国际联系是很广泛的，苏联代表参加了在罗馬-素列尔諾召开的第 14 屆国际医学史会議，在馬德里召开的第 15 屆会議。苏联的史学家加入了国际医史学会，苏联医史学会主席(Б. Д. Петров)是这个学会的国际委員会的領导者之一。史学家間的个人接触也很广泛，外国学者越来越频繁地到苏联来，苏联学者也常到国外去。出版物的交換也增多了。世界医学科学的經典著作的翻譯出版工作在繼續进行。

圖書館

在苏联有巨大的医史圖書館網，藏有足够的医学史的出版物和原稿。

下列各圖書館的藏書特别丰富：

国际与館际交換圖書館；

国立中央科学医圖書館(莫斯科)；

国立苏联列宁圖書館(莫斯科)；

国立全苏外国文圖書館(莫斯科)；

基本圖書館一般科学分館，苏联科学院，(莫斯科)；

国立 М. Е. Салтыков-Щедрин 公共圖書館(列宁格勒)；

国立 М. В. Ломоносов 莫斯科大学А. М. Горький 科学圖書館(莫斯科)；

国立 А. А. Жланов 列宁格勒大学 А. М. Горький 科学圖書館(列宁格勒)。

專門医学圖書館：

中央医师进修学院科学圖書館(莫斯科)；

国立科学医学圖書館(威尔紐斯)；

国立医学圖書館(阿尔馬-阿塔)；

国立科学医学圖書館(里加)；

国立科学医学圖書館(斯大林格勒)；

国立科学医学圖書館(塔林)；

国立科学医学圖書館(塔什干)；

国立科学医学圖書館(梯比利斯)；

国立科学医学圖書館(埃利溫)；

国立科学医学圖書館(哈尔科夫)；

一般圖書館：

国立公共历史圖書館(莫斯科)；

烏克蘭国立公共圖書館(基輔)；

奥德薩国立高尔基科学圖書館(奥德薩);

哈尔科夫 B. Короленко 科学圖書館(哈尔科夫);

白俄罗斯国立列宁圖書館(明斯克);

烏兹别克国立 Алишерановон 公共圖書館(塔什干);

哥薩克国立 A. C. Пушкин 圖書館(阿拉木圖);

格魯吉亞国立馬克思公共圖書館(梯比利斯);

阿塞拜疆共和国 M. Ф. Ахчндов 公共圖書館(巴庫);

立陶宛国立共和国圖書館(考納斯);

摩尔达維亞国立 H. K. Крупский 公共圖書館(吉森涅夫城);

拉托維亞国立圖書館(里加);

吉尔吉斯国立 H. Чернышевский 公共圖書館(伏龙芝城);

塔吉克国立 Фирдоуси 共和国圖書館(斯大林納巴德);

阿尔明尼亞国立 A. Ф. Мясникян 共和国圖書館(埃利温);

土克曼国立圖書館(阿矢哈巴德);

爱沙尼亞国立 Ф. P. Крейцвальд 圖書館(塔林);

卡列里国立公共圖書館(彼特罗查沃德斯克);

苏联的医学史博物館、陈列館及收藏品

(1) 苏联衛生部 H. A. Семашко 保健組織与医学史研究所附設医学史与保健組織博物館(莫斯科)。

(2) 里加国立医学院医学史博物館(里加)。

(3) 公共衛生、学校衛生博物館(莫斯科)。

(4) 苏联国防部軍事医学博物館,(列宁格勒)。

(5) 苏联科学院彼得大帝人类学与人种学博物館(列宁格勒)。

(6) 苏联科学院动物学博物館(列宁格勒)。

(7) 苏联科学院(T. Ф. Лесгафг)动物基本形态学实驗室附屬人类形态学博物館(列宁格勒)。

(8) C. M. 基洛夫軍事医学科学院正常解剖学系解剖学史博物館,(列宁格勒)。

(9) И. П. 巴甫洛夫列宁格勒第一医学院放射学系骨系統病理学博物館(列宁格勒)。

(10)国立奥德薩 И. И. 麦奇尼科夫大学动物学博物館,(奥德薩)。

(11)国立莫斯科 M. B. 罗蒙諾索夫大学人类学博物館(莫斯科)。

(12)国立 K. A. 季米里亚捷夫生物学博物館(莫斯科)。

(13)国立达尔文博物館(莫斯科)。

(14)創伤学与矯形学中央研究所創伤学博物館(莫斯科)。

(15)葯学博物館(莫斯科)。

(16)疗养博物館。

(17)莫斯科第一医学院神經病学教研組神經病学博物館。

(18)食物衛生与腦力劳动衛生陈列室(莫斯科)。

(19)軍事医学科学院医学史陈列室。

(20)国立列宁格勒衛生学院医史教研組医学史陈列室。

(21)国立奥德薩医学院医学史教研組医学史陈列室。

(22)国立基輔医学院医史教研組医学史陈列室。

(23)国立喀山医学院保健組織与医学史教研組医学史陈列室。

(24)国立托木斯克医学院保健組織与医学史教研組医学史陈列室。

(25)国立哈尔科夫医学院医学史教研組医学史陈列室。

(26)И. П. 巴甫洛夫解剖学博物館(列宁格勒)。

(27)И. П. 巴甫洛夫解剖学实驗室——博物館(列宁格勒)。

(28)神經系統演化博物館(列宁格勒)。

(29)И. П. 巴甫洛夫解剖学博物室(梁贊)。

(30)生理学研究所 И. M. 謝切諾夫博物室(莫斯科)。

(31)Д. K. 查布罗托夫博物館,(文尼茨省,克雷少波尔区,查布罗托尼村)。

(32)H. И. 皮洛果夫庄园博物館(文尼茨,皮洛果夫村)。

(33)A. П. 契霍夫博物室(莫斯科)。

(34)A. П. 契霍夫博物室(雅尔塔)。

(35)A. П. 契霍夫博物館(莫斯科—庫尔斯克—頓巴斯鐵路綫上的罗巴斯尼站,米利赫夫村)。

(振　嘉譯)

医史学教学方法

原著者 Б. С. Сигал

医史学課程教学大綱是各系所通用的教学大綱。但是，在講授这門課程时，必須考虑到所培养的医师專業，並且要特別注意闡明直接与学生將来專業有关的一些問題。这在頗大程度上与衛生医师專業有关，而且对衛生系來講極为重要。

在列宁格勒衛生学院，我們在医史学課程当中特別着重講述各个时期医学預防思想的發展史，講到衛生学的产生及其發展，先进医生和医学家們为实現衛生学与預防思想所进行的斗爭，並指出在社会主义社会实現这种思想的各种形式。

在講授医史学时，我們儘量避免过去所提到的一些缺点，这些缺点在教学法会議上討論該門課程任务时也曾提到过。其中的一个缺点就是这門課程的內容与各医学專科史（內科学、外科学、衛生学及其他等）內容的重复，这些專科史是在各門專科課程中講述的。另外一个缺点就是把医史学課程变成一部各別的最优秀的医学活动家的"傳記"。

医史学課程的任务在于概括医学科学發展及其在各个医学領域中实践的历史，指明医学思想的發展及各个时期为实現这种思想所作的斗爭，而在医学各門課程中講述历史时，只是闡明該門医学領域內的历史。

傳記資料的講述，其目的不是介紹本人，而是因为引証傳記資料对科学發展史的了解是必不可缺的。

在医史学課程中，保健史的講述居于一定的地位，因为医学科学發展的历史与医学科学成就，运用到居民医疗服务的实践中去的历史是密切相联系的。在这方面同样会發現与保健組織学課程有某些重复的現象。但是，这里也应根据区分医史学課程与医学各專科史那样区分清楚。在医学史課程中，我們只局限于講述保健事業發展的最一般的問題，而在保健組織学課程中再加以詳細地講述。

在本学年以前，医史学的講授是在第七学期。教学計划規定講課共 36 学时，实習共 18 学时（課堂討論）。按照新的教学計划，从 1956—1957 学年开始，衛生系的医史学課程改在第 10 学期講授，同时教学时数也減少（講課共 20 学时，实習共 12 学时），由于这个緣故，講課部份的內容以及課堂討論的內容都要縮減，但不应縮減課程的主要部份。

在进行講課时，首先必須決定基本教学法問題，是否必要按一般採用的三部份講課（"医学通史"、"十月革命前的祖國医学"及"苏联医学"）、或者講授祖国医学史同时也講授外国史。我們認为"医学通史"与祖国医学分开是不合适的，因为考虑到这兩部份之間是密切相联系的。如果考虑到学生研究外国医学科学發展史与現狀所具有的意义，而把外国医学史与祖国医学史人为地分开是不正确的。由于課程縮減，这更为重要，因为否則不可避免地要产生重复現象，正如現有教学大綱中所存在的（Д. Самойлович 在"医学通史"中及"祖国医学史"中也提到）。在平行地講述我国与外国医学史的有关章节时，必須特別强調祖国医学的先进的进步的特点，这个特点与外国医学相比較是祖国医学所独有的。

緒言一講，在这門課程的前面講述，在緒言中要闡明医史学作为一門科学和教学課程的意义。我們根据馬克思列宁关于历史唯物主义的学說，用历史唯物論的观点，指明医学的發展是以社会物質生活條件为轉移的，在这一講中我們还要指出医史学研究的史料，並提到在医史学方面的最傑出的著作。

課程的第一部分是闡述十八世紀以前的医学史，这一部分共講六学时（按照目前精減的教学大綱）。講述的內容包括医学起源的历史（附帶指出民間經驗主义的衛生学的萌芽），医学在原始社会制度、奴隶社会制度（希波克拉底，蓋倫）、封建社会制度（煩鎖哲学的特征，流行病）以及最后向資本主义社会过渡时期（文艺复兴时期）的情况。我們还提到东方民族的医学史（中国，印度）和外高加索民族的医学史。此外，我們更詳細地講到伊本·辛那（阿維森那）的著作。在这一部分，我們特別注意那些与衛生学和預防思想發展史有直接关系的著作（希波克拉底的預防观点，Ramazzini 与 Fracastoro 的著作及其他等）。

在这一部分，我們还要重复地講述我国医学的产生及其發展的历史（基輔罗斯及彼得大帝以前）。我們还在这里講述各种著作和文献中有关預防的問題。

第二部分（十八世紀到十月社会主义革命前的祖国医学史）我們共講 8 学时，因此不可能完全闡述本講有关的全部問題。由于这个緣故，我們在这一部分主要講述卓越学者——臨床学家和衛生学家著作中有关衛生学与預防思想發展的历史（Зыбелин, Самойлович. Мудров, Хотовицкий, Пирогов, Боткин, Захарьин, Остроумов, Доброславин, Эрисман 等人）。至于各專科学者們的事績，我們放在相应的学科中講述（外科学家 Пирогов. 內科学家 Мудров，小兒科学家 Хотовицкий

等人)。同时我們还闡述外国最傑出的学者的著作,指出他們的著作与祖国学者的著作的联系(Boerhaave—Щепин, Leeuwenhook 与俄国的显微鏡專家,巴斯德——Мечников——Гамалея,达尔文和他的俄国的前輩等)。在这一部分的最后还要講述医学和保健事業現狀与工人运动成長和馬克思列宁主义思想發展之間的关系(根据馬克思、恩格斯和列宁的著作)。

关于保健組織的若干問題(地方自治医学、衞生組織的产生及其發展),我們只簡短地提一下,主要在保健組織学課程中詳細地講述这一部分。

第三部分(共六学时)講述苏联医学和保健事業發展的基本道路。在这里特别注意講述貫徹預防方針和衞生学發展的历史(卓越的衞生学家的著作,衞生学代表大会的工作等等)以及苏共第19次及第20次代表大会決議中所提出的預防与衞生学任务。在这一部分,我們还要提到外国医学的情況,闡明进步学者与資本主义医学中的唯心的反动的理論所进行的斗爭。

我們特别注意人民民主国家学者的著作中有关預防及衞生学發展的問題。

医史学講課,要用幻灯放映著作的照片及画像,以圖解来閘述。通常这些資料按照前次講課的內容,在每次講課开始之前展覽出来,会帮助学生更好地吸收所講述的內容。

医史学实習方法还沒有确定。正如在1955年2月苏联医学科学院 Н. А. Семашко 医学史与保健組織学研究所召开的会議上所解釋的那样,各个教研組有着各种各样的进行实習的形式。

列宁格勒衞生学院医史教研組是採取以下形式进行实習的:每次实習共三学时,討論三个有关預防及衞生学發展史的問題。学生利用預先被推荐的参考文献,按照每个課題准备报告。报告所需的时間为20—25分鐘,报告之后开始討論(学生补充發言和回答教师的問題等)。在全部課程中,每个学生要准备1—2个报告。除报告人以外,全組每个学生都要利用教研組發給的教材(講授課程)或其他被推荐的文献准备全部实習課題。报告人要深入地研究他所要报告的課題。每次实習都發給学生一份簡要的經系統拟定的課題計划(样式見附表)。一般来講,这种課堂討論形式的实習进行的很热烈,並且能帮助学生更好地吸收医学史这門課程。实習的課題要闡述祖国医学史中的个別問題。最后一次实習,我們是採取参观軍事医学博物舘的方式进行的,在这所博物舘內有很大一个关于祖国医学史的陈列室。目前在列宁格勒衞生学院医史教研組也建立了"衞生学与保健組織历史陈列室"。对陈列室的参观也列入实習大綱內。

过去完成全部实習課題共需18学时。由于新的教学計划只規定12学时实習,因此我們不得不取消前兩次关于十八世紀以前祖国医学史的实習,同时只限于下面所提出的实習計划提綱中的項目。

实習計划提綱

第一次实習:

課題1——农奴制解体与資本主义萌芽时期的俄国医学(十九世紀前半叶)。

課題2——Мудров 与 Пирогов 著作中有关預防問題及衞生学問題。

課題3——保健組織陈列室中有关"衞生学史"部分的学習。

第二次实習:

課題1——十九世紀后半叶祖国医学中的先进思想。

課題2——俄国临床学家著作中有关預防的問題(С. П. Боткин, Г.А. Захарьин, А. А. Остроумов)。

課題3——祖国社会衞生学的發展(А. П. Доброславин, Ф. Ф. Эрисман)。

第三次实習:

課題1——巴甫洛夫学說及其在苏联医学發展中的作用。

課題2——苏联臨床医学与預防医学的發展(Н. Н. Бурденко, Н. Ф. Гамалея)。

課題3——苏联保健事業与衞生学的理論基础及其發展(Н. А. Семашко, З. П. Соловьев)。

第四次实習:参观軍事医学博物舘(医史学部分)。

在制訂实習計划时,应爭取使实習不要集中进行,而要分散开进行(即每次实習之間要有1—2週的空隙时間)。只有在这种情况下,学生才能有充分的时間准备实習,並且也能使实習課題与講課互相配合起来。

学生的課外活动在医学史教学当中有很重要的意义。在教研組領导下吸引学生自願参加学生科学研究小組以及教研組对学生在其他教研組所准备的有关医史問題的解答等都属于这一类的活动。在列宁格勒衞生学院学生大会上,学生經常做关于庆祝有历史性紀念日的报告(例如在1955—1956学年当中,学生曾做了关于"А. П. Чехов 与医学","И. М. Сеченов 的生平事績"及"医生参加第一次俄国革命"等报告)。同样还举行了專門的学生报告会来紀念 З. П. Соловьев、В. М. Бехтерев 及其他等人。在学生宿舍內所召开的会上还进行輔助性报告。通常我們还对低年級学生做关于列宁格勒衞生学院历史的报告,这样的报告引起学生們很大的兴趣。

医史学教研組为学生組織电影晚会,放演有关紀念祖国医学卓越活动家的影片(И. П. Павлов, Н. И. Пирогов, В. П. Филатов 等),以及組織参观与祖国学者生平事績有关的陈列室(Пирогов 住宅陈列室, Ломоносов 陈列室及其他等)。

根据列宁格勒衞生学院的教学經驗,可以有信心地說医史学这門課程能够帮助学生产生对自己專業的积極兴趣，提高他們知識發展的水平，喚起热爱医学的感情，爭取在劳动人民保健事業上順利地工作。

附表：拟定課題計划实習指导（医学史課程第一次实習）

課題：农奴制瓦解与資本主义萌芽时期的俄国医学（十九世紀前半叶）

1. 这一时期全国的經济、政治及文化狀况的特征。

2. 先进思想家和革命民主主义者的著作对医学及衞生学發展的影响（Радищев, Белинский, Герцен）

3. 最初的俄国高等医学院校（彼得堡和莫斯科医学外科学院 Дерптский, Казанский 及 Харьковский 大学）它們在祖国医学和衞生学發展上的作用。

4. Е. О.Мухин, А. М. Филомафитский 著作的进步特点，及其著作中有关預防及衞生学方面的反映。

課題：М. Я. Мудров 与 Н. И. Пирогов 著作中有关預防問題及衞生学問題。

1. М. Я. Мудров 是俄国内科学派的創始人，是一个衞生学家。Мудров 与流行病作的斗爭。

2. Пирогов 論預防。Пирогов 著作中的衞生学問題。Пирогов 在組織軍事医疗工作中的作用。

（刘 鳴譯自“Методика преподавания на санитарных Факультетах медицинских вузов (по опыту ЛСГМИ), 1956 年）

讀者、作者、編者

“厚古薄今”与“厚今薄古”

（对“医学史与保健組織”杂誌的意見）

周寿祺

我每当收到了“医学史与保健組織”杂誌翻閱以后，总有这样一个感覚：“写古代的太多了，写現代的太少了”。我做了个統計，可以引証。“医学史与保健組織”杂誌自創刊以来，共出了五期（一卷一期至二卷一期止）。發表了70篇文章（不包括文摘）。其中写古代的46篇，佔了65.7%；写近代的、現代的24篇，只佔34.3%。这种做法的結果怎样呢？我看是对当前实际工作指导不力，即“医学史与保健組織”杂誌没有充分發揮出对实际工作的指导作用。

我們的国家正在向社会主义 的时代。保健工作也正以惊人的速度和成就向前 。“除四害、講衞生”就是一个偉大的战斗目标和战斗口号。在这样一个洶湧澎湃的运动中，每个保健工作者都是十分盼望有一个具有理論指导意义的刊物来帮助他們开展工作的。人們把这个希望寄托在“医学史与保健組織”杂誌身上，希望这个刊物能成为每个保健工作者的“良师益友”。但遺憾的是“医学史与保健組織”杂誌对主要讀者的要求尙没有引起十分重視。写医学史的多了；写保健組織的少了。就拿“医学史与保健組織”杂誌的刊印数来說吧，按理說，保健組織工作者跟各專科衞生人員来比，是佔很大比重的。但“医学史与保健組織”杂誌的發行数却是中华医学会所發行的各种杂誌中的最低的一份杂誌。更值得注意的是一年多来的發行数老是稳定在2000份左右（1901—2149）。这可以看作反映讀者心情的一个标誌。

为何原因呢？依我看，“医学史与保健組織”杂誌的編委会中刮着一股風，这股風就是“厚古薄今”。

我国历代的医学家給我們遺留下来了很丰富的医学遺产，这是应該發掘研究的。但其目的要为“今”服务。更重要的是要多反映“今”，多指导“今”。

可以予料，“医学史与保健組織”杂誌如果不用“厚今薄古”去克服“厚古薄今”，那么这份杂誌就会辜負国家和广大讀者的期望。刊印数也就不可能翻几翻。

“厚今薄古”能不能做到呢？我想是完全可能的。兹提供如下几点意見供編委会参考。

一、展开“厚古薄今”与“厚今薄古”的爭鳴，用“厚今薄古”論去战胜“厚古薄今”論；

二、研究医学史的学者要多研究近代的，尤其是現代的医学史，少研究古代医学史（少研究不等于不研究）；

三、組織保健組織实际工作者写文章。要破除“只有專家才能写出好文章”的迷信观念。干实际工作的人，即使写得不很好，但他們是紮根在羣众中的，素材是富有生命力的，只要編委会耐心地帮助他們修改，就可能成为好文章；

四、多刊登研究現代的文章，少刊登研究古代的文章。

我想，只要注意到了面向实际，“医学史与保健組織”杂誌一定会成为一本指导实际的良好讀物，將会有更多的讀者喜爱它。

* * *

編者

我們感激周寿祺同志提的意見。在5月11日本刊的編輯会議上宣讀了这封信。大家都很珍視这些意見。今后在組織写稿与选稿中注意克服类此的缺点。

消 息

中华医学会北京分会年会医史学会論文宣讀的情況

中华医学会北京分会1957年度年会，于1958年3月16日开幕，医史学会在3月17日上下午，整天的开了会。上午宣讀論文十二篇，下午作了医学史分期問題的專題討論。

論文宣讀，于八时半在中华医学会总会新建大楼三〇九室举行，由耿鑑庭担任主席。出席人数七十余人，其中会員佔多数，其他分科学会邀請的外地来宾，也有几位参加了这一会議。

提出的論文共計十二篇，目录如下：

題　　目	作　者
汉魏六朝中国医学的进展	陈邦賢
祖国医学文献中关于药物避孕法的資料	朱　顏
从太平天国各医家的事蹟里看医务工作者应如何的参加革命	耿鑑庭
关于敦煌石室旧藏伤寒論辨脉法残卷	陈可冀等
医史研究中的辨伪工作	謝仲墨
中国医院發展史	任应秋
我国远古的疾病观念初步探索	宋向元
从巢氏病源里来看隋代医学的光輝成就	曲祖貽
滑伯仁先生对祖国医学上的貢献	赵玉清
从历代医学文献中探討中風病因的变迁	沈仲圭
中医学中之骨骼	楊銘鼎
杜甫的採药、种药、制药、卖药事蹟	耿鑑庭

謝仲墨、沈仲圭二作者因事未能参加，耿鑑庭同志的兩篇因主持会議也未暇宣讀。

陈邦賢同志的汉魏六朝医史，配合了幻灯使人易于理解。朱顏同志的古代避孕方，是大家亟欲了解的东西。楊銘鼎同志的中医骨骼学，介紹了許多西医学習中医的体会和方法，証明目前阶段繼承的重要性。耿同志的太平天国医家事蹟，拿史笔来品評，指出医务工作者应当怎样的参加革命。

（北京分会医史学会）

中华医学会北京分会年会医史学会討論中国医学史分期問題

中华医学会北京分会医史学会于1958年3月17日下午二时，借北京分会1957年度年会开会的期間，討論了一次中国医学史分期的問題，会議在中华医学会总会310室举行，到全会会員及医史有关工作者40余人。

首由耿鑑庭同志發言，說明医学史的分期問題，迄今未能解决。本会上海分会在1955年曾經討論过，現北京各医学院校和研究單位，講义上分期，都不十分一致，因此有开会共同商討的必要。各院校医史教学人員、大多为中华医学会会員，一致要求借分会年会的机会，开这样的一次座談会，也邀請会外人士参加。今天承各位于百忙中来参加会議，希望踴躍發言，多提宝貴意見，庶可透过这一会議，得到比較一致的看法，上海分会的記录，已摘要的翻印出来，供同志們的参考。

北京医学院程之范同志首先說明中国医学史分期問題是个需要解决的問題，普通历史的分期某些地方可能还要仰賴于各文化史和專科史的分期。前年苏联專家华格拉立克教授曾建議我国的医史分期按照經济結構来分，說明苏联友人也很重視这个問題。

目前，中国医史的分期大約有这么几种：有按朝代分期的，有按上古、中古、近世……等分期的，有的以社会經济結構作为分期标准的，其中有又按朝代再分。还有人提出中国医学通史应以大事轉折点为分期标准。

北医在講課中的分期，基本上是以社会經济結構为标准，但因封建社会很長，所以就以医学本身轉折点再分。如原始社会至秦帝国的建立，我国古代医学为一段，秦汉为我国医学奠定基础时期，这时有了基本的書籍：內經伤寒論等为以后我国医学發展的基础，由晋到唐是我国医学輝煌时代为一段这时医学成就傳往国外。宋金元由医学書籍的印刷，学医之人日多，又分成派別，可說是医学普及时期，明代資本主义社会萌芽，在講求經世致用的影响下医学較金元二代有很大进步，可以算一段或叫复兴时期。清代因落后的滿州貴族統治，受高压政策及尊古考据的影响医学进步緩慢，可以說是保守时期。1840年以后則是講西洋医学如何傳入中国，再后就是中华人民共和国的医学，这些分期都是暫时的。

中医研究院陈邦賢同志相繼發言，他先作了自我批判說："1937年写的中国医学史是分上古、中古、近世及現代四期，現在看起来，这种分期不但幼稚而且有錯誤，应該批判。"他对分期的看法是：

1. 以华教授所說的社会經济結構为分期标准。
2. 但应結合中国特点，因封建时代很長，所以可再分期。他說：祖国医学从来就是继承与發揚的，我不同意程之范同志的普及时期和保守时期的說法。从繼承与發揚的角度看，祖国医学又分这么几段：

（1）汉張仲景伤寒，金匱注重方剂学，集汉以前医学的大成，应成一阶段。

（2）唐代一面繼承先人遺产，一面吸收外来文化，因此有王燾發展了巢氏病源，著成外台秘要。他和孙思邈的千金方，集唐以前医学的大成，应該又成一阶段。

（3）宋金元至明清，如分得更細，又分为宋金元及明清。明清的医学就是繼承金元四大家的，加以發揚光大，如溫病学說的發展即是一个实例，应又为一阶段。

（4）近百年至今日，这一段变革很大。

以后宋向元同志介紹了中医学院講課时关于中国医学史的分期方法：

1. 原始社会：劳动創造医学为一段。

2. 奴隶制社会：自商代至西周为一段。其中从甲骨文，傳說，特别是尙書洪范的六極，反映出奴隶社会劳动人民是被压迫的，因此提出"疾"，这也是社会意識形态的反映。

3. 从春秋战国至兩汉为一段。这阶段繼承奴隶社会的遺产加以發揮，如后汉的陰陽五行，張仲景华佗的貢献，对祖国医学內容提高了一大步。

4. 魏晋南北朝又是一阶段，这阶段的特点是受宗敎影响很大，国内外交通較前有所發展。祖国医学对世界医学作了貢献，如皇甫謐的甲乙經，王叔和的脉經，在唐宋之际傳入外国。

5. 隋至兩宋又是一段，这阶段有一共同点即医学得到全面的發展，如諸病源候論，唐兩宋的医書全面就更显著了。敎育也有了全面的發展。

6. 金元至明阶段，金元与南宋有不同，即学派兴起，金与南宋同时，但因学术体系不同，故分开。金元尙有一特点即正骨科的發达。李时珍对本草的貢献。从元至明，統治阶級对医生是奴役，明代对医家还称医戶，所以这也可称一段。

7. 清至解放前另成一章，清是在明基础上进一步發展，道路是曲折的，清初是繼承。雍正年間，閉关自守，影响医学前进，又由于文字獄压制知識分子，使他們多向考証方面發展，凡是汉及汉以前都是好的，尊古，这也限制了医学的前进。不过理論上及临床上仍然还是繼續發展的。近百年来帝国主义深入中国，帶入西洋医学，虽对人民健康有好处，但它是被用来侵略中医药的工具，是来打击祖国医学的。这段可划成半封建半殖民地的医学，但未肯定。

8. 中华人民共和国医学另成一章。总之我們是以医学本身特点結合历史分期及經济結構来分期的。

衛生部干部进修学院陈海峯同志介紹了1955年上海分会医史学会討論分期情况后說：个人認为医学是应用科学，而保健史則是上層建筑与国家的政治經济文化有密切关系，所以特别重于社会經济結構为基础分期。医学有其特殊性，这在專科史中可以标出，但通史也可以包括。專科史可按本門科学的特点，照顧到通史，通史可以經济結構为主照顧医学特点。通史与專科史可以有区别，通史应按經济結構分期，有的时期較長可再分为初期，中期，末期，可以照顧朝代及医学特点。敎学时，可以把几种分期情况告訴学生，但作为研究問題，就不同了，討論很有必要。

其后历史学研究者袁鴻寿同志首先就一般历史上說明为什么分期成为問題。並說明分期有三个可爭論的問題：（1）上下限問題，（2）社会性質問題，（3）特殊性問題。分期的討論是为大家如何正确对待历史問題。並謂搞專史的人有一种等待依賴思想，等待通史分期的解决，这是不对的，必須自己解决。最后提到他对医学史分期的意見：

1. 远古至仰韶时期（非銅器时期）称原始社会。

2. 殷至春秋初期，青銅时期，称奴隶社会，医史上無大夫。

3. 封建社会：

（1）春秋中期鉄器开始至战国，人物方面有医和、医緩、扁鵲。

（2）秦始皇統一至东汉建安元年，以华佗为轉折点，以生产力看来也是一段落。

（3）东汉建安元年至南北朝巢元方前，此期以張仲景为主。

（4）隋文帝至黄巢起义。自巢元方至五运六气为一阶段。

（5）五代十国至北宋。

（6）南宋辽金至元末（金元四大家至滑伯仁）。

（7）明至清初（至康熙中叶，圖書集成完成）。

（8）淸康熙中至太平天国。

4. 半封建半殖民地，又分为：

（1）鴉片战爭至辛亥革命；

（2）辛亥革命至解放前。

5. 中华人民共和国时期。

以后任应秋同志發言說明他对分期看法：

1. 中国医学在先秦就已建立了中医的理論体系，內經与先秦諸子思想有血緣关系，在那时奠定理論体系，与当时社会情况分不开，所以应成为一段落。

2. 兩汉时期，特別是后汉。药方在先秦很难找到，但汉时不論張机或华佗已把医經与药方相联系，这是一个很大的轉折。

3. 祖国医学显著分科是在隋唐，尤其至唐分科很明显可从千金方中看出。

4. 宋金元、医学受理学影响，把內經不断拉往理学方面。

5. 明清时期，理論繼承前人，但明的特点是不受当时傳入中国的西洋医学的影响，而清代則受到影响。清代繼承与發揚工作是医史上最好的，这与当时一般文人鑽研学問有关。

赵玉青同志認为医史是全部历史的一部分，它本身有其發展的規律，但是它和經济文化不能脫离，是隨着社会的發展而發展。故同意以經济結構分期。

不过研究中国医学史要照顾社会的特殊情况，因为我国封建社会很長，以后又經过半封建半殖民地的社会。至于中国傳統医学本身的特点也要注意。从研究医史的一般規律中还要照顧到我国的特殊情况，这是一个很大的問題，应作进一步討論。

此外在会上發言的尙有唐豪、赵璜、屈大中、成桂仁、楊銘鼎、魏如恕、曹瑞豐等同志，一致認为必須按社会經济結構来分期。成桂仁同志更从研究葯学史的过程中体会到按社会經济結構为分期的正确性。最后更由程之范同志發言說明："中外医学史总的来講都是向前發展的，以后的总比古来的强，但它的前进並非直綫上昇，而是有曲折的螺旋上昇，研究医学史的目的也就是要把为何上昇为何下降的規律找到。所以在長期的中国封建社会中如以医学特点来再分期則应該用简單的詞句把該时期共同的特点概括起来，作为分期題目，而不在于把它切成几段，这点似乎还要以后大家共同研究。"末了由主席耿鑑庭同志作了总結，認为分期問題，是一个大問題，不可能在这短短的会議上全部解决；可是，有一点重要問題是解决了，也就是一致公認分期不应当是按照統治的朝代的年代为依据，而应根据社会經济結構的改变作分期。大前提已然解决，封建社会的分段，將来可以从長計議。

会議于下午五时三十分結束。

（陈維养記录）

波蘭医学史工作者会議

Б. Д. Петров

波蘭第八屆医学史工作者会議在华沙举行，各人民民主国家的代表团参加会議使得会議具有国际性質，使参加会議的代表对許多国家医学史工作的方向、有所了解。

第一个議題——在Б. Скаржинский（波蘭），М. Матоушек（捷克斯洛伐克），М. Грмек（南斯拉夫），А. Панев（保加利亞），В. Болсг（罗馬尼亞）的报告里，在本文作者的报告里，以及在德意志民主共和国，匈牙利和德意志联邦共和国代表的發言里全面的闡明了"各国医学史研究工作和教研的情况"。

虽說每个国家的教学大綱並非一致，但对医学史的兴趣都是不断增長的。使我們發現了过去所不知道的或遺忘了的学者与医生們在医学文化上的各种各样的丰富的貢献。

不久以前某些資产阶級学者抹煞医学方面进步的趋向，从不提到帮助人民走向光明的社会主义道路的参加革命运动的先进医生們的名字。同样地也不提人民民主国家和苏联医生們的合作事業。

波蘭医史学家們以事实証明了医学史研究的丰富而有益的經驗。他們的大量报告証明了波蘭医学家們在医学各部門的巨大貢献。

对报告的意見交換，表明了会議参加者对共同事業的意向，証明了这种会見的巨大意义。会議通过了以共同編輯的方法出版各人民民主国家医学史年鑑的决議。彙集將輪流在各国出版。

Милослава Матоушек 教授作了概述捷克斯洛伐克医学史工作的有意义的报告。在最近十年里出現了許多卓越的医史学家。其中有：布拉格医史研究所的奠基人 Андрей Шруц，希腊、罗馬和阿拉伯医学的專家 Иозеф Винарж 以及 1942 年在納粹集中营里为国牺牲的有才干的 Густов Гельнер。在現代捷克斯洛伐克的医学史里应特別注意偉大的捷克生理学家 яна Пуркинье 的著作。

Е. Росиваловой（布拉格）的报告，显示了捷克斯洛伐克医学史方面丰富的書报目录和档案資料。Б. Маколну（布加勒斯特）叙述了罗馬尼亞的圖書目录和历史上有价值的史料。

有很多是关于各国家和各民族医学交流历史的报告。А. Панев 和 С. Израэль（索非亞）作了波蘭和保加利亞医生之間創作性的联系的报告。Г. Крючок 在报告里証明了波蘭和白俄罗斯民族長时期在政治，經济，文化生活上形成的联系。正如大家所知道的，白俄罗斯人 Г. Скорина 450 年前在 Краков 大学得到学士学位。卓越的波蘭生理学家 Н. Цыбульский 1911 年被选为明斯克医师协会的名誉会員。天才的外科学家和明斯克医师协会著名的活动家 О. Федорович 和 Краков 大学教授 Кадар 的关系是非常亲密友好的。他們是 1905 年 Федорович 为了研究外科来找 Кадар 时認識的。

1880 年医学博士 С. Свенцицкий 在明斯克医师协会的会議上講演了他在外国医院的观察印象。他热情地評論了他以前工作过的 Краковский 外科医院。白俄罗斯的医生常常是波蘭医生科学会議的参加者。Г. Крючек 付教授同样地引証了許多波蘭和白俄罗斯医学家密切联系的例子。Ужгород 的 А. Подражанский 在研究 Лавовщина 的医学时广泛地使用了波蘭文的波蘭史料和档案。Днепропетровский 的 Ю. рафес

專心地研究了 Бутвид, Беганьский 的科学遺产，以及波蘭和俄罗斯医学交流的一般問題。

單就大会所听取的报告題目來說，他們的研究涉及到許多問題。例如 Л. Глезингер (Загреб)的报告題目是"南斯拉夫和波蘭医学史家合作的意义"。В. Давыдова-Павлов (索非亞)內容丰富的演說里叙述了俄罗斯和苏联医学对保加利亞医学的良好影响。Г. Барбу 和 В. Манолчу (布加勒斯特)的报告"罗馬尼亞和波蘭从古至今的医学交流"是非常使人感兴趣的。报告者成功地証明了这些国家之間医学交流是深厚的和富有成果的，而这些他們还研究得很少。

波蘭的学者們在許多报告里談論到医学史的方法学(会議的第二个議題)。

波蘭的史学家和其他各国的学者堅定不移地寻求着医学史新方法学的途徑。因为資产阶級历史編纂学还有着强烈的影响，而运用历史唯物主义的方法还有着一定的困难性。

医学道德和从历史观点上討論医学道德問題是大会的第三个議題。非常有兴趣的报告是：С. Спильчинский (Вроцлав) 的"文艺复兴时代波蘭医学道德問題"，Т. Келяновский (Гданьск)的"19世紀波蘭医生著作里的医学道德"，К. Ровинский 教授(华沙)的"'医学評論'杂誌中的医学道德"。

关于卓越的波蘭医学家 Беганьский 的医学思想，才干，及充滿人道主义的行为的报告特别引人注意。Беганьский 清楚地知道資本主义社会是妨碍医生竭尽天职的社会原因。Беганьский 提到他对劳动的态度时說："假如有人問我，什么是幸福的主要条件，我將毫無犹予的回答，那就是可爱的劳动。没有生活的目的，認为为了生活而劳动是不可忍受的痛苦的人永远得不到幸福"。

Беганьский 关于医生工作的特点有充滿人道主义的英明訓誡："誰不为人类的需要所感动，誰在交往中缺乏溫柔和同情心，誰缺乏随时随地約束自己的坚强意志，他最好是选擇其他的职業，因为他將永远不会是个好医生"。

在 Краков，在古老的 Ялеллонский 大学举行最后一次会議，討論历史研究的方法和組織机構，涉及到許多問題：医学史的教学問題，資料和史料的文献索引，医史杂誌，博物館，最后还談到医学史学会的活动。

議題以外的报告也同样地有丰富的內容。以極大的注意听取 М. Барсуков 教授(莫斯科)关于偉大的十月社会主义革命和苏联医学的建立的报告。Феликс Бонгейм 教授(利比錫)叙述了他自己对哈維哲学發展史的看法。В. Бологa 教授(布加勒斯特)在"关于历史思惟在医学上的意义"的报告里論証了医学史教学的教育意义。从对有机体的整体观念有無的观点考察了几千年的医学史。报告着重指出，医生們認識到历史所給予我們的偉大的教訓，就是綜合給医学思維以正确的方向，而狹隘的分析引导医学思維走向死胡同。

辯証唯物主义是医学可靠的指导原則。医学史教育促进学生的辯証唯物主义思想的發展。闡明医学發展和社会發展的关系，可以生动地說明唯物主义和唯心主义的斗爭，並提高政治文化水平。

波蘭的医学史家們，首先是卓越的圖書学家，波蘭人民共和国医学总圖書館館長，会議的組織者 Станислав Конопка 为了使大会在亲密友好的气氛下成功的进行而准备了一切。会議無論在科学上或組織上都有極大的意义。它为人民民主国家历史工作者的內容丰富的工作創立了前提。

陈希銶　譯自 Медицинский Работник №88(1627)

第59次日本医史学会总会开会

日本医史学会总会，于1957年3月31日在日本大阪大学医学院附属医院四楼教室召开了第59次会議，並作了有关东方医学史的講演，其一是"宋以前医籍考"的編著者鹽野义研究所的岡西为人氏以"关于宋代医書的校勘"为題的报告，对于宋代校正医書工作的功績認为非常偉大，並論述了校勘的时期以及所以要校勘的原因。其次由东京医科齿科大学精神科山田照胤氏作了"关于日本江戸时代治疗精神病所用的吐方"的报告，說明在江戸时代治疗精神病的方法，除了药物治疗法、精神疗法以外还有"灌水"及"吐方"的疗法，特别是吐方的疗法，頗与今日的休克疗法类似。氏报告了当时善用吐方的中神琴溪的事蹟，以及琴溪及其弟子用吐方治疗精神病的經驗。

(賓摘自日本东洋医学会誌第八卷第二号)

医学史与保健組织

（季 刊）

1958年 第 2 号

（第 2 卷 第 2 期）

規定出版日期：每季第3月25日

·編輯者·
中华医学会总会
医学史与保健組織編輯委員会
北京东四猪市大街东口路南

总編輯 鍾信忠
副总編輯 李光蔭 李 濤
王吉民

·出版者·
人民衛生出版社
北京崇文区綫子胡同36号

·發行者·
邮电部北京邮局

·印刷者·
北京市印刷二厂

本期印数：1,873册
每册定价：0.70元

上期实际出版日期：1958年3月24日
邮局發出日期：1958年3月25日

本刊代号：2—168

医学史与保健組織

YIXUESHI YU BAOJIAN ZUZHI

1958年　　第 3 号

（第2卷 第3期）　（9月25日出版）

[illegible]学史与保健組織編輯委員会主編　人民衛生出版社出版

文　摘

消　息

多快好省地發展医疗衛生事業，更好地为社会主义建設服务

——在"家庭病床"經驗交流現場会議上的講話(摘要)——

衛生部副部長 徐运北

对"家庭病床"經驗交流現場会議的估計

这一次現場会議，通过各地的同志介紹了在工农業生产大躍进的新形勢下，在各項衛生工作上蓬勃發展的新气象，这对我們全体同志，对全国的衛生工作，都必將产生很好的影响；通过各地同志的經驗交流，特别是听到了天津的經驗，看到了他們在实践中涌現出来的許多新人新事，如家庭病床、"分級分工地区負責制"、紅十字会工作等等，用同志們的話来說："使我們的眼界更开闊了，思想更开朗了"，因此，可以这样估計：这一次現場会議是一个促进衛生工作躍进的会議，也是一个破除迷信思想解放的会議。正象同志們的反映："会議开得很好，也是适时的"。会議的成果，又一次生动地証明了党在八屆三中全会所規定的医疗衛生工作方針的正确性，又一次生动地証明了党所規定的建設社会主义总路綫的鼓舞力量。

我們这次会議是以"家庭病床"問題为中心，但是举办家庭病床是医疗衛生制度的革命創举，是帶动推行"划区医疗服务"和發展我国医药衛生保健組織的一个重要环节，是具体实現防治相結合的一种新形式，而举办"家庭病床"又是和深入整風运动，医务人員的思想改造，認真开展医院工作上兩条道路的斗爭有着密切的联系。因此，会議所接触的問題就不仅是一个"家庭病床"的問題，实际上是进一步貫徹全国医院工作会議所規定的"勤儉办医院、树立全心全意为人民服务的医疗态度"的方針，也就是医疗衛生工作如何貫徹建設社会主义总路綫的問題。因此，在天津召开这样一个現場会議，意义更大，影响是更深远的。各地的同志們都反映："在天津市委、市人委的領导下，天津衛生工作的同志們干勁十足，在不少問題上走在各地的前面"。这种称贊是合乎情况的。我們認为天津的医疗衛生工作，始終抓住政治思想工作这一根本环节，政治挂帅，以虛帶实，思想發动深入、細致，从而在思想問題也解决的比較深透；在組織形式上建立与健全了从大医院到基層紅十字会員的医疗衛生工作網，初步实現了上下左右結合，中西医結合，医疗机構与羣众力量結合，城区与郊区結合，互相协調，組成了一支除四害、講衛生、消灭疾病的大軍；天津市的"分級分工地区負責制"，在一切为了病人的思想指导下，也有了新的內容；天津衛生工作的各級領导同志敢想、敢做、敢于創造的風格，和善于發现和推广新生事物的精神，这些都是很值得学習的。我們建議各地充分地吸收天津的先进經驗，"学天津、赶天津"，使我們的医疗衛生工作，在各地党和政府的領导下，一浪接一浪，走向新的高潮。

从会議的發言和同各地同志的个别交談中可以看出，其他地区的衛生工作，在各地党和政府的領导下，在党的总路綫的光輝照耀下，在思想躍进的基础上也有極大的躍进，如上海的技术革新，鞍鋼医院支援农村，各地大量民办衛生事業等等，也积累了許多宝貴的經驗，天津所推广的"家庭病床"、"分級分工地区負責制"、紅十字会工作等等，也还有待各地根据自己的实踐加以充实和發展。

破除迷信，解放思想，大搞技术革命

整風以来，衛生工作上出现了大躍进的新形勢。党的"八大"二次会議确定了鼓足干勁、力爭上游、多快好省地建設社会主义的总路綫，更鼓舞了全体衛生工作人員，並將进一步推动衛生工作更大的躍进。

衛生工作的新形勢，主要表現在：以除四害为中心的爱国衛生运动，已在全国范圍內形成高潮，並正在深入發展，我們完全有可能提前在三、五年內以古今中外所未有"四無国"的姿态出現于世界。在消灭主要疾病方面，也取得了很大的进展。医院工作自从全国医院工作会議以后，各地都大力进行了医院改革，三班門診制和簡易病床已普遍推行，並有了象家庭病床这样的創举和發展。在勤儉办医院、改革医疗制度、改进服务态度方面，也有很大进步。以医院为中心扩大預防工作，經过实践也有所發展。此外，在培养医务干部方面、妇幼衛生工作方面以及科学研究方面也都出现了一片新的气象。可以說，衛生工作的形勢現在是一片光明，大有可为。但是应該指出，这些新气象还只是一个良好开端，离我們总的目标还很远。我們必須徹底貫徹总

路綫，使衛生工作在現有基础上实現更大的躍进。

在衛生工作中如何貫徹执行社会主义建設总路綫？衛生工作的上游是：政治挂帅，除尽四害，講究衛生，消灭疾病，移風易俗，改造国家。具体目标是：三、五年內基本实現四無國；三、五年內消灭主要疾病；二、三年內做到人人講衛生，家家爱清潔，樹立起良好的衛生習慣；一、二年內做到哪里有人，哪里有医有药；三、五年內使我們的医学科学在世界上大放異彩。

力争上游，当然要做很多工作，尤其目前面临着偉大的文化革命和技术革命，在衛生部門更应积極开展这兩个运动。

关于除四害，講衛生，消灭主要疾病，开展羣众性的衛生运动是　　　重要內容。这是六亿人民的衛生运动；是移風易俗改造国家的偉大創举，是人类在四害和疾病的压迫下，爭取主动的第一次运动，是衛生工作真正的作到主动，医药科学技术和羣众运动相結合的运动，是毛澤东思想、党的羣众路綫在衛生工作上的体現，是中国衛生事業發展的正确道路。

这样一个六亿人民的衛生运动，指出了衛生工作的奋斗目标：除四害、講衛生、消灭主要疾病；指出了衛生工作的方向，不断提高衛生狀况，达到不断提高人民健康水平的目的。也給衛生工作帶来了丰富內容。因此，我們应把除四害、講衛生、消灭疾病作为帶动各項衛生工作的总綱。

为了尽快地实現除四害，講衛生，消灭疾病的偉大目标，我們必須进行技术革命，改变技术指导落后于羣众运动的形势，使技术赶上运动的需要。实現技术革命，首先必須破除迷信，解放思想，

我們对待外国好的东西要有兩种态度：第一是好的要学習；第二是要一定赶上它、超过它。要尊重和学習运用辯証唯物主义，反对机械唯物論。技术是人創造的，是为人服务的，从技术至上的思想下解放出来，不要作技术的奴隶。我們要發动羣众，在医药衛生人員中掀起一个广泛深入的技术革新运动。人人都鑽研，个个要革新。

技术革命运动中，衛生工作必須进行一系列的变化：

（1）在培养干部、建立健全医药衛生保健網必須采取这样的方針。多快好省滿足需要，普及与提高相結合。因此必須兩条腿走路、大中小結合；采用多种多样的方式培养干部。必須这样設想和这样努力，在兩三年內經过培訓进修和組織高級医务人員下放，把县医院（衛生院）在技术上，設备上武装起来成为县的技术指导中心。

在發展医疗预防机構方面，要發展乡村医院（包括产院），乡乡建立起衛生所、保健站、医院；社社建立起保健室，有条件的社也可以办医院。生产队要队队有三員：助产員、保育員、衛生員。

医药衛生組織应采取綜合为主專業为輔。医生要兼作防疫工作，防疫、妇幼人員也应学会治病。为了更好地發揮潛力，医药衛生人員还可兼造器械和制药，开展医药衛生机構大协作。衛生部門、商業部門、工業部門（制药）的大协作。紅十字会是衛生部門有力的助手，应予以充分的重視和支持，使它更好的發揮作用。

（2）中医工作：三年来的中医工作也經过了一个馬鞍形曲折的道路。事实証明：只有在繼承的基础上才能得到發揚这一方針的正确性。現在公开反对中医的人不多見了，但由于对中医無知，盲目怀疑的还大有人在。三年来經过了西医学習中医，也培养了一批骨干和积極分子，虽然数目不多但却是極宝貴的。当前的問題是如何进一步貫徹中医政策，使广大的医务人員对中医中药在我国医药衛生工作中的重要性要有足够的認識，鼓起干勁，貫徹多快好省的方針，以破竹之势开展中医工作。

我們要以多种多样的形式大力开展西医学習中医的运动；办好中医学院和中医学校，进一步开展中医帶徒弟，今年暑期拟成立高級西医和專家組成的中医研究班，用四面撒網、多种多样的办法，以从防治疾病出發，进行研究工作；医院要搜集中医單方秘方並以县为單位編印成册，以便整理推广。

（3）药品器械：加强协作促进中西药品生物制品和医疗器械生产，力争在二、三年內基本上滿足国內医疗需要。

要达到上述衛生工作的上游，开展文化革命和技术革命的决定性的問題在于政治挂帅，加强党的領导，破除迷信，解放思想。衛生工作几年来虽然取得了很大成績，成績是主要的是基本的，但長期以来阻碍衛生工作更快發展的一个重要原因，就是迷信重重，不敢想不敢說，不敢动，主要表現在：第一，迷信外国，

認为一切是外国的好，一切跟着外国跑，总把洋化看成是"时髦"、"水平高"，把自己国家的东西視为"落后"、"低下"；外国未作过的事情，我們就不敢作；在对待祖国医学遺产問題上崇外崇洋的卑鄙的資产阶級思想表現的更为突出。第二，迷信專家，忽視羣众，压抑新生力量。其表現：在專家面前，不敢說，不敢动，更不敢超出他們，甚至明明知道專家說錯了，作錯了，也不敢加以反駁、爭論；对專家盲目相信，对他們的缺点不敢批評斗爭，但对羣众和新生力量則是冷眼相待。第三，迷信技术，忽視政治，把科学技术神秘化起来，認为只有高級知識分子受过專門教育的人才能掌握，認为"技术决定一切"，把政治与技术对立起来。第四，迷信規章制度，脫离实际。其表現：把規章制度視为金科玉律，神聖不可侵犯，把規章制度作为完成任务的唯一手段，靠規章制度去办事，認为訂了制度，有了規章就万事大

害了。第五，迷信公文，文牘主义。成天依靠發公文、批公文、下指示、看匯报、看总結来进行领导，不願意深入羣众，深入实际，成为忙忙碌碌辛辛苦苦的官僚主义者。第六，迷信正規，形式主义。盲目追求正規化的現象，盲目地求新、求全、求大、求闊，只看到大型的、国家举办的衛生事業，忽視中等的、基層的、羣众举办的衛生事業。

这些現象集中起来也就是迷信資产阶級，輕視無产阶級，在技术特殊、技术神秘的幌子下，忽視党的領导，認为政治不能領导技术，对上不要党的領导，对下不要羣众，旣瞧不起左鄰，也看不起右舍，上下左右都不要，閉起眼睛一屁股死死的坐在資产阶級立場上。这就是衛生工作長期落后的一个根本原因，在偉大的整風运动中，經过　　　　　　　　虽已有很大的进步，但根据总路綫的精神，在衛生部門中必須繼續把整風进行到底，对医务人員的　　　　　　　　　　必須搞深搞透，以便开展一个羣众性的轟轟烈烈的破除迷信、解放思想的运动，眞正作到敢想、敢說、敢做，才能激發起冲天干勁，以破竹之势，向前迈进。

政治挂帅，鼓足干勁，

根据总路綫的精神和半年来貫徹执行医院工作会議的方針，要想使医院工作大躍进，应着重做到以下几点：

一　服务态度好，医疗質量高　对于医务人員來說，服务态度是一个政治問題，立場問題，每个医务工作人員都应明确树立全心全意为病人服务的思想，一切工作要从病人出發；不应从便利工作人員出發，应以病人的痛苦为痛苦，以病人的愉快为愉快。堅决糾正那种"只通病情不通人情""治病不治人"和不願看一般疾病，一味追求特殊病例，对危重病人嫌麻煩、怕負責甚至見死不救的現象。在診断治疗上要反对主观武断、粗枝大叶、不負責任的作風，特别要反对拿病人当試驗品，不顧病人痛苦死活的恶劣作風，对医疗事故的"难免論"是極端对人民不負責任的观点，是資产阶級思想的具体表現。医疗質量高应該包括治愈多、治得快、疗效高等几个方面。这是我們服务态度好坏的一个重要标志。要作到医疗質量高，首先要有全心全意为病人服务和对病人高度負責的精神，同时还要不断提高技术。但必須明确：提高技术的目的，是为了治好病人。有人把医疗質量的高低，單純看作一个技术水平問題、設备条件問題，这是片面的。技术水平、設备条件都和医疗質量有密切关系，但是如果缺乏对病人認眞負責的服务态度，虽有高超的技术水平和完善的設备条件，也不能發揮应有的作用。

今后医务干部的提拔，应以服务态度、工作成績和在实际工作中起到的作用为标准，对某些高級医务人員的提拔，尤应要經过基層衛生組織的鍛煉，也就是严格执行党的干部政策所規定的德才兼备的标准。打破过去某些过分强調資历，强調是否受过正規教育、是否留过洋，單純看工作年限，不看現实的錯誤观点。客观的情况是：許多虽未受过正規教育，但由于工作的鍛煉和自己的刻苦鑽研已达到一定水平，实际作用已达到或超过另外一些比他們資格老的医务人員的作用，但在这种"唯資历論"的压抑下得不到提拔，这是極不合理的，对衛生事業的發展也是極不利的，应該予以糾正。

二　勤儉办医院，減輕病人負担　自从提出勤儉办医院树立全心全意为病人服务的医疗态度的方針后，各地医院在少花錢多办事，不花錢也办事的精神下，作了許多努力，作到人尽其力，物尽其用。这都是很好的。但根据目前情况看来，医院編制还可緊縮，工作人員比例还可以降低。收費标准一般的还可在保証医疗質量的前提下，从积極方面設法予以降低。病人伙食标准也应根据当前人民生活水平加以降低。我們的医院是社会主义的福利事業，国家給予一定的补助是必須的，但我們应在不增加国家补助的情况下，尽量設法来降低收費減輕病人經济負担。簡易病床是勤儉办医院、面向广大人民的一种良好形式，应普遍推广。我們要徹底批判那种不从实际情况出發，不适当地强調正規化、現代化，盲目求新求大求全求洋求闊，只看到大医院的作用，忽視中、小医院和广大基層衛生組織的作用的錯誤思想和作法。我們应提倡大中小相結合，調动一切积極因素来为人民服务。勤儉办医院和全心全意为病人服务是互相关連不可分割的，只有树立了全心全意为病人服务的医疗态度，才能更好地貫徹勤儉办医院的方針。

三　貫徹預防为主的方針　預防为主，是衛生工作的重要方針，每一个医务人員，都有进行預防工作的任务，都有开展衛生宣傳的責任。医务人員首先应該积極参加以除四害講衛生为中心的爱国衛生运动，并成为这一运动的骨干，这是衛生部門一項中心工作，是消灭疾病、保护人民健康的重要途徑。在日常工作中也应貫徹預防为主，利用一切可能的机会，采取多种多样的形式，向羣众进行衛生宣傳，使病人看一次病就增加一些衛生知識，逐漸养成衛生習慣，积極的来預防疾病。

四　医药送上門，推广家庭病床　医疗衛生的工作方向，既然是面向羣众，面向生产，就不应單純采取医院集中治疗，而应主动的到病人那里去，作到哪里有人哪里有医有药，把医药送上門。現在各地已創造了許多羣众称便的形式，如許多医院和基層衛生組織巡迴医疗，医务人員帶着药品器材上山下乡、到工矿、下地段，随时發現疾病及时进行医疗預防。特别是天津等地所倡行的家庭病床，更是一种值得推广的良好形式。在推广家庭病床的工作中，必须注意和推行"划区医疗服务"相結合，必須和医院病床、疗养病床、簡易病床等各种形式相結合，有的認为有了家庭病床就不需要医院了，显然是不对的。同时必須保証質量，使住家庭病床的病人眞正能得到和住医院相同的疗效，医院高級医師应該定期到家庭病床巡診、会診，进行技术指导。家庭病床应和医院建立密切联系，有些病人不适宜在家中治疗的，要及时送到医院治疗。此外，家庭病床現不同于医院病床，应从实际情况出發，因地制宜。总之，开設家庭病床的結果，將使医疗衛生工作更好的为人民服务，使大中小医疗机構相結合，医院門診部、家庭病床、衛生員、紅十字会員和广大的羣众相結合，医疗、防疫、妇幼相結合，防病治病相結合，医葯相結合，使医疗衛生工作的保健網更加充实和完备。

五　結合临床培养干部　医院是衛生战綫技术力量較为雄厚的地方，除医疗預防任务外，有必要也有可能担負培养干部的任务，作为培养干部的基地。省、市、專、县医院都应負責医师进修輪訓。省市專医院和条件較好的县医院还可办学校、和办短期訓練班，充实基層衛生組織。这是多快好省地培养干部的有效方法，也是在培养干部上大中小相結合的一种形式。凡是有条件的医院都应从速开展起来，爭取培养干部的工作遍地开花。

六　开展技术革命，服务病人　在技术革命的要求下，医院也要掀起一个"人人学技术，个个鑽科学，处处找窍門，行行出狀元"的羣众性的技术革命运动，医院中开展技术革命的目的，是为了更好的治病防病，为人民服务，因此它的方向应該是服从人民需要，紧密結合医疗預防消灭疾病的实际。也就是要多看病人，在治病防病的过程中积累和总結經驗，結合必要的实驗工作，进行分析研究，提高到理論，再用以指导实际。而不能离开治病防病，更不能妨害治病防病来空談技术革命。

七　进一步貫徹中医政策　現在中医进医院，大多只在門診应診，不能充分發揮作用，应創造条件开設中医病床，医院葯房应設中葯部，西葯人員应学習中葯知識，学会中葯的煎配、鑒别、保管等。护士也要学習中医知識，学会按中医方法护理病人观察病狀。現在还有不少不适宜于中医工作的制度，应結合医院改革加以廢除，建立起新的制度和办法，使中医能以系統的全面的观察治疗病人，更好的提高疗效發揮作用。要強調中西医团結合作，要糾正某些西医把自己治不了的病人推給中医，故意使中医为难的思想和作法。要作到这些，必須加强中医政策的教育，进一步批判对中医的歧視和盲目怀疑的思想。在工作大躍进后，各医疗單位要根据新的形势采取具体措施，保証西医学習中医的工作更好的开展起来。

八　政治挂帅，發动群众　根据总路綫的精神来办医院的关鍵在于以政治掛帅，加强党的領导。医院中党的組織应对医院工作进行全面的領导监督和經常的檢查，而不是單純地起保証作用。政治挂帅的关鍵又在于加强对医务人員的思想改造。在医务人員中，　　　是一个相当長期而艰苦的过程，不是一、二次运动所能徹底解决的，应在　　的基礎上，进一步加强馬列主义辯証唯物主义的教育，使每个医务人員都向又紅又專的道路前进。

現在全国医葯衛生工作人員經过　　　，社会主义觉悟大大提高，干勁冲天，創造發明，合理化建議正在風起云涌。但我們必須指出：这只是一个良好的开端。目前我們正处在一个"一天等于二十年"的偉大时代，工农業生产的發展有如風馳电掣。在这样一个万馬奔騰，一日千里的形势下，停滯不前，就会落后。因此，我們衛生部門的領导干部必須走在羣众前面，善于發現羣众中的先进事例，及时总結推广，要用不断革命的精神，隨时教育全体衛生人員，防止任何驕傲自滿和松勁現象，以堅韌不拔的精神，繼續前进。先进再先进，落后的要快馬加鞭迎头赶上。讓我們鼓足冲天的干勁，排除前进道路上的任何困难，使衛生工作在总路綫的光輝照耀下，随着工农業　　　的步伐，不断

（轉載1958年7月2日健康报）

祖国医学的病历起始問題

宋向元著　原文載于中医杂志1958年第7号第503頁。

本文指出"診籍"不是淳于意所"創制"的。作者从周礼中的記載推知，我国記載病历的开始决不是在公元前二世紀，而应該說更早几个世紀；同时更应該說"創制診籍"的不是淳于意　而是奴隶制社会（西周及春秋时代）中的許多無名医生。作者不同意把殷代甲骨卜辞和病历混同起来的看法。

（少祺摘）

医疗事業管理中的几个問題

天津市公共衛生局局長 楊 振 亞

天津市的医疗预防机構比較薄弱，到1957年底，全市有720个甚不完备的大小医疗预防机構（包括联合診所、联合妇幼保健站、工厂保健站、学校医务室等），5,844張病床（包括各部門的病床），3,426个中西医师，平均每千人口只有1.82張病床。全市有320多万人口，去年一年中，有2,200多万次門診，收容了12万人住院治疗。工作中也还有很多問題，准备就下面这些問題發表一些意見：(1)管好衛生事業的几个基本点。(2)拔尽白旗，遍插紅旗。(3)解放思想，迎接技术革命。(4)关于家庭病床。(5)几个具体工作。

管好衛生事業的几个基本点

在总路綫的照耀下，我們国家的社会主义建設正处在巨大变化和巨大發展的时期。在这个巨大变化和巨大發展时期的我国衛生事業，也必然地正在表露着各方面的巨大变化和猛烈的發展。医务人員的思想领域、医务人員的工作作風、一切医疗保健組織、規章制度、若干医学观点和医学科学技术的發展，都会在这个时期产生巨大的变化。这个变化过程將在我們的医疗保健史上、医学史上佔有重要的位置。衛生事業正处在一个历史性的变化阶段。

从衛生行政領导部門來說，如何自覚地認識这个發展变化，如何有力地推动这个發展变化，使它能够符合我国社会主义建設事業的發展，而不致与之脫节，这是一个非常重要的关鍵。这是一个異常复杂的問題。若干重要事項，还有待將來的实踐、創造、檢驗和証明，而且我們認識能力有限，这里只能談一些具体經驗。

必須把党的方針政策貫徹到衛生事業的各个方面

从天津市的情况來看，特别是近一年多來的經驗証明，要使医疗保健事業能够順利地符合社会主义建設事業的發展，就必須把党的每个时期的方針政策，正確地、創造性地运用和貫徹到衛生事業的各个方面。

在天津市出現过这样的情况，衛生部門能不能和要不要貫徹党的方針政策和党的基本工作方法，曾經在实际上成过問題。未改造的医务人員从他們的資产阶級立場出發，强調"衛生部門特殊"，說什么"外行不能領导內行"、"政治要为技术服务"，对于党的方針政策，有的反对，有的抵触，有的怀疑观望；而我們有的同志虽然衷心拥护党的方針政策，但在貫徹中，由于缺乏結合实际情况的經驗和办法，在某些問題上就貫徹地不徹底或是生硬簡單，产生脫节現象。这就是天津衛生工作，在某些时候、某些方面与其他部門相比較，就感到有些遜色的基本原因。

对于这个問題，特别是近一年多的 証明，衛生工作的好坏和發展快慢，恰恰决定于能否在衛生部門認眞而正确地貫徹党的方針政策。只要这样作了，衛生工作就大有起色。貫徹执行党的方針政策的深浅程度是各个医疗和预防部門工作發展地先进与落后的根本原因。貫徹了党的方針政策，就插上了紅旗，沒有貫徹或执行地不好，就必然是白旗。而貫徹党的方針政策的实質問題，就是要改造資产阶級知識分子，使之眞正懂得了党的方針政策，並按照党的方針政策办事。

近一年來，特别是医院工作会議之后，衛生部門在市委和各級党委的領导之下，堅决地毫不含糊地进行了 繼而通过以 为中心的整風整改运动，根据"勤儉办医院、全心全意为人民服务"的方針，認眞开展了两条道路的斗爭，医务界的政治空气、衛生工作的面貌，就开始發生了和繼續發生着根本性的变化，呈現了"势如破竹"、"一日千里"的局势，在許多單位中出現了前所未有的生动局面。

一年多來的經驗証明：全国医院工作会議上所指出來的几項基本問題，正是办好社会主义衛生事業的几項基本原則，尤其是当前正处在巨大变化和發展阶段的衛生事業的一个指导方向。这几条就是：(1)必須政治掛帅，把衛生事業置于各級党組織領导之下；(2)必須在衛生工作的各个方面，貫徹党的羣众路綫；(3)必須堅决地进行知識份子改造，培养 的医务人員队伍；(4)必須貫徹勤儉办事業的方針；(5)必須按照我們的国情民情，把衛生工作加以改造和發展；(6)在这个前提条件下，我們再勇敢地把医学科学研究工作与技术革新領导起來。这样，我們的衛生事業在社会主义建設事業中，在人类的保健事業中是能够大放異彩的。

在医院管理工作方面，一年多來也証明了，医院工作会議上所指出的一些基本点，也正是管好医院的一些根本問題。我国也正在創造着与資本主义国家的所謂"医院管理学"有着根本原則不同的社会主义的医院管理。虽然在这些方面的經驗还不多，还要繼續創造、丰富和發展，但是应当說已經有了一些基本点。这样的情况，从天津的整改中也可看到一些苗头。

、"一切为了病人，一切从病人出發"

(一)"一切为了病人，一切从病人出發"。这是社会主义医院和資本主义医院的根本区别，也是教育改造医务人員、改进工作的基本点。目前出现的一些想方設法照顧病人的新事蹟，正是医务人員开始从这样的角度来考虑問題的初步表現。而要达到这一目的，最根本的問題，就是必須貫徹党的羣众路綫。充分發动全体医护工作人員切实糾正过去医生"治病不治人"、"对病負責，对人不負責"的思想。康生同志过去在天津曾講过一段話："医生治病，治的是人的病，不是别的动物，而人又是中国人，不是外国人，中国人中又有各种不同的人，有工人、有农民，譬如对于共产党人，就应該了解一个共产党人的特性，医生治病时是否考虑过这样的問題？"(大意)。这段話可以說是击中了要害。

这个問題的解决，是与医务人員的全面思想改造不可分割的。

在整改　　中的具体經驗是：讓病人說話，發动病人鳴放。开始，医务人員有顧虑，而放开手之后，病人所揭露出来的問題是医院中实际存在的事实。一般病人所提出来的意見都是坦率而中肯的，医务人員也就心平气和了。經过揭發出来的事实的教育，医务人員也就深深感到在医院中存在着严重对病人不負責的现象。思想上的扣解开了，認識到"一切从病人出發"，不能从"制度"、"正規"出發，不能从便利"工作"出發，更不能从便利自己出發。是否从病人出發，不能只看主观願望，要看实际效果。这样就引起了医护人員的自觉整改，主动地进行自我檢查。貼大字报，开展鳴会。自覚地建立病人监督制度，定期的工休座談会能执行了，有病人参加的"工作檢討会"建立起来了，到处开辟了"病人鳴放园地"、意見箱。每个医务人員都自覚地掛上名牌，以便于病人监督。为了征求病人意見，有的还"化裝私訪"。很多医院的科主任、主治大夫都亲自到工厂、到街道深入病家征求意見。

随着工作的改进，批評越来越少，表揚越来越多。这样就树立起大家想方設法便利病人改进工作的風气。三百六十五天开放門診可以办到了，大約百分之八十的門診病人在一小时內能够看完了。有許多医院取消門診限額，做到"来者不拒"，隨到隨看，"負責到底"。住院病人有"三溫暖"——入院、住院、出院溫暖。当病人来到医院就有病房大夫前来迎接。到病房后，护士立即給介紹病房生活工作日程和病友情况。手术中給听收音机，以轉移其注意力，減少痛苦。出院时，医护人員送到門口，有的因無人来接，还送到車站或家中，如果病情需要，大夫和护士还定期地到病人家中檢查和治疗。为病人搞文娛生活、时事学習、衛生教育也是关心病人的一个方面，有許多單位給病人唸报，講防治疾病常識，开医患联欢会，为慢性病兒童上課等等，更使病人感到医院溫暖如家，离开医院还来信問候，有的还經常来看看，成了朋友。

医务人員走出医院大門

(二)教育医务人員走出医院大門，深入工农，和工农打成一片，是改进医务工作、办好社会主义医院的又一重要方面。在天津用得比較多的方式有：組織医务人員下工厂、下地段、組織巡廻医疗队去农村；在一定地点設立派出机構，和基層單位輪換医务人員；开設家庭病床；医院也出診，隨診、請基層大夫到医院作报告等等。据不完全統計，现在全市各医院約有五百人(其中有大夫約200人)經常下工厂、下农村、下地段、下街道进行工作。有許多有名的大夫也經常下去了。他們下去之后，一般也参加一定的体力劳动，更多地是进行"跟班劳动"、"地头医疗"、預防宣傳、挨戶注射；对工厂、农村、学校、地段进行系統的衛生調查；帮助工厂和基層医疗机構开办簡易病床和营养室，訓練培养人員，建立制度等。他們下去之后，提高了基層医务人員的業务水平，解决了一些过去不易解决的問題，深受羣众欢迎。有农民說："过去黃金鋪路，轎子也抬不来，现在你們这样有名的大夫也来了，这眞是毛主席、共产党領导地好"。更重要的是医务人員的思想領域开闊多了，羣众观点多了，对于他們的人生观、工作方法、工作作風以及学术观点都是一个很好的改造。这样就克服了医疗工作中"只通病情"、"不通人情"的现象。"整个医院的阶級立場"也就变过来了。

医疗工作中的一种共产主义風格

(三)医疗預防事業的正体性、統一性以及对羣众健康負責到底的原則是社会主义医疗事業与資本主义医疗事業的根本区别。而实行分級分工地区負責制和各科大协作正是医疗事業正体性、統一性的具体体现，是医疗工作中的一种共产主义風格。如分級分工地区負責制(即划区医疗)在河北区已經試行兩三年了，但一直沒有推开。　　中，医务人員开始从本位主义中解放出来，因而不到兩三个月的时間，就在全市展开了。现在各級医疗机構之間的分片負責和相互关系已經基本上作到真正的負責和結合起来。而不是形式上的划分和安排，基層大部分已作到段段有責任医师。責任医师均能領导起紅十字衛生員。为把衛生工作深入到羣众中去，打下較牢固的根基，不少門診部制定了衛生卡片、兒童保健卡片，建立起防疫檢驗、疾病訪視、衛生宣教、家庭門診、家庭病床、兒童保健等工作。区級医院均能把基層机構看成为自己的一个科室，無論对工厂、地段，医院均有專職大夫負責，一級医院也均能把二級医院看成为自己的一部分，基本上作到了彼此密切协作，上下支援。这样全市零星分散、各自为政、残缺不全的机構就联系成了一个有机的整体。

目前各級衛生机構在各級党和政府的領导下已能將工業衛生、妇幼衛生、衛生防疫、医疗預防、环境衛生、除四害……等各項衛生工作，通过地区負責制的系統統一納入各級工作計划，一直貫到基層，而且在基層从地段医师起，大部份地区能和居民委員会的工作結合起來，把衛生工作納入街道的計划，使衛生工作能通过街道的行政佈置深入到羣众中去。这样就初步地完成了衛生事業組織工作上的"基本建設"。

各科大协作的主要內容是：調整現有技术力量，設备上互通有無，拟定各科計划防治重点，拟定各科的中心研究項目，並將逐步發展到按科拟定長远規划（包括事業發展、計划防治、干部进修、科学技术發展）。

分級分工地区負責制的推行过程和各科大协作的进行过程，也是共产主义思想和资产阶級的个人主义本位主义作斗爭的过程。如在大协作中，有的想"撈一把"，有的不願拿出"王牌"來，有的干脆"宁願單干，不願协作"。但是由于有了一年多整風的基础，由于社会上大协作形势逼人，由于在协作中堅持了"以虛帶实"，談全局也談具体情况，認眞發动羣众，展开民主討論的办法，共产主义的协作精神得到發揚，單位間，人与人之間的关系密切多了。

重要問題是要打破生搬硬套的教条主义

（四）勤儉办医院是社会主义医疗事業的根本方針。而要貫徹勤儉办医院的方針，重要問題是要打破生搬硬套的教条主义，按照我国的国情民情來办医疗事業。現在各医疗机構实行的三班門診制、出診、隨診、家庭病床、簡易病床是符合于勤儉办医院的精神的。而提高医疗質量，簡化不必要的医疗开支，也是勤儉办医院的一个重要方面。

近半年中，由于医疗制度的改革，医疗作風的轉变，医疗質量的提高，本市各單位的医疗費用有很大降低。如人民医院門診病人負担平均較去年減少了17%，住院病人減輕了10%（收費标准未改变）。第一中心医院采用"暴露伤口"办法后，急性闌尾炎病人由过去住院七天改为三天，仅此一項，在一年內該院闌尾炎病人即可少負担一万多元（按去年一年闌尾炎患者数計算）。据統計全市各医院的門診費用，1958年3月比1957年8月平均降低了19.29%，仅此一項，病人在一年內即可減少120万元的負担。这也說明，在这方面是大有文章可做的。

拔尽白旗，遍插紅旗

目前，天津市各医院正在繼續深入开展業务上的兩条道路的斗爭。經过整風更使我們深切体会到，在医务界的"兴無灭資"，仅仅是在政治上搞臭資产阶級思想还不够，必須繼續在業务上徹底击潰資产阶級的思想陣地，才能巩固地确立社会主义方向。反右之后，在政治上，絕大多数人明确了社会主义方向；但在医疗業务上的資产阶級思想並未得到解决。"政治上走社会主义的路，業务上走資本主义的路"。"政治上我跟着你，業务上你跟着我"。这种思想实質上是在業务上的兩条路綫問題，也是一个領导权問題，是医务人員眞正改造成为工人阶級知識份子必不可缺的一关，是工作業务問題，也是政治問題。我們要按照社会主义的建設和人民的需要來办医院；但医务人員中却大有人是地地道道地按着資本主义的样子來办医院。在医疗業务上的思想、观点、作風基本上是从歐美学來的一套，这一套滲入到医院各項工作中，就形成一条与党的方針格格不入的資产阶級路綫。我們說医疗工作必須要"一切从病人出發"；而他們則是"一切从自己出發"。像收容病人，許多医务人員首先考虑的不是病情是否需要，而是有無"学習价值"、"研究价值"。分配病人床位时，不是根据病情、隔离的原則，而是根据医师学習的"机会均等"。甚至病床的床腿应否截短，也不是考虑病人上下是否方便，而是考虑怕医生治疗时彎腰……。实际上，在医院很多的工作上，都可看出存在着兩种不同的方法、观点和态度。如在办医院問題上，我們要求"勤儉办医院"；而他們則追求"高标准，現代化"。在培养干部上，我們要求"德才兼备"，"通專兼顧"；而他們則是"重才輕德"，"重專輕通"。在科学研究上，我們要求科研必須为人民服务，应在提高医疗質量的基础上結合实际情况开展科学研究；而他們則是追求个人名利地位"以个人提高技术为中心，以兴趣为半徑"，既不重視医疗質量，又不結合实际需要。在改进医羣关系上，我們要求必須首先提高医疗質量，改进工作作風，消灭事故差錯；而他們則認为"医疗工作特殊"，"事故不可避免"，羣众不得批評医生，甚至要病人無条件地服从医师。在国际标准問題上，我們所要求的是适合中国国情与人民需要的社会主义性質的国际标准；而他們所鼓吹的則是所謂"英美标准"或"德日标准"……。到处是兩种思想，兩种作風，联系起來就形成兩条道路。長期以來，在医务人員中从來就沒有考虑也不願意考虑"甚么叫社会主义医疗事業"，"怎样才能办好社会主义的医疗事業"，社会主义医疗事業和資本主义的医疗事業的界限还未划清。由于这样的界限未划清，所以医院工作中大小改革都不易进行，甚至改改病人的舖床法，調整一下家屬探視时間都有很大阻力。

業务上的兩条道路的斗爭，屬于人民內部矛盾

兩条道路的斗爭，从政治立場开始發展到業务上並逐步發展到学术思想上，是一个必然的發展过程。进行業务上兩条道路的斗爭，把党的总路綫，党的方針政策貫徹到業务工作中去，正是"务虛"与"务实"相結合的一个切实作法。我們覚得这个斗爭的性質屬于人民內部矛盾，因此，就采取了医务人員自我教育的方式，發动广大医务人員自覚地揷紅旗，拔白旗。同时，在業务上的兩条道路的斗爭中，根本問題还是医务人員同国家、同羣众的关系的問題，也就是是否能从六亿人民出發，从生产建設出發，从勤儉办医院出發，从病人出發来改造衞生工作的問題。但也有若干問題帶有学术性質，我們就根据"百家爭鳴"的方針，允許保留不同意見，有些問題也同意其通过实践来証明；但那些帶着明显的资本主义标签，違背辯証唯物論、历史唯物論的观点的东西（例如"第二次世界大战促进了近代外科学的發展"，"人的活动和动物一样，有上意識和下意識，下意識包括伤害他人和牲的本能"等），則坚决地扫清。开展斗爭，放手發动大破大立。不仅發动了广大医务人員，也發动了病人来"参战"。以使种种資本主义观点和资产阶級个人主义思想得到充分的揭露，細致的批判。对于高級医务人員也放手鍛鍊，絕大多数高級医务人員已經在大風浪中經历过一些鍛鍊，只要貫徹党的团結——批評——团結的方針，这个斗爭是完全可以順利完成的。

解放思想，迎接技术革命

不断地革新技术，提高医疗質量，本来是医疗事業管理中不可忽視的任务。而在总路綫的光輝照耀下，在工农業的發展都是"一日千里"的形势之下，医学科学研究更应以異乎寻常的速度向前躍进，才能滿足客观的需要，才能更好地为生产建設服务。

过去几年，天津市的医务人員虽然在医学科学研究上、在革新技术上有热情、有成績，但是，总的說来，还有許多东西束縛着人們的思想，使广大医务人員的聪明才智，不能充分地显露出来，因此，破除迷信，解放思想就成为很迫切的事情了。

在天津，通常遇到的思想束縛是：(1)"厚西薄中"、"怕洋人"，鄙視祖国医学。認为"中医不科学"，認为"英美水平"就是"国际水平"，"洋办法"就是"国际标准"，而我們中国亘古未有的除四害講衞生却不是国际水平。而且对于英美的东西，只能学它，不能超过它，只能硬搬不能結合我国具体情况，創造性地运用某些可取的經驗。"英美学者都沒有办法，我們怎么能行"。"外国几十年都沒有消灭結核病，我們怎么能够在六、七年就消灭它"。总之，这是一种殖民地洋奴心理的具体表现。(2)把医学神秘化。認为"治病不是搞洋灰的，搞洋灰的一次不行，可以再搞几次"。"工業农業可以貫徹羣众路綫，医学上恐怕不能走羣众路綫"。"只有少数專家才能搞"。因此，"資格論"盛行，看人不問政治，也不問实际業务，只要資历"好"就行。(3)怕"权威"、怕教授。"权威"在，不敢說"权威"那一行的話。"專家"在，青年医生不敢說話，甚至"專家"开錯了处方，药剂士还認为"專家"不会錯，怕是自己見識低。有些青年医务人員以"專家"为"标准"，以致个别青年医生發表了与"專家"不同的意見，会受到許多人的譏笑。可見青年受抑制到怎样程度。(4)不敢冲破"旧正規"的圈子。而他們所謂的"正規"，並不是适合我国国情民情的正規，而是从外国搬来的教条，例如医疗制度中的若干規章，其中很多不是从一万出發，而是从万一出發的假設；不是从积極負責出發，而是从推卸責任出發的保护裝置。但有人認为那一切都是永世不能变的"金科玉律"。有些从外国学来的东西，外国也改了，有人还不敢怀疑。

为了使医学科学研究能够适应社会主义建設事業的發展，适应人民保健事業的需要，除要加强党的領导並大力进行破除迷信的宣傳教育，揭开思想蓋子，打破"緊箍咒"，使广大医务人員鼓足革命干勁，挺起腰板，向医学科学进軍外，还要本着下列精神去作：

1. 認眞地貫徹羣众路綫。首先技术革新、技术革命，不但不能离开專家的指导，而且应該积極發揮他們的作用，忽視技术人員的作用是不对的。但是針对目前的情况，要打破那种"非專家不能研究"的观念，發动全体医务人員，包括炊事員、洗衣員、技工、护理人員、中西医师、医士一齐来搞技术革新和科学研究。因为在医务人員队伍中，任何人的技术革新和研究成果，都有利于提高医疗質量，提高医疗效率。其次，要打破那种"非医务人員不能研究医学"的观念，像搜集民歌一样广泛地搜集和整理羣众在医学上的創造發明。天津市的医务人員中，至今还有人認为工業、农業上的技术革新，羣众可以办到，而医学上的創造發明非医务人員就不可能作，这是不符合实际情况的。細菌和疾病都是客观现象，只要方向对头，肯鑽研，是一定能够掌握这个客观事物的規律的。这种例子在历史上屢見不鮮，在今天也是層出不穷，只是我們过去沒有有意識地去發现罢了。天津仁立蛋厂就有一个工人提拔的技术員，創造了一种消灭沙門氏桿菌的办法；第一医院王兆銘医生没有上过几年学，更沒有上过医学院、校，可是他已經出版了一本"痔瘻中医疗法"。这当然是無数例子中的兩个而已。

2. 認眞研究中医中药，發揚祖国医学遗产。中医中药有着丰富的宝藏，而在各單位的研究中，也已获得一些成就。当前的問題，主要是进一步加强中西医

药的合作，共同进行研究，特別是現在那些已經有了一些头緒的項目。

3. 建立医学科学研究机構。最近河北省委已經決定建立河北省医学科学院，天津市医务人員計划和全省医务人員一道建立中医、腫瘤、骨科、神經外科、药物、流行病等十一个研究所、九个研究室，並且要在实际研究工作中認眞貫徹"二老一青"（老干部、老科学家、青年科学家）的原則，共同开展科学研究。

4. 加强科学研究机構的調查研究工作，以便迅速地掌握全省主要疾病的狀况，使科学研究項目切合实际。

5. 加强对重点項目的研究。全市医务人員計划集中力量加强对全市在今后五年内要限期消灭的疾病、要积極防治的疾病、在国际上仍未解决而国內比較常見的疾病、中医中药以及其他理論問題的研究。对于腫瘤和高血压問題，北京、上海已經选定一定的区域組織了一大批科学家集中进行研究，我們覚得这个方法很好，准备学習着进行。我們相信我們大家都这样作，就可能在短期內作出惊人的貢献。另外，在放射性同位素的运用方面，我們已經开办了一个訓練班，大約在七、八月間即有四个医院可以运用放射性同位素来診斷和治疗某些疾病。

关于"家庭病床"的問題

从天津情况看，这一問題的提出，有其思想基础，也有其組織基础。思想基础是医务人員經过 等运动，开始树立了勤儉办医院与全心全意为人民服务的精神，明确了必須对病人負責到底，而且初步具有破除陈規旧律，从实际出發的思想，才能破格地考虑这一办法。組織基础是全市实行了"分級分工地区負責制"之后，各医疗机構均明确了自己的責任不只是对就診病人的病負責，而应对本地区的居民健康負責。因此，就促使广大医务人員創行或学習若干既适合人民要求又能解决問題的良好作法。"家庭病床"就是在这种基础上由医务人員自覚創行的若干办法之一。"家庭医疗"的形式本来是中国几千年来的傳統。然而"家庭医疗"与"家庭病床"有其"質"的不同，旧的"家庭医疗"实际是分次出診，医生是被动的，不是对病人負責到底的；而新的"家庭病床"則是医生主动，对病人全面負責，而且負責到底（治不了时医生还負責請医院医生甚至專家会診，必要时还負責轉院）。从"家庭医疗"發展到"家庭病床"，不只是一种形式名义上的改变，而是进一步的提高。沒有上述的思想基础和組織基础是不可能的。

自河东区唐家口門診部于三月中旬創办了"家庭病床"之后，全市八个区的基層門診部和联合診所，絕大部份（另外还有四个医院）都先后开展起来。

家庭病床是一种优良的医疗服务形式

家庭病床是一种优良的医疗服务形式：

第一、这一形式适合于目前我国的国情与民情。进行家庭治疗是我国羣众几千年来的習慣，非到不得已，誰願住医院，兒童是此心情，家庭主要成員則牽連更大。医院花費貴，家庭病床每日只三角，开展家庭病床可为国家节省大批資金，即以目前天津市已有的908張家庭病床計算，如国家建造需投資454万元（按每床5,000元計算），尙不計每年維持費，如再扩充則可节省更多。

第二、从医学观点上看，开展"家庭病床"也有很多好处。休养环境对疾病的重要意义是尽人皆知的，得了病都願意在最亲切最熟悉的环境中休养，轉到一个陌生的环境（如医院）去治病，原是不得已的，更何况我們現有的医院条件並不能避免一切不良刺激，而且护理人員对病人的关怀也很难达到家屬对病人的关怀程度，像家庭病床病員李恩琪所說："即使医院护士对病人十分体貼，但医院是一个护士照顧許多病人，而家庭病床，則是全家照顧我一个人，有了家庭病床，說什么我也不住医院了。"而且医院的飲食很难作到像家里那样如意。由此可見，家庭病床的休养环境、生活照顧、飲食狀况都要比医院好的多，这些会在医疗效果上發生極为重要的作用。医师深入家庭医疗，对于病人的生活环境，營养和健康狀况都会有更多了解，因而在决定疾病原因和治疗措施上更容易結合实际提高疗效，有的医生在医院把一个口角炎診斷为核黃素缺乏症，但实际深入羣众以后，才發現是用咀理麻繩的結果。尤其家庭病床是建立在分片負責的基础上的，因而医生对病人的責任感較强，不能再以一般門診推出了事的态度来对病人，因而不但可保証質量，使基層医务人員的技术也可以更快地提高。

第三、开展家庭病床可以促进医务人員的思想改造。医生护士們从畢業出来，进到医疗机構里，多年来只接触病房、不接触社会，造成一种"只懂病情，不懂人情"的畸形，不了解劳动人民的生活狀况、思想感情，眼光狹隘，思想不寬，成为医务人員脫离羣众的原因之一。然而經过"家庭病床"这种服务方式，医生深入病家治疗以后，劳动人民的工作热情、实际困难，以及他們的思想感情，对医务人員均有作用，在思想上均發生急剧变化。如民园門診部有些医生原来很怕开家庭病床，但深入以后，都爭着到病人家去，而且有些門診部的医生到病人家不仅看了病，甚至替病人打扫了房間、作了飯，医生的架子自自然然地就放下了。

第四、"家庭病床"的开展，便于推动一切衞生工作，在医学普及工作上將發揮深远的作用。因为医生通过这样的医疗方式，結合預防护理这些疾病的实际情况，在病人家屬及附近居民中开展的衛生教育工作，最能切合实际，而且也能最易于被羣众所接受。医务人員放下架子深入病家为病人服务，改变了过去医羣关系不好的現象。这就極为有利于推动各种衛生工作。

关于“家庭病床”几个应注意的問題

第一、家庭病床收容的范圍不应机械規定，在对病人全面負責的前提下，考慮地段医生的技术水平和区級医院的支持力量，确定收容范圍。大体說慢性病、有特效疗法的急性病、恢复期的疾病及某些傳染病作为收容对象較宜。

第二、开展家庭病床是否需要更多的医疗力量？根据目前家庭病床开展的实际情况，則是很多力量少的門診部作的並不坏，反而是有些力量强的門診部作不好。如沈庄子門診部負責地段为29,000人，共有三位中医和兩位西医（其中主任一人，主要搞行政，另一位是殘廢行动不便），只有三人作地段工作，每天門診160人次，要作衛生宣傳和衛生防疫工作，但同时还开了13張“家庭病床”，平均每人負担4張，上班前、下班后順便就把病房查了，並沒有什么困难。可見能否搞“家庭病床”的关鍵，主要还是思想問題。

第三、开展家庭病床必須有区級医院的支持和指导。基層医务人員大部分对管理病床沒有經驗，如果沒有医院支持，不但基層医生顧慮大，而且有發生事故的可能。但現在在“地区負責”的基礎上，大部医院对門診部均能大力支持，医院不但曾派医护人員到門診部具体幫助“病房”的建立，而且主治医生还定期到地段查病房，临时遇到問題还隨請隨到，这样就不但解除了門診部的顧慮，而且可以保証質量。

第四、医务人員必須学会作羣众工作，並且要和紅十字会結合起来，充分發揮基層紅会会員和衛生員的作用。負責家庭病床的医生必須放下架子，深入羣众和羣众打成一片，医生查房不能單純給病人进行治疗，而且要有計划有目的地了解病人的家庭环境，生活狀況，根据实际事实对其进行衛生宣傳教育，而且应組織羣众参加医疗预防工作。目前有些門診部是运用紅十字会員的力量，有的門診部还訓練了家庭护理員，这样还会进一步扩大家庭病床的数量，和更大地發揮他的作用。

第五、由于家庭病床的出現，給我們打开了办医院的眼界。“医院”並不是接收住院病人的唯一組織形式，更不是固定不变的。所以要采取集中住院的——医院組織形式，無非是为了解决：(1)复杂的技术問題。(2)一部分病人因各种原因不能在家中治疗。(3)便于在某些方面积累經驗，提高医疗技术水平。因此，可以設想，家庭病床的組織形式不仅現在需要，將来也可長期存在。基層可以办家庭病床，大医院也可附設家庭病床，城市可办，农村也可推广，我們即准备在郊区推行。家庭病床与医院可以同时並举。

紅十字会是衛生行政部門和推行“家庭病床”的有力助手

紅十字会工作是民办衛生事業中的重要組成部分，是羣众性衛生工作的基础，沒有这样的組織保証，很难使經常的羣众衛生工作在羣众中扎根；同时它符合广大人民需要，为羣众所欢迎，它的發展前途广闊，羣众在这方面还有很大潛力。因此，大力开展紅十字会工作，也是多快好省地發展人民衛生事業中的重要环节。

几年来，天津市在工厂、手工業社、农村、商業、学校、街道中初步發展了16万多紅十字会員，訓練了14万3千多紅十字衛生員，建立了2,812个紅十字衛生站。它的工作已經初步深入到各个部門。

基層紅十字会的工作內容也相当丰富。在医疗工作上，紅十字衛生站和紅十字衛生員担任急救，簡易医疗，配合“家庭病床”，进行家庭护理，向地段医師及时报告某些病人的病情变化，在分級分工地区負責制中，幫助进行衛生調查、建立衛生戶口与其他組織工作。在防疫工作上，組織預防注射，担任預防注射中的大量准备工作，有的还担任一定的注射工作，有的率領大夫挨戶进行注射，进行疫情报告（有的衛生員所作报告的准确性达到百分之九十几）。协助进行家庭护理、消毒隔离。在爱国衛生运动中，起了帶头作用，在除四害、講衛生工作中也成了骨干。提高羣众衛生知識水平，更須依靠紅十字会員和衛生員，采取各种方法、宣傳新育兒法、計划生育、疾病防治常識。紅十字会衛生站还做其他羣众福利工作，有的建立簡易兒童淋浴站、理髮服务組。

由于紅十字会进行了这样多的工作，它日益受到羣众的欢迎和各方面的重視，我們也感到它是普及医疗、开展羣众衛生防疫工作的有力組織形式，因此計划在最近几年內，再發展紅十字会員四、五十万人，訓練紅十字衛生員二十万人，基本做到戶戶有会員，每个車間、生产队、学校每个班、街道每个院都有紅十字会的組織。

結束語

以上所談的，都是我們在工作中發現的一些問題，这些問題並未全部解决，有一些問題在某些單位解决了，在另外一些單位还未解决。工作的进展很不平衡。特別是对于这些問題的看法是否对头，尚希望批評指正，以便繼續努力，力爭在各个方面取得新的成就。

对开設地段"家庭病床"的几点体会

中共天津市河东区委副書記 高長喜

河东区是个工業区，是劳动人民集居的地区，人口42万余人，解放初期，这个区的医疗力量少得可憐，沒有一所医院，仅有私人开業医師140余人。解放几年来，在党的領导下，衛生事業有了很大發展，共建立了医院三所(其中一所为企業医院)、区衛生防疫站、保健所各一所，門診部五所。1956年接管了私人联合診所16所，改为国家門診部。經过合併目前共有医院三所，区級医疗單位門診部16所，区衛生防疫站、保健站各一所，医师200余人，病床478張，平均近2,000人有一位医师，800余人一張病床，但在人民生活水平不断提高的情况下，現有的医疗力量远远不能滿足人民羣众医疗就診和住院的要求。从医院的門診就診率来看，一个医院每天平均达七、八百人次，在流感流行期最高一天曾到达1,200人次。区級医疗單位各門診部所担負的門診量也很大，每天平均达二百余人次，最多达四、五百人次。由于病床少，經常使很多需要住院治疗的病人得不到住院的机会。在整風期間不少的羣众来信要求医院增添病床。通过 医院及各門診部实行了三班門診制，医院緊縮了办公和医师們的住宿用房，騰出了部分房屋作了病房。同时医院和門診部均設立了簡易病床，仅工人医院即已由原来的145張病床扩充到215張。虽然在現有的基础上又增加了大量的病床，但仍不能滿足人民羣众的需要。于是在 的形势下，唐家口門診部首創了开設"家庭病床"的措施，打破了陈規，医师走出門診部及医院到病人家去設立病床，这个措施的实現是医务人員經过大鳴大放大爭大辯提高了覚悟、思想解放的結果。这一創举立即引起了区委及有关部門的重視。經过研究肯定了这个經驗，認为这个做法是进一步挖掘医疗潛力，克服病床少、扩大住院医疗服务范圍的一項革命措施。为此，我区于1958年4月8日召开了現場会議，推广了这一簡而易行不需投資收效很大的办法。此外，为了密切二、三級医疗机構的关系，加强技术协作，大力地进行衛生工作分級分工地区負責制与开設"家庭病床"工作，于4月17日又召开了全区医务人員改进工作加强技术协作大会，为全区开展"家庭病床"这項工作打下了思想基础。这件工作得到了市委和有关部門的大力支持。会后拟定了全区在16所門診部开設248張病床的具体計划，截至目前全区16所門診部均开設了地段"家庭病床"，共收容了病人355人(不包括訪視治疗的傳染病如麻疹、猩紅热等)。經过治疗和見效"出院"的有279人，病情变化經門診部介紹到医院治疗的23人，死亡者2人，現仍在"医院"治疗的51人，通过了几个月的实踐，証明效果良好，頗受广大羣众欢迎和贊揚，它不仅有着經济意义，而其政治意义尤为重大，下面談談我們的几点粗淺体会：

一 地段"家庭病床"是符合我国目前經济狀况，克服病床少的困难，扩大医疗服务符合多快好省的一項措施。仅就我区所設立的248張"家庭病床"来看，就相当我区新建的河东医院的病床总数，而該院的建成用了一年之久，国家投資111万元；現有医护、行政、勤杂人員306人，这是多显明的对比，可以設想如果全市、全国的医院、門診部都开設了地段"家庭病床"，將要为国家节約不少的开支。而有些享受国家公費医疗和劳保待遇的职工患病如果住"家庭病床"治疗，还可为国家节約大量的医疗費用开支。同时也符合羣众習慣，减輕病人經济負担，例如住医院一天平均需要4元4角；而住"簡易病床"一天需要1元3角；住"家庭病床"一天只需要9角，(包括住院費、药費)因而羣众反映："旣省錢、又省力、又方便"。此外实行"家庭病床"是医务人員面向生产，一切从病人出發为病人服务的具体措施，这样做，对生产起了一定的推动作用。

二 地段"家庭病床"將可能成为对病人全面負責的一个綜合性医疗預防措施。首先需要闡明地段"家庭病床"和一般的出診是有区別的，比出診又發展了一步，具体区别是：

(一)出診是病人主动求医师而地段"家庭病床"是医师主动找病人，办法：(1)門診治疗时發現应收容"住院"；(2)医师出診發現需"住院"的；(3)通过到地段进行訪視發現病人；(4)通过健康檢查發現病人；(5)通过病人介紹病人或經医院介紹到門診部的。

(二)出診通常是进行簡單的急救，对病人往往不能作到更全面地負責；而地段"家庭病床"是对病人进行全面系統負責，將病人作为医疗單位的一个"住院"病人，有家屬史和病变記录，"家庭病床"所收容的对象需根据区級医疗單位技术条件和物質設备而决定：一般是收容各种慢性病急性發作的患者和需要住医院而因家中有某种原因不能住院或医院收容不下，門診部又可以治疗的对象。收容的形式目前有三种：

1、門診部固定一位医师收容和治疗住"家庭病床"的病人。

2、門診部接收病人之后，医师輪流担任治疗。

3、門診部每位医师按分工的地段来接收病人担任治疗，並适当照顧羣众选擇医师的要求。

从这一段实践来看，第三种形式是比較好的一种，这样做可以加强分級分工医师地段負責制。使每个医师都能密切与羣众的联系，对病人也能做到全面系統負責。

收容病人"住院"后，像一般医院病人一样，医师、护士每天到病人家去給病人进行檢查、治疗，直到痊癒"出院"。治疗效果一般还是好的，因为病人在家疗养不更改他的生活習慣没有医院中的許多不良刺激，精神能得到安慰，並可根据医师的示意，适当調剂病人飲食。因此，对治疗起到很大的作用。通常我們說"有病三分治七分养"也就是說患者的精神狀态对病变是起很大作用的。这是住院所不能得到的优越性。在家治疗，医师就需要向患者家屬講清治疗办法，而且要进行护理常識的教育，同时还可以开展預防、避孕、除四害、講衛生以及政治等宣傳工作。因此，地段"家庭病床"是对病人全面負責的一个綜合性医疗措施，适合羣众要求，不仅有治疗意义，而且有积極預防宣傳的意义。通过"家庭病床"可以广泛地普及衛生常識。

三　地段"家庭病床"不仅有經济意义，而且有一定的政治意义，是改造医务人員的重要途徑之一。实行以来，对改善医羣关系，密切党、政府与人民羣众的关系，二、三級医疗机構之間的协作关系，中西医的团結都起到良好的作用。从我区的实践証明，医务人員只有放下架子，走出医院和門診部深入工厂、街道和学校，到劳动人民中去才能体会到劳动人民的感情和病人的疾苦；才能树立起一切从病人出發的全心全意为人民服务的思想；才能克服脱离实际、脱离政治、狂妄自大、主观臆断的資产阶級作風。不少的医师反映，通过地段"家庭病床"的治疗。对自己的教育很大，在寻找診斷病原和处方时，能够更加切合实际了。由于实行了地段"家庭病床"，区級医疗單位的威信大大提高了，逐漸扭轉了过去存在的病人看不起門診部、医院医师看不起門診部医师，羣众認为"小庙里出不了大神仙"的看法，打消了三級医疗單位医师們的自卑感，給大家指出了努力方向。我区为了解决技术力量的困难，二、三級医疗單位掛上了鈎，加强了协作，医院对各門診部給予了很多的帮助，每星期定时或隨时派医师协助門診部医师到"家庭病床"进行檢查治疗，帮助解决一些門診部無法解决的困难；中西医之間也通过会診加强了学習和技术协作，提供了門診部医师系統观察病人、檢察疗效的条件，借以提高医务人員的技术水平。因此，各門診部的医务人員对本职工作比較安心了，也很少有人再鬧着到医院去工作了；二、三級医疗机構的关系，中西医之間的关系更加密切，長期未解决的問題，現在也好解决了。

从我区开設地段"家庭病床"的事实，再一次証明党对衛生工作的正确領导。因此，我們必須繼續加强对衛生工作的領导，正确地貫徹党的方針政策，加强对医务人員的思想教育，徹底解放思想，鼓励与支持他們的新創造。不仅使"家庭病床"在現有的基础上与分級分工地区負責制緊密結合，同时还要进一步向前發展，並积極提高医疗質量。

俄罗斯联邦在第六个五年計划中的保健事業

Г. А. Новогородцев, Здравоохранение Российской Федерации в шестой пятилетке.

在第六个五年計划中規定今后大力發展俄罗斯联邦的医疗机構和兒童机構網。1960年病床数要增加182,000張，比1955年增加25.4%。在烏拉尔、西伯利亞和远东的各个地区，病床数要增加75,000張，佔总計划中的41%。整个俄罗斯苏維埃联邦社会主义共和国在五年計划終了时，將要从現有五年計划开始时的716,160張病床增加到898,300張，这样將保証1960年城市每1,000人由1955年的8.8張病床增加到10.4張，乡村由2.9張增加到3.5張病床。在第六个五年計划期間托兒所將發展199,300席位，这样在1960年末托兒所的总席位將有688,500張。医师总数（牙医在外）在五年計划終了时，將从現有的155,500名增加到202,000名；中級医务人員將从1955年現有的180,300名增加到680,000名。

（刘學濬譯自 Мед. рефер. журн., 1957, 6, 7. 原文載 Здрав. Росс. Федер., 1957, 1, 15—19.）

我們是怎样搞起家庭病床的

天津市河东区唐家口門診部主任 馮武功

我們在門診医疗工作中，常常遇到这样的病人：病情确实严重，需要住院，其中有的身体已很衰弱，须人背来或抬来，一次門診往返之后，病人折磨得精疲力竭。究其原因，医院無床，住不进去；或是經济費用問題；或是家裏孩子多，需要照料……。

过去是如何对待这个現实呢？既然是門診部，我們的職責当然是守在門上等病人上門。曾訂有出診制度，可是其中也有些清規戒律。

1956年有个患肺結核女病人，每天由她弟弟背到門診部来打針，勉强支撑了三个月，結果不但病人未得到救治，她弟弟也得了肺結核。1957年有个腿部及足部燙伤的病人，不能走动，每天忍受着極大的痛苦，用担架抬到門診部来換葯。病人請我們出診，我們反而說："出診換葯，消毒不好！"

对以上这个問題，久而久之，也就習以为常，不以为慮了。

大胆地設想

我們唐家口門診部的医务人員通过整風鳴放，政治覚悟有了很大的提高，明确了必須从病人出發为生产服务的方針，看清楚了摆在面前的任务是如何改善医羣关系，与工农相結合，更好地为社会主义建設服务。这就促使我們渴望在整改中抓住一些关鍵問題来解决。

首先考慮到的是：作为一个基層門診部如何来使上述病人得到适当的治疗。曾企圖以簡易病床的形式来解决这一問題。但經具体研究，又感此路難通。沒房子短設备，即使开了簡易病床，也不能完全解决問題，因为傳染病人不能住院，孩子多的住院也有困难……。这时党提出要以破格的精神进行整改，于是我們下决心突破陈規旧律，大胆地去設想一些新办法来解决这一問題。我們想起了苏联所实行的地段負責制，如果我們將地段內病人的家庭当作病房，在病人家中进行治疗，这个問題就可迎刃而解了。

驅除"五怕"

我們門診部一共有四个医师，四个护士，都沒有管理病房的經驗。一听說把病人家庭当病房，到病人家去进行治疗，在同志們的思想上就出現了"五怕"。

1. 怕人少忙不过来。我們所負責的唐家口街，有十二个居民区，共22,000多人。

2. 怕技术低管不好病床，万一出事，責任怎么負。

3. 怕收入減少。到病人家去，費时間多，門診就要少看，这样收入就会減少，就不能自給自足了。

4. 怕劳累。开办起来，病人一住进"病房"，就得風雨無阻地往病家跑，怕經受不起。

5. 怕影响威信。到病人家去治病，大病重病治不了，反倒会在羣众中失去威信，那时怎样收拾。

經过具体分析，認为"五怕"是思想問題。从病人出發考虑的少，从生产建設出發考虑的少；从个人出發考虑的多，从門診部本身的得失方面考虑的多。因此，驅除"五怕"的关鍵，在于确立"一切从病人出發，从生产建設出發"的思想。于是我們就着重于在同志中間解决这一思想問題，除了从党的方針政策以及为人民服务的思想观点通过漫談討論闡明道理外，更重要的是通过具体事例来进行教育，算細賬並將人力重新安排。

其次，是解决技术低，遇有疑难病人怎么办的問題。为了对病人負責，我們应該对自己的条件有正确的估計，此后得到工人医院以及河东医院的支持，进行指导；遇有疑难問題，隨請隨到；病人不宜于住家庭病床时，还可轉院。这样，就根本解除了技术低怕出事的顧慮。

"家庭病床"这一措施一提出，就受到了羣众的拥护和各有关方面的支持，特别是党非常重視。这使我們受到了極大的鼓舞。門診部全体同志提出保証，值夜班第二天不休息或只休息半天，每个人除作好本身工作並不断提高質量外，並要互相帮助，葯剂士学会作护士工作，助产士也做門診及病房工作，事务人員提出他們能侍候病人，掛号員利用公休日帮助护士給病人試表，帮助葯房洗瓶子。科室同志之間表現了空前的团結，發揮了"我为人人，人人为我"的共产主义精神。

主要做法

1958年3月12日成立了"唐家口門診部地段家庭病床"。在收治几个病人得到一些体会之后，即本着对病人全面負責的精神，擬定了以下办法。

1. 病人从哪来

(1) 門診病人在治疗中，認为需臥床休养的；

(2) 出診病人中，認为需臥床並須連續治疗的；

(3) 由紅十字衛生員介紹或在家庭訪視中發現的；

病人須收容治疗的；

（4）由二級医院轉来的（如二級医院認为有些患者不須做复杂治疗，而屬于慢性病患者，即轉到地段家庭病床）；

（5）由病人介紹經本部大夫檢查認为应"住院"休养治疗的。

2. 收容什么样的病人

家庭病床不能包治百病，有的病能收，有的病就不能收。在收容中，須貫徹保証質量的原則，要根据門診部的条件来确定收容对象。目前我們是根据以下三种情况决定收治病人。

（1）根据病人环境情况：如病人本应住医院治疗，但因家庭某些情况，不能住院，或因医院無床住不进院，或是本人願在家"住院"。

（2）根据技术条件：收容病人时，必須适当考慮我們的技术条件，不能盲目收容，以免躭悞病人；能解决的而又需要"住院"的，就一定要收容。

（3）根据病情：

甲、急性傳染病須隔离的（無严重合併症如麻疹、猩紅热及痢疾不能起床者）一律免費收治；

乙、慢性傳染病須臥床休息及隔离者，如各种結核病等疾病；

丙、慢性疾患須臥床休息治疗的，如肝硬变、心臟病、有慢性心力衰竭的，慢性腎炎等；

丁、一般外科不能行动，不須行大手术者，如燙伤、丹毒須做小手术换药、骨折經石膏固定者等；

戊、产妇科方面，如先兆流产沒有分泌物，妇科手术遺留伤口須換药者及产后發燒者等；

已、其他特殊情况，如病虽無望，但仍須为之解除痛苦者。

3. 入院出院及轉院手續

（1）"入院"：手續力求簡便，凡經門診医师檢查認为病情需要住院，取得家屬的同意，經过登記、填写"住院"病历，即为住院。

（2）"出院"：凡住院病人經住院医师檢查，有下列情况，即可出院：

甲、經檢查無陽性症狀者；

乙、自覺病狀消失或外出沒有困难者；

丙、身体恢复能做輕工作或可以轉往門診治疗者；

丁、患者提出不再接受住院治疗者。

（3）有下列情况应轉院治疗：

甲、凡住院后經治無效，並由二級医师会診后認为应轉院者；

乙、根据現有条件無法檢查，不能做出診斷者；

丙、病情轉化無法控制者；

丁、須行大手术者。

4. 医护人員工作制度

在我們門診部，医护人員管理病房設有專人負責，工作人員实行定期輪換。在初期因工作生疏，掌握上恐有出入，暫定每周輪換一次；在工作熟練后改为每月輪換一次。管理病房人員暫定医师、护士各一人，必要时加付班协助。下班后由門診部值班人員負責。每次輪換时，必須將病人一切情况認眞地交代給下班。

医师：要做到能掌握病人家庭情况及病人情况，填写病历、处方、化驗單、医囑，每日檢查病房一次，病情需要时可增加（夜間由值班医师負責），並注意宣傳衛生常識及飲食注意事項。

护士：每日随医师檢查病房，根据医囑进行护理工作，並掌握病人情况，有特殊轉变及时彙报医师，並随时对病人家屬进行衛生指导，使之能协助做一般护理工作，並注意政治宣傳工作，及对病人同院做好衛生宣傳（查房后应做詳細記載，以备交班）。

5. 会診制度

对"住院"病人在医疗技术上有疑問难以确診时，經治医师及时請求本部其他医师会診，並向会診医师詳細介紹檢查及治疗經过。疑难病案在本部仍不能解决时，应請二級医院医师会診。

6. 收費制度

（1）暫定住院費每日三角。

（2）特約單位記帳病人住院前交三联單，每十天結算一次。

（3）交現金病人每五天結算后交清。

（4）經济确实困难者，可分期交款。

至6月18日止，共收治病人47人，最多为一天收治十一人。其中：好轉痊愈出院的33人；現住院的10人；轉院的4人。

一个工厂的家庭病床介紹

石景山鋼鉄厂医院院長 王远明

自中央提出：勤儉办院、便利就医，举办簡易病床，給我們很大啓示。我們研究了如何举办簡易病床問題。根据我厂的特点，無論职工和眷屬住院都不收費，在此情况下立即开展簡易病床对职工和眷屬来說还有些不易实行。

又鑒于有些病人来門診时是"人背車駝"（因石景山区無三輪，医疗巡廻車有一定时間一定路錢）职工背眷屬看病既耽誤生产，又給病人造成痛苦。

远在1954年实行車間医师制时，为保証"三环制"（病房—門診—車間保健站）順利执行，曾把占有病房二分之一的慢性病人动員出院回家治疗，其效果也較好。

几年来我們在眷屬区一直在搞地段医师制工作，又因没有設兒科病床，凡是兒科重症或傳染病一向是在家治疗（必須住院者轉兒童医院）当然这种在家治疗还和家庭病床有所区別。但經驗証明了不仅巩固"早期發現，早期治疗的預防为主的方針，而且在医疗預防質量上确有所提高。具体表現在麻疹死亡千分率逐年下降，尤其开展家庭病床后則消灭死亡（1953年死亡率为9.7‰，54年为8.7，55年为5.0，56—57年为1.5，58年1—6月在633例麻疹中無一死亡，仅轉院一名。）

由于这些客观条件促使我們联想到搞"家庭病床"。但惟恐不成熟，于57年底医院工作会議上曾在大組提出討論。为此我們把家庭病床列入1958年工作規划中，經全院討論一致通过。于1—6月中旬共实行家庭病床831例。

家庭病床的具体做法

1. 家庭病床适应范圍

(1) 需住院治疗因医院没有床位不能住院的患者但适合于家庭治疗者。

(2) 患慢性病到門診治疗对疾病有妨碍。

(3) 恢复期病人或已經手术打石膏等处理后不需要住院但仍需要一般治疗及观察者。

(4) 需住院但因有各种困难不能住院而在家庭治疗又不影响其疗效者。

(5) 門診处理后認为不需住院但需观察和治疗的患者。

(6) 有傳染病不宜送傳染病院的患者。

2. 家庭病床管理方法

在院部領导下的衞生組（相当于保健科）具体負責管理家庭病床的工作，門診医师确定或者停止家庭治疗时均須即刻通知衞生組，衞生組負責全面掌握並檢查治疗效果，听取病人及病家反映，發揚优点糾正缺点使家庭病床更接近病房工作。

(1) 病例选擇：凡經急診室，門診及住院診治适应家庭治疗之患者即列入家庭病床負責进行家庭治疗，其需要委托地区医师执行者則填写家庭治疗通知（如急診室通知有关科医师，医院內科門診委托地区医师等）。

(2) 卡片登記：确定作家庭治疗（或接到家庭治疗通知單）应立即登記卡片，以后逐次登記查房日期、家庭治疗終結时，分析治疗效果。

(3) 門診檢查或住院轉院：凡确定作家庭治疗之患者在急診室或門診应作系統及較全面檢查确定診斷，对病人情况作一扼要分析並提出治疗或观察方法及步驟記載于病历上，在治疗經过中如病情發生改变需要再进行詳細檢查者則約往門診进行詳檢，另行制定治疗方法，繼續进行家庭治疗。如治疗过程中其病情惡化急需住院或轉院治疗者，仍应住院或轉院。

(4) 病历記載：凡确定作家庭治疗之患者，負責医师借出其病历並及时分析病情，並將診斷治疗方針步驟記載于病历上，其需要之护理指导以医囑方式記載于病历上，护士定期进行訪視时按病历医囑进行，並將执行情况及观察到的病人情况記录于病历上，于治疗終結时，对全部治疗經过及病人情况进行簡結。

凡委托之病人，需單独建立病历其終結后轉回原委托医师。

(5) 总結：每一患者在治疗告一段落应作出段落簡結，治疗終結时应將治疗及病人情况簡結，並檢查工作中之优缺点及家庭配合情况以便吸取經驗。

家庭病床的優越性

1. 家庭病床能提高医疗質量：

我們經常强調分析病情要从整体出發，要与客观环境相結合，但是仅靠病人的申訴这是不够的。开展"家庭病床"能把我們工作深入到病人家中这样就能了解更多的材料，而且又是进行系統的观察。这些材料对疾病的診斷与預防都是極其宝貴而又实际的，这对每个病例"專透"是很重要的。

家庭对每个人都是最亲切的，在家休养的护理工作当然也很理想，尤其是兒童患者其家長是最好的执行医嘱人，他們会很好的配合，亲人的照顾能使病人得到很大的安慰。

为此很受羣众欢迎，在1—6月中旬期間就开展331例，而且效果很好，治癒率占49.1%，好轉占4.7%轉住医院占1.1%。平均每个家庭病床治疗日数为5.45日。

2. 減輕病人和国家的負担：

住院治病当然是很理想的，但在某些条件下床位的数目还不能滿足客观的需要，有时病人也有其他客观困难不能住院，尤其是家屬希望有又好又省的办法，来解决医疗問題。实行家庭病床的办法可以节省設备费对国家节省投資有很大意义。对患者在精神上，經济上，时間上都是有很大好处的。

我院家庭治疗床831例，計4,528床日相当于一个月增加151張床位(1—6月平均每月增加27.5張床位)，比本院一个季度收容量还多250余名病人，如按每个病人节省住院費和伙食費8.18元，总計共节省了6797元。如按每張病床每日管理費3.41元計算为国家节省15,440元。

3. 加强医务人員的責任心：

我們对每个家庭治疗的病人都是負責到底的，这也很好的配合了車間医师制和地段医师制的工作，这样做法使車間医师和地段医师能更关心病人，在家庭治疗时期負責医师又成了住院医师，虽然担任門診工作但是对門診中重病患者則时刻在体念着。又如車間医师(保健站)开展家庭病床，由于工作忙，但又必須定期去診治，所以他們在業余时間作这工作占78%，小兒科每名大夫負責1,000戶居民2,000名兒童，家庭病床15張左右每日上午参加門診工作，下午进行地段工作，所以每天都必需利用2小时左右業余时間才能做完，这也說明了他們是怎样关心病人了。

4. 家庭病床解决了病人的种种困难，並对傳染病作到家庭隔离，减少在門診上交叉感染。根据831例适应家庭治疗的对象分析：兒科無床收容及傳染病須隔离者696例；病重来門診不便但又不适合住医院者74例；来門診有种种困难者(有乳兒、孩子多須职工請假照看)27例；适合住医院但因無床收容者32例；須住院但因經济及家务問題不能住医院者8例；其它4例。

5. 使医务人員深入羣众向紅透專深的方向發展。

开展家庭病床，使我們与羣众相密切，与工人感情更为接近，尤其是車間医师深入家庭后更能帮助全面掌握所負責工人的思想和其家庭情况，这对分析發病原因及如何降低發病率有很大的好处，並可以利用往診机会进行衛生宣傳工作檢查除四害講衛生的情况，訓練病人的家屬作护理工作对傳染病如何隔离消毒等，灌輸他們一些衛生知識，而他們將又成为衛生宣傳員，这是預防与治疗相結合的方法，使医务人員迈出医院大門主动找向病人走向紅專的一个很好的途徑。

体 会

1. 据我厂实行家庭病床半年来的經驗証明在工業企業实行家庭病床是完全能做到的。因为工業企業的衛生組織如我院包括医院、門診部、保健站、地区門診部、防痨站等虽然机構分散但它是有机的整体，在院部統一的領导、督促檢查下，同时全面地推行家庭病床是有利条件之一。特别是党对企業衛生工作是十分重視的，它不仅表現医院各个單位是有机的整体，整个工厂的各个有关單位如工会，家屬組織也是有机的整体。它能配合开展家庭病床。

2. 我院开展家庭病床的对象主要是职工的家屬(占全部病例的93%)，家屬人口数比职工多3—4倍，而家屬又是家庭劳动者，他們还要料理家务，这些客观条件决定了我院家庭病床的收容对象主要是家屬；而职工总数中独身者又占的比例較大，对独身不可能做为家庭病床收容对象，必須靠住医院解决。由于在家屬区广泛开展家庭治疗，医院就能騰出充足的床位滿足职工的要求，使車間医师制和地段医师的工作紧密的結合起来。

3. 施行家庭病床，一方面解除职工对家庭的牽掛能安心生产，更重要的是可以避免职工因照顾家屬往返門診而耽誤生产；另方面在"查房"的同时还可系統普及衛生教育，並使病家学会护病知識。此外，車間医师和地段医师深入病家調查致病因素，能在治疗中找出預防的办法，这对降低發病率、休工率起到一定作用。

4. 过去在門診工作的一部分医务人員干勁不足，不安心工作，他們認为必須在病房工作才能提高技术，开展家庭病床对病人負責到底，既是門診医师又是"住院医师"，对每个病例都須确診並定出治疗方針，因为要对病人負責到底，促使对每个病例进行鑽研，無疑地能逐步提高技术水平。

我們对"家庭病床"的几点体会

衛生干部进修学院保健組織教研組　何艾田　刁業純　施济珍

我們于1958年6月24—28日，参加了衛生部在天津召开的"家庭病床"經驗交流現場会議。在会議期間大家听取了部首長的报告及天津市典型經驗介紹，並参观了"家庭病床"的現場，以及　　　中医疗机構大躍进的現場展覽会；我們深切地体会到这次会議不仅是全国性的衛生工作經驗交流的躍进会議，而且是破除迷信、解放思想的会議。

在去年12月召开的全国医院工作会議之后，在整風运动中，在总路線的鼓舞下，医疗預防工作出現了很多新气象。如各地普遍实行了三班門診制、簡易病床，广大的医务人員树立了面向病人、一切从病人出發的医疗态度，切实貫徹了党在八届三中全会及医院工作会議所确定的衛生工作方針。

"家庭病床"就是在　　　高潮中产生出来的。它是在天津門診部医务人員破除了迷信，解放了思想，以敢想、敢做、大胆創造的精神，以及划区医疗服务的基础上建立起来的，是結合了我国实际情况、从病人利益出發的一种革命性的創举，在政治上經济上是有極其重要的意义的。

"家庭病床"的建立有它一定的思想基础。这是由于医务人員通过了整風，反右、双反、躍进等运动，医务人員的思想得到了改造，政治掛了帅，树立了面向病人，全心全意为病人服务的思想。因此，医务人員就能够打破陈規，走出了医院、門診部，而深入病家，与羣众打成一片，而且克服了过去医生只懂病情不懂人情及理論不結合实际的工作作風。

"家庭病床"的建立是符合多、快、好、省总路綫的精神，和勤儉办衛生事業的方針的。病人不住院即可以得到医疗，不但减少病人的負担，而且解决了医院床位不足的困难。在經济方面可为国家节省大量資金。如新建一个250床位的医院，国家要配备300多名工作人員，用款111万余元。天津三个月时間內，即开設了一千多張"家庭病床"，不要国家一文錢，也不要一名干部，更不需要增加任何医疗器械和設备，而使病人同样可得到治疗。这样不等于說"家庭病床"可代替了医院，而是扩大医疗机構的范圍。"家庭病床"是医疗預防机構中的一种先进的組織形式。

"家庭病床"是一个医疗与預防相結合的組織形式，是在天津全面开展分級分工地区負責制的基础上建立起来的。由于全市建立了医疗預防網，使得各級机構彼此之間加强了协作、密切了关系。天津市开展"家庭病床"后，二級医院对基層門診部、联合診所大力支持，帮助診断病人，帮助建立病历，並协助解决化驗、透視、照像等。須轉院病人可立即轉院。医院高級医师亦定期到"家庭病床"巡診、会診、帮助解决技术上的問題。这样就能保証一定的質量。

"家庭病床"与过去"家庭医疗"是不相同的，旧的"家庭医疗"就是出診，医生是被动的，病人来請才去。新的"家庭病床"医生是主动的，对病人負責到底，医生与病人亲如一家，由"病人就医"一躍而为"医就病人"只有在社会主义国家中才有这样的新气象。一方面减輕了病人經济上的負担，为病人創造了不少有利的、方便的条件。病人在家中治疗，可得到家人的照顧，从精神上、飲食上及睡眠等方面来講，都是符合保护性医疗制度的。由于病人在家中环境熟習，家人照顧週到舒适，沒有新的不良的刺激，飲食也合乎病人胃口及習慣，並且可保証足够的睡眠时間。以上这些优良的条件都保証了使病人迅速痊癒。

另外，我們还願意提出如下的、关于开設"家庭病床"的几个問題：

一　"家庭病床"是"划区医疗服务"进一步的發展，它是在"划区医疗服务"的基础上建立起来的。所以想很好的建立"家庭病床"，首先要在一个地区內全面展开"划区医疗服务制"。"划区医疗服务制"应如何开展呢？首先要明确各級医疗机構的职責，使上下級医疗机構掛上鈎，互相协作。把本地区居民的医疗及保健的責任完全担当起来。我国有强有力的大批基層医疗机構及广大的紅十字会員和积極分子，在开展医疗与預防工作的时候，应很好發揮他們的作用。首先应以医院为中心，在城市和乡村，領导基層地段医生分片包干，全面建立起衛生戶口，对居民进行系統的观察，加强兒童保健工作，做到生一个管一个。有計划的进行家庭訪視，大力开展衛生宣傳教育，使家家戶戶搞好环境衛生及个人衛生，消灭四害，这是預防疾病最关鍵性的問題。此外对居民定期体格檢查，預防注射，主动深入居民地段發現病人，予以早期治疗（根据病人情况住医院或在家庭治疗）。医疗預防机構应主动与衛生防疫部門配合，發动紅十字会員及积極分子做好疫情报告工作，組織起傳染病报告網，做到及时报告、不遺漏、不發生錯誤。这也是預防工作中应注意的問題。像以上这样，在一个地区內組織成为医疗預防網，"家庭病床"就是在这个基础上建立起来而成为它的重要組成部分，不只是对病人做治疗工作，同时应与防治方法相結合，对病人进行系統的防治观察。在总路綫光辉照耀下，所有医务工作者应破除迷信，解放思想，鼓足干勁、敢想、敢干　为衛生工作开放更多的璨爛之花。

二　开設"家庭病床"解决了病人住院和門診的各种困难問題，並对某些傳染病如麻疹、猩紅热等做到家庭隔离，减少了門診的交叉感染。但在居民較密集地区，傳染病人住在家中，应特别注意隔离、消毒及宣教工作。否則在居民区引起傳染病的蔓延，比較住院部及門診部的交叉感染会更加严重。

地段医护人員首先应向病家宣傳發病的原因，护理方法及应注意事項。並向隣近居民进行宣傳，說明隔离的必要性及被傳染的危害性，組織积極分子互相监督，协助护理。在病家門口放一特别标誌，使亲友隣居知道此地有傳染病患者，不可随便出入。

地段医务人員应調查傳染源，注意对接触者及帶菌者的隔离。

三　关于"家庭病床"收容对象，应根据地段医师的技术水平和上級医院的支持力量来确定。收容范圍也不应做出硬性的規定，但应掌握以下几点原则：

1.　病人到医院或門診部治疗有困难者；

2.　恢复期病人仍須繼續观察及治疗者；

3.　傳染病人可以在家隔离治疗者如麻疹、猩紅热及結核病等。

4.　須要观察及治疗的慢性病人如風濕性关节炎及心臟病病人等（若系慢性病人医生可看情况不必每日到病家去，可由护士或受过訓練的紅十字会会員参加护理工作。这样一方面节省医生时間，另一方面还可減輕病人的負担。

四　在乡村是否适于开展家庭病床，过去乡村医院少的情况下，病人都是去門診部或联合診所看病，或由地段医生主动去病家治疗，现在在大躍进中，乡乡設立医院，社社有保健站，对病人来說患病后有了很大的保障。但是乡医院床位数还是不够的，应根据情况設"家庭病床"。虽然乡村居民較分散，病人的家屬都参加劳动，無人护理，但可訓練基層保健員、紅会会員协助作一些护理工作。或組織隣居成立互助組互相帮助。另外在农忙时因家中人少可住医院及簡易病床。"家庭病床"亦是乡村应考虑的一种形式。

五　"家庭病床"应适当地訂立一些切实可行的、必要的制度。但应尽量簡化，不可將医院一套常規制度搬到"家庭病床"里来。医院制訂一些化驗、常規及一些合理的規章制度还是必要的，一方面是为了保証病人迅速恢复健康，另方面也是为了开展研究工作，統計分析，总結經驗。提高医疗質量。"家庭病床"为配合研究工作可建立統計制度，以便分析研究。其他不必要的制度应尽量簡化，对病人及医务人員不論在时間上、人力上、經济上都有着極大的意义的。

六　"家庭病床"的設立不是暫时的，而是医疗預防机構中先进的組織形式。要使"家庭病床"眞正能得到和医院相同的治疗，必須提高基層医务人員的技术水平，提高医疗質量。主要方法是：

1.　高級医务人員走出医院大門，亲自下地段到"家庭病床"巡診、会診、进行技术指导。使上級医院与基層密切联系，成为一个整体。發現問題及时研究解决。此外組織基層医生学習，实行輪換医生方法，一方面使上級医生深入羣众鍛鍊思想，轉变思想作風，虛心向羣众学習，另方面使基層医生通过医院临床实际工作提高業务能力。

2.　基層机構应与其他医疗机構取得密切联系如妇幼保健机構，結核防治机構及專科医院等。学習專科防治問題。

3.　基層与基層之間要經常联系，互相交流經驗。

4.　召开"家庭病員"座談会，吸取意見及时改进缺点和提高工作質量。

5.　重視統計工作，建立卡片登記制度，作为分析治疗效果及总結經驗的依据。

З. П. Соловьев 在 1898—1917 年的革命活动与社会活动

А. В. Марков, Революционная и общественная деятельность

З. П. Соловьева с 1898 по 1917 Г.

本文系介紹 З. П. Соловьев 同志在十月革命前时期的革命活动与社会活动。著者引証了烏里揚諾夫、瓦拉戈德和莫斯科博物館的新發現的資料来闡述 З. П. Соловьев 做为西姆比党組織以及后来做为薩拉托夫斯基党組織領导人之一的作用。在文章中列举了 З. П. Соловьев 在 Усть-Сысольск 城流放时期生活中惹人注目的事实以及其担任 Хамович 区参議会主席时期的重要活动資料。文章确鑿地介紹了 З. П. Соловьев 的革命活动，表現出他是一个眞正的革命者——布尔什維克，堅定地捍衞劳动人民的阶級利益。

（刘學澤譯自 Мед. рефер. журн., 1958, 1, 78.）

加強工农联盟，支援农業大躍进

鞍鋼职工医院院長 宋同文

1958年3月省衛生行政会議上，城市各綜合医院出現了支援山区支援农業大躍进的热潮，鞍鋼系統各医院更感到支援山区支援农村加强工农联盟的重大意义，因此提出了支援山区50張床位、300門診人次主要裝备的医院一所，这項提議立刻得到公司及冶金工業部的批准及全体衛生工作人員的支持。

一 支援山区医院的配备情况

省厅决定鞍鋼支援地点为喀左县。該县是辽宁西部热东山区县分之一，原有医疗力量薄弱，虽有县立医院一所，但由于設备簡陋及技术条件所限，只能解决一般性的問題。例如腹部手术只作了三次闌尾炎，由于全部感染化膿，以后再也不敢作这种手术，凡是較重的病人必須轉錦州治疗，因此农民有病得不到即时搶救。我們决定把这項任务当作党对少数民族关怀的政治任务。因此，由原来提出支援主要裝备（人和主要器械）改为全部包干負責到底。

1. 医疗器械配备400余种、3,469件，估計金額为35,000元。其中有100 M A. 60 K.V. 能透視撮影中型X光机一台、1,500倍的显微鏡兩台、电冰箱、电疗机、外科、妇产科、五官科全套手术器械各一套，及所需各种处置診疗的器材。

2. 行政备品基本上是应有尽有。从鍋爐、病床、桌椅凳子，到病人被服、工作人員白大衣，甚至連厨房用的切菜刀，均予以配备。

3. 在人員方面上至院長下至各类勤杂工人共計51名，其中內外兩科，各配一名相当于主治医师水平的高年級住院医师，七名有了2－5年临床經驗的專科医士，在政治質量上党团員佔20%以上。

4. 葯品衛生材料按50張床位、300門診人次兩个月所需之量配备。其中包括各种抗生素、各种檢驗葯品和各种衛生材料。

5. 財經方面，截至五月底，已經折合人民幣共計76,000元左右，除葯品器械行政备品外，支援人員的全部工資，發到六月底，支援所需全部运輸費用，由鞍鋼报銷，目前实际已超过76,000元的数字。今后在短时間內所需之器材仍給予配备。

二 几点体会

城市支援农村，对知識分子来講，是一个思想、立場的根本問題，也是对知識分子能否言行一致的具体考驗。支援农村既不同于下放也不同于調轉工作。干部下放，他們有期待回来的希望，下放鍛鍊是补上劳动課，他們已經有了初步認識；但是到农村安家立業，在偉大的整風运动中，虽然在口头上表示坚决服从組織分配，但其內心是怕到农村学不到技术，無前途，怕吃苦等，这就充分暴露出知識分子个人主义的本質。作好支援工作最主要的是思想工作，思想工作是一切支援工作之綱，其思想工作方法有如下几点：

1. 思想动員工作，应由支援和被支援單位互相协作，共同負責，單純只靠一方其思想动員工作不够全面。我們体会这次的思想动員工作，作得較好，被支援單位，是这次工作中的主要动力。首先是喀左县党委的重視，因此，把鞍鋼支援一所医院列为全县农民的三大喜事之一（第一 ！第二迎接 自治 县的成立，第三迎接支援医院的到来），由县委和县人委領导上到处宣傳，在短短的三天中，鞍鋼支援一所医院的消息，家喻戶曉人人皆知，农民都表示了渴望医院的急速到来。县委派了宣傳部長到鞍鋼把农民急待渴望的心情，向全体医务工作人員轉达，並介紹了喀左县三年农業躍进規划（三年实現水力、电气，机械化），鼓舞起鞍鋼全体工作人員支援山区、支援农業的热情，随着这种热情，展开了討論，許多同志在小組会上提出了自願支援申請書，几个小时院部走廊貼滿了大字报，这就自然形成了一种自願支援的声势。

2. 思想动員工作先易后难，先簡后繁，完全达到自願是完成思想工作的第一步，到达支援地点，如何巩固思想情緒是思想工作的第二步。

大力宣傳鼓动工作，是思想动員工作的有效方法之一。通过宣傳鼓动工作，使支援人員感覺到支援山区、支援农村是光荣的，其意义是重大的，因此，根据支援人員的思想情况分了三类，按类别分三批公布批准名單。

第一批沒有任何困难和各种思想顧虑，申請書表示坚决而誠恳。第一批名單公布后，宣傳鼓动工作，敲鑼打鼓，給他們报喜，帶光荣花，將名單送上光荣榜，立刻震动了全院。这种宣傳鼓动形式，有力地鼓舞了第二批的思想热情。

第二批是思想上有些顧虑或者有点个人困难，但当第一批公布以后，他們都表示个人克服一切困难，不給組織增添任何負担。

第三批是只剩下六名申請思想变化較多，个人有益較重的。因此,放在最后。領导上分别給以动員,批判了其思想动搖的基本原因是由于个人主义思想作怪,其中四名当場表示堅决服从組織决定。只剩二人有思想問題;經过个别帮助解决了思想問題。最后达到人人自愿,人人高兴,这是思想工作的第一步。

思想工作的第二步分兩段进行。第一段是由鞍鋼負責組織大小的欢送会議,同志們贈送离别紀念和鼓舞热情巩固情緒的留言,最后列队送上火車。第二段是由喀佐县負責,他們組織了几千人的車站欢迎,献花夾道欢迎和欢迎晚会,县委和县人委請了便宴,組織了晚会,县委县人委負責同志和全院工作人員,歌舞通宵,县的各机关从各方面給以大力支援,滿鎮街道俱是欢迎支援的标語,这即造成全院工作人員鼓起工作热情,巩固思想情緒,在农村扎根开花到結果。

3. 詳細了解預定派出人員的思想动态及其家庭各方面的情况,是这次支援工作能够顺利完成的重要措施,既要照顧到家庭关系,又要考虑到生活条件和身体条件以及政治条件等,根据这些不同条件,分别加以解决。

4. 支援医院要負責包干到底,只要是在需要和可能的条件下尽量予以滿足,以便使其全部热情,能够到新的工作崗位上予以發揮。他們認識到支援的重要意义,自然即会有作工作的热情,因此,只怕到了新的崗位后,由于各种設备条件所限,不能开展工作,將这次支援的政治意义减弱,因此在配备器材时,我們成立了支援小組,並組織了全体支援人員討論,在包裝点器材时,全部讓他們参加提出意見,加以适当調正,因此到达后的第三天即开了門診,並收容了病人,得到了当地农民的好評。

由于抓住了以上的各种思想鼓动工作,所去全体工作人員,人人欢欣鼓舞,在工作中克服一切困难,干勁十足。他們已經在农民羣众中、在机关干部中扎了根,他們的思想是决心安家立業,並保証完成鞍鋼所給予的偉大政治任务,他們正克服一切困难,忘我地在工作。

1917年俄国进步医师为保护工人健康而斗爭

Г. А. Бейлихис, Участие передовых русских врачей в Борьбе за охрану здоровья рабочих в 1917 Году.

作者首先介紹了在沙皇俄国的工業企業中,劳动和生活的衛生条件是極其令人不滿意的。劳动保护可以說完全沒有。工人的工作日長达11小时半,而且还实行按規定时間以外的劳动,並大量使用童工。对工人实际上沒有进行医疗。即使按照工厂监察局故意誇大的材料来看,全国也还有82%的工厂根本沒有什么医疗,其余的只有門診(佔13%)和極其罕有的情况下有比較完善的治疗机構(佔5%)。

二月资产阶級民主革命,把政权交給了資本家和地主的手中,根本沒有改变工人的劳动和生活条件。

但是工人阶級及其政党是不能容認这种情况的。布尔什維克党領导了工人为了改善劳动和生活条件进行了頑强的斗爭,在第六次俄国社会民主工党討論四月提綱的大会上,以及草拟修改新党綱草案的会議上,都曾設立了專門小組討論劳动保护問題,並作出一系列的規定(見"四十年前关于修改党綱的資料"一文——譯者)。

作者繼續介紹了进步的俄国医生,首先是布尔什維克积極支持俄国無产阶級为保护人民健康所进行的斗爭,而且积極地参加了这一斗爭。

首先介紹了 А. Н. Винокуров 医生(为党的著名活动家,十月革命后又是苏联保健事業組織者之一),早在1917年3月20日就参加了彼得堡工人士兵代表苏維埃执行委員会,被派遣代表参加商業和工業部劳动局所屬的委員会工作。

А. Н. Винокуров 在1917年整年当中,积極参加了彼得堡工人阶級为社会保險所进行的斗爭。他在四月份党的刊物上發表了一篇"革命与劳动保护"的文章,为了說明資本家在根本沒有衛生法律的条件下对工人無限制的剝削,提出了患病率与外伤率空前上昇的資料。其次他闡述了党保护工人健康的綱領,並号召工人为实現这个党綱而奋斗。最后彼得堡工人阶級迫使資本家同意八小时工作日。俄国無产阶級遍地都要求用法律通过八小时工作日,推行到全俄罗斯和全国的工厂。

党的这一口号和羣众性运动的巨大影响,甚至于使自由主义的資产阶級的彼洛果夫协会都不得不把"临时政府应立即頒佈八小时工作日的决定"引入1917年4月4—8日召开的临时代表大会的决議上。

参加大会的 В. А. Левицкий (从1914年到1926年曾領导莫斯科省地方自治政府衛生局,后来成为苏联劳动衛生学的創始人之一),他也同样表示贊成用法律規定八小时工作日。

作者又介紹了莫斯科省地方自治政府的衛生医师們,他們始終不渝地堅持自己長期的进步傳統,在二月

(下轉第182頁)

勤儉办医院，一切为病人

赵 影 溪

一 勤儉办医院 为貫徹勤儉建国和勤儉办好衛生事業的方針，我們山西省各医院編制人数由过去1:1.19降低至1:0.85，目前全省最高者亦不超过1:1.1。太原市一般250床的綜合医院不仅不增加人力物力，而且抽出10%以上的人員参加了上山下乡，山区巡廻医疗队，同时还增加了40%的病床，厂矿医院也在原有物力人力的情况下增加病床35%．目前仅太原市所增加的总床数即达1060張．等于国家新办150只床的綜合医院七座，既节省了国家投資，又大大便利了病人，使許多需要住院治疗的患者获得了及时入院治疗。此外为了減輕病人負担，我們的住院費用由平均每日3.5元減至每日1.8元(包括伙食費住院費及一般治疗費)。掛号費初診由0.3元降至0.15元，复診由0.1元降至0.05元，伙食費也由0.7元降至0.5—0.55元，並且花样繁多，有的一个月不讓病人吃重样飯。全省已举办的簡易病床共2,500張，其中省、市、專医院举办了500張佔总床数的10%以上。簡易病床住院費每天只收0.6元(包括住院0.1元伙食0.4元治疗0.1元)。家庭病床在太原市建立190張每个家庭病床的費用平均不超过0.5元巡診每次0.1元。医院行政开支平均降低25%至35%，例如山西医学院第二附屬医院改进燒煤技术后仅两个月时間即节省了230吨煤。省立医院改进了蒸餾器的回水設备在第一季度即为国家节約了5,400吨水。根据三个医院第一季度統計仅电費即节約2,000余元，貴重药品的使用率平均下降25%，輸血量減少30%．紗布棉花敷料回收再用率达85%，节約了40%．在市二医院設立了廢品回收站。器械耗損率較前降低50%以上。器械修理方面，山西机床厂医院汽車司机、鍋爐工、电工、杂工、医师护士、組成了器械修理組，在18天業余时間內修理了医疗器械153件。节約了修理費1341元。在全省开展了器械的修理，用鋁鍋改裝成手术照明灯．也修理了超短波，X光机、血压計，电冰箱、角膜显微鏡，改造了不适用的血管鉗子等百种以上。許多医务人員还創造發明了不少器械，如太原市立二院創造真空裝液器提高工作效率20倍以上。山西医学院第一附屬医院結核科医师刘耀华等自己收集零件加工安裝了一架肺功能測定器解决了購买困难，該院放射科医师張建民自己設計了骨盆攝影測定器解决了骨盆攝影的廢片問題。职工医院放射科医士李兆瑞、張宝英等共同研究在X光机上改裝了間接攝影設备，只用了十几塊錢就解决了厂矿职工集体檢診問題。太鋼第二医院兒科护士創造了靜脉注射自动推进器，計算可节省人力約三分之一以上。这些工作都是由一些非專門人員利用業余时間在大胆創造的基础上做成的，給敢想敢做建立了良好的开端。

二 改革医疗制度便利病人 全省普遍推广了三班門診制，許多大医院开展了365日的24小时門診制，取消急診，随到随診，公休日照常門診，工作人員实行輪休制。門診上消灭了三長一短、实行門診一次收費或分科收費制。执行了迎接掛号、流动掛号、电話掛号、快速掛号和預約掛号等。葯房方面执行了快速投葯法，由以往的10分鐘降为2分鐘。为了即时結清住院病人的帳，改行医囑結帳制，提高工作效率四倍，減少医疗人員的負担，取銷了入院保証書，不再强調入院押金。开放了随时探望制滿足了家屬要求与病人願望。放射科攝片后随时报告結果，快者仅15分鐘，並保証随来随檢(包括各种造影及攝片)化驗工作，各种內腔鏡檢查及各科大小手术等都做到了即时施行。应入院的病人取銷了預約入院制，保証随时住院。这些制度的改革不仅大大地便利了病人，同时也密切了工休关系，提高了工作人員的覺悟，体現了全国医院工作会議决議的正确性和必要性。

三 互相协作提高質量 全省逐級技术指导網已形成，分为省、市專、县、鎭和乡五級。我們的办法是划片負責逐級指导(包括干部培訓，集体査房，病案討論，学术講座，示范手术，人員对調和物質支援等)。为了貫徹上述事項召开了兩次协作会議，省級医院直接負責專市級医院，要求协作时随找随到。山西医学院第二附屬医院和它的指导医院訂立了协議書，每周派教授講师亲往指导。並規定了短期进修，参观听报告及借書卡片。並建立了書面会診制度，帶領病人前往会診，住院診断会診。为了發揮医疗器械的潛力，全省在衛生厅主持下召开了器械协作会議，在会場上許多医院無償地供給了兩个衛校創办小型葯厂的設备，(大型消毒鍋蒸餾器，安瓿封口器，大小吸引器，压片机等)使該二葯厂得以很快投入生产，目前生产之666爆剂已能供应全市，並开始供应了各种体液及肥猪片。有的医院一次就拿出二百件器械。由于这种协作精神使許多农村不費一文錢成立了保健站，为了合理安排与充分發揮器械的作用，目前由衛生厅統一調整使用。由于大医院协助小医院，城市协助农村，条件好的协助条件差的，"門当戶对"的开展友誼竞賽，在全省出現了协作最光荣，技术有革新的气象。全省80%以上的县衛生院能处理較重病人及一般腹部手术，專市医院开展了胸外科及心电圖与基礎代謝。太原市的医院互相协作开始了心臟导管的研究，並推广了低溫低血压等先进麻醉方法。开展了二尖瓣、食道，肺段切除等大手术。內科方面大体上分了系。其他各科在原有基础上都有了較快的發展，推广了三級查房制，病历三級檢查制，特別是院長科主任下門診从而加强了門診工作。治癒率(包括好轉)已达92%，床位週轉全省平均每月二次以上，最高者达2.8次。死亡率降至2.5%以下。闌尾疝气手术平均住院日由10日降至5日，由于广泛采用中药治疗高血压、傳染性肝炎，肝硬变，慢性腎炎，再生障碍性貧血，色盲等都获得了惊人疗效。全省普遍推广針灸疗法，仅太原市130个中医就帶了三百余名徒弟。同时在护理工作方面也出現了許多先进人物与突出事例。他們推广了护士包干制三級护理等工作。

四　改变医疗作風密切群众关系　山西省各大医院在改变作風的基礎上組織了15个山区巡廻医疗队(每队10—20人)定期輪換長年不停，深入农村支援农業大躍进。山西医学院附屬二院組織了320余名医务人員利用礼拜日与休假日分批到农村进行田間診疗，共診疗病人2,200人次，手术25次，初步計算为病人減輕負担3,246元，並节省了1,214个劳动日受到了农民兄弟的热烈欢迎。通过巡廻診疗的医务人員深入农村体驗了劳动人民的生活，因而对改造思想鍛煉干部起了积極作用。由于医护人員改善了服务态度和医疗作風，医院公休关系也有了新的变化，許多輕病人主动帮助护理人員做清潔衛生工作，意見簿上表揚的意見增多了。有的达到92%以上。不少患者出院后贈送錦旗鏡框或写信来表示感謝医护人員对他們的关怀。

五　存在的問題和体会　目前我省存在的主要問題是：城市划区医疗尚未开展起来，医院的管理工作仍存在一定的問題，医务人員的思想改造仍不徹底，技术革新尚未形成高潮，医疗質量还不高，事故差錯尚未完全消灭，这些問題需要我們进一步从实踐中研究解决。通过一系列措施后，我們有如下的体会：

1. 在党的总路綫照耀下，在工农業大躍进的形势下，医疗預防工作必須放手發动广大羣众，解放思想大胆进行制度上技术上的改革，使医疗衛生事業更好的为六亿人民服务。

2. 医疗預防工作要想在羣众中扎根为生产服务，树立先进旗帜，团結一切积極因素使衛生工作与羣众运动相結合做到眞正符合广大人民的要求。

3. 要想使工作不断前进，必須定期檢查，定期評比和总結工作，摘試驗田，並要努力学習国內外的先进經驗，在党的領导下与全国各兄弟省市携起手来一道前进。

(上接第180頁)

革命后更加强了他們在保护工人健康方面的活动。例如，他們在4月20日討論了关于工厂衛生监督問題，並做出了四項决議。

六月間，有П. И. Куркин (俄国衛生統計学創始人之一)，В. А. Левицкий 和其他医师都参加了莫斯科省执行委員会所屬的劳动委員会。后来还有 С. М. Богоеловский，Я. Ю. Кац 和 М. Ф. Сосинн 也参加了。

八月間劳动部代表 И. И. Лященко (后来成为有名的苏联預防衛生学家)，向莫斯科衛生組織請求协助制定新的工厂法律。

莫斯科地方政府的衛生医师們严厉地批評和拒絕了臨时政府劳动部所制定的工厂衛生监督条例草案。在討論这項問題时，有著名的社会衛生学家 А. В. Мольков 参加，他是苏联学校衛生学的創始人之一。

文中又介紹了以 З. П. Соловьев 为主編的"医师生活"杂誌，这个杂誌是从1917年八月开始創刊的，是彼洛果夫协会机关刊物，当时起了很大作用。

杂誌对保护工人健康問題特別注意。例如在第一期就刊登了 Л. Зиновьева 关于"組織工厂衛生监督問題"的巨大篇幅的文章。

同样在杂誌上还登載了 И. И. Лященко 关于"医疗工作轉交給伤病互助会实施"的文章以及 В. А. Радус–Зеньковича (后来成为苏联劳动保护的著名活动家)关于"劳动保护的任务与工人医学"等文章。Радус–Зеньковича 严厉地批評了臨时政府在社会保險方面的政策，指出广泛开展伤病互助会是对工人組織医疗衛生工作的最完善的形式，同样在这篇文章中还探討了工会和伤病互助会在劳动保护方面的活动范圍。

作者最后介紹了医学学会广泛参加保护工人健康的工作以及工厂的先进医师小組改善工人劳动条件等工作。

上述材料証明了俄国的进步医师在1917年对保护工人健康做出了巨大的貢献。

(刘学澤摘譯自 Сов. Здрав., 1957, 3, 49—53.)

北京市第六医院整改工作的体会

王　明

北京市第六医院是衛生部的試驗田，因此我們一方面感到光荣，一方面感到責任重大。

六院原是美国基督教長老会办的道济医院，創立于1901年，解放前有教会津貼，解放后靠自已收入維持，1951年2月实行公私合办，1952年6月4日由我們接管改为市立第六医院。当时有70張床，門診每日平均200人次左右，全院职工174人，政治力量是很薄弱的。改为市立后有了發展。現有210張床，門診每日平均920人次，全院职工310人，然而教会医院的痕跡还是明显的存在着。

六院和其他接管过来的医院一样，虽有不少改革、有不少进步，但是从根本上改造还是很差的；主要是人的思想改造，其次是一些旧的規章制度，改造都不徹底。这里的科主任、主治医以及护士長，都在美帝办的学校受过教育，不但有严重的崇美和資产阶級个人主义思想，而且有严重的灰色的人生观，他們認为活着沒有死了好，死了可以上天堂。行动上暮气沉沉，思想上保守，安于現狀，学習先进疗法（尤其是苏联的）很差。資产阶級的医疗作風观点很严重，他們重技术輕政治，不关心政治靠技术吃飯，对病人表現了严重地不負責任。

全院职工的觉悟提高了，思想也获得了初步解放。院領导干部同羣众一起参加思想革命，思想和实际工作都有了很大进步，党羣关系；領导与被領导的关系、同志間互相关系都有了很大改变，全院空前团結了。全院职工的集体主义思想、全心全意为病人服务一切从方便病人出發的思想，都有明确的树立，經过总路綫的学習，更鼓舞了革命干勁，有了明确的前进方向，这就給大躍进在組織上和思想上奠定了有利的基础。

改了些什么

我們一切整改都是根据总路綫的精神及全国医院工作会議所提出"勤儉办医院、树立全心全意为病人服务的医疗态度"的方針，从便利病人、造福病人的原則进行的。

首先着重在服务态度上进行大整、大改、大躍进。改善服务态度在整改中是一个最根本問題之一。服务态度是医务人員立場問題的反映，服务态度不端正，勤儉办医院的方針就不能貫徹，一切旧的規章制度就不能破除，医疗質量的提高就不可能。所以改善服务态度就成为大整、大改、大躍进运动中帶有决定意义的問題。

改善服务态度，我們提出必須从全心全意为病人服务，从一切方便病人的观点出發，要充分的尊重病人，体貼和同情病人的痛苦，誠心誠意地当好病人的勤务員，作到对病人要像对待自已亲人一样。我們的口号是徹底改善服务态度，在服务态度上力爭消灭批評意見，成为全国医院的上游。我們的口号有力的鼓舞了全院职工改变服务态度的干勁，曾經做到了下列几点：

1.門診医师、护士連夜制作了許多扇子，增加飲水茶碗260个給病人使用，各科室借了800多册画报、小人書給病人閱讀；

2.称呼做到了亲切和藹；同志、老大爷、老大娘、小朋友代替了生硬的直呼名字的称呼。同病人爭吵的現象已經消灭；

3.扶老携幼、攙扶重病人上下楼梯找坐位代替他們取药掛号；

4.住院病人管接管送，有的把病人送到电車站、家里。护士長、科主任一定时間見到病人；

5.外科护士办公室搬到大病房，以便更好的照顧病人。各科騰出办公室四处成立了"病友之家"和兒童乐园，准备了書报杂誌、小人書和玩具。有的护士把自已結婚的灯罩拿来装飾了"病友之家"。护士們为兒童乐园捐献了許多玩具；

6.产科为产妇进行了"家庭报喜"，嬰兒室提出了以母亲的心来对待嬰兒，爭取夜間消灭哭声的口号也初步收到成效；

7.小兒科为輕病兒补習功課、講故事並帶他們出外遊玩。兒童反映比他們的老师还好；

8.手术室进行了术前解釋，消灭疑惧，术后进行探視病人，使病人受到很大感动；

9.內、外、妇产三科住院医师实行了一貫負責制（这是过去長时期未得到解决的問題）护士的值班制度也进行了改进，主班医疗到一个星期换一次，現改为半个月换一次。外科还按病房分成組，实行包干負責；

10.院党、政負責同志輪流担任了門診服务員，給职工和羣众有良好的影响；

11.門診护士为便利病人，組織業余下地段注射小組，到需要注射的病人家里进行注射；

12.对重危病人作到事前通知家屬，医师护士都在

揚。內科提出使死亡病人的家屬也表示感激的口号巳經实現;

13. 为了便于病人監督，在大家一起动手的情况下，兩天內全院职工都戴上了符号;

14. 全院医务人員都普遍的向病人宣傳了总路綫和衞生常識，增加了病人向疾病作斗爭的勇气和信心。

隨着服务态度的改进，一些不合理的陈規被破除了，取消了伤害病人尊严的出門搜物証;延長了探視病人的时間，实行了每天下午4点——8点探視病人的制度(实际上也作到隨到隨看)，探視病人排队的現象根本消灭了，給病人家屬增加很大方便;病历在本市已开始出借，对市外轉病历也取得了一致的意見，病人要就可以轉去;本市病人也可以穿自已的衣服住院了。

現在各科室都制訂服务公約，把他們作到的用公約形式固定下来並开展了友誼竞賽，进行了公約展覽。月底进行一次大評比，使服务态度进一步地改善。在服务态度上的躍进气象巳煥然一新，病人反映六院一个晚上变样了，病人受到很大感动，道謝之声不絕，表揚信件增加很多，这是过去从来所沒有过的現象。輕病人自动起来帮助护士工作，妇产科病人自已疊衞生紙，輕病人自动帮助重病人拿便壶、餵飯、並自动訂休养公約協助医护作好医疗工作。各病房还开展了友誼竞賽，我們拟在适当时召开工休联欢会进一步把工休关系的改善，推向一个新的阶段。

門診和地段工作

服务态度的大躍进也給門診地段工作帶来了大躍进。

1. 門診工作:六院門診較早的实行了8—8三班門診，延長了二个小时的門診时間，取消了急診多收費的制度，放寬了急診条件，在門診时間以外来看病的一般都掛了号看了病。每天均有主治医师出門診，提高了医疗質量，掛号基本上消灭了排队，也基本上做到了准时就診，縮短了候診时間;慢性病实行了一次診断，多次取药的办法，旣方便了病人，減少了慢性病人負担也減少了我們工作上的忙乱。門診二楼增設了小药櫃，药剂士破格的兼收药費，这都大大的方便了病人，最近我們实行了一年365天，一天24小时晝夜連續門診，这將給病人帶来更大的方便。

六院的服务对象多是工厂职工和街道居民，自費病人占每日門診平均总数的51.66%，职工轉診的佔38.91%,由于过去門診时間安排不尽合理，医务人員干勁不足，門診定額不超过850人，而且每天都在早8点30—12点，下午2—6点时間看病，有些职工不願在工作时間請假看病，或因为掛不上号就不能看病了。由于延長了門診时間門診額增加了，現在最高掛到1,300人，过去平均門診定額是820人，現在增加到1,000左右，比过去增加200人次左右。实行全年每日每时不間斷門診，給病人更大的便利也促进了生产，因此工厂表示非常欢迎。

2. 地段工作:为进一步貫徹以医院为中心开展预防和保健工作的方針，医务人員走出医院面向羣众密切医院和地段羣众的联系，我們提出全院医务人員作地段工作，院長科主任均得在一定时間內到地段做工作，地段訪視巳成为我院一个制度，根据居民委員会分佈的情况我院170个医务工作人員組織了十一个大組，各組在科主任統一領导下实行包干定时(每人每週2小时)进行家庭訪視宣傳衞生常識，进行家庭护理指导，並作一些簡單的处置工作。

我院經过居民委員会和紅会組織的同意並取得他們的协助，組織了120人的地段大訪視(院長、科主任都参加)开了32个片会有2,900人听了关于预防痢疾的宣傳，随后訪視了一千多个家庭，發現了33个病人，进行了一边宣傳一边治疗。羣众非常滿意。一个老太太說:“过去求医求不到，今天医生送到門，我七十多岁了还是第一次看到”。

各科都开展了地段出診工作，过去我院是不出診的，羣众意見很大，現在由于門診量大，医师力量不足，在出診条件上，还有所限制，一般限于:(1)傳染病;(2)災害性急救;(3)年老体弱，半身不遂;一个月以內的嬰兒和早产兒以及产后發燒等病症。地段出診后已得到羣众的拥护，病人家屬曾来信表揚。

家庭病床我院亦巳建起，开家庭病床是为了便利病人減輕病人的負担，我們仅收相当掛号費的費用(暫定为四角),基本条件是需要住院，但能在家治疗的本地段的居民。家庭病床是簡易病床的發展，是本院病床的組成部份，除了收費标准以外，其他手續、治疗等同住院病人一样。家庭病床的設置由各科負責，並根据本科适应症确定，現在我院办的家庭病床有治疗床、疗养床和产床三种形式。現在还在繼續發展，並帮助基層建立。

基層工作:我院下有若干基層單位，过去对基層單位也做过不少工作但还不够，为加强分級分工医疗，便利病人就近就医，我們决定加强基層單位的業务指导，提高基層医务干部的技术水平，由主治医以上医师包干負責，每周下基層一次，指导基層業务工作，並采取輪換医师会診、基層医师参加本院病历討論以及对基層医师采取講授、报告会等形式来培养和提高基層医师的技术水平。此項工作我們目前巳开始实行。

医护分工和适当增加护士的技术操作

医护之間有一定的分工是必要的，但目前在六院来說，医护之間的分工是不合理的，有些机械化和絕对化。突出的表現就是有些技术操作，护士本来就学过，或者經过多年实际工作的鍛鍊，巳經能够掌握;但由于医护分工的关系就不能作。这不仅影响了护士积極性的發揮，而且影响了医师技术水平的提高，甚至在一定程度上影响了医护之間的关系。为改变这种不合理現象，我們提出了增加护士技术操作的方案，將現知道的有20来种技术操作交护士来作，經过討論破除迷信，解放思想，原来坚持旧有医护分工的医师也放棄了自己的意見，各科根据护士的实际技术水平又增加到50多項，有34項已經开始作（开始有医师指导），效果都很好，医护分工常規的打破，医护关系出現了新的气象，护士工作上的积極性提高了，学習的空气較前濃厚了，护士操作和互相帮助增加了，护士主动帮助医师开化驗單、寫处方單子等，医师主动帮助护士学習技术，为病人端屎、尿盆、喂飯等，事实証明护士技术性操作的合理增加不仅不会影响护士的專業思想，恰恰相反，护士的專業思想更加巩固了。技术操作的增加，使护士进一步体会到自己責任的重大，責任感加强了。

护士技术性操作增多，非技术工作就要受到一些影响。我們認为适当的减少一部分护士，增加一部分衛生員来代替作护士一般非技术性的工作是适宜的，衛生員不須經过多長期間訓練，而且工資低，从开支上講也是划算的。

減輕病人的負担

1.在市衛生局未頒發新的收費标准前，在旧有的收費标准幅度內，一律以最低标准收費。

2.取消了急診掛号費和普遍收1.5元的化驗費的制度。心电圖由6元改为4元，透視由6角改为5角。

3.房費：小房間1.5元，大房間1元，現一律改为9角；嬰兒房費5角改为4角。

4.节育和絕育手术破格降低收費，輸精管結紮免費，輸卵管結紮由30元改为15元，人工流产由30元改为20元，人工流产和絕育手术同时作的，由35元改为20元以示鼓励。

經过降低收費后，門診每一人次，由原来的1.42元降到1.33元；每人平均住院費由4.92元降低到4.33元。

此外用葯上由于医师开动了腦筋，注意了节約，大大減少了病人的負担。在使用抗生素上，双反运动前和运动后，同是三个月的时間相比減少了34.7%。用血上，由以前每月100磅的用量，減为不到50磅用量。手术質量的提高，从前無菌手术化濃率3%弱，現在消灭了。这不仅給病人减少了痛苦，而且也大大減少了負担，今后在減輕病人負担上还应从这个方面多努力。

总之，我們正在繼續奋力前进。現在已开始进行科学研究积極开展技术革新，加强社会主义的协作和中西医合作为重点，开展提高医疗質量的大躍进。

論城市居民医疗服务需要量的标准問題

И. Д. Богатырев

为了拟定保健計划，要有居民医疗服务需要量的标准。拟制計划应当有下述資料：求診率，各科的求診百分比，入院治疗对初診数和对居民数的百分比，病人平均住院日数等。

以前的許多研究者仅以报表資料作基础，所以不可确定：(1)社会的、年龄别和性别集团的門診率和求診率，(2)不同工業企業工人的患病率和門診率，(3)各年龄集团在各專科中預防性求診的比重。另一个缺点是他們的資料常常是在医疗設施不能滿足居民要求的城市收集的，住院床位不够导至門診量增多，特别是往診增多。

作者認为可以选擇病床数，医务干部数都能滿足需要的城市作为基地，沒有这种可能时，可以选擇这样的城市作为基地，那里現有的医疗網在合理的配置干部和合理的工作組織的情况下就可以充分的滿足居民的需要。

作者选了莫斯科州一个不大的工業城市作为基地，那里有285張病床，平均每千人超过11張，另外有75个床位的兒童結核疗养院和25張床位的夜間結核疗养院。門診部設有各主要專科，大工業企業中有保健站。全市有64名医师，每万人超过26名。

作者利用的資料是从原始医务文件（門診卡片，病历，职業性檢查記录本，兒童發育史，学校和托兒所卡片，結核防治所卡片等）上摘录1953年的全部患病次数和求診次数于特制的卡片上。

按病型分析居民的門診率表明：傳染病佔第一位，其次的顺序是耳鼻喉病，消化道疾病，口腔和牙齿疾病，視器疾病，呼吸器疾病，外伤，血循环器疾病，皮膚疾病，神經系統疾病。

各年龄性别集团居民的門診率（該集团每千人的初診数）如表1：

（下接189頁）

北京积水潭医院改善工休关系的初步經驗

徐　化　民

我院通过大鳌大改工作經历了一場激烈的思想革命，經过思想革命医务人員解放了思想，因而在医疗制度改革、医护关系和工休关系上，就出現了社会主义医院的一片新气象。口号是把病人当亲人，把医院改造成为病人之家。在服务态度上要赶过天桥超过商業部門的服务水平，並同时提出要敢想敢說敢作，来破陈規旧例，創立便利病人的新制度。現在簡要地介紹几項改革，請大家指正。

（一）在門診方面我們本着便利病人提高医疗質量，进行了一些改革發揚了共产主义的协作精神，从前我們的服务态度是比較差的，工作人員对病人态度粗暴不耐心，簡單生硬，如有一病人問我們的工作人員从那一个門出去，他說：“你怎么进来的就怎么出去”。有的病人請护士快点給看病，护士竟說：“等等沒关系死不了”。又如一个外科病人需要作割粉瘤的手术，医师一个字也不說就叫护士帶到手术室去作手术，手术完了病人也不知道作的什么手术，以后这个病人就以割粉瘤有感为題，提出批評，在整風前，因为不耐心解釋和病人爭吵是屡見不鲜的。

在整改中我們改变了过去不便利病人的制度和作法，从前掛号是我們坐着，而病人却站着排队，現在掛号的同志走出了掛号室設了四个掛号站，病人只要到“掛号站”坐着，喝点水、看看画报，掛号員就到病人身边去掛号。收費計价处的同志們，也走出了收費处到各科去就地收費，病人較少的科室由掛号室的同志代收，从而大大減少了病人的往返跑路。药房虽然減少了三个調剂員，也走出了药房，讓病人坐着把药送給病人。又如內科、妇产科、小兒科等距离X線科、化驗室很远，病人往返很不方便，为便利病人，X線、化驗等都主动的帶机器和仪器到內科去就地透視、化驗。耳鼻喉科、眼科、口腔科等采用科室自己發药的方法来便利病人。各科室間在一切便利病人的口号下，充分發揚了共产主义的协作精神。至于对病人的关怀和診疗仔細，解釋的耐心，扶老携幼照顧病人，帮助病人办事等方面的事例更不胜枚举，在大鳌大改之后，門診出現了一片新气象，得到了病人的普遍好評。工作人員中的好人好事逐渐增加了，如有的病人因錢帶少了而無法回去，工作人員就主动借錢給病人，使病人很受感动。掛号員刘桂蘭同志一天就接到了七封表揚信，很多科室为了能作到对病人亲切而且又表現自然，使得成績进一步的巩固，还召开了本科小型的現場会議来进行演習。总之，門診方面基本上改变了旧面貌，工作人員初步树立了把病人当亲人思想。

（二）关于病房方面，推行了医护包干負責制，住院医师一貫負責制，护士12小时負責制及扩大护士的职权范圍等等。一系列的破旧立新的改革。首先在病房中推行了医护包干負責制的工作方法，以每一个医师和一个护士为一組，包干一定数量的病人，这些病人的医疗护理工作由这兩位医师、护士負責，这样就密切了医护关系，並避免了原来那种打針的来管打針，服药的来管服药，巡迴的来管巡迴，只認識床头号，不認識病人的弊病，加强了医师、护士的責任感，密切了病人和医师护士的关系。医师护士都能主动地对病人解釋病情、宣傳住院的注意事項、衛生常識等，並給病人作思想工作，了解病人的生活情况，使病人与我們一同向疾病作斗爭。在包干負責制推行之后，推行了住院医师一貫負責制。取消了历年来使用的复写医嘱本，医师护士一起查房，医师一方面講解病情，一方面把医嘱直接写在医嘱單上。护士就处理医嘱写好治疗牌、發药牌等，查完病房医嘱也就处理完了，大大減少了护士桌面上的抄写工作，增多了直接护理病人的时間。扩大了护士职責范圍，护士可以进行改飯、灌腸、导尿，投一般止痛安眠药等处置。取消了不必要的常規化驗和每日定次查体溫的常規，需要时开医嘱执行。这些改革就目前来看不但没有降低質量，而且給病人帶来了很大的方便減輕了經济上的負担。为了更好的配合医师的工作，手术室的护士又提出了搞12小时护理負責制，对重病人12小时負責，对手术病人作到从术前准备到刷手上台，直到术后护理一貫負責。

目前已不只是作到仔細治疗耐心解釋和关怀体贴病人，大家正在努力想尽一切方法消除病人的痛苦，如研究無痛手术等等。由于医务人員日以繼夜的苦干，就得到了病人的普遍贊揚，很多病人写信写詩来鼓舞我們。病人和医护就是有矛盾的說法已經是过去了，現在是我們全心全意的为病人服务，感动了病人，而病人的贊揚又鼓舞着我們工作人員的繼續努力，一种新的社会主义的人与人的关系初步树立起来了。

（三）关于技术改革和提高医疗質量方面，發明創造，技术革新之風也开始形成，如創伤骨科發明創造翻身床，药房工作人員發明洗瓶法，眼科的流动暗室等，及正在研究的捆帶机、摔表器、削土豆机等等，以此来节省人力，減輕体力劳动，提高工作效率，比如一个裁難病人，需要兩小时翻一次身，每次翻身需二到三个人，如用翻身床一人即可翻身了。

在医疗質量上也有很大的提高，从整風以来，全院先后調走了37人，但是工作量都大大的增加了，如門診人次比去年同时期就增加了31.3%，病床数比去年同时期增加了22.7%，病床的使用情况比去年同时期提高了2.3%，手术数量比去年同时期增加了34.7%，而且还开展了一个32,000人口的地段工作，每一个医师、护士都有70余戶的地段任务，按时定期下地段进行医疗預防，衛生宣傳等工作，以降低發病率，因为大家干勁十足，所以並未增加一个人。从二月份 經过各科室的努力，和苦干到目前为止，未發生过一件医疗事故，也未發生过無菌手术的化膿，並且对很多疾病的治愈率有了显著的提高。下面列举几項：

疾病名称	整風前平均住院日(天)	整風后平均住院日(天)
闌尾炎	8	5
疝修补	10	6
胃切除	20	14
乳突根治术	90	30
半側上頜竇手术	9.9	7
人工流产	7	3
大叶性肺炎	10	6
小兒急性腎炎	60	15

在葯品使用和輸血X線片和化驗等方面却有相当的減低，医师們都注意了提高質量和減輕病人的担負。目前医务工作人員正在进一步的研究提高医疗質量減少病人痛苦，提高治愈率，縮短住院日的措施。

（四）改善工休关系和政治工作下病房体会：在搞病房服务态度和改革制度的同时和傳达总路綫的报告开始的，我們对病人开展了政治工作，並且召开了一次病人的現場会議。

当病人听到我們傳达总路綫的报告，看到医院里出現的新气象，病房里医师、护士、工友日以繼夜的为病人工作，亲切关怀代替了冷淡和粗心，这些感人的事例，深深地感动了病人，他們提出：休养也可以躍进，首先是外科病房的病人提出了倡議，他們說：医师和护士的革命干勁深深的感染了我們，他們把医院当家，对病人如亲人，我們自己当然更应該爱护这个"家"。他們討論通过了休养公約，成立了休养員的組織，每个病室选出了小組長，一个病房推选了大組長，病房里开始出現了病人躍进的生动事迹。很多輕病人自己拿大小便器，舖床叠被，做室內的清潔工作，病人提出要讓叫护士的紅灯失業，有的輕病人还帮护士卷紗布、撕膠布、做棉花棒。輕病人除了照顧自己还帮助护士照顧重病人，例如89岁的病人袁汞庆在病房中每个病人对他都很关怀。病人中感人的事例不胜枚举，这些生动的事实，深深地教育了我們的医师、护士和其他工作人員，大家認識到政治工作下病房的重要性，由于在病房里有了政治掛帅，病房里就呈現了一片新气象，病人与医护人員之間洋溢着感人的革命友爱，这种新型的，共产主义的人与人之間的关系，鼓舞了工作人員的干勁，也溫暖了病人的心，治疗的效果提高了。我們抓紧了外科病房工休关系的典型，作为政治工作下病房，人人作政治工作的試点，帮助他們总結政治掛帅与組織羣众的經驗。並且全面地加以推广。从兩方面来进行工作：一方面由外科病房的病人开广播会（病房每張床位都有耳机），通过广播向全院休养員介紹他們的倡議書，及躍进事例；另一方面召开全院护士的現場会議，由外科病房护士長介紹怎样改善病房的工休关系，以及对政治是統帅的体会。会上由党委报告了病房政治工作的重要性，和怎样进行病房政治工作，强調了医师护士人人要做政治工作，处处有思想工作，首先要使病人明确，安心养病是一項政治任务，第二要反复耐心的解釋医院和病房的各种制度；第三，管好病房要走羣众路綫，要依靠病人和我們一起搞，訂出病人的生活制度；第四，随时了解病人的思想情緒，及时加以說服安慰；第五，定期（1－2周）举办生动活潑形式多样的晚会或講座；第六，开展批評和自我批評，对病人中的好人好事及时加以表揚；第七，除每天固定时事广播外，医师、护士要利用时間向病人做簡要的时事介紹；第八，每天在广播节目中有一項医院情况的报导，其中有工作人員的躍进情况和病人的动态，經过这一段的实践，証明这个节目病人感到特别亲切，最受欢迎。

經过这次現場会議以后，各病房医师护士都紛紛表示：学外科病房，赶外科病房，超外科病房。都来学習接近病人，深入地了解病人思想，和病人建立了亲密的友誼，一反过去除治疗外不过問病人思想的狀况。这种对病人負責的精神还表現在病房医师之間的共产主义协作关系上。遇有重危病人，差不多所有同病房的医师都来共同搶救，一反过去自己只管自己所負責的病人的情况。

現在全院每个病房每周都有工休座談会或联欢会，在会上护士們宣讀自己的决心書，保証自己要护理好每个病人，在会上也展开批評和表揚，病人用詩来歌頌我們的医生和护士的崇高的而又辛勤的劳动。用病人一句話来說明医院里工休关系是最确切的，他們說："病人和工作人員亲如手足，这真是社会主义医院的新面貌"。

陕西省的农村产院

西安市衛生局局長 叶瑞禾

农村产院發展的过程

1956年我省組織各县妇幼衛生工作者到河北深县农村产院参观后，就在条件較好的涇陽县三渠乡先試办了一个农村产院，在当地党政重視与羣众支持下順利地建成了，但由于羣众还有封建迷信思想，不習慣到产院去生产，經过反复的宣傳后，才有一产孕妇抱着試試看的思想住院生产，住院生产后接生員对她耐心照顧按时做飯，亲自給换草紙，給小孩按时吃奶喂水，洗澡等，使她很受感动的說："在产院生产比在家好的多，接生員照顧的比自己家人更周到"，出院后好些妇女都登門探望，問这問那了解情况。隨后住院生产者日漸增多，羣众感到很方便，有的产妇在生产前就把被子送到产院佔床位，有的老太太給兒媳妇提前預約床位。1957年我們先后發动其他县来涇陽县参观学習，参观后有七个县办了15处农村产院，但在山区的县認为自己的条件差，不能建立。1958年3月間省衛生行政会議傳达了全国医院工作会議的精神，提出了苦战一年消灭四害奋斗三年改变全省衛生面貌的奋斗目标中第八条提出：今年作到社社有兩員（接生員衛生員）兩年达到乡乡有产院，各县都訂規划，在总路綫学習宣傳后，各县在乡乡有产院的問題上更有飞躍的發展，如延安县要在六月底前建立农村产院60个，平均每乡达到三个，咸陽县在24天內就办了32个农村产院，商雒專区也建立了农村产院数处，並准备在本月29日召开全專区的現場会，使农村产院在山区遍地开花。我們为了支援农業生产 挖掘劳动潛力；为了确保母子健康；为了破除迷信解放思想促进文化革命，特提出58年全省产院化（即乡乡有产院）。

农村产院的优点

1. 能有效地降低产妇發病率及嬰兒死亡率、农村产院能使广大农村妇女住院生产，母嬰得到合理的照顧能降低产褥热及新生兒破伤風及早产兒的死亡率，如涇陽县1957年七个产院統計住院产妇451名，沒有一个得产褥热的，也沒有一个得四六風的，王桥乡何守斌的女人，因作重活早产，生下后嬰兒体重仅二斤十二兩，全身青紫，誰看也不能活，产院就耐心护理，他們沒有暖箱，接生員就抱在怀里保暖救活了孩子，很多老年妇女說："自古說七死八不活，这孩子不足月倒活了，产院真行"。因此羣众都称产院是产妇之家，"生娃保險公司"，也有很多羣众說："我們已走到社会主义社会啦"。

2. 节省劳动力支援农業生产大躍进：产妇到产院生产，家里的人可以安心参加农業生产。以涇陽县产妇451人为例每人住院七天，就可节省出照顧人力3151个劳动日，从事农業生产。

3. 是符合多、快、好、省勤儉办衛生事業的精神：以咸陽县为例，办了33个产院，最多化16元，最少仅用一元多，平均起来建一个产院只不过四、五元左右，房屋一般利用农村旧房，由于羣众支持和欢迎，好多羣众主动的將自己的房子和家具借給产院用，产院收費很低，每天只收2角的住院費，伙食也不超过5角，吃的确很好，每天都可吃到雞蛋、青菜、掛面营养好易消化的食物。

建立农村产院的体会

1. 党政領导重視与有关部門密切联系，互相配合；省委書記在党代会上农業生产干部会上都提出，大力推广农村产院，很多县的党政領导都亲自抓这項工作，如咸陽县委書記亲自开現場会，隨时了解存在的困难及时解决困难，涇陽县三渠乡党委書記把自己的房子騰出来給产院用。有关單位也都很支持这項工作，如妇联發动妇女建产院，当地小学校、供銷社除向羣众宣傳外还給产院送礼物，如送暖瓶、鏡子，旧报紙（糊墙用），有的社管会，在粮食收后入倉前先給产院留出細粮来，有的农業社給产妇訂購掛面等。

2. 充分發动羣众依靠羣众，貫徹勤儉办产院的方針：这是办好农村产院关鍵之一，只要羣众發动起来就能办好，不要国家投資一切問題就可解决，在建院前先向羣众反复宣傳办产院的好处，羣众有了認識都能亲自参加建院工作，遇到的种种困难就能迎刃而解，有的羣众自动的把房子騰出来，讓給产院用，有的借給床，有的产院沒有床羣众就出劳力盤土炕，搭泥桌，刷修房子，有的产院沒有面打漿糊，生产队長就拿着盆子挨家走利用一家一把面的办法解决了面的問題。干部和羣众支持办院的动人事例不胜枚举。

产院所用的接生器械葯品，都是接生員帶來的，有的衛生所、妇幼保健站也贈送一些器械，有的产院就在原接生站的基础上建立起的，所以增加的設备就很少，化錢不多，咸陽县化錢少办事多的勤儉办农村产院就是例子，他們就是依靠發动了羣众解决了一切問題。

3. 开現場会：是一个新的領导艺术是抓先进帶动落后的好办法；如咸陽县他們先在双照乡曙光一社建立一个产院后，就馬上召集全县妇女干部接生員、农業社主任开現場会，会上介紹了先进經驗，其他乡都提出学先进赶先进超先进的口号，他們提出苦战一个月全县产院化达到乡乡有产院，但实际上由于到会的干部干勁足回去后都立即召开会籌建产院。各乡展开了互相挑战，原提出一个月十五个乡每乡建立一个产院，实际上經过24天就建立了32个产院，連原有的一个共33个，平均每乡兩个多，他們还提出夏收后翻一翻，七月中旬保証建立100个，基本上达到社社建产院。

4. 合理解决接生員报酬及产院經費問題是巩固和提高农村产院的关鍵問題，目前方法尚不一致，主要有下列几种：

（1）产妇住院交現金：产妇住院每天自帶粮食細粮一斤二兩，副食費2角包括菜、雞蛋等；住院費2角，包括灯油草紙等等，接生費1—1.5元，接生員的报酬由接生費及結余的住院費項下开支，接生員除作好产院一切工作外还可参加田間生产劳动，得工分增加个人收入。

（2）撥工分法：产妇住院生产接生費不交現金，由农業社將产家一个劳动日撥給产院，但产妇应交住院費和菜金，粮食自帶。接生員的报酬，是由社管会根据接生員的技术劳动态度給予固定劳动日150—200个（女中上劳动力）。接生員除負責产院的一切工作外並負責經常性的妇幼衞生宣傳工作，但农業社还規定他們一年做一定的义务劳动日30—50个。

（3）农業社照顧产妇生产期間劳动日，並將其中部分撥給产院：如高陵县的农業社，規定給每个产妇产期10个劳动日，但需將其中4个劳动日撥給产院作为接生員报酬用，产妇自帶粮食菜金不交接生費和住院費。接生員的报酬是按技术劳动态度評工資。

总的來說，农村产院既能保証产妇和嬰兒健康，省人、省錢、便利羣众，又能有力地支援农業生产。办这样的产院也不需要化多少錢，只要羣众需要，羣众贊成不几天就可以办起來，旣符合于党的多快好省，又符合于依靠羣众勤儉办衞生事業的精神。

（上接第185頁）

表1

性别＼年龄	1岁以下	2—4岁	5—6岁	7—13岁	14—20岁	21—29岁	30—39岁	40—49岁	50—59岁	60岁以上
全体	1594.7	1177.7	555.7	445.7	741.9	1008.3	1240.5	1574.9	1514.2	978.0
男	1585.0	1159.1	539.5	390.1	680.3	1046.9	1259.5	1399.8	1510.0	1103.1
女	1604.9	1194.5	576.8	493.9	785.3	988.9	1225.1	1657.7	1515.9	923.9

該市居民求診次数如表2：

表2

門診就診次数	对总数的百分比
未来过門診	46.8
就診1次	26.1
就診2次	13.5
就診3次	6.8
就診4次	3.4
就診5次	1.7
就診6次	0.9
就診7次	0.4
就診8次	0.3
就診8次以上	0.1
	100.0

由上表可見有46.8%的居民在一年內未曾至門診求診。各年龄組未来过門診的百分率資料很有趣，7—13岁为67.5%，以后漸漸降低，40—49岁为30.9%，在老年組它又上升。这与年龄别門診率的規律似乎一致。

居民对門診設施求診次数如表3：

表3

求診次数	对总数的百分比
未曾求診	32.9
求診1次	14.7
求診2次	12.4
求診3次	7.8
求診4次	6.4
求診5次	5.0
求診6次	3.7
求診7次	3.3
求診8次	2.3
求診9次	1.8
求診10次	1.4
求診11次	1.2
求診12次以上	7.1
總計	100.0

（下轉第191頁）

登封县农村产院化

登封县人民委員会衛生科　崔琴舫

登封县位于嵩山脚下，人口30万，周圍群山环抱，石厚土薄，地形复杂，地是既怕旱又怕澇，解放前人称十年九欠，穷山恶水，再加上国民党和地主的压榨，那时人們过着：地無三里平，人無分文銅，糠菜半年粮的痛苦生活。由于人們貧困、痛苦，文化衞生也很落后。神权思想，長期統治着人們的精神灵魂。衞生很差，"四害"猖獗，当时是：麻雀成群，老鼠結队，蚊、蝇、蚤、虱和臭虫，盤居着各家各戶的厨房和住室。在这少医缺葯的山区里，每逢疾病流行，人們認为这是天灾人禍。神棍、巫婆乘机取利。那时曾有：男人瘦、女人黃、孩子病成干柴狼，有病就求神。"特别是妇女在孕期产期，因生活無着，缺乏营养，更談不上什么劳动保护。因而造成难产、流产、产后出血，会陰破裂化濃成瘻。产褥热小孩四六風等病均为常事，妇幼死亡事件，不忍枚举。神权对妇女的統治，更为严重。曾流傳着：人的命、天造定，生男育女奶奶送。"妇女們过着更为痛苦的生活。

只有共产党，才能喚醒人們摆脫貧困和愚昧，目前全县已提前三年零二个月，完成了千庫双方坊的任务。由原来的灌溉面积四万亩，扩大到57万3千亩，实現了水利化县。农業和工業也在突飞猛进，全县苦战三天，每人种树300棵。

去冬今春农村出現了以工农業为中心的大躍进后，为了解放妇女劳动力，随着除四害講衞生的工作开展，繼玉台乡第一个农村产院建成后，我县农村产院，犹如雨后春筍般的在全县建立起来。目前，全县有产院118所。設产床364張。凡是建立产院地区，普遍推行了孕妇卡片登記，产前檢查，新法接生，产后訪視。重点地区建立了嬰兒健康卡片，嬰兒床。产妇住院分娩率，目前已达80%以上。有三分之一地区，住院生产已达100%。这就徹底消灭了产妇的产褥热和新生兒的破伤風，大大減少了妇嬰死亡。並节約了大批劳动力，支持工农業生产。据大冶区兩个月統計，在222个住院产妇中，由于得到健康保护，节約了劳动日2,284个。在短短地几个月中，羣众看到了产院的無比优越性，給产院总結了五大好处：(1)产妇不得产褥热，嬰兒不得四六風，能保母子健康。(2)产妇遇到特殊情况，能及时搶救。(3)节約劳力保証正常出勤。(4)产妇能得到合理营养，安靜的休息。(5)解决了产妇的具体困难。

* * *

解放以后，随着人們生产生活的增長，妇幼工作有了很快的發展，改变了長期停滞在落后狀态。1955年下半年，在广大农村出現了农業合作化高潮后，帶动了妇幼保健工作的發展。全县采取了：社办公助，分乡培养，逐区巡廻，边教边教边实習，短期速成，就地建站的方針，为农業社培养了215个接生員，建立了19个接生站。为了适应农業合作化的需要，又于1956年春，总結推广了这个經驗后，于当年四月初即訓練了897个接生員，建立了93个接生站，达到了当时的：社社有接生站，队队有接生員，新法接生由过去的10%提高到了60%以上。这是几年中發展較快的一年。但是我們对当时客观形势認識不足，存在着严重的右傾保守思想，对工作又放松了領导，因而在一度躍进之后，又間歇下来。

* * *

随着全面　　的到来，我們进一步的批判了右傾保守思想，在玉台乡重点試办产院成功后，我們就在玉台乡召开了現場会議。总結了經驗，就地推广，並通过大鳴大放大辯論，批判了認为："农村里不能办产院，羣众不習慣，沒錢住院，技术差等形形色色地保守思想。县委提出：各級党委掛帅，妇联亲自出馬，全民办产院的号召后。在全县范圍內，掀起了一个"書記掛帅，干部帶头，戶戶动員，深入發动全民办产院的高潮。在方法上采取了三包干"乡包社，社包队、队包組"一深入"深入到戶"一算"細算帳"二比"旧社会妇女的痛苦，新社会妇女的幸福"三查"产院优越性，在家生产的痛苦，已往母子死亡的原因"，四保証"不得产褥热、臍風、保証吃好、喝好、睡好、休息好，母子健康"。通过这样的發动，出現了全民办产院，根据勤儉办产院的方針，我們因地制宜，因陋就簡，必要的設备，就依靠羣众自己来解决。这样一切困难就迎刃而解了。安塙乡發动社員投資磚、瓦、破紙、廢物等，办起来一个产院。城关社員自动搬房子，給产院送用具，鷄蛋等，这样一个鸡蛋运动办起来一个产院。我們抓住这个經驗推广后，接踵而来的，有錢出錢，有力出力，有房騰房，有的給产院送桌凳、一塊鉄、一塊鋼皮綑股等等，多种多样的办法，層出不穷。全县于四月底，实現了产院化原来計划到1967年才能完成的任务，兩个月完成了。

* * *

我們县的农村产院，組織形式，接生員的劳动报酬，产妇住院的收費标准。都是根据产院的范圍大小，居住集中与分散，接生員技术条件的高低，劳动强度的大小，經济基础的不同因而也各有不同。綜合起來，組織形式有三种(1)比較大又集中的社，由一社举办。(2)农業社較小又比較集中的，由联社合办。(3)分散地区設分院。在接生員的劳动报酬，分三大类：(1)固定工資，产院收入归社所有，产院开支和接生員工資由社开支。如景店产院，接生員每月20元工資。大金店产院，接生員每月工資5元另記150个工分。(2)定額补助：每月由农業社补給产院一定工分，由产院自行处理。如大冶产院，院長每月补助100工分。接生員补助100或60工分。产院所收住院費，除开支公杂外，按各人劳动进行分配。(3)固定工分：这是全县最多的一种，产院收入，归农業社所有，社內根据接生員的技术条件，工作态度，發給固定工分一般不低于中等劳力。沁水产院，每人每天9分。告城产院每人每年固定为400个劳动日。在产院收費标准，也不相同。城关产院規定免收住院費，只收接生費1元。非本社社員，每天收兩角住院費。大金店产院，不收住院費，只收兩角接生葯費。大冶产院，大部不收接生費，規定产妇住院7天，交30至40个工分，为住院費。有的是免收一切費用，产院开支社內負責。从当前看产妇住院7天，又滿足不了要求。沁水产院，已建立待产院。产妇提前入院。待产期間，进行無痛分娩法教育。建立母子院，即孩子臍帶掉后出产院，入母子院，进行新法育兒教育，直到滿月出院。

全面工作　　　，迫使着妇幼工作的連續　　。虽有一千多个接生員，产院林立，大部分設了嬰兒床、临产室，但是从現在接生員的数量和質量，仍是远远赶不上工农業生产的需要。这就必須壯大衛生队伍提高其政治思想及文化科学技术水平。經过十天的籌备工作办了一所紅專衛生学校，进行培养和訓練，初級衛生人員。这些学生回乡后，除分别担任产院和幼兒園的工作外，都担任了衛生学院，保健系的教师。有五千多个青年妇女，正在学習妇幼保健知識。这样一来，妇幼保健人員，是空前壯大了。

我們並不滿足已有成績，今后我們在党中央和省、地委的英明領导下，和总路線的光輝照耀下，繼續批判右傾保守思想，在爭取秋季工农業生产中全县国庆节时，达到六化：托幼普及化、兒童食堂化、磨麵动力化、縫級机械化、分娩住院化、农民食堂化，解除妇女托累，解放妇女劳力。並在产院中，実行三院合一。待产院無痛分娩化。产院工作正規化，母子院新法育兒化，从而保証母子健康。为完成工农業生产而奋斗！

(上接第198頁)

从上表可見有32.9%的居民在一年內未去过門診部也未請医生到家來过。但7.1%的居民求診12次以上。这証明某部分居民患有严重的長期性疾患。追查求診12次以上的这一部分居民是很重要的。一岁以下的兒童有26.5%求診12次以上，这是由于預防性檢查。年齡稍長，預防性檢查減少，尙未有慢性病，故这一百分率仅为1.1，从14岁起漸增，50—59岁达13.7%，这是由于慢性病需要頻繁求診。

按各專科的求診率如表4：

表 4

科　別	每千居民求診次数	各科求診的比重(对总数的%)
內　科	1800.9	35.0
外　科	805.2	15.6
耳鼻喉科	135.2	2.6
眼　科	214.5	4.2
皮花科	176.9	3.4
妇产科	289.3	5.9
神經科	109.4	2.1
口腔科	580.6	11.3
結核科	147.9	3.0
兒　科	885.7	17.2
总　計	5145.6	100.0

从上表可見每人平均每年求診5.1次，內科的求診率最高。

求診数对初診数之比，內科为3.6，外科4.9，耳鼻喉科2.9，眼科3.4，皮膚性病科5，神經科4.3，口腔科3.8，結核科9.5，兒科5.3，妇产科10.1，各科平均为4.7。

上述材料与其他作者的材料一致。城市居民每人每年求診按六次計算，可以認为能滿足需要。

住院治疗的情况如表5：

表 5

科　別	住院治疗者对居民总数之比(%)
內　科	5.2
其中包括傳染病床	2.4
外　科	3.1
产　科	2.2
妇　科	1.9
結核科	0.6
兒　科	4.4
其中包括傳染病床	1.5
总　計	17.4

按主要科計需要入院者为17.4%，加上其他小科住院治疗，則有19%需要住院治疗。

因此，保証一年中19—20%的居民住院，保証每人6次求診，則能完全滿足居民的需要，为此需要每千人有11張床，每万人有28—30名医师。

(傅振鐸摘譯自"Советское Здравоохранение 1956，1.)

上海市联合診所的調查研究

上海第一医学院保健組織教研組　顧杏元

基層衛生机構是直接服务于广大人民的、分布最广、数量最多的衛生机構。不論从滿足人民的需要上看，从貫徹預防方針、勤儉办衛生事業上看，基層衛生机構均具有很大的重要性。据上海市衛生局資料，1957年全市有医院108所，而門診机構即达1192所；1957年全市平均每人全年看門診9.8次，而全年住院人数只佔全市人口6.4%；門診与住院人次的比例为1000:6.6。又綜合医院全市总收入中国家补助費佔24%，業务收入佔65.5%，而門診机構則分別为3.8%及90%，因此，各級衛生行政部門均应根据中央勤儉办一切事業，多快好省地建設社会主义的方針及衛生部“关于加强基層衛生組織領导的指示”精神，进一步加强对基層衛生机構的領导，更合理地組織他們的工作，充分發揮其潛力，以逐步滿足日益增長的医疗衛生要求。

基層衛生机構按性質分为国家举办及羣众举办兩种；而数量最多、力量最大的是羣众举办的基層衛生机構，其中主要为联合診所及农業保健站。

联合診所是我国目前城乡基層衛生机構中的一种重要組織形式，它是从羣众中产生、密切联系羣众的一种基層衛生机構，不仅在治疗疾病上，而且在預防疾病、指导羣众性衛生工作方面，都起着重大作用。在开展划区医疗以来，这种作用就更加明显。上海市80%居民衛生段由联合診所負責。1957年全市联合診所共看了1,563万門診人次，佔全市門診人次的24.2%。在为生产服务及健康檢查、預防接种、傳染病报告、麻疹出診訪視、衛生宣教、訓練羣众衛生积極分子等預防保健工作方面，联合診所也做了很多工作。全市25.9%劳保門診由联合診所負責。因此，如何根据上海市联合診所的情况，进一步加强領导，改进其組織及工作，已經成为进一步开展划区医疗、提高城市医疗預防工作的关鍵問題之一。

为比較全面、深入地了解目前上海市联合診所情况，为市、区衛生行政部門今后改进工作提供参考資料，根据中华医学会上海分会衛生学会的建議，我們和上海市衛生局合作对全市联合診所的人員、設备、業务等情况进行了一次全面調查；並用机械抽样方法抽查了約三分之一联合診所的財务收支、工資及組織情况。調查是在1957年9—10月間用派員調查法进行的。参加調查者有上海第一医学院保健組織教研組的七位助教、二位技士及上海市衛生局的畢佳月、鄒杜华同志。各区衛生科及联合診所均大力支持並协助了这次調查。为比較起見，本文亦采用了一些衛生局的業务統計資料，凡衛生局資料标題上均加“△”号。

一　發展概况

由私人开業医生自願組織起来的联合診所最早于1949年在东北地区出現。早在第一屆全国衛生会議決議中就提出医疗机構分公立、私立、合作性質、公私合办四种；並指出应“动員个別开業医务人員組織联合医院或联合診所，使之成为公立医疗机構的助手。”1951年全国医政工作会議进一步指出基層衛生机構中合作性質的联合医疗机構具有極其重要的意义，提出“联合医疗机構的形式值得提倡和推广”。1951年政务院“关于充实国防建設中衛生人員的决定”中号召“因实际困难不能参加国防建設或公立衛生机关的私人开業衛生人員，可由各級衛生行政机关促可能協助他們在自願的基础上，参加或組織公私联合或私人联合的医疗机構，使他們能發揮更大的工作效能。”1951年8月衛生部公布了“关于組織联合医疗机構的实施办法”，具体規定了联合医疗机構的目的、組織形式、任务及經費。从1951年下半年起，联合医疗机構（主要是联合診所）开始在全国范圍内迅速發展，到1952年全国已有15,047个联合診所，1957年底更达56580所。

上海市在1951年下半年开始組織联合診所。十月建立二个，十二月又建立二个，以后逐年迅速發展，至1957年六月已达186所（表1），参加成員3,715人，其中医生1,628人。現有联合診所按成立年分看，以1953、1956年社会主义改造高潮时最多（表2）。

表1　上海市联合診所發展情况△

年　分	所　数
1951	4
1952	32
1953	70
1954	96
1955	122
1956	167
1957.6	186

联合診所的类型历年来有所变动，中西医联合診所逐年增加，中医或西医联合診所則逐年减少（表3）。事实証明，中西医联合应該是联合診所的主要类型，这

表 2 上海市联合診所成立年分統計 *

成立年分	所数
1951	4
1952	27
1953	34
1954	27
1955	24
1956	48
1957.1—6月	22

* 因联合診所常有合併，撤銷，分散等变化，表二的累积所数不等于表一所载的所数。

是由我国目前中医及西医同时存在，人民对医疗的要求既需要中医又需要西医的客观条件所决定的。在同一診所中又有中医，又有西医，这不但便利病人自由就医，而且为中、西医相互团結，相互学習，逐步走向中西医合流創造了有利条件。当然，在人口比較集中，医务人員又比較多的城市中，根据需要与可能組織一定数量的專科联合診所也是可以的。

表 3 上海市联合診所类型的变化

年分	中西医联所	西医联所	中医联所	牙科联所
1954. 9月	60	13	16	5
1955.10月	84	10	16	12
1956.10月	114	6	20	17
1957. 6月	144	1	13	25

二 組織及人員

全市联合診所的組織基本上是一致的，除全体成員大会外，有所务委員会及正付所長領导全所工作。所長及所务委員由选举产生。所長下面設業务、总务、人事三組（目前已改为医疗、預防、总务三組）。業务組下除各診疗科室外，尚有化驗、药房、注射等室，部分診所尚有手术室、X光室及理疗室。总务組下分設財务、会計、事务等專职人員。

为統一研究、解决有关联合医疗机構的一些共同性問題，交流各所經驗，依靠羣众办好联合医疗机構起見，在市、区衛生工作者协会下成立了联合医疗机構專門委員会，由联合診所、联合妇幼保健站代表組成。

各所人員数相差很大。少的不到五人，多的則有五十多人。大多数所在11－25人之間，平均每所20人。每所平均人員数按診所类型分，中西医联合診所为22人，中医联合診所11人，牙科联合診所14人，肺科联合診所15人，西医联合診所只一个38人。郊区联合診所人員較市区少。由此可見，由于所在地区不同，类型不同，各所人数也各異，不必强求一律。

联合診所成員中，衛生技术人員佔77.6%，其中医生43.8%，护理人員17.6%，药剂人員7.2%，檢驗人員2.9%；行政事务人員16%，勤杂人員6.4%。与本市其他門診机構相比时（表4），联合診所的衛生技术人員及行政人員比重較高，勤杂人員較少；在衛生技术人員中护理人員不但比重少，而且水平低。联合診所护理人員中70%为未受过系統訓練的护理員。

表 4 上海市几种主要門診机構人員組成▲（1957）

	公立門診部	工厂保健站	工厂联合保健站	联合診所	全市門診机構平均
每單位平均人数	28.2	8.9	21.2	18.5	11.4
衛生技术人員(%)	72.4	74.7	71.9	77.3	75.7
西医	14.9	18.0	19.1	19.2	18.1
中医	8.9	4.0	5.6	23.4	10.8
护理人員	32.0	35.6	32.5	18.3	29.6
药剂人員	7.6	8.2	8.6	5.7	7.8
化驗人員	1.8	1.9	2.9	2.9	2.3
行政事务人員(%)	15.1	11.9	16.4	15.6	13.2
勤杂人員(%)	12.3	13.5	11.8	7.2	11.2

各所医生数也很不一致，少至1－2人，至多25－26人。大多数所在5—10人之間，全市平均每所9.5人。按診所类型分，中西医联合診所10人，牙科联合診所7人，中医联合診所8人，肺科联合診所3人。按所在地区分，則市区为9.7人，工厂区为10.5人，郊区为7.?人。在医生中半日兼职者佔39%，特約医生2%。在兼职医生中，除皮花、五官等專科医生較少的科别外，內、外、兒、針灸等科医生也很多。由此可見，兼职的主要原因不在客观需要而是开業医生殘留下来的資本主义經营思想。因为同时在二处以上兼职时，收入比在一个診所專职为多，过多的不必要的兼职不但有碍診所的巩固，而且对进一步开展地段医疗保健工作不利，亟宜糾正。

联合診所医生中，中医48.1%，西医51.9%。按科别分类則西医中內科、牙科最多，外科、兒科次之。中医中針灸、內科最多（表5）。中医“不分科”中主要为內兒科。

表 5 上海市联合診所医生分科統計

(1957.6)

中	医	西	医
科 別	人 数 %	科 別	人 数 %
针灸科	9.2	内 科	13.2
内 科	2.0	牙 科	12.7
伤 科	1.4	兒 科	6.3
外 科	0.5	外 科	5.9
妇 科	0.2	五官科	2.3
眼 科	0.3	肺 科	0.8
推拿科	0.1	妇 科	1.2
兒 科	0.2	皮花科	0.2
不分科	34.2	不分科	9.3
合 計	48.1	合 計	51.9

三 医疗設备情况

必要的医疗設备是提高医疗服务質量的重要条件之一。从联合診所医疗設备及其使用情况，不仅可以看出联合診所的工作質量，而且可以了解其公共积累的情况。几年来，随着联合診所的發展与巩固，其医疗設备情况有了很大改善。以市区中西医联合診所为例，1952年只有X綫机、显微鏡各三架，至1956年底已有X綫机30台，显微鏡40架，增加了十几倍。到1956年底为止，全市联合診所共有X綫机73台、显微鏡83架，电疗机22架，太陽灯12只，电冰箱7只，牙科椅120台。平均38%的所有X綫机，44%的所有显微鏡，12%的所有电疗机。

联合診所医疗設备的使用率一般不高，以診断用X綫机为例，平均每台X綫机每日透視次数市区診所为20次，工厂区診所为29次，郊区为6次。今后宜进一步設法提高这些設备的使用率，充分發揮其潜在力量。

四 門診工作

門診是联合診所的基本工作之一。全市联合診所門診总人次及其在全市門診人次中的比重逐年在增加（表6）。在全部联合診所門診人次中，中西医联合診所佔87.4%(1956)及89.2%(1957.1—6月)。每所每日平均門診人次除西医联合診所外，以中西医联合診所最高，中医联合診所次之(表7)。

表 6 上海市联合診所門診人次統計

年 分	門診总人次(万)	佔全市門診人次的百分比(%)
1953	238	11.2
1954	374	8.7
1955	475	11.0
1956	895	18.4
1957	1563	24.2

表 7 上海市联合診所平均每日每所門診人次統計

診所类型	1956	1957.1—6月
中西医联所	199	290
牙医联所	67	74
中医联所	148	179
肺科联所	17	86
西医联所	509	545
全市平均	177	251

各区之間，各所之間門診人次相差很大。据1956年162个联合診所的資料，全年門診人次在2万以下者45所，佔28%；不滿4万者79所，佔49%；而在10万以上者亦有10所，佔6.0%。

联合診所門診人次中，中医門診佔36.6%，劳保病人佔56.9%，公費病人佔0.2%(1957年第三季度衞生局資料)。与其他門診机構相比較时(表8)，劳保病人比重仅次于工厂保健站及工厂联合保健站，而公費病人比重則很低。

表 8 上海市各类門診机構門診人次中中医、劳保、公費病人的比較（1957）

診所种类	在門診总人次中			佔全市劳保人次的%	佔全市公費人次的%
	中医%	劳保%	公費%		
医院門診部	13.4	40.1	10.1	11.3	32.5
公立門診部	26.5	15.6	41.9	1.7	51.9
工厂保健站	5.6	100.0	—	41.0	—
工厂联合保健站	16.8	100.0	—	18.1	—
联合診所	36.6	56.9	0.2	25.9	1.1
机关、学校医务室	—	—	31—58	—	15.0
开業医生	74.8	8.6	—	1.3	—
全市合計	24.5	61.4	5.4	100.0	100.0

联合診所的門診人次尚在不断增加。如以1956年1月每所平均門診人次为100，則到1956年12月，中西医联合診所为229，中医联合診所为221，西医联合診所为163，牙科联合診所为149。因为联合診所所数

在不断增加，全市联合診所总門診人次增加更快。如以1956年1月全市各类型联合診所总門診人次分别为100，則到1956年12月，中西医联合診所为318、中医联合診所为332，西医联合診所为163、牙科联合診所为199。联合診所門診人次的迅速增加，反映了居民对医疗服务需要量的增長及联合診所業务的發展，服务面的扩大和潛力的进一步發揮。但在同时，亦应注意糾正片面地爭取劳保，爭取病人以增加收入而放松了預防保健工作的資本主义傾向。

郊区联合診所門診人次增長速度远較市区为快。以中西医联合診所为例，1956年中門診人次市区增加296%，工厂区增加307%，而郊区增加681%，将近七倍。由此可見，在农業合作化以后，随着农業生产的發展，农民經济文化水平的提高，他們对医疗衛生的要求比城市增長的更快。如何更广泛更好地組織农村医疗衛生工作，以滿足广大农民日益增長的医疗衛生要求，应該成为当前各級衛生部門的首要任务之一。

联合診所門診人次按科别統計則西医內、兒、外、牙科与中医針灸、伤科等最多(表9)。

表9　上海市联合診所門診人次分科統計(1957.1—6月)

中医		西医	
科别	%	科别	%
針灸科	8.75	內科	22.59
伤科	1.75	兒科	9.41
內科	1.25	外科	8.36
外科	0.34	牙科	5.72
眼科	0.24	五官科	3.06
妇科	0.19	肺科	0.70
兒科	0.17	妇科	0.58
不分科	22.95	皮膚科	0.23
		不分科	13.70

联合診所的輔助医疗服务程度增加很快，特别是郊区。以中西医联合診所为例，如以1956年1月为100，則到1956年12月X綫透視人次数市区为304，工厂区为274，郊区为757；化驗人次数分别为218、224及1476。按每百門診人次計算，則每百門診人次中X綫透視次数市区为8.26，工厂区为7.98，郊区为3.12；攝片次数分别为0.2、0.17、0.06；化驗次数分别为5.34、7.22、3.82。除X綫透視外，輔助医疗指标均低于綜合医院，特别是郊区。

五　医生平均每日門診工作量*

联合診所医生平均門診工作量，1956年西医为32，中医为22(表10)。医生門診工作量虽較前有所提高，

表10　上海市联合診所各科医生平均每日門診工作量(1956)

中医		西医	
科别	工作量	科别	工作量
針灸科	30	內科	60
伤科	40	外科	48
內科	18	妇科	22
外科	20	兒科	50
眼科	24	五官科	52
兒科	26	牙科	14
不分科	20	皮膚科	42
		肺科	30
		不分科	46
合計	22		32

表11　上海市几种主要門診机構医生平均每日門診工作量△

机構种类	1956年3季	1957年3季
公立門診部	34.6	33.8
工厂保健站	44.1	50.9
工厂联合保健站	49.1	56.7
联合診所	27.4	35.4
私人診所	11.6	11.9

但与本市其他門診机構比較起来仍不算高(表11)。不但如此，各区之間、各所之間医生門診工作量差别很大，即是說有的空，有的忙，有时空，有时忙。由此可見，如果更合理地組織联合診所的工作，則仍有很大潛力可以發揮，用来开展地段保健工作。更合理地調整各区、各所之間的力量，更科学地根据門診病人就診規律及医疗与預防相結合的原則来組織联合診所的医生，是提高目前联合診所工作，进一步發揮其潛力的重要措施之一。

六　收支、工薪及医葯費問題

在联合診所收入中葯費佔最大比重。1956年葯費在总收入中的比重，中西医联合診所为53.2%，中医联合診所为36.4%，西医联合診所为59.1%；到1957年上半年則分别上升为66.9，48.8及69.4。葯品利潤率平均为40%。随着联合診所門診人次的增加，其收入总額及葯費收入均在不断增加，但是葯費增加的幅度大于总收入額的增加幅度。如以1956年1月的門診人次、收入总額及葯費收入均为100，則到1956年12月分别为163，262，及279。換句話說，門診病人的平均医疗費用在不断增加，特别是葯費(表12)。葯

* 联合診所医生的地段保健工作量，因原始資料不完，未进行詳細分析。

表 12 上海市联合診所每一門診人次医疗費用（單位：元）

診所类型	1956年		1957年1-6月	
	总 計	其中藥費	总 計	其中藥費
中西医	1.08	0.57	1.09	0.72
中医	0.44	0.16	0.63	0.34
西医	1.29	0.76	1.48	1.03

費增高原因可能是用药浪費，濫用貴重药品（如抗生素之类），亦可能是药品利潤太高，药价太貴，也可能兩种因素同时存在。因此，为了减輕病人負担，节約用药，对联合診所用药情况及药价进行适当监督是完全必要的。

在联合診所支出中，除药費外以工薪为最主要。1957年上半年联合診所总支出中工薪佔的比重，中西医联合診所为30.7%，中医联合診所为45.9%，西医联合診所为32.8%，牙科联合診所为51.7%。基本建設及設备很少，一般只佔总支出的1—2%。行政費支出一般佔10—15%。

随着診所業务的發展和收入的增加，診所成員工資也在不断上升。如以1956年1月每所平均支出的工資总額为100，則1957年6月中西医联合診所为168，中医联合診所为321，牙科联合診所为132，西医联合診所为119。1957年上半年中西医联合診所医生平均工資为107—173元，其他衛技人員为62—69元，行政人員为52—64元，勤杂人員为43—48元（表13）。这里很明显地看出發展社会主义的成份是注意不足的。

表 13 上海市中西医联合診所成員平均工資統計（單位：元）（1957年1-6月）

診所地区	医生	其他衛技人員	行政人員	勤杂人員
市区	173	69	60	43
工厂区	167	66	64	46
郊区	107	62	52	48

七 房屋

上海市联合診所房屋一般很挤。以中西医联合診所为例，每百門診病人佔用房屋面积只有57.3平方公尺，市区診所且只有46.1平方公尺，在57.3平方公尺中，診疗室27.07平方公尺。候診室13.18平方公尺，注射、化驗、药房等輔助医疗房間9.31平方公尺。診所房子太小，病人太挤，势必增加交叉感染机会，降低医疗質量。因此联合診所房屋太挤問題亟待解决，应当設法在公积金部份有計划地修建扩建。

小 結

1. 联合診所是我国首創的一种新型的社会主义性質的基層衛生机構，它是我国社会主义医疗衛生網的組成部分。从組織开業医务人員走集体化道路，把他們的工作納入国家衛生事業計划；提高他們的思想、技术水平，充分發揮其作用，更好地为人民健康服务；团結中西医，促使中西医学合流及依靠羣众勤儉办衛生事業等各方面来說，它均具有很大的优点。解放几年来，这种机構有了很大發展，今后相当長时期內仍將繼續存在，並將随着划区医疗的进一步开展而适当發展。

2. 对上海来說，联合診所是基層衛生机構的重要組成部分；它不仅負担了全市四分之一以上的門診工作量，而且在傳染病报告、麻疹出診訪視、健康体格檢查、預防接种、衛生宣教、羣众衛生积極分子的培养等預防保健工作方面做了很多工作。随着划区医疗及地段工作的深入开展，其作用正在不断增加。

3. 本市各区、各所之間的医务力量，特別是医生的分布很不平衡，医生半日兼职者相当多，为滿足进一步开展地段医疗服务的要求，充分發揮現有医务人員潛力，我認为对各区、各所的医务力量加以适当調整、平衡，逐步減少医生兼职現象是必要的。

4. 几年来本市联合診所在医疗預防方面做了很多工作，但也存在着一些問題如相当普遍地存在着資本主义經营思想及作風，医疗質量不够高，对地段預防保健工作重視不够等。关鍵問題在于干部，首先是医务干部的質量。为进一步提高联合診所的工作，除加强領导及政治思想教育外，建議通过業余学校、系統講座、技术指导等各种方式組織联合診所的医务人員，特別是医生及护理人員（其中70%为未受过系統訓練的初級护理員）进行学習；适当补充护理人員並加强对护理人員的公共衛生訓練；組織他們在划区医疗的基础上，进一步开展地段保健工作。

5. 目前联合診所拥有相当多的貴重医疗設备，但使用率並不高，我認为可以現有設备为基础，組織中心X線室、消毒室、化驗室或理疗室，为附近基層机構服务以提高医疗質量及設备使用率。

6. 1956年联合診所医生每日平均門診工作量中医为22，西医为32。1957年虽有所提高，但仍比本市其他門診机構为低，而且各所之間相差很大，应敌慮适当調整平衡各所医务力量，补充必要的护理人員，更合理地組織医生的接診工作，並抽出部分人力和时間开展地段保健工作以發揮潛力。

7. 經費收入中药費佔第一位。每一門診病人的平均医疗費用达0.5～1.5元，其中50～70%为药費，药品利潤率达40%。为降低医疗費用，減輕病人負担，減少药品浪費，联合医疗机構專門委員会，对联合診所的用葯情况及葯价应进行适当监督。

8. 为解决联合診所用房太挤及交叉感染問題，一方面固然可以用調撥及扩建新建房屋的办法，另方面，更現实的办法是想法根据病人就診規律，主动合理地組織門診病人及医生的接診工作，减少同一时間內的門診病人，同时加强預診及門診隔离制度。

9. 适应进一步开展地段保健工作的要求，本市联合診所仍应不断提高、改組。診所类型以中西医联合診所为主。診所組織除現有組織外，增加財务审查及监督机構；在業务科別方面，应尽量具备西医內、外、兒科，中医內科及針灸等基本科別，其他專科則視需要与可能而定。人員編制則視实际可能、轄区人口及門診工作量而定。一般城市联合診所轄区人口在三万左右，每日門診200—300者，建議总人員10—15人。人員与門診人次之比为 1:15，医生与門診人次之比为 1:30—40。

附註 1. 本文所反映的情况基本上是1956年及1957年上半年的情况。經过一年来的全民整風运动，上海市联合診所在服务态度、便利病人、貫徹預防为主、减輕病人負担、相互团結及克服資本主义經营思想及作風等各方面均有很大进步，特此說明。

附註 2. 此次調查研究的設計及資料的整理分析工作是在上海第一医学院保健組織教研組主任許世瑾教授指导下进行的。在設計、資料收集及分析过程中，市衛生局謝希佐技正提供了很多帮助和意見。严思剛、顧蕙鈺同志負担了大部分資料的整理及統計工作，特此致謝。

参考文献

1. 洪明貴，加强对联合医疗机構的領导，健康报，1956年8月12日。
2. 健康报社論：調联合診所發揮更大的作用，健康报，1957年2月12日。
3. 上海市衛生局，上海市衛生業务統計，1957年。
4. 上海市衛生局有关联合診所工作的历年总結資料。

捷克斯洛伐克的併合医院

Объединенная Больница в Чехословакии.

在捷克每1000个居民有7張病床，連同疗养床到达11.5張。全部区医院的86%都超过100張以上病床，多半是200—400床。平均在区医院中工作的有6名医师。2—4%的医务区还没有配备齐全医师。虽然全国平均每718个居民有一个医师，但是在乡村地区平均每个区医师要服务4,100个居民。每一个医师平均有3个医士或护士。乡村地区从区的中心到区的边緣的距离不超过3.5—4公里。有一个医务区有10个医务地段。除了鉄路、汽車或其他运輸網以外，每4,000个居民有一个衛生汽車。这样一来，乡村地区的客观条件有利于逐漸过渡到組織併合医院。在城市医院有2,000多張病床，甚至于更多。在城市周圍設置了城市区医师的接診室，这些接診室是在人民民主政权建立之后，由私人开業医組織起来的。全国每个人一年到区医师处就診的次数为10次，而布拉格每一个居民每年就診的次数是20次。因此併合医院对城市来講，不仅仅是組織上的問題，而且关系到門診部的建筑、现代器械的装备和干部配备問題，即是需要耗費时間和物質資料問題。

（刁萊純譯自 Мед. рефер. журн. 第四类 1957年，5 6頁）

論国际保健史

N. M. Goodman, К истории международного здравоохранения.

“国际保健局”是第一个国际性的保健机关，它是1907年在巴黎建立的。1947年該局加入了新建立的“世界衛生組織”。在国际联盟中1921年曾建立过保健組織（以后也在1947年加入了全世界衛生組織）。这个組織进行了疫情的交换，研究国际性課題，如，防治瘧疾問題，飲食問題以及制定統一的生物学标准等，並在这方面进行了实际的帮助。在这个組織內还建立了各种專門的委員会，並在新加坡設立了远东局。“世界衛生組織”的工作是由执行委員会来領导，經常所在地为日內瓦。此外这个組織在世界各个地区还設有六个地方性的參謀部。“世界衛生組織”的全部工作可以分成四个部分：

1. 技术方面（由国际联盟的衛生組織进行）；
2. 專家鑑定委員会的工作（有40名以上專家）；
3. 防疫工作；
4. 防治疾病（通过培养各种專家小組的方式防治疾病）。

协助“世界衛生組織”的团体有国际紅十字会，紅十字协会联盟，宗教团体及国际劳动局等。

（刘学濂譯自 Мед. Рефер. журн., 1957, 6, 75. 原文見 J. Roy. Inst. Pub. Health. 1957, 20, 3, 78—85）

城市基層医疗預防机構怎样貫徹医疗和預防相結合

衛生干部进修学院　刁業純

筆者在天津参加家庭病床經驗交流現場会議时，順便了解了天津市基層医疗預防机構的預防工作，現在就將所了解到的重点介紹三个問題。在介紹这三个問題之前，需要簡單說一下天津市划区医疗工作开展現況。天津市的划区医疗工作叫做分級分工地区負責制，作法和北京市差不多，將全市医疗預防机構划分为市、区和基層三級。基層医疗預防机構的基本形式是門診部和联合診所。每个門診部或联合診所負責一个街道办事处管区內居民的預防保健和疾病治疗工作。現在就介紹如下的三个問題：

一　兒童保健工作　兒童保健工作是預防保健工作的重要組成部份，解放几年以来一直为大家所重視，各地亦都开展了一些試驗地段；然在取得經驗后苦于無法推广，尤其对散居兒童的管理，深感心有余而力不足；基本問題就在于兒童保健工作在市区以下沒有基層机構；而天津市已很好地解決了这个問題。

天津市和平区是兒童保健工作开展得最好的一个区。該区人口为258,000。其中10岁以下兒童有70913人，3岁以下兒童18929人，只有一个13个干部的編制的区兒童保健所，可是他們全区的兒童保健工作不論是对集体或散居兒童都已全部地开展起来了。

他們的保健工作的內容是：

1.　对集体兒童方面，將全区104个托兒机構，按地区就近划分成13个小組，每組推选組長一人，区兒童保健所通过組長对托兒机構进行業务領导。業务領导內容包括：

（1）协助拟定分工职責和制度（如兒童生活制度，飲食标准等）。

（2）掌握統計报表，如保托机構調查表，每季报一次。兒童疾病統計表，每月报一次。

（3）訓練、提高保育員和炊事員並組織展覽会、彼此間的参观評比和抽查等。

2.　对散居兒童的管理是通过基層医疗預防机構和基層紅十字会組織进行的。具体內容如下：

（1）对新生兒，自今年“六一”起生一个管一个，即在接到出生通知后，普遍进行一次訪視。如遇早产、双胎或病弱兒等，視情况决定加訪。一般訪視大夫能作到听心肺。

（2）对一週岁以內兒童，每年体格檢查四次分別在3、6、9、12月令时进行，並結合体檢进行預防注射工作。

（3）对大的学龄前兒童由紅十字会妇幼保健組，通过幼兒队进行宣教工作，內容如：衛生習慣和傳染病預防等。

（4）为每个兒童建立了衛生健康卡片和流行病学預防接种卡片。衛生健康卡片主要包括有以下五項內容即：

甲、傳染病：發病年月，轉归日期和后遺症、併發症；

乙、預防接种：日期、反应、次別；

丙、慢性病記录：年月、項目、結果；

丁、檢驗記录；

戊、健康檢查結果：身長、体重、营养、前囟、眼病（砂眼、結膜炎），鼻、耳……。

流行病学預防接种卡片登記主要內容是患傳染病登記、簡要体格檢查記录和預防接种記录。

上述这些工作是依靠誰、發动了多大人力作起来的呢？他們的作法是：集体兒童保健工作仍由区兒童保健所負責，散居兒童保健由十二个基層医疗預防机構及十二个基層（居委会一級）紅十字会妇幼保健組負責。每个基層医疗預防机構有專职医生1人，护士一人；每个基層紅十字会妇幼保健組有保健員5—7人。

这些工作是怎样开展起来的？曾遇到那些困难和怎样克服的呢？和平区和其他地区一样，在过去对散居兒童保健工作，一向認为是限于人力难以抓起来的工作，区衛生科和兒童保健所不相信基層医疗預防机構能担当起此項工作，当然亦就更不相信羣众团体了。基層医疗預防机構也不相信自己有力量能担当此項繁重任务。通过　　　　破除了迷信技术和不相信羣众的保守思想，决定將此項工作下放到基層；随即采取了一系列的措施。首先为了解决基層的干部和技术問題，由区衛生科及兒童保健所組織了为期七天的訓練班，每个基層医疗預防机構抽調医生和护士各一名前来受訓，講授內容是兒童保健的基本知識。对紅十字会妇幼保健人員的訓練，由区兒童保健所供給資料，基層医疗預防机構負責訓練。其次就要解决組織問題，在每个街道办事处主任的直接参加和領导下，組成有基層医疗預防机構，妇联及基層紅十字会参加的核心組，組織和推动工作的开展。最后就在"六一"兒童节，对广大的媽媽羣众进行了宣傳，于是全区的兒童保健工作就开展起來了。

目前存在的問題是結合地区負責制不够，往往是由这一个受过訓練的医生和护士把整个街道办事处管区內的兒童保健工作全部担当起来，照顧面过广，工作就不易細致。另外一个問題是保健工作的內容还不够丰富。

不过到目前为止，初步可以肯定它的以下几个优点：

1. 在集体兒童方面，兒童患病数字显著低于其他地区。如今年1—3月份該区2860个集体兒童呼吸道發病率依次为14%，2.25%和5.18%，而市的总指标則是25%。消化道的發病率依次为2.51%，0.91%以及0.52%。而市的指标規定是15%。

2. 在散居兒童方面：

(1) 兒童保健工作沒有基層机構的問題解决了。

(2) 兒童保健工作全部开展起来了。

(3) 把分割在三个地方的兒童健康保护工作（預防注射在防疫站，保健工作在保健所，治疗工作在門診部）統一到了一个机構——基層門診部。从而把医疗和預防保健工作密切結合起来了。这就大大地便利了兒童，而且由于医生能够比較全面地掌握兒童的健康情况，保健和治疗質量肯定会得到逐步提高。

二 地段家庭病床 地段家庭病床是医疗和預防相結合的一項重要的具体措施。住在自己家里的病人可以享受到像住在医院里一样地的治疗和护理。医生要写病历、开医嘱、查病房；护士要执行医嘱，进行护理工作和衛生宣教。只是由于設备条件的不同，一般家庭病床只收容慢性病急性發作者，傳染病可以住家隔离治疗者（如麻疹、肺結核等）以及恢复期的疗养病人。而在另一方面，住在家里却有很多好处是住在医院里無論如何也作不到的。譬如熟悉的生活环境、無微不致的关怀和体貼等。因之我們說地段家庭病床不仅具有偉大的政治及經济意义，而且具有偉大的預防医学的意义。它的根据是：

1. 病人住在自己家里，吃的好、情緒好，对疾病的治愈有良好的促进作用。

2. 医师深入病家，了解到病人的生活及劳动情况，便于确診及提出切合实际的治疗方案。

3. 病人在家里住院，家属要帮助做很多治疗和护理工作，因之医生及护士必須向病人及家属講清楚病是怎么得的，应該如何治疗和护理，並可結合进行預防疾病、除四害、講衛生等衛生宣教工作，这就广泛地普及了衛生常識。

4. 傳染病人住在家里隔离治疗，可以及早地控制住傳染不致向外蔓延。

目前在天津市的家庭病床的管理方式有以下三种：

1. 門診部固定一位医生收容和治疗管区內所有的住家庭病床的病人。

2. 門診部接收病人住院之后，医生輪流担任治疗。

3. 門診部的每位医生按分工的地段接受病人，担任治疗。並适当照顧羣众选擇医生的要求。

实践証明第三种形式最好，可以加强分級分工地区負責制，使医生能够密切联系羣众，对病人也能作到全面系統負責。

基層預防工作除上述兩点外，还有以下几項工作也是值得提出即：

1. 衛生戶口的建立：衛生戶口一家一个，类似一般戶口簿，只是增加了每个人的健康情况一欄。天津市截至六月底已在五分之一的人口中建立了。和平区已全部建立。衛生戶口的建立是通过發动羣众力量（学校学生、紅十字衛生員及基層医疗预防机構人員）进行的。我們認为这种作法很好，通俗易行。在这个登記的基础上可以有重点进行体格檢查以及有計划地开展預防疾病的措施。

2. 衛生宣教工作的普遍和經常化：全市規定每个医生起碼每週下地段工作兩个半天。实际已超过。有的門診部动員全体工作人員包括行政、化驗和司葯人員一起下了地段，每个人都有自己包干負責的片，宣傳工作自己負責，解决了人員不足的困难。技术問題通过边学边干边提高的办法，問題亦就迎刃而解。

基層紅十字会組織

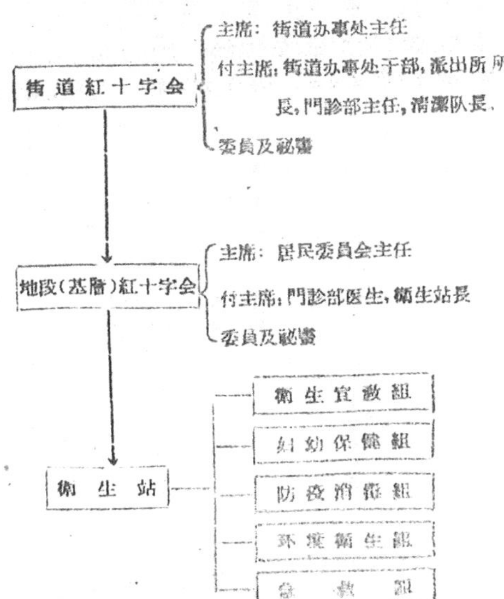

3. 对在有害作業环境里工作的工人进行定期預防性体格檢查。

4. 羣众性的疫情报告網已普遍建立。

5. 預防接种能够有計划地进行，为了居民方便他們也下戶进行注射。

三　基層紅十字会的工作　天津市地段預防保健工作的开展，不仅仅是由于發动了基層医疗預防机構的全体人員，另外一个非常成功的經驗就是重視了对紅十字会衞生員的培养和訓練。天津市紅十字会的組織是比較健全和有力的。其組織形式及組成人員如上表：

在这样一个比較好的組織基礎上，基層医疗預防机構协助紅十字会培訓了大批的紅十字会衞生員。不仅給他們講課，帶他們实習，並且分配給他們工作，在工作中加以指导。受过訓練的衞生員在基層紅十字会或衞生站的領导下，分别組成了五个小組即：衞生宣教組，妇幼保健組，防疫消毒組，环境衞生組和急救組。这些組在进行着經常性的衞生保健和防疫工作。例如防疫消毒組在地段医師業务領导下組織預防注射、进行疫情报告、协助家庭护理和隔离消毒，有的还担任一定的注射工作。于是这些受过訓練的紅十字会衞生員就成为地段医師的有力助手，大大地壯大衞生队伍，解决了人員缺乏的困难。

总起来講，从在天津的参加会議和参观，我获得了如下的深刻印象：

1. 政治掛帅，破除迷信、思想解放是作好一切工作的根本。

2. 对紅十字会衞生員的培訓和領导是作好羣众性衞生工作的重要环节。

3. 破除了迷信提高了覚悟的衞生工作者都具有冲天的干勁。

編者的話

在社会主义建設总路綫的光輝照耀下，全国人民正以冲天的干勁掀起了社会主义建設高潮，祖国在"一天等于二十年"地飞躍前进。本杂誌在編輯工作上力求改进，以便更好地为社会主义建設服务。为了节約篇幅，多登文章，自上期起正文已改用小五号字排印。这样，每期就能多刊登三万余字。杂誌內容也努力求其結合实际。

本期以"家庭病床"为重点，發表了关于"家庭病床"的文稿六篇。"家庭病床"的开設体現了医疗衞生事業建設上的多快好省的精神，貫徹了預防为主的原則，改进了医羣关系。"举办'家庭病床'是医疗衞生制度的革命創举，是帶动推行'划区医疗服务'和發展我国医药衞生保健組織的一个重要环节，是具体实現防和治相結合的一种新形式。而举办'家庭病床'又是深入整風运动，医务人員的思想改造，認眞开展医院工作上兩条道路的斗爭有着密切的联系"。只有在我們的社会主义社会里才可能实現这样的創举，是資本主义国家所不敢想，也不可能作的事。

本杂誌下期拟以爱国衞生运动为重点，欢迎各地爱国衞生运动委員会和其他單位，就你們在开展爱国衞生运动中的經驗、組織方式、宣傳方法等写成文稿在十月下旬以前寄到本刊編委会。

济南第二机床厂門診部推行業余門診制度

济南第二机床厂衛生科科長　梁　誠

济南第二机床厂門診部在1957年10月，通过整風运动，由八小时門診制改为一天24小时随到随診的門診制度。使患急病伤的职工和家屬，在業余时間得到及时的治疗，很受广大职工的欢迎。但由于全厂职工通过　　　　，思想覺悟和生产积極性有了空前的提高，加之全厂生产工人60%以上都实行了計件工資制。因而他們不但要求患病伤后得到及时的治疗，还要求就医时尽量不侵佔生产时間，以便把更多的时間用到生产中，为国家創造更多的財富和增加个人的收入。

在　　　　，职工們的大字报（佔职工給衛生科写的大字报总数23%），要求医务人員下車間进行巡廻治疗。当工人同志写了这些大字报之后，很多医务人員也要求領导上立即組織人員实行巡廻医疗。但根据过去实行車間巡廻治疗的經驗教訓，認为实行車間巡廻治疗虽能大大节省工人因病伤就診往返浪費工时，便利病人就診和密切医务人員与工人的关系，而在車間診病則受到客观条件（如机器声音震动、騒杂等）的限制，很难做出正确診断，外科疾病則更不能做到严密的消毒，医疗效果受到一定的影响。因此，我們根据南京机床厂等外地兄弟厂推行業余門診的經驗結合我厂的具体情况，經过全体医务人員的討論和辯論，在党委的指示下，于1958年3月分实行了業余門診制度。同时还能保証医疗質量。

为了做好这一工作，並进行了如下工作：

1.　为适应業余門診和車間医师負責制的全面开展，將衛生科所屬的工厂保健站与家屬保健站合併为門診部，並將門診部由厂內迁至职工和家屬居住集中地区，厂区內成立一个車間保健站（計划于1959年再成立1—2个車間保健站），車間保健站受門診部內科医师（車間医师）領导。門診部分內科、外科、妇幼科，理疗室，化驗室，葯房並附設簡易病床10張（附表），其主要任务是通过实行業余門診和車間医师負責制的工作方法，对全厂职工和职工家屬的全面医疗預防工作負責，並領导車間保健站开展厂区的衛生防疫和急病伤的簡易治疗，初疗救护工作。門診部妇幼科並領导一个接生站开展家屬区的妇幼衛生工作。

附表　組織形式

一、推行業余門診以前

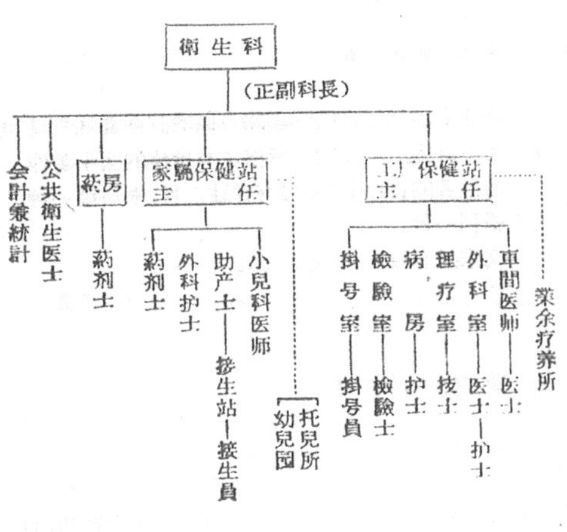

二、推行業余門診后

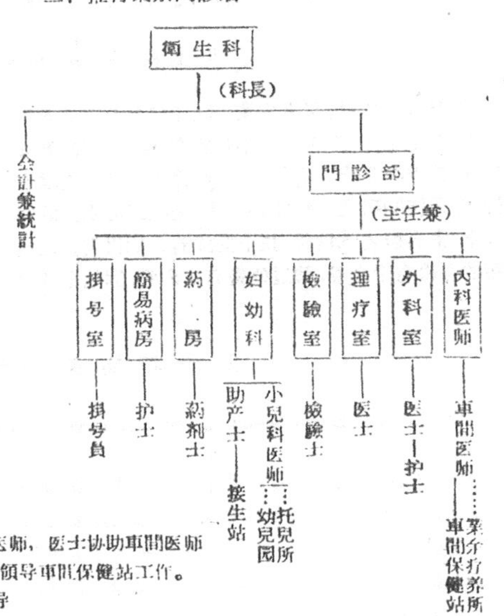

註：車間医师即內科医师，医士协助車間医师进行工作，車間保健站医士領导車間保健站工作。

—直接領导

……業务指导

2.　又进一步的發动全体医务人員討論了实行業

余門診的具体办法和可能遇到的問題。

3. 同时通过全厂职工代表大会，各級干部会和利用整改大字报、黑板报、广播器，以及發动全体医务人員，紅十字衛生員，衛生积極分子广泛的进行了宣傳，說明实行業余門診对保証生产、便利职工就診的好处，和应注意的問題（防止少数职工不顧在業余时間就診而影响生产），要求全厂职工大力支持。

4. 根据車間的生产班次（三班制），医务人員的情况，合理的具体的安排了門診时間。規定职工每日7时至17时30分为二、三班業余門診和居住离厂較远的职工（慢性疾病）及职工家屬診疗时間，17时30分至21时为正式業余門診时間；21时至7时为夜班就診时間；急病伤职工随时到車間保健站就診，职工家屬到門診部。

經过三个月来实行的結果証明开展業余門診，是厂矿企業医疗衛生部門在当前整編定員人員減少后，使衛生工作适应工業生产大躍进的捷徑。也是厂矿医疗衛生部門面向車間，为生产服务和全面推行車間医师制良好的組織形式。这样，每天可节省工人看病时間66小时，每月节省1,650小时，全年为19,800小时，全年可为国家創造8万5千元的財富。由于合理的按排了时間和班次，充分發揮了全体医务人員的潛力，还解决了由29名医务人員減少到14名。而且医务人員还能拿出一定时間学習政治和業务技术。

对于实行業余門診的条件和应注意問題的体会和認識：(1) 凡有二名以上医务人員的單位，均可实行業余門診；但組織形式上仅可設一保健站，医务人員实行輪班制；(2) 保健站（或衛生所）应設在职工和家屬居住集中的地区，不要使职工感到看病成了負担；(3) 密切与工会組織联系，合理按排时間，不要与工会爭業余时間，尽量在業余活动后开始进行業余門診；(4) 根据門診病人情况，合理組織力量，以免發生門診拥挤現象；(5) 通过宣傳教育和依靠車間組織，尽量控制患慢性病者在業余門診时間就診，以免影响生产，使業余門診起不了应有的作用；但在开始时对个别慢性病患者在工作时間里就診，也应予以治疗，向其进行說服解释工作，使其自觉的遵守門診时間。

清代江苏名医徐灵胎先生像傳

宋大仁著　原文載于江苏中医1958年第1号第27頁。

徐灵胎，名大椿，又名大業，晚年自号洄溪老人。生于1693年卒于1771年（清康熙32年——乾隆36年）。徐氏于医学积数十年的經驗，將古今的学說融合解析，作系統的研究，不囿于一扁，是祖国历史上的傑出人才，富有疑古的精神，長于批評前人的得失。經他批閲的書籍有千余卷，讀过的書有万余卷，因他刻苦研究，逐步总結出他在医学理論方面的許多眞知灼見和临床上的許多宝貴經驗，写出了有价值的医学著作。

他自著的書有七种，另有評註二种，未刊稿一种，后人輯刊一种。

文末附有徐灵胎年表一份。

（少飢摘）

四十年前关于修改党綱的資料

С. М. Данюшевский, Сорок лет назад Материалы по пересмотру партийной программы.

1907年4—5月列宁曾起草了“关于修改党綱的材料”，在这項材料中制定了关于保护劳动人民健康措施的广泛計划。在党綱草案中，列宁更加扩大了关于工人健康保护这一章节，並且与1903年的党綱比較提出了許多新的內容。在最初的計划中列宁曾提出保健事業的政治路綫，限制工作日，在某些工業部門禁止兒童和妇女参加劳动。在新的計划中列宁提出了关于工人社会保险的問題，其中包括对各种形式的僱佣劳动和各种形式的劳动能力喪失給予全面社会保險的要求，以及由資本家担負費用为工人进行免費医疗和药物救助。同时提出被保險者在全部保險机構和伤病互助会根据选举的原則自行管理的要求。在新的計划中列宁規定了关于工厂监督員問題，监督員必須由工人中推选。新的党綱要求在妇女参加劳动的部門，推行妇女监督制。列宁所提出的全部建議变成了未来社会主义保健事業的綱領和內容。

（刘学澤譯自 Мед. рефер. журн., 第四分册1958, 1, 77
原文載Здрав. Росс. федер., 1957, 7, 3—5）

天津市公共衛生局医疗預防工作大协作的情况

天津市公共衛生局

本市的全体医务工作者，随着整風运动的不断深入以及社会主义建設总路綫的学習，在破除迷信、解放思想的基础上开展了全市医疗預防工作的大协作。在各个医疗專業的协作活动中發揚了“我为人人，人人为我”的共产主义精神。全市所有医院的各專業科室，从过去的分散單干、开始走向集体，扭轉了过去医院只管医疗不重視預防的倾向，並使医学科学研究工作与当前的实际需要擰成了一根繩。这就为技术革命和多、快、好、省地建設社会主义的衛生事業創造了良好的条件。

津市衛生部門的全面大协作，开始是由全市的眼科医务工作者發起的。市衛生局抓紧这一來自羣众中自發的热情，組織了全市医疗單位各專業科室举行了一系列的專業技术协作会議，並制訂了各專業科室全面协作計划，現正紅花遍开，干勁十足，个个爭先恐后的向前躍进。

通过这一协作，突出地解决了以下四方面的問題：

首先，充实了医疗技术領导机構和加强了薄弱單位。如新建立的兩个中心医院，在任务上是負担一級的技术領导工作。但是这兩个中心医院有些科室力量薄弱，不能發揮一級医院的領导作用。通过这次协作这兩个中心医院的內科、外科、妇产科、小兒科、眼科、耳鼻喉科、X光科、口腔科等八个科都得了加强，共增添了主治医师12名。又如塘沽区医院建院八年來，仅配备了一个內科主任，通过这次协作，該院的外科、妇产科、兒科、眼科也都分别地配备了領导和充实了骨干，並新添設了耳鼻喉科。再如新建立的河东医院位于工人集中住宅区，每年新生兒出生率在千分之四十以上，但是由于技术干部配备不上，妇产科空設50張床位，而業务一年多建不起來，通过这次协作，配备了主任、主治与住院医师共6名，診疗業务可立即展开。其他如第二医院、第四医院、民族医院、工人医院、紅十字会医院等單位的薄弱科室也都配备了領导骨干得到加强。

其次在調整技术力量的同时，对第二个五年計划衛生事業發展所需要的各类技术領导力量均做了統籌安排。在不影响目前医疗任务的情况下，共抽調了在政治上和業务上有培养前途的干部27名，分別地安排在中心医院有关科室予以培养和提高，並制訂了一級医院对二級医院、二級医院对基層医疗机構的医疗技术干部，輪流提高的規划。

第三，更进一步地实行了全面医疗技术大协作。在人力和物力上做到互通有無，克服了过去三級医疗制存在的問題。如：

(一)过去二級医院不能解决的疑难病人，都要轉到一級医院去治疗，这样做不但延長了病人治癒的时間，而且增加了病人的痛苦和經济負担。新的技术协作口号是：医师尽量就病人；而不是病人就医师。二級医院不能解决的疑难手术，在有条件的基础上，一級医院的技术領导要亲自到二級医院解决疑难手术与治疗問題，这样做不仅減少了病人的痛苦，同时也提高了二級医院的医疗水平。

(二)过去有的医院如某科医生因故缺勤造成停診現象是無法派人立即解决的，結果影响了病人就診，协作提出的口号是在人力上發生問題时就随时互相支持。現在实际上都能注意互相支持。

(三)解决了医疗器械的互通有無。过去各医院各科室都把医疗器械看成是本單位的私有財富，自己不用也不願外借。通过这次协作，各單位都主动提出願把过去長期积压的医疗器械，做統一的調配。这样做不仅节約了国家的开支，也提高了医疗器械的使用率。又如眼科同时提出貴重医疗器械可以有計划地增添，确定放置地点，共同使用。

(四)通过协作不但使科学研究工作有計划有領导、有目的地进行，而且促使医务工作者發揚了集体主义精神，实行統一安排分工合作，並使全市医学科学研究工作能根据国家需要从实际情况出發拟訂研究题目，更好地为劳动人民的健康服务。

第四、在技术协作的同时，也明確地制訂了以医院为中心开展預防工作的計划。如眼科提出在十年內消灭新生兒砂眼，並使已得砂眼的患者得到徹底治疗，消灭砂眼的併發症。又如防痨部門提出在六至十年內基本消灭結核病。其他各科也都分別提出預防工作的新指标、新措施。

在进行协作的过程中，全体医务工作者認識到为了使全市医疗預防工作能更好地为社会主义建設服务，必須把这种协作精神貫徹始終，因此，提出了下列的措施：

（一）全市分別建立了內外、妇产、兒、眼、耳鼻喉、口腔、線光等科的專業技术协作委員会，作为推动各部門工作的業务領导机構。今后这个机構將根据全市衛生工作任务作出具体計划，成为协助衛生局推动工作的有力核心組織。

（二）各科工作委員会都根据本科的实际情况規定出协作办法和經常工作制度。如：医疗工作的統一領导、分片包干負責制、疑难病症会診工作的現場会議、逐級培养干部的工作制度、科学研究工作的統一領导与分工負責，以及各中心医院的科主任定期地到各医院巡廻查房制度和学术报告会等。

在組織协作的过程中，是以政治挂帅，以虚帶实、虚实結合，从始至終是貫徹　　精神进行的。这次协作中許多高級技术干部都参加了协作委員会的領导工作。經过社会主义思想大辯論，大家都認識到必須建立共产主义的思想基础才能搞好这一协作，因此协作一开始就对某些有本位主义和自由主义思想的人进行了批判。經过大多数人对这种錯誤思想进行了批判，开始树立了集体互助、互相支援的新風气。当安排科学研究工作的时候，对个別人存在的資产阶級个人主义思想，也給予了严历的批判。通过这次协作对科研和医疗工作的兩条道路和兩种方法进行了辯論，搞臭了資本主义的研究方向，也搞臭了資产阶級的个人主义。

（上接第 209 頁）

院長的条例，草拟了区医院的工作計划。在区医院內还成立了医务委員会。目前区基層保健組織机構系統見表 2。

表 2　奥姆省区基層保健組織系統

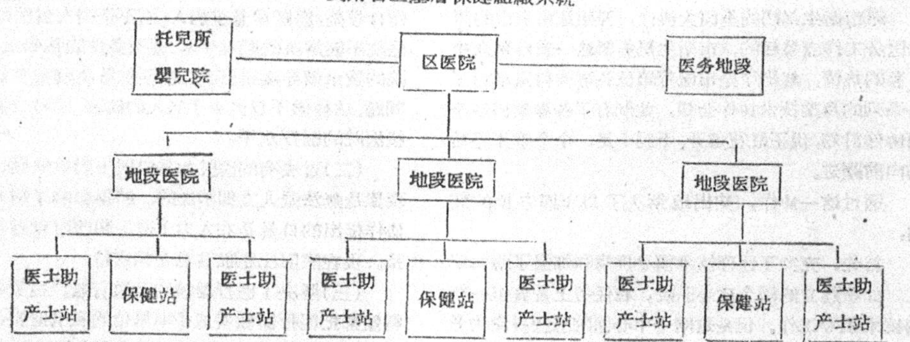

作者在介紹改組后的成績时，指出仅按十个月的工作总結来看，改善了对居民的医疗服务組織。在改組前 32 个区內有 25 个区保健科科長只有不到五年的工作經历，而現在有 25 个总医师有 10 年工作經历，4 个有 10 年以上的工作經历，他們掌握了丰富的工作經驗，自然能比过去工作經历少的保健科科長更熟練地領导整个区的保健工作。在29个区內总医师是由治疗医师（外科、內科等）和保健組織者担任，有三个区是由衛生医师担任。

作者認为撤消区保健科后，区医院是区保健工作最有效的組織与方法指导中心。經驗証明医院医师增强了对全区全面医疗服务的責任心，他們經常到地段医院和医士助产站进行实际的帮助。例如根据18个区的統計，区医院医师有計划下去的次数增加了 0.5—1倍。根据 21 个区的不完全統計，在 10 个月內門診患者人数平均減少 8%，患病率与死亡率不断显著下降，农業外伤率減少 19%，进行預防性檢查（早期發現結核、砂眼和腫瘤）的人数增加15%。衛生医师更能按时完成衛生預防措施，腸胃病預防注射計划完成 100%。經过改組縮減了 240 个行政管理人員。

作者还談到了院長任免問題，区的总医师（即院長）經省保健厅提出由省执行委員会任免之。副院長由有經驗的临床医师或优秀的衛生医师来担任。选擇行政管理方面的副院長也極为重要。

文中又介紹了改組后的医疗机構建設問題及管理改善情况，同时也指出了改組工作中的缺点及困难。

最后，作者指出 1957 年10—11月曾召开会議交流改組經驗，一致認为这种新的組織形式被証明是正确的，合併后的区医院能够更有目的地具体地熟練地解决問題，使医疗与衛生工作更加接近，並且反映在未来工作指标的改善上。

（刘学澤摘譯自 Здрав. Росс. Фед., 1958, 2, 10—15.）

中西医合作进行医疗工作的体会

中医研究院附屬医院兒科

中医研究院的成立是具有历史意义的，不但是我国医学史上新的一頁，而且是世界上一个唯一的机構，它的成立标誌着我国民族文化遺产的丰富与悠久，标誌着中国共产党的英明和偉大。中医研究院的附屬医院开院已經兩年多了，在兩年多来的工作中，我們深深体会到只有在中国共产党的領导下，祖国医学才能得到重視和發展，才能够中西医团結合作，号召西医学習中医，进一步达到中西医合流。为了說明党的政策的正确性，願就中医在解放前后的感想和兒科中西医合作后的一些体会作一簡略的介紹。

一 中医的回顧和展望

祖国医学是我国兩千多年来劳动人民同疾病作斗爭所积累起来的丰富宝藏借以治病的一門医学科学，而且一直为广大劳动人民所信任；但在近百年来西洋医学的輸入，漸漸使中医学在政治地位上一落千丈，尤其是在半殖民地的旧中国的封建社会里，严重的存在着資产阶級盲目崇拜欧美西洋医学　　　　，以致对自己的民族文化遺产采取輕視和否定的态度，特别表現在祖国医学遺产上，而是否定一切，認为中医不科学，因此輕視、歧視、排斥、打击甚至企圖消灭中医，这是一种極端卑鄙的資产阶級思想。如 1914 年袁世凱伪政府發表过"廢止中医葯"；1929 年蔣介石的反动政府也曾經通过一貫主張消灭中医的余云岫所提出的"廢止中医方案"等消灭中医的手段，但这种取締中医的計划虽然遭到可恥的失敗，然而祖国医学却仍处于被輕視、歧視的境地，並且有日漸散失和湮灭的危险。

但是中国共产党对祖国医学遺产从来是重視的，早在抗日战爭时期，毛主席就提出了"团結中西医"的政策；並提出"中西医合作为人民服务"的重要性，当时就有部分西医同志响应了党的号召学習中医，並从事中医工作，也就是中西医合作在历史上新的一頁。

解放以后，在中国共产党和人民政府的正确領导下，对祖国医学遺产更加重視，制定了一系列的中医政策，在繼承和發揚祖国医学遺产上作了許多指示。1950 年毛主席更明确地指示"团結新老中西各部医葯衛生人員，組成巩固的統一战綫，为开展偉大的人民衛生工作而奋斗"，党和政府的团結中西医政策是十分正确的。但在 1949—1954 年这一段时期，由于前中央衛生部副部長东北衛生部部長王斌坏分子的抗拒，未能正确执行党的中医政策，以个人代替党，曾污蔑中医是封建医，不能治病，只能在农民面前起到精神上有医生治疗的安慰作用等等，並采取了一系列的消灭中医的措施，而賀誠同志也在中医工作上犯了严重的錯誤，使党的中医事業在这个时期內遭受了不应有的严重損失，这完全是旧社会遺留下来的　　　　支配下所造成的。后来經过了党發动羣众，广泛的对賀誠同志、王斌的錯誤思想进行批判，同时也扭轉了部分同志对中医看法的錯誤观点，党的中医政策受到各級党政的关怀和重視，获得了正确的貫徹执行，做出了显著的成績，使中医工作重新走上新的光輝道路。

1954年党更明确的指出了："我国医学有数千年的历史，有丰富的內容和宝貴的临床經驗，在我国历代人民对疾病的斗爭中發揮了巨大的作用，繼承和發揚这份文化遺产，認眞学習和研究它的学理和实踐經驗，用科学方法加以整理和总結，逐步提高它的学术水平和医疗水平，使它更好的为人民服务，这是我国医学界的一項光荣的艰巨任务。做好这一工作，不仅大大有助于我国人民的保健医疗事業的發展和提高，而且能使世界医学內容更加丰富起来。"說明了党是以历史辯証唯物主义观点来看待祖国医学遺产的，並且指出它不仅有助于我国人民的保健事業，而且能丰富世界医学內容。党又具体指出了繼承發揚与整理提高的方針和步驟，"中西医团結合作……共同学習和研究祖国医学遺产，使它不断發揚光大"和"关鍵問題在于西医学習中医"，以及"系統学習，全面掌握，整理提高"等。近年来由于党的正确領导，1955年 11 月成立了中医研究院，以后相継成立了中医学院以及各省市的中医医院和中医研究班、研究所等研究治疗机構，並有很多西医研究机構也在向祖国医学方面进軍，使中医事業获得了蓬勃的發展，而長期受着旧社会輕視，歧視的中医在政治地位上得到空前提高；西医在思想上也逐步对祖国医学有了正确認識，全国掀起了西医学習祖国医学的热潮，並且从事中医研究和临床等工作，使中西医走向真誠团結合作的道路，这具体地說明党的中医政策的正确和偉大。

由于繼承和發揚祖国医学遺产是一个光荣艰巨的、复杂的任务，只有通过中西医的長期合作，用现代的科学方法加以整理提高，取其精华，去其糟粕，使它逐步和现代医学合流，並丰富世界医学內容，成为现代医学領域中的重要組成部分，使它更有效地为人类健康事業而服务。

但如何才能达到中西医合流呢？党指出了："关鍵問題在于西医学習中医"。其学習方式，一方面是采取脫产学習（如西医学習中医研究班），是个迅速有效的办法；另一方面是通过临床上的中西医合作，相互学習和了解而达到中西医合流的目的（如各省市的中医临床研究机構和治疗部門）。根据兩年多来我們在临床上的体会，通过真誠团結合作、相互学習，深刻認識到祖国医学不但对慢性病疗效卓著，而且对于急性傳染病的治疗方法也是丰富多采的，是一个有实踐並有它独特理論的一門科学，深刻認識到党的中医政策的正确和偉大。因此，加强了西医学習中医的信心和决心，使中西医之間的关系更加密切起来了，打破了百余年来由旧社会遺留下来的門戶之見，真誠的緊密的团結在一起，共同担負起繼承和發揚祖国医学遺产这个光荣而偉大的責任，使社会主义新中国的民族医学光輝燦爛的大紅花开遍全世界。

二 中西医合作进行治疗工作的經驗

中西医在临床治疗中的密切配合是一个史無前例的新的工作，没有成熟的一套工作經驗。我院在开院兩年多以来，开始不知怎样搞好，后来由于領导的大力支持和中西医的共同努力，慢慢在工作中初步摸索了一些經驗，願提供参考。

診断方面：我們是采用中西医对坐方式，进行双重診断。对于一般疾病则是扼要的檢查与記載，重点研究疾病，則必須进行詳細的檢查与記載病史，並进行必要的物理、化驗和X綫檢查等，以确定診断，然后由中医处理。中医則根据望、聞、問、切四診来診察病情，然后分析其屬于陰陽表里虛实寒热八綱中的那一个范疇、应用那一法、一方等中医理論体系进行診断和治疗。在治疗当中又必須根据發病季节、气候和体質强弱等不同来辯証施治，並非完全以西医的診断为根据而进行治疗的。由于中西医是兩个不同的理論体系，診断方法亦異，因此所得出的結論有些是不一致的。如西医診断为肺炎、扁桃腺炎，若在初期外感証狀偏重，中医認为是屬于外感風寒，采用辛溫發散药而治癒。又如中医診断为脾虛者，在临上只有食慾不佳或飲食忽好忽坏，面色微黄，而中医給以补脾药很快就能显著好轉，西医就認为無病。但慢性腎炎或恢复期腎炎，在临床上没有全身浮腫、腰痛、尿液混濁等，如果没有西医的化驗診断，中医也不可能診断出它是什么病。因此說双重診断是很重要的，尤其是对研究工作来說，这种方式更为重要。

治疗方面：中西医配合上可以取長补短，相互学習，並能提高疗效，如西医認为没有特效疗法的乙型腦炎，中医是屬于溫病范疇，按暑溫、伏暑、暑風、暑厥等治疗溫病的方法，石家庄于1955年取得很高疗效，我們在去年实际体会中也証明了这一点。但是在治疗当中，由于采用了西医的輔助疗法，也解决了中医不能解决的一些問題，如鼻飼解决了不能服药的困难，心力衰竭时而使用强心剂，以及脫水、缺氧等輸液輸氧的处理。中西医共同观察更能防止意外死亡，並能及时防治合併症，使中药得以更好的發揮作用和提高疗效。在目前中医認为有些病在治疗上还没有很好的办法或者疗效較慢的佝僂病、貧血等就交給西医治疗。而西医認为没有特效办法的病如肌萎縮、肝炎、腎炎、小兒麻痺等……均由中医治疗。但是其他一般病都是以中医治疗为主，如喘息性支气管炎、肺炎、腮腺炎、流行性感冒、潰瘍型病毒性口炎、細菌性痢疾，尤其是中毒性痢疾疗效更为显著。但是在治疗过程中如果有特殊变化或病情危急时，还必須配合西医治疗，以提高治癒率。

关于改良剂型工作在兒科来說，是很重要的，一般患兒在服湯药上均感困难，因药量太多而不易服下，为了要解决这个困难就有改良剂型之必要。我們在最近一年多来，虽然仅制出了兩种合剂，如麻杏甘石合剂，桑杏湯合剂，不但解决了患兒服药的困难而且疗效甚为滿意，頗受家長及患兒的欢迎，还有其他丸散剂，在使用上比較方便，也是簡便剂型之一种，改良剂型这个工作有进一步研究之必要。

在兩年多的时間內，工作上获得了一定成績，但也存在不少問題，走了一些彎路。剛开始时中西医間互相不了解，不知怎样配合，医院虽然明确了以中医治疗为主，但在病情危急时为了搶救病人，只好使用兩种疗法，这当然可以，而对一般疾病也曾盲目的配合治疗，如在一年前对肺炎，喘息性支气管炎、高燒病人多半使用了青霉素、退热药、理疗等，虽已治癒却無法分析。后来由于在工作中相互学習和了解，西医对中医有比較深刻的認識，絕大部分疾病均由中医治疗，必要时才配合西医治疗。在我們1957年年終总結时看来，疗效还是相当滿意的，基本上糾正了已往对中医的不正确看法。因此說西医只有很好的学習中医，了解和掌握了中医，才能把配合工作搞得更好，逐步达到中西医合流，进一步担負起整理，發揚和研究等工作。

我院在整風大躍进的基础上繼續向前大躍进，我們的計划，是拜老中医为师，在老师的教导下，系統的学習中医理論，並跟随老师学習临床实踐，要在兩年內基本掌握中医，第二个五年計划內基本上达到中西医合流。我們認为有党的正确領导与支持和老师的諄諄教导以及自己的主观努力，完全有可能来完成这个計划和党交給的任务。

大胆設想、敢作敢为、多快好省地發展衛生事業

杭州市衛生局局長　林　偉

1958年的春天，是我国社会主义建設的春天。杭州市也和全国各地一样，工業、农業和其他事業。都出現了空前未有的飞躍發展局势。衛生工作，在党的正确領导下，也出現了一个欣欣向荣全面躍进的嶄新景象。

我們遵循党中央和毛主席关于除四害、講衛生的指示，在全民整風运动的胜利和总路線的光輝照耀下，去冬以来，在全市范圍內展开了烽火漫天的以除四害为中心的爱国衛生运动，广大人民羣众英勇豪迈地向大自然进軍，向危害人类健康的千年大害猛攻。特别是毛主席亲临查看小营巷的衛生工作以后，全市人心振奋，立即掀起了一潮高一潮的全民奋战的浪濤。在短短的六个月里，兴师动众百余万，大小战役数十場，歼灭蚊蝇3万余斤，鼠雀197万余头和难以計数的臭虫和蟑螂。每一街道和大部分乡設立了羣众消毒站，千余名羣众消毒員定期控制蚊蝇孳生地，广大羣众雷厉風行，毒、捕、打、捞，标本兼施，杀得"四害"生不出来，活不下去。現在蒼蝇已成"稀客"，無数住戶不掛蚊帳可睡覚，白天無雀叫，晚上無鼠鬧，拥有50多万人口的大片地区基本上实現了"六無"。

全市普遍实行街道自扫保潔，成千上万少年、妇女衛生监督崗。逢人劝說，到处宣傳，随地吐痰乱丢果皮、紙屑的現象基本消灭，"無痰街"。"健康居民区"、"健康农業社"相繼出現，家家爱清潔，人人講衛生的良好風气日益巩固、日益扩大，主要傳染病显著下降。今年1—5月与去年同期相比。白喉下降了50.5%，瘧疾44.4%，伤寒10.2%．劳动人民到处歌唱：

　　过去痛苦海样深；
　　　富人那会管穷人；
　　　　自从来了共产党；
　　　　　挖掉穷根挖病根。

血吸虫病在杭州市流行了50多年，威胁着几十万劳动人民的生命安全，不知多少人被这个"大肚子"病害得家破人亡，孤苦伶仃。在党的領导和教育下，覚醒了的农民，掌握了自已的命运，做了大自然的主人，不但在农業生产战線上取得了輝煌成就，而且在除害灭病斗爭中也鼓足了干勁。从1957年下半年起，热火朝天的掀起了以大生产为中心的防治运动，羣众披星戴月，張灯苦战，結合兴修水利消灭釘螺；很多的农業社集中粪缸，保护水源，做到新粪不下田，粪具不下河；医务人員下乡治疗，和农民同生产共生活，田間当病室，送药上大門，打破20天疗法常規，縮短疗程为2天。全市消灭这个病害已是指日可待。

通过　　　　　　医院工作也出現了大躍进的局面。許多过去办不到的事情現在办到了，許多長期未能解決的問題現在解决了。几天之內，全市医院实行了門診三班制，推行門診24小时連貫制和星期日、假日門診，做到"随到随診，来多少看多少，有多少收多少"。历来要病人很早起身等医师查病房的旧規，現已打破；很多医务人員下厂、下乡为工农羣众防治疾病，市第二医院还以"母雞孵小雞"的方法，开办了兩所乡村医院，深受羣众欢迎。他們說："过去医院清規戒律多，限制病人多，現在关心照顧多，方便病人多，这一改，可眞改出名堂来了！"

大多数医院不化錢，增設了固定簡易病床，并正在設立家庭病床，床位与人員的比例从原来的1：1.3降为1：0.85，工作量却翻了几翻。同时，展开了轟轟烈烈的技术革新，在短时間內創造發明了使用胎盤提制代血漿、快速舖床法等52件，几种常見疾病的外科手术治疗时間大大縮短，超过了上海医学院向全国挑战的躍进指标。总之，在大躍进的形势中，医务人員所表現的各种动人的事例是不胜枚举的。

衛生工作是上層建筑，它是为社会主义生产建設服务的。所以衛生工作的躍进标誌，应該是紧紧跟上生产事業飞躍發展的需要。躍进的方向，应該是紧[illegible]

官气、驕气、鼓足革命干勁，改善領导作風。改进工作方法，打破清規戒律，以更省的人力、物力办更多的事，以更快的速度，把事办得更好。只有这样，才能适应工农業以及各項事業全面大躍进的新形势。我們的躍进主要目标是：

1. 一鼓作气，全力以赴，除尽四害，消灭疾病。

除四害、講衛生，消灭疾病是我国人民轉病弱为健强，变落后为先进的偉大　　　　的一个組成部分，一切衛生工作都应圍繞这一中心进行，全体衛生工作人員都应积極投入这个运动，起帶头作用，並在这一运动中受到考驗。必須依靠党的領导，堅持羣众路線，使羣众力量与技术力量相結合，衛生运动与生产相結合，突击工作与經常工作相結合，繼續采取速战速决的战略原則，运用"政治掛帅，全民动員，綜合扫蕩，重点进攻，連續斗爭，全部歼灭"的战法，力爭在年內基本消灭四害。

我們还要再接再励，跟踪追跡，力爭在年內基本消灭血吸虫病、鈎虫病、瘧疾、乙型腦炎；在三年內基本消灭絲虫病、伤寒、白喉；对于痢疾、麻疹，采取綜合措施，积極防治，使痢疾發病率逐年显著下降，推迟麻疹發病年龄，病死率降低在0.5%以下，严密防止集体性食物中毒。大力开展防痨工作，在四年內基本控制肺結核的傳播。积極采取防塵、降温、通風換气等措施，在兩年內基本防止苯、氯、汞、鉛等急性职業中毒的發生。

广泛深入地开展多样化衛生宣傳，以居民区和农業社为單位。举办系統的衛生知識講座，要求每人每年受到一次以上的教育。在羣众自覚的基础上，大力培养"五勤""五不"，毛巾分用，人人刷牙，分食、公筷等个人衛生習慣。城区二年，郊区三年，全面养成；工厂、机关、学校等集体單位必須提前实現。在三年內，城区街道机械化。街道保潔自覚化。垃圾、粪便收集、运輸摩托化，乡村垃圾做成人工肥，粪便杂草做沼气。垃圾、污水不下河。城河長年流清水。食品新鮮多样化，香、味俱全富营养。

2. 統一部署，調整机構，建立全市衛生工作网，提高工作質量。

衛生工作网是适应生产需要而建立的，是一項为全民健康做到全面負責的根本措施。力爭1958年內达到市有中心医院，区有区医院，街道有衛生所，居民区有衛生員，乡有乡医院，社有衛生站，生产队有衛生員，厂有厂医，校有校医。那里有人，那里有医有药，那里有生产机構，那里有衛生組織，做到人人及时得到医疗保护，个个健康确实得到保障。

各級衛生組織的建立，根据多、快、好、省和勤儉办一切事業的方針，采取从無到有，从小到大，从粗到細和因地制宜、国家办、集体办的方法。区乡医院統一領导，实行地段負責制，全面貫徹医疗预防、衛生防疫、妇幼保健等各項衛生工作。一年內，达到300人有一病床，700人有一医师，在質量上，达到早期診斷，早期治疗，提高治愈率，降低病死率，徹底消灭医疗責任事故，五年內，消灭技术事故，人人計划生育，个个新法接生，徹底消灭初生兒破伤風。

面向生产，結合实际，大力开展科学研究，認眞鑽研，积極發揚苏联先进經驗和祖国医学遺产，充分發揮羣众的智慧，促使人人有理想，个个敢創造，要求各單位在三年內至少有一項超英超美的科学研究成果。

3. 根据新的形势，加速培养一支强大

的工人阶級的衛生队伍。

紅專是对立的統一，只紅不專是空头的政治家，是假紅，只專不紅是迷失方向的实际家，是假專。所以我們要求的是眞紅，不是假紅，是眞專，不是假專，而且要紅透專深。除了在医务人員中不断地进行兴無灭資兩条道路的斗爭，徹底克服資产阶級个人主义思想外，还要教育他們热爱本行，只有做那行爱那行。痛下决心做一輩子，才能鑽深。同时，帮助他們深入工农、深入实际，不仅要学習工农羣众敢想、敢說、敢做的高尚風格和共产主义精神，而且应当虛心学習工农羣众的实际經驗，使学習書本知識与学習工农羣众的实际經驗相結合，不断提高理論水平。我們深信，到1962年將有90%以上的衛生人員达到　　　　，为文化技术革命貢献力量，为赶上和超过国际医学技术水平打好基础。

新健、扩建医疗保健机構所需医务人員，除由上級統一分配外，主要依靠我們自己貫徹教育与生产相結合的方針，千方百計大办学校，訓練班和在职業务学習班，作到有医院必有学校，有衛生机構必有訓練班。並分門別类組織在职業余学習。力爭在兩年內使医学教育事業遍地开花。同时，繼續組織西医学習中医，中医学習西医，向中西不分的目标努力奋斗。

4. 从無到有，从小到大，从粗到細，苦战五年，大兴衛生工業。

根据全党办工業、全民办工業的方針和衛生系統的具体情况，我們应大兴机械工業，化学工業，采取創造、实驗、生产三結合的方法，力爭年內从無到有兴办工厂30个。其中骨干厂6个計划产值100万，力爭达到150万。年內打好基础，明年由小到大，产值翻五翻。五年內由粗到細。力爭办好工厂40个，其中骨干厂佔一半，产值达到二千万，力爭三千万。到那时，我們就有自己的工業基地，能够創造各种医疗器械和光学仪器；能够生产輪船、汽車和各种机械化半机械化的清潔工具；並有自己的造紙厂、印刷厂、被服厂、洗衣厂、肥皂厂和食品加工厂等等。总之，我們所需要的技术設备和原材料，基本上都能自給自足，並使所有工厂全部机械化。所有医疗衛生机構建筑，裝备全部现代化。从此，我們的衛生事業就可完全跳出單純消耗的圈圈，一躍而为旣消耗又生产，旣能确保劳动人民身体健康，又能为国家积累大批资金的世界上任何一國所沒有的新型的衛生事業。

到了1962年，杭州市衛生工作的面貌将是怎样呢？到那时：

蚊蝇鼠雀除干淨，
主要疾病消灭光，
千年陈规一扫清，
衛生机構遍城乡，
那里有人必有医；

积累資金能自足，
全民健康寿無疆，
西子湖畔更美，
人人振奋精神爽。
全市建成衛生网，
个个健康有保障，
大厂小厂骨干厂，
为国为民增富强，
到处欢乐喜洋洋，
不愧为人間天堂。

改組乡村保健領导的經驗

М. Е. Полякова, Опыт перестройки руководства сельским здравоохраненнем.

本文系介紹奥姆省保健厅最近改組乡村基層保健工作的經驗。

作者首先指出保健机关在組織居民医疗服务方面所产生的一系列的新的問題，如：更合理的配备医务干部，改变医务机構的組織形式与工作方法、巩固与建立最有效的領导保健工作的管理机構等。

認为过去領导乡村区基層保健工作的組織机構已經不能滿足居民的广泛要求，並且不能保証对医疗机構網在技术上的領导。

作者介紹了經过在兩个区內对医院領导整个保健工作的研究，認为这种領导制度能够很好而且有效地解决組織医疗服务的各項問題，在上述兩个区內居民的患病率与死亡率比其他区有显著下降。經过广泛討論改組区基層保健工作的提議后，于1957年2月撤消了32个区保健科，而衛生防疫站与区医院合併改为区医院的衛生防疫科。經过改組后，区医院充实了技术优秀的干部，改善了物資条件，並且能够对全部医务机構在組織方法上进行領导。区整个保健工作由区的总医師領导，区总医師同时又是区医院院長（見表1）。同时还制定了有关合併医院的暫行条例以及院長与副

表1 奥姆省区基層保健組織管理系統(改組后)

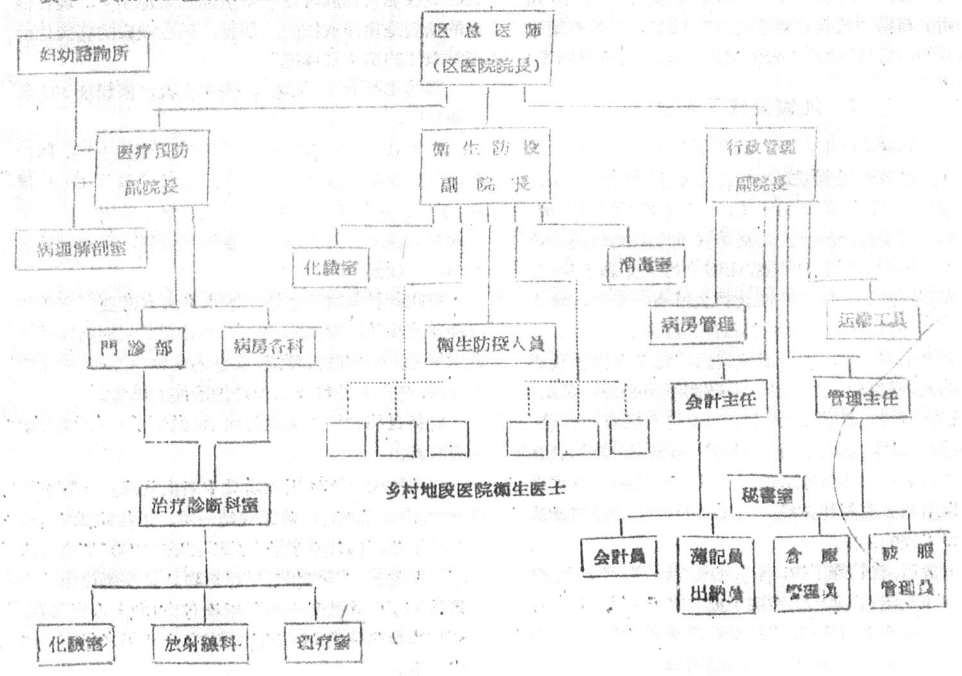

（下轉第204頁）

延吉县太陽乡太兴高級农業生产合作社开展爱国衛生运动的初步經驗

延边朝鮮族自治州爱国衛生运动委員会

一　一般情况

太兴社在延吉市西約30华里，即長圖綫朝陽川車站北朝陽河北約五华里位于九水河的西岸，該社在土改后按着党所指示的农業合作化道路在1953年組織了初級社，1956年在农業合作化运动高潮中由几个初級社合併为一个較大的朝汉民族联合高級农業社，全社分六个自然屯14个生产队共408戶（朝族313戶，汉族95戶）2,013人（朝族1,590人，汉族423人），劳动力864个（男438女426），耕地面积542,25垧，其中水田341,10垧，旱201,15垧，牛204头，馬16匹，牛車27台，馬車3台，膠輪車2台；全社有一个小学校，一个民办中学校，8个农民業余学校，16个讀报組，4个幼稚园，2个托兒所，10个托兒組，5个避孕技术指导站，2个俱乐部，9个流动理髮所，1个供銷社。衛生組織力量有社爱衛会，成員11名。並有衛生小組長28名。該社几年来爱国衛生运动的情况如下：

二　地獄变成了天堂

在伪滿統治时期，是一种黑暗和痛苦的年月。那时整日里过着人間地獄的生活，說不上講什么衛生。住在矮小而又陰暗的破房子里，人畜共居。沒有厕所，村中到处都是糞便垃圾。当夏季糞堆發酵的时候，再配上不合乎衛生要求的猪圈，使整个村子充滿了臭气。蚊、蝇到处都是。伪滿时期我們全村有一千七百多人口，得各种傳染病的平均每年都有二百多名，占总人口的百分之十一。死亡率也是惊人的，每年只因傳染病死亡的人口就有七、八十名。人們都不安心住在那里，解放初还有些人想搬家。留下来的农戶有病就求菩薩，“跳大神”，做“防妖門”，杀猪祭神。第三屯，是仅有五十戶的自然屯一年就曾杀过三十二口猪祭神，以求得神灵保佑免去疾病和災难，然而疾病和死亡仍然威胁着全村人民的生命！

解放后，我們翻了身，有了土地，自己当家做主，經过了合作化运动，党从飢餓綫上把人們拯救出来。1952年党中央和毛主席又提出“动員起来講究衛生，減少疾病，提高健康水平，粉碎敌人的細菌战”的号召。全体社員在这一偉大的号召下，經过七年的战斗，大大改变了衛生面貌，使我們从地獄进入了天堂。

几年来我們为了逐步改变人牛共居的旧房子，着手新建了230座新房。这些新建的房子都是人牛分居。大多数是宿舍和厨房有間壁，陽光充分，厨戶有气眼，牆厚既能保溫又能防暑。

近几年来，新建了68个合乎衛生要求的公共厠所。此外羣众自己还新建了52个自家用的厠所。这些厠所多是用水泥和白灰修的。整整齐齐的排列在村庄前后，远远望去象是整潔的住宅。

猪也改变了“居住”条件。社員們已整修了332个猪圈，新建了180个防寒猪圈。社里还修建了一个能容納三百多口猪的大猪圈。那里有猪的“宿舍”，有“飯厅”有“游戏場”，有“便所”有“浴池”。中間还栽了树。羣众反映說“我們太兴社的猪过社会主义生活了”。社員朴長权老人伪滿时自己家里連炕席都沒有，現在他家的猪圈是用洋灰抹的。他說：“現在我家的猪圈比伪滿时我住的房子还漂亮”。

鷄鴨也都有了“住宅”。現在全社已搭起来300余个鷄鴨架。

因为做到了人有厠所，牛馬有棚，鷄鴨有架，所以糞便处理也就从根本上解决了。由于采取了許多措施，不仅改变了环境衛生，而且从根本上消灭了蚊蝇孳生繁殖的場所。加上組織力量消灭蚊蝇，現在已經基本消灭了蚊蝇。

說起社員家庭衛生情况来也是大有改变。有洋井有沙窗或沙門。家家的、鉄鍋、水泥灶、大銅碗都擦得發了亮光。室內陈設整潔，眞是物見本色，銅鉄放光窗明几淨，使人一見就有一种舒适愉快的感觉。

社員也都养成了衛生習慣，做到了人人有牙刷，家家有面具。

在党的关怀下社里也建立了衛生机構。現有衛生所一个，医生二名，妇幼保健站一所。接生站四个，有16名接生員。因此原来那“專职”巫医“大神”也沒人請了，只好歇業。“防妖門”早已拆除。災难傳染病同我們訣別了！在旧社会一年平均就有150多人患伤寒病，死亡率达到三分之一以上，而現在八年来只有一名伤寒病患者。

現在我們社是人畜兩旺，名叫太兴社，是名符其实了。1952年社光荣的被选为全国甲等衛生模范。

三 几点体会

我社曾荣获了全国甲等爱国衛生模范村的光荣称号，並被評为全县生产模范村，以及获得了州一等衛生模范和州一等民族团結模范的光荣称号。

总括七年的經驗教訓，要搞好爱国衛生运动必須做到一結合，抓住三个关鍵，应用二个好方法：

一結合就是使生产和衛生运动結合起来，並使之为生产服务。首先是通过具体事例教育羣众，使社員看到搞好衛生不仅不能影响生产，而且还推动了生产。如1958年社的生产指标定为亩产831斤。那么如何保証完成这一指标呢？經过羣众辯論，大家一致認为多上粪多积肥是一个关鍵。那么粪源如何解决呢？經过討論認为可以有七个来源即是(1)积肥，(2)拣粪，(3)挖污穢場所，(4)扒炕，(5)拆旧房子，(6)綠肥，(7)改垃圾为肥料。这样就自然的把羣众的生产积極性和开展衛生工作完全統一起来。結果完成了六万五千斤积肥任务。既保証了粪源又搞好了环境衛生。

进行宣傳工作时，也做到了密切結合生产。一般都是利用农閑或老农田間向羣众講解衛生知識。

三个关鍵：一是党委重視書記动手党团員帶头，在开展衛生工作中，無論是在布置經常性的任务或在完成突击性任务时，都是先在党支部委員会或党員大会上研究上級指示精神，並結合本社情况作出执行計划和决議。

决議一經通过，常常都是領导骨干亲自动手，以身作則，起示范作用。如在社員羣众修建厠所时，不少社員迟迟不前，怕花錢太多，得不偿失。这时領导就先动手新修一座合乎衛生要求的厠所，打消羣众顧慮，使大家看到不仅有利，搞好环境衛生，增加粪肥，而且还增加了自己的收入。因而就会行动起来。

二是加强宣傳教育，做好思想动員，使衛生工作形成为一个羣众性的运动。

几年来比較重視了思想工作。首先建立了經常性的宣傳工作制度。每月都由衛生所医生負責。向全社的衛生員，接生員，衛生小組長，講解衛生常識，然后以他們为骨干再結合生产，在田間向广大社員講解衛生知識，使社員懂得为什么要講究衛生？怎样講究衛生，知道每一項衛生措施的意义。其次除了經常性的衛生教育外。还結合各时期的突击任务进行了宣傳工作。主要通过实际例子和党团員帶头作用来教育羣众。也常常抓住典型事例教育羣众。如社員王照富家，因为火炕被老鼠掏出了洞，做飯燒火时炕冒烟，使五个孩子中了毒，而他却去燒香叩头向菩薩求救。社領导即派衛生所的医生，用急救的方法，救了五个孩子的生命后，抓住这个事例召开了羣众大会，讓他現身說法，引起了羣众对于堵鼠洞消灭老鼠的極大的重視。使羣众認識到，这是和生命相关的大事，激起了羣众扑鼠的积極性。

我們还注意了使衛生工作和个人利益密切結合起来。既能創造增产条件，又能刺激羣众的积極性，推动衛生工作的开展。其实搞好衛生工作本身从根本上講就是为了羣众的切身利益，但並不是容易一下子为羣众所理解，相反的經常有些羣众認为是一个負担。我們除了向羣众宣傳解釋外，也采取了一些措施，使羣众立即得到直接好处，对于刺激羣众积極性起了一定的作用。如我們在号召羣众整修和新建厠所、猪圈时，有的社員怕花錢不願意干，后来我們通过增加粪肥，推动了衛生工作的开展。社里議定，按質論价由社收購粪肥的办法。就直接推动了羣众修建厠所为社增加粪肥的积極性。

三是不仅要有一般号召而且要及时提出具体措施，做出成績以提高羣众的信心。如在扑鼠时，帮助羣众想了五、六种方法。使用葯物帮助羣众消灭臭虫和虱子等。

二个好方法。一是培养典型，以点帶面推动运动的开展。我們的五屯为点，由支書亲自領导一切新的任务都先在五屯試行，取得經驗后再行推广。二是开展羣众性的評比运动。我們每月进行三次檢查一次評比，好的加以表揚，落后的每月組織二次学習討論如何赶上先进，因而使衛生工作的各項措施都达到了經常化。

社的衛生工作，虽已作到了八無四潔和四化（經常化，制度化，普遍化和習慣化），但还有不少缺点，將不断改进，以保持我們的"全国衛生模范單位"的荣誉，为了建設更美丽的太兴社而奋斗。

工农医院

——回忆1933年川陕边革命根据地的衛生工作組織情况——

衛生干部进修学院　譚　治

在川陕省委和政府直接領导下的工农医院，对川陕边革命根据地的党、政、軍机关团体职工和广大劳动人民羣众身体健康一直是起着积極的保衛作用。在那样的万分艰难困苦岁月里，全院的工作同志們，都稳稳地站在工人阶級立場；为革命工作。他們不怕一切困难和阻碍，都千方百計地去完成党組織交給的光荣的政治任务。今天回忆起同志們的許多光荣事例和艰苦朴素的工作作風，忠实于党、忠实于人民、勤勤恳恳的为革命事業的服务态度，以及忘我的牺牲精神都是值得我們继承和学習的。他們那种真誠的为病人服务的态度和羣众观点是特別值得我們衛生工作者学習的。全院工作人員没有一时不在为病人着想設法解除他們的痛苦，使病人早日恢复健康，提早出院，以增加各个工作崗位上的力量。

时間已过了二十五年之久，当初又是处于战爭的环境，对于这些材料的保存是極其困难的。現在根据自己所能回忆起来的事实，写出以下几点。

政治情形

川陕边是革命的老根据地。絕大部分地区是在川北和川东，一小部分在陕南。川陕两省接壤的若干县組成了川陕省工农民主政府並構成革命的老根据地。

川北地区計有通江、南江、巴中、閬中、蒼溪、南部、广元、昭化、劍閣、仪隴、达县、营山、蓬安、宣汗、万源、平昌、开江、旺蒼等十八个县城；川东地区有城口、渠县、开县、大竹、梁山等五个县城；陕南地区有鎮巴、宁强、西乡等三个县城。

在上述城市中計有通江、南江、巴中、旺蒼、蒼溪、万源、平昌等七个完整的县；仪隴、广元、昭化、閬中等四个县的大部分为巩固的革命根据地；其他各县部分地区为当时的游击区。

这个地区位于有名的大山——秦嶺和巴山脚下，崇山峻嶺，地势非常險要。人民羣众对生产是非常勤劳的。除耕田和耙地用畜力（没有畜力的人家，也用人力来耕种）以外，其他一切劳动均是用人力。妇女全部参加生产劳动並担当如喂猪、紡綫、洗衣服、做飯等家务。这个地区的人民富有革命的热情。在国民党与封建地主阶級的長期的反动統治压迫下，人民生活的痛苦情况，实在是难以用語言表达得出来的。四川軍閥联年混战，爭夺地盤，致使人民生活更加艰苦。人民的劳动力負担（拉夫）是很重的，各軍閥常把农民拉去給他們送东西，仅川北地区不完全的統計因于軍閥拉夫經常有数万人不能参加劳动生产。除了人力負担过重之外，还有經济負担；各个軍閥都有它的苛捐杂税，据不完全統計捐税之多大約有七十多种。再加上地主的地租和高利貸的剝削，人民羣众劳动一年到头也得不到溫飽；他們經常是衣不能掩体，食不能裹腹，甚至于有很大部分农民一年忙到底連一餐干飯也不能得到。因此，老百姓常說：“茅草棚棚，笆笆門，要想吃干飯万不能。”

在这样万分痛苦情境下，摆在劳动人民面前的有兩条道路：第一个是鬧革命；第二个是繼續受反动政府、封建地主阶級統治下去。当然应走的是第一条光明大道。决不能走第二条死路。这个土地上的劳动人民为了爭取活命，唯一的出路就是把人民組織起来鬧革命，推翻国民党、封建地主阶級的反动政权，建立劳动人民自己的民主政府。

在川东地区的达县、宣汗、城口、万源和川北地区的南部，仪隴、蓬安等县城一帶常有农民起义来鬧农民革命运动，进行农民武装的游击活动。从农民运动中發展起来的农民游击队就形成了最初的革命武裝队伍。这支队伍在劳动人民中种下極为广泛的革命种子，掀起了川陕地区的革命高潮。

医院的概况（附医院的組織系統表）

于1932年底，紅四方面軍由鄂、豫、皖西征过秦嶺，越巴山、进入四川境內与本地原有革命武裝会合了，革命的形势更加猛烈地發展起来。紅軍入川后連續地打败了佔有优势的敌人；攻克了通江，南江城，佔領巴中，取得广大劳动人民积極拥护。1933年春成立了中国共产党川陕省省委会，領导全川陕根据地的革命工作。同一时期在通江城成立了川陕省工农民主政府。

工农医院是直接在川陕省工民政府內务部領导下建立和組織起来的，是为党政机关团体职工和广大劳动人民羣众服务的医药衛生机構。这个医院是把全根据地的部分中医中药人員組織起来而成立的；是一个純中医医院，內科、外科、妇产科完全是用中医看病，用中药治疗。几年来实踐更进一步証明了中医在祖国历

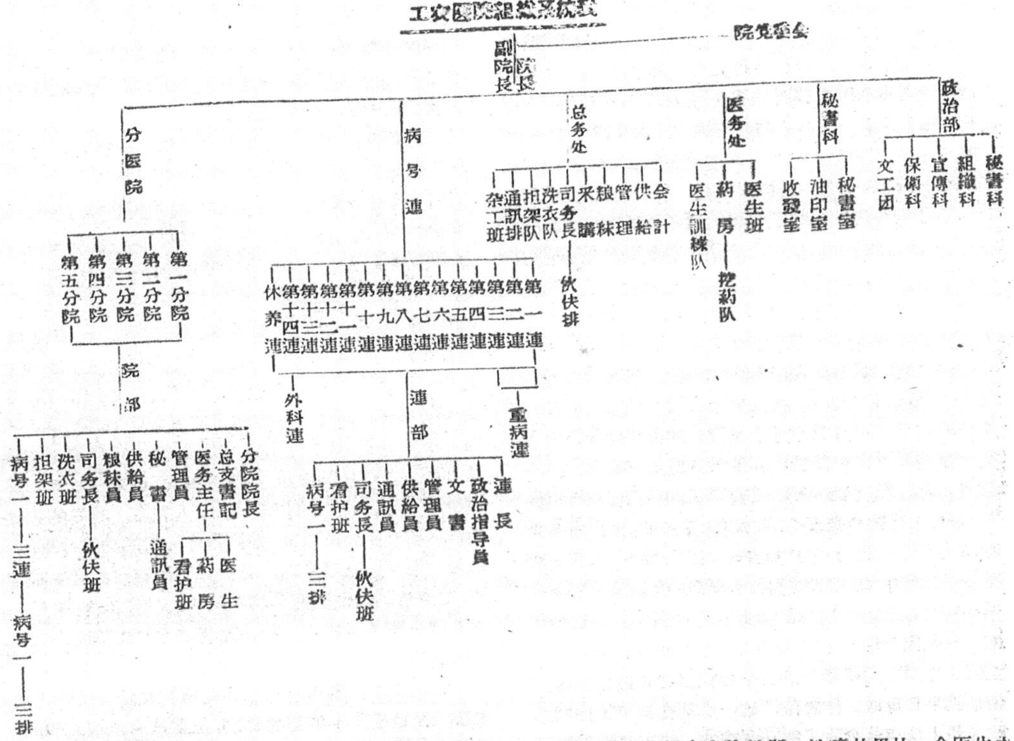

史上对人民羣众的健康是起了积極的作用，在过去是如此，今天仍然是如此的，誰要是否認了这个历史事实，他就是否認了馬列主义的历史唯物主义，是割断了历史来看現在祖国医学。

工农医院地址設立于通江城北部的背口梁。在这里較大的山半腰中，横縱約有二十五华里都是工农医院的組成部分所住地。院本部住于这塊地方的中央以便指揮和供应各种物資；特别是便利于医生去各連看病；如蔬菜、油、鹽、肉，粮等物資都是院部直接供給各伙食單位。政治部距院部也不过半里路。

治疗工作：各病号住的远近各有不同，在院本部約半里路住的是重病一、二、三連，这样安排主要是照顧重病人的治疗，看重病人的医生都是医务主任亲自动手，有时也分配在院的高明医生去看，每天都有兩次到連上去，有特重病人的話去的次數更多。一般病号連距离院部約四里路左右。各医生的工作都是由医务主任来分配調动，各位医生每日起床后都是先要到医务处門前去看当日所分配的任务挂出来的工作牌，今天是到那个連去看病。虽然分工是一个医生担任一个連的治疗任务，其实是兩个医生协作进行，比如張医生今天是担任五連，李医生是去八連，張、李医生上午去五連下午到八連，这样的方法是逐日行成，是一个較好的方法，这里也包括有会診性質，治疗效果比一个医生去一个連好。从此以后，医务处分配医生工作时兩个医生担任兩个連的任务，这又有进一步的作用，就是有包干比賽性質的，治疗效果又提高了一大步。

休养連距离院部有五里，这是很大的一个連，經常都有几百人，这些人都是由各連治癒来此恢复健康的。他們要参加一定的体力活动如帮助厨房做些輕活，每天都在早晚有軍事操作。要出院的人都要在这个連休息一时期，准备出院。也有極少数人病复發又回到其他病号連去治疗的。

病号連的工作：現在先說明医院服务对象，也就是說病人的来源問題。这个医院主要是为着川陕省所屬各級党政机关羣众团体、工厂、矿山、学校、商界、民伕担架队、运輸队（指給軍队送粮运草）、民兵、少先队、自衞軍、兒童团等工作人員的健康服务。自医院成立之日起、每天入院求医少者80人、有时多到500人。只要有各單位的証明信或者有服务証明文件都可以經院檢查分配到各連去。多的病人去連上前，都要經过院部医生診断帶上药去吃。这是为抓紧治疗。到病連后連長按病情分配到排里去。每个連都有三个排，凡是能行动負責煎自己的药。吃飯洗碗能由自己来管理的病人都住第三排；發高燒不能起床的都住一、二排，一切事务都由看护員負責，看病时医生到病房去。特重病人轉到一三連去。

病房設备是非常簡陋，每个病人只有一張床，被褥是由入院者自帶。虽然各連都有一部分預备被褥也只能解决負沒有帶来被褥的病人用，出院时还要留下的。此外每个連有一百多个煎药的罐子，每个罐子有一竹板，这是为着記病人的姓名之用，避免把药吃錯了。除此之外各連有一套一般厨房用具，再沒有其他的設备了。房子全是用地主剝削农民的血汗錢所建築起来的。

看护員的工作：各連看护員的工作是非常艰苦的。他們不怕髒，也不怕累，从天亮一直干到深夜，整月整年的都是如此的干着，既沒有假日也沒有星期天。其他工作人員的勁头也是如此。全体工作人員整日都在为着病人的健康在設想，晚間病人休息了，他們还要檢查当日的工作好与坏的情况並研究来日的工作安排直到深夜。平均每日只有五小时左右的睡眠时間，看护員还要輪流通宵护理病人。虽然名意上有晚餐，实际也就是給他們一些剩飯热起来吃，菜也沒有，有时热飯放点鹽，有时鹽也是沒有的，就是有鹽的話也得省下来給重病人吃，他們就是以这样的友爱精神来为病人服务的。工作生活虽然是那样的艰苦，但是他們革命热情确实是很高的，精神是飽滿的，对病人是亲切关怀的，这是因为他們了解为病人服务的重要政治意义。全院工作同志們积極为病人早日恢复身体健康服务，使他們早日重返工作崗位，这一点是在每个工作同志的思想上都有着明确了解和認識的，也就是說做好了病人的工作，就是直接对消灭敌人起了积極的作用，也就是对革命工作有了貢献。正因为他們有了这样高度的政治觉悟，干起工作来就沒有什么挑挑揀揀了，只要是革命工作就干，而且是干得很有勁兒的。这都是为着革命利益高于一切来設想的，什么个人問題想也沒有人想过。我回忆起一連一排有一个姓刘的病人，病势严重，一进院就住到这里，由姓朱的看护員同志照顧他，朱同志日夜不离开他的身边，給他喂飯，喂药，喂开水，倒尿盆，大便都要扶着他，每日要給他擦澡等。这样使病人不觉得是在医院住，就好似在他家里一样的。这个姓刘的病人治癒出院时对工作人員感謝的說："医院对我万分的关怀，我那样严重的、有生命危險的病，你們給治好了，我回到工作崗位上去用千百倍的努力来完成任务，以回答你們对我的照顧。"象这样的照顧病人不只是这一例，而是極为普遍。那样的辛苦勤劳为着病人，在看护員中沒有听到有怨言之声和不滿的情緒。甚至于最困难的工作他們都是爭先恐后的要去做，比如在农村要經常打扫厕所这样一件事情。只要連長一說：今天要清理厕所，大家都是要爭到去干的。有一次我們去一連看病人，他們正在爭着都要去打扫厕所的事，連長沒有办法来解决，經过再三的說服，民主的討論，最后决定凡是今后打扫厕所的事情，由看护員中輪流进行，这才算是解决了他們的問題。厕所每日中午和晚間都要用石炭消毒的。每个連周圍200公尺內沒有杂草，都非常清潔，因为各連都是以評比爭紅旗的方式来推动一切工作的前进。

医务教育工作：全院开办了医生訓練班和看护訓練队的教育工作。訓練医生主要采用帶徒弟的形式，正式上課时数是較少的。也就是說主要是实际操作，如訓練外科医生就給他們一定的原料和各类原料的比例数量及油量，讓他們实际去制作出膏药和丹药来。訓練內科的医生先讓他們讀一定的中医中药的書籍如本草綱目、脉經、黃帝內經伤寒論等，然后給他們一些講解，再讓他們到輕病号連去实習，当然指定一定的医生作指导，后来每个医生要帶兩个練習生到各連去帮助医生开药單子，經过半年左右时間就先讓他們給病人診断开出药方来，然后再由医生复診，修改他們原来的診断和药方。这样的做法，訓練时間短，收效快。第一期訓練了30人，第二期大約是50人左右。这样的訓練方法大約一年多的时間，他們可作一般的病案处理，由此是会逐步提高起来的。看护員每周有兩次衛生常識課，主要是訓練他們煎药和对病人的护理工作；采用一面講課一面实际操作，就是說講書本与实际联系起来同时进行。

药房工作：药房这項工作是医院在治疗工作上最主要而又是最基本的重要部門。医生技术是很高明的，又能开出很有效的药方来，假若沒有物質(药)条件来作基礎和保証的話，也显不出医生的高明来了。当时川陝地区不仅是西药缺乏，就是中药也是难弄到手。医院每天都是要一千付中药左右才能滿足各病号連的要求，这个数目在当时情况来說是不算小了。可是中药的来源是最困难的，只能在革命根据地內进行收購，虽然常有三十人左右在各地进行采購药材，但很难弄到大量的中药。有时出去兩三个月还买不到几百斤药回来，就是把地主資本家經营的药房沒收归公全部搬运回来的話，数量也是不够的；有时把杂药都搬回来从中挑选供給病人的需要。在此种情况下，很难解决当时药材的困难問題，經过研究，唯一的方法就是組織起挖药队来，这支挖药队伍大約有六十人左右，它是起了积極的作用，能在当地找得到的中药都能挖回来。有人把本草綱目帶到野地去按書上所描繪的圖样在土中把它挖回来，經过試驗証明是此药的話，就大量的挖；如知母、黄芩、車前子、半夏、木通、桔更、柴胡、前胡、麦冬、花粉……等。在川北通南江一帶大約能找到一百多种中药。当地能产的药是可以解决了，可是在南方生产的药那是很难解决的，只好用些代用药。医生每天到連上去看病时都要先到药房去打听一下，那些药有，那些药沒有，以便好用別药代替。有时候遇着重病人非用此药不可，怎么办呢？只好把药单带回院部来，連同药房同志一齐在杂药中一点一点的找。我記得二連有一个特重病人非用黄連不可，沒有此药則性命即有危险。此病人是某医生看的，就把药單帶回来同药房的四个人，我是其中之一，在杂药中找了好半天才找出二錢黃連来，大家都感到万分高兴，很快把药送到二連煎好給病人吃，此病人在当日的半夜由危轉安了。总之药是非常困难的，要想配一付完整的药方，那是不可能的事，如开一个"大承气湯"厚朴就沒有，有的病人要用"附子理中湯"白朮也是沒有的，諸如此类的情况每天不知要碰到多少次。虽有上述的困难重重，但是革命的热情是非常高的。药房工作忙起来的时候，十多个人干通宵赶制药材是經常事。

行政管理工作：行政总务工作是采取"統一采購，統一供应，按人数分配，按实物分量"的原则。因为当时各种物品数量不是十分充足，有时来源也不均衡，在数量上有时多时少的现象。菜蔬也是采用統一管理，把数十名采購員集中在院部，每日买回来的各种不同的菜蔬分类集中起来。各伙食單位每日早上派人来院部把当日所必需的各种物品，如油、鹽、粮、菜、糖等如数領回。这样做法是保証物品平衡供应，既能做到节約，也能保証有計划的供給。

采購員的工作每日都要到三十里路以外去才能完成他們的任务。当时是沒有畜力运輸的，每个采購員所买的东西都是自己把它背回来或者是挑回来。他們的工作日是兩头不見太陽的。采購員不仅要完成采买工作任务，而且要利用此时間給农民做宣傳工作。这样做法他們和农民同志建立了友好的关系，所以說采購員也是政治宣傳員。有的农民就这样說："我們菜好了等到你們来才摘下来以便有病的人吃上新鮮菜蔬。"又說："我們的菜还要給軍队上吃，讓他們好去消灭敌人"。到处都可以听到这样的話"軍民是一家"也确实是軍政民是一家人一样。

其他方面的人力也是采取"集中管理，統一調配"，如全院的洗衣队、担架队的使用方法是按各連当时实际情况需要量来調配的。洗衣队主要力量放在重病連，因为他們洗的东西多、衣服、被子、褥子每星期要換洗一次到兩次。一般病号連洗衣力量放在第二位，其次是休养連。担架队的工作有三：第一是轉移重病人；第二是清潔衛生，有时砍点柴火；第三是安葬烈士，这个工作量是很小的。其他一些技工人員也是采用統一調配使用如木工除了制造棺材外还要到各單位去修理家俱等。（待續）

中华医学会北京分会医史学会举行偉大出于平凡的医家座談会

中华医学会北京分会医史学会于六月八日在中华医学会总会举行"偉大出于平凡的医家"座談会。出席会員及有关医史工作者三十余人，因为兒童节剛过，座談会比較集中地談到平凡出身的我国兒科專家。

会員們首先介紹了我国著名的宋代兒科專家錢乙（仲陽）就是出身于貧苦家庭的孤兒。又談到清代的多位兒科專家如幼幼集成的作者陈复正（飞霞）、清末治痧痘的名医張受謙和陈景謙、首先創用热药来治疗因久病引起慢惊風的福幼篇的著者庄在田，以及"走方郎中"宗伯云、疫喉淺論的作者夏云等人，都是出身很平凡的医家。

最后会員們也談到一些国外的历史上偉大出于平凡的人物，如文艺复兴时代大胆改革外科的巴累（A. Parè）原是理髮店学徒；十八世紀牛痘的發明人眞納（E. Jenner）是位普通农村医生；十九世紀細菌免疫学的創立者巴斯德（L. Pasteur）是皮匠的兒子等等。

会員們認为偉大出于平凡、劳者多能，在医学史上可以說是很普遍的情况。

（王平）

陈复正对小兒科学的貢献

宋向元

陈复正，字飞霞，广东罗浮人，約生于十七世紀末十八世紀初。因为他自幼多病，青年时就注意医学。中年时遇見一位道士，他就学習道术靜坐等气功。此后，他以道教徒的身份来搞医务工作；他曾經做过長期的旅行，在旅行中丰富了医疗学术，对小兒科更有独到的研究。由于他接近劳动人民羣众，曾給劳动人民解决一些病苦，也从劳动人民羣众中学習了很多宝貴的医疗經驗。这从他的著作中那些丰富的民間驗方和外治法，便可証明这一点。

他的著作"幼幼集成"編成于公元1750年，共計六卷，后二卷为專論痘疹的部分，前四卷为选輯諸家方論，民間驗方，以及陈氏自己的創作而成。

事实上，民間驗方和外治法卻成为此書的特点。此書論述病症之后，在列举一般方剂外，往往附載許多"簡便方"。这些"簡便方"保存了很多民間的宝貴經驗。例如痢疾簡便方，就可以說明这一点：

1．"用干馬齿莧、煮爛，紅痢以蜂蜜拌，白痢以砂糖拌；紅白相兼，蜂蜜砂糖各半拌食。一日二次。連湯服之，更妙。"

2．"集成至聖丹：治冷痢、久瀉，百方無驗者。……今以捷至穩、鴉胆子一味治之。此物出閩省、云、貴，虽諸家本草未收，而药肆皆有。……"

根据近人的研究：馬齿莧对細菌性痢疾的治愈成績甚佳。[1] 鴉胆子，据近人研究，对阿米巴性痢疾确有著效。今据陈氏的記載，說明鴉胆子能治冷痢（当指阿米巴性痢疾而言），早为劳动人民所發現。而当时药店皆有此药这一事实，更足以說明此药是在民間广泛应用之后，赵学敏才收进于"本草綱目拾遺"（1765年）的。

关于外治法，这部書中可称丰富，首先在卷三"發热証治"之后，列举"神奇外治法"九种，为綜合按摩、热敷、貼药等法，以达到解热、祛痰、鎮痛、强心、醒腦等效果。方法簡便而有效，在今天仍有研究的价值。此外，散見于書中者，有針刺法（霍乱）、針挑法（瘄症），回生艾火、神火（卷一有專篇論述），灸法（疝气），磁鋒砭法（丹毒），刮痧法（霍乱）等。关于用药外治的，有外敷（臍症），搽药、塗药、吹药（疳症），取嚏（客忤），蜜导法（二便），热熨臍下（小便），貼药于臍部（夜啼、二便），貼蒜于足心（諸血）等。实际上，書中外治法还不止此数十数种，也有的綜合針刺用药来外治的。——从外治法这一点說来，陈复正的"幼幼集成"还要比吳尙先的"理瀹駢文"（1886年）早一百三十多年。

此外陈氏的更大貢献是对于小兒痙攣症状的研究。

在十七世紀一些幼科医生遇到小兒有發热症状，無論什么原因（外感或內伤）都称为"惊風"。这种情况發展到十八世紀，更为严重，甚至更提出"天弔惊"、"看地惊"、"潮热惊"、"膨脹惊"諸多名目。就在此时，陈复正編写了"幼幼集成"。書中大声疾呼，無情地揭露这些現象並严厉地駁斥了当时这些謬論。同时他把小兒痙攣症狀，依其病因，分为三种，分别定名为：誤搐、类搐、非搐；也是主張不用"惊風"名称。他在凡例中說："以搐字概之，曰誤搐，曰类搐，曰非搐，条分縷析，証治判然。名目既正，庶治疗不惑。"書中对于駁斥"惊風"之說，用力很大，对扭轉惡劣的医疗作風和挽救第二代的生命，是起到一定的作用的。

同时，由于痘科已分为專業，当时幼科医生錯誤地認为：痘疹源流各別，与幼科無关。陈氏就把万密齋世傳痘疹編入"幼幼集成"来扭轉这种錯誤認識。[2] 这在当时应該說是一种創举，因为当时"御纂医宗金鑑"仍是把痘科和幼科分裂开来的。从此可見：陈氏对于医学研究是具有实事求是的精神的。他經常用实践来檢驗理論的正确性；發現了理論与实际不相符合时，就敢于提出異議。他根据四十多年的临床实践，不但严詞駁斥"惊風"之說，对于古来相傳的"变蒸"之說[3]也是如此。因为他从未看到小兒按着日期發热的，于是否認这是小兒發育过程中的必然現象。——在陈氏之前，張景岳（1555—1632？）也曾提出反对的意見，但不如陈氏的提法坚决有力。值得注意的是，"御纂医宗金鑑"卻是录載了"惊風"和"变蒸"之說的。而陈氏在自序中竟敢于指出"医宗金鑑……惟幼科一門，不無遺憾！"这在十八世紀滿洲貴族統治时期，陈氏居然敢于这样坚持眞理，打破陈規，破除迷信，向唯心主义做斗爭。这种敢說敢做的精神是令人起敬的。

綜上而言，陈复正和他的"幼幼集成"对小兒科学的貢献，約有三点：

1．由于他具有实事求是的治学态度和坚持眞理的斗爭精神，对十八世紀幼科医生妄称"惊風"的現象，給以無情的揭露和駁斥。这对扭轉当时惡劣的医疗作風和搶救兒童的健康，曾起到一定的作用。

2．他为改变当时幼科和痘科医生的脫节現象，曾經精校並修訂万密斋的痘疹著作，併入“幼幼集成”刊行。这就提高並推广了痘科治疗方法。

3. 由于他曾經長期旅行，深入民間，得以总結劳动人民的医疗經驗和外治法。通过“幼幼集体”的刊行，使各地方的許多宝貴民間驗方和外治法得以推广应用。

本文系中华医学会北京分会医史学会“偉大出于平凡的医家座談会”發言

附註：

1. 丘晨波、趙家駿：中藥之化學与藥理。

2. 万密齋世傳兒科痘疹，他的著作極为名貴。原板鐫于明末，康熙二年复刻本錯字很多，更有缺略。他曾加以校訂，附入“集成”。这样，使原来流傳不广的万氏痘疹治法，得以推广和提高。

3. 幼科謂：“嬰兒生下三十二日为一变，六十四日为一蒸，……积576日而畢。凡遇变蒸，必身有熱，或有惊惕，而口面脣舌俱不变色。……三四日間自愈。

苏联的医学史科学(1917—1957)

Б. Д. Петров, Историко-медицинская наука в СССР (1917—1957)

1. 革命前俄国医学史是在很困难的条件下發展的，那时既没有科学机構和發展本科目的統一計划，而社会对它也不予重視。單个的医史学家(例如 Рихтер, Загоскин, Мороховец, Лахтин, Новомбергский 等等)他們或是站在唯心主义的立場，或是折衷主义者，他們絕大部分的活动和科学工作都不超出罗列史实的范圍，並反映了資产阶級历史学家的观点。

2. 偉大的十月社会主义革命和苏联共产党的活动在四十年的期間內为眞正科学的，奠基于辯証唯物主义的医史科学的出現創立了条件。苏联医史学家遵从列宁的指示，批判了資产阶級医史学家及其在苏联的信徒們的反唯物主义的观点，並研究了医学范圍內几百年积累下来的資料，給予它眞正科学的闡述。

3. 苏联医学史工作可貴的特点是吸收了广大的医生和学者參加了这一工作，而不是集中在少数的历史專業工作者的手里。由于有广大的羣众基础，在四十年的期間內就写出了几千篇医学史論文，仅在1945～1955的十年期間，就出版了360本書，和2994篇論文。还發表了几百篇关于医学史卓越活动家和重要时机的專題論文。过去和現在都出版过祖国优秀医学家的全集，通常这些全集都帶有有价值的序論和所引証的科学資料。已經开始了創作專科史的著作，从早先出版的專題論文中可以証明：仔細地研究历史將大大改变对祖国学者在世界科学中所起作用的看法。(生理学、外科学、細菌学、精神病学的历史著作)。

4. 高等医学校的教学計划中包括医学史教育。这样做，显然有积極的意义，不但提高了医生在医学史方面的知識水平，也提高了这方面的科学研究工作。大部分教科書都有了以前缺少的該課程的历史章节。

5. 特别应該提及苏联許多加盟共和国和苏联各民族的保健史和医学史的研究工作的重大而有积極意义的进展。对一些局部問題的研究数量增多了，这些問題曾在阿尔明尼亚，格魯吉亚的医学史和莫尔达維亚的保健史等早期出版的著中全面介紹过。

6. 研究苏維埃时期的医学史，特别是为紀念偉大的十月社会主义革命四十週年所發表的將近250篇医学史論文都取得了显著的成績。这些論文对苏維埃时期医学的巨大成就給予了总的概述。但是，無論这一工作的速度或質量都不能令人滿意，特别是因为大部分医学科学研究所和大部分医学院校的教研室沒有进行这一工作。

7. 最近几年在医学史方面扩大和加强了国际活动和国际影响。苏联医史学家加入了国际医学史协会，並參加了該协会的第十四次国际会議(罗馬)，和第十五次国际会議(馬德里)。苏联代表团还參加了波蘭医史学工作者第八次代表大会，这次大会很大程度上帶有国际意义。苏联全国科学技术史联合会建立了医学史分会。苏联医史学家也常常开始發表一些有关国外医学史的研究著作。謝馬什科保健組織医学史研究所編著的“医学史”教科書卷一已翻譯成中文和德文，並在中国和德国出版了。今后应該更进一步扩大和加深医学通史的研究工作。

8. 苏联医学史研究方面显著的成就不应該掩蓋它最重的缺点。医学史的很多重大問題的研究尚未开展和闡明。特别是許多重要專業，如內科学，外科学的历史尚未写出。研究工作的科学水平远不是經常很高的。这些研究工作往往脫离現代生活，医学科学的發展往往沒有使之与保健工作的發展联系起来，对个别时期的历史注意过多，而对应該注意的苏联医学的历史反而注意較少。許多重要的科学研究所和教研室不願意做医学史工作並且不重視它。医学史著作的出版工作完全不能令人滿意，特别是專題論文，就連已經采用出版的著作，也多年未能出版。虽然医学史干部目前迫切感到不足，但在最近2—3年內还減少了医学史研究生的培养。这些缺点都应在短期內消灭，医学史才能完成苏联共产党二十次代表大会提出的任务。

(段佳仁譯自謝馬什科保健組織医学史研究所第三次科学报告会論文提要)

夏春农和吳尙先

耿鑑庭

"疫喉淺論"的作者夏春农，原名云，是同治光緒間邗江的名医。少小时家中很貧穷，父亲是更夫。他自小失学，在当地名医楊慕昭家作書僮，楊的兩个兒子不喜讀書，夏春农往往替他們背書，遇到复講不出的时候，夏又能代講，因而被西席老夫子賞識，就讓他伴讀，漸漸地看他很有进步，就向东翁（楊慕昭）表示，要正式收他做学生。后来楊慕昭的兒子都是家傳学医，但都未讀成，西席老夫子在他們学医的同时就介紹夏做了楊慕昭的学生，楊見他很有成就，便給他起了一个医名，叫做夏繼昭，暗寓是楊慕昭的繼承人的意思，並替他掛了牌，正式許可他行医。夏的疗效很高，而且不断地补充理論，不断地向同道学習，如方华林、朱湛溪等医家，是常常互相切磋的。（在續修甘泉县志里有記載。）当时喉痧（猩紅热）流行，死亡的兒童極多，他把經驗編成一部專書，題名为"疫喉淺論"，以后又不断地作了修改与补充，使其成为一本猩紅热的專門書。既有完备的理論，又通俗易曉，他把症狀等等，編成韻語，如叙述猩紅热的融合性疹点說："疫喉乍起痧点隨生，皮膚緊赤，顆粒無分"。又如叙述猩紅热粟粒疹說："痧点之側，毒泡加，輕如白痱，重似水花。"看了所引的这几句，可見他的內容，是通俗現实而易于理解的了。他又依据猩紅热的需要，把古人成方，加減成为适用的方剂，都冠上了清咽兩个字。

过去有許多人，往往把医業当做进身之阶。夏春农的兒子虽然讀書进了学，但他反对他兒子和孙子轉入宦途，临死时遺囑要他的孙子仍然学医，並指定要讓孙子拜邑中某医家为师，不但学医学，更重要的是要学医德，这些看法在当时都是难能可貴的。夏春农可說是近百年来偉大出于平凡的医家的代表之一，而且思想是不被当时影响所束縛的。

另一位是理瀹駢文的著者吳尙先。吳名安業，初字师机，也是近百年医界里敢想、敢做、突破保守、發揮創造的人物之一，他生于嘉庆十一年（1806）歿于光緒十二年（1886）早年棄儒業医，其时适当太平天国战爭时期，葯物来源缺乏，乡間貧病者多，嬰兒的死亡率高，合于水准的医生又不多，不論大小，因葯材缺乏或誤治而丧生的，确不在少数，吳尙先看到这一点，便專門注意外治方法，在旧学的基础上，加以創造式的改进，共計总結出外治方法約有十五六种如："敷"、"熨"、"熏"、"浸"、"洗"、"罨"、"擦"、"坐"、"嚏"、"嗅"、"縛"、"括痧"、"火罐"、"推拿"、"按摩"等等。最常用的是膏葯薄貼，他自己常常說："治得其道，而所包者广，术取其显，而所失者輕。"这便是他在当时环境之下，提倡外治的理由，他用膏葯貼穴道的方法，治小兒各症，頗有奇效，因此很快的就被推广开来，山东、安徽、湖北，苏滬一帶，都有推行这一方法的。他的書虽然是用駢文写出来，可是內容則是通俗易行，为术簡易，因而为貧病大众所欢迎。总結他的一生，有很多突破保守的地方：

第一：士子多認医为小道，多不屑为，而吳尙先偏偏要棄儒为医。

第二：他不願做脫离实际的"儒医"，而願做深入民間的外治医生。而且他所采取的方法，是当时儒医所不屑为的外治方法，尤其是土法，如拔火罐等等。

第三：他敢于对一般庸医，痛下針砭，如說："医之难在不能見臟腑，而人之敢于为医者，正恃此皆不見臟腑然孟浪酬塞，于心終有不自安者。"

第四：他写得一手的好駢文，可是不尙空文，而是拿它来写致用之書，其目的，又是为了便于記誦与傳播。

本文系中华医学会北京分会医史学会"偉大出于平凡的医家座談会"發言

啓事

在社会主义建設总路綫的光輝照耀下，各地衞生工作者通过整風、破除迷信、解放思想，树立了敢想、敢講、敢作的共产主义風格，正以冲天的干劲和鑽勁，大闊技术革命，不断地湧現出大量的革新和創造發明。为了使这些先进經驗和新成就广为交流，更快更多地对人民保健事業和社会主义建設發揮作用，本会各杂志特扩大报道園地，希望各單位將有关先进經驗和創造發明，及时写給我們（內容希望充实、具体，文字力求簡鍊），以便及时地报导出来，务請大力协助。

——中华医学会总会

杜甫的药学知識

耿鑑庭

杜甫是唐代一个爱劳动的知識份子，他的生平，大家都很熟悉，恕不加以詳述。他中年以后，因为遭到安史之乱，展轉由陝西經过劍門，到达四川、过了一段漂泊西南的生活，也就是多半时間从事体力劳动的"为农"生活，除掉做詩以外，便是植树、种葯、种菜、鋤草、养雞、养鴨，而且是能于亲手劳动，他一身歌詠劳动的詩句也很多。

他的詩里，不但可以反映出丰富的动植物知識，而且关于本草方面的学問，也有很多的提到。如"陪郑广文游何將軍山林"十首之三中說：

"万里戎王子，何年別月支，異花來絕域，滋蔓匝清池，汉使徒空到，神农竟不知。露翻兼雨打，开拆日离披"。

朱鶴齡說："戎王子，必是月支花名，但未詳何种。或曰，本草日华子云：独活，一名戎王使者，戎王子当是其类"。五六句一联当指張騫未由西域帶归，而本草又未記載。可見他在閑游中，偶然見到葯物，便信手拈得，把它歌詠起来。在这詩的第七首里，也曾提到了茵蔯。

他在秦州的时候，有詩寄姪杜佐，其第三首里，除了提到几种植物以外，还提到了兼作葯品服食的薤，索取它来治病，原詩如下：

"几道泉澆圃，交橫落慢坡。威蕤秋叶少，隐映野云多。隔沼連香芰，通林帶女蘿。甚聞霜薤白，重惠意如何"。

这詩是叙述杜佐圃中的景物，借以引出霜薤而索寄。唐本草記載薤是韭类，有赤白二种，白者补而美。可是杜甫除了"补"、"美"而外，主体还是仰賴薤的医疗用途。这可从另一首詩里看出来。

在向杜佐索薤的不久，秦州的阮昉，曾送了三十束薤白給杜甫，他立即报以五律："隐者柴門內，畦蔬繞舍秋，盈筐承露薤，不待致書求。束比青芻色，圓齐玉筯头。衰年关鬲冷，味暖併無憂"。——秋日阮隐居致薤三十束——。

玉筯头一句，当是指薤根之白。陶隐居說："薤性溫补，仙方及服食家皆須之"。从这兩詩的字里行間里，可以看出他植物及本草知識的丰富；更可見到他如何的采用食餌疗法，来对付慢性病。

上面已經談过独活和薤白，現在再引一首歌詠決明的詩："雨中百草秋爛死，阶下决明顏色鮮。着叶滿枝翠羽蓋，开花無数黃金錢。凉風蕭蕭吹汝急，恐汝后时难独立。堂上書生空白头，临風三嗅馨香泣"。——秋雨叹三首之一——

这詩的后四句，是借决明来感叹自己的。圖經本草上說："决明子，夏初生苗叶，似苜蓿而大。七月开黃花結角，其子作穗似青菉豆而銳"。日华子說："决明子，治头風明目"。細考他四十三岁的那一年，在"病后过王倚飲贈歌"里，便提到了瘧疾之后，"头白眼暗坐有胝"的現象。他因为"眼暗"，所以对于医治眼暗的决明，也特別重視。广德二年（公元 764 年）他做的"遣悶奉呈严公二十韻"里，提到了："老妻憂坐痹，幼女問头風"。这一事实虽然是發生在詠决明以后，但头風也可能是他的一种痼疾，因为他很早就屡在歌詠里提到衰病和白髮等等，如果是早年就有头風的話，那么对于决明的注意，更有双重意义了。

* * *

再談杜甫的采葯事蹟。

他在公元 751 年进三大礼賦以后，在集賢院候差，有一次做了一首詩，發了些牢騷，題为"奉留贈集賢院崔国輔于休烈二学士"。內中有几句說："……儒术誠难起，家声庶已存。故山多葯物，胜槩忆桃源。欲整还乡旆，長怀禁掖垣。……"便是說明了故乡的葯物多，言外之意，如果回乡，只要付出一些劳动，还是能生活的。

次年他赴华州的时候，曾經面許楊綰，寄些茯苓給他。后来没有办到，特为託人帶了一首詩說明原委："寄語楊員外，山寒少茯苓。归来稍暄（一作候和）暖，当为劚青冥，翻动（一作到）神仙（一作龙蛇）窟，封題鳥兽形。兼將老藤杖，扶汝醉初醒"。——路逢襄陽楊少府入城戲呈楊四員外綰——

仇兆鰲說："青冥，松林之色、抱朴子，地产茯苓，上有青灵之气"。在这詩的"当为劚青冥"一句里，更可体会出他采葯的現实情况。

他在秦州（公元 759 年）做了杂詩二十首，其第六說："采葯吾將老，兒童未遣聞"。也是記載的采葯。

当他到了同谷，並不如理想中的乐土，生計大成問題，只有亲自劳动。在"乾元中寓居同谷县作歌七首"第一首里，曾提到"岁拾橡栗随狙公，天寒日暮山谷里"。橡实即櫟实，庄子："狙公賦芧"，芧，"即橡子也"。在第二首里，开首便說"長鑱長鑱白木柄，我生託子以为命，黃精（一作黃独）無苗山雪盛，短衣数挽不掩脛"。仇兆鰲說："命托長鑱，一語悽絕，橡栗已空，又掘黃独，値是貧生無計。雪滿山，故無苗可寻，風吹衣，故挽以掩膝”。

后来他在夔州曾有摘蒼耳佐餐，兼疗疾病的事。为这事他曾做了一首“……摘蒼耳”的古体詩。

他在云安住到第三年的时候，写了兩首“寓怀”詩。內中說：“鄙夫到巫峽，三岁如轉燭。……編蓬石城东，采药山北谷”。这是他在出峽以前，采药的很現实的記录。

* * *

杜甫种药的事蹟也很多。如在秦州时，見到太平寺泉水的下流，也夢想过，如果用这比牛乳还香美的水，灌溉出一片繁荣的药圃，該有多么好呢。原詩說：“何当宅下流，余潤通药圃。三春溼黃精，一食生毛羽”。——太平寺泉眼——

本草上說黃精是陽草，久服輕身延年。

他在公元759年的岁末，到成都不久，便在城西七里浣花溪畔，找到一塊荒地，先开辟了一亩大的地方，在一棵相傳二百年的高大柟树下建筑起一座簡陋的茅屋，这便是今日令人响往的“成都草堂”；並且在柟树的近根处，开辟了一片药圃。这从“高柟”一詩里可以看出来：“柟树色冥冥，江边一丈青，近根开药圃，接叶制茅亭”。

又在有客詩里，有兩句也提到了药欄：“不嫌野外無供給，乘兴还来看药欄”。

他一方面营建草堂和药圃，一方面写詩向各处覔求树秧。向蕭实請求在春前把一百株桃树秧送到浣花村；向韋續索取綿竹县的綿竹；向何邕要蜀中特有的三年便成蔭的榿树苗；他又曾亲自走过石筍街，到果园坊里，向徐卿索求果木苗秧，並表示無論綠李黃梅，都無不可；他还向韋班要松树秧。

在成都曾做过絕句四首，其中有一首說：“药条药甲(一作茱甲)潤青青，色过棕亭入草亭，苗滿空山慙取誉，根居隙地怯成形”。

仇注說：“种药在兩亭之間，故青色疊映，彼苗長荒山者，不能遍識其名，此隙地所栽者，又恐日淺，未及成形耳”。吳氏云：“成形，如人参成人形、茯苓成禽形之类”。这是在成都种药的又一記載。

从公元762年秋后，他曾經因为送严武入都，到过綿州。自严武去后，随即成都就有兵乱，便流亡到梓州，並到了閬州、綿州、渝州、直到公元764年春，严武再鎭蜀，才又回到成都草堂。他在“远游”一詩里，曾說：“种药扶衰病，吟詩解嘆嗟”。

可証他在顚沛流离的时候，到了暫可为家之处，还是不忘种药的。

又在“將赴成都草堂途中有作先寄严郑公五首”的第四首里，又提到：“常苦沙崩損药欄”。

药欄是乱前所結構的，在归途中已想到了后来的事，可見他对于药欄的关心，所以又在他的思想里活躍起来。

他回到成都，虽然严武保举了他，但他公余之暇，仍然种药。这可以从“正月三日归溪上有作簡院內諸公”一詩里看出，这詩的第五六兩句說：“药許鄰人劚，書从稚子寻”。

顧注說：“种药本以济世，故許人劚。藏書本以敎兒，故任子寻”。

大历二年的暮春，在夔州的瀼西新賃了草屋，做了五首律詩，第四首的第五句是：“高齋依药餌”。仇兆鰲說：“高齋，指草屋”。仅管这一句，是形容之詞，不一定要着实了看，但是，正反映出药餌在他的思想里，是常佔一席地位的，同时也可代表他在夔州种药，采药的事跡。

自他出蜀以后，未有固定居处，也就談不到种药了。

* * *

杜甫不但是种药采药，也是精于制药的，在秦州杂詩的第二十首里，有“晒药能無妇”一句。晒药是便于久藏，而且晒药即是最簡單，最起碼的炮制方法，观于后引“烏麻蒸續晒”一句可以为証。又在独坐二首里(时在夔州)也有“晒药安垂老”的句子。还有一首絕句，也談到在成都浣花溪洗药的事，原詩說：“水檻溫江口，茅堂石筍西。移船先主庙，洗药浣花溪”。洗药虽然可能是为了自己服用，但也是貯藏以前的必然操作，也是炮制以前必做的事。这都是和制药有关的。又他在遣意二首里，亦提到“衰年催釀黍，細雨更移橙”。此兩句，足能充分反映出杜甫之精于釀造，及長于移植。此二事非技术熟煉不可，否則將釀而不能熟，植而难以活。因为釀造及移植、与种药制药均有深切关系。

他对于煉丹，在詩句里常常提到，可見其对这一門学問是很有研究的。这里且把他引一些出来：

在“冬日有怀李白”一詩里，有“短褐風霜入，还丹日月迟”。的句子。杜臆上說“短褐二句，言貧难煉药，即前詩苦乏大药資，山林迹如扫也”。神仙傳上說：“药之上者，有九轉还丹，太乙金液”。

这里，得附帶的把“大药”和“青精飯”的原句並其解釋引录出来：“二年客东都，所历厭机巧，野人对腥羶，蔬食常不飽，豈無青精(一作䭀)飯，使我顏色好，苦乏大药資，山林迹如扫，……方期拾瑤草”。

这一首詩，也是給李白的，題目就叫“贈李白”。时期大約是天宝三載。

圖經本草引陶隐居登眞隐訣云：“太極眞人青精乾石䭀飯法，用南燭草木叶杂莖皮，煮取汁，浸米蒸之，令飯作青色，高格曝干，当三蒸曝、每蒸輒以叶汁溲令浥浥。日可服二升，勿复血食，填胃补髓，消灭三虫。䭀，音信。䭀之为言殖也，謂以酒蜜药草溲而曝之也，亦作飿"。可見青精飯，也是一种用葯物和粮食制出来作服食用的。

在"寄彭州高三十五使君，虢州岑二十七長史參三十韻"里，也有几句，談到这些問題。"……烏麻蒸續晒，丹橘露应嘗，豈異神仙宅，俱兼山水乡、竹齋燒葯灶，花嶼讀書堂……"。

陶隐居說："胡麻当九蒸九晒，熬搗充餌，以烏者为良"。倘杜氏不熟悉炮制方法，是不会做出这样詩句的。

他直到死前不久，在"風急舟中伏枕書怀三十六韻奉呈湖南亲友"的末尾四句里，还提到丹砂的事："葛洪尸定解，許靖力还任。家事丹砂訣，無成涕作霖"。仇兆鰲說："尸定解，將死道路；力难任，不复远行；丹砂未成，則內顧無策；結語蓋待济于諸公矣"！

他的重表姪王冰許專使南海，他做了一首詩送行，提到"我欲就丹砂，拔涉覺身劳"。这也是引用葛洪的故事来做譬喻的。因为葛洪知道西南产煉丹原料，便求做勾漏令，实則不是要做官，而是为了煉丹。

还有兩处詩句：也是用葛洪典故。一是初到成都卜居浣花溪以后，做了一首以"为农"为題的律詩。后四句說：

"卜宅从茲老，为农去国賒，远慚勾漏令，不得問丹砂"。

另一是他早年贈李白的一絕，前兩句說："秋来相顧尚飄蓬，未就丹砂愧葛洪"。

可見杜氏在年青的时候，便对葛洪仰慕，这正和他后来的制葯事实，是分不开的。

他对于收藏葯物，也非常講究。在"西郊"一律里，上四句，是叙述西郊途次之景。下四句，是叙述草堂幽寂之况。

下四句的头兩句說："傍架齐書帙，看題檢葯囊"。

仇兆鰲註解說："齐謂整書使齐，題謂葯上标題"。在"寄張十二山人彪三十韻"里，也有"囊中葯未陈"一句。又在"將赴成都草堂途中有作先寄严郑公"五首之三里有一句："書籤葯裹封蛛網"。

这固然是描写故地的荒蕪，同时可以看出，他把書籤和葯裹，与前引的書帙和葯囊，等量齐观，可見他葯籠葯匣的丰富和精致了。

* * *

最后談到他卖葯的事，他种葯和采葯的目的有兩点：一是自己的"多病所須"，一是作为副業生产。他在进三大礼賦表里，曾經有一段說："臣，行四十載矣！……默以漁樵之乐，自遣而已。頃者，卖葯都市、寄食朋友。……"

卖葯虽然是譬喻，但的确也是事实。馮至先生在"杜甫傳"里，曾有如下的一段叙述："他……还找到一个副業，他在山野里采擷，或在阶前培种一些葯物，随时呈献給他們，（这些朋友里，最重要的是：汝陽王李璡和駙馬郑潛曜）換取一些葯价。表示从他們手里領到的錢財，不是白白得来的"。这就是他后来所說的："卖葯都市，寄食友朋"。这也說明杜甫四十以前，都市卖葯的情况。

他在秦州的时候，生活上感到極大的困难，于是又重行开始他在長安时經营过的卖葯生活，来維持衣食。所以他在居秦州时期的詩里，可以常常看到关于采葯和制葯的詩句。

他在成都卖葯的事实，可以从"魏十四侍御就敝廬相別"一詩里看出来。

"有客騎驄馬，江边問草堂，远尋留葯价，惜别倒文場（蔡註說：謂傾倒其詩章也）。入幕旌旗动，归軒錦繡香。时应念衰疾，書疏及滄浪"。

这說明侍御魏某，騎馬到草堂，給他送来卖葯的代价，他就作了这首詩，作为酬答。

* * *

从上面所引的这些史实里，可以看出，杜甫的一生，处在貧困的时候是比較多的。正因为他自小就养成了劳动的習慣，所以遇到經济困难，就仰仗劳动来解决。又因为他的博物知識和本草知識比較丰富，因而就拿这些知識来結合劳动，做起了生产的副業。

他在居处不太固定的时候，就采葯。一旦得到比較固定的处所，就种葯，並且还能制葯。这些，都是利己利人的事。因此，采葯、种葯、卖葯，就成为他一生的經常性的副業。

杜甫是有几种慢性病叢集在他一身的。並沒有因为經常性的鍛煉，而感到身体不支，相反地，他伲管帶着小病，在"緩步仍須竹杖扶"的情况下、在"寒雨"的气候下，还要去"朝行視园树"，回来仍然身心愉快地做成了一首詩。他在晚年实际上可以說：是借輕微劳动，来疗养自己的慢性病，而且也兼帶解决了生計，因为能一举兩得，所以他就很重視劳动，也要他兒子养成劳动習慣。虽然他的詩是連篇累牘的憂时憤世，但是有一点値得我們注意，就是他一旦歌詠到劳动、或歌詠到采葯、种葯，便伲量地运用双声疊韻，在字里行間，就打破"憂"、"憤"的常規，显露出眉飞色舞了。

苏联对人民健康的保护

原著者 Н. А. Виноградов

以英明的列宁为首的共产党領导下的偉大十月社会主义革命，在人类历史中开辟了一个新的时代——資本主义崩潰和新的社会主义社会确立的时代，至今已經四十年了。

四十年来在列宁式的共产党領导下我們的国家和苏联人民，經历了艰难而又光荣的道路，这是頑强斗爭和輝煌胜利的道路。在历史上最短时期內实現了国家社会主义工業化和农業集体化，完成了文化革命，建成了世界上第一个社会主义社会。苏联人民更信心百倍的沿着建設共产主义的道路前进。

我們祖国由落后的农業国变成了世界上头等强大的工業国，变成了有先进科学技术的国家。

苏联共产党和政府对苏联人民的福利，居民物質与文化生活水平的迅速增長，对保健事業取得成就，不断注意与关怀，这就保証了人民健康的显著增强。

年輕的苏維埃国家所接受的遺产是难以想象那样艰难的。統治阶級和沙皇政府殘暴的压迫和剝削工人阶級与劳动农民，对于改善他們的生活条件和劳动条件以及保証他們的健康是根本不关心的。

由于劳动人民的生活条件不好，医疗救护組織極不完善，結果使各种傳染病每年都把千百万人的生命过早地送进了墳墓。

革命前，俄国居民的死亡率是極高的，1913年每1,000居民就有30.2的死亡。由于劳动羣众物質生活的艰难，孕妇們、兒童們和母亲們根本得不到国家的关怀，再加上居民的文化程度非常低，所以兒童的死亡率更是惊人的。兒童的死亡率在1913年每生1,000个要死273个，超过西欧国家兒童死亡率3—4倍。

在总的死亡率和兒童死亡率这样高的情况下，只有靠很高的出生率，每1,000居民出生高达47个才保証居民的自然增長率为16.8/1,000。平均寿命很少超过三十岁，显然是落后于欧洲其他国家居民平均寿命的。

最著名的俄罗斯衛生学家 Ф. Ф. Эрисман 教授确鑿地描述了这样指数对国家的不良作用，其直接后果是"世代的迅速更替，巨大的出生率和死亡率在衛生方面或經济方面不論任何情况下都決不能認为是好的象征。兒童的早期死亡給国家带来不可弥补的損失，因为兒童的死亡和世代更替使社会付与这些早死成員的全部劳动，照顧和物質財富都白费了。"

革命前俄国的衛生狀况如何，1913年有下面这些疾病就証明了；肺病（5,000,000人有475,000次）瘧疾（3,500,000次）梅毒（1,000,000人有248,000次）坏血病（1912年103,800次）天花（1910年165,300次）和其他一些傳染病。当时医疗組織網不甚發达，因而不能完全記录下疾病的数字。

为居民服务的医院，設备是很差的，以每1,000居民的病床数計算，1913年全国平均只有13張床，苏联边疆的塔什干地区則低到0.4張，基尔吉茲为1張，阿尔明尼亞2張，烏茲別克2張。全国每7,000人有1名医师，塔什干79,600人有一名医师，吉尔基茲55,600人有一名医师，烏茲別克33,800人有一名医师等等。

医院自己的能力确鑿地說明了他們很少能給居民以熟練的医疗救护。只有21%的医院有20多張床，53%的医院有6—20張，而其余的医院里只不过有五張床。

很重要的原因之一是革命前俄国的保健机关很难有目的的利用現有的微薄力量和資金，也不能根据保护人民健康的当前任务去調动力量和資金，这是革命前俄国保健事業的缺陷。

国內保健事業都分散在各个部，局和社会慈善机关手里，城市居民的医疗救护絕大多数是由私人开業医生掌握的。

按法律应当由內务部正式指导和管理医疗衛生事業，但实际上許多机关完全不服从保健部的領导和管理。

許多部和局，如宮廷封邑部，商業和工業部，人民教育部，瑪丽亞女皇局，土地分配与土地合理使用总管理局等都有屬于其直系人所有的專用医疗設施。

国內有些地区根本沒有內务部，如：所謂的哥薩克人省內仅由軍政部管理那些被称为封邑的領土，也就是沙皇龐大的財产，是处于独立地位的。

許多地区都沒有調解保健事業的統一組織。国家的衛生立法几乎是沒有的。这样就不能使乡村与城市自治机关，向工厂主与某些局或者私营組織，提出在建筑輕工業工厂或重工業工厂时要根据保护工人健康和劳动衛生的标准而建設上、下水道等等。

甚至在沙皇时代，所有保健組織中最进步的，鼓舞先进医学社会活动家的，乡村医学組織，成立达50年之久，可是乡村居民的医药衛生服务仍沒赶不上需要。

1914年 З. П. Соловьев 在作乡村医学50年的总

結时写道"乡村医学这个建筑物的每一塊石头上都能感覺出建造者——乡村医务工作者們所付予的精力，未建成的还放在那里，等待着眞正的主人，他們將以値得尊重的方法去完成它，即利用建設者們的經驗，吸取一切有生的創造力。"

偉大的十月社会主义革命把政权交給了劳动人民，他們在布尔什維克党的領导下，成为眞正的主人；他們的使命是动員国家一切有生創造力，保护居民的健康。

过去在各个部与各个組織之間遺留下来的很不完整的，並且和劳动人民精神背道而馳的保健系統中，不可能有革命的保健事業原則，需要有一个新的，苏維埃保健組織，它能够实現社会主义革命已宣佈的保健原則和方向。

苏联保健事業的基本原則和任务都反应在党和政府的最重要的决議里；像1918年人民委員会議，关于統一国家机关的决定，是一个統一国內一切医疗預防与衛生机構的活动，人民保健事業委員会的决定，1919年党第八次代表大会上通过的共产党綱領里都有关于保护人民健康方面的任务，也反映在1936年全苏第八次苏維埃代表大会通过的苏联宪法里。

苏联保健事業是苏維埃国家工作的环节之一，是社会主义文化不可缺少的一部分，也是有目的地預防与治疗疾病，保証人民劳动与生活的健康条件，提高劳动效率和寿命的国家制度与社会措施。

保护苏联人民健康的組織是以經过实踐考驗的原則为基础的，这种原則是保健事業的国家統一性，計划性，免費和使大家都能享受到医疗救护，是理論密切联系实际和預防的方向，劳动者广泛地参加人民的保健事業。

* * *

苏联政府認为保护人民的健康是苏联宪法規定的最重要的任务与天職。宪法的第120条記載有："苏联公民有权利在晚年，有病或失掉劳动力时享受物質保障。"

这个权利保証工人与职員的社会保險有广泛發展，而且完全由国家負担，使劳动人民得到免費的医疗救护，使劳动人民拥有广泛的疗养組織網。

国家保健事業的基本原則由苏联最高苏維埃制定的法律和苏联最高苏維埃主席团的指示以及苏联部長会議的决議与命令来决定。由苏联部長会議决定苏联保健部和衛生防疫机关的权利和职能，确定保健机構的名称，按国民經济計划与保健事業的預算采取措施，确定医疗机关的費用标准，藥物价格及生产規格，产品銷售，确定医疗預防机关的建筑标准，保护国家边境的衛生条例以及諸如此类的事。

苏联人民保健事業的国家統一性是由于領导的統一，保健事業的一切措施和国家的保健事業計划完全由国家实行。苏联政府計划与指导保健事業的行动是以社会主义經济基本規律的要点与要求出發的，目的在于巩固我国全民的健康，以及最大限度地滿足他們对熟練的医疗服务的需要。

苏联保健部对保健工作的領导是通过各加盟共合国相应的部来实現的。

苏联立法保証各加盟共和国，在实际解决發展保健事業和組織医疗問題上，有广泛的权力。

在某些部門和組織里有独立的医藥衛生处並不妨害苏联保健工作統一的原則，因为这些医务机关的活动都基于統一的原則和工作方法，且都在苏联的保健部的监督之下。何況在苏联保健部系統之外只有不多的保健網和保健干部，这点由表1可以看到：

苏联国民經济的全国計划决定保健事業的發展。这就使保健工作的發展保証能正确地配合工業，农業和文化的發展。

表1 1940—1956年苏联保健部系統及各部門的医生，医疗机关和病床数

年　份	1940	1950	1955	1956
医师（不包括軍医和牙医师）				
各部門之合	140,769	247,346	310,175	329,442
其中保健部系統数	122,949	217,759	269,734	288,191
佔总数的百分比	87.3	88.0	87.0	87.5
医疗机关				
各部門之合	13,793	18,253	24,428	25,178
其中保健部系統数	13,472	17,359	23,397	24,105
佔总数的百分比	97.7	95.1	95.8	95.7
病　床				
各部門之合	790,900	1,010,700	1,288,900	1,360,800
其中保健部系統数	760,800	964,900	1,225,600	1,292,7[illegible]6
佔总数的百分比	96.2	95.5	95.1	95.1

与發展国民經济的全国計划相适应，在国家的預算里对保健工作提供了相当的資金，而且还不断的增加(表2)。

表2 国家的保健事業支出

年份	1925/27	1940	1951	1956	1957
以百万盧布計	660	11,[illegible]00	26,400	34,600	37,600

保健事業的建設以全国計划为基础，更密切的与国家整个經济和文化發展相結合，因之保証了整个国家的保健事業有空前增長，特别是在那些以前落后的地区。在恢复和重建国民經济时期以及在第一个五年計划的年代里保健工作的各个部門都有了增長。

在偉大的衛国战爭的年代里不論在国民經济方面或保健事業方面都遭受了巨大的破坏，尤其是临时的敌佔区。但是由于社会主义經济制度的优越性，苏維埃国家不仅恢复了这个損失，而且到1950年还显著地超过了战前1940年保健事業指标。

保健事業基本指标的增長速度，無論在战前或战后年代里都突出地显示了社会主义苏联保健事業的优越性(見表3及附圖)。

表3 保健事業各部門主要指标的增長

(对1913和1928年的百分比)

年份	1928	1932	1937	1940	1950	1955	1956
医疗机关数*	124	171	246	303	401	536	553
病床数*	119	198	305	381	487	622	656
医師数*	—	328	456	608	1,068	1,340	1,423
产科病床数*	360	581	1,269	1,504	1,629	1,932	1,992
乡村衛生所数*	—	184	448	944	1,400	1,503	1,559
妇女与兒童諮詢所数**	100.0	153	203	293	436	624	644
常設托兒所数**	100.0	966	1195	1,383	1,251	1,459	1,556
保健事業工作者数**	100.0	168	282	378	514	658	696

註* 对1913年的%，** 对1928年的%。

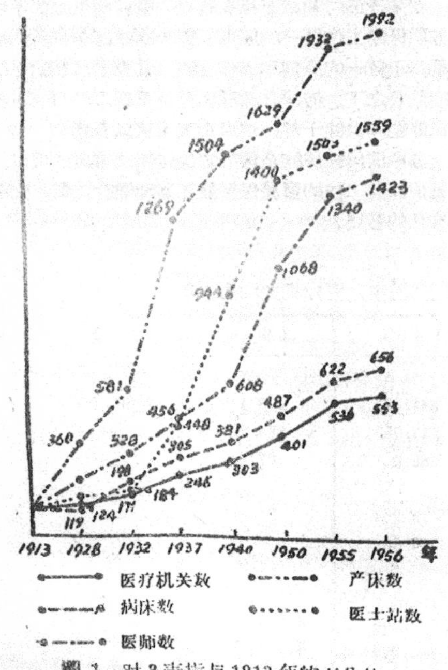

圖1 对3表指与1913年的百分比

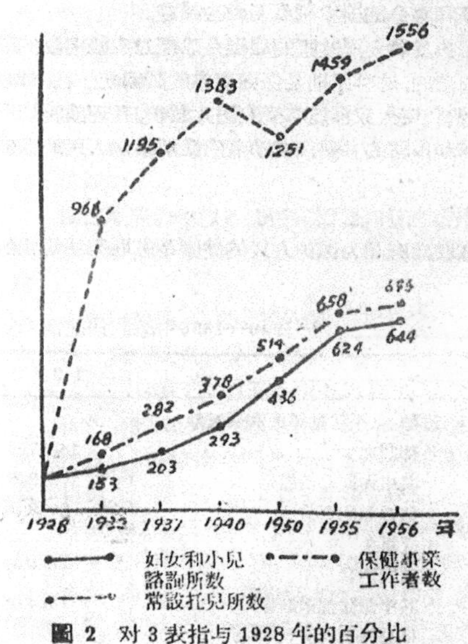

圖2 对3表指与1928年的百分比

苏联有計划有目的地發展保健事業，使中亞細亞和卡查赫斯坦地区的医疗組織網有很大發展，並保証这些曾經受沙皇俄国压迫的医疗救护工作达到了全苏联指标的水平(表4)。

表4 1913—1956年中亚各加盟共和国与卡查赫苏維埃社会主义共和国每10,000人里医师与病床数

	病床数			医師数		
	1913年	1940年	1956年	1913年	1940年	1956年
苏联	13	41	67	1.4	7	16
塔什干共和国	0.4	30	54	0.1	4	10
基尔吉兹共和国	1	26	52	0.17	4	12
土尔克明尼亞共和国	3	44	75	0.5	7	16
烏兹别克共和国	2	32	57	0.3	4	12
卡查赫共和国	3	42	70	0.3	4	11

在沙皇專制的制度下，不仅不可能在各民族地区建立科学研究組織網，甚至連培养地方干部的高等学校和中等学校也談不到。由于列宁的民族政策的徹底实现，在苏維埃国家里根除了民族不平等並保証各加盟共和国广泛地建設国民經济与發展文化。

結果，在十月革命前只有少数医师的各加盟共和国都有了不同專業的科学研究所，至少有一个培养医师的高等学校和好几个中等医科学校(表5)。

表5 1956年末，8个加盟共和国的医学科学研究所及医学校数

共和国名称	科学研究所	高等学校	中等医科学校
烏兹别克共和国	8	3	15
卡查赫共和国	6	3	24
格魯吉亞共和国	14	1	21
阿塞尔拜疆共和国	12	1	19
基尔吉兹共和国	2	1	7
塔什干共和国	3	1	4
阿尔明尼亞共和国	8	1	5
土尔克明尼亞共和国	6	1	4

在高等学校里本地民族的学生数一年比一年增加。1956年在学生总数里他們佔：在阿尔明尼亞共和国佔97%，在格魯吉亞共和国佔87.4%，在立陶宛共和国佔82.7%，在莫尔达維亞共和国佔56.5%，在土尔克明尼亞共和国佔54.7%，在烏兹别克共和国佔53.1%，在基尔吉兹共和国佔48.5%等。

* * *

在苏联由国家施行保护人民健康这一特点，决定了苏联保健事業的另一个基本原則：即对居民实行免費的，人人都能享受到的医疗救护。

早在1917年5月由列宁起草的党綱草案中，做为重要的社会措施之一，提出了对各种僱佣劳动者实行全部社会保險，並規定对保險者都保証有免費医疗救护。

这些原則只有在無产阶級取得胜利之后的苏維埃政权才能实现。

1919年党的八次代表大会上通过的党綱里，把"保証人人都能得到熟練的医疗救护"的要求列为保健部門的迫切任务之一。

为了保証居民容易得到医疗預防，保健部門在計划医疗組織網时，不仅要注意其增長的数量，也要注意合理的分佈。为了使居民尽量得到就近医疗必須在一定的时間內建立医士或医士助产站以及独立的診疗所和小医院。

1956年底苏联保健部系統有如下的医疗机关：

医疗机关(医院)	24,105
綜合医院	33,854
診疗所，診疗科和室(各种專業的)	16,400
紧急医疗救护站	1,731
保健站(医疗护理)	19,979
母嬰保护机关	46,966
季节托兒所	83,303
疗养避暑机关(無晝夜疗养所)	1,944
休养所	649
衛生防疫站	5,230
医士助产站	68,300

不断提高全民性医疗預防工作的同时，保健机关还根据国民經济發展中一定人員的主导作用与苏維埃社会某一發展阶段的具体任务，而优先为某一集团居民服务，以此作为指导原則。

首先是为产業工人服务，因此除一般的医疗組織網以外，在某些大工業企業里建立了医疗衛生处，到1956年已达964个，編制內的人員是26,500人，其病床数为85,000張。

与此同时，在工業部門籌划医疗組織时，还規划了病床的扩充。如第五个五年計划期間全国的病床数平均增長27%，齐略宾斯克省則增到47%，斯大林格勒增長到53%，古比雪夫省增長到63%，伏洛希洛夫省增長到47%，卡拉干全斯基省增長到58%，东卡查赫斯坦省增長到128%等等。

在俄罗斯苏維埃社会主义共和国与卡查赫苏維埃社会主义共和国已开恳与未开恳的地区都新建了医疗机構，有511个医院，5,400張病床，497个有葯房的医士助产站，有收容2,600小孩的托兒所。往这些地区派了1,760名医师和4,215名中級医务人員。

只有在苏联保健事業的工作目的，形式与方法統一的情况下才能有效地解决如上所述的当前問題。

由于医院里病床有显著增加，所以住院治疗的居

表 6　苏联保健部在医疗机关里病床基金專業化

病床名称	病床数			
	1940年	1950年	1955年	1956年
总数	760,843	964,924	1,225,571	1,292,717
其中：				
內科	88,681	1[illegible]0,648	240,448	254,982
外科	90,230	136,935	175,121	184,760
腫瘤	1,499	12,066	16,163	17,244
妇科	30,823	39,712	52,533	58,604
兒科（非傳染病）	49,682	74,247	100,021	107,013
眼科	13,015	15,250	21,268	22,737
耳鼻喉科	6,586	8,341	11,561	12,634
結核（成人及小兒）	30,056	72,421	105,350	111,565
皮膚与性病	14,305	29,258	27,676	27,610
傳染病（成人及小兒）	91,471	123,770	145,986	148,181
精神病	83,895	70,914	106,487	115,430
神經病	8,584	12,951	17,153	18,347
孕产妇	107,827	116,306	138,441	142,911
普通	117,897	70,633	54,677	57,158
其他及未按專科分的	27,791	33,538	28,849	30,785

民也急剧地增多了。1913 年住院治疗的有 3,505,500 人，1940 年有 15,164,300 人，1950 年有 19,089,300 人，1956 年 29,369,100 人，比 1913 年多 8.3 倍。

产院的收容量也增加了，1913 年住产院和医院产科的产妇为 326,900 人，1956 年达 4,800,000 人即增加了 10 倍多。

医疗机关和干部每年都有显著增加，不仅使医疗救护更接近羣众，而且还可以不断提高質量。因为广泛地發展了医疗預防的專業种类，采取系統措施培养与提高了干部的熟練技巧。此外还有計划地減少了一般病床，把病床基金用来扩大了專科病床（表 6）。

与病床資金專業化的同时，还施行了医务干部的專業化。为此应用了医师进修学院和地方上大的医疗預防机关，因而專業医师的数量也不断地增加了（表 7）。

医疗救护的專業化和技术非常熟練，是因为广泛地採用了診断与治疗的輔助方法，也是把医学科学成就运用于实际的結果（表 8）。

不从根本上改变培养医务干部的一切制度，首先是医师的培养制度，要保証居民得到免費又人人可以享受到的医疗救护是不可能的。

俄国革命前有16 个培养医师的学校（有综合大学医学系和女子医專）不包括軍医学院。在这些学校里

表 7　1940—1956 年　苏联保健部系統專業化的医师数

	医生数				备註
	1940 年	1950 年	1955 年	1956 年	
总数	122,949	217,759	269,734	288,191	
其中：					
內科医师	37,479	49,487	68,328	74,332	包括內科医，生理內科医，傳染病医师。
外科医师	11,207	19,775	28,316	29,712	包括外伤外科医，矯形外科医，腫瘍外科医，泌尿外科医师。
产妇科医师	9,490	14,682	20,669	21,276	
兒科医师	17,318	28,076	38,108	40,124	
眼科医师	3,212	4,950	7,285	7,640	
耳鼻喉科医师	2,269	3,930	6,087	6,514	
神經病理学医师	2,726	4,429	6,489	6,857	
精神科医师	2,255	2,691	4,086	4,321	
肺痨病学医师	3,340	8,252	11,445	12,287	
皮膚性病医师	4,266	8,092	8,524	8,456	
X光医师	2,348	5,407	9,240	10,312	
非專業医师	—	19,922	3,185	4,847	
衛生防疫队医师	11,121	19,129	23,921	24,058	包括衛生医，流行病医，瘧疾医，腸虫病医，消毒医师。
其中：					
衛生医师	4,390	8,866	10,933	11,402	
流行病医师	2,260	4,633	6,213	6,132	
口腔科医师	5,139	9,214	10,938	1[illegible],323	
还有齿科医师	12,839	[illegible]	19,145	20,523	

表8 有仪器設备的医疗机关的增長
(与1940的百分比)

年 份	1940	1950	1955	1956
有X綫科(室)的机关数	100.0	152.6	245.4	277.2
有临床檢驗科的机关数	100.0	160.0	239.3	259.2
有物理治疗科的机关数	100.0	183.3	260.0	284.6

只有为数不多的学生在学習,平均有8,600人,每年有900—1,000畢業生。这样培养医务干部的速度和水平决不能保証完成摆在苏联保健事業面前的,新的,巨大任务。

当苏維埃国家还沒轉入和平建設的时候,培养医务干部的高等学校就迅速增加了(見第9表)。

表9 培养医师和药剂师的高等学校数

年 份	1917	1918	1919	1920	1921	1922	1930	1935	1940	1956
学校数	16	20	25	29	29	30	33	46	72	77

此外,大学的医学系还培养医师,但是它的畢業生对青年医师队伍的补充是不显著的。

从1946—1950年医学院共畢業了97,524名医师,而5个医学系只畢業3,124名医生;1951—1955年医学院畢業了74,010名医师,而同一时期3个医学系只畢業1,282名医师(表10)。

表10 1914—1956年培养医师的学校数畢業生与在校学生数

年 份	培养医生的学校数	在校学生	每年畢業的医生
1914	13	8,600	900
1928	24	26,000	6,200
1935	46	61,000	6,900
1940	63	110,700	15,800
1950	65	96,400	16,600
1955	68	135,200	13,500
1956	70	142,900	16,600

由于对培养医务干部采取了措施,所以在苏联每年畢業的青年医师和給居民以医师保証都佔世界的首位。下面的材料足可以証明:(見表11和12)

保証給保健組織網以医务干部,同时也要解决医生專業化与进修的国家制度問題。沒有这些就不可能給居民以專門的医疗救护。为此而發展了医师进修学院網,以地方的省,市医疗預防机关和医学院为基地,給广大的乡村培养專家。在住院医生里培养熟練專家的工作也得到了广泛的發展。

下述材料反映了这方面的工作量:仅在第五个五

表11 1953—1954年苏联与世界各国畢業医生比較表

国 家	每年畢業医生
苏 联	14,500
美 国	7,200
日 本	4,000
西 德	3,300
意 大 利	3,200
中 国	3,000
法 国	2,800
印 度	2,500
英 国	2,400

表12 苏联每名医生与居民数比例和世界各国的比較

国 家	年 度	每名医生与居民数之比
苏 联	1950	715
苏 联	1955	625
奧 地 利	1953	650
捷 克	1954	730
美 国	1953	770
匈 牙 利	1953	840
丹 麦	1953	950
加 拿 大	1954	950
比 利 时	1953	980
瑞 士	1954	980
法 国	1953	1,100
英 国	1951	1,200
瑞 典	1953	1,355

年計划期間(1951—1955),有76,000名医师經过进修学院的培养,有25,200名医师經过地方基層組織培养,8,800名医师經过医学院培养,5,700名医师完成了住院医师的工作。

除了医务干部之外,还培养了受过高等教育的药剂师。現在有7个药学院和9个医学院的药学系,培养药剂师;这些院系1956年有9,848名学生在学習,每年可以培养1,000名以上药剂师。

从事培养医师和药剂师的科学教育工作者的人数1956年达到16,411人。同时在培养中級医务干部上也广泛地采取了措施,在校与畢業的中級医学校学生增加了許多倍(表13)。

目前苏联保健部系統中有603个中等学校,培养以下專業的医务人員:医士、衛生医士、医士—助产士、助产士、护士、化驗員、牙医、牙科技士、药剂員、昆虫工作者、X綫技士、医学工業技士。

一切保健事業的实际活动都和医学科学有不可分割的联系。这种有机地联系保証了所有的医学科学研

表 13　1914—1956年在学与畢業中等医科学校学生数

年　份	1914	1928	1935	1940	1950	1955	1956
学生数	8,300	18,800	65,100	222,800	112,800	200,900	194,900
畢業生数	2,000	4,800	14,100	84,100	49,500	51,300	73,100

究所和医学高等学校都要隶屬于苏联保健部系統。

沙皇的制度及其資产阶級的保健組織，对于把医学科学的成就广泛应用于实际是不可能关心的，而在苏联科学是为劳动人民服务的。1956年有268个科学机关，有77个医药学院和11个医师进修学院进行了医学科学研究工作。这些工作都是在苏联医学科学院主席团的协調与指导下进行的。

从事科学研究的院校一大部份由各加盟共和国保健部指导，並与全苏联保健部系統的院校一起研究着医学与保健組織的一切根本問題，包括內科学，外科学（整复外科、外伤和矯形外科）、腫瘤学、X綫学、产妇科学、児科学、皮膚性病学、結核病学、眼科学、神經病学、疗养学、保健組織、医学史、衛生与流行病問題等等。

1956年在高等学校，科学研究所，医疗預防机关和苏联保健部系統的保健机关里有28,663位科学工作者在工作。其中有2,634位科学博士及13,567位科学副博士，这里面更有149位科学博士和1,907位副博士在医疗預防机关和保健机关从事实际工作。

苏联医学工業的建立也在相当程度上改善了对居民的医疗服务和医疗預防工作的效率。近年来医学工業保証了大量的药品，装备和仪器的生产。掌握和扩大了各种有效的抗生素的生产，医学器械工業生产了器械和装备使医学科学的現代成就得以在广泛的实际工作中扎根（如：向量心电圖鏡，內臟組織縫合装置，心肺手术器械等）。

为了医学工業生产更加完善及扩大产品，在第六个五年計划里將建立19个新工厂，用新的生产技术，生产过程自动化，机械化認眞地改造工業。这些措施將更提高劳动生产率，提高产品質量。保証使保健事業的物質技术基础扩大，从而引起对居民医学服务的改善。

建立广大的急救組織網，保証了药物与护理用品的需要；1956年全国有約13,000个药房，3,500个專業門市部和貨攤以及7,500多个药品供应点，这也不能不提到，1913年俄国“有实药权”的药房只不过有5,594个而已。

* * *

預防的方針成为苏联保健事業的根本原則之一是因为科学的唯物主义了解到有机体与外环境的相互关系，認为社会条件对于保持与增进健康和消除病源是有决定意义的。

偉大的俄国学者 Н. И. Пирогов 的預言“未来是屬于預防医学的”已經实现了。

目的在于根本改善居民的劳动与生活条件的預防原則，是党在保健事業上根本的总路綫。这条路綫在党的計划里是極明确規定了的：“俄国共产党根据自己保护人民健康的活动原則認为，首先要进行广泛地保健与衛生措施以預防疾病的傳播。”

巩固居民健康、消灭病源的預防措施不能只靠保健机关去实现。一貫地施行企業工人的劳动保护，对母嬰的社会及法律保护，住宅政策，以科学衛生学为基础的社会供养組織，工农業及其他生产的机械化等法律乃是苏維埃国家的社会政治基础。

許多职工会，运动和体育組織的活动都致力于巩固和發展劳动人民的体力，从而巩固他們的健康。

所以 Н. А. Семашко 当时所写的：“不应当狹隘地把預防了解为只是保健事業主管机关的任务，它是苏維埃国家对苏联人民健康广泛而又深切的关心。”这是有道理的。（Н. А. Семашко 概論，苏联保健組織原理选集。莫斯科1954年版101頁。）

正是生产力增長和保健事業發展的这种相互制約性，使社会主义建設得到成功，使居民物質文化生活水平提高，成为实现預防的根本条件，創立了苏联保健事業。

苏联保健事業的預防活动按規定是用一般衛生学的措施，使外环境健康化。这項工作是要靠所有主管机关与組織互相配合来实现的。进行这个工作並有劳动法規与衛生法規的保証，由国家衛生檢查局按衛生法規实行监督。

由国家衛生檢查局执行預防性衛生监督，在于創造一个劳动与生活都健康化的条件，只有这样才能消除疾病的自然發生。

保健事業預防活动中最显著的是进行防止流行病的措施：預防單个的流行病，消灭疫源地並防止疫源地的出现。这些措施是靠衛生与流行病，医疗与預防机关共同力量实现的。

非傳染病的預防是苏联保健事業預防原則的进一步發展。如果說防治流行病的措施，目的是在于消灭急性傳染病，那么預防机体的非流行病，則是更广泛的任务了。如使居民健康化，进一步降低發病率和死亡率，增加平均寿命，积極保障老年人健康，普遍提高居民健康水平等。

这些任务是靠一般的和專門的国家医疗預防机关，所有的組織網和衛生与流行病組織来实现的。对各个人进行健康与發育的系統观察，对所有在托兒所，幼兒园，小学校和家庭的小兒进行健康观察，对应征入伍者以及少年男女工人进行健康与發育的观察。

在医师的細心監督下，进行多方面發展的文体活动可以促进居民的健康化。

居民的独立活动是苏联保健事業發展各阶段中不可缺少的部分。

城市和乡村的千百万劳动者都参加了改善人民健康保护的社会活动。

从苏維埃政权建立的那天起就提出："保护劳动人民的健康是劳动人民自己的事"的口号，在我們今天这仍然是主要的口号之一。

苏联各社会团体参加保护人民健康，表現为許多种方式。职工会通过自己的积極份子給保健組織和机关以巨大帮助。在医院，門診所和其他医疗預防机关里产生"促进委員会"其中包括企業，机关工会以及居民代表，他們就在医疗机关里服务。

衛生积極份子的組織是吸引居民独立活动最普遍的形式。

公共衛生积極份子工作的全部意义在偉大的衛国战爭的年代里最明显。

千万个衛生特派員，社会衛生檢查員，参加了保健机关和团体的衛生預防工作。

紅十字会与紅半月协会在帮助保健部門組織居民的独立活动上起到了並繼續起巨大的作用。

由苏維埃代表組成的劳动者代表苏維埃，它下面設有保健工作常务委員会（以前是部），是居民業余活动組織的重要形式之一，它广泛地吸收了劳动者与医务工作者中的积極份子。

在为劳动与生活健康化，为降低居民發病率与死亡率而斗爭的工作中，所有的方法里衛生教育的意义是無可比拟的。

在苏联保健事業一开始活动时，衛生教育就已經成为与流行病斗爭和使个人生活与集体生活衛生化斗爭中的战斗助手了。衛生教育成为所有医疗預防措施中的有机組成部份。它的活动范圍不仅是在居民里傳播个人衛生，各种疾病預防的衛生常識，並且进行苏联保健事業总任务，医学科学成就，正常体育和巩固苏联公民健康的宣傳工作。

* * *

苏联保健組織是按着社会主义国家保护居民健康的根本任务进行活动的。保健事業的發展及其成就是社会主义建設成功的結果。

苏联国民經济不断地發展保証着苏联人民的福利一直提高，滿足了人民增長的物質与文化的需要。这乃是改善衛生环境和改进居民健康最重要的因素。

苏联全部国家收入从1929年到1955年增長了12.5倍，它是屬于劳动者的，所以完全是人民的收入。国家收入的75%左右是用来滿足劳动者物質与文化的需要了。

劳动者的物質福利一年比一年提高。在苏联第一个五年計划开始就完全消灭了失業現象。

由于大批日用商品不止一次地降价，工人与职員的工薪提高和国家給居民以付款与优待这种开支的增加，而使工人和职員以及农民的收入显著增加了，1955年工人和职員的实际工資比1940年增長了75%。国家極力扩大住宅的建設，在改善居民区設备，扩大上下水系統等方面进行了許多工作。

在不減低工資的情况下施行了縮短工作日的工时，縮短休息日与节日前一天的工时，16岁到18岁的少年，工作日为6小时。第六个五年計划預定由8小时工作日改为7小时，某些工种改为6小时。

仅第五个五年計划期間国家在社会保險津貼，工人与职員的休假工資，在休养所与疗养院免費优待的疗养，医药救济，大学生奖学金等方面就花費了689亿盧布。

战后这些年，苏联人每年在疗养院和休养所治疗和休养的有500万人；兒童和青少年在市郊或市内兒童团夏令营度假的有550多万；幼兒园和托兒所在夏季有組織地移到避暑地方去。

一貫增强国家經济力量的結果，进一步提高居民物質福利与文化生活和党与政府經常关怀保健事業發展的結果，使苏联人民的健康狀况發生了巨大变化。和革命前保健事業狀况，居民死亡率，患病率等指标是根本不能相比的，苏联这些指标和先进的資本主义国家比較也是居于最前列的。苏联居民的死亡率不仅比1913年显著降低了而且比別的国家也是最低的（表14）。

表14 1913—1956年每千人的死亡数

国家	1913年	1939年	1955年	1956年
苏联	30.2	18.3*	8.2	7.7
美国	13.8	10.6	9.3	9.4
法国	17.7	15.4	12.0	12.4
英国	14.3	12.2	11.7	11.7
丹麦	13.0	10.1	8.8	—
挪威	13.3	9.9	8.3	8.5
瑞典	13.9	11.5	9.4	—
瑞士	14.8	11.8	10.1	10.2
意大利	19.5	13.4	9.3	—

* 1940年

应当注意到降低的速度。如果說美国，法国和英国死亡率降低2倍要80—85年以上，那么在苏联死亡率在40年就降低了4倍，而只用30年就可以降低2倍。

由于某些个别原因，居民死亡率指标發生了根本性改变。城市居民消化系疾病，呼吸系的結核，急性傳染病的死亡率显著地下降了。

总的死亡率降低，首先是1岁以下嬰兒死亡率降低，使平均寿命有了显著提高，它从1896—1897年的32岁，到1926—1927年增到44岁，到1954—1955年增加到64岁。

普通医院里的致死率，即100名出院病人的死亡数，从1913年4.9%到1956年降低为1.8%。

居民的患病率發生了显著的改变。革命前俄国傳染病广泛地傳播，居民的患病率和死亡率达20%以上。在苏維埃政权的年代里某些傳染病完全被消灭了，严重的傳染病如鼠疫，霍乱，天花，回归热，另一些傳染病的發病率也显著地降低了。像腸伤寒的發病率減低了11倍，瘧疾發病率从1913年每1万人有216.6人到1956年減低为0.65人，也就是說減低了332倍。

扩大医疗組織網並改进其活动，对于降低居民死亡率与發病率起到了决定性的作用。

所有的其他指标的好轉說明了对居民医疗預防服务的質量。这一切都說明了苏联保健事業所走的道路是正确的。偉大的衛国战爭时期我国經受的严重考驗更确鑿的証明了这一点。

偉大的十月社会主义革命40年后苏維埃国家有效地解决了保健事業的根本任务。国家根据人人可以享受到免費而且广泛預防的原則建立了苏維埃的居民健康保护組織。

医疗組織網及其病床数，国家医务干部的数目，医学科学和医学工業的發展在苏維埃政权的年代里不論在数量上和質量上都比革命前俄国保健事業狀况的指标超越得不可比拟了。

苏联保健事業的許多指标由40年前沙皇俄国無比的落后狀态，現在已經达到，某些已經超过了先进的資本主义国家的水平。

苏联保健事業在最近几年得到了新的，更大的成

苏联保健事業主要指标的發展（各部門都在內）

	1913年	第一个五年計划			第二个五年計划		第三个五年計划的三年和第四个五年計划				第五个五年計划		第六个五年計划的一年	
		1928年	1932年	与1928年%	1937年	与1932年%	1940年	与1937年%	1950年	与1940年%	1955年	与1950年%	1956年	与1955年%
医院	4554	5,666	7,788	137.5	11,196	143.8	13793	123.2	18253	132.3	24,428	133.8	25178	105.1
	100.0	124.4	171.0		245.8		302.9		400.8		536.4		552.9	
病床数（單位千）	207.3	246.5	411.3	166.9	632.5	153.8	790.9	125.0	1010.7	127.8	1288.5	127.8	1360.8	105.5
	100.0	118.9	198.4		305.1		381.5		487.6		621.6		656.1	
居民用病床保証率（每1万人）	13	17*			—		41		55		65		67**	
医師数（不包括軍医、牙医）	23,143	無报告	76027		105567	138.9	140769	133.3	247346	175.7	310175	125.4	329442	106.2
	100.0		328.5		456.2		608.3		1068.8		1340.3		1423.5	
医師与居民的比例（每1万人）	1.4	2.8*	—		—		7		14		16		16**	
妇女与小兒諮詢所	9	2,151	3,288	152.9	4,367	132.8	6,301	144.3	9374	148.8	13429	143.3	13869	103.3
	—	100.0	152.9		203.0		292.9		435.8		624.3		644.8	
产床数（單位千）	7.5	27.0	43.6	161.5	95.2	218.3	112.8	118.5	122.2	108.3	144.9	118.6	149.4	103.1
	100.0	360.0	581.3		1269.3		1504.0		1629.3		1932.0		1992.5	
常設托兒所（單位千）	0.55	62.1	600.2	966.5	741.9	123.6	859.0	115.8	777.0	90.5	907.0	116.6	965.0	106.4
		100.0	966.5		1194.7		1383.3		1251.2		1458.9		1556.5	
乡村护士服务站	4,539	無报告	8364		20342	243.2	42857	210.7	63537	148.3	68203	107.3	70767	103.8
	100.0		184.3		448.2		944.2		1399.8		1502.6		1559.1	
每年平均在保健机关工作的干部总数（單位千）	無报告	399	669	167.7	1127	168.5	1507	133.7	2051	136.1	2627	128.1	2780	105.8
		100.0	167.7		282.5		377.7		514.0		658.4		696.7	

* 据俄罗斯苏維埃联邦社会主义共和国1927年材料。

** 1957年每1万居民有17名医師和70張病床。

說明：材料来自各个部門。1928，1937年的材料是1939年9月17日整理的，1913、1940，1950和1955年的材料是現在整理的。

就。

苏共第二十次党代表大会指示,根据1956—1960年發展苏联国民經济的第六个五年計划,拟定了进一步扩大保健組織的預防活动与提高居民文化医学服务的措施。

在第六个五年計划里病床数要比1955年增加28%,托兒所增加44%,疗养院增加10%,休养所增加13%.

將要大規模地扩大建設医疗預防机关;病床比第五个五年計划多2.8倍,托兒所与幼兒園多2.4倍。

保健事業,科学研究机关和医学工業的工作者們在实踐中积極寻求和应用預防与診疗的新方法和新葯品。

劳动保护工作和工業企業中工人与职員疾病的預防工作,保护水源,保护空气和土壤不被污染等工作必須改进。

苏維埃国家40年里保健事業取得成就,唯有共产党与苏联政府对劳动人民健康經常关心才有了可能的。

苏联在經济与文化建設上的成就並在此基础上提高了人民的物質福利,为进一步改善人民健康創造了一切条件。

(一丁、月坏譯自 Сорок лет Советского здравоохранения, отр. 5—30, москва 1957.)

第六个五年計划中医院和托兒所的發展

原著者 В. И. Маевский

为了改善居民的医疗服务,降低患病率,更广泛的發展保健机关的預防工作和發展医学科学,苏共二十次代表大会指示中規定首先發展保健的物質基础,即修建新的医院、門診部、防治所、托兒所、疗养院、葯房、衛生防疫站、医疗工業工厂,並供給医疗衛生設施現代化的外科設备、診断治疗設备和其他医疗設备、器械和最新的葯品。

在1956—1960年国民經济發展計划中反映出要解决这些問題,这就可能显著改善居民的医疗服务。

战后的年代里,国內猛烈的發展工業、运輸、农業,增加城市和居民点,在荒地上产生了数百个农場,修建了新的和改建了旧的机器拖拉机站。但保健網的發展还落后于經济發展的速度。

在苏維埃政权的年代里,医疗網一直在增長着。下列的材料就是明証,1913年沙皇俄国領域內病床数为176,000張,1928年已为247,000張,1932年为411,000張,1937年为599,000張,1940年为791,000張,1950年为1,011,000張,1955年为1,289,000張。

由于工業的增長和城市人口的增加,在第六个五年計划的年代中显著增加城市的病床数,达1,113,000張,即增加25%.1913年仅为93,000張,1940年已为531,000張,1950年为706,000張,1955年为889,000張。乡村的医疗設施也增加,至1960年底將达391,000張或增加32%,而在1913年仅为49,000張,1940年为180,000張,1950年为236,000張,1955年为296,000張。

按計划草案上規定的医疗設施網的增長,使苏联每万居民平均病床数从1955年的65增到78,而1913年这一指标为13,1732年为26,1940年为41,1950年为55。苏联进一步發展保健的任务其中有应当使每万居民达到100个病床。

每万居民的病床数在大的資本主义国家中比苏联还高,美国为98,英国为115,法国为114,西德为103。在这些国家中医院建設發展了較長的时間,走着同我国不可比拟的緩慢的速度。例如苏联同革命前比較,居民的床位保証从每万人13張增到98張,即增加了500%,而美国在同一时期从54增至98,即增加183%。

除了上述国家城市人口比我們要佔优势得多以外(美国約为60%),还应当考慮到每平方公里的人口密度,这使国內的平均指标增高。我国乡村人口佔优势(超过50%),人口密度小,平均指标就低。

应当指出,資本主义国家病床总数的50%(美国)为精神病患者的病床,而苏联它的数目不超过8%.

最后,只有关于病床数的資料还不能証明眞正的住院的多少,因为資本主义国家病床因收費高而利用不充份。

假如注意到所有这些,則苏联实际上比主要資本主义国家在主要各科(內科、外科、兒科等)的住院服务上有較高的保証。

苏联医院建設是有計划的進行,合理的分佈城乡的医疗設施,根据地区的需要,而不是像資本主义国家那样只对医院所有者有利。

为了保証第六个五个計划所規定的[illegible]出撥款8,508,000,000盧布。

在所拟定的医院和門診部的增長計划中主要集中注意优先發展大型的和專科化的医疗設施。实际中表明，修建10—15—25張床位的医院是不合适的。首先它的医学水平不高，因医务干部数少，並缺乏像X線机，临床化驗等这样必要的現代化的設备。这些医院的医师把病情复杂的病人轉到別的医院去。其次，修建小医院时每个床位的价值比大医院要貴。在医学和經济方面最适当的是：乡村的典型医院为50,75,100个床位，城市的为200,300,400張床位（而且这些医院照例修在市郊）。

最重要的是在第六个五年計划中尽量發展專科的医疗設施。問題在于目前甚至在相当大的普通医院中也不能在应有的程度上給某些病人熟練的服务。例如在医院的普通外科通常不能在现代的医学科学成就的水平上治疗神經外科、胸外科、矯形外科和损伤外科的疾病。处在一般外科中的兒童，同样要求特殊的照顧，治疗他們时需要采用特殊的获得承認的治疗方法。于是，合理的發展專科化的外科医院或者在普通医院中建立这样的科就成为任务之一。必需發展兒童医院、妇科医院，扩大产院的修建以及有住院部的結核防治所和腫瘤防治所的修建。最后应当大力增加神經精神病医院的数目。專科化医疗設施網的發展保証了改善居民医疗服务的質量，並將促使集中苏联学者的力量来寻求新药物以及治疗和预防的方法。

由于第六个五年計划大量修建医疗预防設施，尽量降低造价和采用典型設計有着特殊意义。

最后，要求重新审定目前修建医疗設施的某些标准。比方如果扩大医院的每个病房从25張床到33張床，而服务条件並不变坏，則由于省略各种輔助房間（配餐室、工作人員室等），使每个病床的造价降低。房間的高度的某些降低使有可能扩大采用标准建筑組合，並多少降低造价。使部份病室向北也是必要的，这使得有可能兩側修建，使建筑显著降价。

苏維埃国家特別注意关怀妇女和兒童的需要。苏共20次代表大会关于第六个五年計划的指示中提出如下的任务："尽力改善女工的劳动和生活条件，为母亲規定补充的优待，其中包括延長妊娠和分娩的假期。"所有这些的目的在于保証妇女更广泛的参加生产劳动的可能性，並給他們創造教养兒童的更好的条件。

解决这一巨大的国家任务的最重要的措施之一是把托兒所扩大到这种水平，使大体上保証所有工作的母亲的需要。

苏联保健部認为，城市中托兒所的需要約为全部三岁以下兒童的15%，在乡村为4%。根据这个，这一五年計划要增加經常性托兒所的席位为490,000。

發展人民保健的第六个五年計划規定至1960年經常性托兒所的席位达1,317,000，即比1955年增加409,000或为45%。第五个五年計划托兒所席位增長达130,500或比1951年增加17%。由此可見，第六个五年計划托兒所床位的增長超过2.5倍。同时其中90%为新建，其余10%为扩充房子。每万名工人的托兒所席位数1955年为166，1960年將为211（計算）。1956—1960年修建托兒所拟支出2,606,500,000盧布。

这样宏偉的修建医院和托兒所的綱領只有我們社会主义国家才能胜任，这个国家力求極大的满足劳动者日益增長的物質和文化需要。

（傅振鐸摘譯自 Советское здравоохранение 1957年8期）

苏联泌尿科40年

原著者　苏联泌尿科杂志編輯部

在这偉大的十月社会主义革命40周年里，苏联人民隆重地指出：由于革命消灭了剝削者和民族压迫，保証了社会主义社会的建設，国家生产力，科学文化技术获得空前發展，苏联人民的物質福利和文化水平不断地改善。关怀人民保健事業永远是党和政府的重要任务之一，在这方面的成就也是众所週知的。泌尿科像其他独立的科学和临床科系一样得到發展与巩固，並且和苏联人民保健事業一道在居民医疗方面得到不斷地改善。

远在18和19世紀俄国医师曾論述泌尿科問題，並且有了巨大的研究成就，А.И.Поль，Ф.И.Иноземцев，В.А.Басов，Ф.И.Синицин等氏曾經是碎石术和截石术的卓越权威，Я.В.Вильье和Ф.И.Синицин氏在尿道狭窄治疗方面，А.Г.Подрез氏在前列腺肥大治疗方面也是权威。Н.И.Тихов等氏在本世紀初叶就应用了原始的一般方法做輸尿管結腸接植术，以Б.Н.Хольцов氏方法施行二期前列腺摘除法和尿道狭窄部的切除，以及以Н.М.Волкович氏法修复尿道瘘。在这期間С.П.Федоров临床診所成为光輝的腎臟外科学派的萌芽，由他所倡議的被膜下腎切除术与腎盂切开术得到普遍公認並被采用于世界各地。

虽然如此，在革命前还未有过像其他独立的医疗科系一样的專科泌尿科出現于俄国。

偉大十月社会主义革命前在俄国只有彼得堡，莫斯科，基輔和敖得薩城市的四所泌尿科診所与医院中的泌尿科系。这些地方只治疗一些主要的疾病，如淋病及其併發症以及膀胱、尿道和性器的疾病。当时唯一的莫斯科大学泌尿科教室也只講授以上这些范圍的疾病。

在苏联当人民掌握了政权，充分关怀人民的健康与科学的發展下，泌尿科才有了眞正的發展。过去40年間，不但在大城市莫斯科、列宁格勒、基輔、明斯克、特比利斯、烏菲、伏龙芝、耶里溫、哈尔科夫、阿母斯克和阿姆——阿丹等地，而且在国內其他十个城市創設了泌尿科。在莫斯科、列宁格勒、基輔、哈尔科夫、阿姆——阿丹等大中城市开設了專門泌尿科站，治疗泌尿生殖系結核病，膀胱瘤以及妇科泌尿科和小兒泌尿科。在全国各地設有上百个的泌尿科临床研究所、防治站、流动医疗所等机構。培养了大量的泌尿科專科干部和教学研究干部，在医学院和医师进修学院里泌尿科成为必修科目。

1923年在莫斯科組織了泌尿科学会，这个学会的工作截至偉大的衛国战争时期为止，24年中举行了500次集会。1907年在列宁格勒成立的泌尿科学会，在苏維埃政权下召开了500多次有益的集会。

烏克蘭泌尿科学会在基輔、敖得薩等地設有支会，泌尿科学会在阿姆——阿丹、塔什干等城市进行过积極的工作。各地的泌尿科学会团結在全苏泌尿科学会里举行了三次代表大会（1926年于莫斯科，1927年1929年于列宁格勒）和四次全体会議（1934，1937，1951，1954于莫斯科）。烏克蘭泌尿科学会，單独举行了一次代表会議和二次全体会議。此外，还举行了阿提尔拜疆和拉脫維亚泌尿科学会。所有这些会議的基本內容是：(1)泌尿器的外伤，(2)遊走腎，(3)腎石，(4)腎的实質性腫瘤，(5)腎炎的外科治疗 (6) 尿生殖系結核，(7)靜脈性腎盂造影术，(8)膀胱腫瘤，(9)尿失禁，(10)淋病的治疗，(11)泌尿科抗生素的应用，(12)前列腺腫瘤的內分泌治疗，(13) 無尿症，(14) 尿路非特異性感染，(15)前列腺腺瘤。

偉大衛国战爭年代里举行了二次由前方和后方医生參加的全苏泌尿科会議，主要地討論泌尿系統外伤的治疗，外伤併發症的治疗以及泌尿器火器伤与閉合性創伤后之整形問題。

創刊于1923年的泌尿科杂誌在偉大的衛国战爭前，其內容与銷售份数逐漸增加。該杂誌虽曾停刊，隨又于1955年复刊。它是泌尿科杂誌較好的一种，以出版公布过的各种資料和科学的临床工作为內容。

过去40年中在出版各种泌尿科專題上付出巨大的出色的劳动，其中应該提出的有：Г. И. Барадулин 等氏的泌尿科教科書。古典著作方面有С. И. Федоров氏的"腎与輸尿管外科"，Б. Н. Хольцов 氏的《泌尿科总論与各論》以及許多泌尿系的專門論著如：И. М. Тальман 氏的腎外科学，Л. И. Дунасвский 氏的前列腺肥大症，И. М. Эпштейн 氏的尿生殖系結核病，А. П. Фрумкин 氏的尿生殖系外伤，Я. Г. Готлаб 氏的腎畸形，А. И. Маянц 氏的腎腫瘤，А. П. Фрумкин 氏的血尿症，И. М. Эпштейн 氏的尿失禁，А. Я. Пытель 氏的肝腎綜合征，В. И. Воробчов 氏的泌尿科急症，А. А. Русанов 氏的尿道損伤，А. Б. Топчан 氏的前列腺癌，Д. Н. Атабеков 氏的泌尿妇科学，А. И. Василев 氏的精阜疾病，尿道鏡和尿敗血症，И. Н. Шапиро 氏的膀胱腫瘤，В. И. Воробцов 氏的腎石病，А. Я. Абрамян氏的腎积液；С. П. Федоров 氏的泌尿科手术，Е. Р. Сумшик 氏的妊娠期腎盂炎，И. М. Порудоминский 氏的性机能紊乱，С. В. Толиторский 氏的泌尿科征候与診斷，И. М. Порудоминский 氏的淋病，А. Т.С миттен 等氏的輸尿管結腸接植术和 А. М. Гаспарян 氏的祖国泌尿科文献目录索引等。

1930年出版了 А. Д. Соловов, А. П. Фрумкин 氏 1947年出版了 А. Б. Топчан,С. Н. Финкельштейн 氏的泌尿科 X 綫圖譜以及1954年出版了 А. П. Фрумкин 氏的膀胱鏡檢查圖譜。

苏联泌尿科的發展在偉大十月社会主义革命以后是和祖国泌尿科学家以 С. П. Федоров 等为代表的光輝活动分不开的。还应該追忆那些已經逝世的偉大的泌尿科学者如：И. И. Соболев, А. Я. Дамский 等人，因他們促进了苏联泌尿科的發展。

苏联泌尿科的迅速發展，相应地要求設立泌尿科站和临床研究所以及器械、药物、化学上的配合。十月社会主义革命前泌尿科器械均来自国外，而現在祖国工業已經能够满足这些器械的消費如，膀胱鏡其中包括手术用和小兒用的，碎石胱鏡，冲洗尿道鏡以及輸尿管，导尿管等等。

苏联化学制药工業能够生产泌尿科临床所应用的药物如，試剂、色素剂与治疗剂，其中也包括有机碘制剂如：Сертозан,Какдиотраст,Трииотраст 等靜脉性造影剂和腎血管造影剂，又工業生产各种抗生素如：青霉素，合霉素，左旋素，生霉素，土霉素，革蘭氏陽性灭菌性素等，以及抗結核药物如：Фтивазид, Самозид, Фтизаеан, Метазид, Ларусан. 等，人工合成內分泌制剂如：Синэстрол, Актг 等。

像所有苏維埃医学科学一样，苏联泌尿科基于生理学家巴甫洛夫的机体完整性和机体与环境的統一性的原則和預防与治疗并實原則下进行工作。

一、让我們談一談苏联泌尿科各部分的梗概。首先提到的是尿路結石症。苏联泌尿科学家，外科学家，治疗学家，病理，生理学家，在过去40年中研究过尿石的致病原因，特别注意到的是中樞神經系損伤，感染的作用，社会条件，飲食失調，代謝、排泄与內分泌素乱引致的結石形成。

关于泌尿系結石的診断，我們采用了所有各种的X綫診断法，其中包括在手术台上的腎臟造影术。

除前后腎盂切开术，腎切开术，腎切除术，部份腎切除术与尿管腎切开术之外，我們采取了 А. П. Фрумкин 氏研究的低位腎盂切开术治疗腎盂結石，尤其珊瑚样結石与再發結石的摘除。

腎手术的安全，是由于应用了抗生素与最新的技术成就。这就有可能使我国泌尿学者重新审查腎輸尿管結石的手术适应症，就有可能改变我們目标去观察腎結石摘出后，不但是一种治疗的措施，也是一种在各种腎病理过程中結石生成的预防法(И. М. Эпштейн)。

在我国溫泉疗养地治疗与预防尿石病得到广泛的成就，关于这方面的論著，Б. Н. Хольцов 氏等人都有过論述。

苏联泌尿科在診断与治疗尿路結核上得到了巨大的成就，这些問題特别是 С. П. Федоров 氏有許多著述。現在在俄罗斯苏維埃社会主义共和国保健部結核研究院泌尿科 (Зав. А. Б. Топчав) 就專門从事这方面的研究活动。苏联作者統計指出現代腎結核而摘除病腎的較抗生素时代以前大为減少，而且手术与抗結核药物配合应用使这个病得以大大改善。

現在我們对泌尿系結核病的治疗趋于保存腎臟的傾向。在苏联由 А. П.Фрумкин 氏第一次施行部份腎切除术，А. А. Бухман 氏以为結核病灶散布于腎的一端或兩端，在严格的适应症下可施行部份腎切除术。以化学制剂和药物治疗結合以气候治疗的保守疗法，在腎結核治疗上进入了广泛观察阶段。在 Именз 开設專門为泌尿科結核病的疗养院。

在結核防治所观察病人，減輕劳动强度，同时居住方面和病人一般生活狀况具体而細致的注意，这样綜合的抗結核治疗就有在广泛的可能性在溫泉疗养下有60%病人不施行外科手术而能成为有劳动能力的人們。

我們根据这些条件，認为苏联保健部 М. Д. Ковритиний 氏指出在15—20年中，在苏联有可能消灭泌尿系和泌尿生殖系結核病。

尿殖系腫瘤成为苏联泌尿科的重要問題。在预防，早期診断与治疗腎、輸尿管、膀胱与生殖系腫瘤方面，近40年来得到了巨大成就。診断腎腫瘤方面我們采用新的檢查方法：腹膜后空气造影，尿沉渣細胞学分析和主动脉造影。当腎、輸尿管乳头瘤时施行腎、輸尿管全摘除，我們認为是十分必要的。

在阿尼林工業工作的工人进行预防腫瘤發生，在苏联已有研究与充分的预防措施。

膀胱腫瘤的治疗，除了經內腔鏡和經膀胱的电烙术外，广泛地应用膀胱与病側輸尿管切除、膀胱全切除、輸尿管結腸接植术。腫瘤位于膀胱頸时，采取前列腺与精囊一併摘除手术。最近几年来膀胱腫瘤的治疗，在放射性同位素方面寄以很大成就的希望。

在前列腺癌及其骨轉移的治疗方面，还未达到滿意地步。目前成功地采用了苏联合成的內分泌制剂：Синэсторол 等並配合以去势术和放射綫治疗。虽然如此，前列腺癌有骨轉移者仍是数年中难于治癒的。А. Б. Топчан氏等在內分泌治疗前列腺癌方面做了很多的研究。Л. М. Шибов 等氏在前列腺癌研究和实驗性發生上做了研究工作。

前列腺肥大症的根本治疗方法仍以腺体摘除，尤其以 А. Т. Лидский 氏耻骨后腺体摘除术和理想的膀胱密閉縫合前列腺摘除术。早期前列腺肥大病人，用人工合成的內分泌治疗有佳效。

苏联泌尿学者以偉大衛国战爭期間1941—1945年治疗泌尿生殖器創伤的成就而自豪。这时期在部队在劳动上从来沒有过的那样高的恢复健全率。以 Б. Н. Хольгцов 等氏的修复尿道方法得到巨大成績。以 Н. А. Богорава 氏的陰莖成形术就是作者本身和其他泌尿学者和外科学家也一样得到高度的有効手术，曾創造了許多修复性手术的改善，对于膀胱外伤，骨盆引流，並且这些手术的死亡率大大的降低。偉大衛国战爭期間和結束后一系列的会議上以及編印苏联泌尿科上都广泛地論述了祖国泌尿学者在尿殖器閉合性与火器性損伤的治疗經驗。

苏联泌尿科学者战爭中的經驗在 А. П. Фрумкин 氏編輯的《偉大衛国战爭苏联医学經驗1941—1945》一書第13卷中和 Р. М. Фроштейн 編輯的《泌尿器战伤及其治疗》一書中得到反映。

А. Я. Абрамян 氏对腎积液成形术，А. З. Гзиришвили等氏对輸尿管生理与病理，А. А. Чайка及 Д. Н. Атабеков 氏对妇女尿道膀胱瘻手术治疗問題，И. М. Эпштейн 氏对尿道的生理与病理，П. И. Гельрер 氏对泌尿器官下垂問題 А. И. Васильев 对泌尿系慢性炎症都曾致力研究过。А. И. Михельсон 氏曾研究过萎縮膀胱新的簡單的手术問題。这种手术如今在許多泌尿科医院尤其在 Русаков 小兒科医院泌尿科仍然采用。我国泌尿科学者和实驗工作者正在研究积極的成形术問題以及自家同种泌尿器官移植問題。

В. И. Добротворский 等氏曾以很大注意研究腎功能問題，А. З. Гзиришвили 等氏研究过腎疾病时的腎病理，А. Я. Пытель 氏曾研究腎病理与腎功能关系。

淋病在苏联逐年以迄近年来趋于消灭。这是因为我們不但有了抗生素和保健組織机構，更主要的是在我們国家里消灭了貧困，失業与娼妓。对淋病病人进行药物治疗和居民中进行广泛的衛生宣傳教育起了很大作用。在我国和淋病做斗爭的輝煌成就是和 P. M. Фронштейн, С. И. Лисовской, В. Е. Дембской 等氏的業績分不开的。

在苏維埃政权40年中泌尿科成为先进的科学部門和医疗科系。依照它的發展水平来看，並不逊于外国的泌尿科，按其工作范圍，深入居民各阶層，和預防組織形式来講，是大大的前进了的。

党20次代表大会的历史决議指出进一步普遍地發展苏联保健事業規划，在全体人民和医务工作者广大羣众积極參加下一定能够完成。苏联保健部决議規定新的扩大与改善泌尿科机構並且創造一切条件鑽研泌尿科理論和临床諸問題。

以唯物主义世界观武装起来的，具有丰富学識与經驗的苏联泌尿科学者在我們祖国——苏联人民，我們共产党面前光荣地肩負起这种任务。

（洪斯同譯自苏联 Урология, 1957.5）

中华医学会北京分会医史学会讨論“厚今薄古与医学史的研究問題”

中华医学会北京分会医史学会于7月27日上午在中华医学会301室召开了“厚今薄古与医学史的研究”討論会。

首先由主席說明：自从“中共中央宣傳部副部長陈伯达同志在3月10日談哲学、社会科学如何躍进問題时提出厚今薄古的号召以后，在历史界、文学、艺术界、已都有过討論，在我們医学史方面是否也要厚今薄古？如何作法？还有不同的看法，总会希望各地医史学会分会組織討論，希望同志們發表意見”。

会員們相繼發言，說过去医学史方面古的没有作得很好，今的方面作的更不够，如“五四”以来的医学史，紅軍二万五千里長征的时期的医史以及解放以后的医学史都还没有研究。

有的会員說以前对厚今薄古的問題注意不够，如1956年苏联华格拉立克教授在中华医学会作报告时，曾經提出必須研究現阶段的医学史，但未引起广泛的注意。最近陈伯达同志提出“厚今薄古边干边学”的号召后才注意到。以前各校的医史講义也多談古代，对古代感兴趣，到清代以后所講較少；近百年就只是講保健史，对近代現代研究太少。对清代以来的祖国医学也研究过少。还有过去对于名医有人写过傳記，但对劳动人民有关的則注意不够，实际上历史就应当是劳动人民的历史。

有的同志談到过去历史界的“厚古薄今”的風气很盛，在医学史方面以前搞的人虽不多，但也可以分为几种，一是辛亥革命前写的医学史，可以說是封建社会的医史，解放前一些人搞的医学史可說是資本主义的医学史，現在应該是社会主义的医学史。

也有的会員認为医学史是应用科学的历史与一般社会科学的历史还不能全相同，認为研究古代也很必要，但是要古为今用，要用古代为現代服务，要以古指导今，並且医学史今后要注意到偉大出于平凡的人物。

有的会員建議：医史学会今后要注意薄古厚今，以前注意不够。对“厚今薄古”要辯証的看問題。例如对考据問題应当学習魯迅先生的作法；既要了解前人的考据方法也要掌握馬列主义。

最后由主席总結，說明厚今薄古的問題对于医学史来講一方面固然表現在古今的比重方面，即量的方面，而更重要的还有質的方面，即方法問題；“厚今薄古”並不只是要單純的“略古詳今”，古代的祖国医学也要研究，正如同志們所談医学史是要如何把古代的事物拿来为現在和将来服务。如果單为了研究古代而研究古代則是錯誤的。例如有人費了很大工夫考据杜甫的眼病，这对今日医学的帮助不大，未免就陷入了煩瑣主义的泥坑。我們不反对考据，但考据要为历史而服务。还有些写名医傳記的文章中，对于名医的生平、故里、坟墓、何时作官等等記述較詳，而对他的学术思想的来源，受何影响，他的思想对当时及以后学术影响如何，对現代的医学思想有何影响，研究的甚少。所以就使人对医学史这門科学也产生了不正确的看法。以为对現在没有什么帮助。这是我們搞医史的同志們应注意的。

总之，我們說在医学史的研究中“厚今薄古”並非对于古代医学史不加研究，相反地我們說“厚今薄古”正是要注意如何更好的研究繼承發揚古代祖国医学的历史而为今日服务，为推进世界医学前进服务，这就是我們的方向。

座談会至十一时半結束。

（王 平）

紅旗飄揚，万馬飞騰

——記衛生部、直屬單位思想解放、工作躍进展覽会——

黄　泉

衛生部、直屬單位思想解放、工作躍进展覽会，是在各單位向衛生部机关第二次党代表大会献礼、报捷的基础上組織起来的。

从这个展覽会可以看出，衛生部及直屬單位的全体工作人員，在取得了政治思想战綫上的社会主义革命胜利以后，在党的"鼓足干勁，力爭上游，多快好省地建設社会主义"总路綫的光輝照耀下，为实現衛生工作的上游，"政治掛帅，除尽四害、講究衛生、消灭疾病、移風易俗，改造国家"。干勁十足，各項衛生業务工作的面貌煥然一新，新的創造發明和科学技术改革，有如雨后春笋，蓬勃地湧現出来。虽然这仅是全国衛生工作大躍进的一角，但是，也有着極其深刻的意义，它充分說明了，要爭得衛生工作上游，必須要政治掛帅、走羣众路綫、破除迷信、解放思想，树立起敢說、敢想、敢作的共产主义風格。

党的領导，羣众的智慧，惊人的成績，鼓舞人心的远景

除四害、講衛生、消灭疾病是这次展覽会展出的一个重要方面。通过党所領导的羣众性的除四害講衛生运动，目前已取得的成績是巨大的，根据七月初的統計，半年来，共消灭老鼠12亿只，消灭麻雀12亿只，消灭蒼蝇6千3百万公斤；消灭蚊子6百30万公斤。前者兩項，仅从节約粮食来說，就可以讓7千3百万人吃一年。除四害的指标曾提出了要在1—5年內在全国范圍內除尽"四害"，使中国成为世界上第一个四無国，对于四害能否除尽，以前还有人怀疑过，而今天确已成为事实；截至7月5日止全国实現四無的就已經有402个市、县，佔全国总市县的31%，一个月以后的今天，实現四無的又增加了30多个市县。在講衛生方面：半年来，共清除了垃圾27亿噸，如果用載重30噸的火車皮来运輸的話，就需要9,000万輛車皮才能运清，所疏通的溝渠有6万公里，可以圍繞地球15圈，其他各項的成績也是惊人的。在消灭疾病方面所提出的指标也是令人鼓舞的，提出要在1958年內消灭鼠疫，1959年內消灭黑热病和少数民族地区的天花；1960年內基本消灭血吸虫病和鉤虫病；1962年內消灭絲虫病、乙型腦炎、白喉、伤寒、斑疹伤寒、回归热、2—3年基本控制矽肺的發生。預防和消灭疾病的有力武器——生物制品，提出要在1958年生产品种66种，其中30种要达到和超过国际水平，1961年計划生产132种，全部达到並超过国际水平。

在医疗預防工作方面：提出的上游是：爭取1—2年在全国范圍內建成医药衛生工作網，做到那里有人那里就有医，要求在1959年發展到乡乡有衛生所或联合診所，社社有保健站(室)。医疗工作在躍进中也出現了許多新气象，預計在1958年全国可以举办簡易病床达到原有病床数的10—20%以上。实行三班門診便利人民就医。实行24小时門診，門診数扩大了一倍以上，工作人員在業余时間看病就可以不耽誤工作，这样每年可以給国家节約5,000万工作日。在医疗方法上，为了減少病人痛苦，也有很多改进，例如协和医院对直腸癌病人的一种新手术——肛門再造术，用再造肛門代替假肛，減少了病人痛苦。輸精管电灼术，比結紮术既省事又不痛苦，只需二分鐘，不要开刀，不要拆綫，因而不会影响工作。

在妇幼衛生工作方面：提出的上游是：要做到妇女人人健康，兒童个个活潑，按計划生育，安全分娩，要一个生一个，生一个活一个，活一个壯一个。要求1958年在全国基本普及新法接生，消灭新生兒破伤風及产妇产褥热。1—2年內基本消灭麻疹、痢疾的死亡和白喉的發病。5年內要制服嬰兒常見的疾病——消化不良，肺炎、营养不良，佝僂病等，把嬰兒的死亡率降至世界最低水平。1958年內，在全国人口稠密地区深入宣傳計划生育並开展妇女保健工作，發展农村产院。

在药政管理工作方面：提出的上游是：在二、三年內基本上滿足国內的医疗需要，在除四害消灭疾病中，做到用什么有什么，用多少有多少；在药品和器械的供应上，做到那里有人，那里有医，那里就有药；达到質量高、疗效好、价格低，保証安全有效。同时还要积極搜集民間的中药秘方和驗方，对世界上尚不能解决的疾病，爭取三、五年內在中药上作出貢献，使祖国医学在世界医学科学上大放異彩。药材工作的計划指标：在药材产值上，1962年达到为1957年的246.8%。在銷售总值上，1962年达到为1957年的334%。如，圓参：1962年达到910,000斤；为1957年的587%，黄連：1962年达到22,300担，为1957年的1038%，鹿茸：1962年达到250,000兩，为1957年的218%。展覽会中引起人們注意的是搜集民間的中药秘方和驗方，如国产的羅芙木，有降低血压的效能，与很久依靠印度进口的寿比南疗

效相似。

在衛生教育工作方面，提出的总方針是，使受教育者在德育、智育、体育几方面都得到發展，成为有社会主义覚悟、有文化的劳动者。提出今后衛生教育工作的規划是：高等医药院校1957年38所，1958年發展到62所，1962年將發展到132所。並發揮一切衛生机構培养干部的潛力，提倡医院办护校。河南省建立了全省的医学教育網，提出一年內作到社有三員（保健、保育、接生），50%区乡有四士（医士、护士、助产士、药剂士），县有三师（內、外、妇产科医师）。發展进修教育，第一个五年計划期間共有5,600余名高級医药师进修。在医学教育的一个重要方面是貫徹阶級路綫，1962年高等院校工农学生將达到70%，中等学校將达到90%。开办工农預备班，今年招生1,670名。老干部專修科增加到1,260名，为1957年的4.5倍。另一个重要方面是：勤儉办学，高等医药院校招生任务增加166%，經費节約23%，中等医药学校招生任务增加244%，經費节約30%。衛生干部进修学院，提出大干，特干、苦干二年，建成先进的社会主义衛生干部进修学院。他們提出的指标要在六年內开办23种不同的进修班次，培养衛生干部6,151名，在教学上糾正了脫离实际，脫离政治的傾向，提前开办高級衛生領导骨干的保健組織研究班，加速培养紅專师資，將原来需要培养4—5年的助教，在二年內达到独立教学水平。

衛生宣傳教育出版工作方面，宣傳工作的口号是：苦战一年，改变少慢差費的落后情况，基本上能站在羣众运动的前面。苦战二年，把城乡衛生宣傳網佈滿全国各地，並且做好衛生宣傳工作經驗的全面总結。今年12月，要展出爱国衛生运动展覽会。明年要展出祖国医药展覽会，並出版中国衛生工作十年的大型宣傳画册。衛生出版工作的指标是：在工作人員減少25%的情况下，1958年出書276种，69,000万字，513万册。过去五年平均出版212种書，3,486万字，582万册。編輯人員減少三分之一發稿的字数增加一倍。今年出書190余种，3—5年內要出版內科、外科、妇产科、眼科等194种。並在3—5年內出版具有国际水平的医学大辞典。

在医学科学研究方面，中国医学科学研究院全体同志，掀起了躍进高潮，决心發揚祖国医学遺产，消灭危害人民健康最严重的疾病，在五年內赶上和超过世界医学科学水平。医学科学研究的重点有19个项目：除四害、环境衛生、血吸虫病、瘧疾、鼠疫、腦炎、脊髓灰白質炎、流感、麻疹、赤痢、布氏桿菌病，自然疫源地疾病、劳动衛生、劳动保护和职業病、心臟血管病，惡性新生物、药物抗菌素，新仪器技术及避孕等。原計划在1967年前后完成，現在除自然疫源地疾病一項由于祖国幅員辽闊，需要在1962年完成外，其余都在1960年以前达到控制和消灭。完成19項重点研究工作的最主要措施之一是集体合作，打倒單干，組織了十一个綜合研究委員会，其中腫瘤研究委員会是由18个單位組成的。要腫瘤讓路，讓高血压低头！一年內消灭高溫中暑、鉛苯中毒，二年內制服腫瘤，三年內杜絕矽肺和制服高血压，这就是他們的决心。北京結核病研究所表示他們的干勁是，在首都二年內控制結核病的流行、五年內基本上消灭結核病。

祖国医学的花朵遍全球

祖国医学蘊藏着極其丰富和宝貴的內容。解放以前它一直被統治阶級所輕視，解放以后在党的英明領导下，在党的偉大的中医政策光輝照耀下，祖国医学才开始發揚光大。祖国医学的造詣，在国际医学界有着独特高超的地位。近兩年来，有24个国家請中医研究院的中医治疗疑难病症，有以苏联为首的四个社会主义国家派人来我国考察和学習中医。这次展覽会展出了中医研究院附属医院对几項病症的疗效总結，从中使我們更加深刻的体会到党提出的繼承与發揚祖国医学遺产号召的正确与偉大。他們列举的几項病症的中医疗效是：針刺疗法治疗顏面神經麻痹疗效达90%；治疗喘息性支气管炎有效率是98.2%；治疗盆腔結核有效率是93%；針灸及外敷药治疗坐骨神經痛有效率达97.9%；針灸治疗視網膜出血有效率90%；掛綫配合切开疗法治疗复杂性肛瘻有效率97%；用銀花解毒湯治疗顏面化膿炎症有效率93.4%；治疗半身不遂有效率是88.9%；治疗慢性盆腔炎有效率82.7%；治疗皮膚結核病有效率88.7%；治疗風湿性关节炎有效率74.4%；治疗慢性消化系疾病有效率72%；治疗高血压有效率71.8%；治疗神經衰弱有效率78.8%；治疗神經萎縮有效率74.4%。他們提出的今后部分躍进指标是：

在1958年內，总結出中医治疗乙型腦炎的治疗規律並消灭其后遺症；总結出中医治疗小兒麻痹的治疗規律並消灭其后遺症；完成麝香代用品的药理研究。

在1959年內，征服糖尿病，疗效全面跨过磺脲类药物治疗糖尿病的疗效；用中医治癩病、慢性毛囊炎及下肢潰瘍疗效达到90%；將針刺法治疗顏面神經麻痹的疗效由90%提高到100%。

並总結出中医治疗骨結核、淋巴腺結核、子宮脫出、習慣性流产、妊娠嘔吐的規律和金錢草治疗胆石症的規律。总結推广中医治疗扭挫伤、音乐性职業病、腰用性关节强直。

在1960年內，研究出消灭慢性腎炎尿蛋白的好办法；治疗視神經萎縮疗效由77.4%提高到90%；治疗視神經炎視網膜、脉絡膜炎疗效提高到90%以上；把治疗癲癇有效率提高到90%；制止崩漏、征服痛經；总結出治疗肝硬变、消化性潰瘍、小兒各型肺炎、白癬和秃瘡的治疗的規律。

三年內保証完成針灸对免疫机制作用及其实用价値。

中医研究院中医冉雪峯、徐季含、岳美中等很多位老先生，會經向衛生部机关第二次党代表大会表示决心，他們表示要帶好徒弟，爭取在1—3年內总結出个人在中医方面的一些經驗，西医也表示要在2—3年內学好中医。中医研究院在技术革新和創造發明上也取得了一些成績的，他們根据苏联文献設計制成了皮膚电位計及自制的电灸器、直流电針刺激器等。今后祖国医学在全球將有如盛开的花朵，万紫千紅。

破除迷信，解放思想　超英超美，世界第一

在思想解放，破除迷信以后，各單位大破对于資产阶級專家和外国文献的迷信，冲破了資本主义在医学科学技术上的常規，掀起了一个技术革命和文化革命的高潮。在医疗、研究、生物制品等方面創造出很多超英超美超过国际水平的产品和科学成就，其中有許多是青年工人，青年技术人員所創造的。例如：中国医学科学院試制成功的"紅霉素"，超过了国际水平。其提煉步驟比美国現用方法簡單的多，出成品时間縮短为美国的2/3，而成品收得率較美国提高了32.4%。病毒学系在今年要用人胎盤羊膜制出疫苗，並投入生产，它比国际通用的沙克疫苗成本低，無異种反应，这是超过国际水平的研究工作。理疗科揚子彬医师創造了眼底显微鏡。这个显微鏡可以單独檢查，也可以利用幻灯，將影像反映在光屏上，放大几百倍，观察血管及血液运行情况。在世界上目前还沒有这种仪器。病理系的青年和共青团員們，在10天內整理了原协和病理科30年来15万病例的外科活体檢查材料，分析其中25,000例腫瘤，开世界医学病理材料分析的先例，为腫瘤研究提供絕好的資料。生物制品研究所青年工人张薇瑞同志自己研究試制成功了"胰酶"，活力單位达到了100，超过英国制胰酶活力單位(40)的一倍半，价格低三分之二。該所試制成功的"胃酶"与美国盔甲牌胃酶比較，活力單位相同，溶解度高于美国。首創定量免疫、定量攻击腦炎效力試驗方法超过了美国宾氏法。猩紅热抗毒素，在質量上超过英国标准一倍，現在为超过英国四倍而努力。此外該所在今年还要試制和制造首創世界第一批的麻疹組織培养疫苗、組織培养腦炎疫苗、对人体有效的恙虫热疫苗和砂眼疫苗。生物制品檢定所的技术革新和創造發明也是振奋人心的。現在已經超过英美，赶上国际水平的工作項目，就有14項，例如：現在適用的乙型腦炎疫苗是死毒疫苗毒性大、效力低，通过129次的組織培养傳代已經获得了世界上第一株乙型腦炎变異株，为創造效力高更安全的乙型腦炎活毒疫苗創造了前提。在抗毒素热原質方面已超过国际水平。英国热原質标准是不得超过1.1°C，檢定所生产的白喉抗毒素、破伤風抗毒素的大部分制品热原質达到0.5°C以下。抗菌素的生物測定的效价准确度已超过国际水平。苏联規定的誤差是±5%，美国药典規定的誤差是10%，檢定所的誤差是±2.5%。青霉素發酵單位超过国际水平，每小时每毫升可破坏300万單位青霉素。四圜素、土霉素抗菌素标准品的純度已躍居世界第一位。氯霉素、金霉素标准品达到国际水平。計划在1—2年內超过英美和跨过国际水平的有9个項目。他們决心在三年內使我国生物制品規程成为世界上最先进、最完善的規程，並加强制品的监督，使全国所有制品的廢品率降低到1%以下(現在是5—8%)。决心消灭生物制品的反映。药品檢驗所，自从整風以来，也有很多技术革新和創造發明。該所自制成的萘氏鹽，質量超过世界名牌西德伊默克产品。自制光电比濁計，性能赶上美国。自制光电比色計，性能赶上英美，超过西德。他們躍进規划是要在1959—1960年，完成全国中药炮炙方法的調查整理工作。1962年完成"丸散膏丹"調査整理工作。編写中药手册，由原計划在1962年底完成319件的指标提高到1959年9月完成517件。在完成药品規格标准、研究解决食品代用品等方面，要求达到的指标也有很大躍进。

* * *

这个展覽会的成功展出，異常振奋人心，从各單位展出的躍进指标和創造發明技术革新，可以瞻望出祖国衛生建設的美丽前景和偉大的明天。展覽会活生生的事实，有力地說明了只有在党的領导下，只有在破除迷信，解放思想，树立起敢想敢干的共产主义風格以后，我們的衛生事業，才能取得今天的惊人成績。我們应該为今天衛生事業的新气象而高兴，但我們也应該看到这仅仅是衛生战綫上技术革命和文化革命的一个萌芽，向偉大的目标才迈开了第一步。当然，也充分相信，这个萌芽一定会迅速地發展成为技术革命的丰碩燦爛之果。

讓沙眼低头讓路、叫盲人重見光明

——全国防治沙眼現場会議制定了消灭沙眼的規划——

張 自 寬

衛生部于1958年7月5日至11日在哈尔濱召开了全国防治沙眼現場会議。出席会議的有各省、自治区、市衛生厅、局的代表，有全国各地的眼科專家、教授和經驗丰富的中医專家，还有各地实际从事沙眼防治工作的院、所長和医师等共一百余人。应我国衛生部的邀請，苏联保健部派来了医学付博士弗·弗·西索耶夫和格·赫·庫道亞洛夫参加了这次会議。

这次会議是根据党的总路綫的精神，根据党中央發布的“全国农業發展綱要(修正草案)”中关于积極防治沙眼的指示，为了多快好省地在全国范圍內消灭沙眼而召开的。会議的中心是：制定力爭上游的全国防治沙眼的規划，总結交流各地防治沙眼和防盲工作的經驗。

会議在听取了賀彪付部長关于“当前衛生工作的新形势和鼓足干勁，大力組織防治沙眼工作的大躍进”的报告，听取了黑龙江省衛生厅鄗必淸付厅長和蘭西县肖声付县長关于黑龙江省和蘭西县防治沙眼与防治盲人的經驗介紹之后，曾到蘭西現場参观，並对当前衛生工作的新形势和防治沙眼的許多重大問題进行了热烈討論。

与会代表一致認为，沙眼是我国流行最广、患病率最高，也是危害人民最严重的一种眼病，並有不少人因沙眼而致盲目，这是一个非常严重的問題。解放后八年来，党和政府对于防治这一危害人民最严重的沙眼給予了一定的重視和关怀，沙眼防治工作已在許多重点地区逐步开展起来，並已取得了一些經驗。

会議还認为，在防治沙眼工作上速度問題又是摆在我們面前的最重要的問題，在这方面也同样存在着兩条道路、兩种方法的斗爭，一种是加快速度、奋發前进，另一种則是慢慢地来，所謂不要操之过急。会議肯定了我們所要采取的道路和方法必須是前者而不是后者。並指出：目前之所以还有一些地区或者是还有些医务人員在防治沙眼工作上缺乏干勁，究其主要原因就是迷信重重。主要表現在：迷信正規，强調条件，强調困难。对防治沙眼缺乏信心，或者是根本不相信沙眼能够消灭；迷信專業防治机構，强調專業防治網，忽視遍于城乡各地的各种衛生医疗机構的作用；迷信技术，片面地强調專業防治人員的作用，忽視广大中西医药衛生人員和羣众的力量；对防治沙眼不感兴趣，認为防治沙眼是無关重要的小事，等等。会議列举了許多具体事实有力地批駁了这些迷信思想和悲观論調，駁斥了“条件論”，代表們还一致指出，这些迷信思想束縛了很多人的干勁，也严重地妨碍了沙眼防治工作的广泛开展。这些迷信如不徹底打破，在防治沙眼工作中决不可能实現党的总路綫，也决不可能实現防治沙眼工作的大躍进。

会上，經过小組討論和大会發言，全体代表一致通过了“全国沙眼防治規划(初稿)”。会議确定的今后防治沙眼的方針和总的奋斗目标是：“依靠羣众，結合爱国衛生运动，推行以講衛生为中心的綜合防治措施，力爭在十年或者更短的时間內基本消灭沙眼”。会議並指出，在十年或者更短的时間內基本消灭沙眼的含意是：消灭沙眼流行的严重性，达到有效地控制沙眼的傳染；消灭沙眼对广大羣众的危害性，达到早日消灭重症沙眼，消灭因沙眼而致盲目的严重后果，並使一切可以救治的盲人复明；同时还要达到基本消灭輕症沙眼。此外，会議还規定了以下几項基本原則和基本措施：(1)防治沙眼必須与爱国衛生运动相結合；(2)防与治必須紧密結合；(3)防治沙眼必須与防盲相結合，防治沙眼必須紧密地結合工农業生产；(4)防治沙眼必須堅持中西医並举的原則，充分發揮城乡一切衛生医疗机構的作用；(5)大力組織專業技术的訓練，提高防治人員的質量；(6)加强科学研究，普遍推广試驗田。

会議指出，各地在結合爱国衛生运动，推行以講衛生为中心的預防措施的过程中，对于提倡一人一巾、推广流水洗臉(或者是提倡沙眼患者与健康人分用臉盆)等預防沙眼的最基本的措施，应当特别予以注意，以便达到最有效地控制沙眼的傳播。在治疗工作方面，会議要求必須使衛生医疗机構和中西医药衛生人員的力量，同羣众的力量相結合，大力提倡各工厂、农業社、学校、托兒所等集体生活單位的集体治疗，提倡沙眼患者的自家点眼。治疗的方法提倡多种多样，不論是中医的、西医的方法，新、老、洋、土的办法，只要符合疗效显著、价錢便宜、簡便易行的原則，都应广泛采用。会議还号召全国各地的中西医药衛生工作者——特别是中西医專家，都应当学習血吸虫病研究工作的精神加强鑽研、打破陈规，千方百計地縮短治疗沙眼的期限，力爭在最短的时間內找出治疗沙眼的特效方法，以便从根本上解决加速消灭沙眼的問題。

消灭沙眼，使我国人民永远摆脱沙眼的危害，这是摆在我們面前的具有历史意义的政治任务，完成这一任务的决定性关鍵在于坚决依靠党的領导，在于發动羣众，依靠羣众，坚持走羣众路線，把防治沙眼的工作切实成为一个有六亿人民参加的規模浩大的羣众性运动。因此就必須採用多种多样的形式大力进行宣傳，普及防治沙眼的衛生知識，把防治沙眼的办法教給羣众，以便使每个人都来参加防治沙眼的斗爭。

会議期間，全体代表与苏联專家一同到蘭西县榆林乡实际考察了林东、林西兩个农業生产合作社的防治沙眼和防盲工作的情況。在这里，大家看到了在党的領导下人民羣众的冲天的干勁，看到了羣众所創造的"吊盆流水洗臉"和"土淋浴"等切合农村实际情况的講究衛生、預防沙眼的土办法；此外，代表們还实际看到了羣众所提出的"全力总动員，齐下火龙关，苦干大干二、三天，衛生战線当模范"，"依靠羣众，大搞衛生，防治沙眼，消灭疾病"，"流水洗臉，防止沙眼，毛巾分用，預防眼病"，"人人講衛生，不得沙眼病，健康生产好，生活提高有保証"等許多非常生动有力的战斗口号。代表們对于农村的这些新人新事，都非常感兴趣，並一致表示：通过这次現場參观，受到了很大的啓發和教育。

在会上，中西医代表广泛地交流了学术經驗，加强了中西医的团結合作。会議收到了北京中医研究院姚和清老先生向会議献出的經驗秘方。此外，上海市衛生局和哈尔濱医学院还分別举办了二个防治沙眼的展覽会。这就使这次会議的內容更加丰富多彩。

会議过程中，从始至終地貫澈了先务虚，后务实，虚实結合，以虚帶实的精神，貫澈了整風和大躍进的精神。与会代表一致認为，这次会議开得很好，大家在認識上都有很大提高，到会同志都是干勁十足，紛紛表示，回去后一定要力爭上游，加速提前消灭沙眼。河南省的代表在大会發言中还提出了"讓沙眼低头讓路，叫盲人重見光明"的豪語；蘭西县和哈尔濱、撫順二市的代表在会上提出了苦战三年，坚决消灭沙眼的战斗口号；广东、山东、陝西、北京、天津、上海等省市的代表也都在会上表示了力爭在四年、五年或者六年內基本消灭沙眼的决心和信心。

在会上，苏联專家弗·弗·西宋耶夫和格·赫·庫道亞洛夫同志还分別作了"防治沙眼的方法指导"、"沙眼的早期診断"和"沙眼的药物治疗"等学术性的报告。

会議期間，黑龙江省于天放付省長也出席了会議並講了話。

会議結束时由賀彪付部長作了总結發言。

来函照登

医学史与保健組織編委会同志：

貴刊1958年第2号第159頁所載医史学会討論中国医学史分期問題，关于我的發言記录部分有几点与原意出入甚大。

1. 春秋战国时代为我国社会开始进入封建制度社会阶段。这一点，記录簡略了，必須补充說明。

2. 陰陽五行学說与医学理論的結合是在战国时代或稍前，不是从"后汉"。

3. 清代和近百年虽均各成一章，但清代一章为封建社会医史的最后阶段，而近百年一章則为半封建半殖民地社会的医史。这是很明显而肯定的。並不是"但未肯定"的事。

以上三点，請为更正，为幸。此致敬礼！

宋向元

1958.7.20.

更　正

1958年第2号作者來信更正如下：

頁	欄	行	誤	正
125	左	倒18	在軍队中沒	在軍队中設
126	左	倒7	沒有	設有

亲愛的讀者們:

为了使內容更符合于实际工作的需要，更好地为社会主义建設服务，特附上意見表一份，务請您在百忙中抽暇填字寄回本刊，作为我們改进工作的参考。此致

敬礼

医学史与保健組織杂誌編輯委員会

1958 年 9 月 25 日

讀者意見表

一、您对本刊前几期的內容有什么意見?您覺得那些文章比較适合?对那些文章覺得不大滿意?

二、您希望本刊多登載那些性質的文章?。

三、您对編排、印刷、出版、發行有什么意見?

四、其他的批評和建議

讀者姓名______________

注意：本表背面已印有收件地址，請將本頁折叠后投信筒即可（不必貼郵票）

北京　东四　猪市大街

中华医学会总会

医学史与保健組織杂誌編輯委員会　　收

邮資总付

投信人

地址：

（邮电部北京邮局收取回件邮资許可証第 265 号）

（沿此線向后摺）

（沿此線向后摺）

人民衛生出版社为征集医学名詞啓事

为了配合医药衛生事業和医学科学研究教学工作的大躍进，本社决定加强医学辞書的編纂出版工作，除將本社前所出版的"医学名詞匯編"、"俄英中医学辞匯"兩書进行徹底的增补修訂外，还正在組織編纂医学大辞典。为了使这些辞書內容益臻丰富完善，除由現有的国內外各种医学辞書中选取詞匯外，尙須多多搜集未为一般辞書所收列的新名詞。为此，特制訂"医学名詞征集办法"，希望广大医务工作者大力支援，根据下列办法协助我們搜集名詞。

医学名詞征集办法

一、所需征集的医学名詞，在專業科目上包括医药衛生各科專業及各种有关学科，而以医学基础臨床各科为重点；名詞的文字別，以英文、俄文、拉丁文为主，但亦征集其他文字如德文、法文、日文等的医学名詞。

二、征集名詞以各种有关杂志、报紙、教科書、参考書为主要来源，且以現有各种文字的辞書中未曾收載的为限；凡一般辞書中已有收載的名詞，不在征集之列。（对于本社已出版的辞書中的名詞譯名如有意見，亦欢迎提出。）此处所称一般辞書，其主要范圍如下：

（1）俄文：已出版的各册苏联医学大百科全書(Большая Медицинская Энциклопедия)；

（2）英文：

1. 美国道蘭氏医学辞典，第 23 版(Dorland's Illustrated Medical Dictionary, 23rd.ed.)
2. 美国勃萊吉斯頓的新戈尔德医学辞典，第一版 (Blakiston's New Gould Medical Dictionary, 1st ed.)；
3. 英国斯特德曼氏医学辞典，第 19 版 (Stedman's Medical Dictionary. 19th.ed.)。

（3）本国辞書：

1. 医学名詞匯編(1957 年 12 月第一版)；
2. 俄英中医学辞匯(1954 年第一版)；
3. 赵氏英汉医学辞典(1952 年第一版)；
4. 英中医学辞匯(1956年12月第一版第三次印刷)。

三、征集的內容，每一名詞包括以下五項：

（1）外文(英文或俄文或其他文字)名詞——英文名詞之有相应拉丁文名者。应予並列；俄文名詞应同时(或尽可能)並列其相应的英文名或拉丁文名，外文請一律写印刷体字。

（2）同义名——可單独另列一条，但譯名則可不列，仅注明其相应的同义詞。（例如：Kahn's test 与 Kahn's reaction，如譯名已注明于 Kahn's test 一条，則在 Kahn's reaction 一条下仅注明："＝Kahn's test"。）

（3）中文譯名——包括通用譯名或收集人本人所拟的譯名。如为新定的譯名，必要时应附加譯名的理由和根据。

（4）名詞出处——注明收載該名詞之杂志、报紙或書笈的名称、卷期(或版次)、頁数。

（5）对于該名詞的簡要的定义性注釋。

四、征集的办法：由各有关單位或个人不定期地向人民衛生出版社第四編輯室匯寄。如收集詞数較多、費时較久，本社可考虑情况适当致酬。

宣字 41 号

医学史与保健組織

（季　刊）

1958年　第3号

（第2卷　第3期）

規定出版日期：每季第3月25日

·編輯者·

中华医学会总会

医学史与保健組織編輯委員会

北京东四猪市大街东口路南

总編輯　鈴信忠

副总編輯　李光陰　李　濤

王吉民

·出版者·

人民衛生出版社

北京崇文区緓子胡同36号

·發行者·

邮电部北京邮局

·印刷者·

北京市印刷一厂

本期印數：1,710册

每册定价：0.62

本期实际出版日期：1958年6月23日

本刊代号：2 168

医学史与保健組織
YIXUESHI YU BAOJIAN ZUZHI

1958年 第4号

(第2卷 第4期) (12月25日出版)

医学史与保健組織編輯委員会主編 人民衛生出版社出版

中共中央对衛生部党組关于組織西医离职学習中医班总結报告的批示

上海局、各省、市、自治区党委：

中央衛生部党組关于西医离职学習中医的經驗的意見很好。現在轉發給你們。請你們研究执行。

中国医葯学是我国人民几千年来同疾病作斗爭的經驗总結。它包含着中国人民同疾病作斗爭的丰富經驗和理論知識，它是一个偉大的宝庫，必須繼續努力發掘，并加以提高。我們必須組織力量認真地学習、研究，加以整理。根据中央的方針，衛生部曾經举办了少数西医离职学習中国医葯学的学習班，經驗証明这种办法很好。各省、市、自治区党委，凡是有条件的，都应該办一个七十人到八十人的西医离职学習中医的学習班，以兩年为期。学生的条件，应該有大学畢業水平和二三年的临床經驗，最好能有看中医書籍的中文水平。这样，在1960年冬或1961年春，全国大約就可以有二千名中西結合的高級医生，其中可能出几个高明的理論家。这是一件大事，不可等閑視之。請你們积極办理。

中　央　1958年11月18日

中央衛生部党組关于西医学中医离职班情况、成績和經驗給中央的报告

主席并
中央：

我們于1955年12月开始組織西医学習中医，除了一般在职学習外，並为培植医疗、教学和整理研究中医学的骨干，以便进一步广泛推动西医学習中医，重点地組織了离职学習六个班（三百零三人）。首由中医研究院創办的一个班，已于本年6月畢業，总結成果，尙符合预定目标。現將这个班的教学过程和工作經驗报告如下：

这个班于1955年12月开办，共有学員七十六人，年龄都在四十岁以下的青壯年西医，中有党員二十九人，团員二十三人。他們的学習成績良好。我們已將半数以上的学員分配在中医研究院工作，其余部分，分配在北京中医学院和其他医学院校，但他們目前尙集中在中医学院跟有經驗的中医在一起練習教学和临症研究等工作。

这班的学習进程是：开始学習中医政策和辯証唯物主义，接着即学習中医学的基本理論（即用現代語言編写的內經节要、伤寒論、金匱要略、本草經等講义，說明中医的治疗規律和理論原則），主要方式是听取中医老师講課和学員自己复習。計共六个月，使全部学員都具有讀中医任何医籍的能力；嗣即学習中医临症各科，此时以自学为主，結合課堂輔导和临症見習計共七个月；最后临症实習一年零三个月，分散在北京、南京、苏州等，跟有經驗的中医实習，部分学員在实習时曾到农村为羣众治病，效果和影响都很好。在学習基本理論結束时，每人写过一篇論文。在結束課堂学習时發过一次奬，临症实習結束时每人又写一篇論文，畢業典礼会上又發了一次奬。这次奬是由学員和老师們共同評定学習成績和临症效果，計获一等奬三人，二等奬七人，三等奬十五人。

从收获来看，七十六人中除有个別人較差外，一般都能掌握中医的理、法、方、葯一套治病規律。他們已經不同于一般西医和中医，基本上能运用中、西医兩套技术进行临症、教学和研究工作。这对創造我国社会主义的民族的新医学，將起重大的作用。証明党的中医政策和号召西医学習中医是完全正确的。

他們中許多人由于过去長期受到奴化思想与資产阶級学术思想的影响，对中医有偏見，因此，在开始学習时，对中医存在着严重的抵触情緒和怀疑态度。多数人存在"中医不科学"，"中医無可学之处"；"原子时代還来学二千年前的东西"，这是"开倒車"，西医学習中医是"浪費人才，浪費国家人力物力"等等的錯誤思想，加上有些

單位領导在动員他們前来学習时，工作做得草率簡單，同时受到資产阶級学者專家直外覆中的理論压力，有些同情这种錯誤思想的論調，也認为"去学中医多么可惜"，这样更增加了一些学員的思想負担。

針对这种思想情况，我們从党內到羣众，反复地摆事实講道理，說明党对中医政策的正确性，說明中医不仅在历史上和疾病做斗爭，对我国民族的繁衍作出很大的貢献，而且現在和將来为人民的健康事業，为世界医学的發展將更要發揮它的偉大作用。尤其是經过党的整風运动，經过批判資产阶級思想对中医的錯誤看法，从而提高了認識，端正了学習态度。並在教学上經过老师不斷的努力，改进教学方法和进行課余輔导，提高了教学效果，学員們逐步对中医發生兴趣，覚得越学越有內容。特別是經过他們亲手以中医的学术治好了不少病人，他們亲身体会到，用中医学术治病，确有較高效果。比如，有一黄疸患者，病势危急，西医医治無效，后由学員李經緯用中医办法治好了；又如骨科方面，中医主張要有一定的活动，使血液暢通，容易痊愈，对陈旧性脫臼，只使用中医手法就可以复位等很多生动事例，使他們一致認識了祖国医学丰富多采，有好些是現代科学上还不能解釋的。再經过

务虛，党的教育，啓發他們敢想、敢說、敢干，破除迷信，解放思想，使他們更表露出热爱祖国医学的心情，都表示終身願为繼承与發揚祖国医学遺产和創造新医学的艰巨事業而奋斗。

但是，我們办这个班是有很多缺点的：首先对这一新工作艰巨性認識不足，开班前缺乏周密的准备，如沒有說清調那一科的西医来学，並忽視对各級衞生部門做好調干的思想工作，有些地区选送学員时簡單粗糙，沒有講清政策，說明道理，强調組織分配，忽視自願原則，有的甚至將思想落后、水平很低不能作医生的人故意推出来的現象。在学習过程中思想工作做的也不够。

特別是領导負責不够，如在教学上沒有調配足够的教师，始終只有一兩个專职教师，其余都是兼职。由于教师不固定，使一門課程的教师竟达一、二十人之多，不能做到課前集体討論，取得大体一致的意見，以致講的內容前后矛盾，互不联系，甚至有的教师自以为是互相非难，使学員無所适从。这种情况，大大影响了教学質量和学習情緒，甚至有些重要課程沒有学好，到实習場所又不得不加班补課。

几点經驗：

一、西医学習中医必須依靠党的領导，政治掛帅，加强思想教育，这是本班能取得一些成績的根本原因。要对干部、教师、学員不断的进行社会主义和共产主义教育，提高阶級覚悟，提高思想水平，使大家明确認識西医学好中医是为了更好的为社会主义和共产主义服务，为人类創造幸福，为中西医学結合創造出我国社会主义的民族的新医学的重大意义，使他們清楚地了解自己学習的責任和奋斗的目标。

在学習中医基本理論之前，应首先学習毛主席的矛盾論、实踐論等馬克思主义哲学理論。經驗証明：凡是初步树立起辯証唯物主义观点的人，比較易于接受中医学术。

二、学習中医基本理論和治疗規律时，必須緊緊結合临症見習，做到理論結合实际，使体会实踐証实理論和理論指导实踐的作用。对临症各科的学習，一般应多看历代名著，和跟中医师学習經驗。这样更能体驗"系統学習，全面掌握，整理提高"的方針，有效地达到学以致用的学習要求。

三、离职学習的时間，如果在教学上进一步加以改进，提高教学效果，大体上定为二年左右可以学通。

四、学員对象，以大学畢業或相当的水平，具有二、三年临床經驗，年龄在三十岁左右，政治上左派，拥护党的中医政策，並願献身于繼承發揚祖国医学事業的党团員青年西医最为相宜。

五、要解决中医师資和教材問題，要选擇当地学术和經驗丰富的中医当教师，把他們組織起来，共同研究，进行集体备課，課前試講，課后輔导和發动师生一起討論，隨时改进教学方法。

教师要实事求是的用中医道理闡釋講解，並要明确知多少，講多少的老实态度，反对虛伪夸大，不懂裝懂或故步自封，反对勉强以不合原意的現代語言講解或硬套西医名詞，这些都妨碍教学效果。

教材問題，目前各地已編出不少講义，虽尚不完备或有缺点錯誤，但已初步做到較有条理較有系統，和二年前至無教材时，根本不同，只要組織力量在教学中逐步加以补充修正，將很快可以編出較完备的教材。

为了进一步办好离职学習班，使更多的西医得到这种学習，我們建議今后由各省、市、自治区自行規划举办，以便在省、市、自治区党委直接領导下更多、更快、更好、更省地培养出既懂西医又懂中医，掌握兩套学术，具有共产主义覚悟的新型医生，为促使早日实現我国社会主义的民族的新医学創造条件。以上报告，是否有当，請指示。

衞生部党組　1958年9月25日

全國寄生虫学术会議

为消灭五大寄生虫病而奋斗的决議

全国寄生虫病学术会議的全体代表听取了中华人民共和国衛生部付部長錢信忠同志关于“总結羣众性的学术經驗，为迅速消灭五大寄生虫病而奋斗”的报告以后，与会代表一致同意这个报告。

建国九年来，寄生虫病防治工作，在党的領导下，政治掛帅；走羣众路綫，大搞羣众运动；密切結合生产，为生产服务；中西結合，土洋並举；發揚共产主义大协作的精神，貫徹了积極防治与綜合措施的方針，在消灭五大寄生虫病方面已取得了史無前例的成就。

今后，寄生虫病防治工作的奋斗目标是：鼓足干劲，全面躍进，基本消灭五大寄生虫病（血吸虫病、絲虫病、瘧疾、鈎虫病、黑热病）向建国十周年献礼。为实現这一目标，全国寄生虫病工作者必須：

一　坚决貫徹党对科学技术的絕对領导，坚持政治掛帅，繼續清除資产阶級学术思想的影响，破資产阶級医药权威，立無产阶級衛生志气，貫徹“百家爭鳴，百花齐放”的方針，提倡学术民主，克服因循守旧的右傾保守思想，推动科学事業的迅速發展。

二　科学研究工作必須走羣众路綫，密切联系羣众，联系实际，破除学术上的神秘观点，科学研究工作和羣众性技术革命运动相結合，与羣众性的除四害講衛生运动相結合，科学研究工作者必須深入現場，深入羣众並不断地总結羣众中的發明創造和工作經驗科学研究工作必須貫徹中西結合，土洋並举，从而达到消灭五大寄生虫病的目的和要求。

三　科学研究工作必須从六亿人民健康出發，密切結合生产，为生产服务，科学研究工作必須与羣众性的生产活动密切結合，从羣众的实际需要出發，为消灭五大寄生虫病服务，通过防治工作的实际斗爭，进一步丰富科学研究工作的成果。

四　科学研究工作必須發揚共产主义大协作的精神，克服地方主义，本位主义、个人主义、个人兴趣出發的單干不协作的錯誤观点，应互相学習，互相交流經驗，互相支援，發揚共产主义“我为人人，人人为我”的崇高風格。

我們与会全体代表怀着無限兴奋的心情，为基本消灭五大寄生虫病放出衛星，向建国十周年献礼而奋斗！

全国寄生虫病学术会議全体代表

1958年11月15日

（上接第294頁）

参考文献

1. Консттантинов, Т. Ф., Калью, П. И., Лечебно-профилактическая помощь сельскому населению. Сорок лет советского здравоохранения (1917-1957), Медгиз, 191-221, 1957.
2. Константинов, Т. Ф., Здравоохранения в СССР, (статический справочник), Мевриз, 1957.
3. Калью, П. И., Морозов, Н. Н., Перестройка Районного звена сельского здравоохранения сборник статей, Москва, 4-12, 1957.
4. Горбунова, Н. А., Организационно-методическое руководство сельским здравоохранением в новых условиях, 同上 13-15.
5. Серебрянник, М. Д., Санитарно-эпидемиологическая служба в новых условиях, 同上 22-23.
6. Литвак, С. В., Педиатрическая служба в новых условиях, 同上 29-31.
7. Шамис, Л., Сельский врачебный участок и реорганизация районного звена здравоохранения, 同上 33-35.
8. Колыбина, О. Д., За организационное об'единение лечебной и профилактической медицины, 同上 65-70.
9. Решение коллегии Министерства здравоохранения СССР № 33, от 20 сентября 1956 г. № 21 от августа 1957 г.
10. Приказ Министра здравоохранения СССР № 24, от 8 февраля 1957 г., № 33 от 4 марта 1957 г.
11. Фурменко, И. П., Опыт реорганизация районного звена сельского здравоохранения в Воронежская область, Здрав. росс. федер. 3, 1958.
12. Полякова, М. Е., Опыт перестройки руководства сельским здравоохранения, Здрав. росс. федер. 2, 10-15, 1958.
13. Хомутов, М. В., О мерах повышения квалификаций и расстановки кадров, сов. здрав. 1, 4-9, 1957.
14. Дискаленко, А. П., Прения на Всесоюзного совещания актива работников здравоохранения, сов. здрав. 1957, 1, 25-26.
15. 錢信忠，烏克蘭共和国切尔諾維其省基層保健組織改組的先进經驗——訪苏記要，医学史与保健組織杂志 2: 5, 1958.

衛生人員应該积極投入除四害講衛生的羣众运动中去

中华人民共和国衛生部副部長　伍　云　甫

从去年11月开始，全国各地已掀起了一个規模巨大的以除四害講衛生为中心的爱国衛生运动。

我們都知道，除四害就是消灭老鼠、麻雀、蒼蝇和蚊子。蒼蝇、蚊子和老鼠是傳播疾病的媒介，老鼠和麻雀会損耗糧食，妨碍生产，所以这些东西虽小，对于人类生活的危害却非常大，如果不消灭它們將給人民帶来难以計算的損失和危害。

目前，我国正处在社会主义建設空前高漲的阶段，全国人民正向大自然进行英勇斗爭，为了进一步地消灭疾病，更好地提高人民健康水平，不使劳动力受到損失，同时为了保护庄稼，不讓粮食受到糟蹋，我們就一定要堅决地消灭四害。

除四害講衛生是人类征服自然和改造自然的偉大斗爭的一个重要方面，也是我国文化革命的重要組成部分。一年来，由于工农業生产的大躍进和为生产服务的除四害講衛生的羣众运动的开展，已开始改变我国人民的生活面貌和精神面貌，它將日益深入地發展下去，澈底地达到：消灭疾病，人人振奋、移風易俗，改造国家的目的。

一年来，除四害講衛生运动，在"讓麻雀上天無路，讓老鼠入地無門，讓蒼蝇蚊子断子絕孙"的口号下，全国各地男女老幼都以無比的干劲向四害展开了猛烈的攻势，歼灭了大量鼠雀蚊蝇。截至今年10月底止，全国已經消灭老鼠18亿多只，消灭麻雀約19亿只，消灭蒼蝇14,000万公斤以上，消灭蚊子1,300万公斤以上。到11月17日止，全国已經有1086个市、县基本上消灭了四害，至于出現的四無乡、社、村、鎮，那就更多了。

在除四害的同时，大大改变了环境衛生和个人衛生。以环境衛生来説，截至今年10月底止，全国各地共清除垃圾約300亿吨，积肥600亿吨以上，疏通溝渠150万公里以上，填平坑洼6亿多平方公尺，修建厕所[illegible]，200万个，修建牲畜圈舍4,100万个，改良水井約940万个。很多农村做到[illegible]有厕所，無粪無臭味，厕所粪坑改为[illegible]，家家有滲水坑，街道[illegible]無垃圾[illegible]無蚊蝇。室内[illegible]墙壁粉刷，雪樣潔白，灶头[illegible]以个人衛生来說，在許多地区的羣众中已开始樹立了良好的衛生習慣，基本上做到了勤洗澡、勤洗換衣被、漱口刷牙、不喝生水、不随地吐痰，有的地区还养成使用公筷的習慣。由于改善了环境衛生和个人衛生，使广大城乡的衛生面貌大大改观，呈現出一片社会主义新农村的光輝美丽的景象。中共山西省屯留县县委用这样一段話来描写这种新景象："不管是走到那一个地方，都沒有垃圾，房前屋后沒有杂草，室內沒有灰塵，墙壁粉刷白如雪，厕所水井清潔有盖，再加上条条道路暢通，和各种树木的襯托，就显得今天的农村格外清新、整潔。全县有四万二千多人使用牙刷，人人有洗臉手巾；衣服、被褥都勤洗勤晒；根本改变了喝生水的習慣，百分之八十以上的农戶使用了暖水壺；新法接生佔出生嬰兒的百分之九十二点二；百分之九十的行經妇女使用了月經帶。"农民們是这样的形容他們的新农村："远看村村白生生，近看都是小北京，家里粉刷像洞房，水井好比水晶宮，人人健壯六畜兴，村里田間有歌声。"

随着四害的大量消灭和衛生狀况的改变，許多地方已經基本上消灭了一些严重危害人民健康的疾病。如流行在12个省市，病人近千万人的血吸虫病，經过积極防治，治疗了288万病人，灭螺面积达30亿平方公尺。已有170多个县市，其中包括上海市及江苏、福建全省，基本消灭了血吸虫病。过去流行非常猖獗，对人民生产力影响很大的瘧疾、黑热病、鈎虫病和血絲虫病，經过了运动的开展，也出現了一个省一个專区和150个县市基本消灭了瘧疾；在五个省和98个县市基本消灭了黑热病；在山东、湖南、四川等省23个县市基本消灭了鈎虫病；福建、浙江、江苏等省已有三十多个县市基本消灭了血絲虫病。至于其他許多危害人民健康的痢疾、斑疹伤寒、回归热、麻疹、脊髓灰白質炎、腦脊髓膜炎、白喉、百日咳等的發病率也普遍地降低。以今年1—7月份的發病率与去年同时期来比較，痢疾降低了19.1%，斑疹伤寒降低了42.15%，回归热降低了48.72%，麻疹降低了72.47%，白喉降低了35.28%，百日咳降低了30.30%。所有这些充分表現出除四害講衛生运动在"消灭疾病、人人振奋、移風易俗，改造国家"的任务上，已經起了很好的作用，同时也充分說明了除四害講衛生是我国人民把病弱变成健强，把落后变成先进的文化革命的一个重要方面。

在这一运动中，全国各地很多医药衛生部門和衛生工作人員，能积極投入运动，站在运动前列，起到了帶头作用；並有很多單位和个人，成为先进單位和先进人物。但是，有些医药衛生部門和衛生工作人員到现在还不認識除四害講衛生运动的偉大意义，不是积極主动地投身到热火朝天的羣众运动中去，而是在一边冷眼旁观，漠不关心。結果在运动中除四害講衛生工作不如羣众，出現了衛生單位落后于一般單位、衛生工作人員不講衛生的现象。甚至还有个別衛生工作人員，到現在不知道四害是什么？四害对人类有什么危害？例如今年8月衛生檢查团在辽宁省阜新市某医院檢查时，查問了六个护士，全知四害的只一个人。有的护士还說出蒼蝇能傳染大腦炎。更奇怪的是河南省許昌市，有一个医生竟說出"搞好衛生，疾病少了，衛生部門吃什么"的話来。在全国范圍內波瀾壯濶、声势浩大的除四害講衛生运动已經轟轟烈烈地开展了一年，衛生运动已經深入人心的今天，这些現象还出現在我們医药衛生部門里的衛生工作人員中，实在是不应該的事。

除四害講衛生运动和其他工作一样，必須政治掛帥，依靠羣众，才能搞好；單靠医药衛生部門和衛生工作人員的努力或者只迷信"高深"技术，迷信洋办法，都是不行的。在运动中，有很多事实証明，只有在党的領导下，依靠羣众，發揮羣众的力量，就没有克服不了的困难。例如，有人說："麻雀能远飞，消灭起来不容易"。但是四川、安徽各地發动了羣众，开展大規模圍剿麻雀运动，不到几天，就大批消灭了麻雀；北京市动員了广大羣众，男女老幼苦战三天，就消灭麻雀四十多万只，使北京市成为基本無雀市。在运动中，也証明了羣众的智慧是無穷無尽的，例如，各地羣众創造的各种各样除四害講衛生的工具和办法，五花八門，推陈出新，既科学，又实用，真是"三十六行，行行出狀元"。仅云南省西疇县哄哈村羣众創造的厕所蓋就有十余种。云南省傣族一位妇女曹依秀从1951年起共扑杀老鼠1万多只，她根据多年技术經驗，掌握了老鼠的規律，从洞外一片草一片土，就能准确地判断出洞內有鼠無鼠以及老鼠的情况，她这种准确的論断，使医学、动物学專家們都感到惊訝。各地行之有效用疲劳战术圍歼麻雀的办法，就是羣众創造出来的，是文献上所找不到的。各地羣众利用野生植物灭蝇蛆、灭孑孓、灭蚊子等办法，在除四害中都發揮了很大作用，收到了很大效果。这些情况在黑暗势力統治下的旧中国是办不到的，在資本主义国家里也是办不到的，只有在我們社会主义国家里，在党的領导下，才有可能动員羣众，組織羣众，才能發揮羣众的力量和智慧来和四害作頑强的斗爭。但是，有不少的衛生工作人員对这一点認識不足，他們認为除四害講衛生与政治無关，不相信羣众的力量和智慧，看不起土办法，他們之中有些人对除四害講衛生也有兴趣，並想搞好这项工作，但他們迷信"外国"、"文献"、"洋办法"、"正規化"等等，並且把科学技术当成神秘莫测、高不可攀的东西。这些想法和做法都是脫离实际、脫离羣众，是行不通的；即使勉强行通了，也不是多快好省，而是少慢差費。总之，这都是資产阶級思想在我們衛生队伍中的表現。

为了坚决貫澈"中共中央、国务院关于除四害講衛生的指示"和"中共中央关于繼續展开除四害运动的决定"，全国各地医药衛生部門和衛生工作人員必須在党的領导下，認真学習这一指示和决定，通过学習，来認識除四害講衛生运动的偉大意义，繼續克服資产阶級思想，徹底破除迷信，进一步解放思想，並且把除四害講衛生，消灭疾病，作为我們行动的总綱，来帶动其他各項衛生工作。我們必須認識：对爱国衛生运动不重視，不是甚么小問題，是政治思想問題，是羣众观点問題，是对党和政府的政策指示的态度問題，是社会主义积極性的表現問題。我們衛生医药部門和全体衛生工作人員都应該人人以身作則，积極帶头，投入除四害講衛生运动中去，並且要求医药衛生部門和衛生工作人員成为先进單位及先进人物。同时，全体衛生人員还应該在各級党委的統一領导布置下，抓住一切时机，广泛深入地进行衛生宣傳教育，来提高羣众衛生知識水平，克服差不多了的松勁麻痹思想，發动羣众，使人人都自觉地响应党和政府的号召，执行中央的指示和决定，在除四害講衛生的战綫上个个鼓足干勁，力爭上游，把除四害講衛生运动推向新的高潮。

河北省除四害講衛生运动的成就和經驗

河北省爱国衛生运动委員会办公室

河北省人民在党的領导下，經过全民整風和社会主义教育运动，政治思想觉悟大大提高了，生产积極性和劳动热情空前高漲。广大羣众迫切要求擺脫疾病的威脅，身体健康，多快好省地建設社会主义，迅速地过上文明幸福的生活。

一

去年入冬后党中央重新修正公布全国农業發展綱要，特別是毛主席在党的八屆三中全会提出积極开展爱国衛生运动的号召傳达貫徹以后，全省人民在工农業生产大躍进形势的鼓舞下，以乘風破浪，鼓足干勁，力爭上游的精神，紛紛动員起来热烈响应，一个以除四害为中心的、羣众性的爱国衛生运动，就在全省范圍內蓬蓬勃勃地开展起来，並迅速地形成了高潮。这个运动，从去年12月开始到今年9月末，一直是一个高潮接連一个高潮，一个战役紧跟一个战役；高潮是一次比一次更广泛更深入，胜利战果是一次比一次輝煌。經过去冬、今春和夏秋季以来的持續奋战和不断突击，全省共消灭老鼠8,000多万只，麻雀11,000多万只，以鼠雀兩項合計，全省平均每人消灭鼠雀5只以上，其总数超过1956年和1957年上半年扑杀总数的四倍；消灭蒼蝇和蚊子(包括挖蛹、灭蛆、打撈孑孓)180多万公斤。此外还消灭了大量的其它害虫、害鳥、害兽。在除四害的同时，还进行了环境衛生大扫除，像具大刷洗、万物大翻身、八翻五改良，清除垃圾14万吨(其中有10万吨作为了农業肥料)，修建和改良厕所1,500万个，牲畜棚圈和鷄窩500多万个，疏通溝渠350万公尺，塡平坑窪400多万平方公尺，改良水井16万个。現在老鼠、麻雀、蒼蝇、蚊子在我省許多地方已經基本消灭，有的地方已經实現徹底"四無"。随着四害的大量歼灭，广大城乡的环境衛生面貌大大改观，从根本上改变了过去多年来的那种"人無厕所猪無圈，垃圾粪便滿街院"的不衛生情况，作到了"人有厕所、牛馬有棚、猪羊有圈、家禽有窩"，实行了人畜分居。許多地区的村庄修建了馬路，設有垃圾箱、洒街水缸、痰盂，植树栽花，粉白了牆壁，油漆了門窗，有的还修建了街头花園，做到了綠化、香化、美化，衛生經常化。家家戶戶的室內都是干干淨淨，整整齐齐，呈現了人人心情舒暢的社会主义农村的新气象。勤洗衣、勤晒被、勤洗澡、勤剪指甲，晨起刷牙、飯前洗手、喝开水、不随地吐痰等爱清潔、講衛生的新風气，已經成为广大人民的習慣。由于除四害講衛生运动的开展，許多危害严重的疾病，如痢疾、乙型腦炎等疾病的發病率大大減少，黑热病已經在全省范圍內基本消灭。这些成績，大大鼓舞了羣众建設社会主义的热情和积極性，对增强人民体質，保护劳动力，提高劳动效率，保障工农業生产大躍进起到了重要作用，並充分体現了除四害講衛生运动"移風易俗，改造国家"的偉大意义。广大羣众把除四害講衛生运动当作是"人寿年丰，造福万代子孙"的豪迈壯举，他們歌頌城乡衛生面貌的改变是："天上無雀飞，地下無鼠跑，白天無蝇鬧，夜晚無蚊咬，我們的生活越过越美好，这都是共产党和毛主席領导的好"。

河北省除四害講衛生运动，所以能够步步深入，节节胜利，取得了以上巨大成績，並不是一帆風順的。每一个高潮的到来，每一次战役的胜利，都是有着兩条道路即：多快好省和少慢差費的斗爭。整个运动的过程，也是一个打破保守，破除迷信，解放思想的过程。經过將近一年来的斗爭的事实証明，每当打破一次迷信、保守思想，人們的思想就大解放一次，除四害講衛生运动就向前大大躍进一步。在去冬的第一次战役的时候，人們对能否消灭四害抱怀疑态度，認为"麻雀天上飞，老鼠洞里鑽，蒼蝇和蚊子遍地皆是，繁殖又是那样快，怎样能消灭呢？"因此当时有不少人主張小干、慢干、長期战斗。經过春节前后的第二次战役，蠡县人民創造性的动用了"組織軍事化，行动战斗化"的形式，集中火力，同一时間，統一行动，向鼠雀进行了大圍剿、大歼灭，以短短的一个月的时間即消灭了鼠雀。这一活生生的事实把人們的思想打开了一步，認为"老鼠和麻雀在短期內可以基本消灭"，但对蚊蝇能否消灭还是半信半疑。当今春第三次战役，蠡县和灤平县以"速战速决，全面圍歼"的战术，实現基本四無以后，使人們相信了"鼠雀可以短期消灭，蚊蝇也可以短期消灭"。但四害能否在短期內徹底消灭呢？人們仍然表示怀疑，並且总是在"基本"兩个字上打圈子，持着观望的态度。今夏第四次战役，承德市、蠡县、灤平等县出現了夏季無蚊蝇的奇迹以后，情况大变了，四害一定能够在短期內徹底消灭这一句話，已不再是問号，而且被肯定下来了。虽然如此，但仍有部分保守思想严重的人，强調地理条件不好，物質条件差，时間条件不允許，农活忙等，說四害难除尽。当今秋第五次战役，張北县、承德專区徹底消灭了四害，实現了"四無"县、四無專区后，在事实面前，有力地粉碎了保守派、观潮派和条件論者的种种論調，打破了“只可基本四無，不能徹底四無”的迷信。这是我們在除四害的思想战綫上的胜利，也是今后进一步战胜自然、改造自然的思想基础。看来，只要我們不断地批判和克服右傾保守思想，力爭主动，發揮主观能动性，切实地勇敢地去干，就能創造奇迹，就能改变客观条件，实現理想。否則，永远是落后于客观，永远被客观所束縛，也就永远被动，永久被敌人包圍，消灭四害永远不能做到。

从当前河北省除四害講衛生运动的总的形势看来，消灭四害的主动权已經掌握在我們的手里。現在的关鍵問題在于繼續發动羣众，紧紧依靠羣众，与四害的孳生繁殖竞賽时間，只要我們在和殘余敌人斗爭上树立起不获全胜决不收兵的决心和信心，最后徹底地、干淨地、全部消灭四害一定能够实現而且完全可以大大提前实現。

二

河北省的除四害講衛生运动，經过將近一年来的实踐，取得了以下几点主要經驗：

書記掛帅、加强領导

党的領导是一切工作取得胜利的关鍵，我省的除四害講衛生运动所以能掀起几次高潮和取得成績是和各級党的領导分不开的。各地党委自从全国农業發展綱要修正草案公布以后，就引起了对除四害講衛生的重視，並將这一　　命創举看成是促进生产，改造国家，移風易俗的重大工作；在組織領导和具体行动上也都采取了积極措施，首先强化了爱衛会的組織，各級党委都是亲自領导，書記掛帅，將除四害講衛生运动列入了党委的主要議事日程，及时研究布署，指导运动的开展。在运动中各級党的負責干部都是上馬亲征，抓思想，抓計划，抓措施，深入战区，分片包干，帶領羣众突击，每次突击各級党委都能随时进行督促檢查，發現問題就地解决，促使了运动的　　。如省委林鉄書記亲自制訂除四害講衛生运动計划，深入基層檢查工作。特别在中共河北省委召开的四級干部会議上，反复的作了貫徹，使全省的除四害講衛生运动迅速出現了一个力爭提前消灭四害的新局面。蠡县县委書記王毅同志亲自搞除四害講衛生的試驗田，唐山地委書記何靜芳同志亲手消灭麻雀1,200只，中共延庆县委員会，以身作則先將本單位搞成四無，然后組織羣众参观，帶动了全县的除四害講衛生运动。中共承德地委書記和委員，分别到各县督战，既当指揮官又是战斗員，与羣众一起消灭四害，大大鼓舞了羣众情緒，好多地区羣众提出：“党領导到那里我們就干到那里”，还有的地区編出：“書記县長上战場，那怕四害除不光”的歌謠，鼓动羣众情緒。在各級党委的直接領导下，使运动取得了显著成績。

消灭四害必須相信群众，紧紧依靠群众，放手發动群众

除四害是我国人民向自然开战，征服自然和改造自然的偉大斗爭的一个重要方面，是我国文化革命的一个重要組成部分，也是我国历史上破天荒的大好事。必須相信羣众，紧紧依靠羣众，放手發动羣众，大搞羣众运动，才能取得这个斗爭的徹底胜利。

在“四害”能不能消灭，能不能短期內徹底消灭的这个問題上，曾有不少人抱怀疑或半信半疑的态度，他們对除尽四害没有信心和决心，不相信羣众的偉大作用；他們把除四害和生产完全对立起来，不懂得除四害有利于生产，而且完全能够圍繞生产，紧密結合生产来进行，因而不愿意也不敢放手發动羣众来除四害；他們認为除四害应該由国家衛生机关来办就行了，用不着兴师动众，而衛生部門的一些少数衛生技术人員則是在药物上想办法。他們不相信羣众的無穷智慧。但是事实最有說服力。徐水县在运动初期，認为工作忙，顧不过来，忽視了羣众力量，干勁不大，进度不快，但他們在打破保守，發动羣众之后，在三天中就消灭了鼠雀18万只，一躍而为先进县。过去我們对消灭麻雀，总是在毒、打、掏、堵、捕等办法上作文章打圈子，当然这样做也是对的，但如何更多的、更快好、更有效的消灭則很少研究和注意。在羣众中有没有多快好省的办法呢？有，今年一月間，張北县人民根据麻雀的飞翔力不强，耐餓力很小等弱点，抓住了雪后有利时机，采用“疲劳战术”一次大圍剿就消灭了麻雀80万只，过去人們認为消灭四害是“平原容易山区难，鼠雀好办蚊蝇难”，但是灤平县人民並没有被困难吓倒，他們相信自己的力量能战胜一切困难，敢于向四害打主动仗，因而經过晝夜的鏖战，以每分鐘消灭鼠雀163只的速度，在3,500平方公里的面积上，仅用了144个小时（6晝夜）就將鼠雀全部歼灭。此外，如成安县羣众創造“六六六强迫杀鼠法”的經驗，玉田、遵化、丘县等地区的羣众用蓖蔴、大蔴叶、猫眼草、洋金花、荆条子、桃树叶等植物，杀灭蚊蝇，都是行之有效的好办法，現在全省各地已普遍采用。据丘县的試驗，用猫眼草、洋金花兩种植物灭蝇蛆，一天的时間就能杀死，現在該县羣众每在下地生产休息时就采集这种植物，回家放在粪坑中杀蛆，既方便又不花錢。从以上的事实充分說明了，只要我們把广大羣众發动起来，紧紧依靠羣众，就能形成一种排山倒海的巨大力量，羣众的智慧就会大放光芒，克服困难，解决矛盾，創造出前人所不曾想到也不敢想的事情和亘古未有的奇迹来。“赶走太陽圍着月亮轉，苦干鏖战开展歼灭战，任凭麻雀能上天，尽管老鼠地下鑽，入地挖到水晶宫，上天打到灵霄殿”，这就是羣众的英雄气概和他們提出的豪迈口号。例如，我省承德專区是一个地广人稀，居住分散的山区，解放前，广大人民羣众受尽了反动統治阶級的剝削和压迫，貧病交加，灾难重重，生产極为悲慘，"大人黄，小孩瘦，皮包骨头没有肉，衣服襤褸心难受，天天有死者，嚎啕声不休"，这就是当时在羣众中流行着的一首民謠。解放后，广大羣众在党的領导下，从政治上、經济上、思想上获得了解放，在社会主义制度下，迫切要求除尽四害、講究衛生，消灭疾病，追求文明健康。他們敢想敢說敢作敢为，不再迷信"事事皆天定，万般不由人"，他們相信自己的力量能战胜一切困难。因此当省委提出"一年突击，二年扫尾，三年实現四無省"的号召以后，他們就提出了"千軍万馬齐出动，不怕冰雪天气冷；乘衛星，駕火箭，鏖战七晝夜，坚决实現四無専"的口号。經过全区人民的苦干奋战，四害基本上被消灭了，千百年来夢寐以求的理想实現了，並且在很短时間內还消灭了現症梅毒、甲狀腺腫和黑热病，創造了医学史上空前的奇迹。总之，只要我們从广大人民利益出發，到羣众中去，走羣众路綫，向人民羣众学習，並認真总結羣众的發明創造，没有不能战胜的敌人，没有不能完成的事業。

消灭四害必須在战役上採取速战速决，在战略上貫徹持久战

除四害如同和敌人打仗一样，必須講究战略战术和战法。四害天上飞，地下鑽，数量大，分布广，繁殖快，适应自然环境能力强，这就需要我們消灭四害的速度必須大大超过四害繁殖的速度，特別是在繁殖前要贏得时間，一举全歼，才能战胜敌人。如果我們采取小手小脚，零打碎敲，拖長时間，就必然形成"边灭边生"、"灭不胜生"的被动局面，完全处于被四害包圍的防御地位；就会使这个地方的四害消灭了，那个地方未被消灭掉的四害又窜过来。消灭四害的时間拉的越長，就越不容易徹底消除，斬草除根。因此对四害必須实行速战速决。所謂速战速决，就是要时間短，規模大，集中优势兵力，向四害进行全面大圍剿，一鼓作气，不使四害有絲毫喘息的机会，全部地、徹底地把它們消灭掉。这样从表面来看是兴师动众，需要很大力量，但实际上是种事半功倍的作法，不是浪費力量，而是节省力量，是符合多快好省方針的。另一方面，这种战法可以在較短的时間內取得輝煌战果，大大鼓舞羣众斗志，坚定必胜信心。我省蠡县、滦平、承德専区以及其它县、市所以能够在短期內取得很大胜利，就是由于創造性的运用了这一条重要的經驗。事实也是如此，凡是运用了"速战速决"的地方就"一步登天"，出現奇迹。

要速战速决，就要全民动員，人人动手，万众一心，协同作战，从四面八方向四害举行全面圍剿結合反复扫蕩，直到歼灭为止。这就必須有一个千軍万馬一齐出动的大战斗，没有这样的战斗規模是不能速战速决的。同时还要有完善的組織工作，要有領导，要有充分的物質和技术准备。在大举进攻时，不仅地区上要行动一致，时間上也要一致，不仅居民之間一致，机关、厂矿、企業、学校等也要一致，只有这样，才能使麻雀上天無路，老鼠入地無門，蒼蝇和蚊子無地藏身。如果一地或一家不除，就会影响整个战斗的进行，就会"功亏一簣"影响全局。因此"速战速决"就意味着行动必須軍事化，組織必須战斗化，形成一支龐大的战斗部队，把羣众的無限力量匯合一股向大自然进軍的激流，保証战斗在激烈而又有秩序的情况下进行。在这次运动中，我們就是采取了这种軍事化的战斗組織形式。各地普遍建立了除四害指揮部。並以乡为單位划分了除四害战区，根据乡、社、队、組的建制，將全民組織成为团、营、連、排及各种特种兵种，由各級党委層層包干。在各級除四害領导机構中，党委書記和行政負責人亲自任正付总指揮；青年团及衛生部門的負責人为參謀長。各級除四害办公室有的設在党委会，有的設在躍进办公室，由党委書記直接掌握情况和亲自制訂計划，布署战斗和指揮战斗。这种軍事化战斗組織形式，不仅便于發动羣众，适合羣众心理；而更重要的是通过相互配合作战，相互支援，大搞协作，能够大大加强羣众的集体主义思想和發揚高尚的共产主义風气。例如，运动初期，各地都各把一方互不联系，当他們看到今天消灭了明天又出現的情况后，認識到只有同心协力一齐干才能取得徹底胜利。所以到后来由村与村的协作，形成了乡与乡、县与县、専与専的大协作，組織志愿队进行支援，拿出战斗武器主动帮助，造成了"一村四無难保住，村村四無才徹底"的輿論。另外，我們在每次战役上，主要是采取單項突击，各个击破，先粗后細，細中求全的方法，来集中火力，攻击主要目标，一举歼之。例如：在冬末春初是搞鼠雀；春季大力扑杀越冬蚊蝇；春末夏初进行八翻五改良，消灭蚊蝇孳生地；夏季扑杀漏網成蚊成蝇，大搞环境衛生建設。这样的好处是目标明确，力量集中，行动統一，成績显著，振奋人心，同时也便于指揮和檢查。

在战术方面，在运动开始时，着重發动羣众挖潛力，找窍門，大力創造工具，个个有工具，人人动手打。例如安国县李国順創造了照妖鏡，連环套，木猫等29种，144套捕鼠工具，在三个月內就消灭老鼠3，700多只；蠡县辛兴村14岁的少先队員楊国忠創造14种灭鼠工具。当"四害"受到沉痛打击后，广大羣众研究分析了殘余鼠雀的狡猾特点和活动規律，創造了"登高瞭望"、"伪裝伏击，暗藏窺探，跟踪签到，火槍連环陣，树枝点火誘杀"等办法消灭麻雀；采取了"翻草垛，挖屋地，联合行动，同时搜剿；找鼠洞、下鼠药、堵鼠洞"等办法消灭老鼠。在消灭蚊蝇工作上，必須采取治标与治本相結合的綜合措施，就是要一面發动羣众做好挖蛹，灭过冬蚊蝇（主要是六六六烟蝇隱藏場所）和扑杀成虫；一方面对糞便、垃圾、污水和易于孳生蚊蝇的条件进行一系列

的徹底改良，同时做好經常衛生管理。三者必須相互联系，相互制約。如果我們不能在短期內把現有成虫全部、徹底消灭，就等于給四害留下傳代的种子，但只搞治标工作，不去进行环境衛生基本建設，徹底消灭其孳生条件和孳生場所，就必会給它們造下有利回生的机会；如果我們环境衛生基本建設搞的很好，却对糞便、垃圾或一些易于招引、孳生蚊蝇的廢棄物管理不好，不能进行無害化处理，对于容易孳生蚊蝇的有关行業监督不严，就很难巩固成果，因此三者必須互相結合为一个整体。我們制定的除四害講衛生17条綱要就是根据这个原則制定的。它已起到推动作用，产生了良好效果，事实也証明了，执行17条綱要徹底的地区便出現了四無奇迹，保持了先进的紅旗。

当然，速战速决絕对不是轟轟烈烈一陣而了事；任何事情都不是也不可能一劳永逸的。速战速决不但要全部消灭四害，更重要的是徹底消灭四害的一切生存繁殖的条件。只有这样才能巩固陣地，使四害永無翻身之日。如果有四害生存繁殖的条件存在，極少数漏網的殘余四害仍然可以迅速繁殖起来。因此，“速战速决”並不意味着搞几个战役把現有四害消灭的差不多了而就万事大吉，永無后顧之憂了。而是应当組織羣众，發动羣众同殘余四害及其孳生条件进行持久战斗。如果不在速战速决的胜利基础上，輔以向殘余四害进行持久战斗，就难以巩固旣得成果，短期內达到全部、干淨、徹底消灭四害的目的。采取持久战的战略方針，是否就是要小干、慢干、循規蹈距，零打碎敲呢？是否就会由进攻轉退为消極的防御地位呢？不是的，这样理解和認識或照这样做法是極端錯誤的。相反的，这正是为了給徹底实現四無打下胜利基础，为移風易俗創造更好的条件。因为事物的發展总是由不平衡到平衡，由平衡再到不平衡的波浪式的向前發展。

政治是統帅，宣傳鼓动工作是开路先鋒

除四害講衛生运动是一次移風易俗、改造思想、改造国家精神面貌的革命运动，必須人人动手，戶戶动員，形成一个羣众性的高潮。因此保証整个运动获得完全胜利，这就必須大講特講，大宣傳，大动員，政治思想鼓动工作就必須是运动的开路先鋒。广泛地組織和使用各种宣傳力量，通过各种鼓动形式，結合羣众的思想和生产活动，来鼓舞广大羣众的革命干勁，使广大羣众人人仇視四害，人人动手消灭四害，並永远保持旺盛的战斗士气，使整个运动后浪推前浪。高潮赶高潮，节节前进，节节胜利。

在除四害講衛生运动过程中，尤其是在运动初期，除四害要慢慢来不要小題大作，不要“兴师动众，大动干戈”，“麻雀一年能吃多少粮食，只要有个大丰收，什么也不怕，四害除不除無所謂”，“除四害妨碍生产”，“四害不能消灭”等各种保守思想和迷信观点，在干部和羣众都有存在。我們針对上述各种情况，首先是大搞宣傳，造声势，轟开局面。各县、市、乡普遍召开除四害講衛生动員誓师大会，各級党政領导亲自动手參加运动，領导运动。組織宣傳大軍，广泛利用黑板报、講演会、大字报、游行示威、有綫广播，文艺表演等多种多样的形式發动羣众，無論城鎮和农業社的文化館、俱乐部都有除四害講衛生的內容，無論街头巷尾、高山石壁、都有除四害講衛生的标語。其次是在运动开始后，把消灭四害的胜利战果和羣众的創造發明集中起来，村村搞展覽，使羣众檢閱自己的力量，並隨时隨地都能受到教育，造成一种濃厚的力爭上游的革命气氛。同时还采用了光荣榜、躍进台、先进台、快板等等进行表揚和批評。大字报更为普遍，巨鹿县大辛庄在檢查評比时，發現某生产队除四害講衛生搞的不好，干勁不足，羣众就給他們貼了一張大字报：“第×队眞丢丑，想和四害交朋友，改良厠所不积肥，麻雀还是到处飞，拖拖拉拉沒朝气。想改善加油干，抖抖精神壯壯胆，爭取下次当模范”，旣有批評又有鼓励。各地通过这样表揚和批評，使不少原来比較落后的發奋圖强，成了先进。

为了促使思想工作緊密結合战斗任务，及时發現問題，就地及时解决，保証羣众保持飽滿的革命干部和旺盛的战斗士气，思想工作是相当重要的。过去我們开展爱国衛生运动时，一提到加强政治思想鼓动工作，就是編写訓練衛生人員教材、印發傳單、标語、漫画、宣傳提綱等等。但是这次运动不是这样了，各地把羣众中各式各样的思想顧虑和抵触情緒当作了政治教材，把羣众的干勁和先进經驗当作了宣傳內容，把田野村庄，街头地边都当作了課堂，旣保証了每个战役的胜利，又不断提高了羣众的覚悟，打破了陈旧观念。例如，在宣傳除四害的意义时，有的羣众說：“丰收之年不怕麻雀彈”，“耗子盗不穷”；在宣傳衛生的科学道理时，有些羣众就說：“是財不散，是兒不死”，“事事皆天定，万般不由人”，發动羣众扫房时，有的人則以一年不扫兩次房，以扫兩次房家破人亡为借口”不积極行动；号召积肥翻屋地，有的羣众認为“屋地有龙，挖掉受穷”等等。各地針对各种不同的思想情况，組織了羣众性的鳴放大辯論，由羣众自己来教育自己，解决各种思想問題。鳴放大辯論的內容，一般是除四害講衛生的重大意义。是否和生产矛盾，消灭老鼠、麻雀对增产粮食有什么关系，消灭蒼蝇和蚊子对国家社会主义建設有什么好处，应該不应該消灭，能不能消灭。例如：石家庄市彭村街羣众在大鳴大放中，有30%的意見是关系除四害和講衛生方面的，該街党支部就抓住这一点，組織了專題辯論。当羣众認識清楚了除四害講衛生的意义与好处以后，大家一齐动手，五天时間內就徹底改变了全街的衛生面貌。各地在鳴放辯論的基础上，用摆事实講道理的方法，通过算細賬、算增产賬、算不衛生引起的疾病賬算损坏物品与建筑的赈，回忆对比和訴害，来进行說服教育。例如：商都十大块乡紅海社社長于占奎以解放前一个秋天就从鼠洞里挖出5,000斤粮食，蠡县北陈村以刘顺成卖牛的錢放在柜里被老鼠拉走而自杀等实例来說明老鼠为害之大。遵化县洪山口乡在訴苦会前，仅有45人参加运动，辯論后，羣众辨明大是大非，参加运动的就增至1,335人。由于科学衛生知識已被羣众所掌握，封建迷信思想的破除，不少地区的羣众，主动地把过去供神的佛龕变成了碗架，貼天地神，财神的地方換上了除四害講衛生的标語，供神用的香爐变成了痰盂，旧庙宇改修了洗澡堂。使广大羣众認識到四害必除，衛生必講这一大事。

除四害运动必須与生产紧密結合、为生产服务

在除四害講衛生运动中我省各地都密切結合了生产，不少地区采取了"大忙小干，小忙大干。不忙鏖战"和"統一調配劳力与生产統一安排"的措施。解决了除四害講衛生与生产矛盾問題。各地在运动中始終貫徹了为生产服务支持工农　　　的原則。工农業的大躍进又促进了除四害講衛生运动的深入开展。例如在运动开展初期，各級党政領导即將除四害講衛生列入了生产躍进計划之內，在領导方法上实行了五統即：統一領导、統一計划、統一貫徹、統一檢查評比、統一总結匯报。在具体工作方法上是結合积肥大搞环境衛生，清除垃圾进行八翻五改良，千方百計开辟肥源，消灭蚊蝇孳生地，兴修水利时填墊小的坑窪，疏通溝渠，大的坑窪改建小型水庫，提倡养魚吞食孑孓既能增加收入又能消灭孑孓。在植树造林运动中进行街道庭院綠化，为保护粮食节約粮食，大力开展消灭鼠雀，結合勤儉持家，收購廢品，大闘傢具大搬家，翻箱倒櫃；在劳动和时間的支配上是：捕鼠灭雀在早晚，清潔扫除抽空閑，八翻五改在夜間，白天正时搞生产。提倡羣众下地也帶工具，随时搞除四害講衛生，使生产与除四害做到了密切結合。各地在运动中得出的經驗是："要增产多打粮，必須多上肥料，为多搞肥料就必須从搞衛生入手"。灤平县窖上乡农民編的一首歌謠就充分的說明了这个問題，歌謠是："为了亩产五百三，猪圈厕所把身翻，坑溝深挖一、二尺，古老粪源見青天，大粪高溫双管下，清除街道挖泥灘"。由此开展除四害講衛生运动是有利于發展生产很受羣众欢迎的。承德專区为講衛生清除垃圾开辟肥源算了一笔細賬，通过兩改（厕所、猪圈），十二大翻身（猪圈、厕所、粪坑、污水坑、畜圈、鸡鴨窩、鍋台、碾磨道、屋地、院子、街道、垃圾堆），建立了积肥基地，共增加粪肥98亿多斤。每亩地平均增肥1,700多斤，全專新修和改修猪圈278,000多个，厕所779,000多个，按每个平均一年多积万斤肥計算，每亩又可多施肥1,000多斤，按20斤粪肥增产一斤粮食計算，共可增产8,000多万斤，有力的支持了农業大丰收。由此可見除四害講衛生运动与生产的結合是具有很大的政治意义和經济意义的。

抓先进树紅旗組織参观竞賽与召开現場会同时並举

除四害講衛生运动是一場天翻地复的　　　　运动，它涉及到新与旧，破与立的斗爭，所以在整个运动过程中都体現着先进与落后的思想斗爭。为冲破保守使运动不断出現高潮，我們采取了插紅旗，組織参观竞賽，开現場会等促进方法。如运动初期，在干部和羣众中有部分人对消灭四害缺乏勇气和信心，在他們面前是困难畏縮不前，而有的地区則是干勁十足，如蠡县經过几天的大干，就于2月16日全县报捷，实現了四無，树立了全国、全省第一面紅旗。为了学習先进，我們就組織了参加四級干部会議的各級党委書記到蠡县进行了現場参观，通过参观解放了思想，破除了迷信，坚定了信心，並孕育了一場全省范圍的除四害講衛生运动的高潮。所以当四級干部会議結束以后，全省就出現了学蠡县、赶蠡县的一場声势浩大的圍歼四害的大战。随着运动的开展掀起了專与專，县与县、乡与乡比先进、比干勁、比成績的竞賽高潮。各專、县大都采取了"抓先进帶中間突落后"的領导方法，促进了运动的快速度發展。如承德專区在灤平县召开了現場参观評比　　大会以后，全專人民爭插紅旗，經过七晝夜苦战，基本上实現了四無，树立了全国第一个四無專区的紅旗。涞水县首先在一个乡搞了改良猪圈、厕所的样板，然后組織全县去进行参观，很快推广了全县，致使該县的五改良工作搞的很徹底。完全合于省爱衛会規定的要求，其他地区組織的参观，对相互促进也起到了很大作用。

召开現場会議，当場取經也是促进运动較主要的环节，每当一个运动或一件事物的發展，都会出現先进、中間、落后等三种不同的情况，抓兩头帶中間的方法固然重要，但从正面入手，發动中間，落后去学先进，在先进地区召开現場会議可以收到更大的效果。这在广大羣众被充分發动起来以后，爭取在短时間內实現四無搞好衛生就具有更重要的意义。这样作非但鼓励了先进，树立了紅旗，促进先进再先进有很大推动作用，同时对啓發落后学先进赶先进吸收經驗共同提高有着非常現实的积極因素。所以我省各地都普遍采用了这一方法，仅省爱衛会就先后在邯鄲、承德、蠡县等地召开了四次不同性質的現場会議，对促进我省整个运动的开展起了很大作用。

巩固胜利扩大战果建立制度适时提出奋斗方向

为了巩固胜利不断扩大战果，我省的除四害講衛生运动緊緊抓住了　　　　这条綱，一面檢查一面进行，每次战役都結合具体条件提出新的要求，为运动增加新的內容，提出新的奋斗指标，促使了运动的不断發展。在巩固成績扩大战果中我們采取的措施是："組織

检查促进运动的进一步發展”。根据四害特点采取了集中优势兵力开展全面圍歼大突击的方法，突击时采取單項突击尤为重要。每次突击之后，又要求我們必須进行全面認眞的檢查，目地在于通过檢查發揚成績，糾正缺点，查清战果，發現死角推动运动向深入細致發展。为什么突击后必須进行檢查呢？实踐証明檢查本身就是运动的継續。檢查中發現了問題，便可据以拟定下一步的計划，給下一步取得更大胜利作好准备，檢查和突击是两个基本的工作方法，不能截然分开而要緊密的結合运用。如果突击中仅是一般布署，而不去檢查运动的进展情况，不断發現問題指导运动前进，运动就会停滞不前。收不到預期效果。檢查中要随檢查随补課，使檢查又成为再突击的过程。突击之中有檢查，檢查之后再突击，这样不断突击，不断檢查，就可以巩固运动成果，推动运动不断前进。为了使运动巩固經常，我省不少地区建立了經常性的檢查制度，因而使运动得到了深入發展。如保定市建立了衛生监督員制度，目前已有2,000多名义务监督員，他們在党的領导下做到了每日一檢查，每周一評比。昌黎县实行了記分制，家家門口上掛上記分牌，每周檢查一次。根据成績評定分数，看看成績如何。蠡县除了專門进行衛生檢查外，还在檢查生产的同时檢查衛生，在生产評比記分中規定衛生占的分数。这就有效的促使衛生和生产緊密結合起来。事实証明凡是注意檢查評比和規定了制度的地区，都能够保持衛生运动的經常化。都能把成績巩固下来，使运动不断發展。

指标先进，要求明确也是促使运动發展的重要方法。我們各級爱衛会在領导运动中大都采用了这一方法。如运动初期省爱衛会就拟訂了“除四害講衛生的17条标准”，並根据各地經驗适时的提出了“速战速决，搞單項突击”“根据季节打击敌人薄弱环境”等行动措施。並提出“一年突击，二年扫尾，三年实現四無省”的奋斗目标。当运动發展到一个新的阶段，又在17条的基础上制訂了除四害講衛生綱要28条，及开展灭病，發展民办衛生事業，建立农村医疗保健網等实施計划，使运动不断提高，步步深入，促进了我省除四害講衛生运动的發展。各地也都根据本地区情况提出了不同的指标和奋斗方向，如保定市在講衛生运动中提出五要五不要（五要：飯前要洗手；早起要刷牙；勤洗脚；衣服要勤洗；被褥要常晒。五不要：不随地吐痰；不乱丢烟头；不乱丢瓜果皮；不乱倒垃圾和潑污水；不乱丢屙粪）。承德專区根据运动發展情况提出，“一年突击，一年扫尾”的奋斗目标。还有的地区提出“苦战几晝夜，实現几無几潔”等等都給运动指出了明确方向，这样容易搞出成績，鼓舞斗志推动运动的不断發展。

以除四害为綱帶动全面衛生工作大躍进

我省的除四害講衛生运动經过几个月的連續战斗，打出了一个全新的局面，大量消灭了四害，麻雀近于絕迹，蚊蝇密度亦显著下降，城乡面貌已得到徹底改变。全省各地都以“天上無雀叫，地上無鼠跑，不見蒼蝇飞，不挨蚊子咬”和“糞堆搬了家，厠所把身翻，垃圾变肥料，黑墙变潔白，处处都干淨，傢具有安排，身入其境精神爽，好似別有一重天”的歌謠来歌頌除四害講衛生运动的好处。实事証明这場人类征服自然的大战。不仅从根本上改变了我省人民的精神面貌和生活面貌，同时对全省整个衛生事業的發展也起了促进作用。

除四害講衛生运动的偉大胜利，改变了羣众的衛生習慣，羣众对医药衛生的要求越来越迫切，所以在全面大躍进的形势下，我省的民办衛生事業發展速度也很快，目前已經形成了一个全民办衛生事業的新高潮，全省已經达到乡乡有医院，社社有保健站，一个社会主义的农村医药衛生保健網已經在我省形成。

为什么除四害講衛生运动能帶起民办衛生事業的發展呢？实踐証明，除四害講衛生运动是一項完整的衛生体系，他和各項衛生工作都能發生关系。通过运动促进了人民羣众的衛生要求。这是运动进一步發展的必然結果。是在除四害講衛生运动的基础上适于社会生产力發展的人民衛生事業的新形势。这些民办衛生事業將会很好的服务于人民，並成为农村衛生工作的指导核心。

灭病工作也在随着整个运动的發展普遍开展。我省过去由于長期遭受反动阶級的統治和压迫，經济文化落后，疾病情况相当严重，在我省山区和部分平原地区，流行着甲狀腺腫、梅毒、結核、沙眼、黑热病、瘧疾和麻風等疾病。这些疾病严重的危害着人民的生命健康，影响着社会主义建設事業。几年来党和政府虽然大力进行了防治，各种疾病的危害有了显著減輕，但没有从根本上解决問題。尤其在大躍进的新形势下，羣众的灭病要求就越加强烈，因此迅速消灭这些危害人民最大的疾病，就成了全省人民的一致利益。所以在全民性的除四害講衛生运动中，一个羣众性的灭病高潮也就随之形成。魏县、迁西不到一个月全部消灭了黑热病，为全省灭病工作打响了第一炮。承德專区仅仅用了60天时間，就在全县范圍內消灭了現症梅毒，保定專区也消灭了黑热病，甲狀腺腫和瘧疾，石家庄專区消灭了梅毒、黑热病、瘧疾和甲狀腺腫，在全省普遍实現了食鹽加碘並將全部瘤型麻風患者收容入院，控制了疾病蔓延。現在各地的灭病运动正在普遍开展，从形势的發展上看，以上疾病在短期內即可全部消灭。

在消灭疾病斗爭中我們的經驗是“技术和羣众运动相結合”，羣众路綫是我們党的一切工作的原則，消灭疾病也不能例外，尤其是防治疾病的措施，必須通过羣众去实行。没有全民动員，消灭疾病也是不可能实現的。

山西省除四害講衛生运动基本經驗

山西省爱国衛生运动委員会办公室　卓述文

一

我省以除四害为中心的爱国衛生运动，在各級党委和政府的直接領导下，以生产为中心，从去年10月分大規模的开展起來，到目前相繼出現过五次大高潮。运动的規模宏偉，声勢浩大，普遍深入，效果显著。全省从城市到农村衛生面貌有了空前改观，到处呈現了欣欣向荣的社会主义的衛生新气象。截止9月中旬，全省5專、5市和90个县均向省报捷，大部份市、县实現了基本四無。

随着运动的深入开展，全省城乡衛生狀況大大改观，从而出現了整齐清潔的新面貌，就是偏僻山老地区的小庄也創造出惊人的奇蹟，农村中的食堂、澡堂、托兒所、理髮室、洗衣組等，也大量的建立起來，孳生蚊蝇的垃圾、污水坑、厕所、畜圈、粪堆等場所均作了比較妥善的处理，大部地区还設了垃圾箱、太平水缸、痰盂，广大青壯年开始养成了勤洗澡、勤洗衣被的良好衛生習慣。羣众反映說"想过去四害俱全到处髒，大人小孩不健康。看現在人强馬壯，六畜兴旺，洗洗澡更舒暢，鼓足干勁过長江。幸福日子那里來？多亏毛主席和共产党"。繁峙县三茹村的民歌中唱着"过去山区眞是髒，街院好似牛粪場。現在山区变了样，家家干淨多漂亮"。

全省共有90个县和5个市，大体上可分三类：第一类有稷山、絳县、新絳、安邑、翼城、临猗、陽城、晉城、屯長、大同市和太原市等27个市县，佔全省市县总数的28.4%，这些地区的四害已經接近徹底消灭。其中稷山、陽城、絳县、临县等19个市县已向省报告徹底消灭了四害。第二类者有聞喜、万荣、洪赵、武乡、潞安、長治市、汾陽、祁县、左权、榆次市、偏关、定襄、山陰、朔县等59个市县，佔全省市县数的62.1%，这些地区的四害已达到基本消灭。第三类有代县、大仁等9县，佔全省市县数9.5%，这些地区的四害密度大大降低了，但还没有达到基本消灭。根据中央及河北、河南、山东、陝西等省衛生檢查团，在8月21日至9月11日对我省5專、5市、33县、137乡、279村、703个單位和7,242戶居民中的檢查，在陽城、昔陽等11个市县沒發現麻雀，在五寨、临县等9个县沒發現蚊子，在临县、昔陽等16县沒發現鼠洞。在被檢查的279个村中共發現750只麻雀，平均每村有2.6只麻雀，在被檢查的31,661間房屋中共發現404个鼠洞、4,300个蒼蝇和530个蚊子，平均每100間房內有1.27个鼠洞，0.01处鼠跡，13.8个蒼蝇和1.73个蚊子，80%的厕所作到全完無蛹、無蛆。如在临县8个村，440間房屋內的檢查，全部沒蚊、蝇、鼠、雀，仅在院內、厕所、粪堆等处共發現14个蒼蝇，96个厕所中只有1个有蛆。絳县每村平均有0.2只麻雀，每100間房內有1.19个蝇子，0.12个鼠洞和1.8个蚊子，98.6%的厕所作到完全無蛆。在稷山县也作到無雀，每100間房內有2.5个蒼蝇，0.87个蚊子和0.81个鼠洞，97.2%的厕所無蛆。稷山县太陽村、晉城县东四义村和五寨县的白草坡村，已經是处处清潔，戶戶衛生，人人健康，綠树成蔭，道路平坦，花草滿院，四害和傳染性疾病已經被消灭的新农村了，衛生工作达到了經常化、制度化和習慣化。因此，太陽村、东四义村、白草坡村以及絳县梅村五寨县店坪村、左云县三台子村、安邑县南張村、陽城县固隆村、屯長县东李高村、晉城县的七干村、偏关县深瑤村和窑头村等地，除四害講衛生工作都非常突出。所有这些，都是我省衛生运动中的衛星和紅旗。

由于爱国衛生运动的深入开展，大量地消灭了四害和四害的孳生条件，因而在消灭疾病方面，也初步取得了巨大成績。截止目前，据各地报告統計稷山、陽城等87个市县已基本消灭了瘧疾、黑热病、斑疹伤寒、回归热，五寨、临县等90个市县普遍推行了新法接生，基本消灭了新生兒破伤風。同时，全省17种主要法定傳染病的总發病率，也有显著降低，如以去年上半年为100計，則今年同期相比，共降低67.04%，其中痢疾發病率降低73.2%，病死率降低44.7%，麻疹發病率降低76.1%，病死率降低84.7%，斑疹伤寒發病率降低80.3%，百日咳發病率降低59.1%，流感發病率降低66.7，流行性腦脊髓膜炎發病率降低64.4%，猩紅热發病率降低36.5%，狂犬病發病率降低80%，由于这些疾病的显著降低，有效地增进了人民健康，提高了劳动出勤，从而促进了工农業生产的大躍进。

与此同时，全省衛生保健組織也随着爱国衛生运动有了很大的發展与提高。全省共有县以上的医院、防疫站、疗养院、衛生院201座，地区医院和保健站由去年的80座，增加到今年的424座，並新建了乡医院1,181座，乡社产院4,461座，乡和社保健站（室）亦由13,083个發展到16,094个。这些医药衛生机構，对加强除四害講衛生运动的技术指导、消灭疾病、衛生宣傳等工作起到巨大作用。

二

取得以上成績的主要措施和經驗

1. 党委重視、書記掛帅、全党动員，全民动手，人人奋战。全省各級爱衛会和除四害指揮部，从省到乡都是由党委第一書記亲自掛帅，發布动員令，召开电話会議、广播会、現場会、研究战术、布置任务等，絕大部分都由第一書記亲自主持，並亲自率領干部深入基層檢查推动。如省委陶魯笳第一書記、書記們、省長們、地委書記等領导干部不仅深入到农村、工厂去檢查，还深入到整修厕所、清除垃圾等艰苦的斗爭現場和羣众一塊改变环境衛生。中共榆次地委把除四害运动列入仅次于生产的第二位，由第一書記王成旺同志亲自指揮，在領导方法上是，县包乡、乡包社、社包队、党团員包戶。陽城县委第一書記邢德勇和郭藏柱書記，从一月分至今，在三級扩干会上动員过六次，在乡党委書記座談上討論过七次，召开过22次电話会，采取了九次突击措施；該县建立了以郭藏柱書記为首的除四害总司令部，下設36个战斗兵团，由全体县委委員分片督战，以軍事化、战斗化的姿态向四害發起总攻。中共絳县县委第一書記侯維秀，亲自在大交乡搞衛生試驗田，推动运动。五台和太谷县委第一書記刘梅和胡曉琴都是亲自动手領导，經常督促檢查和布置工作。中共五寨县县委第一書記袁步森同志，不仅亲自担任县爱衛会主任委員，为了加强对运动的領导，还把县爱衛会办公室設在县委会，由县委文教部長薛世荣和高君健副县長專職負責办公室的領导工作，县委每周开会一次，都要研究除四害講衛生运动，袁書記召开各种会議之前，先要叫各乡党委書記匯报本乡运动情况，見到四害先除害后开会，这样就教育了干部。

那里衛生搞不好，党政領导就到那里动手，帶头打开局面。羣众說“書記动了手、四害沒活路”。羣众說“旧社会七品官騎馬坐轎，新社会当县長脫衣挖茅，咱还能不干嗎？”太原市工人牛奶場，厕所的保潔員是党委書記，羣众提出“学書記，赶書記，教育羣众首先看自己。”类似这些事例不胜枚举，这对羣众是个極大的鼓舞，全省人民就是在各級党政領导这样的亲自帶头下，踴躍的投入了运动。

2. 以生产为中心，多边結合，統筹安排，並支援为生产服务。我省爱国衛生运动是以生产为綱，采取了与生产十統一（統一領导、統一組織、統一檢查、統一行动、統一評比、統一匯报、統一竞賽、統一奖励、統一安排、統一总結），三抓（抓領导、抓檢查、抓兩头），十結合（整厕挖蛹与积肥，消灭鼠雀与防病保粮，整修街道与綠化，除杂草与漚綠肥，兴修水利与消灭蚊子孳生，除四害講衛生与提高劳动出勤，棚圈和飼养衛生与牲畜保健，清除垃圾与积肥，家庭衛生与勤俭持家，三爱公約与衛生制度）和大忙小干、小忙大干、雨天整干的方法，作到以“生产帶动衛生，衛生促进生产”，避免了顧此失彼的現象，这就使运动不間断的开展起来。实踐証明，运动对生产确实起到很大的支援与促进，它不仅表現在降低發病、提高劳动出勤等方面，同时在支援增加生产方面也有巨大成效，如貧瘠的五寨县，講衛生結合清扫积肥，每亩增加82担肥料，过去亩产60斤，在今年要爭取达到700斤；該县店坪乡清連社通过大搞环境衛生，共潔扫积肥48万担，由过去每亩施肥42担上升为今年421担，亩产預計可达双千斤。太原工人牛奶場、美化、香化如同花园，四害已經全部絕跡，由于作好了衛生工作，疾病医治費由去年三千元降低为今年三百元，牛奶日产量每头牛20斤增加到今年的30斤，去年全場亏欠三万元，而今年盈余四万多元。晋城县北堆村也是結合整厕积肥，去年亩产量200斤，預計今年可达双千斤，全村粮食每人平均为6千斤。这都充分說明了衛生工作对生产的支援。正如稷山县西位村70岁的宁老汉說“身居胜苏杭，夜住花洞房，兵强馬又壯，增产多打粮。”晋城县巴公乡的羣众也歌唱着“新社会新气象，四害消灭光，街院亮堂堂，家家白光光，出口气也順当，吸口气更清香，越过黄河过長江，亩产千斤粮，感謝毛主席，拥护共产党。”

3. 广泛宣傳、深入發动，造成声势，掀起高潮。除四害講衛生运动，是　　　　的重要組成部分，为使运动广泛展开，就必須深入的进行宣傳教育和充分的思想發动。当运动一开始个別干部和部分羣众存在的“四害根本就消灭不了”，“天生一物，地养一物，不該杀身害命”，“麻雀吃不完，老鼠盗不完”，“生产就是忙，眞是顧不上，要想講衛生、生产就得停”，“条件不好，無法講衛生”，“搞的差不多了”，“搞衛生必須既閑、有錢”，“蒼蝇蚊子和扫扫地这些小事，何必兴师动众、小題大作”，“麻雀是八蜡爷，老鼠是白耗仙、脚地神、白馬大將軍”等等迷信落后思想和錯誤認識。为扫清这些思想障碍。各地結合整風进行了大鳴、大放、大爭、大辯，仅陽城县固隆乡陽光农業社，以“除四害講衛生运动能不能，該不該，是否小題大作，如何消灭四害，与生产有否矛盾”为題，共进行了四次專題辯論，貼出大字报1,085張。雁北專区各县以“不通就辯，不信就看，算帳对比，实物展覽”的方式，有力的批判了各种迷信認識和錯誤認識，羣众反映說“只要干勁大，不怕条件差”，从而把运动推向高潮。屯長县全县有9,827戶自动扯掉神像，換上衛生公約和毛主席像，常村乡老神婆杜閨女，也被改造过来了，自动交出52件神器。敬神30年的郝有德祖母說“敬神几十年，不見送来一文錢，現在扯掉不敬它，年年省些香火錢。”实踐証明，除四害講衛生运动結合鳴放辯論，是克服保守、解放思想、破除迷信、树立躍进决心的关鍵，也是一个兴無灭資、除旧建新的思想革命。整个运动的过程也体现了多快好省和少慢差費兩条道路的斗爭，新旧思想的斗爭，所以也有一个羣众自我教育的过程。

此外，各地还通过党的宣傳員、报告員、誓师会、广播会、板报、墙报、訴苦、展覽、活人活事、算帳对比、歌剧等数十种形式，向羣众进行了广泛的衛生宣傳教育，深入的进行發动，扩大影响造成声势。仅陽城、新絳、崞县等三县利用巡廻展覽，在半年內就宣傳了769万人次；左云县虞士声县長还化装在街头宣傳，大同市書記和市長亲到街头講演。新絳县委書記和县長亲作了67次衛生广播。特别是运用算帳对比的方式，教育羣众的效果更好。如晋城县北堆村算了一笔帳，去年沒搞好衛生工作，全村1,349人就有1,092人患流感，用去医药費3,700元，荒蕪土地1,470亩，減产13万2千斤，因病誤工8千个，还死亡了9人，算清了这一笔帳后，大大引起了羣众的重視，当即制訂計划要在半月內赶上东四义，結果只用了三天十二夜就基本达到了要求。此外，各地还通过送喜报、賀功、掛光荣匾、貼紅榜等形式进行鼓励和推动，造成声势，通过这些措施，基本上把运动貫徹到家喻戶曉、人人皆知的程度。截至目前，全省通过宣傳發动后，已組成106,712个除四害突击队，有2,809,327人參加，湧現出除四害积極分子743,647人和衛生模范人物268,872人，这就为除四害講衛生运动奠定了良好的思想基础和羣众基础。

4. 召开現場会，互相观摩学習，推广先进經驗。自运动以来，从省到乡共培养了10,969个典型，通过互相參观、召开現場会等方式，不仅推广了先进地区的經驗，同时也促进与巩固了先进地区的工作。自太陽村培养成功后，“向太陽村看齐、学太陽、赶太陽、超太陽”已成为各地推动运动的响亮口号，从去年十月份稷山会議至今，全省各地組織干部、羣众去太陽村參观者共达160次計六万多人，到晋城县东四义村和絳县梅村參观者亦达三万多人。長治專区組織了480,126人到本地区先进村去观摩学習，作为自己学習的榜样，这种点面結合的工作方法，便有力的推动了运动的普遍开展。特别应提到的是，各地党政領导在运动中，采用了抓兩头、帶中間、突落后的工作方法，通过互相观摩和交流經驗后，那里先进就到那里开現場会，那里有經驗就到那里取宝，在此基础上开展全民性的竞賽評比运动。如絳县第一書記候維秀在梅村主持召开了1,122人的現場会，表揚了先进批評了落后，帶动了中間，並以梅村生产年年增加，环境衛生整潔，人畜健康，傳染病消灭的事例，进行教育，通过实地參观，讓事实說話，对羣众啓發很大。安邑县鹿赵乡的泥封堆肥和絳县东吳村三無厕所試驗成功后，該县立即召开現場会推广，这种“作一点、学一点、推一点”的工作方法，是除四害講衛生运动貫徹羣众路綫的具体实踐。

5. 大檢查、大評比、大竞賽，互相促进。这次运动造成史無前例的巨大規模，还在于各級領导重視了督促檢查和竞賽評比，实行奖懲結合，这是开展运动的有力措施。今年除省組織了六次大檢查外，各專、市、县进行了133万人次的自上而下和互相檢查，通过檢查不仅摸清了运动中的情况和問題，更交流了經驗，掀起了“学先进、赶先进、超先进”的高潮，如五寨县白草坡村、陽城县固隆村、繁峙县尖山村、左云县三台子村等地，都是在太陽村現場会議后搞起来的。同时省与冀、魯、豫、陝簽訂了除四害講衛生躍进竞賽协議，並与冀、魯、豫、陝和北京市簽訂了衛生宣傳教育的协議外，各專、市和絕大部分的县都互相展开了挑应战，簽訂了协議書、保証書、决心書等，各乡、社、街、同行業、同系統之間也展开了友誼竞賽，这都是推动运动的很好方法。此外，为促使运动的开展，各地还注意了奖懲結合的方法，如太原市新城乡規定“一說服、二动員、三教育、四插白旗”的制度，該市小东流村規定了三三制的奖懲办法，即檢查三次好就插紅旗，檢查三次不好插黑旗，連插三次紅旗給奖励，連插三次黑旗給处罰。羣众認为插黑旗是恥辱，因而积極搞好运动，所以插黑旗者很少。

6. 加强技术指导，实行土洋相結合。全省基層衛生組織已普遍地建立起来，基本上达到乡乡有医院，社社有保健站，队队有保健員。这些基層衛生組織在运动中都采取分类集訓、分片傳授和建立农村業余学校的方式，积極訓練除四害骨干，仅晋南和忻县兩專区就訓練了14万多名除四害技术員，屯長县先后傳授15次除四害技术，有27万人次的羣众听了講解。同时各地还依靠羣众智慧，召开諸葛亮会，献計献策，鼓励羣众大胆創造發明，目前已有数千种对除四害有效的土工具、土办法和野生植物，如晋南区运用五茄皮、藜蘆、苦树皮、野棉花等18种，用以杀灭蝇蛆效果很好，稷山县董家庄除四害能手薛回义創造出30多种消灭鼠雀办法，均及时推广。特别是改良厕所中，出現不少形式，如三無厕所（蝇、蛆、臭气）、砲樓式、葫蘆式、自动式、脚踏式等，都是經济簡便，羣众喜爱。崞县城关先作出样子，然后組織羣众參观，在鎮委書記張仁才同志領导下，掀起“家家出泥匠，人人当小工，戶戶都协作，院院改厕所”的改良运动，一晝夜內將1,289个厕所都改良成三無厕所。

7. 突击与經常相結合，治本与治标同时併举。由于各級党委加强了对运动的政治思想領导，並經常督促推动，始終鼓足了羣众的旺盛情緒，使运动一浪接一浪、高潮接高潮的开展起来。全省六次大突击和經常性的运动中，都有明确的目标和响亮的战斗口号，如“坚决消灭残余四害，徹底作好十改良三清除”，“早起晚睡半点鐘，家家講衛生，中午不休息，每人50蝇”等許多口号，这足以說明羣众的干勁和信心。特别是在大突击、大檢查中，更是互相促进、扩大影响，造成声势，就以八月下旬中央和冀魯豫陕衞生檢查团到来后，各地就提出"灭淨四害，迎接檢查"，陽城县潤城村有三个土高爐原計划9月15日出鉄，为迎接檢查，不但消灭了四害，並提前半月流出鉄水，他們的口号是"鼓足干勁迎宾，力爭上游煉鋼鉄，多快好省除四害。"在巩固經常方面，各地訂出适合当地情况而易行的衞生制度和公約，实行衞生輪流值日、划区包干清扫、專人巡廻灭雀等制度。許多地区还开展了查比檢查，如查領导、比决心、达到帶头深入，查發动羣众、比宣傳教育、达到家喻戶曉，查組織、比制度、达到健全經常，查干勁、比战果、达到多快好省，查四害、比四滅、达到四害絕跡，查突击、比經常、达到人人动手，查計划、比实现、达到平衡發展，查創造、比發明、达到全面推广，查落后、比先进、达到巩固經常，查措施、比經驗、达到效果显著，查十改三滑、比数量質量、达到衞生标准，查健康、比出勤、达到推动生产。这都有效地巩固了突击运动的成果。

三

我省除四害講衞生运动，虽获得一定成績和經驗，但也存在不少問題，急待逐步加以解决。

1. 全省总的四害密度是大大降低了，但殘余四害还是存在，个别地区的四害密度还不小，將繼續消灭干淨將四害徹底根絕。

2. 运动的發展不够平衡，好坏悬殊很大，个别落后面急应突破。

3. 治本工作还不够徹底，技术指导仍不能适应运动的發展，点与面的結合也較差，推广先进經驗不够。

4. 生产和衞生結合、合理安排上，在个别地区还存在着問題往往是忙了生产而放松运动，今后必須合理安排，結合进行。

5. 部分农村居住条件較差，如潮湿、陰暗、通風不良等情况应逐步加以解决。

乡村衛生保健網民歌一束

英明領袖毛澤东，现在又把医生送，
人民健康有保障，生产勁头大無穷。

× ×

民办医院为人民，身强力壯多出勤，
保証实现双千斤，敲鑼打鼓上北京。

× ×

自从有了保健站，全村大小都方便；
保健站，真是宝，家家戶戶离不了；
治病手續眞簡便，只要到社挂病签，
一年只花三角錢，医生就来把病看。

× ×

保健室，眞方便，换药只花几分錢；
保健室，不算啥，村村都能办到它；
生产队，样样全，后面跟个保健員。

× ×

旧社会求医如求神，新社会医药送上門，
地区医院眞殷勤，背上药包翻山嶺，
不怕風吹和雨淋，为民服务不怕苦
眞是农民好医生！

× ×

过去联合診所，人少利潤多；
羣众有了病，医生請不动。
成立保健站，事情完全变，
医生走上門，全家保平安，
不是新社会，夢都夢不見。

× ×

过去医生架子大，車馬酒席請不下，
现在医生下了馬，家家戶戶把病查。

× ×

自帶米面来住院，針灸治疗少花錢，
住房治病都方便，眞是人民好医院。

× ×

扒去奶奶庙，打爛泥菩薩。
婦幼保健好，胜过把香燒。

湖北省在除四害講衛生运动中發动羣众的几点体会

湖北省爱国衛生运动委員会办公室

"谷子黄、人上床、谷在田里芽子長、人在床上發了狂"。

"生产变了样，黑墙变白墙，人人除四害，个个喜洋洋"。

这是湖北省新洲县开展除四害講衛生运动前后对比的写照。虽然只是一个县，但可以說明除四害講衛生运动，已經給人們帶来了巨大地利益。

最近，中央爱国衛生运动湘鄂贛檢查組，在結束湖北省的檢查报告中曾这样說："今年湖北省很多地方，尤其是在鄂东一带，虽然遭受着百年来未有的干旱，但是在中共湖北省委、省人民委員会的正确領导下，全省人民的积極努力，不仅战胜了旱魔获得了空前的丰收，而以除四害为中心的爱国衛生运动也取得了很大成績。全省有千万以上的人投入了这个运动，一般地做到了緊密結合生产，服务生产…"。据不完全的統計1958年上半年全省已消灭老鼠28,299,724只，將近平均每人一只，消灭麻雀12,069,558只，消灭蚊蚋3,938公斤，消灭蝇和蛹38,307,790公斤，清除垃圾456,498,488吨，新建和改良厕所617,887个。全省已出現709个"四無"的市、区、乡、社。通城县的羣众这样說："搞衛生真好，旣增了产，又改善了生产，还不生病，这都是毛主席的好主張"。

运动开展以来，我們有以下三点体会：

1. 丰富了領导經驗，武裝了群众，进一步密切党群关系

爱国衛生运动是一个广泛的羣众性运动，它既要家喻戶曉，人人动手，又要有組織有領导地推动运动不断向前發展。羣众發动起来以后，如何使其从胜利走向胜利，許多同志通过运动的实踐，取得了具体的經驗，摸清了衛生运动的規律，以及和其他中心工作的关系，从而更加懂得如何去發动羣众，領导羣众了。武汉市东西湖国营农場是一个很大的綜合性农場，由于忽視衛生，没有注意血吸虫病的防治，今年四，五月間長江漲水时，一千多个职工感染了血吸虫病，因而对生产的影响很大，很多下放干部也不願留場。該場接受了这个严重的教訓，通过算細帳，認識提高后，从不重視衛生到重視衛生，現在就成为血防工作搞得突出的單位。陽新县（是个血吸虫病流行严重地区）"五一"农業社，由于"两管"（管粪、管水）工作搞得好，个人防护也做得好，这个社今年还没有發生急性感染，原有的血吸虫病人在上半年已全部治完，过去丧失劳动力的16个患者，現在每人已做了2500个工分，該社对衛生工作很重視，总是把生产和衛生統一規划。广济、黄岡等县的領导同志也有这样的体会："要搞好工农業生产，必須要有强壯的身体，因而必須講究衛生，战胜疾病。搞衛生运动也应和其他工作一样，首先要解决思想問題，有了思想上的統一，才有行动上的步調一致，才能从党內到党外，把生产与衛生兩者結合起来"。例如黄岡县的四無灣，1955年48人个个患瘧疾和腹瀉，死了一个小孩，1956年51人有49人患瘧疾，11人腹瀉，死了一个小孩，灣里生活很困难，搞了除四害講衛生以后，現在人們一走进"四無灣"莫不心曠神怡，清潔衛生环境优美。"四無灣"不仅是湖北消灭四害講究衛生的一面旗帜，同时也是农業生产　　中的一面紅旗，他們这个队一直被評为紅旗队。全队59.59亩旱稻平均亩产1800斤試驗的棉花和花生也都長得壯茁可愛，丰收在望。

沙市是我省第一个四無市，該市除七害总指揮張紹武同志說："除七害講衛生这一　　　的任务，是否影响其他中心工作，有無矛盾，这一点我們有深刻的体会，只要不是思想認識上，工作方法上有毛病，那么它的关系是：中心（生产）帶动除七害講衛生运动，除七害講衛生运动服务于中心"。例如去年該市痢疾、瘧疾、伤寒共計發病780例，而今年截至7月底止才125人，假定今年200人就比去年少580人，每人以耽误生产10天計算，可节省5,800个劳动日。

解放領导思想和武装了羣众的又一方面，是广大羣众逐步認識"四害"不仅可以消灭，而且能够在短期內基本消灭，几千年来的不衛生習慣也是可以在短期內改变的。也說明充分放手地發动羣众的必要性，認識到没有广大羣众的积極自覺行动，衛生工作必然是少慢差費。羣众發动起来后，才能做到多、快、好、省。

羣众对封建迷信正在破除，有的說："灭鼠必有难、捉麻生雀瘫"，"襪雀打鳥，一生是孤老"，沙市部分羣众一向迷信老鼠神通广大，尊称为"高大爹"，这次在党的領导和积極覚悟早的人帶动下，消灭大量的老鼠和麻雀，事实教育羣众没有什么神灵显聖，也没有人長雀

班。連几千年来人們不敢进去傳說有大仙的沙市"光籍大樓"的鼠窩和垃圾一起清除了。武汉市江汉区远近聞名的"娘娘殿"的菩薩也洗了澡，娘娘也並未發威，不少的羣众把灵牌改作了清潔值日牌，封建迷信不攻自破。通过运动，羣众觉悟提高了，破除了封建迷信，进一步密切了党与羣众的关系。羣众普遍地意識到除四害消灭疾病是党对他們的关怀，黄岡县黄州鎭羣众对除四害这样歌頌："踏进黄州城，样样快人心，街道塵不染，陰溝濁变清，麻雀高飞絕，灭蝇又先进，千載地皮剷，万戶炊灶新，人人栽树木，处处柳成蔭，满城春色好，幸福溢門庭"。

2. 在动員群众中大字报發揮了威力

"理髮店，不算小，地面扫得还算好，就是圍巾太糟糕"，这是麻城县羣众給理髮店貼的大字报。宋埠鎭在檢查粮管所的衛生很糟，即刻編了一个快板：

糧管所內眞不錯，　檢查起来有十多，
房屋內外垃圾多，　厠所內面蛆蛹多，
屋內屋外污水多，　太平池里孑孓多，
屋內屋外臭气多，　墙脚下面鼠洞多，
院子里外麻雀多，　床舖下面便壶多，
檢查原因客观多，　强調客观是大錯。

粮店主任表示态度一定改变面貌，糾正錯誤。同时也教育了很多人。沙市回民織布厂过去由于一貫不重視衛生，居民一下子給轟来了214張大字报，把該厂的墻貼得不見縫。

这些大字报引起了該厂职工的注意，足足苦战了兩天，把厂里衛生面貌扭轉了过来。惠工街小学衛生监督崗檢查市委机关时貼了一張好榜样的大字报說：

走进門来喜洋洋，　到处一片新气象，
房子已經大洗澡，　玻璃擦得亮堂堂，
市委机关衛生好，　眞是全市好榜样。

凡是已經实現"四無"而堅持下来的地区，除四害講衛生的成績就特別显著，也是一个不簡單的斗爭过程。例如沙市运动自始至終都貫徹了兩条道路兩种方法的斗爭，結果用四無的事实，駁倒了"条件論"、"观潮派"和"怀疑派"。現在这个运动在沙市已成为人民生活，生产的一部分，該市从元月分到現在进行了兩个大的战役，总共組織了37次中心不同的大突击，其中3天以上的突击8次，小突击几乎每週都有，这样每天都有成千上万的人与四害搏斗，一个高潮接一个高潮，一个环节套一个环节，既有突击又有經常，效果也好。国庆节前在全省范圍內又来一週的突击，着重消灭蚊、蝇，为今冬和明年的工作打下基础。短期突击，反复扫蕩，速战速决，治标与治本結合进行，我們体会是消灭四害的好方法，可收事半功倍之效。

3. 發动群众的宣傳工作要多种多样

除了一般的大字报、黑板报、广播、电影、街头劇、快板之外，全省还普遍地采用了摆事实、(搞实物展覽)講道理、算规划，看現場、算細賬和新旧对比的方法啓發和教育羣众。例如鶴峯、浠水，孝感荆門，随县等地很多羣众看了实物展覽以后說："眞是耳聞不如一見，平时一家一戶不觉得，这样集中起来，四害眞是害人精"，激發了羣众除四害的热情。有的县向羣众算了三笔賬，如麻城勤儉一社1956年該社疾病流行很严重，全社56%的劳动力患了瘧疾，13%的人害了痢疾，一年的医药費支出1,400多元，第六生产队在秋收时，全队22个劳动力病倒16个，还要第二队支援。另外，該社积肥也沒有从衛生着手，1956年購买了商品肥料7,200多元，社里虽然增了产，可是社員收入沒有增加。襄陽县光明社，算了对疾病的危害賬：該社过去每年患瘧疾，害痢疾的病人达到90%以上，1954年全社因为多數劳动力患瘧疾，使谷子爛在田里。孝感，随县等地都算了这些細賬，然后組織羣众辯論，"四害应不应該除？"，"除四害妨不妨碍生产？"荆州，黄岡專区各县通过辯論，統一了思想，提高了認識，掀起了除四害講衛生的高潮。我們体会到这也是發动羣众的好办法。不通就辯，通了就干。有些地区，如广济县等，号召灭蚊，就翻盆倒罐、割杂草、把孑孓給羣众看、要灭蝇就挖蛹給羣众看，做到"說什么，做什么，看什么"。因而推动了运动进一步發展。

关于公共衛生在加姆卡塔加

在革命以前，加姆卡塔加配宁索拉仅有十个床位的医院一所。但現在进行業务的如中心医院、中心产院、門診部和其他医学研究机構約有300所。在本地的矿泉設有疗养院二所，疗养所类型的林間露天学校一所。服务于多民族居民的配宁索拉的医务工作者有4,300名。

今年在公共衛生的支出总值超过10亿7千万盧布，相当于近三年之費用的兩倍之多。

(毛頌賢譯自 Moscow News, 1958年10月18日)

浙江省开展除四害講衛生消灭疾病的主要經驗

浙江省爱国衛生运动委員会办公室

一

浙江气候溫和湿潤，自然条件适宜于四害和多种病原微生物的孳生繁殖，据調查已發現有蚊虫60余种，老鼠18种，在疾病方面和按农業發展綱要(修正草案)所規定者除克山病、大骨节病、黑热病外，其他均有發生或曾严重流行，如鼠疫曾在19个县市流行过，(到解放初期始得控制)血吸虫病疫区分佈在全省約三分之二的县市，患病人达百余万，鉤虫病患者約有500万之多，絲虫病患者亦不少，其他如瘧疾、痢疾、伤寒等則每屆夏秋均有發生或流行。病害严重地危害着劳动人民特别是广大农民的身体健康，夺去大批劳动力，田园成年荒蕪，生活貧困苦楚。"千村薜蘿人遺矢，万戶蕭条鬼唱歌"的情景，在解放前是到处可以看到的。

二

解放后在党和政府的領导之下，从1951年开展了爱国衛生运动和采取对疾病的防治措施，到1957年以前的六年期間中，情况是有了很大改变，不仅粉碎了敌人的細菌战，三大烈性傳染病得以控制或消灭，衛生狀况亦有了大大的改善。

1957年冬党中央和毛主席提出除四害、講衛生、消灭疾病号召后，工农業生产　　　　，掀起以除四害为中心的爱国衛生运动高潮，各項疾病的防治工作也大鬧羣众运动，出現了　　　　　　的局面，运动获得了輝煌成就：近十个月的时間里全省不但消灭了大量四害，而且有如宁波市、庆元县等二十三个县市基本消灭了四害，不少地区的羣众可以不用掛蚊帳睡覚，無蝇戶达到90%以上，鼠密度从解放前的20—30%下降到2%以下，麻雀很少見到；在消灭疾病方面：治疗大批的血吸虫病人，消灭釘螺面积5000万余平方公尺，流行地区的粪便基本上得到了管理，有海宁、加善等37个县市宣佈基本消灭了血吸虫病；此外还有宁波、义烏、普陀、磐安等县市基本消灭了鉤虫病或瘧疾等。

运动还使城乡环境衛生起着根本性的变化，如宁波、溫州二市塡平了數以百万工計的50余条污水河，消灭了大量蚊子孳生地。諸暨有个"万家毛坑"(污水大塘)經塡土16,000多立方公尺，筑成"躍进公园"这些事例不胜枚举；家家爱清潔，人人講衛生的良好習慣也开始形成。特别是通过运动使人們大破精神上的枷鎖，向自然作斗爭的信心大大加强，例如諸暨县从消灭"四害"發展到消灭"九害、十害"(包括消灭农業害虫)庆元是人們过去風俗習慣一生只洗三次澡，有病求鬼神，而今連六十多岁老太太也开始洗澡，"庙宇变畜欄，香爐变痰盂，匾显作坑(糞坑)蓋"，这就是該县人民在破除迷信后的变化。

毫無疑問，衛生狀况的改善和四害的大量消灭，則多种疾病的外在因素就大大消除，今年1—9月的瘧疾，發病率比去年同时期降低67.8%，痢疾降低35.8%，伤寒付伤寒降低25.5%流行性腦脊髓膜炎降低75.5%，麻疹、百日咳，白喉各下降33.8%到65.1%，这一事实充分証明了党中央和毛主席号召的除四害講衛生消灭疾病指示的偉大和正確。

可以理解，疾病的減少和人民体質的增强对于促进工农業生产的躍进是具有重大意义和作用的，特别大批血吸虫病患者經治疗后，劳动效率的提高極为显著，如开化县高韓村1955年全村整半劳动力60人中能荷重150斤的仅10人，而現在患者99%經过治疗，全村基本消灭了血吸虫病之后，整半劳动力增加到84人，其中有62人各能荷重150斤。杭州市郊全一社消灭了血吸虫病、鉤虫病、絲虫病、瘧疾之后，出勤率从去年的80%提高到182%(連夜工)；海宁、加善二县过去是血吸虫病最严重流行县，患者佔全县人口的20%至60%，严重地影响着人民身体健康和农業生产的發展，而今年經过五个多月的苦战基本消灭血吸虫病之后，劳动力大批恢复，对促使今年全县早稻大丰收(海宁成为千斤县，加善产量增加一倍半)是个重大因素，宁波市今年傳染病發病率比去年減少91%以上，大大降低了各生产單位的因病缺勤。

三

我們認为，运动取得成就的主要原因是由于各級党委堅决貫徹执行了党中央的有关指示，堅决地依靠着人民羣众在通过　　　　　　　　后所出現的無比高漲的政治积極性和創造性而取得的。在整个运动的發展过程中，我們有如下几点体会：

1. 党的领导是取得除害灭病胜利的根本关鍵。除四害講衛生消灭疾病的斗爭是人类征服自然，改造自然的偉大战爭的一个重要方面；是使我国人民轉病弱为健强、轉落后为先进的偉大文化革命的一个重要方面，是保护劳动力，提高劳动效率的一項帶有根本性的重要措施。因此，在組織領导方面必須做到政治掛帅，書記动手，大抓思想，按不同时期和情况提出不同战斗口号这是开展运动，取得胜利的根本性的关鍵。本省从省委到各級党委，都成立了領导小組、各地、县（市）、区、乡、鎮、社在党內都有一个書記或常委分工負責。同时在行政上健全或成立了各級爱国衛生运动委員会，由各有关部門（包括工業、农業、商業、宣傳、公安、衛生、团，妇联、鉄路，部队以及科研机構等）的領导人員参加組成。在各基層單位根据范圍大小成立委員会或小組，有些市，县还在各行各業的系統間成立分会。此外，並在全省各农業社（现在是人民公社）及各居民区和各基層單位中，还訓練培养了大批保健員、衛生員（紅会急救員）等基層骨干，同时在团的各級組織中亦增設了除四害講衛生委員。在各地整个工作的按排上，把除四害講衛生工作，列入党的議事日程，統一安排，做到条条貫徹，塊塊負責，一竿子到底，同时，根据各地情况看来，一般都能够抓住規划措施，抓住思想教育和檢查評比等工作。本省在运动的开展过程中也是遇着思想障碍，有过思想斗爭的。运动开始有些人認为除害灭病工作与生产有"矛盾"或者是"小題大做"等等。各地針对这种思想，采取了"不信就看，不通就辯，不会就学，学会就干"的办法，基本上解决了上述錯誤思想認識。在省委，就抓住1957年出現的万人無蝇大鎮——南潯鎮，召开1958年全省第一次除害灭病积極分子大会，並有地委副書記、副專員、县委委員、副县長及地县兩級共青团、衛生部門的負責干部800多人参加。摆出各地各种类型的先进事例，参观現場，批判各种右傾保守思想，树立起先进旗帜，掀起学先进、赶先进热潮，会議中又在报上看到毛主席在杭州檢查小营巷衛生工作的消息，对到会代表更有極大鼓舞，立即沸騰起来，情緒大为高漲，会后各地均紛紛召开誓师大会，积極分子大会，現場会等，全省运动迅速地开展了。杭州市以党中央指示和毛主席檢查小营巷衛生工作作为动力，連續不断展开突击，居民羣众都紛紛参观小营巷衛生工作，提出"学小营巷、赶小营巷"等竞賽口号，类似小营巷單位接踵而出；宁波市以东風压倒西風和毛主席檢查小营巷衛生工作为动力，以生产为中心，展开連續45天大突击，在清明节前宣布全省第一个基本"六無"市，在此基础上以不断革命精神，提出"乘胜直追、消灭残害、向疾病进軍"的口号，又繼續50天战斗，基本消灭了鉤虫病、絲虫病、瘧疾，而后又連續展开反复扫蕩，不但巩固成績，六害残余大大減少，市民衛生水平得到很大提高，而且目前已經組織了全市医疗預防網，展开全民性体檢等工作，使运动向深縱發展。加善县委，在开展消灭血吸虫病工作上正確地分析了血吸虫病已經發展成为影响当地生产的主要矛盾，明確只有加速徹底消灭血吸虫病，解放劳动力，才是真正解决这一主要矛盾，县委下定决心，从县到社、書記掛帅，統一規划，大干特干，經半年斗爭，治疗病人12万余人，大力發动羣众做到灭螺和粪便水源管理，基本消灭了血吸虫病。这些事例說明了只有在党的領导下，才能取得这样巨大的成績。

2. 广泛深入地开展宣傳教育，依靠羣众、發动羣众，这是运动取得巨大成績的保証。

我們在宣教工作上是利用了一切可以利用的工具和力量。一方面，采用标語、横幅、遊行、誓师、演劇、喊話等方式展开大規模的多样的宣傳，造成气氛，造成輿論。另方面則进行細致深入的思想發动工作並結合以訓練、展覽、講座等衛生知識教育。在思想發动工作上主要是采取現場会、組織参观，展开鳴放爭辯或結合搞控訴，通过摆事实、講道理、回忆对比，算細賬和現身說法等，給人們从思想深处大受啓發。如海宁县在开展血防工作中，部分羣众存在着一定的顧虑和抵触情緒，有的認为生病是"風水不好，命运不好"；有的不相信血吸虫病能够治好；还有早期病人說：我吃得下、做得动，有个啥病？也有的認为治疗要減少劳动收入、还要拿出医药費……，該县就根据各社羣众不同的思想确定不同的辯論重点。一般的是以血吸虫病的危害性、要不要消灭？能不能消灭？怎样消灭？等問題作为辯論的中心，如双喜社抓住了"治疗工作破坏生产"的錯誤論点，展开一場辯論，大大地提高了羣众对血防工作的認識，提出："只有消灭血吸虫病，才能生产大躍进"，"迟治不如早治"紛紛要求治疗，預防工作也迅速得到开展。又如宁波市在衛生运动中，部分羣众借口"房屋条件差，小孩子多，搞不好衛生"，就召开家庭現場会議，看看人家同样的居住条件，同样多的小孩，为什么搞得好衛生？特别是全省各地通过了在南潯、宁波、海宁、庆元所召开的全省性除四害、講衛生或消灭血吸虫病的現場会議以及各地自行召开的各种大小現場会議或互相組織参观，情緒大为高張，干勁冲天，投入战斗。許多地区提出："紅軍不怕远征难、好汉不怕四無关，百万大軍齐动手，不灭四害誓不休"等豪言壯語，行动不分晝夜，战士不分老少，連跛脚、瞎眼，和尚、尼姑等都积極投入运动，舟山地区的羣众間流傳着这样一首民謠："年老不服老，除害勁头高；五岁兒童追麻雀，七岁少年逞英豪；眼瞎心不瞎，口哑心不哑；青年当先鋒，女賽穆桂英，僧尼破常規，除害开杀戒"。

运动中还湧現出大批的积極分子和模范人物，如金华市工人汪志賢利用工余时間，六年如一日捕鼠七万五千余只，金华是13岁少先队員凋丹娟，掌握了田鼠生活規律，十天中捕田鼠560多只；嘉兴洛东乡共青团支部三年来灭雀29万多只，庆元县在运动中湧現出衛生模范、积極分子一万二千多名，佔全县人口的10%以上。

当羣众一旦在思想上得到發动，破除了迷信、解放了思想，树立起敢想敢說敢作敢为的共产主义風格，在反复的实踐斗争中，湧現出大量的除害灭病技术革新和創造，土葯土办法到处風起云湧。如浙江省衛生实验院研究出南瓜子可以防治血吸虫病，特别是对急性感染病人的治疗，任何葯物所不及，超过国际水平。紹兴市童汉民創造"竹管飲水消毒器"土办法胜洋办法；在除四害方面，各地更發現有大量的野生植物，其中如喇叭筒、鬧陽花、苦楝树、山棕榈、百部、山樺树、石蒜……等七十余种，經过实驗都有良好的杀虫和灭釘螺的作用，"浮萍雄黄烟熏剂"的創造，更代替了"六六六"等熏烟剂；杭州市总結了羣众經驗，提出了六战（扑打战、盆罐战、烟熏战、地道战、扫蕩战、保潔战）並举，大封五洞。在灭蚊工作中获得显著效果。宁波市有98华里長的漏縫石板陰溝，原为蚊虫主要孳生地，如要建筑溝管下水道需經費80万元，为时二年，同时还有大量鋼筋水泥，羣众創造了利用原有道路石板，改建为双層石板陰溝，土办法解决了下水道問題質量与現代下水道一样；自从溫州市三涣村發現了小株密植可以大大減少稻田中蚊虫的孳生，更破除了許多人对于稻田孳生蚊虫没有办法解决的悲观論調。这些都使我們感到，羣众發动起来后的力量無窮尽。更感到中央指示的羣众力量和技术力量相結合的重要性。

3. 除害灭病运动必須从生产出發，与生产結合，为生产服务，才能使

由于各級領导一般都明确除四害講衛生消灭疾病与發展工农業生产的重要关系，因此，能够給予統一安排，結合生产，开展运动。在劳动力的安排上，杭州、溫州、金华、嘉兴等市县在过去是采取了"白天搞生产，晚上搞衛生、男人搞生产、女人搞衛生，晴天搞生产、雨天搞衛生""大忙小干、小忙大干、不忙突击干、紧要关头大家一齐干"的办法，有机結合，灵活掌握，对推动当时的运动起了很大作用，但由于当前工农業生产的更大躍进，新的形势对衛生工作提出了更高要求，因此，如諸暨县又采取(1)根据各个时期生产內容，提出不同的衛生要求；(2)抓住中心或生产空隙，不断組織突击，大干特干；(3)充分發揮半劳动力作用，組成除四害精兵等办法，使衛生与生产工作在劳动力按排上得到更紧密的結合。

在衛生工作与生产內容的結合方面，突出的是与积肥相結合，全省今年数次开展的积肥运动中，普遍采用了"八挖"（挖厕所、粪缸、畜欄、陰溝、灶房、垃圾、室內表土、草棚周圍泥土）"三扫"（扫屋頂、墙壁、稻場）"三塡"（塡窪地、河浜、水塘），开展了肥源，扩大耕地面积，更有效地消灭蚊蝇孳生地。全省今年1—9月份統計，衛生积肥数达50亿担，如以每亩一千担肥計算，可肥田500万余亩。灭鼠灭雀，更是保护粮食作物的有效措施，建德專区在今春提出"保穗保苗""爭取早稻大丰收"而开展的全專区性疲劳圍歼麻雀战，一次灭雀159万余只。

在消灭血吸虫病、鈎虫病等工作上，兴修水利和消灭釘螺相結合，保护肥效不使損失和糞便管理相結合，杀灭了大量寄生虫卵；如海宁县在修建电力灌溉網的同时，結合消灭了五百万平方公尺的有螺面积；金华、义烏一帶，結合保护肥效，大搞粪便密閉貯存，消灭露天粪缸；諸暨县結合搞"沼气化"，处理粪便垃圾，旣解决了生产上的动力和照明問題，又消灭各种寄生虫卵和蒼蝇孳生地問題。

此外，各地还有結合"稻田密植"和"消灭农業害虫"、"田間养魚"等进行灭蚊，結合"护畜"进行人畜分居，改軟欄为硬欄。在飲食服务行業中，結合本身業务，开展"三好"（衛生好、質量好、态度好）服务月运动；在工厂企業部門，除了搞好衛生，减少疾病提高劳动出勤率外，亦有如溫州百好乳品厂、蛋品厂等以搞好衛生，保証产品質量，完全符合規定衛生标准，杭州都錦生絲織厂改善車間衛生后，油污次品减少了30%。

4. 除害灭病这一斗爭，在战略上必須采取全面、迅速、徹底、反复地突击並結合經常性斗爭；在战术上要采取标本兼治，土洋結合的綜合性措施。

实踐証明：四害具有高度的繁殖率和广泛的分佈面，因此必須以超越四害繁殖的速度，一鼓作气，大干特干，全面行动，四面圍剿，並不断地进行反复斗爭，任何一个时期都不容有所松懈，使四害永無喘息机会，直至最后灭絕为止。同时，在斗爭中更要掌握疾病和四害的生長發展規律，抓住有利时机，予以迎头痛击，更能取得事半功倍的效果。如宁波市抓住了清明节前，四害开始繁殖，活动力还不旺盛的时期，全面迅速、徹底、反复突击，歼灭了早春第一代蚊蝇，收到很大效果，而后不断地进行反复突击，因此，即使在夏秋季四害繁殖最高峯时期，經得起考驗。舟山、溫州、金华、建德四个專区，抓住四、五月麻雀生蛋孵雛时期，發动全区性的"綜合性疲劳灭雀战"統一时間，全面行动，二天时間，共捕杀麻雀560余万只；金华，庆元等是抓住稻谷青黄不接时候，进行断絕家內鼠粮、采用低剂量磷化鋅毒餌展开大面积毒鼠运动，仅东陽县一次毒死老鼠81万只，庆元县每人平均灭鼠十一只。

为了巩固成績，迅速根絕四害，同时根据四害所具有的高度繁殖率等特点。我們認为：要消灭一种生物

必須采取标本兼治以治本为主；土洋結合，以土为主的办法。事实証明凡是在消灭四害孳生条件等越徹底、越全面的地方，成績越是巩固，工作越是主动，如本省吳兴南潯鎮在灭蝇工作上，徹底地处理了所有粪缸、垃圾堆，厕所全部做到防蝇要求，以后生活污物及时做到無害有利化处理，屠宰場、皮毛腸衣作等主要孳生地亦全經控制或改建了設备，同时結合扑打成蝇等，二、三年来，即使在夏秋季节中，無蝇戶一直保持在95%以上；宁波市在灭蚊工作上將全市32条污水河全部塡平，另四条河流引海水倒灌冲刷，98华里長的陰溝以及家庭的滲水坑全部用土办法改良，所有水缸全部养魚，同时徹底进行翻盆倒罐，清除一切非用积水等工作，有效地做到了可以不用掛蚊帳睡覺。

以上四点是几年来特别是臨近一年来开展工作中的一些体会。目前，鑒于工农業生产的更大躍进，对衛生工作提出了更高的新的要求正以繼續鼓作干勁，力爭上游，向五害（四害及釘螺）四病（血吸虫病、瘧疾、鈎虫病、絲虫病）展开全面性总进軍。

全国除四害战果統計

（1958年10月底）

項目 / 地区	資料时間	灭鼠 总数（万只）	灭雀 总数（万只）	灭蚊（千公斤）	灭蝇（千公斤）
总計		182,318.0	189,686.9	13,414.9	146,786.3
北京市	1958年10月下旬	506.2	658.4	3.2	63.6
上海市	1958年10月下旬	261.8	253.0	9.4	172.2
河北省	1958年10月上旬	8,010.7	11,165.8	30.6	2,162.3
山西省	1958年10月下旬	2,686.4	4,889.2	5.6	895.7
內蒙古自治区	1958年10月上旬	2,065.5	5,077.8	51.2	323.6
辽宁省	1958年10月下旬	3,849.2	5,987.2	36.6	1,936.6
吉林省	1958年10月下旬	3,464.3	4,359.0	115.3	9,505.2
黑龙江省	1958年10月中旬	3,893.7	6,290.0	3.9	288.5
陜西省	1958年10月下旬	3,854.9	7,874.9	206.5	1,285.7
甘肃省	1958年10月上旬	8,026.8	10,328.0	35.8	2,073.6
宁夏回族自治区	1958年9月下旬	506.2	1,885.2	1.2	29.8
青海省	1958年9月下旬	930.0	846.2	292.6	7,637.9
新疆自治区	1958年10月中旬	2,157.3	4,345.5	16.4	1,154.3
山东省	1958年10月下旬	6,080.6	6,631.4	18.7	1,046.6
江苏省	1958年10月下旬	10,771.7	9,623.5	1,019.1	12,357.5
安徽省	1958年9月上旬	21,789.4	13,631.5	246.9	6,993.0
浙江省	1958年9月下旬	3,752.0	3,633.0	310.0	2,135.0
福建省	1958年10月下旬	4,857.7	3,093.0	2,290.5	3,345.3
河南省	1958年10月下旬	18,902.9	16,757.4	3,360.0	7,813.1
湖北省	1958年8月上旬	2,918.6	1,429.8	21.1	3,840.1
湖南省	1958年9月下旬	16,465.6	11,385.1	54.9	6,064.6
江西省	1958年9月下旬	3738.5	1,632.7	47.5	336.7
广东省	1958年10月下旬	6,526.4	3,163.4	2,358.2	3,849.5
广西僮族自治区	1958年9月下旬	1,842.1	2,059.8	889.7	1223.0
四川省	1958年7月上旬	19,241.7	18,726.5	974.1	14,217.6
貴州省	1958年10月上旬	17,332.4	23,163.4	759.8	32,211.9
云南省	1958年10月上旬	7,469.2	10,795.7	256.1	23,823.4

把除四害講衛生的紅旗插遍全省

——介紹黑龙江省一年来开展除四害講衛生运动的几点經驗

楊貴山

根据全国农業發展綱要(修正草案)的要求，及中共中央国务院关于除四害講衛生的指示精神，一年来，我省的除四害講衛生运动和各項生产 的同时，根据“全党动員，全民發动，速战速决，反复扫蕩”的方針，在城乡各地已广泛深入的开展起来。今年运动开展規模之广，声势之大，除四害兴“五有”(院有厠所、牛馬有棚、猪羊有圈、鷄鴨有架、村村有簡易澡塘)之多，衛生狀况改变之快 都是前所未有的，因而获得的成績也是巨大的。

在除四害方面，从1月至9月10日止全省共捕鼠34,614,422只，捕雀60,340,032只，按全省1,480万人口計算，平均每人捕鼠2.34只，捕雀4.08只，如以每只鼠一年糟蹋18斤粮食，每只雀一年糟蹋4斤粮食計算，全年可节省864,419,700多斤粮食，可够2,401,650多人吃一年。全省消灭很多蚊蝇。四害的密度較之往年大为減少，全省許多地区的鼠雀已接近基本消灭，大部分市县都出現了無“二害”無“四害”的典型地区或單位。如青岡县自一月以来消灭麻雀230多万只，按全县人口平均每人消灭9只，捕鼠170多万只，平均每人消灭7只，目前在該县已基本看不到麻雀和老鼠。

在講衛生方面，結合生产积肥，城乡各地徹底的清除了垃圾，粪便、污物，到9月10日止，全省共清除垃圾1,900多万吨，粪便4,400多万吨，如克东县向陽社自七月分以来，即清除2,000多万斤垃圾，740多万斤粪便，給明年爭取每垧地上25万斤粪肥提供了保証。全省范圍內开展兴“五有”立“三勤”(对牲畜圈勤起、勤墊、勤打扫)运动之后，到目前共修建厠所80多万个，禽畜圈窩97万多个，城乡各地基本做到了院院有厠所，牛馬有棚，猪羊有圈，鷄鴨有架 大部分乡社修建了簡易澡塘，基本上改变了过去所謂“北大荒”人無厠所，牲畜無圈的現象。由于“五有”的建立，对消灭蚊蝇孳生条件，培养羣众的良好衛生習慣，保証人畜兩旺，开辟永久性粪源，都起到了良好的作用。

城乡各地人民的衛生習慣已初步养成，文明衛生的新風尚正在成長，在运动中全省从城鎮到乡村、家家戶戶的室內室外普遍进行了多次大扫、大搬、大洗，处处是干干凈凈，整整齐齐。在农村大部分社員家庭購置了暖水瓶，有些社員家並买了痰盂，喝凉水和隨地吐痰的習慣正在改变。由于在农村較为普遍地兴建了簡易澡堂、羣众洗澡有了保証。克东，樺川，訥河等县在农村中絕大部分青壯年已养成了經常刷牙的習慣。蘭西县有些乡社农民作到了一人一巾，並創造了用“土自来水”洗臉，旣衛生又省錢还預防沙眼。在农村中有些居民不仅做到經常的講究衛生，並且美化了居住环境，为糊棚，刷墻，按設玻璃門窗，植树栽花綠化环境等。旧社会羣众說“北大荒，穷又髒，破‘馬架子’(系旧社会在农村中农民住的一种簡陋住宅)小廂房，男人瘦女人黃，衣不遮体醜难当”。現在是整潔美观，文明衛生，令人心情舒暢的社会主义的新农村幸福生活景象。羣众对現实生活的描述是“北大荒，变粮倉，廂房改正房，破‘馬架子’一扫光，有吃又有穿，人畜都兴旺，幸福生活天天向上”。

由于除四害講衛生运动的深入开展，对減少疾病，提高人民健康水平，保証生产起到一定作用。据1～6月份統計全省傳染病总發病例数比去年同时期減少了74%，其中痢疾減少了84.8%，青岡县今年上半年的痢疾發病率比去年同时期降低90.2%；宾县民主乡利新社去年支出医葯費800多元，今年到現在还未花100元，由于社員們的身体健康，劳动出勤率达到95%以上，去年猪瘟很严重，今年沒有發生。羣众从实踐中体驗到除四害講衛生的好处，堅定了信心，破除了迷信，不再相信鬼神了，有的地方自动將历来供奉的“天地”、“灶王”、“張仙”等諸神“請上了天”。青岡县保安社在今春一个晚上有四十多家燒了“灶王爷”和“眼光娘娘”，目前該县基本見不到这种迷信品了。有的地方把狐仙庙拆掉搭了鷄鴨架；有的老太太卖了銅香爐换回石灰粉刷墻，羣众說：“供那玩艺，还妨碍打扫衛生，旧社会供了那些年也沒有保平安，現在講衛生才保了平安。”这些生动事例說明，除四害講衛生起到了移風易俗，破除迷信，改造国家，振奋民族精神的作用。

一年来除四害講衛生运动能这样的迅速猛烈的开

起来，获得辉煌战果，出現躍进的局面，其主要經驗有以下几点。

一 加强党对除四害講衛生运动的領导，政治掛帥，全党动員，並貫徹从生产出發，为生产服务，以生产帶动衛生，以衛生促进生产的原則，这是使运动取得胜利的根本保証

今年省和各地都整頓和健全了爱国衛生运动委員会的組織，由党委書記亲自掛帅，这就从組織上、思想上加强了对这一运动的領导。一年来省委省人委召开有关这方面的会議达八次之多；並發布十次以上的有关除四害講衛生运动的指示，通知，決議等文件。結合中心工作适时的妥善的进行了安排。为使除四害講衛生工作更好的和生产中心工作結合，一般的都采取了六統一（統一領导，統一布置，統一檢查，統一彙报，統一竞賽，統一評比）；五包（县包片、乡包社、社包队、队包組、干部包戶）；四結合（宣傳教育、組織發动、分配力量、參观評比）的工作方法。因此，虽在生产和中心工作忙的时期，也做到了生产衛生兩不悞，保証了运动的經常开展。

在运动中各地党政領导都能亲临战場，坐陣指揮。佳木斯市在春季突击运动时期，市、区委書記，市、区長都連續几晝夜的不眠不休划区負責的指揮战斗。勃力县县委第一書記和县長亲自任除四害战斗指揮部的正付司令員，除进行督促檢查、組織發动羣众外，並积極帶头参加战斗。龙江县在全县的党代表会时，所有县委負責同志和全体代表到朱家坎鎭苦干一夜进行除四害和打扫街道。各地由于党政領导帶头行动，对羣众的鼓舞極大。

当前我們国家正处于一天等于二十年，各項生产建設工作全面 的时期，虽然工作多生产忙，但只要把除四害講衛生工作和生产密切結合，統一安排，不仅不能影响生产和中心工作，而且可以起到互相促进的作用。如訥河县在春季除四害講衛生运动中，發动羣众結合生产积肥，徹底的清除了垃圾粪便，不仅改善了环境衛生，消灭了蚊蝇孳生場所，同时也增加了糞肥，仅訥河鎭利用清除的垃圾粪便即制造顆粒肥料达79万多斤；同义乡通过清理环境衛生起出的粪肥上了五千多垧地，佔全乡耕地面积的40%。青岡县除四害講衛生能和生产統一的进行安排，因而达到了生产衛生双躍进，該县在嫩江地区生产衛生兩項工作的評比中，都被評为上游，荣获了紅旗县的称号。

二 堅决貫徹群众路綫的工作方法，發动群众，依靠群众，大搞宣傳，开展辯論，突破思想障碍，是除四害講衛生运动深入开展起来的重要关鍵

由于各地区單位貫徹了羣众路綫的方法，組織干部和羣众进行大鳴大放，大辯論，貼大字报。在辯論中緊密的結合了政治思想教育，使广大羣众一般明确了除四害講衛生对預防疾病、增进健康、增加粪肥、保証生产、提高劳动效率、改善生活、促进社会主义建設的重要意义；同时也認識到随着生活的改善，文化水平的提高，有党的領导和全体人民的干勁，除四害講衛生是完全可以办到的。就使衛生面貌大大改观，出現了新的气象。

三 一年来的实踐証明，採取速战速决、反复扫蕩，突击和經常相結合，科学技术和群众智慧相結合，是消灭四害有效的措施

运动中各地都注意發揮衛生部門在除四害講衛生运动中的參謀指导作用。除四害講衛生是衛生工作的綱，因此衛生人員必須站在运动的前列，进行調查研究，摸清情况，給領导当好參謀，給羣众出好主意。只有这样才能做到土洋結合，多快好省地消灭四害。

四 各部門緊密配合，通力合作。开展群众性的檢查評比是保証运动順利开展，推动运动不断前进，不断提高的重要方法

除四害講衛生是全民性的运动，因之各部門必須在党委統一領导下，大力协作，拧成一股繩来推动运动的开展。如"五有"建設並不是單純解决衛生方面的問題，而是对积肥、保畜等方面都有重要意义，农業部門对这一工作是極为重視的，因此农業厅和衛生厅曾在肇州县联合召开了有各市县农業、衛生兩部門共同参加的兴"五有"現場会議，这次会議对全省的兴"五有"起到很大推动作用、在很短期間內全省的"五有"就基本建齐了。在食品衛生工作上，衛生厅和商業厅也联合召开过会議，强調了搞好衛生和改善經营管理，提高服务質量結合起来，因而今年的全省食品衛生工作也有很大的改进与提高。供銷部門通过收購廢品对美化家庭、解决羣众增添衛生設备的經济問題起到很大作用。

开展羣众性的檢查評比，參观学習是使运动不断前进和提高运动質量的重要手段，今年各地較为普遍的运用了这一方法推动运动向深广方面發展。

更 正

1958年第二号"中国保健事業中的联合診所"一文，作者来信更正如下：

頁	欄	行	誤	正
99	右	倒1	基础与	基础上
100	右	5	基基与	基础上
101	左	倒19	成本	成率

安徽省除四害运动的經驗

安徽省除四害总指揮部

我省去冬今春除四害运动可分为兩个阶段。从去年11月份起，至今年1月中旬，为第一阶段。在这个阶段內，全省各地普遍开展了爱国衛生运动，合肥、蚌埠等市和阜陽、蚌埠等專区，还組織了以除四害为中心的冬季衛生突击月。今年1月14日，根据中央和省委指示的精神，召开了省除四害誓师大会，發布了除四害总动員令，从此，我省的除四害运动就进入了第二阶段，在全省范圍內掀起了以除四害为中心的爱国衛生运动的高潮。各專区、市、县都以积極躍进的精神，制定了本地区的除四害規划，相互間并提出了挑战、应战。从1月20日起，全省平均每天都有一千余万人投入运动，最多时达一千七百余万人，占全省总人口的一半以上。

我省此次除四害运动，由于动手早，速度快，規模大，干勁足，方法多，因而获得了空前巨大的战果。全省仅1957年11月1日至1958年4月20日，根据不完全的材料統計，共消灭麻雀一亿二千二百二十七万多只，老鼠一亿九千六百二十六万多只，蒼蝇十五万三千五百多斤，蚊子六万多斤，挖蛹九百三十三万五千四百多斤，清除垃圾三十一亿六千四百多万担。以鼠雀兩項合計，全省平均每人消灭鼠雀十只以上。

清潔衛生也搞得很好，無論城鎮或农村，室內或室外，一般都是干干淨淨，整整齐齐，到处都給人一种煥然一新的感覚。这种变化，在淮北表現得更为明显。不但过去那种人無厕所猪無圈、尿屎遍地的現象再也看不到了，而且还普遍进行了衛生基本建設，建立了公共厕所，修建了牲畜圈棚，泥刷了墙壁，整修了道路，水井砌了台，加了蓋。在解决烟熏方面，有的把住房和厨房分开，有的改建了牛尾灶，阜陽專区新建公共厕所十八万一千多个，平均三十八人即有一个公共厕所。淮北許多人家扫除了几十年来的陈灰积垢。績溪、貴池等地清除了抗日战争时期遭到破坏留下来的爛磚碎瓦；涇县清除了太平天国时代遺留下来的大垃圾堆。蕪湖第一面粉厂的倉庫里，光老鼠屎即清除出七百多斤。有些村庄，由于粉白了墙壁，漆了門窗，植树栽花，环境美化了，很象一座座的大花园。在个人方面也养成了講衛生的習惯，各城鎮和农村里，都积極提倡和培养刷牙漱口，勤换洗衣服，勤洗澡，不喝生水，不隨地吐痰，不吃腐爛食物等等。最近單全椒县就在农村中銷售了六万五千多只牙刷，有的农業社已經或正在建立澡堂。总之，现在人民羣众中正在形成一种爱清潔、講衛生的新風气。

安徽省的除四害运动所以能够取得这样巨大的成績，主要有以下几点經验。

一、領导上一定要有除四害的决心，一定要認真貫徹执行中央和省委关于除四害工作的指示，这是能否除尽四害的根本关鍵　1951年抗美援朝时期，搞过一次大的爱国衛生运动，1956年公布全国农業發展綱要后，又开展了一次大規模的除四害运动，但这兩次运动都没有繼續坚持下去。这一次运动由于当前社会主义革命和建設高潮的有利形势，起了很大的促进和推动作用，各級党政領导又以最大的决心，認真地把运动發动起来，并坚持到底。如果領导上没有决心或者决心不大，对除四害不采取認真的态度，虽然客观形势有利，但也不可能迅速掀起高潮，取得輝煌的战果的。这一次省委所提出的“以治水干勁来扑灭四害”的号召和“兴利必須除害，除害就是兴利”、“徹底变被动为主动”的战略方針，在广大干部和羣众中产生了巨大的影响。各級党委認真地貫徹了省委的指示，分別地提出了在兩年內消灭“四害”、“六害”、“七害”或五年內达到“四無”、“七無”的規划，并为实现这些規划采取了一系列的根本措施。和县、阜陽、六安等六个县提出要在一年內达到“四無”，界首县爭取在五个月內消灭“七害”。各級除四害指揮部都由党政主要負責同志挂帅出馬，并亲自上前綫，“又做指揮員，又做战斗員”。这就有力地保証了运动的迅速开展。从整个运动的發展过程来看，只要領导上有决心，有干勁，認眞研究本地区的情况，动腦筋，想办法，訂出通盤規划，認眞發动羣众，这些地方运动就开展得好，發展得快，战果也大。反之，如果領导上没有决心，对除四害工作缺乏足够的認識，行动迟緩，小手小脚，零打碎敲，必然使运动陷于被动或停頓狀态。由此可見，在当前社会主义建設的高潮和全面　　的新形势下，領导上是否有决心，是促进还是促退，乃是各項工作同样也是除四害工作能否大踏步前进的根本問題。

劳，共产党同老鼠、麻雀、蒼蝇、蚊子作对，眞是無事找事。”又一种人認为除四害是空想、是办不到的事。他們說：“麻雀在天上飞，老鼠在洞里鑽，蒼蝇、蚊子遍地都是，一天一夜見重孙，那能除得尽”；还有的說：“四害只能除尽兩害（老鼠、麻雀），蒼蝇、蚊子是没有办法除尽的”。再一种人認为四害要除，但現在任务多，要慢慢来。他們說：“現在农村忙的这个样子，又要兴修，又要积肥、綠化，搞田間管理，除四害只能慢慢来，不这样，除非一个人長出三头六臂”。还有一种人是“唯武器論者”。有这种思想的人，不相信羣众的智慧和力量，他們認为要消灭四害，没有大批的槍械、藥物就不能解决問題。上述种种思想是和党的指示相違背的，党要求积極認眞地除四害，而他們則抱無所謂态度；党要求除四害要有决心，有信心，而他們則缺乏信心；党要求加快脚步提早消灭四害，而他們則主張慢慢来；党要求各項工作齐头并进，而他們則認为只能單打一；党要求消灭四害必須充分發动羣众，而他們却單純依賴武器。总之，他們是促退派。根据上述情况，各級党委都作了及时的有力的批判，很多地方通过大辯論，摆事实，講道理，具体算四害危害賬，举办实物展覽会，組織观摩“三潔”、“四無”的先进單位，邀請除四害、講衛生的模范人物和除四害能手介紹自已的事蹟和經驗等方法，来教育有右傾保守思想的人，促使他們鼓起干劲，积極消灭四害。

在克服右傾保守思想的同时，还必須注意另一种有害的思想，即对除四害做得好的地区、單位和个人，要防止自滿松勁情緒。对于这种思想，必須及时地教育和批判，并提出新的任务，使那里的除四害工作坚持下去，要求長期保持“四無”。

三　除四害必須講究战略战术，要打主动战，要打歼灭战，同“四害”打仗和同阶級敌人打仗一样，要講究战略战术　在战略上要藐視敌人，徹底地变被动为主动，打早、打小、打了，犁庭扫穴，斬草除根。但是在战术上絕不能輕視敌人。我省除四害运动一开始时，虽然广大干部羣众热情很高，干勁很大，但不少地方没有注意研究战术和技术，在分配除四害任务时，没有根据各人的特点，各尽其能，而是不論老人、小孩和青壯年都分配同样的任务；在和四害作战时，事先也不偵察敌情，往往扑空。省委和各級党委針对这些問題，強調提出除四害必須講究战术。主要是：(1)要認眞研究敌情，根据不同的敌人，采取不同的战术。并且按照这一原則来分配任务，調配战斗力量。如消灭过冬蚊、蝇，技术性較小，可普遍發动，不分男女老少一齐动手；但消灭老鼠、麻雀，必須具备一定的技术，使用一定的工具，特别要广泛地組織專門的突击队，才能取得更大的战果。(2)要按照街道、村庄、單位的分布情况，适当地划分作战地区，分片包干，加強偵察工作。(3)要組織灭鼠、灭雀等的突击队伍，挑选干勁大而又有技术的老兵充当班長，以老兵帶新兵，老兵、新兵互相配合。(4)要解决武器問題。我們不是唯武器論者，但是一定的武器是不可缺少的。运动中除动員有关工厂、手工業社赶制鳥槍、鼠夾等武器外，各地都注意了就地取材，制造工具。在制造武器和工具时，要強調質量，經过試驗，保証安全。(5)在每一次战斗行动之后，及时总結战斗中的經驗教訓，推广有效的战斗技术。并組織除四害的模范和能手，向羣众傳授他們的战斗經驗。

四　抓檢查、抓評比，是推动运动不断前进的最好的方法　这次除四害运动一开始，各地即广泛地运用了評比方法来推动运动，自上而下地普遍开展了竞賽評比，并做到定期檢查，在报紙上定期公布战果，表揚先进，推动落后，有力地促进了运动的發展。省指揮部及时地公布了“除四害大評比的几項条件”，对城市、农村，集体單位和个人的評比，都作了比較詳細的規定。各級党委对竞賽評比很重視，許多地方召开了專門会議研究挑应战条件。省报和各地、市、县委报紙逐日公布了战果統計表，对鼓舞先进、督促落后起了一定的作用。界首县王烈桥乡原来除四害行动迟緩，經过在全乡范圍內开展十查十比之后，就一躍而为先进單位。它們十查十比的內容是：(1)查發动，比人数，推动运动發展；(2)查組織，比制度，推动分片包干；(3)查領导，比决心，推动領导帶头；(4)查行动，比战果，把运动推向高潮；(5)查街头，比清潔，推动送肥下乡；(6)查工具，比創造，推广經驗；(7)查屋內，比“六淨”，推动家庭衛生；(8)查“四害”，比“四無”，推动人人动手；(9)查厕所，比規格，推动挖蛆挖蛹；(10)查办法，比成績，推动竞賽。从各地的經驗来看，檢查和評比要密切結合，評比应在檢查的基础上进行，檢查过后必須評出先进和落后，并分別給予表揚和批評。除了在一个大的工作阶段內进行大評比外，还应注意小段的評比，及时地推动运动。在檢查方面，除了上級領导机关組織檢查組隨时檢查外，还要組織鄰近單位互查互比；評比結果除了通过报紙公布外，还可运用黑板报、大字报和出榜的办法予以公布。这样，都能起到鼓舞先进推动落后的作用。

五　除四害运动必須和生产緊密結合，为生产服务　当前無論城市或农村，工作都很多，各項任务都要又多、又快、又好、又省地完成，都要大躍进。在除四害运动开始时，省委即明確地提出了除四害和各項工作要統一安排，做到除四害与工作、生产、学習都不誤。各地在运动中，都能緊密地掌握住这一点。除四害工作一般都是充分利用業余时間进行的。全省农村普遍是白天兴修水利、积肥，晚上除四害，或者是早上早起捕麻雀，中午前后除蚊蝇，夜間除老鼠。各城鎮机关企業也充分地利用了業余时間开展除四害活动。在除四害与各项工作的具体結合上，各地創造了許多好办法，如农村中在大力积肥时，就普遍进行大扫除，清除垃圾，把垃圾、污物变作肥料；在修建厕所、清理粪池时，就大力灭蛆灭蛹；在整修房屋，泥刷墙壁时，就全部堵塞鼠洞，消灭跳蚤、蟑螂；在兴修水利时，就消灭钉螺，挖掘田鼠；在疏通溝渠时，就清除污水，清除蚊蝇孳生場所；在大面积水塘中，普遍养魚、养鴨，不但增加收入，也能消灭孑孓。在淮北地区普遍修建厕所，做到"人有厕所猪有圈"，既能大量积肥，也改变了过去不講衛生的習慣。在城市中，則根据市政建設的规划，对較大的污水溝或污水塘逐步地进行处理，对市内風景区的内湖，也打算采取消灭孑孓的技术措施。除此之外，各地还注意了根据除四害运动为生产服务的原則，对已斬获的四害尽量做到廢物利用，变有害为有益。全省各地食品公司和供銷社都大量地收購了麻雀和野鼠皮进行加工，有的地方以蝇蛹飼雞鴨，并試以鼠肉喂公園中的虎、豹、蛇，但主要的还是將鼠肉、蝇蛹等深埋土中或用火焚化，釀作肥料。这样既徹底消灭了四害，又有利于生产。

六　要徹底消灭"四害"，必須做到突击运动和經常化相結合　据各地已經出現的"四無"單位的經驗，要想徹底消灭"四害"，做到"四無"，就必須既搞突击运动，又要坚持經常化，二者不可缺一。突击运动是大規模的战斗，能够大量地消灭敌人；經常化則深入細致，能够巩固突击运动的战果，根絕四害的孳生場所，更徹底地消灭敌人。只注意經常工作，不搞突击运动，大股的敌人就不能够消灭，就会延長消灭四害的时間，使除四害工作不能做到躍进。但是只搞突击运动，不坚持經常化，就不能使四害絕种，也就达不到"四無"的要求。如何在突击运动的基础上坚持經常化，先进單位提供的經驗是：經常不斷地向羣众进行衛生工作的教育，养成良好的衛生習慣；建立各級領导衛生运动的組織，訂定切实可行的衛生制度；分段分片分戶包干，既要人人动手，又有專門突击力量攻击"要害"，清除"死角"，并月月檢查，周周檢查，定期評比，以树立榜样，奬励先进，推动落后。

（節載自安徽除四害經驗第一編）

疾病和人口

Banks A. L., Болезни и Население

作者描述了西欧从中世紀到現在在居民健康狀况上，与疾病做斗爭上和生活衛生条件上的进步特征之后，指出英国一般死亡率降低到11.7‰，出生率到15.0‰；年龄在65岁以上的人口增加到11%，而1901年仅为5%。再进一步的改善是比較緩慢的，在很大程度上將取决于能否防治腫瘤和心臟血管疾病。这在許多不發达国家中仍然停留在如像欧洲在中世紀时的那种情况。根据联合国資料1954年的全世界人口为26亿五千二百万人，其中一半还多一些的人口（14亿5千1百万）住在亚洲，四亿四百万在欧洲，三亿五千七百万在美洲，二亿一千万在非洲，一千四百万在澳洲，苏联人口为2亿一千四百万人（不包括在欧亚二洲人口数內）。人口增長的轉折点可能認为是1947年，那时获得了防治瘧疾的首次成功，瘧疾在以前每年在全世界發生3亿病人和因之而死亡300万人，例如錫蘭的瘧疾死亡率1947年降低了50%，在防治一系列热帶病（雅司等）、結核、砂眼、营养不良（維生素缺乏症、贫血、蛋白缺乏症）等病方面也获得巨大成就，这也促成人口死亡率的显著降低。在印度嬰兒死亡率从1910年的260‰降低到1951年的116‰，巴西的一般死亡率是19—20‰。波多黎各的平均寿命每年增長1岁，这个平均寿命的增長速度超过西方国家的任何时間增長速度的1—2倍。日本的平均寿命增長速度在1947—1950年高出波多黎各1倍，而錫蘭則高出2倍。出生率始終是很高的国家有：印度30.5‰，智利35.0‰，錫蘭37.9‰，巴西43—44‰，墨西哥46.4‰，苏丹56‰。中国和美國的人口每年增加2%，亚洲、非洲和苏联是1.5%，欧洲是0.7%。全世界人口平均每年增加1.5%。嬰兒死亡率的最低水平是瑞典在1955年所达到的每1,000个出生嬰兒中死亡17个嬰兒。为了对照引用了有关嬰兒死亡率的資料，巴西的馬賽約市1943年为每1,000个出生中死亡422，越南的西貢市1947年为每1,000个出生中死亡353。附有圖書目录10則。

（王簃譯自 Медицинский реферативный журнал раздел 4:13 1957:8. 原文載 Lancet, 1957, 6972, 749—753）

一面除四害講衛生的光輝旗帜

——坚持六年如一日的衛生模范村楊小寨

柳 杏

这里好象一座大花园

界首县亮集乡“三改”农業社的楊小寨村，在界首城东南，离城二十里路，全村三十九戶，一百五十六人。村子四周有一道用土筑起来的寨墙，寨墙外面有一道圩河，圩河里的水有一丈多深，水清見底。村子正中有一条寬闊的大馬路，路兩旁已經綠树成蔭。寨子的大門口靠右边有一个大車屋，雪白的墙壁上写着朱紅色的除四害講衛生的大字标語。进寨門不远，便可以看見一个小小的“亭子”，用紅顏色和藍顏色漆染的欄杆，十分鮮艳。其实这不是凉亭，而是亭子式的井棚。棚里面的水井有台有蓋，还有手摇汲水机。再往里走，就是生产队的办公室和全村的俱乐部，办公室門兩旁写着“爱国講衛生”“建設新农村”的标語。墙的正中悬掛着毛主席象和县里獎励的一塊大紅匾；俱乐部里也掛着几年来县区領导机关獎給的紅旗。紧靠俱乐部的門旁是黑板报和光荣榜。黑板报經常登載生产大躍进的好消息和衛生防疫常識，光荣榜上有劳动模范的名字，也有除四害、講衛生积極分子的名字。办公室和俱乐部的东、西、北三面是社員們住的房子，所有的墙壁里里外外都粉刷得很白，家家戶戶的墙上都写有彩色大字标語，門兩旁普遍用藍、綠兩种顏色写着整齐而又美观的对联。屋里的地面上、院內和門前，經常扫得象鏡面一样，厕所、牲畜的圈欄、墙角下、巷口里……任何地方都找不到垃圾，各种家具的里里外外都摸不到灰塵。春二、三月桃杏花开，四、五、六月家前屋后和寨墙上的各种树木一片青綠，整个环境显得更加美丽。所有到楊小寨来參观的人，都有一种清新舒适的感觉，異口同声地称贊說：“楊小寨搞得眞好，簡直象一座大花園。”

十大变化

楊小寨过去怎样呢？过去这里和淮北农村中的許多村庄一样。解放前是一个又穷又髒的庄子，平均一亩地收不上二百斤粮食，大多数的人家，常年吃菜吞糠，更談不上講衛生了。村里村外，尿屎遍地，污水满塘，蒼蝇嗡嗡叫，蚊子嗡嗡响，老鼠、麻雀更是成千上万。解放后，在共产党和人民政府的領导下，生产量逐年提高，羣众生活也大大改善。1957年全村平均每亩粮食产量达到三百三十六斤，比1952年平均每亩粮食产量提高29.2%，比解放前平均每亩粮食产量提高68%。随着生产的發展和人民生活水平的提高，經过党和政府对衛生的大力宣傳和不断加强領导，村內广大羣众逐漸养成了講衛生的習慣。从1952年反对美帝国主义的細菌战时候起，六年来該村的除四害講衛生工作基本上没有間断过，眞正做到了坚持經常化。去冬今春，該村在几年来衛生工作成績的基础上，又来了一个大躍进，整个衛生狀况的变化更为显著，楊小寨的羣众把这种变化称为“十大变化”：

一 厕所、糞堆的变化 以前全村没有一个厕所，庭院內、巷口和屋后經常是尿屎遍地。1952年以后，逐步做到了家家有厕所，但都是露天的，而糞堆仍在家門口，因此还没有从根本上解决蒼蝇孳生問題。去冬以来，全村的私人露天厕所已全部拆除，新蓋了三个有屋、有門、有缸、有蓋的公共厕所，厕所的墙壁全用石灰粉刷，上面还画着衛生宣傳画。由于有專人負責打扫，厕所內經常保持着清潔，找不到一个蒼蝇。門前的糞堆也已全部搬移到寨外，並用泥加以封閉。

二 猪圈、羊圈和鷄籠、鴨籠的变化 以前的情况是猪羊無圈，鷄鴨無籠，到处糟蹋庄稼，到处搞得很髒。1956年以后，虽然做到了大部分猪羊有圈，鷄鴨有籠，可是單位过多，管理上还是有問題，每到忙时，猪羊圈和鷄鴨籠里就积滿了糞，来不及清理。去冬之后，全村搞了三个公共猪羊圈（猪羊同圈不同房，不但便于管理，而且可以避免猪瘟），三个公共鷄籠，兩个公共鴨籠，一个公共鵝籠，实行集体圈宿，分戶喂养。最近公共猪圈又已迁至寨外；比原来扩大一倍。旣能做到清潔衛生，又可以多积肥料，同时管理方便，还节省了劳力。

三 处理污水污物的变化 过去污水、污物多是隨地乱倒，遇到下大雨，髒东西淌的到处都是。全村只有一条水溝，經常發生水流不出去的現象。近兩年来，在处理污水污物方面虽有改进，但还未能从根本上解决問題。这次运动中，除徹底清理了污水溝，做到全村水流暢通外，家家戶戶都設有污水缸和用土坯制的垃圾箱。污水缸內的污水，定期有人挑到寨外大糞池內。垃圾有專人定期清除处理。羣众把他們自己創造的土制垃圾箱叫做“小型顆粒肥料厂”。

四 水井的变化 在大运动以前，水井已經有台有蓋，有公用水桶了。这次运动后，又蓋了井棚，安装了手搖汲水机。

五　廚房和鍋灶的变化　过去廚房和住房在一起，又加上矮灶鍋没有烟囱，房子內經常弄得烟霧弥漫，很不舒服。經过这次运动，大家把廚房和住房全部分开，实行了"公共廚房"的办法。"公共廚房"是鍋灶集中，分戶自用，并不是在一起吃大鍋飯。該村根据羣众住地情况，一共建立了四处公共廚房。羣众認为公共廚房有六大好处：1. 省房子。原来三十九戶的廚房用了二十八間房屋，現在四处公共廚房只用八間房屋。2. 解决了住房的烟燻問題。3. 省人力、省火柴和做飯用具，过去三十九戶要三十九个人打水，現在輪流值日，只要六个人打水；过去三十九戶一天煮三頓飯至少要用一百一十七根火柴，現在一天只要十多根火柴；过去晚上做飯家家都要点灯，現在至多只要点八盞灯。其他如菜刀、水缸等用具，都可大大节省。4. 做飯、吃飯时間比較統一，便于掌握生产时間，上工、下田比較整齐。5. 鍋灶集中，每四、五个灶变上一个牛尾灶，燻肥量大，而且燒得又快。6. 加强了防火工作。

六　室內衛生情况的变化　1956年以来，已經做到了室內定期大扫除，改变了过去常年积着尺把長吊灰的現象。这次大运动中，不但室內和家具杂物做了徹底的大扫、大搬、大洗，而且屋里屋外的墻壁都进行了泥刷和粉刷，全村九十八間房子已有九十四間築了頂棚。

七　道路方面的变化　原来寨內只有一条小路，彎曲不平，雨天很不好走。現在寨的正中修起了一条魚脊式的"衛生大路"，并且有六条支路通到各家門前。原来的寨墻全部作了修整，好象环城大馬路一样。

八　树木方面的变化　过去树木很少，經过最近兩、三年的栽培，到处綠树成蔭。羣众称頌他們自己的綠化工作是："一桑二楊三榆树，四桃五杏树，道路兩旁是柳树，家家門口还有一棵葡萄树"。

九　个人衛生習慣的变化　过去这个村的羣众一般都不注意个人衛生。衣服不常洗，被子不常晒，有的人單衣穿破也不洗一次，被子十几年都不拆洗一次。長时間不洗澡更是普遍的現象。1952年之后，逐步做到了勤洗衣服勤洗被，不喝生水，不吃冷飯和腐爛食物。經过这次大运动，家家都設了痰盂，青壯年大部分刷牙了。男女老少也都經常剪指甲。春节时，好多人洗了澡。最近寨內正在蓋洗澡堂子。由于人人講衛生，家家愛清潔，疾病已显著減少。1952年全村一百二十七人中，有一百二十人生过病，其中傳染病四十二例；1956年仅有三个人患瘧疾；1957年人口增加到一百五十五人，仅有三人患流行性感冒，今年鄰近村庄有不少人患流行性感冒，該村却没有一人受傳染。

十　人們思想方面的变化　过去有人認为："不干不淨，吃了没有病"、"一个人生病招災，活多大岁数都是命里注定的"，对蒼蝇、蚊子能傳染疾病的說法，根本不相信。經过几年来衛生工作的开展和多次的思想教育，每个人得到了实际好处，人們的守旧思想逐漸起了变化。愛清潔、講衛生逐漸被認为是一种新的美德。誰最清潔、最講衛生，就上光荣榜，就向誰学習，就被評为模范，受到人們的尊敬。朱鳳起等十二人除四害講衛生很熱心，經常受到羣众的称贊和表揚。朱文仲今年已經七十多岁了，由于注意講衛生，身体一直很健康，大家称他"老寿星"。八岁的小姑娘朱玉芝，不但能够对答如流地告訴你什么是"四害"，还能告訴你为什么要除四害，告訴你蚊子会傳染瘧疾、大腦炎和絲虫病。由于大家都初步懂得了科学衛生常識，迷信鬼神的思想，也随着消失了。

从今年五月份起，該村又有了新的变化。为了改善居住条件，正在有計划地建筑新房屋。为了美化全寨，公共場所和宿舍的四周，种了很多树木花草。同时，正在着手搞沼气發电，不久的將来，就用不着点煤油灯了。

为什么能搞得这样好

一　思想教育抓得紧、党員、干部做榜样　从1952年开展反对美帝国主义的細菌战时起，楊小寨村的乡党支部領导同志，对于該村的講衛生的思想教育工作一直抓得很紧。从部队轉業回来的朱鳳起，是个共产党員，他經常对羣众說："要建設社会主义，就要有好身体，身体不好，哪能搞生产。"1952年初，他积極向羣众宣傳講衛生，可是很多人却抱着無所謂的态度，有的說："講究衛生也吃飯，不講究衛生也吃飯"，有的說："庄稼人，泥里轉，糞里滾，哪能講衛生"，还有的說："生病不生病，都是命里注定的，和講不講衛生没有什么关系。"朱鳳起听到这些反映之后，就和朱賢朋等几个积極分子在一起研究，一面繼續宣傳，一面先从自己家做起。这一年麦收的时候，平时最不講衛生，对开展爱国衛生运动最不积極的楊立俊一家四口却病了三口，病癒后，药賬加上請人收麦的工資，几亩麦子顆粒不剩，不得不找干部要求救济。这时朱鳳起等人就抓住这一有利时机，对楊立俊本人进行講衛生的教育，并拿他家作为典型例子向羣众进行教育。經过教育，楊立俊不但在会上作了檢討，並且还积極帮助别人家搞衛生，在羣众中起了很大的影响。从此，衛生运动就逐步地开展起来了。从这时起，思想教育一直没有間斷过，有时結合各項衛生活动进行教育，有时針对爱国衛生运动中發生的問題进行教育，有时通过表揚先进批評落后来进行教育。从1956年起，区衛生所和乡联合診所，还經常到这个村給羣众講解衛生常識，每个月至少講兩次。

村里的党員、干部和积極分子，不但时常向羣众宣傳講衛生的道理，更重要的是他們經常以身作則，帶头行动，为羣众做榜样。他們不仅搞好自己家庭的环境衛生和个人衛生，而且还常常具体帮助一些落后户和缺乏劳动力的人家打扫衛生，填粪池、清陰溝、刷鍋蓋、刷案板、洗衣服、刷鞋子等，羣众受到很大感动。正因为他們处处做出榜样，他們的宣傳工作也就非常有力量。

二 破除迷信，勇于和困难作斗爭 楊小寨村的除四害講衛生工作搞得好，並不是一帆風順的，几年来曾經遇到过多次波折，碰到过許多困难，但这里的共产党員、共青团員和积極分子們並沒有向困难低头，而是勇敢的和困难作斗爭，終于战胜了困难。这里举兩个例子：1953年霜打了麦子，羣众的生产情緒有些低落，这时本村巫神朱貫申就趁机散布流言蜚語，說，"霜打麦子是干部作的孽，成天講干淨，这一下子可干淨了吧！这是上神見怪啦！""人都活不成啦！还講什么衛生啊？"有二十多户羣众受了他的影响，都买香燒，向神求饒，並且向"天老爷"許願。这时干部、党員和积極分子的腰杆並沒有軟。他們一方面抓緊搶救麦子，一方面尖銳地批判朱貫申所散布的坏話，同时对眞正困难户进行救济。朱貫申也来要求救济，朱鳳起就对他說："没有东西救济你这种人，你有神保佑，用不着政府救济！"后来，朱貫申終于承認了錯誤，並在羣众会上表示要痛改前非，这样，羣众又开始活躍起来了。1954年，涝災严重，一部分羣众的生产情緒又低落了。貧农赵金荣說："怎么搞的，这兩、三年，年年有災，是不是打扫衛生得罪了'保家仙'？屋頂上的'銀錢兜'都被打扫光了，哪还会有錢用呢？"这时候，党員、干部和积極分子一面积極領导羣众生产自救；一面通过回忆对比的方法，引导羣众將这一次受災和1942年受旱災时相比，使羣众知道今天的生活比从前好多了，就是有災难也能克服。这样一来，羣众的思想又扭轉过来了，勁头也大了，衛生运动又堅持了下来。

三 "忙里抽閒"搞衛生，生产衛生兩不誤 "忙里抽閒"搞衛生，生产衛生兩不誤，是楊小寨村除四害講衛生工作能够長期堅持的一个基本原因。楊小寨全村只有五十多个劳动力，要把生产搞好，要把各項工作做好，又要使除四害和講衛生运动，長期堅持下去，哪有这么多时間呢？搞衛生是不是会影响生产呢？事实証明，他們不但没有因为搞衛生而影响了生产，而且正因为除四害講衛生工作做得好，大大促进和推动了生产的發展。講衛生，身体好，忙生产，更有勁，經常打扫多积肥，肥料多，多打粮。他們除四害和搞衛生的时間，一般都是在忙中挤出来的，也就是他們自己所講的"忙里抽閒"。例如在今年一、二月間，該村要組織二十个强的劳动力，到十几里以外去挖河，还要組織三十六个全劳力和半劳力在村子附近挖大塘，家里剩下的只有老人和孩子，还要积肥运肥，打稻田埂，栽树、澆树，劳力十分緊張。可是，他們並沒有因为忙而丢开了搞衛生，还是忙中抽閒地堅持下来。具体办法是，参加挖塘的人白天挖塘，夜晚回家里搞衛生，大扫除、大洗刷和泥刷墻壁；不参加送粪的老年人分片負責打扫环境衛生；不上学的少年兒童負責澆树、偵察麻雀的行踪；学生放学回来除了帮助打扫外，还負責找雀窩、掏雀蛋、查鼠迹、堵鼠洞。除四害积極分子楊五立，善于支吊坯打老鼠，他每晚帶着几个十一、二岁的少年兒童，挨家挨户檢查吊坯，帮助換誘餌、支吊坯。統計員楊朝立一有空隙就动手写村內墻壁上的彩色标語和每家門前的彩色对联，有时一次只能写几个字，但他总是抓緊时間写。从挖河工地上回家的人，手里拿着挖河工具，一边走，一边搞衛生。一到下雨天，不能忙农活时，就是他們搞衛生的好机会。总之，他們是在不占用生产时間来搞衛生的。去年秋季抗旱搶种时，由于他們劳力、时間安排得好，不但做到了生产衛生兩不誤，而且还帮助崔朱庄、大榆树村打井五十个工。

四 有組織，有制度，有公約 楊小寨村的衛生工作所以能搞得这样好，除了經常做好思想教育工作，以及除四害講衛生和生产緊密相結合等原因外，还有一个原因是有組織，有制度。全村有一个專門負責衛生工作經常化的衛生領导小組，由朱怀营等五人組成，生产队長朱怀营兼衛生領导小組組長。这样，在劳力和时間方面就更便于統一安排。除了衛生領导小組，还有一个檢查組，由朱鳳起、朱貫朋、靳霞云等五人組成，負責定期檢查除四害和打扫衛生的情况，随时表揚先进，批評落后。在制度方面，規定室內外一天兩扫、半个月一次大扫除、兩天一小查、七天一大查、随檢查随評比。另外，家家户户都根据了本户的具体情况並經羣众討論后，制訂出爱国衛生公約。公共廚房、水井、牲畜圈棚、厕所等許多地方都訂了公約。眞正做到了"事事有制度，样样有公約"。

五 合理地解决劳动报酬問題 办社以后，楊小寨村还注意了合理解决除四害搞衛生方面的劳动报酬問題。大突击时，人人动手，不給报酬。平时特別是負責公共場所打扫衛生的人，都給予合理的劳动报酬。如村內的环境衛生划分为七片，由七位老年妇女分片負責，每人每天給一个工分；水井和公共猪圈的打扫由兩个十四、五岁的少年負責，每人每天六工分；四个公共厕所由一个人負責，每天給七工分；捕捉一只老鼠或一只麻雀各給一工分；挖蝇蛹一洋火盒，給一个工分。其他在衛生积肥、管理树木等方面也都合理地給予适当的报酬。这对鼓励羣众除四害講衛生的积極性，促使运动經常化起了一定的作用。

現在，全村的人們正在党的社会主义建設总路綫的光輝照耀下，鼓足干勁地为巩固"七無"村，实現高产村（1958年每亩粮食产量爭取达到五百八十斤）和文化村（扫除文盲，普及小学教育，开展更广泛的文化活动）这一新的目标而奋斗！

（轉載自安徽除四害經驗第一集）

南京市是怎样开展爱国衛生运动的

南京市衛生局付局長　董　健

南京市以除四害为中心的爱国衛生运动，自去年到目前为止，組織和發动三次大的战役，先后集中突击活动二十余次，出动除害队伍四千余万人次，向四害展开全面进攻。經过八个月来的頑强的战斗，消灭了大量的鼠、雀、蚊、蝇，并消灭了大量的臭虫和蟑螂。同时，清除垃圾杂肥20,447,682万担，填平污水塘溝17,422余处，面积約共140多万平方公尺，取締和改建粪坑(缸)、厕所17,620多个。新建和改建下水道979条，仅明溝改砌暗溝达23公里，相当于解放前六百年工程量的四分之一(明清兩代加上国民党統治时期，先后六百年仅建方溝80公里)。室內外采用可湿性666烟熏剂噴洒的药物达53,876,760平方公尺。在这个时期我們为了消灭疾病还医治了大量血吸虫病人、絲虫病人、鉤虫病人、瘧疾病人、蛔虫病人等。

由于除四害講衛生运动广泛深入开展，蚊蝇密度大大降低，今年1—7月和去年同时期比較虫下降73.4%，蒼蝇下降63.75%。各种傳染病發病率大大降低。以今年上半年和去年同期相比下降75.4%，絕对發病人数减少1.4000人次。

全市湧現出象五老村这样的地区有104个。經过衛生防疫部門及羣众的鑑定，二無地区(包括無蚊蝇或無鼠雀)，三無(鼠、蝇、雀)地区50个，單位16个，四無地区(包括农業社)90个，單位50个。共計206个。

我市除四害講衛生运动是怎样开展的？

領导和群众相結合

我市党內外均先后建立和健全除七害爱国衛生运动領导小組和爱国衛生运动委員会，由工会、农林局、市共青团、市妇联、城建局、商業局、公安局、市委宣傳部、衛生局等負責同志組成。組長是市委書記担任。市爱国衛生运动委員会組織的成員除上述部門外，还吸收除害能手及先进地区代表人物参加。主任委員是陈立平付市長，下設办公室作为領导小組及爱衛会办事机構。它的任务是制訂計划，綜合情况，总結經驗，檢查督促。內分三个組，城郊各一个組和秘書組。从运动开始到目前为止，市領导小組先后召开动員大会、經驗交流会、現場会及領导小組会議(包括扩大会)达62次，平均每月有六次之多。市領导有关負責同志除亲自动員和领导各种会議外，还和羣众一起清扫馬路，拍蝇蛹，帮助居民修建場园，深入檢查等活动，大大地鼓舞了广大人民羣众除四害斗爭积極性，对促进全市运动發展起了重大作用。

同时在市委除四害爱国衛生运动領导小組統一領导下，按系統实行分綫作战。如共青团市委、教育局党組負責灭麻雀。市妇联負責灭老鼠。衛生行政部門和防疫部門、紅十字会負責技术指导，訓練及药材供应、衛生知識宣傳，以及做好粪便、垃圾清运和管理工作。公安系統負責劝止随地乱投果皮紙屑、乱潑污水、馬粪袋使用的监督，以及結合四防檢查同时檢查衛生等，列为交通民警和戶籍警的职責。工商業系統除負責保証供应灭四害工具外，並把除四害講衛生納入工商管理条例中去。城建系統負責污水溝塘的处理及下水道灭蚊工作。文化局和科普負責宣傳活动，做到分工明确，各負其責，条条保証，联合作战。

本市开展除四害講衛生运动，除書記掛帅，亲自出馬外，还实行塊塊領导，条条保証，統一指揮，分綫作战。不論哪級机关、部队、工厂、学校的除四害講衛生运动，均接受所在地区除四害領导小組統一領导。为給塊塊撑腰，市委强調各級党組織的保証作用，它保証本机关及所屬的單位接受所在地区居民組織的領导；保証对机層組織布置工作、生产任务的同时，交待除四害講衛生的任务，並且有指标，有进度，有要求，有措施，保証給予所屬單位除四害講衛生的經費和物質，保証对其所屬單位在运动中表現不好的，这一級党組織要作思想工作。

本市除实行塊塊領导，条条保証原則外，对重点地区，如車站、玄武湖、光华門几个机关、工厂集居一起的，在区委領导小組統一領导下，建立联防，共同負責。如白下区光华門街道办事处地广人稀，污水塘溝、粪坑、缸約佔該区二分之一。衛生情况相当不好，这个地区有十一个居委会，有四十多个較大的学校和工厂(包括部队在內)，过去在运动中互不联系，行动不統一，步調不一致。虽有少数單位搞的較好，但由于周圍孳生地未得到严密控制，故收效不大。为了加速灭除四害，这塊地区依据自然条件，划兩个联防区，建立联防指揮部，下設專职人員，划片分段，实行"三包"，包地区，包任务，包人員及工具，"三定"，定期开会，定时檢查，定时突击。由于建立联防組織，协同动作，密切結合，因此，这塊地区没有什么死角，衛生狀况較过去大为改观，蚊蝇在这塊地方很难找到地方孳生。

除四害講衛生，消灭疾病是人类历史上第一次向四害主动进攻，为要徹底、干淨、全部消灭危害人民几千年来頑强敌人——四害，我們除發动全民性的羣众运动外，还建立一支具有积極热情的經过訓練的197,554人(目前部分参加工業生产了)强大的除害队伍。他們以居民委員会为單位，分别建立如扑鼠队，灭雀队，偵察队，扑蚊队，扑蝇队，挖蛹队，消毒队等各种小型战斗組織，日日夜夜地打击敌人，使四害上天無路，入地無門。

群众力量和技术力量相結合

除四害講衛生是人类征服自然，战胜疾病的偉大壯举，不依靠羣众的力量和智慧，真正做到全民动員，老少动手，是根本無法完成这項历史任务的。因此，發动羣众是我們开展运动的首要关鍵。

南京市的人民通过反細菌战的斗爭和衛生工作經常化的教育，思想認識和衛生知識水平都有很大程度的提高，有坚强的消灭四害、战胜疾病的信心和决心，因为这和人民羣众的切身利益是密切相关的。所以一經党和政府發出除四害講衛生的号召，便热烈响应，积極行动，但也有部分人对消灭四害抱怀疑态度。为此，我們結合全国农業發展綱要的学習、討論，开展了多种多样、广泛深入地宣傳鼓动和思想教育工作。遊行宣傳和街头演講的宣傳气氛濃厚，鼓动力量很大，我們共組織全市性的遊行宣傳八次，約出动4,031,558人次，並組織一千余負責同志到街头作除四害演講。出动宣傳車五次，悬掛大型宣傳标語4,800条次，張貼小型口号兩万多条次，举办广播大会四次，实况轉播四次，报紙發表文章26篇，發行各种宣傳材料12万5千分。同时，提出很多鼓舞人心的口号，如"排山倒海除七害，造福子孙万万代"，"乘長風破万里浪，变南京为四無城"，"不讓蚊蝇过冬，不讓鼠雀过年"等，这些口号都变成鼓舞羣众斗爭的力量。运动發展过程中，我們針对某些生产單位除四害工作不积極的情况，找出先进事例，立即召开現場会議，树立对立面，开展辯論，从而扭轉了农村和工厂除四害工作落后的局面。

在不同情况下，我們还針对厭倦思想、自滿情緒进行教育，反复宣傳除四害的艰巨性，同时提出："多快好省除四害，人人都作促进派"，"夏季关口把得牢，蚊蝇定能消灭了"，"斬草必須除根，灭害必須絕后"，"絕不能讓七害卷土重来危害人民"等等响亮口号，号召羣众比革命干劲，比先进技术，並組織区与区之間的观摩、檢查，使羣众保持旺盛的斗志和持久的除害热情。

羣众的力量發动起来是無穷無尽的，但單純依靠人力去扑打，不講究科学的方法，是不能做到多快好省的。因此，我們在羣众充分發动起来以后，及时进行技术宣傳，訓練除害队伍。我們先后举办技术講座十多次，放映电影30余場，並以紅十字衛生員和积極分子为主进行專門訓練。全市初步建立了一支約197,550余人的除害骨干队伍，他們不仅是一支除四害講衛生、预防疾病的宣傳力量，而且是坚强的战斗队伍。他們配合衛生防疫部門进行药物噴洒，蚊蝇孳生地的調查和四無鑑定等工作，同时給地区居民以具体除害方法上的指导。

羣众不仅干劲冲天，而且智慧無穷。在除四害运动中有許多創造發明和技术革新，我們及时举办經驗交流会，邀請除害能手座談，总結推广他們的經驗。初步統計羣众創造發明的土工具有73种之多，土办法近50种，南京地区發現的野生植物有七种。其中有效的工具和方法都巳經普遍推广。如江倫龙創造的捕蝇籠，罗富武創造的捕蚊灯，陈友成發明的捕蚊箱等。三义河小学首創綜合性的灭蚊战术成功后，我們立即召开現場会議进行推广。在药物方面，我們普遍使用六六六烟剂和0.6%可湿性六六六薰杀和噴洒室內成蚊，用0.06%可湿性六六六噴洒室外蚊蝇孳生地。除此之外，市衛生防疫站試制成功一种六六六飄浮杀虫磚，适用于稻田、洼地、沒有养魚的藕池，以及污水坑、下水道陰井、化糞池、太平水缸等不流动的积水中，效果較可湿性六六六噴洒高十多倍。在野生植物中，我們曾有多种發現，但以馬鞭草和猫兒眼灭蛆的效果最好，而且产量也大，因此城郊巳普遍使用。我們还發現很多化学工業廢水，能杀灭孑孓和蛆，如对硝基氯化苯、二硝基氯化苯，氰化鈉，硝酸銅等，均有显著的杀虫效果。其中对硝基氯化苯工業廢料巳大量使用。由于把羣众力量和技术力量結合起来，就大大提高了除害工作質量，同时节約了人力、物力，达到多快好省的目的。

除四害講衛生和生产相結合

除四害講衛生是直接或間接为生产服务的，因此，必須密切結合生产統一安排，全面考虑，納入整个生产計划之內。在工業生产方面，我們主要是結合改善工人生活福利，結合提高产品質量，提倡文明生产，以搞好生产环境和生活环境的衛生工作为重点，适当开展除四害工作。一般的工厂訂立了环境衛生的清扫制度和車間衛生的交班制度，有效地保持了环境整潔，車間清爽，提高工人生产积極性，降低了廢品率。如大光路皮革厂規定每天下班后有一刻鐘搞衛生的制度，各人整理工作地点的材料，扫除灰塵，每周末开展一次衛生日的活动，各車間、工段全面进行大扫除。以往廢料到处乱丢，有的当作垃圾处理了，現在做到下料收回，分别处理，保持了环境整潔，而且为国家节約了大量財富。南京机床厂一个工具室过去很髒很乱，工人来領取工具东翻西找，很費时間，衛生搞好后，工具放得整整齐齐，工人領取工具的时間大大縮短，減少了輔助工时。南京被服厂車間有衛生交班制，前一班衛生不搞好，后一班的工人就不接班，这个厂从机器保养到地面保潔都有專人負責，因此机器做到灰塵不染，碎料、另件掉落地上随时就有人拾起，成品、材料、半成品堆放整齐，旣減少差錯，也避免了污损。这个厂过去有12个清潔工人，衛生工作还搞不好，現在大家动手，人人負責，只留四个清潔工人，衛生工作却搞得井井有条。不仅如此，由于衛生工作搞好了，工人發病率和因病缺勤率大大下降，第二季和去年同时期比，發病率下降24.5%，因病缺勤率降低17.54%。南京罐头食品厂过去不重視衛生工作，1956年造成四千多听鷄肉罐头报廢，1957年又造成五吨桃醬罐头报廢，浪費很大。通过运动全厂职工發奋除四害，大搞文明生产，搞好了厂內衛生，提高了产品質量。我們及时在这个厂召开了現場会議，以生动事例教育了其他各厂的領导和职工，有效地推动了工厂系統的除四害运动。

在結合农業生产方面，主要是从积肥着手，改善农村的环境衛生，消灭蚊蝇的孳生条件。通过清除垃圾，把垃圾、污物变作肥料；改善厕所，合併粪坑，就大力灭蛆灭蛹；修整房屋、粉刷墙壁，就堵塞鼠洞。玄武湖蔬菜社本来認为农村条件差、生产忙，不能搞除四害講衛生。以后我們学習了杭州卸道社的經驗，以玄武湖社試点，从积肥入手，大搞环境衛生，全社九百多个粪坑合併为340多个，积了一万多担肥料。由于堅决实行人畜分居，家家做到鷄鴨有窩，牛羊有欄，猪有圈，新建公共厕所80个。这样做不仅搞好了环境衛生，又积了肥。合併粪坑，粪坑加盖，还多出五亩地，旣控制蒼蝇繁殖，又提高了肥效。牲畜有圈有舍，一方面可以增加肥料，一方面又不致使庄稼遭受损害，同时也減少了瘟疫傳播，使牲畜养得更肥。因此，深受社員們欢迎。大家除四害的积極性很高。棲霞区东湖农業生产合作社，利用提前上工，提前下工的办法，抽出时間来除四害。社內每十戶編成一个衛生小組，实行划片包干，在規定范圍內，定期进行清扫和相互检查，同时在各小組內排定衛生輪流值日戶，負責日常的保潔工作。他們大搞环境衛生，就結合积肥，所有杂草、垃圾統統搞光了，菜园全部迁出村外，土地起肥五寸。消灭釘螺就結合兴修水利，水利修到那里，釘螺灭到那里，壽土加泥封存可作肥料。由于除四害講衛生和农村生产积肥密切結合起来，因此很多农業社的衛生面貌大有轉变。对生产起了有力的促进作用。

除四害講衛生和城市建設相結合

本市污水塘溝較多，下水系統不够完整，要徹底鏟除蚊蝇孳生地，除填沒合併粪坑、厕所，加强对特种行業的衛生管理外，很重要的一个方面，还要解决污水的出路問題。我們在这方面是密切配合城市建設来进行的。我們把全市蚊蝇孳生地划分成大、中、小三种类型，分别由市、区、街道負責处理。屬于羣众的小型污水塘、溝、坑、窪約有140多处，共140多万平方公尺。疏通溝渠6800多条，約458,900多公尺。屬于市里負責的，共完成大型溝管八处，中小型溝管25处，填掉臭水塘、溝946条。明溝砌暗溝达23公里。基本上解决了市区的污水排除問題，剷除了蚊蝇的孳生条件。

通过城市建設規划，居民在大搞环境衛生的基础上，大力改善居住条件，特别是棚戶区的羣众更为迫切。玄武区的汉府新村在学先进、赶先进、超先进的口号下，經过52天的苦战，填平全部污水坑窪，新建長达一百多公尺的下水道，翻修全部路面，新建道路二百丈；一百另三戶草房都改建成瓦房，並植树五千多株，其中上千株是經济作物。全村做到了綠、香、彩、美、粉五化。这个巨大的变化，給全市棚戶区指出了方向，要改善居住条件只有依靠羣众，大家动手，才能办得又快又好。我們抓住这一典型，立即在汉府新村召开了現場会，介紹汉府新村改造环境，建設社会主义新家园的經驗。会上各区紛紛表示一定要向汉府新村学習，当即有120多个棚戶区提出改造家园的計划。預計年底或明春，全市的棚戶区都要改建成汉府新村的模样。

除四害講衛生和劳动教育相結合

本市很多大、中、小学校，結合除四害講衛生加强对学生的劳动教育，这样不仅美化了环境，而且培养了学生爱清潔、爱劳动、講衛生的新的道德面貌和文明的生活習慣，提高了学生的健康水平。对提高教学質量和开展勤工俭学，起了一定的作用。

在改善学校环境方面：解放初期，一般学校的建筑設备和环境条件都相当惡劣，校舍破爛陈旧，四周杂乱不堪，但自1952年爱国衛生运动开展以来，不少学校結合衛生运动的重大政治意义，对学生进行宣傳教育，在領导挂帅，人人动手和因陋就簡的情况下大搞衛生和綠化，根本改变了学校的已往面貌，很多学生，特别是大、中学生，从过去輕視体力劳动，嫌臭怕髒，依賴工友打扫，一变为衛生积極分子，在今年9月評比时，有4个高等学校，37个中学和43个小学被評为市級除四害講衛生先进單位。

他們結合課堂教学开展衛生教育，同时衛生工作的开展，又促进了教学工作和勤工俭学。小学教师們根据兒童实际生活、年龄特点，結合課堂教学，教育兒童掌握初步的衛生知識。如長平路小学自然課老师，上腸寄生虫一課时，利用幻灯、圖片說明腸寄生虫对兒童健康的危害性和預防腸寄生虫病的方法，原来很多不願意檢查大便的学生，都自动送大便檢查。在講到肺病（肺結核）的預防时，結合吐痰入盂的宣傳，改变了一部分学生隨地吐痰的習慣。第八中学在"时政"和衛生課的测驗題中，均包括除四害講衛生的內容，該校开展七比"活动时，也以除四害講衛生为項目之一，通过这样的結合，大大地推动了除四害講衛生工作向前發展。此外，程善坊小学在衛生工作的帶动下，創办了牙刷厂、洗澡室、理髮室。第七中学通过全校大扫除，消灭死角、清理倉庫，發現了很多坏桌椅廢和鉄器，創办了木工厂和鉄厂，很多学生通过衛生工作的实际劳动，加强了劳动观念，丰富了文学写作內容，在一定的程度上提高了教学質量。

学校与家庭密切結合，提高兒童健康水平，促进家庭衛生。長平路和方家营等小学，經常和学生家長取得密切联系，爭取家長的配合，使家庭在兒童衛生教育与教养中，起助手作用，这是巩固衛生工作經常化的重要因素。通过家庭訪問、家長会議，高年級推行家庭爱国衛生日，帮助媽媽搞衛生，这些不但培养了兒童爱劳动、爱清潔的好習慣，引起了家長們对兒童健康的注意，並且帶动了家庭衛生。方家营小学 90% 学生每天打扫家庭；長平路小学 70% 高年級学生的家庭都获得了衛生清潔戶的光荣称号。

很多学校在搞好本單位衛生的基础上，积極协助学校周圍的羣众清潔环境，突击歼灭四害，受到羣众的好評。第七中学結合衛生大扫除，把垃圾送下乡，支援农村积肥。長平路、方家营小学的少先队員，还帮助附近羣众綠化家园、做到"保种、保活"。

突击运动和經常相結合

我們体会除四害講衛生运动，必須貫徹突击和經常相結合的原则，根据季节特点和四害習性，在一定时期，發动全民进行突击是完全必要的，但尽靠突击，沒有一套經常化制度和方法是难以巩固持久的。但本市經常化問題尚未得到完全解决。現在將我們的做法簡述如下：

去年冬季，除四害講衛生运动开展以来，經历了冬、春、夏三次运动，二十余次大突击，根据季节的特点和四害習性，进行反复斗爭，冬季以捕打越冬蚊、蝇、挖蛹为主，結合处理蚊蝇孳生場地和消灭鼠雀；春季以消灭蚊蝇的第一代幼虫为主，結合搞好室內外环境衛生和个人衛生，防止呼吸道傳染病和控制蚊蝇孳生，夏季以大量歼灭蚊蝇，檢查处理孳生地，結合飲食衛生和行業衛生的宣傳，防止食物中毒和腸道傳染病的發生。通过以上三次轟轟烈烈声势浩大的运动和全民动員的二十余次突击，基本上做到了家喻戶曉，人人动手，同时取得了輝煌的战果，消灭了很多有历史性的死角，破除了迷信，創造了奇蹟。

在开展突击运动的同时，为了巩固成績，加强对羣众經常化教育，本市商業局、公安局、衛生局三个系統联合制訂了关于对特种行業衛生管理办法，对飲食、付食品、菜場和服务性行業等直接有关人民健康的以及容易孳生蚊蝇的，象皮毛作坊、堆骨站和处理牲畜品下脚等特种行業，在制作、包装、运輸、存放过程中，提出了具体的衛生要求。各居民委員会、各單位、各戶为了經常保持室內外环境整齐清潔，实行了划片包干，層層負責和联防地区的保潔制度，根据本地区、本單位的具体情况，訂出具体要求和办法，以及定期檢查評比，紅旂和紅、藍、黑三旂竞賽奬励制度，借以相互檢查、相互督促和鼓励，很多地区、單位、学校还特地制訂了"监督崗"制度，由地区或單位的积極分子，分理分段，輪流值日，有的还佩戴紅色"监督崗"袖章或其它标誌，負責檢查督促街道衛生，劝阻行人隨地吐痰或乱抛果皮紙屑。有的还檢查家庭衛生、个人衛生、飲食衛生等。極大多數地区、單位、家庭、个人都訂有爱国衛生公約(附五老村的爱国衛生公約)或作为工作規划、躍进規划、干部考勤內容之一。一般的要求都比較明确和切实可行的。这些都是促进衛生工作經常化，比較有效的措施。

附五老村居民委員会訂立的爱国衛生公約：

一、环境衛生：做到"三有""四無"。

三有：水溝有桥、井圍有蓋、空地有花；

四無：地上無杂草、池中無孑孓、境內無害虫、街道無垃圾；

二、室內衛生：做到"三多""四齐"。

三多：多开窗、多洗晒、多打扫；

四齐：衣帽挂整齐、被褥叠整齐、桌椅摆整齐、用物放整齐；

三、个人衛生：做到"三不""四勤"。

三不：不隨地吐痰、不乱拋棄皮紙屑、不乱吃生冷东西；

四勤：勤洗澡、勤体操、勤刷牙、勤剪指甲；

四、飲食衛生：做到"三潔""四要"。

三潔：厨房潔、案板潔、抹布潔；

四要：井源要保护、飲水要消毒、飯菜要加罩、碗碟要入橱。

(上接第309頁)

明显的反映出它是与政治密切地結合着，有些措施是隨着政治上的变化而变化的(如建制等)，而又有許多条文是專为統治阶級服务的，或間接地与統治阶級的利益相关連着。

3. 各种律令(医事律令也同样)的規定，大都是屬于理想的，往往令律的規定与具体执行並不一致，看了上文我們不能認为所有这些都是一一执行了，其实有些是經三令五申而后执行的，如犯人的医学衛生問題等。有些是值得怀疑的，如大耙不能聞疾等，而且有的律令只能說是徒具形式而已。

4. 整个唐宋兩代統治了六百六十余年，而屬于法律条文者，可以毫無变动的保留着。这情况还可上溯至隋朝以前，下至元明，除了說明因封建社会的本質而决定这个情况外，也說明除了当时民間的医学理論和技术有所發展外，而統治阶級对医学措施上的改进是不多的。

延安專区实現基本"八無"的基本經驗

延安專区爱国衛生运动委員会

全区轄14个县，315个乡，194,254戶，854,718人。其中农戶161,861戶，农業人口722,152人。总的来說，是一个地广人稀、居住分散的山区，經年气候不調，降雨量少，疾病等自然災害比較严重，人民的經济、文化生活，長期以来处于被动落后狀态。

全区除宜君、黃陵、洛川、黃龙、宜川五县的全部或部分地区系半老区外，其余全系老解放区。过去在党中央和毛主席直接領导下，無論在战胜敌人和自然災害方面，都付出了巨大的努力，获得了显著的成效。但是，由于自然等条件的限制，加上蔣胡匪帮进犯边区的摧殘破坏，人民的經济、文化生活面貌，仍未得到徹底改变。解放几年来，有了一定的發展变化，但是發展变化的速度远远不能适应客观發展的要求。在党的正确領导下，　　　　在党的社会主义建設总路綫的光輝照耀和工农業生产　　　　高潮相互促进影响下，全区人民以前無古人的英雄气概，迅速掀起了"除八害，講衛生"运动，經过几次短期突击，提前实現了基本"八無專区"。为进一步消灭疾病，提高人民健康水平，促进工农業生产大躍进，創造了一个良好的开端。

現在，就我們实現基本"八無"的一些情况，作个簡單介紹：

一　延安專区除八害講衛生运动的基本情况

1957年12月，党中央和国务院向全国人民提出了除四害、講衛生的号召，我区也掀起了以除四害为中心的爱国衛生运动，并且取得了一定成績。但由于思想保守，認为消灭"四害"是一个相当長期的事情，至少得三、五年。1958年二月三日，在延安市举行的全区除四害誓师大会提出：一年准备，兩年突击，一年扫尾，四年达到"四無"的奋斗目标，我們当时就認为是大大躍进了。后来，党中央和国务院發布了"关于除四害、講衛生的指示"，省委提出了"苦战三年，改变全省面貌奋斗目标二十条"。接着省召开了衛生行政会議，啓發了我們的思想。三月中旬，延安市經过七晝夜苦战实現了"四無"，树立了全区第一名"四無"紅旗。延安市苦战七晝夜实現"四無"的事实，給全区能否在短期內实現"四無"找到了根源，打开了缺口；原来認为"四害不能短期突击消灭"的陈腐观念扫除了。从而大大鼓午了坚定了羣众消灭四害的信心和决心。除四害、講衛生的規划，从四年改为一年，从一年改为一个月。地委和專署發布了"苦战一月，实現四無專区"的联合指示，提出：不讓四害过"五一"的战斗口号，很快在全区范圍內掀起了一个来势猛烈、規模壯闊的除四害高潮，提前基本实現"四無"專区。在基本实現四無后，相繼开展了四次灭蚊、灭蝇突击活动，9月16日在李啓明付省長召开了全省电話会議以后，專区文化革命指揮部，又發出"全民总动員、反复圍剿，繼續向八害大进軍"的总攻击战斗号令，經过全民英勇奋战，于9月26日基本实現了八無專区（鼠、雀、蚊、蝇、虱、蚤、臭虫、白蛉子），而且在五改五化方面也取得了很大成績。

目前的情况是，八害密度大降，風俗習慣大变，环境衛生大改观，疾病普遍減少，劳动出勤率大大提高，粮食丰产得到了有力保証。在五改五化方面：据9月21至25日五天不完全統計，改革厠所30,500个，其中合格的21,000个，半合格的9,500个，改革棚圈25,000个，合格的17,000个，半合格的800个，改革糞堆已移到村外的占总队数的69%，泥封的占总糞堆的89%，改革住室方面三整潔四淨的衛生队占总队数的68%以上，改革个人衛生方面拆洗被褥20万余塊，清衣服85万多套，食品紗罩化方面，80%的戶已設了簡易紗罩或橱厨，有50个城鎮实現了垃圾車子化。

由于大量消灭了八害，羣众衛生習慣的逐漸养成，因而对保障人民身体健康，促进工农業生产起了积極的促进作用。今年全区已于七月底消灭了黑热病，而且在几个地区的典型調查中已經看出疾病大为減少的情况。比如延安市，去年一至六月患痢疾的293人，患腸胃炎的26人，患伤寒的29人，而今年同期患痢疾的仅101人，降低75%，患腸胃炎的9人，降低74%，患伤寒的5人，降低85%。子長县安定区，去年患痢疾的102人，流感335人，百日咳30人，而今年則大为減少。患痢疾的仅40人，流感的27人，百日咳没有發生。因而羣众普遍說："消灭四害講衛生，人寿年長，幸福万分，人無疾病，牲口滿圈，人健馬壯，五谷丰登的日子过的象天堂"。說明搞好衛生运动与發展生产并無矛盾，相应的提高了劳动出勤和粮食的丰收。

二　实現"八無"的基本經驗

（一）党委掛帅，書記动手，層層負責，分片包干。

运动一开始我們就坚持了除四害講衛生运动必須要在党的統一領导下进行，所以專、县以至乡、社都在党的領导下建立了除四害指揮部，由党委掛帅，書記动手，指揮作战，使八害在一个很短的时間內基本消灭。

（二）發动羣众，大搞羣众运动，不斷克服保守思想，适时提出行动口号，战斗任务和具体要求。除八害講衛生虽然是广大羣众的要求，但因为它是一个移風易俗、改造思想的革命运动，当运动开始时，在部分干部和羣众中，存在有不少顧虑和消極情緒，認为"四害不可能短期突击消灭"，"怕耽誤生产"，甚至一些有迷信思想的人說："四害是天虫，敢救不敢伤"，"四害是老天爷留下的，不但消灭不完，反会越灭越多"。子長五星九社張老汉說："老鼠是姜子牙封下的，不能消灭，曾有一度老鼠鬧东京，把朝廷都鬧翻了；吆一石粮食里有三升是鼠粮，不敢消灭"。針对上述思想，各地都普遍以召开誓师会、庆功会、报喜会、实物展覽、化装講解、算細帳等各种形式，向羣众进行了广泛深入的宣傳鼓动工作。并組織羣众大辯論，辯論四害要不要消灭，能不能消灭，怎样消灭等問題。进行巡迴展覽，总之，通过辯論、算帳（算积肥衛生增产帳、粮食衣物損耗帳、生病死亡帳、四害繁殖帳）展覽，以及种种宣傳动員活动，解除了思想顧虑，大大啓發和鼓午了广大羣众消灭四害的积極性，因而人人干勁十足，斗志昂揚，掀起了一个全民性的消灭四害的羣众运动。在运动进入高潮期間，全区每天約有60万人参加战斗，占到全区能事总人数的90%以上，真正做到了全民动手，个个参战。

同时在运动發展过程中，根据情况及时提出了不同的战斗任务，使运动一个胜利接着一个胜利繼續前进。如延長县在第一次战役中提出："正月初旬齐动手，連战三夜万只鼠，突击十天十万雀，蒼蝇蚊子活不了"。三月中旬，又适时的开展了挖蛹突击週，提出：男女老少齐动手，厠所糞堆一齐挖，要蚊子無处鑽，立逼蒼蝇把种断"。当延安市实現四無的消息傳出后，該县指揮部立即提出了"学先进，赶延安，一月实現四無县，六万人民齐动手，鼠雀蚊蝇消灭完。"延安县4月12日召开全县庆功大会的消息傳到延長后，县上又提出"学延安、赶延安，連明晝夜去幹战，爭取提前实現四無县"，結果4月16日正式宣布实現四無，名列全区第二。

全区基本实現四無后，为了繼續巩固和扩大战果，不斷的丰富內容。專区及时提出了"十改革"、"三处理"和"十一"实現"八無"的口号，經过分期分批分項宣傳突击的形式，已經基本实現了"八無"，"十改革"、"三处理"也取得了一定成績。

（三）妥善安排，合理組織，做到除四害与兴利緊密結合、齐头并进，为生产服务。运动开展时，正是农田水利基本建設工程取得很大成績，并將告一段落，春耕播种还沒有全面大动，机关和农村整風运动縱深發展的时候。我們根据这个情况，首先肯定了除四害、講衛生运动必須在以生产为中心的前提下具体安排。所以，在突击运动中大部分县实現了四定："定参战人数；定战斗任务；定战斗紀律〔(1)不漏掉一个四害，(2)剿四害的窩要徹底，(3)对四害要狠，"消灭四害要有决心"〕；定战斗紀律〔(1)服从命令听指揮，(2)战斗时隨叫隨到，不迟到早退，(3)人人要有战斗武器〕。并將力量进行分类排队，和根据不同职業的特点，作了統一規划、統一安排。在力量的分工方面，妇女、老汉、老婆包消灭老鼠和室內衛生，青少年和壯年包消灭蚊蝇和麻雀。在人力和时間方面：(1)主要劳力集中进行各項生产建設，在生产間隙和夜間完成包干任务；(2)兒童和半劳力在决战中整天消灭四害；(3)学校課外时間师生全部出动；(4)机关早晚　　　　，白天除留少数人办急要事情外，其他全部出动晚上学習完畢，进行夜战；(5)企業采取三抽一，四抽二等办法；(6)采取"劳武結合"的办法，即上地的社員和干部帶武器。夏季开展运动时我們提出"从生产出發除四害，从积肥入手搞衛生"和"大清扫靠男人，家庭衛生靠女人，消灭蚊蝇靠兒童，残余四害靠能手"的口号，在9月21到25日消灭八害大战中，提出"白天集中搞鋼鉄，夜晚突击灭八害"和"早晚全民齐动手，中下午突击搞生产，上地生产帶工具，田間休息大战斗"的行动口号等。实际进行的結果証明，这种方法旣消灭了八害，又有利于生产，否則將是顧此失彼，互相排擠。

（四）速战速决，全面突击，反复扫蕩，联防作战。

根据四害能飞会跑、繁殖快、适应力强的特点，我們采取全党动員，人人动手，戶戶参战，同四害搶时間，抓住有利时机反复扫蕩，猛烈进攻，做到除四害的速度必須大于四害繁殖的速度。只有这样才能在短期內消灭。三、四月份的突击运动共20多天，实际决战阶段才5—7天，就基本实現了四無。

运动中，以青年为尖兵，妇女为主力，組織了各种突击队、运輸队、偵察組，在不少的突击队中，不仅有青壯年、妇女，連七十多岁的老汉，四、五岁的兒童卷入到运动的行列中来。

运动中，我們除在时間上作了統一布置外，又注意了县与县、区与区、乡与乡的联合作战，四害愈狡猾方法越需灵活多变，老靠已有的技术和老一套的战略战术，是不能适应徹底消灭四害的要求。因此，采取由上而下进行技术指导，和由下而上集中羣众智慧相結合，通过經驗交流会、观摩、材料交換，使除四害的方法繼續增多。

（五）抓檢查、抓評比、抓竞賽、抓先进、抓落后，互相观摩，开展紅旗竞賽，奬励模范，推动运动繼續深入。

运动中县与县、区与区、乡与乡、个人与个人开展了十比竞賽（比規模、比时間、比勁头、比战果、比清潔、比措施、比制度、比規格、比宣傳、比創造發明）。对于涌現出的先进个人和單位，通过"躍进牌"、"光荣榜"、"大字报"、"黑板报"、"广播"及时进行了表揚奬励，衛生不好的適当給予批評，或挿上黑旗，并組織先进和落后兩种战地会議，現場参观。使先进更先进，落后赶先进，到現在止全区共組織各协議县进行了三次观摩。各县組織了督战評比队228个，其中参加县長級干部30人，科部長70人，一般干部410人，农社非脫产干部2200人，共2710人。

并普遍召开了庆功頒奖大会，奖励了运动中涌現出的模范單位和先进人物。

三　存在問題

（一）运动發展不平衡。

（二）有的地方在領导思想方法和工作方法上存在着不同程度的右傾思想，决心不大，安排不当，顧此失彼。

（三）宣傳工作与技术指导不能适应运动發展的需要，如有的地方对于消灭殘余八害的意义宣傳的不深不透。

（四）及时总結推广羣众的行之有效的經驗和方法不够，形成“經驗方法不出門”不能“一处开花遍地結果”。

（五）一些地方不能在巩固胜利的基础上不断前进。

四　巩固胜利，繼續前进

我們目前的問題最主要的就是如何使羣众的革命干勁保持下来；徹底灭絕八害；羣众衛生習慣經常下去；羣众衛生知識水平不断提高，把除八害、講衛生繼續向前推进一步。为此，我們必須本着鼓足干勁，力爭上游，多快好省地建設社会主义总路綫精神，繼續深入的貫徹“預防为主”和“治本与治标同时并举”的方針，貫徹党的羣众路綫，教育羣众，組織羣众和依靠羣众，以不断革命的精神，大踏步的雷厉風行的作好“除八害、講衛生”工作。我們的战斗口号是：“全党全民总动員、大战惡战八十天，十改三十化定实現，八害灭絕过新年”。

（一）具体任务和要求：

由十月十日开始至年底共八十天任务：是

1.　十改革：

（1）改革厠所：厠所較多的地区，在不影响羣众使用，出粪和便于积肥的原則下，重新規划，人口集中的地区建立“公厠”；人口分散的地区一院或几院一厠制，并指定專人負責管理，这样旣能积肥，又能减少蝇蛆孳生場所。

并且要大力推广三無厠所（無蛆、無蝇、無臭味），全部使用瓦缸蓄池。“公厠”机关厠所地面三合土筑建，防漏，防滲；居民厠所地面要擣实無孔、無縫。厠所必須距水井三十公尺以外。

（2）改革厨房：作到五有（碗有橱、筷有袋、缸盆有盖、火有烟洞、厨有抹布）；五淨（墙、地、鍋台、灶具、食具）；三刷（泥刷墙壁、鍋台、勤刷缸底）。

（3）改革水井：作到五有（井有台、有盖、有公用水桶、有欄、有排水溝），条件好的还可搭棚或盖房，五無（周圍三十公尺以內無粪坑、厠所、粪堆、垃圾堆、污水坑）。

（4）改革鷄窩：推广三層楼式鷄窩。

（5）改革棚圈：作到牛馬有棚、猪羊有圈，人畜分居。三勤（勤扫、勤垫、勤除）五淨（槽、水、料、草、牲口身上淨），經常保持無蝇、無臭、無蛛網。

（6）改革环境衛生：作到二填（污水坑窪、粪坑），三扫（街、院、坐場），四不存（垃圾、粪便、动物死体、破磚头瓦塊），五綠化（村旁、路旁、街道、空园、空院），三美化（院落种花、种蔬菜、街巷院落有壁画標語）。

（7）改革住室：作到二堵（鼠洞、雀窩），三整潔（床舖、用具、桌椅），四淨（墙皮、地皮、房頂、桌椅）。

（8）改革粪堆：粪堆距村最少要200公尺，挖成粪槽放置垃圾，人粪、馬粪上边泥封二至四寸，进行無害化处理，做到無蝇、無蛆、無臭味。

（9）改革街道：城鎮街道修成魚背式，兩边築上磚或石头水溝；街道寬的要築成人行道。

（10）改革个人衛生：作到兩要（飯前要洗手，飯后要漱口），五不（不吃生冷东西，不吃零食，不喝生水，不吃腐敗食物，不隨地吐痰和大小便），七勤（剪指甲、理髮、晒被子、洗衣服、洗头、洗脚、洗澡）。

2.　三十化：

（1）衛生組織軍事化：專区为消灭疾病指揮部；县为消灭疾病战斗司令部；乡、社为营；队为連；組为排；小組为班。

（2）衛生宣傳展覽化：县为衛生展覽館；乡（社）都有衛生展品。

（3）战地会議化：在好的衛生典型队、組、家庭及时組織参观，介紹經驗、学習技术。

（4）除八害、講衛生巧干化：县設衛生技术指导研究組，乡、鎮（社）設技术指导員。

（5）神槍手突击队化：县县設立突击队，消灭殘余麻雀和其他有害兽类。

（6）制度化：以乡、社或机关为單位，一定要制定切实可行的制度（如衛生公約、奖懲制度等），并認眞执行。

（7）經常化：人人早起十分鐘，家家戶戶搞衛生，中午少休息，抽空灭蝇蚊，晚間灭鼠灭雀不放鬆。

（8）習慣化：人人衛生新習慣，处处都是新面貌。

（9）疫病定期报告化。

（10）巡迴医防化：县、乡医院均需定期下乡宣傳衛生，預防注射和进行医防。

（11）家庭病床化：县医院均需先行試办，然后普遍推广。

（12）破除迷信化：逐步做到人人不信神、不敬神，停止神汗子、巫婆的活动。

(13) 厕所三無四有化：三無（無蛆、無蝇、無鼠），四有（有蝇拍、有扫帚、有盖、有灭蝇蛆用的野生植物、矿藏或化学药品。）

(14) 粪堆泥封化；或挖坑漚肥化。

(15) 垃圾車化；大型的城鎮、机关、学校、厂矿、部队等必須有活动垃圾車。

(16) 园地粪池加盖化。

(17) 垃圾坑箱化。

(18) 食品紗罩化：居民厨房、公共食堂、食品攤販、食品店均需有防蝇防塵的紗罩或玻璃罩。

(19) 戶戶痰盂化；磁或用磚、瓦圈的均可，并保持經常清潔。

(20) 青壯年刷牙化：男女青壯年都备有牙刷，并作到每天至少刷一次。

(21) 灶具消毒化：机关、部队和国营食堂等單位的食具，每天必須进行一次沸煮消毒。

(22) 圈棚勤起、勤垫化。

(23) 一人一巾一筷一碗化。

(24) 衣服定期洗晒化。

(25) 社社淋浴或澡塘化。

(26) 妇女經期月經帶化。

(27) 人人口罩化。

(28) 污水滲坑化。

(29) 捕蝇籠化：每家需設一个蝇籠，机关、学校、部队、厂矿等單位需有8—10个捕蝇籠。

(30) 衞生监督崗化：乡、鎮、农村、学校負責組織青少年学生监督崗，作好衞生等宣傳、檢查"十改""三十化"执行情况。

3. 积極創造条件，采取有效措施，預防痢疾、流感、麻疹等流行病的發生和控制吐黄水病。并要求各县出現一至兩个基本無病乡（社）。

4. 普及新法接生，要求各城鎮达到100%。农村达到80%。

（二）主要措施：

1. 領导必須亲自掛帅，全党动員，全民动手，大破、大立、大說、大講，組織一切力量大搞宣傳声势，并应及时展开社会主义大辯論，批判右傾保守思想和松勁自滿情緒，开展兩条道路的斗爭，各級党政应反复动員，把十改、三十化的重要性和技术指导宣傳到家喻戶曉，人人皆知，同时应提出生动有力的战斗口号，把羣众革命干勁，不断的推向新的高潮。

2. 分片包干、層層負責、联查互比，拔白旗、揷紅旗、掀起竞賽，根据运动發展情况，組織戶与戶、村与村、社与社、乡与乡的联查互比竞賽，先进的揷紅旗，中間的揷藍旗，落后的揷白旗，还可采取公布成績，出光荣榜、大字报等形式，鼓励先进，激發落后。

3. 紧密結合生产，適当安排劳力：农社、机关、部队、学校，应結合积肥运动，秋收秋播和鋼鉄等任务，將輔助劳动力抽出采取农忙小干，农閑大干，黑夜突击干的办法，展开这一工作，若輔助劳力不能胜任的活路，可抽青壯年劳力短期突击干，使十改、三十化的衞生措施在我区处处实現，遍地开花。

預防医学的意义和展望

Buonomini G., Значение и перспективы профилактической медицины.

根据瑞典最早的統計資料，平均寿命在1816—1840年期間是41岁，1911—1920年期間是57岁，在1936—1940年則是66岁。在荷蘭平均寿命从1840～1851年期間的29.53岁提高到1931～1940年的66岁。美国的平均寿命从1900年的男子48岁和女子51岁上昇到1948年的男子65岁和女子71岁。意大利在1881年平均寿命是33岁，而現在是67岁。同时，它的死亡率也从1880年的千分之三十下降到最近几年的千分之十。在其他的欧洲国家也可看到同样現象。根据欧洲15个国家的死亡率系較估計死亡4,187,000人，但是实际上只死亡了2,430,000人，或者說降低了42%以下。嬰兒的結核病死亡率从34.03%降低到1953年的4%，白喉死亡率从1888年的51.3%降到1952年的7.8%，天花、斑疹伤寒、霍乱几乎近于消灭。意大利在1955年只登記了3例瘧疾患者，而在1945～1946年期間却有400,000例之多，但是血液循环器官疾病（从13.1%上昇到25.1%）、腫瘤（从1.5%到12.6%）和精神病（从12.6%到15.2%）却估住了已被消灭的傳染病的地位。

（王鑑譯自 Медицинский реферативный журнал раздел 4:14 1957年8月。原文載意大利 Ann. Sanità Publ., 1957, 18, 1, 3—12）

圭崗乡实現"六無乡"就是这样搞起来的

黄汉森

圭岡乡是广东省陽春县的社会主义示范乡，又是一个交通不便村庄分散，劳动力不足的山区乡，全乡共有二万多人口，过去工作基础和环境衛生並不大好。今年一月初旬以农業生产为中心，組織全面　　的号角吹响全乡各个角落，全党全民奋战一百多天，使文教衛生，工業建設、交通运輸……等各项工作突飞猛进，从而基本上改变了山区旧的面貌，荣获了广东全省农村除四害講衛生大評比第一名。

一　新的变化新的面貌

圭岡乡有6,286戶，28,011人十个农業社，在短短时間內能够提前消灭蚊、蝇、麻雀、老鼠、蟑螂、臭虫（木虱）实現六無乡。这是一个新的变化，是翻天复地的变化。

过去圭岡的村庄因山多而分散，衛生环境与住宅是十分骯髒，到处都是猪屎牛糞，露天的厕所，粪坑很多，遇下雨时則遍地是屎水，天晴时則臭气扑鼻，直接影响到人們的身心健康和生产建設；现在这种情况，全部改变了，所有大小村庄住宅区做到潔淨，已全部猪有圈、牛有欄，厕所粪坑全部加蓋密封，有效控制蚊、蝇的孳生地，臭水塘填平了，村前村后杂草剷光了，狹窄小路变了大路，低窪变了平地，使人們走入其境，精神舒暢。

不但环境变化了，更主要的是人們的思想起了急剧的变化，过去一家数口共用一条洗臉面巾是很普遍的，现在人人有了自用的面巾；过去羣众没有刷牙習慣，现在連七十岁老人也刷了牙，而且家家都使用公筷，戶戶有痰盂，羣众再也不随地吐痰，每个家庭設有冲凉（洗澡）房，大人小孩每天都洗身一次，人畜分居，村上都有垃圾池，人們已經养成不随便抛棄果皮杂物的習慣，每个农業社，每个生产队，每个村，都有衛生公約，已成为广大羣众自我教育自覺行动的公約，羣众之間互相檢查与監督已成为羣众性的制度。

"除六害、講衛生"給人們創造良好衛生条件，疾病大大減少了，去年的今天，乡中心联診所，每天都有150多个病人，今天每日只有20多个病人，为徹底消灭狂犬病，杀了全部狗，並进行全民服药抗瘧工作，瘧疾也已絕跡。社員普遍对党感恩。

圭岡由不清潔到清潔，由"六害"到無"六害"，不是偶然的，而是經过多次的激烈的　　　　先进与落后的思想斗争，从除六害战斗来看，大致經过了三个阶段，即是①广泛宣傳重点示范，訓練干部建立机構②全面进軍四面圍剿，③打扫战場，巩固陣地。今年一月初旬便开展了第一次的战斗，当时乡委提出一年实现农業綱要40条，其中有一条是"一年內消灭四害"問題。提出后絕大多数羣众都反映說："40条，条条都可以实現，就是消灭四害这一条有困难。"羣众普遍不相信一年时間能够消灭四害。干部也是这样，当时乡干部比較显著的有兩种顧虑：第一認为圭岡是山区，蚊子特別多，四害很难消灭，第二認为生产忙，無时間，怕除四害妨碍生产，因而严重地障碍除四害的运动开展。为了破除这个迷信，徹底反掉右傾保守思想，乡委即作出三大措施：①广泛組織宣傳，全民大辯論，大張旗鼓进行宣傳，集中辯論兩个問題：即要不要除四害？（四害能不能消灭？）为什么岐乐社*能够做？我們不能够做？②搞好重点进行示范，当时决定集中先搞圭岡圩和热水村，③根据本乡的实际情况，提出以"四有""五淨""六变"为中心除四害規划。四有就是人人有面巾牙刷，戶戶用公筷，家家有痰盂，村村有垃圾池。"五淨"就是室內室外淨，厨房傢俱淨，衣服被舖淨，厕所溝渠淨，牛欄猪舍淨。"六变"是低窪变平地，小路变大路，小猪舍变大猪舍，小牛欄变大牛欄，小厕所变大厕所，小粪坑变大粪坑。

圭岡圩和热水村，經过广泛宣傳辯論解决羣众思想的同时奋战了一个白天和五个黑夜，全部改变了面貌，乡委立即組織全体干部和全乡羣众进行多次的参观和学習，树立热水村为全乡衛生旗幟，到处介紹該村的除四害講衛生經驗，到处宣傳除四害的好处，給全乡干部和羣众教育很大，大大加强对除四害的信心，給全乡指出一个鮮明的方向。

在这个基础上再以"四有""六变"为中心，結合除四害移風易俗的运动，当时由干部羣众参观了圭岡圩和热水村之后，一般是容易接受的，但覺得束手的是：家家戶戶使用公筷，人人有面巾牙刷，羣众思想抵触最大，有的社員說："我們全家都是好人，不須要用公筷"，有的老年人說："我从来没有刷牙，也能活到六七十岁"。乡委又及时作出三大措施：（1）通过各种形式，进行眞人眞事的教育，广泛宣傳使用公筷、人人有面巾牙刷的好处。（2）党，团員干部带头使用。（3）深入帮助

* 岐乐社是广东省乐昌县的一个山区的农業合作社是全省第一个衛生先进模范社，五年如一日的堅持衛生制度良好实現四無社。

解决問题，如有部分困难戶，沒有錢購买面巾牙刷的，由社暫借統一購买。

战斗第二阶段时，緊密結合清潔生产积肥，解决部分中耕肥料，但中心圍剿"六害"經过兩天突击，用了五夜时間，大部分小路变了大路，不少村庄比过去清潔了，並有50%社員已用公筷，並扑灭了部分成蚊、蝇和老鼠、麻雀。整个除四害講衛生运动比过去前进了一步，但尙未达到要求。

为什么呢？檢查起来，主要原因：①对徹底消灭孳生地不够明确，很多社偏重于房屋村庄的大扫除，大清潔，但对厠所、臭水塘，溝渠、……等蚊蝇的孳生地缺乏注意，因而除四害战績不大。②有部分乡社干部对除四害有慢慢来的思想，因而行动不够迅速、不够猛烈。为了提前实現"六無"乡，为了在衛生方面进一步貫徹建設社会主义的总路線，乡委决定开展六害总歼灭。結合晚稻积肥，消灭三类禾，已告一段落时，进行全民性的突击，

鼠，組織小孩到外拍蝇，动員全民进行捕捉老鼠。

由于指导思想明确，在党团員积極帶动下，全民性奋战三晝夜战果是輝煌的，塡鼠洞25,000个，共灭鼠38,929只，平均每戶6只，毁灭雀窩2500个，灭雀、灭蚊、灭蝇、灭蟑螂、臭虫很多，並拆除厠所1,155个，新建厠所288間全部加蓋密封，清理溝渠12,000市尺，塡平臭水塘520亩，塡平窪地1,050亩，有效地控制蚊蝇孳生地，共設有垃圾箱1,943只，痰盂3,540个，百分之百社員实現"四有"。

經过圍剿六害，蚊蝇密度大大減少，为了在現有基础上再提高一步，乡委根据省愛衛会頒布关于"四無"的标准，組織三个檢查組，深入到各队进行檢查驗收，再根据存在問題打扫战場，抽出專門力量查漏洞，扫尾巴。目前全乡"六害"已消灭，衛生工作轉入新的阶段，进一步發动羣众訂衛生公約，健全制度，徹底消灭六害，巩固运动成果，轉入正常工作。

二　几点体会

乡委把原来七月一日实現"四無"提前为五月中旬，並加多除二害（臭虫、蟑螂），除四害改为除六害，在現有基础上提出全民突击三夜，实現六無乡的口号作出20条具体措施，(1)徹底消灭蚊蝇孳生地全部消灭蛆蛆，蝇蛹和蚊的幼虫(2)拆掉攔粪坑，取締小粪坑，改变大粪坑。(3)大粪坑全部加蓋密封，做到防蝇灭卵。(4)清理溝渠塡平窪地，臭水塘。(5)剷凈屋外塘边，园边杂草消灭蚊虫棲生地。(6)戶戶塞鼠洞，断鼠粮全面开展毒鼠运动。(7)水稻田做到朝排晚灌，防止稻田产蠓。(8)人人动手毁灭雀窩，捉麻雀。(9)牛欄猪舍进行大清潔，鷄鵝鴨全部圍起来。(10)人畜分居。(11)家家戶戶进行毒蟑螂（用三份米糠一份六六六粉炒香米糠，加些油放在蟑螂出入地方效果良好，一晚即可消灭）。(12)人人动手灭臭虫（用开水或六六六粉）。(13)全部灭狗徹底消灭狂犬病。(14)家家戶戶糙積大扫除，衣服傢俱大清潔。(15)破爛家俱农具杂物要放适当地方，用則用，不用則燒掉。(16)百分之百实行四有。(17)社社有衛生站，队队有保健員。(18)全民服預防葯，徹底消灭瘧疾。(19)家家戶戶設有洗澡房人人每天洗身一次。(20)不准隨地大小便，消灭露天粪便。

为了开展除六害的淮海战役，全面圍剿六害，乡委佈置兩天突击，一天扫尾，經过全党动員，干部帶头参加圍剿六害。在这三天接受过去敎訓，不但搞大扫除，大清潔，而且重点解决孳生地，同时扑灭成蝇成蚊，老

同时除四害不是單純技术工作，而是細致的思想工作（政治是統帅，政治是灵魂），思想敎育做好了，除四害运动就能猛烈开展。宣傳方式主要通过辯論、座談、訴苦、算細賬、演街头剧、写黑板报、画漫画、民校講課、技术講座等。社員賴培天回忆起过去买一件新棉衣穿不久，却被老鼠咬爛了，激起他对老鼠高度憤恨，于是他想出各种方法，进行捉老鼠，一連三个晚上共捉老鼠35只。連岡社生产队長叶荣悦初时还認为粪坑加蓋不能減少蚊蝇，对除六害不大积極，使該队变成落后，后来駐社工作組与他算細賬，並拿圭岡圩前后对比，圭岡圩由于密封粪坑、厠所有效地控制蚊蝇孳生地，很快便消灭了蚊蝇，叶荣悦才相信，便立即帶头把全队粪坑全部加蓋密封，他連續三天在粪坑厠所一直坚持工作。

2.　書記掛帅，全党动員，干部帶头，全民动手，是实現六無乡的基本保証。在除四害的战役里，党委書記是亲自指揮战斗，乡党委会成为除四害的党委会，党支部成为除四害的支部，駐社工作組成为除四害的工作組，乡社干部划片包干分工負責，駐乡的县委書記叶超同志不但深入現場督促指导，並与农民一齐打扫清潔，亲自动手捉老鼠。乡党委同志紛紛到各队与社員一起进行粪坑加蓋，清理溝渠，担泥塡臭水塘，乡長連程

三天帶領全体机关干部，学校学生捉麻雀，圭岡社党支部在深夜三时召开党支部扩大会議开完会才天亮，党員和干部即分片發动組織羣众投入除六害的战斗，有很多共产党員乡委工作組同志在三天內为了組羣众圍剿六害，每天仅睡觉四、五小时，忘我地进行劳动。

3. 結合生产，推动生产。初期还有一部分干部和羣众認为除四害与生产有矛盾，甚至有人說妨碍生产，但事实証明，除四害講衞生不但不会妨碍生产，而且会推动生产，具体表現是：(1)減少疾病，出勤人增加了。(2)环境衞生变化了，小路变大路，能够用牛車运輸，这不仅走快，更重要的是提高劳动效率。(3)大扫除結果，全乡共积垃圾肥二十万担，解决了部分中耕肥料困难。

圭岡社第六队去年五月全队45个劳动力病了40人，社員黃某全家輪流病，但今年全队講衞生，消灭了六害，全队没有一个病人，社員从事实体会除六害的好处。每次社委号召搞衞生，大家很积極去做，該队社員說：除四害眞是好，人畜平安。那柳社第十三队共14戶，过去也是輪流患病的，經常只有50%人出勤，經过实現六無后，人人都出勤，生产走在全社的前头，劳动效率提高了，而且还清理出7,000担肥，羣众說：原来生病不是神鬼而是衞生問題。

4. 訓練骨干，健全机構，重点示范，全面开花。全乡前后共召开四次除四害訓練班共訓練350多人，这350多人成为除四害运动的骨干，保証每队有保健員，社社衞生站，設一个至二个衞生員（脫产）。衞生員和保健員專門負責除六害和保健工作，乡成立爱国衞生运动委員会社成立爱衞領导小組，队成立衞生核心小組，層層有專人負責，使运动保証有始有終，能够巩固下去。

开始除四害的初期，在羣众未有認識之前，必須搞好重点，做出榜样，进行示范，用事实教育羣众，用事实只有这样，才能有条件全面开花。

5. 加强技术指导，做好四大結合。除四害有它的規律，必須向羣众講明四害的生活史，同时除四害的目的是保証人民健康，故必須做到四大結合。(1)除四害与生产相結合。(2)除四害与消灭疾病相結合。(3)除四害与消灭孳生地相結合。(4)除四害的組織工作与宣傳工作相結合。由于这个問題解决較好，使除六害講衞生能做出显著成績。

6. 依靠羣众，用穷办法解决問題。在开始除四害的时候，乡委就注意这个問題，大力提倡用节約办法發揮羣众智慧，大胆創造，在运动中羣众創造竹筒代替噴霧器，用竹制蒼蝇拍，用布代替面巾，用鴨脚（野生植物药名）代替六六六粉。

目前圭岡乡，虽然实現"六無乡"，而由于时間短，还存在不少漏洞，但在該乡党委正确領导和全民的努力下，該乡还在前进着。

关于工業企業工人的医学服务和降低一时性丧失劳动力患病率的措施

Захаров. Ф. Г., О Медицинском обслуживании рабочих предприятий и о мерах по снижению заболеваемости с временной потерей трудоспособности.

苏联全国現有929个医疗衞生处，共計76,570張床位。在企業和新建工程內有6,037个医师保健站和12,494个医士保健站。这些医疗衞生处进行着广泛的預防措施，研究生产过程的特征，有計划地进行衞生改善措施，給予医疗救助以及对工作場所的衞生狀况进行經常性监督。虽然按一时性丧失劳动力患病率資料来看，工人患病率的指标在过去五年之內共下降了0.5%，但是1956年的患病率較之1955年还有所增高。在某些疾病患病率（皮膚化膿症降低了28.7%、風湿症——28%、結核——19%、急性胃腸疾患——18.9%、心臟病——25.1%、妇女疾病——15.4%）下降的同时，流行性感冒、咽峽炎、神經痛、神經炎等症患病率却增高了；非生产性和生产性外伤也明显地增多，妨碍工人患病率降低的重要原因之一，就是一些企業的劳动条件和安全設备还不够令人滿意。国家撥付的安全設备和衞生生活設施的經費根本没有使用，作者建議把没有医疗衞生处的工業企業的工人划定在城市医院治病熟練地鑑定劳动能力在降低患病率和外伤方面有巨大的意义。为了改善对劳动力鑑定的监督，苏联保健部在門診部的編制內規定有鑑定主任的專職人員，这个專職人員必須挑选那些最熟練的專家，能够很好熟悉生产条件並且能够帮助医师使鑑定工作建立在科学的基础上。

（王讓譯自 Медицинский реферативный журнал. раздел, 4：9，1957年4月份。原文載 Сов. здрв.，1957，1，9—13）

昆明市的爱国衛生运动工作

昆明市爱国衛生运动委員会

一 各級爱国衛生运动委員会組織情况与工作簡况

昆明市爱国衛生运动委員会在市委直接領导下，由市人委所屬有关局、各区、市工会、市团委、市妇联以及科联、政协等共34个單位負責人組成，市長为主任委員。突击时，另临时組成突击指揮团。一般由衛生、公安、建設、房管等部門参加，在城区突击时市委各部部長也都参加了。农村开展除四害时，市委农村工作部、农業局等有关單位都来参加。为了工作推动有力，又按工業、商業、政法、文教和机关又分别組成各系統的爱衛会，由市長、付市長亲自挂帅。

各区有区爱衛会，为了加强領导，街道办事处設有指揮部，組成成員包括所在地区內的省市机关、学校等公共戶，如盤龙区南强街道办事处指揮部共有48个單位参加，因而在动員人力、物力便利，且行动一致，也密切了机关和居民之間的关系。市人委并規定一切單位衛生工作須服从塊塊領导，条条負責檢查、督促。

市爱衛会經常工作由办公室具体处理，办公室之組織，为适应运动發展曾多次改变，如在填污水溝塘时，設有污水溝塘組，抓农村时，有农村工作組，在城郊突击麻雀时，又設分片指揮，在翻挖厠所、明溝改暗溝、处理牲畜廄时又設有畜廄調查处理、空房（死角）突击組等。

二 除四害、講衛生、消灭疾病的总規划和1958年計划执行情况

社会主义建設事業一再躍进，我市原訂的三年內消灭四害的規划提出后不久即落后于客观發展和羣众需要，遂改为一年突击，一年扫尾，以后又修改为城区于今年五一实現基本四無，郊区于国庆节前基本四無。

講衛生方面的要求是“三有”（人有厠、畜有圈、糞有坑），“四淨”（街淨、院淨、屋淨、死角淨）。“四不”（不隨地吐痰、不乱倒垃圾污水、不随地大小便、不乱丢紙屑果皮）。

消灭疾病的規划是根据我市危害人民健康的較严重的几种疾病情况提出：

1. 三年內基本消灭瘧疾、伤寒、百日咳和白喉，消灭鈎虫病。

2. 繼續控制已消灭的天花和回归热不發生。

3. 控制痢疾，猩紅热、流行性腦脊髓膜炎的發病率逐年下降，保护三岁以下兒童少感染麻疹和控制流行性感冒不扩大流行。积極对麻風、沙眼开展防治工作。

我市在执行除四害、講衛生、消灭疾病的規划方面已取得了决定性胜利，完成了規定指标。

自本年1月8日运动开展以来，經过四次声势浩大的突击运动，羣众热情很高，工作不断广泛深入。

第一次自1月8日至3月12日以消灭越冬蚊蝇和毒杀鼠、雀为主，同时开展了疏挖下水道、填实污水溝塘、清除粪便“九挖”“兩疏”“一填”等消灭蚊蝇孳生場所。第二次自3月16日至4月底是繼續再向四害进攻，主要是消灭蒼蝇孳生地。全市厠所大翻挖和明溝改暗溝。第三次自6月21日至7月初是城乡配合消灭麻雀。最近一次自7月27日开始至8月是以城市为主，消灭四害殘敌，特别以消灭蚊蝇为主，同时普遍翻修厨房污水口和建立水泥垃圾箱、庫，以根除家蝇孳生条件。

四害被消灭的經过如下：

老鼠：第一次突击中采取了先以綜合措施，全面圍攻，經大量杀灭后，又分阶段，各个击破的战略战术。家鼠用工具毒餌，溝鼠放毒餌于下水道內毒杀，田鼠則采取挖鼠，灌洞等办法。3月16日市爱衛会又制訂了苦战十晝夜突击灭鼠規划，造出大量毒鼠药餌，根据老鼠嗜好，用四种药餌餅干、包谷、馬、牛、豬肉、荸薺毒鼠，每隔兩天，施放一輪，收到良好效果。各区也組織了夜战突击队，財貿系統还連夜翻了倉。因而城区先后不断的出現了無鼠居民委員会，如圓通街居民委員会人口1,056人，报四無时，已灭鼠5,013只，平均每人灭鼠將近5只。經反复佈放捕鼠工具已捕不到鼠。为使杜絕其孳生巢穴，并普遍堵塞鼠洞。

麻雀：突击运动中采取了轟毒相結合，以毒为主，輔以打、捕、掏等办法，城乡联合作战，全面一齐下手的战术。

对蚊蝇：除給各区分配了灭蝇指标，由文字發动羣众捕打，各居民委員会各小学少先队員，都組織了捕蝇队捕打，还用666及666烟熏剂、洋草果叶杀蛆。

蚊子：由衛协会員，組織了數百人的灭蚊大队，使用666，苦葛等杀灭污水溝塘的孑孓，并以666烟熏成蚊。

为了改变环境衛生面貌，消灭四害孳生場所，徹底消灭四害。我們集中了主要力量解决了下面几个問題。

明溝改暗溝：达理巷居民为了搞好衛生羣众自己苦战了几晝夜，改修成了63公尺的暗溝。經召开現場

会推广，随即在全市舖开，利用了城磚，不用的石饭旧料等物質。如武成路办事处苦战二晝夜，就把大小全長844公尺的30条明溝，蓋成暗溝。七月底已將明溝改为暗溝的仅較大的达406条，与此同时黄河巷、楚姚鎭巷等不少的街巷新修了路面，进行了綠化、美化、彩化，改垃圾堆为花园，改善了过去不衛生、坷坎泥濘現象，便于清扫，給衛生創造了条件。

2. 填平污水溝塘　我市共有污水溝塘十六片共17万3409平方公尺。其中南站33560平方公尺是1898—1910年(距今48年前)法帝国主义修滇越鉄路时造成的。这些溝塘多年来从未进行过徹底的疏挖清理，垃圾污物动物屍体常傾倒入內，散發惡臭，成为孳生蚊蝇的大本营。今年1月19日起开始疏濬。在市長亲自領导下，全市机关、工厂、学校、居民、部队参加义务劳动，每周星期日都有較大的突击活动。2月1日大突击，出动省市級机关大中学校二万余人，疏挖了城区內全部陰井和下水道，長度达42公里余，清除污泥4202吨，春节期間省市首長又亲自帶头，出动38,691人，春节后主要由城区發动五万居民及生产工人来負責完成。

3. 翻挖厕所：4月5日，全市衛生积極分子四千余人參观了交通队厕所翻挖后有大量蛆蛹的現場后，迅速在全市掀起了翻挖厕所的热潮。大观公园厨房污水口發現有大量蛆蛹，开了現場会后，掀起了污水口水泥化，厨房地面三合土化的热潮，完成后就消除了孳生家蝇的另一主要場所，將从根本上徹底消灭殘余蒼蝇。

4. 創造衛生条件：

(1)为了給开展"四不"运动和养成个人衛生習慣創造条件，在市区大街小巷室內室外普遍設置了痰盂和垃圾紙屑果皮箱簍，市爱衛会还統一定制了紙屑果皮痰盂兩用箱，由各舖戶單位購买，設置在主要街道的人行道上，并負責清潔管理。

(2)在运动中，大力督促易招引蒼蝇的行業迁出城区，以进一步消灭蒼蝇孳生場所計先后迁出了牛奶厂4个，腸衣厂1个，屠羊厂1个，加工厂1个，其余屠猪厂、骨粉厂正在基建中，俟落成后，即可迁移。畜厩大部已外迁，少数的，待宰杀完后即不再养。

(3)为了解决郊区农民入城馱糞，影响市街衛生問題，民政局成立了肥料公司，并附設沼气厂。

消灭疾病情况　解放前，反动政府極端漠視人民健康，衛生狀況十分惡劣，死猫死狗到处乱丢，小街小巷垃圾成堆，人民生活貧困無暇顧及衛生，因而多种傳染病多次流行，1921年至1922年猩紅热大流行就死了二万多人，估計有50%的人口發病。曾有全家死亡的事例。天花年年都有發生，病死率高达18.2%，回归热每年發病都在千例以上，霍乱曾数次流行，每次病例均以千計，鼠疫1947年也曾侵入本市。白喉在1921年和1937年曾兩次流行，其他如斑疹伤寒、痢疾等傳染病發病率也都很高。

解放后，由于党关怀人民健康，重視衛生防疫工作，天花、回归热已先后消灭，其他傳染病亦逐年下降。今年通过除四害、講衛生，并积極采取各种防疾病措施以后，常見的几种傳染病更显出直綫型的下降：

	1957年1—6月(万分率)	1958年1—6月	1958年1—6月与1957年同时期比下降%
伤寒付伤寒	0.9	0.18	80.0
痢疾	34.3	11.75	66.0
瘧疾	3,2	0.61	81.0
白喉	0.07	0.02	72.0
麻疹	92.5	3.18	97.0
百日咳	14.7	8.6	41.0

三　开展衛生运动的經驗

1. 政治掛帅，头头負責，統一安排充分發动了羣众：运动中注意进行了思想工作，充分向羣众交代清楚除四害的重要意义，特别是根据不同时期的运动特点作了不同的宣傳，因而羣众認識一致，目标明确，領导意圖和广大羣众相結合，在羣众認識提高的基础上，使翻挖厕所、明溝改暗溝形成了广大羣众的自覚行动，因而羣众發揮了冲天的干勁，創造了奇蹟，出現了無数动人的事例。

头头負責，是开展运动的重要关鍵，今年除四害突击运动，省市領导，部队首長，区委書記、区長、乡支書、乡長、街道办事处主任及居民主委，从上到下，都是領导掛帅亲征，因而与其他工作得于統一安排，貫徹措施迅速，問題解决及时。

2. 抓住战机速战速决，治标治本双管齐下：看准了的事就要堅决的干，抓住战机，当我們看准了歼灭蒼蝇必須挖厕所的时候，就上下一致，强調"不破不立"立即翻挖。

这次我們看准了消灭殘存蒼蝇，必須根本解决厨房，倒污水口、垃圾堆、畜廐、地面縫隙这几項孳生环境我們就强調要把厨房內修成三合土地，污水口要翻挖重修，要修小垃圾庫，畜廐要迁出，全部翻挖，收到很大效果。

这就要求要善于發現典型，通过典型教育大家，然后緊緊抓住不放，要看的准，抓的狠，决心大，就能达到速战速决的目的。

在治本的同时，我們也注意了治标，采取熏打的办法消灭成蚊成蝇，治标治本双管齐下，因而基本消灭了蚊蝇。

3. 充分运用了举办展覽、开展評比、組織參观、开現場会、树立旗帜，搞試驗田、抓兩头的領导方法。

4. 在組織領导上,采取了条条塊塊相結合,上下結合左右相結合的方法。

爱衛会不但有塊塊的組織,机关、商業、工厂、文教、衛生等各条条也有,条条塊塊負責密切結合,每項措施塊塊条条同时动員,也加强了塊塊力量,有利于运动的开展。檢查时条秀塊塊行动一致,对某些單位不听居民招呼的現象得到扭轉。

此外爱衛会也密切与有关部分連系,作到左右結合,公安机关配合羣众与死角作斗爭,对抗拒运动屡教不改的分子,进行了处罰,协助作好了街道衛生的管理。建設局、房管处組織帮助羣众进行了公房建設,整修了路面,明溝改暗溝,民政局結合救济,組織了救济院200多人成立了肥料公司解决了粪便出城問題,既支援了农業生产又改进了城市衛生。

5. 事先有計划,使每項措施与長远規划相結合是做好工作的重要条件。

我們在进行改变衛生环境时都注意了与長远規划相結合,在疏挖污水溝塘就結合長远規划修建成了"五一"公园,美化了环境,在消除垃圾堆时要求在原有的垃圾堆的地方种上花,改变成花园,既美化了环境,也不会在这些地方再倒垃圾。

我們进行明溝改暗溝,也結合長远規划与整修路面相結合。

6. 广泛运用各种宣傳工具进行了宣傳。

鮑姑——晉代灸法專科女医师

宋大仁

鮑姑,是晉代优秀的灸法專家,为广东南海太守鮑靚(太玄)之女,葛洪(稚川)之妻,約生于晉太康9年,卒于建元元年,即公元288至343年間人(註)

鮑姑事蹟,湮沒迄今,已一千六百余年,这是因为封建社会时代的历史記載,偏重于帝王將相,医生業績貶为九流,不受重視,不过鮑姑及其父親和夫葛洪,都是道家,所以要考查鮑姑史跡,尙可在道藏書中得到一些資料。虽然这些資料中,每多神怪之談,亦有眞人眞事,錯杂其間,我們应当批判地来接受,那末就可去蕪存菁了。

鮑姑精医术,擅長灸法,治贅疣,效如桴鼓。据西华仙籙謂:"卒花溪相傳是洪崖先生煉丹地,曾經有一老嫗在其中采卒,不知其从何处而来,有人去問她,說:我是鮑姑,忽然不見了"。

太平广記及历世眞仙体道通鑑均謂:姑与稚川相次登仙后,有崔煒者居南海,在中元节日这天,番禺人举行庙会,陈設珍奇異物,聚集百戏于开元寺广場,遊人众多。适崔煒也趁庙会,忽見一老嫗过此地,偶一不愼,滑了一跤,打破人家的酒甕,酒店要她賠偿,因为身边無錢,被掌櫃毆打侮辱。崔煒見到这种情况,可憐她的遭遇,脫下衣服,作为賠偿了事,老嫗不謝而去,隔日又于途中遇到,对煒說:多謝你解脫我的災难,我善灸贅疣,今有"越井岡艾"少許奉贈,並授以使用方法,若遇贅疣,只一炷便可治愈,煒笑而拜受。后来崔煒遊海光寺,遇到一个老僧,耳部有一贅肉,煒出艾試灸之,正如老嫗所說的話一样,老僧很感激他,並說山下有一位任翁,家財巨万,也有这样的病,如能治好他,当有厚报,老僧立刻写信介紹,任翁見到崔煒,执禮甚恭,煒出艾一灸而愈。由是名声日大,求治者甚众。煒不敢忘,朝夕在念,一日复遇一人告訴他說:这位老嫗乃葛洪之妻鮑姑,行此灸术于南海,已有很多年岁了。

据上文記述,虽未免有些誇大,但也可見鮑姑的灸法医术了。

她当时行医的所在地,就是現今的广州市越秀山下,后人为紀念她,就將她曾經住过的古屋和所用的井泉一口,保存起来,名为鮑姑井,並且为他建筑一所道观,当时名叫越岡院,至明万历重修,更名三元宮,宮內設鮑姑殿,塑像供奉,历年求医香火不絕,可見她在民間留下深刻印像。其史跡記載見广东通志及三元宮碑記。

鮑姑为祖国很早的女医师,也是一千六百多年前的一位灸法專科医师,虽然她的技术没有記录下来,但她在医学史上是有一定地位的。

註:鮑姑的生卒文献未詳,他是葛洪之妻,按葛洪之生卒,晉書本傳謂洪81岁,太平寰宇記謂洪61岁,經过考証,証明本傳的說法是錯的,断定洪生于晉太康3年至晉康帝建元元年,年61岁。广州府志載鮑姑与葛洪相次仙去,假定卒年与洪相同,又查葛洪在24岁那年到广州从鮑靚学道和鍊丹术,鮑靚以女鮑姑妻之,一般的女子結婚年齡,比男子为小,因此作出如下的推断:鮑姑生卒約在晉太康9年至建元元年間,約55岁,即約生于公元288—343年間。

牡丹江市爱国衛生运动宣傳教育工作的几个做法

牡丹江市衛生局　解英林

政治思想工作是爱国衛生运动的灵魂。没有它或做得無力，爱国衛生运动就没有生气，就缺乏力量，就不能推动运动不断躍进並向深广方面發展，就不能吸引更多的人羣、开展一个声势浩大、規模壯闊的羣众性的爱国衛生运动。

一年来爱国衛生运动在大躍进的实践中、使我們深深地体会到，做好全民性的政治思想工作，加强思想領导，大搞宣傳教育，說服动員，破除各种形形色色的思想障礙，是开展爱国衛生运动的重要課題和思想基础。没有它或削弱了它、企圖推进爱国衛生运动，即是不堪設想的。所以宣傳动員、說服教育工作是絕不可忽視的一項帶有重大意义的措施。

我市今年宣傳工作的特点是：政治掛帅、全党动手；普遍深入、反复进行；方式好、方法多；結合形势、及时有力。現就几个主要做法介紹如下：

1. 普遍性的动員：采用全面动員和系統动員相結合，傳达貫徹上級指示和具体佈置任务相結合的方法，从上到下，从市到区，由区到街層層动員的方法来教育羣众、动員羣众、指导运动。其形式如：动員大会、广播大会、誓師大会、人民代表大会、首長向市民做广播报告，大中小型会議总計有6,458次。此外，党政首長結合党內外的各种会議也进行教育，使大家經常重視这項工作。

2. 大搞声势，开展社会衛生宣傳：由文化部門、衛生部門、学校、羣众組織各种宣傳队进行广泛宣傳达568次，印發各种宣傳材料87种，214万份，受教育人数約有320万人次以上，平均每人受到13次以上的教育。此外，利用街头广播、講話、利用社会宣傳網、干部到居民中去宣傳等方法进行教育，从而形成了一支强大的宣傳力量。

由于宣傳搞的深、广、透，因而党的号召在羣众中有了深远的影响，成了广大羣众的实际行动，他們編成了詩歌来讚頌爱国衛生运动：

毛主席的領导偉大英明，
号召全民除四害講衛生，
身体健康搞鋼鐵有保証，
超过英美保衛世界和平。

許多詩歌也充分地反映了人民羣众的思想認識有了很大的提高，从下面的詩歌中就可看出，广大羣众已經認識到除四害講衛生和工們的生活、劳动生产是息息相关的，爱国衛生运动給我們开辟了新的生活局面：

家家戶戶真干淨，
男女老少喜盈盈，
健健康康搞生产，
快快乐乐庆丰登。

3. 召开現場会議：据不完全的統計，到目前已經召开城乡各行各業大、中、小型的現場会达142次之多，解决了許多現实問題。例如衛生运动和工农業生产相結合等等若干問題，基本上都是通过这种形式解决了。

4. 組織观摩和参观：城市区、街、委之間、农村公社、作業区、生产队之間，工厂之間、行業之間，学校之間互相观摩、参观的風气盛行，大大地促进了各部門衛生工作的开展。

5. 組織專題辯論：在全民大辯論中，衛生工作也是論題之一。很多部門职工羣众通过辯論解决了思想問題，促进了运动的开展。如华林人民公社五利作業区在羣众辯論会上通过算細帳的方法，解决了建設和生产相对立的思想矛盾。

6. 貼大字报：很多羣众常常以大字报来評价衛生工作的好坏，优劣。效果显著，立桿見影。有这样兩張大字报：

（一）李××家太糟糕，衛生講的太不好。
屋里到处是灰塵，屋外經常不打扫。
因此送張黑字报，应該赶快来改掉。

（二）关家村衛生搞的好，
家家戶戶勤打扫。
屋里屋外都干淨，
男女老少一齐搞。
生产衛生結合干，
檢查团来表揚——我屯衛生好。

像这样的大字报有力地批評和督促了落后者，同时也适当地表揚和鼓舞了先进者。

7. 成立促进队：在我市历次衛生运动高潮中都組織了許多促进队，平均每一个街都有一个促进队（城

（下轉第288頁）

我在登封县参观后的感述

河南医学院衛生学与保健組織学教研組 周肇岐

我今年奉派赴登封参观，看到了农村蓬蓬勃勃的新气象，眞使人感觉到"社会主义好，祖国日益新"。

我到了登封的景店鎮参观学習他們乡的以除四害为中心的爱国衛生运动大躍进的先进經驗他們"除四害"开始是經过訴苦会搞起来的。他們訴苦的民歌是："沙土七寸厚，底下大石头，旱天焦了土，雨后漲水流，好年种塊谷，麻雀与人爭着收，剩下收到家，老鼠日夜偷，遭災就逃荒，十家九戶在外头"。此后，他們又經过了再接再励的过程才巩固下来成了經常化的。

由于講衛生增加了生产，改善了羣众生活，減少了很多的疾病，现在人强馬壯，又扫除了文盲，移風易俗，改变了它們山区的面貌。

現在登封县，　　　　　　　　　　以排山倒海之势，乘風破浪的英雄气概，奋勇前进。他們的行动口号，在农田水利上是："苦战三年，从根本上改变登封穷山惡水。一年实現水利化，三年兴修水利發电站36个，逐步走向电气化""要使远山深山森林山，近山淺山花果山，山谷水庫魚乱穿"。"山上搖錢树，溝內聚宝盆，川地粮食囤"。"山上綠油油，河里清水流，走路不小心，果子碰破头"。这样快乐幸福的景象，要在三年內实現。他們認为"有水幸福長，無水鬧災荒，現在流点汗，將来谷滿倉"。他們这种革命干勁，眞使我們感到無比兴奋。

他們在除四害方面，在中嶽庙除四害展覽有許多除四害的民歌就可代表："全县总动員，四害消灭完，武裝准备好，四害無处跑，彈药准备足，麻雀無处去。我县30万劳动人民，以革命精神，武松打虎勁头，排山倒海之势，搞12害，挖苗斷根"。羣众創造展覽的灭四害工具很多。这都是羣众用自已的双手和智慧，劳动創造出来的

我們在景店鎮186戶的大街小巷及住宅去参观訪問时，不但他們大街小巷修的非常整潔，即随便走进一个住戶家中，庭院、住室和个人衛生情况，眞是够得上一家比一家整齐清潔。家家門口，有一塊泥做的小黑板，上边写着衛生和生产或搞水利的标語。每家院內，有个"景店式"气死蝇子的厕所。"碗有橱，筷有袋，水缸、案板、盆、罐都加上了盖"各种炊具均擦的清潔明亮，一塵不染。鍋灶上最小的炊具如菜刀，杆杖等，都是十分清潔，而且放的井井有条。有的人家，巳实施煮沸碗筷消毒。家家的住室，不但四壁無塵，而且土炕上的被褥，都放的非常整齐清潔。棹、椅、箱、櫃，也都擦的干干淨淨。有的还开始注意到室內通風采光問題。眞是四害全無，做到了他們所歌唱的："白天听不見麻雀叫，夜晚沒有老鼠鬧，休息沒有蝇子扰，睡觉沒有蚊子咬，人人精神換發，个个生产情緒高"。

在个人衛生方面，無論在景店或大冶鎮，羣众都已养成了良好的衛生習慣。定期洗澡理髮，青壯年男女，都已作到嗽口刷牙。家家戶戶都有痰盂，养成了不随地吐痰的習慣。經常換洗衣服，晒晾被褥和洗脚剪指甲。家家有热水瓶(大冶)。3—4岁的小孩，都知道不喝生水，不吃生冷东西，还能做到互相監督。我們亲眼看到景店鎮西溝村，有一个四五岁的小孩，吃了甘蔗的皮渣丢在地下，另一小孩立即拾起塞到那个小孩的衣服口袋里，並批評他不講衛生，那个小孩紅着面皮不敢張声，自已知道理屈。諸如此类的例子很多，不胜枚举。

不但人是如此講衛生，而且对他們的牲畜也講衛生。牲畜圈不但作到三勤(勤扫、勤垫、勤出粪)。五淨(槽淨、草淨、水淨、牲畜圈淨、牲口身上淨)。而且作到牲口刷牙制度。(据說牲口刷牙有三种好处、即牲口肯吃，肯上膘，不口臭而且不易得胃腸病)。家家鷄窩也均改建为三層楼。(底層出粪，中層晚間鷄臥，上層專为鷄下蛋而設)所以羣众說："旧社会的人也享不到幸福，到了新社会，不但人享幸福，連牲畜也享到了社会主义幸福"。

在乡村的保健組織机構方面，每乡衛生所有六人左右，每社衛生所有2—3人，其余如接生員，衛生員，均是不脫产的。

过去景店乡有三大特点，即穷、髒、多病。1930年，該乡霍乱流行，死絕了27家，情形極为悽慘。医生少，也沒有保健机構，羣众有"求医如拜相"之說。仅有的医生，也毫無为人民服务的观点。流行病極多，羣众只有迷信鬼神，因而死人很多。

1946年，痢疾流行，全乡患痢疾的189人，求医很难，死了13人。瘧疾612人，麻疹164人，合併肺炎死亡的26人，腮腺炎87人，胃腸病173人，其他慢性病158人，合計1383人。由于缺医少药，羣众唯一办法，只有求神拜佛，听天由命。

解放后随着衛生运动开展，傳染病逐漸減少。以景店乡为例来說：

1951年共602戶，2,834口人中，患痢疾者就有326人，景店鎮186戶中，就有113人患痢疾。

1952年全乡患痢疾者142人，胃腸炎80人，其他

傳染病如麻疹，百日咳，腮腺炎等共42人。

1953年患瘧疾者112人，胃腸病63人，其他傳染病5人。

1954年因反冒进，衛生工作停頓了，全乡就流行一次麻疹，患者75人，死亡5人。

1955年患瘧疾者61人，痢疾43人，其他21人。

1956年患瘧疾者仅11人，痢疾3人。

1957年患瘧疾者仅2人，痢疾已經消灭。

我們由上列簡單絕对数字中，就可知該乡各种疾病發病率，历年下降情况，是因搞好了除四害講衛生运动所收的效果。

他們全乡仅有13个医生，其中有8个半农半医，5个在衛生所工作。但是他們13个人，能紧密团結起来，在党的領导下，搞好保健工作。他們的行动口号是："有疫必报，有报必查，有查必治，有治必防"。重視和貫徹了預防为主的方針，以及防疫網的建立，作好了巡迴医疗工作，才收到了这种显著的效果。所以羣众說："毛主席眞正好，医生揹上葯包遍地跑""过去求医如拜相，現在有病不出村，医生將葯送上門"。从这几句民歌中，可以看出他們的医生們服务的态度与羣众的深厚感情。

此外，他們也用"七統一"的办法来扫盲。結果他們不到一年，將文盲完全扫除了。

登封县十里舖的衛生，也是搞的很好。他們对家庭衛生，环境衛生，也进行了七改良（牲口圈、厕所、厨房、鷄窩、水井、碗橱、被袋）。街道也是每天扫兩次。参观，評比，选模，事事有人管，層層都負責，搞成了衛生乡。

大冶乡的妇幼衛生，厕所，和飼养衛生，也搞的特别突出。妇女月經衛生如月經掛牌和推行月經帶，与月經卡片登記，都作的非常好。不但行成了制度，也养成了習慣。已实行了产前檢查与产后訪視制度。新法接生，早已达到100%，季节託兒所，队队都有，並培养訓練了保育員，形成了妇幼保健網。

厕所有1955年式，1956年式，1957年式，1958年式，一年比一年合乎規格与衛生要求，極其清潔美观。

在飼养衛生上，三勤五净作的非常好。牲口圈均在村外数里远的田地边上，旣衛生又便于出糞到地里。

郭店乡的衛生，也正在急起直追。連少林寺和尙也說，他們要在今春赶上或超过景店。

总之"除四害講衛生，多积肥，多打粮"的行动口号，是他們30万人的奋斗目标，他們已作到"白天听不見麻雀叫，夜晚听不見老鼠鬧，消灭蚊蝇和跳蚤，傳染疾病永不要"。"家家爱清潔，人人講衛生，身体健搞生产，結結实实來劳动"。普遍呈現出欢乐快愉，美好的山区社会主义景象。

布拉格五年来傳染性肝炎的預防工作

Ана-шз Противоэпиренлческой Работы Против Инфекционного Гепатита. Проводимой в Праге на Протяженни 5 Лет.

五年来，在布拉格居民中有2.4%居民患过有临床症狀的傳染性肝炎，1955年每十万居民中之死亡率为1.1人，佔傳染病死亡者之42%。近年来其他傳染病病死率都有下降而傳染性肝炎却沒有下降。

調査了11279名患者有60%未能确定傳染源，40%为家庭、兒童机構或其他地方的接触。

病人由發病到入院平均日数在1955年为3.9日，而1951年为9.3日。無黃疸型病人在1955年佔入院成人中之27.7%，兒童中之1.4%。

病人中15岁以下之兒童佔大多数。三年来用丙种球蛋白免疫了23657人，他們中間的患病率由1953年的0.76%降低到1955年的0.26%，这是因为縮短了与病人接触后至預防接种間之間隔，1953年为接触后之6—7日，而1955年为3—7日。

必須密切注意接种者以免流产型或不显型患者成为新的傳染源。为了減少病后之併發症，应对恢复期患者进行系統的防治观察不少于一年。

（金丕煥摘自苏联科学院科学快报保健与医学部份1958年3月11期）

四平市中医帶徒弟初步体会

四平市人民委員会衛生科

中医帶徒弟工作是貫徹党的中医政策，挖掘和繼承祖国几千年来具有丰富內容和临床經驗的祖国医学遺产，培养中医新生力量，壯大衛生队伍，适应人民衛生事業發展需要的一項具体措施。

中医帶徒弟在現阶段是行之有效的培养中医的办法，完全依靠中医学院培养在当前来說还是困难的，所以在中医帶徒弟固有傳統習慣的基础上，在党的领导下，結合当地具体情况，因地制宜，保証徒弟質量，作好中医帶徒弟工作是十分必要的工作。

四平市的中医帶徒弟工作，根据省市的指示以四平市中西医联合医院工作的客观条件，及該院中医力量較雄厚，組織机構較健全的具体情况，委託該院从1956年下半年起，采取"集体授課分头学習(輔导)"、"系統学習，全面領会"、"多师多徒，一师一徒相結合"的办法，培养了三十名中医徒弟。並經过半年多事实証明这是一种較好的作法。

师徒条件是中医帶徒弟能否保証質量的关鍵所在，具有什么条件可成为中医师傅和中医徒弟，徒弟的来源等，都是值得愼重考虑的重大問題。

(一)关于师傅条件：确定为具有中医基本理論知識，和临床經驗，或者对某一專科以及某种疾病，有独特的經驗与專長的現职中医师。对参加省中医进修学校畢業的現职中医师可作为当然师傅。

从目前中医队伍来看無論从中医理論上，或临床經驗上，均是參差不齐的。有的执行中医業务多年，虽有一定的临床經驗，但缺欠中医理論知識，少数的虽在职务上是中医，但理論临床基础則很差，所以妥善的确定师傅条件，認眞的加以选擇是必要的。

(二)中医徒弟条件定为五点：

1. 本身自願，家長同意終身热爱中医工作者；
2. 年龄在16岁以上、35岁以下，男女兼收；
3. 具有初中畢業以上或同等学历者；
4. 身体健康，入学后無家庭生活迁連，並能堅持長期学習者；
5. 历史清楚，政治思想进步者。

徒弟来源主要有兩个方面：一是現职衛生工作者(离职学習)，另一个是初中，高中畢業生(其中着重子(女)承父業部分)。

中医徒弟的来源是值得注意的。在职的衛生人員(中初級衛生人員)如果符合徒弟条件又要求学習，应將其作为徒弟的重点(尤其中药人員)。因为他們有一定的衛生科学知識基础，从事过衛生工作理解到衛生事業的偉大意义。从而必然会終生献身于中医事業。初高中畢業生，从今后培养前途来看都是很重要的来源。

徒弟本身自願、家長同意，終身热爱中医工作的条件，在当前来說，尤其对中学畢業生，更有其强調的意义。避免初高中畢業的知識青年有临时观点發生。否則会产生徒弟逐年找工作，逐漸減少的現象，对其个人对事業都是不利的。要求徒弟最低具有初中文化程度的条件也是可以理解的，这主要是从保証質量出發，考虑到中医著作，大部是古文，沒有一定的文化尤其語文水平，很难接受。不然培养出来的徒弟質量將不会适应今后事業的要求。既对事業不利，而又影响其个人發展前途。对子(女)承父業並符合条件的徒弟应予以优先录取的作法亦是合理的，因为父(母)是中医，其子(女)学徒，在培养上他会用心，祖輩相傳，事業上必能堅定，質量較好。

帶徒弟方法，应該因地制宜。但不論采取什么方法，总的目的只有一个，这就是保証質量，达到"帶一个成一个"。

四平市中医帶徒弟学制五年。总的在教学上采取"集中授課分头学習"(輔导)在师徒关系上采取"多师多徒一师一徒相結合"的方法。所謂"集中授課分头学習(輔导)"头三年將全部徒弟集中起来，按教学进度(詳后)由师資輪流講授課程，課后的教学輔导，除由当課师資集体輔导外，由徒弟第一师傅分別負責进行輔导。在二年的生产实習，亦是由师傅分別的按計划輪流傳授实習。所謂"多师多徒一师一徒相結合"，就是所有的徒弟都是每位师傅的徒弟，而每位师傅又都是所有徒弟的师傅，但在所有师徒中，又都有一个第一师傅或徒弟。

这是因为客观上中医师是医院的成員，从事集体的医疗業务工作，另方面徒弟又是政府委託帶的。同时中医水平上各有所長各有所短，徒弟要把所有中医师傅的長处都学来、以及为避免师傅都爭好徒弟，或偏爱一个徒弟的現象，通过多师多徒制較好。但这样又可能产生互不負責的缺点，所以又在多师多徒的基础上决定每个师傅都有第一徒弟，每个徒弟又都有一个主要师傅，这样师徒关系就比較全面了。作为一个徒弟有他的主要負責教导的师傅外，还有許多位师傅，共同負責，培养他們。从而克服了一师一徒所造成徒弟不能全面發展的缺点。

另外，学制五年是根据作为一个新型中医师应学課程，和將来出一个保一个的而暂定的，头三年进行医学理論教育，后二年临床实習。基本上采取学校（訓練班）的教育过程。因为有了一定的理論基础，再来指导实践，無論从發展上，从效果上都是有好处的。至于集中授課，分头实習，（輔导）的优点又在于：第一，能作到系統学習，平衡發展，克服了不系統不全面的缺点。第二，能充分利用少数的医学理論基础較高，临床經驗較丰富的中医师作傳授，达到教学一致，質量高，从而克服了师傅各有各的教学方法，講解內容各有一套，解答問題其說不一，造成質量低的情况。第三，徒弟授課集中起来一天仅佔用一位师傅，其余的仍可照常进行医疗業务，对事業对患者都有利，否則就会佔去很多中医师的精力，用在帶徒弟上而影响了医疗業务。

在輔导上除在講完每課（节）之后，由講課师傅当堂集体学習外，其第一师傅还可在業余时間来帮助其学習課程或补充对这一課的独特領会。所以"集中、分头"的教学輔导方法是可以考虑的方法。

后二年的生产实習，按实習計划，由第一师傅起分別輪换的到所有师傅处領教其临床各科業务知識，这就可能把所有中医师傅的特長都学到。

全面發展的目的，克服了一师一徒或多徒制所造成的师傅会什么徒弟学什么，不会或不高就学不着的不能全面發展的缺点。

教学內容是否全面，进度是否妥当，这是能否保証質量的基础。今后的新型中医师，不仅是懂得祖国医学，而且也須了解近代医学基础知識。同时在政治上，要树立起忠实于人民衛生事業的思想作風，成为勤勤懇懇为人民服务的中医师。

根据系統学習全面領会的精神，不确定中医課程有：四百味湯头歌，脉訣，医学三字經，杂証（金鑑），兒科（金鑑），本草，四診（金鑑），外科（金鑑），針灸，中医史，內經知要，难經，伤寒論，金匱，神农本草經等18門課。

西医基础課程有：中級教材，生理学解剖学，物理診断学，病理学，药物学、微生物学、傳染病学等7門課程（每門課的必学重点部分）。总的学習26門課程，授課2736小时，其中政治理論136小时，西医課程548小时，中医課程2052小时，上午授課，下午复習討論，課外活动等。

在教学方面采取由淺入深，先基础后临床。掌握各門程課环节，来引导徒弟便于理解，达到接受的目的，並利用可能条件，进行直观教学等方法进行。

徒弟在学習期間没有任何待遇，学習費用由个人負担。个别有困难者，根据医院的經济情况單位自願的原則酌情处理。

关于徒弟的出路問題，原則上各地帶徒弟由各地来安排，所以在确定帶徒弟名額时，就应根据各地事業規划，統一安排。学習期滿，合格者發給結業証書。經过鑑定和国家考試合格者方准其行医，至于是安排到医疗單位还是个人开業，則根据具体情况来考虑。

在中医帶徒弟工作上，我們还有以下的体会：

中医帶徒弟不能丟掉固有習慣。中医帶徒弟在我国是有几千年历史，具有一定丰富經驗，应很好的利用固有經驗。

采取"集体授課分头輔导"，"多师多徒一师一徒"制的方法，是根据四平市的具体情况因地制宜确定的。

这不但解除了师徒的一定負担，医院工作不受影响。而更重要的是能够集中师傅的精华加以傳授，使徒弟学習水平一致，全面發展，保証質量，因而这既不是一个学校又不是一个訓練班。

必須加强对帶徒弟的政治思想、組織業务各方面的領导工作。

（李文玉　陈德延整理）

（上接第284頁）

市內），就是檢落后、促落后，效果良好。如爱民区5委45組，大多数是机关住宅，附近垃圾長久以来未清除过，經促进队敲鑼打鼓貼了大字报以后，該組居民用兩天早晨的时間將全部垃圾运出了，根本地改变了环境衛生。

8. 組織宣測队进行衛生知識測驗和宣傳教育工作：全市主要街道都設立了宣測站或流动宣測队，对促进和刺激广大羣众积極学習衛生常識起到了指导作用和推动作用。

9. 組織报捷队：根据市的八無三淨驗收标准进行檢查鑑定，合格者驗收，並立即动員其向市委、市人委报捷。这样，一則使其継續保持荣誉、二則也为其他單位树立了标兵和旗帜。

10. 开展紅旗竞賽运动：区与区之間，公社与公社之間，單位与單位之間（包括工厂企業），街道与街道之間开展了竞賽。定期評比，給优胜者送紅旗，大大地刺激和推动了运动的發展，眞是有力地保証了运动积極的發展。

上述各种方式方法，大大地解放了羣众的思想，扫除了与运动發展不相吻合的各种怪論和錯誤認識。認为短期內不可能实現四無衛生城的"怀疑論"者和行动迟緩的"緩慢派"；認为設备不好，人数少，衛生基础差，条件不够的"基础論"者和"条件論"者；認为任务繁重，沒有时間，人力不够用，生产还搞不过来那有时間搞衛生的"絕对观念"和"劳力紧張論"者都遭到了客观事实的有力回击，再也不吵賦了。从而使爱国衛生运动得到了全面的，深入的發展，实現了"基本四無衛生城"。

我对衛生調查統計工作中存在的教条主义和脫离政治脫离实际傾向的認識

北京市衛生局 楊树常

随着衛生事業的發展，我們衛生部門进行了許多調查統計工作，蒐集了許多統計資料，在党政領导决定衛生工作政策、編制衛生工作計划以及檢查計划的执行情况方面，提供了一定的依据。但是，在整風运动中，通过檢查、辯論也揭發了衛生調查統計工作中存在着較为严重的教条主义和脫离政治、脫离实际的傾向。現根据自己在工作中的体驗，对北京市衛生調查統計中存在的教条主义和脫离政治、脫离实际的傾向提出几点不成熟的看法。

一 衛生調查統計中存在的教条主义和脫离政治、脫离实际傾向的主要表現

1. 在制定調查統計报表时，从書本和主观願望出發。例如为了防治痢疾而进行的对居民飲食衛生調查，調查表的內容竟达170多項。什么"菜板、面板有無裂縫？""抹布有几条，是否分开用？""筷子、盆、碗都放在什么地方？""每日三餐都在什么时間？"等等都要一一进行統計。但是，不考虑这些內容对衛生工作有什么实际意义。再如学校衛生調查表的內容就更为繁杂了。許多書本上的东西，生搬硬拉的放在調查表里。学校的水源种类除調查自来水、压井水、普通井外，还要調查河水、泉水；飲水設备情况要調查鍋爐設在室內或露天？开水是否够用？貯水器有多少个龙头？調查学校綠化情形，要了解学校种的是什么树？种在什么地方？能不能遮蔭？对每个教室的地面質料、平不平？教室通風的小窗口面积的比例多大？桌椅的安排、第一排与最后排距黑板多远？桌与桌之間的通道距离多远？除以上这些項目外，学校的周圍环境、教室、办公室、操場等等都要进行調查测量一一进行統計。这些內容是脫离实际的，它对改善学校衛生狀况並沒有什么宝貴价值。如果教条主义者用調查統計来的資料，对照一下書本上的所謂"标准"的話，那么，只能得出一个相反的結論："我們目前学校設备都不合乎衛生标准"。但是，事实是这样：在全国人民向文化科学进軍的时候，在党提出的勤工儉学的方針領导下，广大的农村、街道、企業办的学校像雨后春笋般的發展着，在树蔭下、車間里、月光下都能上課，用門板当黑板……这都能合乎教条主义者的"标准"嗎？而教条主义者的所謂"标准"不正是与党的勤工儉学的方針相違背嗎？更为謊唐的，为了开展避孕工作，竟向人民羣众調查統計"性生活頻数"、"性交周期"等等。拟定出这样謊唐的調查表的人，不知曾否考虑到：当別人向自己調查时，自己如何地回答？

2. 上級机关盲目的要，基層單位只好乱造。例如上級規定要把用葯物杀灭病害虫噴射的面积，都要用平方公尺統計下来，每年上报。但是由于噴射的次数不一、使用葯物濃厚不均、噴射工作零散，統計噴射平方公尺确有困难。虽然1953年我們曾提出过意見，但由于上級堅持要此項数字，因而基層不得不按照一定的葯物量去"估算"一个平方公尺面积数字，填写在統計表里。就这样每年上报，不知如何地使用这个数字。再如上面談到的避孕調查表，由于內容脫离实际，無法进行調查，因而当調查表發到街道积極分子手里的时候，她們便凑在一起，商量一下把調查表給填上了。試問这样的調查統計，又有什么作用呢？

3. 迷信定期統計报表，錯誤的認为定期报表是正規的統計工作，因而忽視用其他的調查統計方法，特別是忽視了典型調查方法。以致把許多不应当放在定期报表中的內容，也制定在定期报表里。这样使定期报表內容繁多，加重了基層工作的負担，也影响了定期报表的及时性和正确性。例如妇幼报表(包括国家报表)孕期檢查分析統計、产科疾病和手术分析統計，只要选擇一些重点單位作就可以了。但是却把这些內容制定在定期报表里，長期地、全面地进行着統計。正是由于把不应当放在定期报表的內容放在定期統計报表里，因而定期报表內容繁多、实施范圍广泛，致使季报、甚至年报基層报来的报表始終不全，各季、各年实际报来的單位数出入很大。依据报来的数字而計算出来的某些指标，如早产率、流产率、手术产率等，历年無法比較，指标数字变动时高时低，变化原因很难分析。

4. 在統計的計算方法上，不根据我国的具体情况，死搬外国的一套，往往計算出来的指标数字，不能說明实际問題，因而对衛生工作的进行，得不到有力的依据；相反的，在一定程度上，有害于衛生工作的开展。例如綜合医院病床使用率的計算方法，蘇联規定的标

准病床工作日一年为340天，是根据苏联綜合医院病床消毒等情况而制定的。我們目前綜合医院病床一般的不消毒，标准工作日也規定为340天，这是不符合客观实际情况的。因此計算出来的病床使用率很多医院都超过或接近于百分之百。这样就不能眞实的反映我們医院病床实际利用情况。

5. 有些統計制度規定得机械、繁瑣、缺乏灵活性也影响了統計工作的开展。例如上級頒發的报表，下級没有增加一个指标的权限，要想增加一个指标或者变动实施范圍，就必須經过批准。往往因为工作上的急需，而制定临时調查表时，办理审批手續要費很多时間，等到批准、頒發报表、調查統計上来后，已成为“馬后炮”。再如每年頒發的衛生事業年报，实施办法和說明年年發下一大本。指标說明、綜合办法从形式上看，規定得無微不至，但遇到具体問題，从說明中又找不出适当的答案来。由于規定得过于繁瑣，便束縛了統計工作同志的思想，使他們得不到原則去处理年报中的細瑣問題。而处处要請示解釋。

6. 对国家报表机械执行，脫离本市衛生工作的需要和脫离基層工作的需要，因而在一定程度上形成了为單純上报国家报表而統計的現象。这种單純为上报国家报表而統計的現象，致使北京市衛生統計工作無論是衛生局或基層（医院、厂矿保健站）形成脫离領导、脫离羣众的一种冷冷清清的局面。

二 衛生調查統計中存在的教条主义和脫离政治、脫离实际傾向的危害性

1. 它严重的增加了基層的工作負担。例如上面所談到的学校衛生調查是一个“巨大”的工作，因为要丈量面积、計算比例，調查一个学校需要一星期左右的时間。北京的中小学几乎上千个，要全面調查一次，根据調查計划的規定，要三年才能完成。因此，有的基層同志反映：学校衛生工作大部分都作調查了，眞正給学校改善衛生狀况实在是太少了。

2. 給人民羣众带来了許多不必要的煩扰。如居民飲食衛生調查，內容达170多项，調查一戶要和居民了解几十分鐘。特别是在社会主义　　　的今天，每个居民都有自己的工作，时間对每个人来說都是非常宝貴的。再由于我們調查的內容繁瑣、脫离实际，在調查当中是不受羣众欢迎的。

3. 更严重的是在人民羣众中帶来了不良的政治影响。例如避孕調查要統計“性生活频数”等，这类調查表还發到街道积極分子妇女和老大爷的手里，他們無法开口去向妇女們詢問这些調查項目，因而感到很难处理。

4. 严重地影响了衛生工作的顺利进行。我們知道，衛生調查統計工作是为党政領导、为中心工作、为業务服务的。但是由于我們的調查統計工作中存在着严重的教条主义和脫离政治、脫离实际的傾向，它就限制了調查統計的服务性。从形式上看，我們衛生部門調查統計报表很多，蒐集的資料也很多，但加工整理利用的却很少。往往党政領导在研究衛生工作的时候，感到資料很不够用。正如有的同志說“你們的調查統計資料，需要的沒有，不需要的倒是很多。”这說明我們衛生調查統計工作已严重的影响了衛生工作的进行。

三 克服教条主义和脫离政治、脫离实际傾向的几点意見

为了适应衛生工作大躍进新形势的需要，我們必須坚决地克服教条主义和脫离政治、脫离实际的傾向，使衛生調查統計工作也来个　　　。

1. 必須抓政治思想工作。因为政治是統帅，思想是灵魂，只有抓住了政治思想，我們的調查統計工作才能有明确的方向。由于过去我們在調查統計工作中重統計方法，忽視了政治思想，因而在一定程度上迷失方向，形成了脫离政治、脫离实际、脫离羣众的一种冷冷清清的局面。

2. 必須認眞的学習馬克思列宁主义理論，特别是学習毛主席的著作，以提高我們的政治理論和思想水平。过去由于我們在学習上不重視政治理論学習，只着重統計業务的学習，特别是在学習中不結合我国的实际情况，于是把外国的和書本上的东西生搬硬套的放在我們的工作上，因而犯了教条主义的錯誤。这是个严重的教訓。今后我們必須重視政治理論学習，端正学習态度，要以馬克思列宁主义理論为主导，根据衛生工作發展的需要，和主观客观的条件来开展我們的衛生調查統計工作。这样，才能避免犯教条主义的錯誤。

3. 要認眞的研究党政領导在一定时期对衛生工作的方針政策，研究衛生部門的中心工作。要做到衛生工作开展到那里，統計工作就跟到那里；衛生部門出現了什么新鮮事物，就統計什么新鮮事物；党政領导需要什么就統計什么。这样就会把我們衛生調查統計工作搞得生动活潑，就会适应于衛生工作　　　的需要。

4. 必須徹底的改变我們的工作作風，要走出办公室，深入基層了解实际情况，增加感性知識，虚心地向羣众学習。这样，就会克服官僚主义和主观主义的錯誤；就会在今后制定調查統計报表时符合于客观实际情况；同时，由于掌握了客观情况，就会把調查統計出来的数字，由干巴巴的、死气沉沉的东西变为生动活潑的、有灵魂的資料。

5. 必須根据不同的調查統計內容，采取不同的調查統計方法。也就是說今后要采取多种多样的調查統計方法，特别是要学会使用典型調查的方法。这样，才能克服过去完全依靠制定定期报表的偏向；才能根据党政領导的要求，多快好省地进行衛生調查統計工作。

以上所談的几个問題，只是自己的一些初步的看法，意見不够成熟，不全面，也可能有錯誤的地方，希望同志們指正，以便反掉衛生調查統計中存在的教条主义和脫离政治、脫离实际的傾向，从而使衛生統計工作更好地为社会主义建設服务。

苏联乡村基層保健机構的改組

衛生干部进修学院保健組織教研組 刘学澤

目前我国根据以医院为中心扩大預防工作的精神，曾不断提出各种新的保健組織形式，並且受到广大人民的欢迎。但是对某些組織形式也还存在一些爭論，如有人提出某些基層衛生行政机構应与業务机構合併的問題；也有人提出衛生防疫站应与医院合併等問題，並引証了苏联乡村基層保健組織改組的經驗。由于过去对这一改組的全面情况还介紹得不多，以致某些人常常不正确地机械地理解和运用，而未能結合中国的具体情况。

为了使我国广大保健工作者全面地了解苏联乡村基層保健机構的改組情况，本文参考了苏联最近几年的有关文献綜合地做一介紹，包括苏联乡村基層保健組織机構改組問題的提出；改組的經过；改組前存在的問題；改組后区医院的性質、任务和工作范圍以及改組后在苏联乡村保健工作上的影响。这一經驗在苏联被証明是正确的，但全部搬用到中国来，不一定适合中国的具体情况；本文介紹仅供参考。

改組問題的提出

偉大的十月社会主义革命，根本地改变了革命前俄国所存在的分散主管的、等級的、慈善的私人开業的医务面貌。根据免費医疗和普及医疗的新原則，建立了統一的国家的人民保健系統。

在这个基础上所建立起来的苏联保健事業，其任务是通过一系列的广泛的医疗預防措施和衛生防疫措施，增强人民的健康，降低患病率和死亡率。为此，首先要解放佔全国人口79.4%的乡村居民(1917年1月1日調查資料)的重大保健問題。

四十年来，由于苏联共产党和苏联政府不断地注視和关怀乡村居民的健康，在乡村建立了一套完整的区别于城市条件的医疗保健机構，从而根本改变了乡村保健面貌，使乡村保健事業有了飞躍的發展。

苏联在1956年底(乡村区(註1)基層保健机構改組以前)，乡村人口共計有113,200,000人，佔全国人口的56.6%。乡村全部医疗机構共14,790个單位为1913年的530.5%，其中区医院2,325所，地段医院11,914所，專科医院183所，防治所附設住院部234所，产院105所，其他29所。病床共計有313,170張，为1913年的638%，其中区医院佔119,483張。門診机構共有17,162所，为1913年的404.3%，医士助产士站共計有68,300个，为1913年的1511.7%。产床共計有81,910張，为1913年的5019.0%。乡村医生总數达36,686名，为1928年的734.4%，为1947年的143.6%。中級医务人員共計有304,307%，为1937年的311.7%。乡村区衛生防疫站2,357所，为1947年的124.7%。

根据上述資料，說明苏联乡村保健机構有了很大的發展。普遍建立了区医院，成为乡村專科医疗的中心，在所有的乡村区內都設立了衛生防疫站，乡村医生和中級医务人員也一年比一年有了增加，医疗預防与衛生防疫工作的范圍也逐渐扩大。区保健科(註2)在發展乡村保健工作中曾起了一定的作用。

"乡村保健工作虽然取得了很大的成就，但是仍然跟不上乡村居民在医疗衛生上的日益增長着的需要"，这是П. И. Калью和Н. Н. Морозов在"区一級乡村保健改組"一文中所指出的。赫魯曉夫同志在苏联共产党二十次代表大会上所做的报告中，也曾指出了目前在医疗工作中所存在的严重缺点，特别是"在乡村地区"。

保健組織的机構、形式和內容，要与党和政府所提出的任务相适应，这是苏联保健事業的突出的特点。

根据党和政府的决議，在苏联改組了工業与建筑業的管理，从而显示了新的国民經济的領导形式与方法有無比的优越性。同样在保健組織方面，也进行了一系列的措施，以改进管理形式和方法。

苏联保健部及其地方机关，为了执行党和政府关于进一步精减国家机構的决議，正在进行一項巨大的工作，这就是乡村区基層保健机構的改組。

乡村区基層保健机構改組的目的，是为了簡化乡村保健工作的領导，消除在管理上的分散現象和工作上的重复現象，在組織上把医疗衛生机構的治疗工作与預防工作統一起来，从而在乡村区內建立起保健工作的統一的領导中心，同时配备各种技术优秀的医务干部与相应的設备。

調整乡村保健工作領导这一运动之所以产生，П. И. Калью 和 Н. Н. Морозов 認为："是由于現有的領导形式与方法，在一定程度上阻碍了有效地解决摆在乡村保健工作面前的新的任务，並且也不能使現有干部和物質基础得到充分的利用。"

註：1. 苏联乡村区相当于我国县。
2. 一区保健科相当于我国县衛生科为县一級衛生行政机構。

苏联乡村基層保健机構的改組，是在国家精減机構、体制下放后在保健事業上的重大改革。几年来的經驗証明，这一改組工作在苏联是完全正确的，並且取得了巨大的成就。

改組前存在的問題

在苏联乡村区基層保健机構改組前存在的最大缺点，根据 П. И. Калью 和 Н. Н. Морозов 的意見是"領导乡村保健工作的行政机关与对居民进行医疗衛生服务的業务机構之間，存在着組織上的分离。"

改組前，在乡村有三个保健机構的中心，即区保健科、区医院和区衛生防疫站。三者共同組成对乡村保健工作的領导系統。

区医院除了对居民进行門診和住院治疗以外，还对乡村地段医院和医士助产士站，在組織上和業务上进行領导，同时还和这些机構一起在全区范圍內进行衛生防疫工作。但是 М. В. Хомутов 指出："乡村地段医院在行政上却受区保健科的領导。"

区衛生防疫站除了在全区进行衛生防疫工作以外，还在業务上对医疗預防机構的衛生防疫工作进行指导，同样在行政管理上也不能干涉医疗預防机構。

在行政上对保健机構的領导，是由地方劳动人民代表苏維埃的区保健科来担任。但是在很多場合下，正如 П. И. Калью 和 Н. Н. Морозов 所指出的那样："区保健科不能对保健工作进行全面的領导，人員編制少，能力也比較弱，区保健科的威信比起区医院来也是很低的，因而区保健科对保健工作的領导往往处于依靠区医院和区衛生防疫站的局面。"

"所有这一切都証明了在乡村保健工作的領导系統中存在着严重的缺点，其中最主要的是医疗与衛生工作之間的分离，行政組織領导与業务領导之間的脫节，工作上的重复現象以及干部和設备經費使用上的分散現象。"

上述存在的問題，"足以說明区保健科已無能为力保証对区保健工作的应有的領导。"（П. И. Калью 和 Н. Н. Морозов）"也說明了区保健科和区衛生防疫站在区医院的基础上合併成为統一的綜合性机構的时机已經成熟。"（М. В. Хомурав 苏联保健部副部長）

改組的經过

乡村医务工作者很早就已發現了上述缺点，認为旧有的領导形式与方法在一定程度上阻碍了乡村保健工作的开展，所以自动地提出和寻找改进的途徑。例如莫尔达維亚共和国 Рыбницкий 区、Котовский 区以及其他区曾不止一次地統一区保健科和区医院的單一領导。Владимирская 省 Юрьевпомский 区早在 1951 年就开始把区保健科和区医院的領导合而为一。类似的情况也見于其他地区。这說明乡村基層保健机構的改組是从实际中产生的。

1956 年初，首先在莫尔达維亚共和国 Рыбницкий 区和 Тараклинский 区，継而在阿尔泰边区 Смоленский 区，以試驗田的方式开始改組乡村区基層保健机構。現这些区內把区保健科，区医院和区衛生防疫站合併为一个綜合性的机構。这样一来，在区医院的基層上建立了統一的領导中心，配备了干部和相应的設备，代替了过去所存在的三种分散的机構。对全区保健工作的領导由区总医师（同时为区医院院長）負責，下設三个副院長，分别执掌医疗預防、衛生防疫和行政管理的职务。在这些区內拟定了区医院工作暫行条例以及区总医师和副院長的工作条例，同时还批准了新的乡村医务机構的編制标准。

1956 年 9 月 20 日在苏联保健部部务会議上听取了关于莫尔达維亚共和国和阿尔泰边区乡村区基層保健机構改組的經驗总結之后，贊同这个經驗，並建議各加盟共和国和自治共和国保健部經部長会議同意后开始根据上述兩地区的經驗改組乡村基層保健机構。

1956年底在克里姆林宮召开的全苏保健工作者积極分子大会，詳細地討論了关于乡村区基層保健机構改組問題，尽管有些代表，特别是某些衛生学者反对这項改組，但畢竟是一項新的先进的組織形式，而且在实践中被証明是正确的，並且为今后改进乡村保健工作开辟了广闊的远景。

根据不完全的統計，到 1957 年 8 月为止已經在 1,455个区进行了改組，其中俄罗斯联邦共和国为489，莫尔达維亚共和国为40，立陶宛共和国为79，愛沙尼亚共和国为 28，烏兹别克共和国为 76，烏克蘭共和国为 730，別洛露西亚共和国为 7，此外在土尔克明、格鲁吉亚、阿尔明、塔吉克、拉脫維亚和阿塞拜疆共和国各一个区。

苏联保健部和 Семашко 保健組織与医学史研究所曾重点对几十个区的改組工作进行了研究，認为改組的形式有以下几种：

1. 將区保健科，区医院和区衛生防疫站（后者作为医院的一个科）合併为統一的机構，区保健科的职权交給合併后的区医院，由区总医师（即区医院院長）領导；

2. 將区医院与区保健科合併，区保健科的职权轉交給区总医师，而衛生防疫站仍独立存在，但受区总医师領导；

3. 將区医院与区保健科合併，保留区衛生防疫站，由省衛生防疫站領导。

根据研究結果，認为把区医院、区保健科和区衛生防疫站这三个环节合併为統一机構的形式，比其他形式具有一定的优越性。这种形式能使預防医学和治疗医学在組織上达到統一，並能消除对区保健工作領导的分散現象。

改組后区医院的性質、任务和工作范圍

区医院的性質，在改組以后，已經成为一个行政与業务，医疗与預防相結合的綜合性机構，它是从行政上和業务上領导全区保健工作的中心。

区医院的組織机構由以下几部分組成：

1. 住院部，包括主要各專科；
2. 門診部（門診所），妇女及兒童諮詢所；
3. 治疗診断科室：

(1) 化驗室，包括临床化驗与衛生細菌学化驗；

(2) 放射綫科；

(3) 理疗科；

(4) 牙科修复試驗室及其他。

4. 衛生防疫科；
5. 行政管理部分。

区医院的基本任务是保全力增强居民的健康，采取各种措施預防疾病，及时治疗患者，降低一般死亡率和兒童死亡率，改善劳动条件与生活条件。

区医院的工作范圍有了很大的改变。改組后还担負区保健科和区衛生防疫站的职务。区医院要对工業企業、国营农場、农業机械站、集体农庄、公共飲食企業和商業等單位的衛生狀况进行預防性及經常性衛生监督。区医院还要对全区所屬范圍內的一切医疗預防机構进行領导，提高他們的技术。

改組后在苏联乡村保健工作上的影响

到目前为止，綜合各地区改組的經驗，認为对苏联乡村保健工作有以下影响：

1. 使行政与業务領导統一，医疗預防与衛生防疫工作密切結合

改組以后，乡村保健工作的最大特点就是領导的集中和統一，簡化了对全区保健工作的多头領导，使行政与業务領导从組織形式上結合起来。区总医师、即区医院院長掌管全区的保健工作，制定統一的計划，把治疗問題和衛生防疫問題直接与組織問題結合起来解决。

改組以后，医疗預防工作与衛生防疫工作更加密切結合起来，医院的各專科医师同样也参加全盤工作，医院院長开始更多地从事衛生防疫問題的研究，並鼓动全体医务人員参加衛生措施与防疫措施。例如 Калиградская 省 Нестеровский 区，負責医疗預防方面的副院長和治疗医师一起下到医务段去，除了檢查医士助产士站的工作以外，还檢查了学校的衛生狀况，在 Дмитровская 村还进行了挨戶巡視，並对各种不同單位的衛生狀况进行了檢查。又如莫尔达維亚共和国的 Рыбницкий 区，为了降低兒童死亡率，改善对兒童的医疗服务，制定了全区的綜合性的計划，小兒科医师与衛生医师一起下到地段去分析兒童死亡率与患病率的原因，在地段医院的会議上詳細地討論每一个病例，特別是注意診断与治疗的質量，同时也討論对兒童預防注射問題，傳染病疫源地衛生处理等問題的質量以及兒童膳食問題。在 Черновицкая 省，区医院的內科医师和流行病医师协同衛生积極分子共同改善乡村劳动条件与生活条件，檢查疫源地，消毒飲水，开衛生座談会，从而使流感和傳染性肝炎未能傳播流行。

2. 衛生防疫工作更加扩大和加强

区衛生防疫站与区医院合併改組后成为区医院的一个重要組成部分之一，即衛生防疫科。衛生防疫工作也是区医院綜合性計划的重要組成部分之一。衛生防疫人員也成为区医院的有力組成部分。这样以来，衛生防疫工作不再單單是衛生防疫人員的任务，而是在全区所有医务人員的参加下进行。因此衛生防疫工作非但沒有削弱，反而更加扩大和加强了，同时掌管衛生防疫方面的副院長也摆脫了过去衛生防疫站站長所担負的过多的行政事务工作，可以有更多的时間專門进行衛生防疫工作，从而加强了这項工作。

莫尔达維亚共和国 Рыбницкий 区在改組后完全証实了这一点，衛生防疫工作有了很大的改进，特別是在医士助产士站和乡村医务地段，改进了傳染病报告和急性傳染病的登記，在地段医院服务半徑內保証了急性傳染病疫源地的調查，这項工作过去一直被認为只是衛生医师及其助手进行的。由于进行了許多組織工作和具体的指导，流行病原調查的質量有了显著的提高。对一时性劳动能力喪失患病率的分析，除衛生医師之外，还有內科医师和外科医师参加並規定按季度进行。在分析的基础上制定出治疗措施和衛生措施。

3. 区医院与地段工作更加緊密配合

区医院在改組后成为全区業务的領导中心，对乡村医务地段、医士助产士站和保健站的領导形式更加具体。过去区医院各科医师的工作多半只限于医院范圍內，而現在成为全区范圍內的領导核心。如区医院的外科主任，不仅領导区医院的外科工作，而且領导全区的外科工作，进行組織与具体領导。

区医院各專科医师在改組后愈来愈多的下到地段去。这对地段医院与医士助产士站的領导比以前大有改进。例如，1956年与1955年比較，在莫尔达維亚共和国的Рыбницкий区由65次增加到139次，在Гараклийский区由73次增加到268次，类似的情况在其他区也同样可以看到。

改組后，区医院与乡村医务机構之間的联系产生了新的形式。例如，在莫尔达維亚共和国的Рыбницкий区实行了医务工作者联席会議的联系形式，由区医院的領导同志和各專科医师参加。这种会議在乡村医务地段定期召开，並吸取地段的所有医务人員参加。

为了对全区保健工作进行領导，在区医院下設立了医务委員会，审查有关全区医疗衛生工作的重大問題，拟定和实施有关改进医疗预防与衛生防疫工作質量的綜合性措施，以降低全区患病率与外伤率。

区医院与地段工作更加密切配合还表现在衛生防疫工作上。过去衛生防疫站对乡村医务段和医士助产士站的指导，只限于訂計划，發指示，很少下到地段去，即或下去也是以監督員的身分提出各种要求。而現在衛生防疫科的人員却經常下到地段，以同志和战友的身分与地段的医务人員密切配合进行具体工作，帮助他們找到正确的改善劳动条件与生活条件的途徑。如調查疫源地，組織预防注射，工場企業的衛生調查等。衛生防疫科化驗室的人員也經常下到地段，如Бардаеский区化驗人員也經常下到地段和地段医务人員一起对居民腸系傳染病进行了化驗檢查，發現帶菌者后立即送入住院，同时提高了地段医务人員的技术。

密切合作还表現在区医院对医疗力量比較弱的地段重点加强和充实方面，如莫尔达維亚共和国，25張病床的医院由1955年的46个增加到1956年的73个，35張床的地段医院由21个增加到34个。同一时期地段医院的放射線設备由6个增加到26个，理疗室由2个增加到9个，临床診断化驗室由32个增加到73个，牙科由12个增加到26个。由于地段医院的加强，病床周轉的改进为初步專科化医疗提供了前提，这样一来有很大的实际意义，使区医院的負担减輕，有更多的力量帮助下層。

4. 乡村保健工作更进一步取得地方党委和苏維埃执行委員会的支持和領导

区基層保健組織的改組，是在地方党和苏維埃机关的大力支持下进行的，开始时某些区苏維埃执行委員会对取消保健科以后是否能更好地領导全区保健工作还有顧虑，如烏克蘭共和国的斯道劳齐尼兹区苏維埃执行委員会就是这样，但一年来的事实証明，苏維埃执行委員会直接同医院院長能解决一切問題，过去保健科、防疫站之間的糾紛和紊乱也消除了，地方党委与苏維埃执行委員会更加关心全区的保健工作，而且領导得更好，簡化了領导形式。1957年区劳动人民代表大会曾討論过四次有关保健工作，並解决了医疗预防机構的物質基础，按原来1957年预算显得不充足，区劳动人民代表大会决定在本区超額完成任务的公积金中开支20万盧布作为修理医院，添置設备，胸外科器械及新建保健站与集体农庄产院等用。同时也注意了提高人民衛生文化水平，改善乡村环境衛生，1957年建設2个公共澡堂，而1958年計划建設6个，由于党和苏維埃执行委員会的支持，該区已能进行胸腔、肺和食道手术，临床与衛生医師合作，1957年兒童死亡率比1956年减低了$^2/_3$。

結　語

本文以文献綜述的形式，重点介紹苏联自1956年以来在乡村改組基層保健机構的情况。这一經驗在苏联被証明是完全正确的，並且已經在全国許多乡村区开始推广。

1. 苏联乡村区基層保健机構的改組是在体制下放后，根据党和政府关于精减机構的精神，結合改組前在保健行政机構和業务机構之間存在的主要問題提出的。

2. 乡村区基層保健組織机構的改組是在区医院的基础上，把区医院、区保健科（衛生行政机構）和区衛生防疫站三个單位合併为單一的机構，成为全区保健工作的領导中心。因而改組后的区医院，其性質已經是一个行政与業务、医疗与预防相結合的綜合性机構。

3. 改組后，乡村区保健工作出現了新的面貌。行政領导、医疗预防、衛生防疫以及地段的工作都大大加强。

苏联乡村区基層保健机構的改組經驗，全部搬到中国来，不一定适合中国的具体情况，本文仅供广大保健工作者大胆創造适合于中国的保健組織形式参考之用。

（下轉第243頁）

工 农 医 院（續）

——回忆1933年川陝边革命根据地的衛生工作組織情况——

衛生干部进修学院 譚 治

政 治 工 作

工农医院設有政治部。政治部的工作是很多的。一般正常进行的組織、鋤奸保衛，青年等工作在这里就舍而不談了。在这里只談一些較为突出的事例：

出院組織工作。出院日期大約是每十天一次。正常的每次出院人數一般是六百名左右，有时也有七八百名甚至更多。每到出院前一二日內把治癒的病人在休养連重新組織起班排連来了选擇适当人担任各級負責人。这些病人都是剛由农民家庭生活習慣而出来，組織性較差。这又是一支很大的力量，若不組織好，那就会很自然地乱起来了，因此，組織工作就显得特別重要。政治部的工作平常都是很忙的，这是因为机構剛建立，各方面的人員都要审查，敌人常搞乱等。每逢出院之日那就特別忙起来了，有时政治部的工作同志全部到連里，家里只留下一人看門。出院这样大的队伍一套完整的組織工作完全由政治部来担任的如組織編队、办理党团組織关系轉移手續、組織开欢送联欢晚会、在晚会上各方面的代表講話和节目等工作。同时还要組織工作人員把他們送到內务部去。这一切工作全由政治部来安排办理。这些出院的人虽然是先集中在休养連的，可是每次出院时一般病号連各連都有十几人要随之而走，讓他們去休养連住几天等到下次出院，他們就不高兴了。他們說："我們能工作就得出院去担任工作，把医院病床空出来，讓有病的人来住。"接着說："我們回去做好工作来回答你們的心意。"这足以說明病人对革命的积極性了。

时事政策教育工作。这項教育每周至少有一次全院性的报告会，除此之外每天晚間有教育活动，小型的上課和討論会，油印的政治性的文件也能經常看到，差不多每周都看到一本新文件。医院自己办有油印小日报。文娛活动經常能看到文工团的新节目在病号連演出，有时在院部演出。

由于整个革命地区政治影响扩大，紅軍于1933年底和1934年春联續不断的打了數次大胜仗，全部粉碎了敌人六路进攻。从此革命根据地扩大了，因此，工农医院的組織也要随之而扩大才能滿足当时局势的要求，在此时期內接着新設立了五个分院，散佈于全边区各地方，担任起人民治疗工作来，同时也支援了軍队和地方生产建設工作。

有关各分医院的組織形式和工作大体与院本部相类似，这里不必去談它了。

医院的轉移情形

由于日本帝国主义对我国侵略加深，中国共产党为了挽救民族危机，要求全民总动員起来，抗敌侵略。中共中央于1935年發表了为抗日救国告全体同胞書。紅四方面軍随着整个革命形勢变化，始于1935年春离开了川陝边区根据地，向四川省西部和西康省的边境轉移了。于四川西部的懋功地区与中央紅軍会合了。

当时由于軍队的轉移，地方政府各个机关羣众团体等必須要随着軍事移动而轉移的。医院也是要移动的，一个有病人的治疗單位移动起来要比机关困难得多。医院轉移它必然要把輕重病人和重要物品（药材）全部搬运走。因此，这样以来全体工作人員的劳动力就要用得更多。除了医生、看护員、药房拿药的人外其他人員全部組成担架运輸队伍。每个运輸連大約有一百八十人左右，每个連担任六十名重病人的运輸量。每日病人行动是五十里路。而担架連就要走一百里。因为他們每天要返回原来出發地点休息，以准备来日的运轉任务。这样一来就需要將原病号連重新組織以适应于行动的要求。把能出院的病人讓其归队，把輕病人組織成新的班排連来，重病人按担架連的运轉力量而定。当然这支运輸大軍包括上有院長，下有通訊員和勤杂人員在內的，也有一部分民工組織而成。

这次全川陝边区的轉移是有計划、有組織、有步驟的行动。虽在整个运輸綫上晝夜都有不断的运輸队伍往来行动，很是紧張。在这个运輸行列中能看到有各式各样的运輸的形式来，如有一人背的，兩个人抬的。也有一个人挑的，三个人輪換抬的等。在这个运輸行列中看不見畜力，全是用人力来担任这項重大任务，这也显示出它的特点来了。

在各运輸綫上由当地政府設有招待站和飲水站，以便解决轉运人員和运輸队伍的吃飯和住宿問題。距离大約在30—50里路之間即設有一招待站，飲水站設在5—10里之間，这是为着适应运輸队每日运轉一次而这样設立的。因为当时运輸力不够只好用一站轉这一站，逐日向前移动。过草地时就不是这样的运輸形式了，而是輕裝一齐行动。

在行动中的治疗工作，就是把医生和看护員分配到沿运輸綫的各招待站，以便适应治疗工作任务。重病人隨担架連行动、有看护員帶着药給他們在路上吃。

工农医院随着紅四方面軍的轉移，于1935年三月离开川陝边区根据地，經过崇山峻嶺，大小山梁数千个，大河小川也难記清，横通三省和几省的边沿錢达六七十个县城之多，終于1936年双十二事变时到达了陝甘宁革命根据地。虽然連續不断的經过較長时間的行动，但治疗工作仍然如常的进行着。經过一年多的轉移始終是在接收治疗病人的任务和办理出院归队工作的手續。这些病人的来源大部分都是各單位系統的收當队轉送而来，有的是在途中接收的病人。有病癒的同志在路途中見了原机关也就給他办理出院証明。

結　語

工农医院是把革命根据地一部中医中葯人員集中組織而成立起来，直接是在川陝边区党政領导下生長和發展起来的。虽然当时尚未提出"面向工农兵"的方針来，事实是在为工农兵服务的。从建設医院开始它就是积極的認真的为广大工人阶級和农民羣众及参加紅軍的指战員的身体健康服务着，这表現积極的直接支援了革命胜利。工农医院發揮了中医中葯人員的力量，在治疗效果上是很好的，治癒出院率达到百分之九十七以上，治疗期一般的是二十天左右。这个医院也足够証明了祖国医葯在历史上对人民羣众身体健康上是起了积極作用的，要否定中医中葯有效的治疗作用，他必然要犯政治性的錯誤，这一点也是有过例証的。

工农医院的医疗衛生工作，完全是为当前政治工作任务服务，直接保护后方生产建設的劳动大軍的身体健康，同样是支援了前方紅軍作战，消灭敌人，为爭取革命战爭的胜利。不論上級干部和下級工作人員，都是不分晝夜的积極努力的苦干、实干，真正是万众一心，齐心合力，大家一齐动手，發揮了各种力量，这是取得工作上和行軍中的最大的成就因素之一。这种能刻苦耐劳，堅定不移，朝气勃勃的克服困难，富有前进心和創造精神，因此在川陝边地区的衛生工作能迅速發展这是和当时党的領导分不开的。

工农医院全体工作人員有高度的政治覚悟，堅持了工人阶級的政治立場，他們認識到自己所担負地方工作任务的重要性，这不仅是有其当前意义同时也有它的長远政治意义，同样也認識到有相当重要的軍事意义。因此在干起革命工作来就不怕一切困难和阻力，用千方百計的出主意献計策設法去完成所担任的各項工作任务，如管理葯房的同志都是設法把葯弄来供給治疗上的需要，医生从早到晚都在病人身边，診断和在医葯書上来导找診治的妙方，解除病人的痛苦。行政上不分白日黑夜或者是狂風大雨都在各处奔忙，导找各种物資来供应全院的工休人員。到了四川省西北部，完全是藏族地区，即雪山草地，毛兒蓋与巴西之間是一大塊著名的草地。什么是草地呢？这里是需要說明兩句，我們經过的还是草地边兒，但却有很長一段路程，兩边都是不很高的小土山，草是一叢一叢的長在水中間，这一叢与那一叢中間就有很深的水。叢草在水中枯了、死了、腐了，就在这腐草上面生長起新草叢来，茂密的青草活来腐去不知經过了若干年代了，行路时必須要在叢草上走，草底下軟軟的，但叢草上又有点滑，一不小心，一踏虚了脚若陷入叢草隙中的話，就要費很大的力气才爬得起来，不仅是人难爬起来，就是馬也有爬不起来的。山边也看不見石头；也是重重疊疊的腐草上生長出来的青草，走在上面是活活动动，脚板倒覚得很舒适，小山偶而有片斷树木，我們宿营能在树下的話那是喜之不尽的事了。这里只能看見飞揚的烟霧和長的二尺左右的青草，到处是污水横流，一片汪洋，举目無际。地面虽平，但地势却是很高，大約高出海面有五千公尺以上。六月分到夾金山(雪山)頂上一規尚能看到許多地方尚有积雪，气候是寒冷的，在此时間还得要穿棉衣，有时正在行軍中雪雨齐来。开始出發行动前有充分的物質准备，就是到了那样艰难困苦的环境，物質供应尚不覚得有什么大困难，过草地最后几天全靠拔野菜来过生活了。行軍情緒是飽滿的，在路途中常能听到雄偉豪迈的歌声。每逢下雨路滑或过高山时能听到前面同志的歌声，鼓舞后面的同志勇气赶上去，以便达到宿营地，如：

"六月里来天气热，夾金山上还积雪，一、四方面軍，慰劳取得大会合。七月进入西北，黑水蘆花青稞麦，艰苦奋斗为那个？为了抗日救中国。八月繼續向前进，草地行軍不怕冷，草地从来少人过，無堅不摧是紅軍。………"就是在这样艰难困苦的处境，按現在的話来說是干勁十足的。

工农医院在川西大金川一度改为"人民医院"是为着藏族人民在治疗上的需要，医葯全是免費治疗。

工农医院終于1936年冬季到达党中央所在地一陝北。这个医院存在的时間是很短的，但是它給人民的政治影响是很長的很深的。它挽救了成千上万的人民生命和治愈不知有多少劳动羣众的身体，对革命貢献的力量是無法来計算的。虽然已成为历史的問題，但是回想这一段革命历史是有它的重大意义。这对研究祖国保健組織学有它一定的参考价值。

总而言之，这是一段光輝的历史，不可使之湮没，这是羣众性智慧所創举，特別要提出来的，它是一个規模較为宏大和完整的中医中葯医院，治疗效果是很好的。这是前人的丰功偉績，也应把它写在我們祖国医学史上。我所回忆出来的材料难免有它的遺缺，希前在該院工作过的同志們指正补充，以便能得到完整資料。

（續完）

我国古代人民对于“四害”的認識及其“除四害”的方法

張承道

我国人民很早就知道四害（麻雀、老鼠、蚊子、蒼蝇）对于人类的危害，並对它們的生活習性、生活史和天敌等等都有一定的了解，甚至还根据四害的生活習性，想出“除四害”的办法，有的确实值得我們学習。現在分別叙述如后：

麻　雀

大約三千年前我国人民就知道麻雀对于粮食的耗损以及对于房屋的破坏。詩經小雅黃鳥說：“黃鳥黃鳥，無集于谷，無啄我粟，”“黃鳥黃鳥，無集于桑，無啄我粱。”“黃鳥黃鳥，無集于栩，無啄我黍。”黃鳥就是瓦雀；瓦雀就是麻雀。詩經召南行露說：“誰謂雀無角，何以穿我屋？”据清俞樾（1821—1906）羣經平議，“角之本意当为鳥喙。”麻雀的喙本是“角”質的。明宋应星的天工开物（1644年以前）指出麻雀对于蚕的危害，他說：“雀屎粘叶，蚕食之立刻死爛。”明李蘇的見物（1581年序）对于雀害更有概括的叙述。他說：“予尝榜其（麻雀）罪有四端：盗啄麦粟一也，戕殘花果二也，穿垣巢屋三也，羣聚喧聒四也。”

唐代孟郊（751—874）的空城雀詩說：“一雀入官倉，所食寧損几，只虑往復頻，官倉終害尔。”这更說明麻雀对于官倉中粮食的损耗。据近人估計，一只麻雀一年約需消耗3升粮食。在封建社会里，統治阶級甚至于借口这种损耗，而剝削人民。陶岳五代史补云：后唐“明宗（在位926—933）幸倉場，每石加二斗耗，以备雀鼠侵蠹，謂之雀鼠耗。倉場加耗自此始。”元馬端臨文献通考田賦考：“旧制，田稅每斛，更輸二升，謂之雀鼠耗。”按一斛古为十斗，亦即一石。“致堂胡氏曰：‘百姓輸稅足，雀鼠蠹倉廪，乃有司之責，而使百姓償之，斂稅重矣。’”

古人捕雀，有用彈丸的。这种彈丸古以石为之，后改用鉄，以弓弦激之使远，犹射之用矢。战国策楚策：“庄辛謂楚襄王（公元前298—公元前263）曰：‘……黃雀因是以俯噣白粒，仰棲茂树，鼓翅奮翼，自以为無患，与人無爭也，不知公子王孙左挾彈，右攝丸，將加已乎十仞之上。’”庄子讓王和呂氏春秋仲春紀貴生篇都有“隨珠彈雀”的譬喻。王充（27—97前后）論衡解除篇：“鑿谷于庭，雛雀啄之，主人驅彈則走。”明陳繼儒讀書鏡：“宋太祖（在位960—975）……又一日后苑挾弓彈雀。”南宋周密武林旧事所載小經紀中亦有彈弓，当为捕雀之具。

古人捕雀，还有用網罗的。韓非子說难三云：“以天下为之罗，則雀不失矣。”汉司馬迁史記汲郑列傳，“門外可設雀罗。”古人或芟除草木而張罗。宋書乐志載汉鼓吹鐃歌十八曲中有艾如張曲，詞曰：“艾而張罗，夷于何，行成之，四时和，山出黃雀亦有罗，雀以高飞，奈雀何！”清王琦李長吉歌詩彙解：“野客叢書，艾如張，艾与刈同，如訓，而古詞之意謂芟除草木而張罗也。”古人或將網罗張于田中。唐李賀（790—816）艾如張詩：“齐人織網如素空，張在野田平碧中；網絲漠漠無形影，誤尔触之伤首紅。”南宋戴复古观捕黃雀詩：“披綿爭啄晚禾秋，决起森然網扼喉。”显然这个網也是張在田里的。

另外，古人捕雀，还用一种木膠，即黐膠，来黏雀。这种木膠是將細叶冬青的內皮搗碎煮制成的，所以細叶冬青又称为黐木。王褒于汉宣帝神爵三年（公元前59）所訂的“僮約”中，列举的工作项目便有“黏雀張鳥”。南唐譚峭譚子化書曰：“执膠竿捕黃雀。”宋何薳春渚紀聞膠黐取虎条：“当以膠黐取之。如黏飞雀之易也。”按南宋周密武林旧事所載小經紀中有粘竿，当即膠竿，为黏雀之具。明代陆之裘詠黃雀兒詩綜括了过去捕雀用的工具，詩云：“东家無網罗，西舍無黏竿，南村無弓箭，北鄰無彈丸。”

自古以来，驅雀捕雀常为兒童的任务。或驅雀，吓雀。南史（640后）顧歡傳：“六、七岁……家貧，父使歡田中驅雀。”南宋陆游詩：“臥听兒童吓雀声。”或以弓箭射雀。唐王建空城雀詩：“八月小兒挾弓箭，家家長向田头飞。”或張網罗捕雀。唐韓愈順宗实录：“貞元（785—804）末五坊小兒張捕鳥雀于閭里。”南宋赵崇嶓詠黃雀詩：“吳兒織網連素空，一落牢籠腥血紅。”或以黏竿黏雀。明姚之駰元明事类鈔：“道旁小兒黏雀为嬉。”至于明張紳捕雀詞云：“原头霜深秋草薄，荒村小兒捕黃雀，高張弓矢低網罗，日暮竞比誰得多。”則告訴我們早在明代兒童就举行捕雀竞賽了！

这里还有古人麻醉麻雀与毒死麻雀的药方：宋初僧贊宁撰物类相感志：“草烏切碎，同米作飯，喂雀兒，尽皆醉倒。”明末清初廬若騰島居随录：“秦椒为末和稻飯，雀食之，自伏地。”按宋宋慈洗寃录云：“江左山南有草烏头，其汁煎之，名射罔。”宋唐愼微等著重修政和經史証类备用本草引陳藏器云：“射罔，……有生血及新伤，肉破，即不可塗，立杀人，亦如杀走兽，傅箭鏃，射之，十步倒也。”可見我国至迟在唐代即已知道草烏有毒性。又按秦椒即蕃椒。据中国葯学大辞典，日本“蝦夷地方取附子（即草烏），加蜘蛛，蕃椒同搗，將煎凝的毒汁，以射禽兽。”

宋唐愼微等著重修政和經史証类备用本草引梁（502—556）陶弘景（隐居）云：“人患黃昏間，目無所見，为（当为“謂”之誤）之雀盲。”可見早在梁代我国人民即已知道：“雀至夕則不見物。”后来李时珍本草綱目特别提出麻雀“其目夜盲”，对于現在夜間捕雀具有参考的价值。至于古人捕雀的原因，除了与“除四害”相同的目的以外，还用以佐餐。南宋周密武林旧事把鮓中有黃雀鮓。宋梅堯臣有“答袓擇之惠黃雀鮓”詩。明顧元庆云林遺事載有制黃雀饅头法。明陆之裘黃雀兒詩云：“城中小兒利汝肥，捕汝日暮鬻市門。”显然地也是卖給人吃。

老　　鼠

我国人民很早也知道老鼠对于粮食的耗损和对于建筑物的破坏。詩經魏風碩鼠說：“碩鼠碩鼠，無食我黍。”“碩鼠碩鼠，無食我苗。”“碩鼠碩鼠，無食我麦。”詩經召南行露說：“誰謂鼠無牙，何以穿我墉。”墉就是高牆。天工开物則指出老鼠对于蚕的危害，这本書說：“凡害蚕者，有雀、鼠、蚊三种。雀害不及茧，蚊害不及早蚕，鼠害則与之相終始。”原来老鼠吃蚕。但关于老鼠对于人类的危害，以明刘基的郁离子說得最为簡單扼要：“夫有鼠，則窃吾食，毁吾衣，穿吾垣墉，坏伤吾器用，吾將飢寒焉。”明張自烈正字通說，鼠一名耗虫。現在四川人一直喊老鼠是耗子。在这里“耗”就是“损耗”。况且，老鼠还扰人清夢，妨碍睡眠。明龔詡飢鼠行云：“灯火乍息初入更，飢鼠出穴啾啾鳴，齧書翻盆复倒甕，使我頻惊不成夢。”

我国历史上关于“鼠害稼”的記載很多。这里且以新唐書与宋史为例：新唐書五行志：“貞观13年（639）建州鼠害稼。”“貞观21年（647）渝州鼠害稼。”“景龙元年（707）基州鼠害稼。”“开元二年（714）韶州鼠害稼，千万为羣。”“开成四年（839）江西鼠害稼。”宋史五行志：“建隆元年（860）夏，相、金、均、房、商五州鼠食苗。二年（961）五月，商州鼠食苗。乾德五年（967）九月金州鼠食苗。太平兴国七年（982）十月岳州鼠害稼。紹兴16年（1145）清远、翁源、眞陽三县鼠食稼，千万为羣。乾道九年（1173）隆兴府鼠千万为羣害稼。淳熙五年（1178）八月淮东通秦楚高邮，黑鼠食禾；既岁大飢，时江陵府郭外羣鼠多至塞路，其色黑白青黃各異，为車馬踐死者不可胜計，踰三月始息。”

最初我国人民只知道：老鼠能將飲食弄髒，王充論衡雷虛篇：“鼠涉人飲食。”因此，“鼠涉一筐，飯捐不食。”（論衡幸偶篇）到了隋代（589—618）我国人民已經知道吃了老鼠吃殘的食物，会引起疾病。諸病源候論引养生方云：“正月勿食鼠殘食，作鼠瘻，發于頸項；或毒入腹下，血不止；或口生瘡如有虫食”。又引养生方云：“十二月勿食狗鼠殘肉，生瘡及瘻，出頸項及口里，或生咽內。”本草綱目引梅师集驗方云：“正旦朝所居，埋鼠辟瘟疫也。”虽然事涉迷信，但究竟將老鼠与瘟疫相提並論了。（按梅师集驗方的著作年代失考，惟宋唐愼微等著重修政和經史証类备用本草已引用此書，可見其書至迟成于宋代。）到了清代洪亮吉的北江詩話，則說得更加具体。这本書記述乾隆57年（1792）和58年（1793）云南鼠疫異常猖獗的情形說：“时赵州有怪鼠，白日入人家，即伏地嘔血死，人染其气，亦無不立殒者。”

淮南子說山訓：“貍头愈鼠”，注：“鼠齧人瘡。”由此可見我国人民早已發現鼠咬为害。元賈銘飲食須知說：“鼠糞有小毒，食中誤食，令人目黃成疸。被食食殘之物，人忌食之。”可見早在13至14世紀我国人民業已明确地知道有一种黃疸病是由老鼠傳播的。較之德国医师外耳氏（Adolf Weil，1848—1916）于1886年發現此病，要早五、六百年。

我国古代人民“除鼠”之法不外下列数种：第一、用葯物毒鼠。山海經西山經：“西南三百八十里曰皋塗之山，……其上多桂木，有白石焉，其名曰礜，可以毒鼠。有草焉，其狀如藁茇，其叶如葵而赤背，名曰無条，可以毒鼠。这可能是用葯物毒鼠最早的文献記載。宋唐愼微等着重修政和經史証类备用本草引陳藏器云：“罌子桐子有大毒，压为油，毒鼠。”又引葯性論云：“狼毒……亦杀鼠。”南宋周密武林旧事小經紀中，載有“老鼠葯”。明吳炳疗妬羹傳奇有云：“有老鼠葯一發求些！”

第二、熏烟和灌水：詩經豳風七月說：“十月蟋蟀，入我牀下，穹窒熏鼠，塞向墐戶。据馬瑞辰毛詩傳箋通釋，“穹窒”是徹底除去隐藏在牆壁縫里的虫；“熏鼠”是用烟熏出老鼠洞里的老鼠。韓非（公元前295—公元前233）提出了熏烟和灌水的捕鼠方法。韓非子外儲說右上說：“君亦見夫为社者乎？树木而塗之，鼠穿其間，掘穴託其中，燻之則恐焚木，灌之則恐塗阤。”阤就是損坏。晏子春秋卷三第九有类似的記載。晏子春秋卷七第十四又說：“諺言有之曰：社鼠不可熏。”

第三、掘鼠穴：庄子应帝王篇：“鼷鼠深穴乎神丘之下，以避熏鑿之患。”“熏”即用烟熏；“鑿”便是掘鼠穴。司馬迁史記卷122酷吏列傳說：“張湯者，杜人也。其父为長安丞，出，湯为兒守舍，还，而鼠盜肉，其父怒笞湯，湯掘窟得盗鼠及余肉。"这里的"掘窟"当亦即掘鼠穴。宋唐慎微等著重修經史証类备用本草引梁陶弘景云，鼹鼠，"俗中一名隐鼠，一名鼢鼠，……黑色，長鼻，常穿耕地中行，討掘即得。

第四、利用动物捕鼠：

(1) 貓：詩經大雅韓奕："有貓有虎。"禮記郊特牲："迎貓为其食田鼠也。"我国人民在战国中叶已知用貓捕鼠了。宋陆佃埤雅："鼠善害苗，而貓能捕鼠，去苗之害，故貓之字从苗。"元宵德祥杀狗記說："自古道养貓捕鼠。"

(2) 貍：俗名野貓。吕氏春秋貴当篇："貍处堂而众鼠散。"淮南子主术訓："譬犹……鼠之遇貍也，亦必無余命矣。"張心澂說："自汉志所載，以至今行世之說苑，蓋即刘向增补之新苑，增补非作始，不得以为向撰。"說苑杂言篇："騏驥騄駬倚衡負軛，一日千里，此至疾也，然使捕鼠，不如百錢之貍。"易林記載："三貍搏鼠，遮遏前后，死于环城，不得脫走。"

(3) 鴟：即鴞，俗名貓头鷹。庄子齐物論說："鴟鴉嗜鼠。"唐慎微等著重修政和經史証类备用本草引陈藏器云："鴞，……夜則飞行，常入人家捕鼠。"按鴟之一种（鵩鴞）最称捕鼠能手。在一个鵩鴞的窩里常可發現20只剛被杀死的老鼠。解剖起來，每头鵩鴞的胃里都有老鼠。根据在苏联的調查，一头貓头鷹一天吃掉20—30只老鼠。根据苏联專家的研究，一头貓头鷹一年中所消灭的害鼠，可能給我們节約下一吨粮食。

(4) 黃鼬：即鼬鼠，亦即鼪鼠，它是捕鼠能手，所以有黄鼠狼之称。明末清初虞若騰島居随录說："庄子所謂騏驥捕鼠不如狸鼪者，即此。"按庄子秋水篇載有："騏驥驊騮一日而馳千里，捕鼠不如狸狌（鼪），言殊技也。"又庄子逍遥遊也說过："子独不見狸狌（鼪）乎？"逍遥遊屬內篇，其时代可以上推至战国。可見至迟到汉代我国人民已經知道"黃鼠狼"捕鼠了。据近人研究，黃鼬的食物中，三分之二以上是各种各样的野鼠。

第五，机械捕鼠：考我国人民用机械捕鼠，开始甚早。淮南子說林訓："設鼠者机动。"易林："張伺夜鼠，……机發为祟。"这里的"机"都可能是指"机械"。唐代有人發明捕鼠的特殊机械。其一为逐鼠丸。唐段成式酉陽杂俎："王肅造逐鼠丸，以銅为之，晝夜自轉。"其二为木貓兒。唐苏鶚杜陽杂編："飞龙衛士韓志和，本倭国人也，善雕木，……兼刻木作貓兒，以捕鼠雀。飞龙使異其机巧，遂以事奏，上覩而悅之。"南宋周密武林旧事小經紀中列有竹貓兒，当是竹器，用以擒鼠者。根据文献記載，从元代起我国人民就有了木板鼠夾了，不过那时称它为木貓。元陈櫟有木貓賦。且看他的描写："遂設夫穽机，外匝板以四周兮，柱双峙而梁横；悬垂木其若砧兮，下簟盛夫饞腥。妙在分甍梗之活系兮，微有触而轟击，鼠冥行而嘗人兮，危机动而殞命畢。閒响而再設兮，或一夕获禽之三四，策奇勳其若玆兮，名木貓其奚媿。"这种木貓，清黃汉的貓苑說，俗名鼠弶。另外，根据清黃汉的貓苑，在清代"俗有取粗綫織成圓網，用以罩鼠，四方上下，面面皆圓，鼠入其中，冲突触系，終不能出，名为八陣圖，亦名天罗地網。"因其編織精巧，可能算是一种机械。

第五、用尖利的东西：梁元帝金楼子箴戒篇："齐郁林王既嗣位（494），夜中与宦者共刺鼠至曉，皆用金銀釵。"宋苏軾却鼠刀銘："野人有刀，不愛遺余，長不滿尺，……暴鼠是除。有穴于垣，侵堂及室；跳床撼幕，終夕窣窣；叱訶不去，啖齧棗栗；掀盃舐缶，去不遺粒；不擇道路，仰行躡壁；家为兩門，窘則旁出；輕趫捷猾，忽不可执；吾刀入門，是去無跡。"用刀杀鼠現在仍可沿用。

蚊　　子

蚊子咬人，确如許愼說文所說的是"齧人飞虫。"淮南子俶眞訓："蚉（蚊）蝱嗜膚而知不能平。"庄子天运篇："蚊虻噆膚，則通夕不寐矣。"晉葛洪抱朴子論仙篇："蚊噆膚則坐不得安。白居易蚊蟆詩："斯物頗微細，中人初甚輕，如有膚受譖，久則瘡痏成。"明馮維敏滿庭芳詞四憎之一詠蚊云："些微形狀，声如雷动，嘴似針芒，但沾着皮肉不厮放，頃刻成瘡，眼待合又疼又痒，睡不穩难忍难当。"晉傅选蚊賦云："妨农功于南亩，廢女工于杼机。"所以王充对于蚊子深惡痛絕，他說："案虫害人者，莫如蚊虻。"（論衡商虫篇）

唐吳融詠平望蚊子詩："唯是此蚊子，逢人皆病諸。"可見早在唐代，我国人民即已知道蚊子傳播疾病。再考隋巢元方等著諸病源候論中有山瘴瘧候条，顧名思义，"瘴""瘧"有关。且看其解釋："此病生于嶺南，帶山瘴之气，其狀發寒热，休作有时，皆由山溪源嶺瘴湿毒气故也，病重于伤暑之瘧。"所謂"其狀發寒热，休作有时，""病重于伤暑之瘧"，恰是惡性瘧疾症狀的粗糙描写。唐陈藏器更提出"瘴瘧"的名詞。唐元稹(779—831)詠蝱詩云："陰深山有瘴，湿墊草多蝱。"初步提出瘴气与蚊蝱的关系。宋乐史太平寰宇記云："汉源县……每至春冬有瘴气生，中人为瘧疾。"如將这几句話与前引元稹的兩句詩融会貫通，則蚊蝱与瘧疾的关系，不言而喻了。至于清赵学敏本草拾遺說："台七里，台灣志：即七里香，出台地者，能辟烟瘴，所种之地，蚊蚋不生。"又云：此品"辟瘴，焚其烟，化蚊蚋为水。"在这里虽然將瘴气（惡性瘧疾）与蚊蚋的因果关系先后倒置，但也說明了兩者的关系。

事实上，蚊子对于牛羊馬也是一种威胁。淮南子人間訓："蟁（蚊）蝱走牛羊。"王充論衡本性篇更申論之："蚊虻之力，不如牛馬，牛馬困于蚊虻，蚊虻乃有势也。"唐元稹詠蝱詩其序称：蝱"噬馬牛血及蹄角。"其詩則云："搏牛皮如穀，噬馬血成文。蹄角尚如此，肌膚安足云。"宋沈括夢溪笔談(1094年前)云："信安、滄景之間多蚊蝱，夏月牛馬皆以泥塗之，不尔多为蚊蝱所斃。郊行不敢乘馬，馬为蚊蝱所毒，則狂逸不可制。"讀之可見蚊蝱对于牛馬的荼毒以及从事畜牧的少数民族"除蚊"的必要。任乃强(筱庄)著西康詭異录(解放以前出版)說："西康夏季山谷皆草，山上究不敌平原之茂美，然牧民夏季概驅畜于山，無牧于平原者，避蝇虻之害也。"

关于蚊子的知識，古人比較丰富。淮南子說林訓："孑孓为蟁(蚊)。"註："孑孓，結蟨，水中倒跂虫。"可見汉代我国人民对于蚊子的生活史，已有初步認識。宋周密齐东野語："今孑孓污水中無足虫也，好自伸屈于水上，見人輒沉，久則蜕而为蚊，蓋水虫之变明矣。"这种認識比較淮南子进了一步。明李苏見物云："蚊生于囙孑孓，如小茴香子，初白，見日則黑，浮水上，蔭日則散。为数百子，分而沉。有拳者，有直者，掉动水中。旬余則裂背而出，或为豹脚，或为蒼蚊。"这段話的科学性更大，只不过泛称"卵"和"蛹"为"子"。庫蚊的卵每200—400个互相粘在一起，成为筏狀卵塊。伊蚊的卵分散沉于水底。庫蚊的孑孓在水中保持着头部朝下或倾斜的姿态，看来像是拳曲的。按蚊的孑孓与水面保持平行，宛若直的小木棍。在孑孓成蛹后，經过2—5天，蛹皮在背上裂开，蚊子就从里面爬出来。

我国古代人民已經知道的孑孓孳生处有四：第一是井中。尔雅释魚："蜎蠉"，晉郭璞注："井中小蛣蟩，赤虫，一名孑孓。"第二是沼澤。葛洪抱朴子內篇塞难："蛣蝠之滋于污淤"。按蛣蟩当即孑孓，污淤当即沼澤。第三是积水处。宋罗願尔雅翼："今孑孓春秋間积水惡濁則生之。"第四是污水中。宋罗願尔雅翼又云："蚊者，惡水中孑孓所化。"明刘元卿賢奕編："江南有孑孓，生污水中，好屈伸水上，見人泳去，久則蜕化为蚊。"根据司馬德著医学昆虫鑑别手册，按蚊的孳生处便包括井里、沼澤地，积水处和污水潭。自然在这些地方找得到孑孓的。至于庫蚊則更多生于污水中。古今中外的观察竟不謀而合！

王充論衡商虫篇："蚊虻岁生"，肯定了蚊子的繁殖力。晉傅选蚊賦："肇孟夏(夏历四月)以朋起，迄季秋(夏历九月)而不衰"，指明蚊子孳生的季节。淮南子氾論訓："古者民澤处复穴，……夏日則不胜暑蟄蟁(蚊)蝱。"則談到蚊子以暑天为多。汉东方朔隱語說蚊子"晝亡夜存"；本草綱目說蚊子"冬蟄夏出"；更道出蚊子夜出冬眠的習性。蚊子孳生的处所多与水草相近，这一事实显然地也是古人所知道的。晉傅选蚊賦："水与草其澤游，育茲孳而为蚊。"唐吳融詠平望蚊子詩："羣飞出孤渚。"宋范成大次韻蚤蚊詩："長养汙泥草木处。"明高啓答余新郑詩："茅蘆夾岸多蚊蝱。"唐杜甫寄刘峡州伯华使君四十韻："江湖多白鳥。"夏小正戴氏傳："白鳥謂閩蚋(螨)也。"說文："秦晉謂之蜹，楚謂之蟁(蚊)。"宋欧陽修憎蚊詩亦云："水乡自宜尔。"通常蚊子向上飞升不高于15至20米，但确有例外。我国古代人民就曾經观察到蚊子能飞到很高的地方，並能从很高的地方下降。淮南子俶眞訓曰："云台之高，墜者折脊碎腦，而蚊蝱适足以翱翔。"鶡冠子天权篇云："夫蚊蝱墜乎千仞之谿，乃始翶翔而成其容。"

根据过去的文献記載，古人並且还知道三种蚊子。第一种可能是白天咬人的騷扰阿蚊。唐吳融詠平望蚊子詩有云："天下有蚊子，候夜噆人膚；平望有蚊子，白晝来相屠。"按平望鎮在江苏吳江县南45里运河西岸，南与浙江嘉兴县接壤，为江浙兩省往来的冲途。清初洪若皋蚊賦序曰："余避、寇、越中，值暑月多蚊，日中为市。"清四川省巴县人李以宁壹蚊賦曰："異哉么么之纖細，乃鬖鬖而披猖，竟光天化日之不避，敢呼朋引类以方張。"我国江苏省、浙江省及四川省本是騷扰阿蚊的分佈地。

第二种可能是全身黃色而脚上有白色环紋的帶喙庫蚊。宋周密齐东野語："坡翁(苏軾)嘗曰，湖州多蚊蚋，豹脚尤甚，且見之。詩云：'飞蚊猛捷如花鷹'；又云：'風定軒窗飞豹脚'，蓋湖之豹脚蚊，著名久矣。旧傳崇王入侍，寿皇聖語云：'聞湖州多蚊果否？'后侍宴，因以小盒貯豹脚者数十枚进呈；蓋不特著名，亦且塵乙覽矣。"宋罗願尔雅翼："足有文彩，吳兴号豹脚蚊子。"按帶喙庫蚊分为二帶喙庫蚊与三帶喙庫蚊等。它們的腿脚都是深棕黃色的，上面綴着白色环紋或白鳞片，这样的配合，看来宛若豹腿上的白斑。湖州今浙江吳兴县。据中国昆虫誌目，浙江省有15种庫蚊，其中便有二帶喙庫蚊和三帶喙庫蚊。明宋濂逐鷄文說到蚊子"中有豹脚，势尤可畏。"古今圖書集成引烏程县志："豹脚尤毒。"据近人研究，三帶喙庫蚊很可能是乙型腦炎的傳播媒介，因为在它們身上分离得乙型腦炎的病毒，故此說它們"势尤可畏"，"尤毒"，确切不移。

第三种可能是称为墨蚊的台灣蠓。这种台灣蠓只有1.2到1.4毫米長，它比蚊虫小，全体棕黑色。它們在雨天或陰天是不活动的。在晚上和灯光下，也沒有它們的蹤跡。暖和、晴朗的白天是它們最活动的时間。由于虫体很小，較大眼孔的紗窗，它們仍能飞入飞出。台灣、四川和福建都有它們的分佈。按这种蚊子我国古代称为蠛子。唐元稹詠蠛子詩序云："蠛，蚊类也，其实黑而小，不礙紗縠，夜伏而晝飞。"其詩三首之一云："蠛子微于蚋，朝繁夜則無；毫端生羽翼，針喙噆肌膚；暗毒应难免，羸形日漸枯；將身远相就，不敢恨非辜。"周亮公閩小記："閩地有小虫若微塵，覩之不見，能剌人，較蚊蚋尤甚，帐帷亦不能間之，名沒子，江南人謂之蠓，京师卑濕处亦有之，俗名金鋼鑽。"

至于唐元稹所說的較之蠓子还小的[illegible]子是否系另一种小型蠓；宋梅堯臣詠江畔詩所說的“[illegible]聚乱飞”的“花脚野蚊”，是否系一种伊蚊，如埃及伊蚊或仁川伊蚊，它們的脚上都有白色环紋，則由于所可根據的資料过少，未能遽下斷語。

关于蚊子幼虫（孑孓）的除灭，我国古代人民虽然沒有單独的措施，但孑孓为水虫之一种，周礼中有投焚石与撒毒药杀死水虫的叙述。周礼秋官壶涿氏“掌除水虫，……以焚石投之。”“訂义”：郑鍔曰：“……又以焚石，使执投于水中，如以热湯，以火制水也。”周礼秋官薙氏“禁山之为苑澤之沉者。”疏：“謂別以药沉于水中以杀魚及水虫。”按“以焚石投之”，当是古代“石烹法”的殘存。所謂“石烹法”便是在地面上挖一个窟，盛水；另外在旁边生一个烈火，將一块块的石头燒得滾热，投入水內，这样將水煮沸。关于“杀魚及水虫”的毒药，周礼虽未提出，但尔雅却提出了“杬，魚毒。”唐顏师古急就篇注：“芫华一名魚毒，漁者煮之以投水中，魚則死而浮出，故以为名。其根曰蜀桑，其华（花）可以为药，芫字或作杬，尔雅曰：杬，魚毒。”陈嵘中国树木分类学亦云：“試投（芫花）叶与根于魚塘中，可致魚尽死，故有‘魚毒’之名。”芫花既能杀魚，当能杀水虫（包括孑孓），可無疑义。事实上，采用食道毒剂，使孑孓吞食中毒死亡，这种方法至今仍然沿用。

我国古代人民消灭蚊子成虫的方法則有下列几种：

第一是熏烟。这大約是古人最早采用的方法。汉东方朔隐語說蚊子“長喙細身，……嗜肉惡烟。”唐孙思邈食忌說：“五月，取浮萍，燒烟，去蚊子。”僧贊宁物类相感志云：“麻叶燒烟，能逼蚊子。”北宋刘延世孙公談圃：“秦州西溪多蚊，使者行按左右，以艾烟熏之。”宋梅堯臣次韻和永叔夜聞風声有感詩：“驅蚊爇蒿艾。”北宋儲泳祛疑說：“自幼愛接道友，……有一人……亦能祛蚊，……惟祛蚊术不可知。一夜醉饜，取其篋中香末試燒，蚊悉去；但不知用药，然正作荷花香，来日叩之，笑而不答，想亦荷花之驗耳。”宋末元初方夔夜坐苦蚊詩：“有来献方策，薙草燒蕴薰，延燒煽烟焰，杀气凝险云。”明徐光啓农政全書提出的辟蚊法則为：“用鰻鱺魚干，于室中燒之，蚊虫皆化为水。”还是用烟熏。像现在的土制蚊烟香，南宋已有人制造了。南宋周密武林旧事載有蚊烟及蚊烟作坊。南宋洪迈夷堅志乙志曾記当时南昌的制售蚊烟香者，因醉后誤服作蚊烟原料的砒霜与硫磺的事。明吳騏疗妬羹傳奇亦云：“虫豸無能，頻扰零星亦可憎，試把驅蚊烟点。”

第二是燒杀。宋欧陽修憎蚊詩云：“燎壁疲照燭。”宋苏軾沉香山子賦：“宜爇釜而燎蚊。”宋范成大次韻溫伯苦蚊：“不堪熏燎出窗扉。”宋范成大嘲蚊詩：“火攻憚積臭。”宋末元初方夔夜坐苦蚊詩：“之虫並搜攬，入夜無一傾，誰知有間伏，火攻策宿勳。”这些都是采用燒杀的方法除灭蚊子成虫的文献。这种办法直到今天仍未放棄，只不过古代用“燭”，用“柴”，現在用灯而已。

第三是用扇子驅拍。本来蚊子是可用手拍打的。明馮惟敏滿庭芳詞四憎四首之一詠蚊云：“飫胸上，輕輕一掌，汝命早先亡。”但由于“手拍換腥汗”（范成大嘲蚊詩），所以古人用扇子驅拍蚊子。宋蔡襄：漳州僧宗要見遺紙扇每扇各書一詩其七云：“堂陰壁蔭蚊蚋都，指揮四面先驅除，山翁一夜稳眠睡，若或論功誰胜渠。”

此外，唐白居易已經知道灭蚊要灭早，灭小。他的蚊蟆詩說：“所要防其萌。”方夔主張：“薙草燒蕴薰”。“薙草”就是除草。显然地这与古人知道蚊子的孳生与水草有关的知識是分不开的。况且，“薙草”既肅清了蚊子的孳生处，又可利用所“薙”的“草”来熏蚊子，实在是“一举兩得”的事。

談到古人預防蚊子叮咬的方法，則有蚊帳、紗窗、紗幔等等。第一、蚊帳。根据我国过去文献的記載，蚊帳殆始于后汉。謝承著后汉書黃昌傳：“黃昌因夏多蚊，而貧無幬，佣债为作幬。”南史卷47崔祖思傳：南朝“宋武帝节俭过人，張妃房唯碧綃蚊幬。梁書孙謙傳：“夏日無幬帳，而夜臥未尝有蚊蚋，人多異之。”这种蚊帳除了用“絹”縫制外，多用“罗”、“紗”与“葛”做成。庾信蕩子賦：“罗帳長垂。”南宋陆游連日得雨涼甚有作詩云：“紗幮不下蚊蝇靜。”明王磐鴻沉醉东風小令咏蚊雷：“碧紗厨（幮）差半点蘸着。”陆游夏日杂題詩云：“新縫細葛作蚊（蚊）幮（幬）。”南宋陈元靚歲时广記引岁时杂記：“都人端午作罩子，以木为骨，用色紗糊之，……为小兒睡罩，有甚华麗者。”如此說来，小兒睡罩至迟从南宋（1127—1278）时代就有了。

第二，紗窗。“紗窗”二字在北周的韻文中初次出现，如庾信蕩子賦：“紗窗独掩。”唐人詩中偶亦見之，如唐李白宮中行乐詞其五有云：“紗窗曙色新。”但自宋以后，詞曲中則屡見不鮮，足證紗窗自宋代以后，才漸普遍。如：宋陈[illegible]玉楼春詞：“[illegible]紗窗天欲曉。”元李行道灰闌記杂剧：“直睡到[illegible]三竿日影在紗窗上。”明沈青門咏[illegible]詞：“[illegible]隔紗窗驚喚醒。”这种紗窗是用綠紗安装的。宋賀方回浣溪紗詞咏晚景：“半垂罗幕护窗紗。”元張可久天淨沙詞咏湖上送别：“紅蕉隐隐窗紗。”这种紗是翠綠的。宋蘇东坡清平乐詞咏初夏：“碧紗窗下水沉烟。”明王世懋詩：“吳娘小館碧紗窗。”元高敬臣聽兒落过德胜令失題：“月明閑照綠窗紗。”元刘东生嬌紅記：“夜深偷展紗窗綠。”故此，这种紗窗有时簡称为碧窗或綠窗。元賈仲名蕭淑蘭杂剧：“碧窗[illegible]粘。”元無名氏隔江斗智：“有时节向綠窗閑和古人詩。”这种紗窗小的只有一扇，大的却有兩扇。明馮惟敏蟾宮四景閨詞："开一扇窗紗，掩一扇窗紗。"

第三、紗幔：这种紗幔有的是絳色的，有的是綠色的。晉陆翽鄴中記："石虎太武殿西有昆华殿，閣上詘开大窗，皆施以絳紗幌。"梁元帝金樓子自序："吾小时，夏日夕中下絳紗蚊幮。"金樓子立言篇云："白鳥，蚊也。齐桓公臥于柏寢，謂仲父曰：'一物失所，寡人悒悒，今白鳥营营，飢而未飽，寡人憂之。'因开翠紗之幮，进蚊子焉。"秦少游菩薩蛮詞咏秋閨："陰風翻翠幌。"幌就是幔。

說到防治蚊咬的药物，明吳炳疗妬羹傳奇云："蚤蝨蚊虫，被他吮了多少鮮血，把毒药塗在身上，等他来一个死一个，方才爽利。"在这里已經提出防蚊油这一类药品的需要。广西省龙县的民間早已用驅蚊树的种籽榨油，制成特效的防蚊油，据說到山里工作一天擦一、二次，便可防止蚊子叮咬。对于治疗台灣蠓（蟆子）叮咬而成的瘡，唐元稹詠蟆子詩序提出了一个处方，他說："嚙人成瘡，秋夏不愈，膏楸叶而傅（敷）之則差（瘥）。"按唐新修本草注云："楸，嫩叶主爛瘡"。

关于蚊子的天敌，我国古代人民所知道的計有：貓头鷹、螢火虫、蜻蜓、蜘蛛、蝙蝠和蚊母鳥。茲分述如后：第一、鴟：淮南子主术訓："鴟夜撮蚤蚊。"註："鴟，鵋鶀也。"鵋鶀便是貓头鷹。第二、螢：宋周密齐东野語："夏小正云：丹鳥，螢也。羞白鳥謂螢以蚊为粮云。"大戴礼虽是后人所輯的書，但其中夏小正一篇是很古的書，很可能著作于汉代。晉崔豹古今注："螢火……食蚊蚋。"第三、蜻蜓：战国策楚策："庄辛謂楚襄王曰：……王独不見夫蜻蛉（蜻蜓）乎？六足四翼，飞翔乎天地之間，俯啄蚊虻而食之。"第四、蜘蛛：晉成公綏蜘蛛賦："吐絲屬絡，布網引綱；纖罗絡幕，綺錯交張；于是蒼蚊夕起，青蠅昏归，营营聚众，薨薨乱飞；挂翼遗足，羃絲置圍；觸突必获，犯者無遺。"宋陈高詩："蛛網掛飞蚊。"宋范成大嘲蚊詩："網蛛助收拾。"第五、蝙蝠：宋罗願尔雅翼："服翼，蝙蝠，……遇夜則飞，夏夜尤甚，捕蚊蚋食之。宋梅堯臣醜鳥詩："蝙蝠尝入幕，捕蚊夜何忙！"宋范成大詠蝙蝠詩："伏翼昏飞急，营营定苦飢，聚蚊充口腹。"范成大嘲蚊詩："伏翼佐埽除。"第六、蚊母鳥：尔雅釋鳥："鷏，蟁（蚊）母。"注："今江东呼为蚊母，俗說此鳥常吐蚊，故以名云。"陈藏器本草拾遺："蚊母鳥，……鳥大如雞，黑色生南方池澤茹蘆中，其声如人嘔吐，每口中吐出蚊一、二升。"唐李肇国史补："江东有蚊母鳥，亦謂之吐蚊鳥。夏則夜鳴，吐蚊于叢葦間，湖州尤甚。"唐段公路北戶录："端新州有鳥类青鵁而嘴大常在池塘間，捕魚而食，每作一声，則有蚊子羣出其口。"按此鳥一名夜鷹，棲森林中，夜出捕食蚊虻等；夏居北地，冬徙南方。因为它們吃蚊子，古人未細加考察，遂以为它們吐蚊，这是他們的观察錯誤，但它們与蚊子有关，古人在这一方面的观察則是确切不移的。

蒼　蠅

我国古代人民自来認为蒼蠅是污穢的。詩經小雅青蠅云："营营青蠅。"注："青蠅污穢。"故此，淮南子要略說："一盃酒白蠅潰其中，匹夫弗尝也。"宋欧陽修憎蒼蠅賦："一有霑汙，人皆不食。"宋苏东坡"尝云：如食中有蠅，吐之乃已。"宋鄒浩咏秋蠅詩："食飲汙俯潔，使我味不甘，欲咽还复噎。"由此可知我国古代人民已經知道不吃蒼蠅爬过的东西。明朱之蕃的蒼蠅詩說："生从污穢忽雄飞，鼓翅接脣覚已肥，剩酒殘羹沾醉飽，青絲白壁妬光輝。"对于蒼蠅喜污貪食的劣根性，描写得更为淋漓尽致。蒼蠅对于人类的騷扰，宋欧陽修憎蒼蠅賦說得很清楚："尋头扑面，入袖穿裳；或集眉端，或沿眼眶；目欲瞑而后警，臂已揮而犹攘。……又如峻宇高堂，嘉宾上客；沽酒市脯，鋪筵設席，聊娛一日之余閑；奈尔众多之莫敌，或集器皿，或屯几格，或醉醇酎，因之沒溺；或投热羹，遂丧其魄。"至于士农必用云："夏蚕自蟻至老俱宜凉，忌蠅虫。"則指明蒼蠅对于蚕的威胁。

同蚊子一样，蒼蠅对于牲畜也是一种威胁。宋末元初方夔續憎蒼蠅詩："炎官煽毒日色赪，四海鼎沸還焚蒸，吳牛耕罷汗且喘，暫休树影眠滿塍。不知蒼蠅名品伙，乘时附势相欺陵；其間一种号赤目，巧窺猛攫如飢鷹；鑽咋嚙鼻不可奈，以首濁水澆清澄；自期擺脫有此計，須臾扑緣如牽繩。"任乃强（筱庄）西康詭異录說："去年余赴道孚，过長與春，馳走于下牛厂大平原者一日，时当盛夏，烈日如炙，气溫不讓內地盛暑。極目茂草，長或數尺，而無牧者。有数种刺蠅，翳天如雨，見人畜来，奔集吮血，痛澈心髓，余一手握韁，一手頻頻揮之，犹时遭刺。馬則更苦。直至日落，气溫降低，蠅始斂翅入草，山間牧童，始有牽其牛羊下就平地过夜者。"这种現象有力地說明了在我国少数民族地区"除蠅"的重要性。

关于蒼蠅的知識，古人知道得不少。淮南子說山訓："爛灰生蠅。"宋陆佃埤雅解釋說："蠅生于灰，蓋蠅值水溺死，以置灰中，須臾即活。"現在我們知道：假如蛹在潮湿环境中，只处一个短的时間，以后再放到干燥的环境中，它們的發育，仍旧可以繼續。晉束晳發蒙記："蠅生积灰。"本草綱目云："蛆入灰中蜕化为蠅，如蚕蝎之化蛾是也。"正好为其註脚。吕氏春秋功名篇："以茹魚去蠅，蠅愈至。"注："茹，臭也。"易林說得更具体："腐臭所在，青蠅聚集。"元馬东籬双調夜行船小令秋思云："鬧攘攘蠅爭血。"說明蒼蠅逐臭嗜血。

宋梅堯臣詠夏虫詩："物久必自化，化之犹豨膸，当看厕中蛆，去作盤上蠅。"初步提出了蒼蠅的生活史。

續博物志說："腐肉則生蛆，蛆化为蝇，蝇又生蛆，蛆又生蝇，豈有穷乎？"这对于蒼蝇的生活史作了一定的补充。但尔雅釋虫："䗿，丑鱄。"据清段玉裁說文解字注云："䗿即蛆字，"郭〔璞〕云：鱄者，剖母背而生。今大蝇有如是者，蚕蛹变而为蛾，亦是裂壳而出。"若果这个解釋正确，那么，早在汉代我国人民就已知道蛆化蛹蛹化蝇的蒼蝇生活史了。

大約在17世紀，已有人將蒼蝇与瘟疫相提並論。古今圖書集成引潁上县志云：明"崇禎十四年四月，大疫，士民死者过半。青蝇大如棗，飞蔽天日，丁尽屍絕者無数。"清道光初汪期蓮的瘟疫彙編开始指明蒼蝇是傳播瘟疫的媒介。这本書說："忆昔年入夏，瘟疫大行，有紅头青蝇千百为羣，凡入人家，必有患瘟而死者"。

周禮秋官司寇鄭玄注云："蜡，骨肉臭腐，蝇虫所蜡也。"汉許愼說文云："蜡，蝇胆也。"又云："胆，蝇乳肉中也。"段玉裁說文解字注云："蝇虫所蜡，即蝇乳肉中之說，乳者，生子也。蝇生子为蛆。蛆者，俗字；胆者，者字；蜡者，古字。已成为蛆，乳生之曰胆。"可見早在汉代我国即有人知道蒼蝇可在肉中下卵生蛆。考后汉書卷87杜根傳云："根遂詐死，三日，目中生蛆。"这可能是我国关于蝇蛆病的最早文献記載，但語焉不詳，只作了 現象的叙述。宋唐愼微等著重修政和經史証类备用本草引李勣苏敬撰唐新修本草注云：鼠李"子主牛馬者瘡中虫，或生擣傅之，或和脂塗，皆効。"又引唐陈藏器本草拾遺(書成于739年)云："桃竹筝，味苦，有小毒，主六畜瘡中蛆，搗碎內(納)之，蛆尽出。"足証早在唐代(618-907)，我国即有人知道六畜可能患蝇蛆病，並且还找着了治疗的葯物。

至若对于人类所患蝇蛆病的疗法則在金代始見于文献記录。本草綱目曰：金代(1115—1234)"張子和治癰疽瘡瘍生蛆，以木香檳榔散末傅(敷)之。"本草綱目又說："李楼治爛痘生蛆，以嫩柳叶舖臥，引出之。高武用豬肉片引出，以黎蘆貫众白蘝为末，用眞香油調傅之也。"考李楼及高武都是明代人。清赵学敏本草綱目拾遺說："慈谿楊靜山云：曾有人患癰破爛，內生虫蛆，纍纍千百計，治以杀虫葯無效。一老医以海参片焙末敷之，蛆皆化黄水，然后以生肌膏貼之，愈。据言，凡一切金創及疽毒破爛，交暑，內潰生蛆。"这本書又引不葯良方云："夏月潰瘍生蛆，……海参为末摻之，或皂矾飞过为末摻之，皆化为水。"由此可見，在明清兩代我国医学界已經普遍地知道了蝇蛆病的存在，而且还提供了治疗的葯物。患者由六畜推广至人类了。

古人所知道的蒼蝇种类，大約有下列六种：第一，中国家蝇：它是我国家庭中常見的一种蒼蝇，故称为中国家蝇。本草綱目拾遺称之为飯蒼蝇，或簡称飯蝇。詩經齐風鷄鳴說："鷄既鳴矣，朝既盈矣；匪鷄則鳴，蒼蝇之声。"这种声音既然是在家中听得的，發出这种声音的蒼蝇，当为中国蒼蝇。第二、綠蝇：它的体呈綠色，而有亮光，故俗称之为綠豆蝇。古人所謂的青蝇可能即綠蝇。古人以草色曰青，草色是綠色，这是众所周知的事。王充論衡累害篇："青蝇所汙，常在練素。"班固难庄論："众人之逐世利，如青蝇之赴肉汁也。"第三，麻蝇：它的腹部背面有很多棋盤格子式的斑，色彩閃爍不定而呈麻斑狀，故称为麻蝇。宋陆佃埤雅："蒼蝇又其大者，肌色正蒼，今俗謂之麻蝇。"明張自烈正字通："蝇类不一，……麻者最大，一名胡蠅。"第四、紅头蝇：它的体大，藍綠色而帶亮光，一对复眼很大，帶鮮紅色，所以叫做紅头蝇。宋欧陽修憎蒼蝇賦："赤头号为景迹。"宋孔武仲憎蝇賦："或衣藍而冠赭。"第五、山蝇：它和家蝇相似，主要的区别是：体較小而呈灰白色，胸部背面有二条黑色縱紋。此种蒼蝇在我国山区很常見。明李豫亨推篷寤語："山气多蝇，……故固原宣府、大同諸鎭多蝇。"按固原在今甘肃省，宣府和大同均在山西省一帶，其地皆多山。第六、狗蝇：一名犬蝨蝇，它的体形很扁，顏色暗黄而有光輝，寄生于狗体，吸食狗的血液，並能飞。宋周密齐东野語小兒痘瘡条提到狗蝇。注："狗身上能飞者。"並云："蝇夏月極多，冬則藏于狗耳中，不可不知也。"本草綱目："狗蝇生狗身上，狀如蝇，黄色，能飞，堅皮利喙，噉咂狗血，冬月則藏狗耳中。"

关于驅蝇防蝇的工具，古人則采用下列几种：

第一、扇子。謝承后汉書："郭諒……因往守覩其丧，扇护蝇虫。"旧唐書卷158武元衡傳："会食瓜，蝇集其上，〔武〕儒衡揮以扇。"明高啓詠扇詩："驅蝇临几席。"这些都是記載用扇驅蝇的文献。唐馮贄記事珠："盧記室多作脯腊，夏則委人于十步內，扇上塗餳，以扑蝇。脯以青沙障隔塵土，时人呼为獵蝇記室。"黏蝇紙的缺点是不能立时將蒼蝇杀死，蒼蝇于中毒后，仍能四处乱飞，終于陈屍遍地。盧記室的这种随黏随打的办法，比較高明。

第二、塵尾。汉代已有塵尾，其用途为"拂穢清暑"(晉王导塵尾銘)，但也用以拂蝇，明朱之蕃詠蒼蝇詩云："驅斥虽严还易集，持將塵尾莫停揮。"在晉代塵尾与蝇拂並行，竟成了統治阶層的專用品。南史卷45陈显达傳："显达曰：凡奢侈者，鮮有不敗，塵尾蝇拂是王謝家物，汝不須捉此自随，即取于前燒除之。"

第三、蝇拂。古人的蝇拂多为棕櫚絲所制，唐杜甫有詠椶拂子詩；唐韋应物也有椶櫚蝇拂歌。另有用麻制的。南史宋孝武帝紀："孝武大明中，坏上所居陰室，……壁上掛葛灯籠，麻繩拂。"穷人还有用牛尾作的。独異志："宋刘裕貧賤时，尝僵布被，用牛尾作蝇拂子。"蝇拂，顧名思义，其作用是驅蝇。宋孔平仲談苑："仁宗暑月不揮扇，以拂子驅蚊蝇而已。"明高啓衍师見訪鍾山里第詩云："白拂看麾座上蝇。"在擺設筵席时，古人用蝇拂揮走蒼蝇，唐盧綸和赵給事白蝇拂歌："罩蝇靑蒼恣游息、广庖万品無顏色，……此时滿筵看一举，荻花忽旋楊花舞，君如寒隼惊暮禽，颯若繁埃得輕雨。"唐韋应物棕櫚蝇拂歌："棕櫚为拂登君席，靑蝇掩乱飞四壁。"据近人考証，这种蝇拂在兩晉时才見流行，一直沿用至今。

第四、帘幕：宋張耒詠夏日詩："黄帘翠幕断飞蝇。"北齐顏之推顏氏家訓勉学篇："閑斋張葛幃，避蝇独坐。"据宋高承撰事物紀原云："庄子曰：有張毅者，高門悬箔，無不走也；而読藝有戶下悬帘，明知是箔，則悬箔即帘矣。荀子有局室蘆帘之文。由此推之，疑三代物。禮曰：天子外屏諸侯，內屏大夫以帘，士以幃。"按庄子（公元前365？——公元前290？）与荀子（公元前340？——公元前245？）都是战国时人。禮記本汉儒所纂集的叢篇，杂采諸家的著述。由此可見，早在战国时代我国人民即知以帘幕防蝇了。

第五、冰：古人知道蒼蝇惡寒，所以用冰驅蝇。呂氏春秋功名篇："以冰致蝇，虽工不能"宋陆佃雅云："蝇……常喜暖惡寒，故遇冰輒側翅远引。"宋書禮志："孝武帝大明六年（462）五月詔立凌室藏冰，……夏祠用鑑盛冰，室一鑑，以御溫气蝇蚋。"唐李賀出城別張又新酬李汉詩："买冰防夏蝇。"大約在宋代冰的供应很多，梅堯臣就有三篇詩提到以冰驅蝇：（1）答廷評宗說遺冰詩："定能涼一室，既已却靑蝇。"（2）詠韓子华遺冰詩："置坐百步無靑蝇。"（3）詠蝇詩："自有坚冰在，能令畏不难。"

第六、食罩：南宋陈元靚編岁时广記引岁时杂記："都人端午作罩子，以木为骨，用色紗糊之，以罩食。"南宋周密武林旧事所載小經紀中列有食罩。如此說来，我国人民在南宋（1127—1278）时代就开始有食罩了。明李豫亨推篷寤語："山气多蝇，……故固原、宣府、大同諸鎮多蝇，每宴会必加罩于鼎俎，以三关俱崇山故也"这里更明白指出用食罩的防蝇作用了。

在辟蝇法方面，物类相感志列举了下列几种：（1）"藁湯洗杯，靑蝇不来。"（2）"藁本湯布拭酒器並酒桌上，蝇不来。"（3）"陈茶末燒烟，蝇远去。"（4）"台葱逼蝇子。"（5）"使蒼蝇不来席上，以稻草索数条悬壁間，則尽飞索上。"明徐光啓农政全書的辟蝇法則为："腊月取楝树子，濃煎汁澄清，泥封藏之，用时取出些少，先將米布洗淨，浸入楝汁內扭干，抹妄用杂物，則蝇自去。"按以楝树根皮或枝叶煎汁均可驅园圃的害虫。楝树子煎汁当有同等功效。

关于蒼蝇的天敌則有蜘蛛、蝇虎与水黽：（1）蜘蛛：易林："蜘蛛作網，以伺行旅，靑蝇嚵聚，以求膏腴，触我罗絆，为網所得，死于網罗。"宋張耒蜘蛛賦："朝蝇暮蚊，食人所惡。"（2）蝇虎：赵学敏本草綱目拾遺曰："易曰：'震来虩虩'。雅俗稽言曰：'虩，蝇虎也，常若多惧，故取象焉。"按"震来虩虩"为易震卦的卦辭，系西周（公元前1122—公元前771）时所作，那么，我国人民早在3000年前已經知道有"蝇虎"的存在。汉許愼說文："虩，易履：'虎尾虩虩'，虩虩，恐惧也。一曰，蝇虎也。"晉崔豹古今注："蝇虎，蝇狐也，形似蜘蛛，而色灰白，善捕蝇。一名蝇蝗，一名蝇豹。"赵学敏本草綱目拾遺（1765年）云："按蝇虎……惟居牆壁，捕蝇食。……兒童捕置器中，捉蝇以飼之，觀其搏躍为戏。"宋陈师道詠蝇虎詩对于蝇虎捕蝇的神情描写得維妙維肖，詩云："匿形注目搖兩股，卒然一击势莫御，十中失一八九取，吻間流血腹如鼓。"（3）水黽：按本草綱目云：亦作水馬。赵学敏本草綱目拾遺說："按水馬四五月內出浮水面，身硬脚長，池沼中甚多，性喜食蝇。予在甌亲見小兒捕之嬉戏，用釣竿系蝇，蝇头穿一蝇，擲水面，誘之即来，以四足抱蝇不放，因而获之。"

結　論

由此可見，我国人民是有"除四害"的优良傳統的；而且，有許多古人所采用的方法，直到如今依然沿用。例如目前捕滅黄鼠仍然采用灌水法、烟薰法、毒餌毒杀法。捕灭沙土鼠仍然采用烟薰法、堵塞鼠洞法。又如目前除灭麻雀仍然用彈弓、網罗、膠黏、药毒。

尤有甚者，还有許多古人所采用的方法，値得我們学習。例如：將細叶冬靑的內皮搗碎，制成黐膠，用来膠粘麻雀，値得大为推广；用草烏和秦椒麻醉和毒死麻雀的方法，也不妨一試。这里特別要提出以芫花煮水杀死孑孓的好处。通常用石油，DDT、666、223傾潑和噴霧在水面上杀死蚊子的幼虫，但它們都具有可燃性，对于除灭消防水池的孑孓就不适用了。現在如以芫花煮水則可免此弊。采用中药，价錢比較便宜，合乎节約的要求。况且，根据上述，可見我国古代人民对于麻雀、老鼠、蚊子、蒼蝇的形态和生活習性，甚至生活史，都有一定的認識。他們的"除四害"的方法，並非盲目采用的。例如：他們利用蒼蝇惡寒的習性，便"以冰驅蝇"；他們知道蚊子的孳生与水草有关，主張"薙草"除蚊。

我国历代記載"除四害"方法的文献甚多，本文所涉及的只是其中的一部分，对于这一方面的發掘和整理，尙待大家努力。今天在党和政府的号召之下，我們要尽一切可能發揮的力量，根据1958年2月12日中共中央与国务院联合發出的"关于除四害講衛生的指示"，利用古今已知的方法，羣策羣力，消除四害，务期达到1956年到1967年全国农業發展綱要（修正草案）第27条的要求："从1956年起，在12年內，在一切可能的地方，基本上消灭老鼠、麻雀、蒼蝇和蚊子。"

1958年 第4号

唐宋的医事律令

唐志炯

医事律令，主要是指有关于医药衛生方面的法律，命令，制度等，除了法律条文中所規定的違法者給予各种处罰外，也包括着現在所謂的衛生行政与保健組織中的一部分內容。所謂律令，律就是法，如軍律，刑律等；也就是軍法，刑法。制裁法的書，也叫律。所謂令，就是發号，命令。律令也就是法令的意思。

各种律令，历代基本上都是相沿引用的，但也不斷的进行增減添补。至中世紀中叶，法律已成为一种專門学問，叫律学，如唐朝的国子监"置律学"；也有了成文的律書，如隋律，唐律，宋刑統等。除了專門的律書外，各朝代的皇帝又隨时頒發詔令，詔令一頒發，有的也就成为补充的法律了。

关于医事方面的律令，各朝没有一本專書，只是散在各律書和各史籍中，据旧唐書对于唐律的記叙中有："凡律十有二章……令二十有七篇，分为三十卷……其中二十七是医疾。"二十有七篇的令，好像对医事有專門的篇章，但至今未見該書。在古今圖書集成中的"祥刑典"，其下分律令，牢獄等十余部，这是以各朝代史書为基礎的專題綜合，但也並無医事律令的專輯。宋大都承襲唐律，如宋刑統除添补了某些条文外，其余都与唐律相同，故本文將唐、宋合为一題。但各代之有关医事詔令及措施却大有差異，本文給予一一补入。其主要之文献也註于文內。

根据唐律，服刑有五种，每种又分为数等，一是笞刑，分为十、二十、三十、四十、五十共五等；二是杖刑，分为六十、七十、八十、九十、一百共五等；三是徒刑，分为一年、一年半，二年，二年半，三年共五等；四是流刑(即流放)，分为二千里，二千五百里，三千里共三等；五是死刑，分为絞与斬兩等。全部共为五种二十等。因本文內常有"减一等"或"加一等"的規定，看了上述制度，就可明了。

本文研究之范圍，除了企圖較有系統的整理有关医事律令方面之專題材料外，对其中有些方面的問題，是給予解釋說明，有些問題是表示个人的見解，或予以查証。

本文按現有材料，根据其問題性質，划分为八类。

一 有关医事的律令

医生不得欺詐病人 "諸医違方詐疗疾病而取財物者，以盜論。"(見唐律，宋刑統同)

医生檢驗不實要受罰 "諸有詐病及死伤，受使檢驗不实者，各依所欺減一等。若实病死及伤，不以实驗者，以故入人罪論。"(唐律，宋刑統同)

此条对医生要求較为严格，一切詐病死伤都要有确实診斷，恐困难做到。其"各依所欺減一等"之意思是医生比該"詐病及死伤"之人的罪減一等。

医卜不能入仕 "乾元元年(公元758年)定医卜入仕律。"

"二月丁未詔，今后医卜入仕者，同以法例处分。"(見唐肅宗本紀)

按此律在唐律中未見，医卜虽然在学术上很早就分了家，正因为这样，医学才得到独立的發展，但在很長的一个封建时代里，医卜都是归入于方术一类內的。

主司应予丁匠防人等治病 "諸丁匠在役及防人在防，若官戶奴婢疾病，主司不为請給医药救疗者，笞四十，以故致死者，徒一年。"(唐律，宋刑統同)

"諸从征及从行公使于所在身死，依令应送还本乡，違而不送者杖一百，若伤病而医食有闕者杖六十，因而致死者徒一年。"(唐律，宋刑統同)

此二条是仅有的涉及到工匠、奴婢、士兵等"最下等人"的医药保障問題，書之于法律条文，看来已是难能可貴，但即使按所規定也困难进行，因为無法可以証明是因"不为請給医药"或"医食有闕"(缺)而致死的。

对罪人不得鞭背，以明針穴 "貞观四年十月戊寅制(公元630年)，决罪人不得鞭背，以明堂孔針灸之所。"(旧唐書)

按当时唐之李淵及其子李世民統一了隋朝混乱局面，經济上也得到暫时稳定和發展，成为历史上有名的"貞观之治"。其各种措施，对人民作了某些方面的讓步，以粉飾其統治阶級体恤人民之功德，此条規定也同样可以說明这个情况。另一方面，也反映出針灸在当时，即以在全国范圍来說，也还是医疗上一个極主要的方法，並得到普遍的重視(在封建社会后期已不这样重視)，不然，不至有如是的規定。

以治疗效果来考核医官 唐职制中对考課之法有"四善"和"二十七最"，其第二十三最是"占候医卜，效驗居多，为方术之最。"(見旧唐書)，这是根据医生之治疗效果来考核的規定。

医生技术不高被撤职 "乾德元年(公元963年)朔校医官，黜其艺不精者二十二人。"(宋史)

医生技术好的送翰林院深造 "雍熙三年(公元968年)校医术人优者为翰林學生。"(宋史)

令諸州送医生来太医署工作　“雍熙三年五月丁亥詔諸州送医术人校業太医署。”(宋史)

医官院考試御医令　“治平四年(公元 1067 年)詔提举医官院試堪診御脉者六人。”(宋史)

病未愈医生撤职　“乾道三年(公元 1070 年)东宫医官杜輯除名。”(宋史)

按杜輯之被除名是因神宗的兒子的病沒有医好所致。

試医官須考医經本草　“至和二年(公元 1055 年)九月詔,試医官須引医經本草以对,每試十道,以六通为合格。”(宋史)

医官职制貶低　“庆曆二年(公元 1042 年)五月丙辰詔,医官毋换右职。”(宋史)

按历代都是以右为大,右职比左职高,現独規定医官勿得换右职,除輕視医生外,似得不到其他解釋。

二　有关药事的律令

合药有誤医生絞罪　“合和御药誤不如本方及封題者医絞。”(唐律,宋刑統同)

所謂不如本方,是指药的份量多或少,或者合成的方法不对。药合成后,其題封上註明药的性質,如冷热之类,这些要求有一件不如本方者,不管有沒有影响,或影响大小,医生就要被絞死。当然,这是对皇帝是这样的。

合药如揀擇不精处徒刑　“料理揀擇不精者徒一年,未进者各减一等,监当官司,各减医一等。”(唐律,宋刑統同)

料理是对药品的切削洗滌之类,揀擇是药品去坏的留好的,这方面如有不当之处也要徒一年,但这也是对和合御药来說的。管理的官員,比医生减一等罪。

医生对普通人合药有誤处徒刑　“諸医为人合药及題疏針刺誤不如本方杀人者徒二年半。其故不如方杀伤人者,以故杀伤論,虽不伤人杖六十,即卖药不如本方伤人者亦如之。”(唐律,宋刑統同)

这里明显地可看出来,对皇帝只要有一点差錯就得死,对普通人即使因誤而死人(在条文中特别写明“杀人者”),只要二年半的徒刑。

毒药毒人者处絞罪　“諸以毒药毒人及卖者絞(謂堪以杀人者,虽毒药可以疗病,买者將毒人,卖者不知情不坐)*,即卖买未用者流二千里。”(唐律,宋刑統同)。

毒药既可疗病,卖买者未用而需受流二千里之处分,似不很合理,且对药物的使用起着压制作用。

毒药勿准进貢　“政和四年七月(公元 1114 年)焚苑东門所儲毒药,可以杀人者仍禁勿得复貢。”(宋史)

所謂毒药的毒字含意是比較广泛的,大部分药品都是有“毒”的,越量就会發生危險,但治疗上又不得不用,上述措施,同样对治疗上或多或少是有妨碍的。

对民間疾病的賜方賜药令　“开元十一年(公元 723 年)頒上撰广济方于天下。”(旧唐書)

“景德三年(公元 1006 年)賜广南聖惠方岁給錢五万市药疗病者。”

“庆曆八年(公元 1048 年)七月己未詔,諸州岁市药以疗民疾。”

“皇祐三年(公元 1051 年)五月乙亥頒簡要济众方,命州县吏按方济以救民疾。”

“至和元年(公元 1054 年)正月碎通天犀和药以疗民疾。”

“嘉祐二年(公元 1057 年)八月乙酉詔,每岁賜諸道节鎮諸州錢有差,命長吏选官和药以救民疾。”(以上均見宋史)

三　有关飲食衛生的律令

造御膳犯食禁者絞罪　“諸造御膳誤犯食禁者主食絞,若穢惡之物在食飲中徒二年,揀擇不精及进御不时减二等,不品嘗者杖一百。”(唐律,宋刑統同)

按上条对皇帝来說,的确是相当講究了。食禁是指兩种以上的食物,不能予以混和者,如莧菜不能和鱉一起,黃瓜不能和花生在一起等,相傳都是要吃死人的。如犯食禁当然就是死罪了。其次如食物要清潔,揀擇要选好的。所謂“进御不时”,除了吃飯要有一定时間外,尙且要注意春天飯要溫,夏天羹要热等,道理似乎很多。“不品嘗”,在这里含有兩种意义,一种当然是为了調味可口,另一方面是防止中毒。

“諸监当官司及主食之人,誤將杂药至御膳所者絞(所謂监当之人应到之处)。”(唐律,宋刑統同)

大約造御膳从造至进都有监当官司依規定行事,杂药是合和而成为药,但能吃的,如至御前就要有絞罪。

外膳犯食禁者杖罪　“諸外膳(謂供百官)犯食禁者供膳杖七十,若穢惡之物在食飲中及揀擇不淨者笞五十,誤者各减二等。”(唐律,宋刑統同)

外膳是供百官的官厨,其所犯的事实虽与御膳一样,但处分要輕得多了。

脯肉有毒速焚　“脯肉有毒曾經病人,有余者速焚之,違者杖九十,若故与人食,並出卖令人病者徒一年,以故致死者絞,即人自食致死者,从过失杀人法(盗而食者不坐)。”(唐律,宋刑統同)

脯肉就是腊肉咸肉,腊肉毒我国很早就已發現,故法律上也早已有明文規定。

四　有关衛生保健方面的律令

同姓不得結为婚姻　“同姓为婚者各徒三年,緦麻

---

* 該括号內的文字,系根据故唐律疏义中的原文,但因原文是用双行的小字,恐排印与閱讀不方便,故改写为單行,字体一样大小,另用括号,以志区别,下文內凡所引証之条文中,有括号者皆照此。

以上以姦論。”(唐律，宋刑統同)

同姓不得結婚，其后果在我国氏族社会的末期，就已被人們發現了，即所謂“男女同姓，其子不孳”。總麻且是上下亲屬关系，当然更为严格。

妻有严重疾病要被休棄 “諸妻無七出及义絕之狀而出之者徒一年半，虽犯七出有三不去而出之者杖一百追还合，若犯惡疾及姦者不用此律。”(唐律，宋刑統同)

“七出”，按規定是無子，淫佚，不事舅姑，口舌，盗窃，妬忌，第七是惡疾。妻有惡疾，法律規定可以出之，但夫有惡疾，非但沒有規定，且妻得終生守候。

杀狂犬 “如狂犬不杀者，笞四十。”(唐律，宋刑統同) 这是指御前所豢养之牲畜，对民間是否遵順此律，尙未查实。

禁屠割刑人骨肉 “先天元年(公元712年)，制曰，凡有刑人国家常法掩骼埋胔，王者用心，自今以后，輒有屠割刑人骨肉者，依法科殘害之罪。”(旧唐書)

此条在唐律中未見，系唐玄宗时制訂，对于屠割刑人骨肉，在那时可能很严重，統治者所以要禁止，主要是維护道德，而老百姓所以要去屠割，主要是想拿它去做葯，历代相傳認为人的血肉是能治百病的。

不得閹童男 “乾德四年(公元966年)六月詔，士庶敢有閹童男者不赦。”(宋史本紀)

宫中無太监，士庶又何必閹童男，如果追究其原因，皇帝首先是一个大罪人；此風到明朝更变本加厉，作太监已成为求生之道中的一个好差使。

不得杀人祭鬼 “太平兴国二年(公元977年)禁邕管杀人祭鬼及僧人畜妻孥。”

“淳化五年(公元994年)禁川峽嶺南湖南杀人祀鬼，州县察捕募告者賞之。”(宋史本紀)

所以要祭鬼，主要是对疾病的观念而来的，認为疾病是鬼在作祟。杀人作祭，系奴隶社会时所留下的“人牺”，在这时他們把人作为最大的犧品来祭鬼，以期望鬼不再作祟于人。

暑天減工 “景德元年(公元1004年)六月暑甚，罢京城工役，遣使賜耆葯。”(宋史本紀)

“景德四年(公元1007年)六月盛暑，減京城役工日課之半。”(宋史本紀)

暑天減工，大約只有对皇家之工程来說，民間恐無此例，但江浙某些地区有“息耋”，不知是否与这有联系。

保护嬰孩令 “庆元元年(公元1195年)正月詔，兩浙淮南江东路歉，諸州收养遺小兒。”(宋史本紀)

“庆元元年五月詔，諸路提举司置广惠倉修胎养令。”(宋史本紀)

“开禧元年(公元1205年)三月申嚴民間生子棄杀之禁，仍令有司月給錢米收养。”(宋史本紀)

上述三令，都出于南宋，时間相隔十年，很明显的反映南宋偏安浙东后，政治經济都处于崩潰的局面，人民無以为生，杀子棄子，極为普遍，其实即使三令五申，也很难阻止。

不得以物置人耳鼻 “諸以物置人耳鼻及孔竅中有所妨者杖八十，其故屏去人服用飲食之物，以故主伤者，各以斗杀伤論。”(唐律，宋刑統同)

五 有关斗毆以伤情輕重判罪的律令

“諸斗毆人者笞四十(謂以手足击人者)，伤及以他物毆人者杖六十(見血为伤。非手足者其余皆为他物，即兵不用刃亦是)，伤及拔髮方寸以上杖八十，若血从耳目出及內損吐血者各加二等。”

“兵不用刃”是指虽用兵器而不用刃。“拔髮方寸”是毆斗中拔去头髮有一方寸以上的面积。

“諸斗毆人折齿毀缺耳鼻眇一目及折手足指(眇謂亏損其明而犹見物)，若破骨及湯火伤人者徒一年，折二齿二指以上及髡髮者徒一年半。”

“眇一目”是說眼睛受到亏損，但尙能看到东西，並非全瞎。“及髡髮者”，是說髡髮不能为髻了，不然仍以拔髮方寸以上論处。

“諸斗以兵刃斫射人不著者杖一百(兵刃謂弓箭矟矛䂎之屬，即毆罪重者从毆法)，若刃伤(刃为金鉄，無大小之限，堪以杀人者)及折人肋、眇其兩目、墮人胎徒二年(墮胎者謂辜內子死乃坐，若辜外死者从本毆伤論)。”

所謂辜內辜外，是指保辜的期限，按唐律对各种伤其保辜限期各有不同，墮人胎者为三十日，那末三十日內是算辜內，若子死就得以墮人胎之罪論处，但在三十日內而子未成形者，則不作墮胎論处。在三十日以外即辜外的，虽然子死，不以墮胎論处，大約是防止究系受伤而死还是后因其他事故而死的判决上的困难。

“諸斗毆折跌人支体及瞎其一目者徒三年(折支者折骨，跌体者骨差跌失其常处)，辜內平复者各減二等(余条折跌平复准此)，即損二事以上及因旧患至篤疾，若断舌及毀敗人陰陽者流三千里。”

“二事”是指兩处伤，如既損一目，又折一肢等。“旧患至篤疾”是指本来已損一目，現又損另一目而成篤疾。

諸保辜者手足毆伤人限十日，以他物毆伤人者二十日，以刃及湯火伤人者三十日，折跌支体及破骨者五十日(毆伤不相須余条毆伤及杀伤各准此)，限內死者各依杀人論，其在限外及虽在限內以他故死者，各依本毆伤法(他故謂别增余患而死者)。(本节原文見唐律与宋刑統同)

从上述数条来看，需要提出的：第一，对伤情輕而分别量刑，在那时一般来說是較細致的，也是較合理的；第二，其中对头髮甚为重視，拔髮一方寸要杖八十，被剪掉不能打髻要徒一年半，这並不是以对身体的危害来考虑，主要是重風俗礼教；第三，最后一条是除了以伤論伤外，尙对伤的后果——致死規定了期限，伤越重期限越長，也可說是合理周到的。

六 对囚犯医葯衛生管理的律令

囚犯应給衣食医葯 "諸囚应請給衣食医葯而不請給，及应听家人入視而不听，应脫去枷杻而不脫者杖六十，以故致死者徒一年，即減竊囚食笞五十，以故致死者絞。"（唐律，宋刑統同）

对囚犯在医葯上的待遇，按所定的律文，似乎与普通工役軍防人員相同，不給医葯而致死者都是徒一年，但病死事小，餓死事就大，減竊囚食而致死的是絞罪，但打死的又比病死的重一点，如下条。

囚犯有病未愈不准拷打 "即有疾病不待差而拷者，亦杖一百，若决杖笞者，笞五十，以故致死者，徒一年半。若依法拷决而邂逅致死者勿論，仍令長官等勘驗，違者杖六十（拷决之失、立案不立案等）。"（唐律，宋刑統同）

这里規定有病之人不能拷打，对病人似乎有所照顧，所謂邂逅致死，就是不期而死，变成偶然性事故。

囚犯与监獄的衛生 "开宝二年（公元969年）五月帝以暑气方盛，念縲繫之苦，乃下手詔，兩京諸州令長吏督獄掾五日一檢視，洒扫獄戶，洗滌杻械，貧不能自存者，給飲食，病者給医葯，輕繫即时决遣，毋淹滯，自是每仲夏申勅官吏，岁以为常。"（宋史刑法）

这里所說的"自是每仲夏申勅官吏，岁以为常"是不可靠的，因为自开宝之后的各代皇帝，对这方面还是三令五申的。

"太平兴国三年（公元978年）詔：諸州暑月五日一滌囹圄，給飲漿，病者令医治。"（宋史志）

"紹聖四年（公元1097年）令諸獄置气楼凉窗，設漿飲，荐席杻械五日一浣，繫囚以时沐浴，遇寒給薪炭。"（宋史志）

"建炎二十一年（公元1151年）六月命岁給大理寺三衙及州县和葯剂疗病囚。"（宋史志）

关于对囚犯之葯医衛生問題，从上述所列举的史料来看（其中有好多相同的已略去）向为历代帝王所注意的，其目的大約有二，一是怕重要犯人因此而死亡，得不到更多的綫索与証据，二是借此来歌頌自己統治的仁慈爱民的功德，在宋史中紀載了許多皇帝"亲录囚徒"、"虑囚"等也就說明这点。甚至有个别皇帝以病死囚之多寡，作为官吏之升降，如宋史刑法志載，徽宗以"岁終比較死囚最多者，当职官黜责，其最少褒賞之。""五年岁終比較，宜州衢州福州無病死，当职官各轉一官，舒州病死及一分，惠州二分六釐，当职官各降一官。"

怀孕犯妇产后再行拷决 "諸妇人犯死罪怀孕当决者，听产后一百日乃行刑，若未产而决者，徒二年，产訖限未滿而决者徒一年，失者各減二等。其过限不决者，依奏报不决法。"（唐律，宋刑統同）

"諸妇人怀孕犯罪应拷及决杖笞，若未产而拷决者杖一百，伤重者依前人不合捶拷法，产后未滿百日而拷决者減一等，失者各減二等。"（唐律，宋刑統同）

以上二条系为保障嬰孩的生命，孕妇虽非死罪而禁止拷打，为防止流产。

对囚犯的医葯衛生管理，虽無独立机構，但也有兼管的。按旧唐書百官志中刑部有郎中一員，員外郎一人，其职是"掌配役隶簿录將囚以給衣粮葯疗以理其訴競雪寃……"。其具体执行这一个工作的是獄丞。

七 关于医葯衛生机構的設置与撤銷令

各州置医学令 "貞观三年（公元629年）九月，諸州置医学。"（旧唐書）

"开元十一年（公元723年）九月，仍令諸州置医学博士一人。"（旧唐書）

唐时对州县的医学机構虽有設置或撤銷的，但变动不大，基本上可說是穩定的，也可說明其封建統治的巩固性，但到宋代就大不相同。

对医学机構的撤置令 "元丰四年（公元1081年）元月，改翰林医官院为医官局。"

"崇宁二年（公元1103年）九月，置医学。"

"崇宁三年（公元1104年）六月，复置太医局。"

"崇宁五年（公元1106年）正月丁巳，罢書画算医四学，壬戌复書画算学，二月壬申，有內外冗官罢医官。"

"大观元年（公元1107年）春正月，复医学。"

"大观四年（公元1110年）三月詔医学生併入太医局。"

"政和三年（公元1113年）四月，复置医学。"

"政和三年十二月詔天下貢医士。"

"政和五年（公元1115年）春正月，令諸州县置医学。"

"宣和二年（公元1120年）七月，罢医算学。"

"宣和二年八月詔減定医官額。"

"宣和三年（公元1121年）五月，立医官額。

"乾道七年（公元1172年）十二月，罢太医局。"

"淳熙十五年（公元1188年）九月，更試补医官法。"

"紹熙二年（公元1191年）七月，复置太医局。"（以上皆据宋史本紀）

根据上述不完全的材料已經使人够厭煩了。这样反反复复的一息設立医学，一息又撤銷，相隔数年的倘还算穩定，甚至还有在一年內、一二月內撤而复設、設而复撤的。这不單是說明統治者对医学（也包括其他科学）不重視，沒有足够的認識，其实質上是表現着政治局面的动盪和統治阶級內部的矛盾，相互争斗相互傾軋而已。

瘴煙地区置医葯 “明道二年（公元1033年）二月，以广南兵民苦瘴毒，为置葯。”（宋史本紀）

“淳熙七年（公元1180年）二月，置广南煙瘴諸州医官。”（宋史本紀）

設置各种医院 “崇宁元年（公元1102年）八月，置安济坊，养民之貧病者，仍令箪县並置。”（宋史本紀）

“崇宁元年十一月，置河北安济坊。”（宋史本紀）

安济坊之作为医院，其論証並不一定充足，但决不能以今日之医院来衡量，按其所載是“养民之貧病者”，因此也只有貧而病者才到那里去“养”，有錢的当然在家里“养”了。

“政和四年（公元1114年）七月，置保寿粹和舘，以养宫人有疾者。”（宋史本紀）

“咸平元年（公元998年）从黄州守王禹偁之請，諸路置病囚院，徒流以上有疾者处之，余責保于外。”（宋史志刑法）

八 其它医事杂令

大祀不得問病 “諸大祀在散齐而吊丧問疾，判署刑杀文書及决罰者笞五十，奏聞者杖六十，致齐者各加一等。”（唐律，宋刑統同）

大祀是皇帝在冬至和夏至祭百神的，一次要四天，这算是国家的一件大事，但在法律上規定連問疾都不能了，不知理由何在？在那几天生病的人可倒了霉。

因年龄与疾病关系可免刑 “諸謀反及大逆者皆斬父，子年十六岁以上皆絞，男夫年八十及篤疾，妇人年六十及廢疾者並免。”（唐律，宋刑統同）

廢疾和篤疾是有区别的，廢疾是一般的殘廢，篤疾是有更严重的殘廢，如一腿折断是廢疾，再折另一腿就成为篤疾。据上条量刑，男子是比女子重。

买奴婢有病可退回“諸买奴婢馬牛駝騾驢已过价，不立市劵逾三月笞三十，买者减一等，立劵之后有旧病者，三日內听悔，無病欺者市如法，違者笞四十。”

在这一条律文上，奴婢和馬牛是列入同等地位，与牲口一样的买卖，人和牲口有病疾都可“退貨”，在这一点上来說，奴隶社会和封建社会是沒有多大不同。

皇家有疾病与服葯时大赦 紹聖四年（公元1097年）五月辛酉，以皇太妃服葯及亢旱，决四京囚。”

“政和元年（公元1111年）七月（徽宗）以疾愈赦天下。”

“乾道三年（公元1167年）七月，以皇太子疾减杂犯死罪囚釋免以下。”（以上皆据宋史本紀）

平时不管百性死活，等到皇帝自己或家族有了疾病，这时却以赦天下来挽救自己的生命，其基本观念系認为疾病乃天意，而上天自好生之德，大赦是承合天意，因而也能使疾病痊癒。

不省父母疾病罪之 “乾德四年（公元966年）五月詔：蜀箪敢有不省父母疾者罪之。”

不省父母疾病，为什么單独提出蜀箪来，难道是蜀箪的風俗嗎？也沒有这样的根据，使人大惑不解；現暫作如下解釋：在宋太祖建国时，蜀地尚是五代的后汉，与宋对抗，以后宋在軍事上予以征服后，不得不用政治上各种措施以收民心，詔令省父母疾病，是以孝治天下为出發点的。又如“七月丙寅詔，蜀官將吏及姻屬疾者，所有給医葯錢帛”，也是以同样目的来連絡蜀之旧部將士官員的。

有疫病遣医診治和賜葯令 “淳化三年（公元991年）詔，太医署良医視京城病者。”

“淳化五年（公元993年）六月詔：是月都城大疫分遣医官煮葯給病者。”

咸平六年（公元1003年）五月，京城疫，分遣內臣賜葯。”

“大中祥符二年（公元1009年）四月詔，医官院处方並葯賜河北避疫边民。”

“大中祥符二年九月，遣使賜戎瀘軍民避瘴葯。”

“大中祥符三年（公元1010年）四月，陝民疫遣使齎葯賜之。”

“庆曆八年（公元1048年）一月，以河北疫遣使頒葯。”

“嘉佑五年（公元1048年）五月，京师民疫，选医給葯以疗之。”

“紹聖元年（公元1094年）四月詔，有司具医葯治京师民疾。”

“淳熙十一年（公元1184年）四月，以临安疫分命医官診視軍民。”

派遣医生至各地治疗疫病，在唐以前似很少有此記載，而宋朝一代，关于这方面記載較多，大約最早由宋眞宗开始，以后虽無固定的制度，但已逐漸形成慣例，虽然不一定解决了多大問題，但終不失为医疗上首創的办法。

結 論

1. 本文整理了唐宋兩代之医事律令，因手头参考書籍有限，所以就其內容来說，並不是完整無遺，但即使按这尚不完整的材料来看，已可說明該兩代的統治阶級，对医学各方面措施的全貌了，总的說来，有些措施在当时是进步的，但亦有許多是限制了医学的發展。

2. 法律是上層建筑，其中有关之医事律令，也就

（下轉第273頁）

雷斅傳略及其所著炮炙論的簡介

宋大仁　丘晨波

雷斅約生于第五世紀，即刘宋时，为中国第一部制葯專書炮炙論的作者，也是中国第一位制葯專家。

雷斅並非黃帝时之雷公，明徐春甫古今医統里誤称："雷公为黃帝臣，姓雷名斅，善医，有至敎論及葯性炮制二册問世。"其后的医籍亦常沿襲此說，但李时珍对此已加更正，李氏謂："雷公炮炙論系刘宋时雷斅所著……。"

雷斅的身世不詳，李时珍謂，雷斅，"自称內究守国安正公，或是官名也"。从書中制葯方法及文字流露上看来，雷斅虽系制葯專家，但並非以制葯为职業，而似系道家一派，对制葯及生葯学有專精的研究者。

据郡齋讀書志，雷斅著炮炙論三卷（宋史艺文志作炮炙方）胡洽道士为之重定，其論多本之乾宁先生，乾宁先生名晏封，著制伏草石論（新唐書著录作六卷）雷氏自序並云其書曾参考海集，今制伏草石論及海集二書皆失傳。

至于为雷氏重定炮炙論的胡洽道士，則"自云广陵人，好音乐医术"。（見宋刘敬叔異苑）著有"百病方"（隋書經籍志为二卷，唐書艺文志作三卷，崇文总目同），宋張杲医說云："胡洽以拯救为事，医术知名"。由此，則胡氏亦为六朝人。

炮炙論原書在元以后已無專刊本，但宋代唐愼微曾將其大部分采入經史証类备急本草（大观本草），选载之葯达234种，李时珍本草綱目輯录更多达254种，雷氏曾自謂：葯凡三百种，除上述輯录者外，雷氏序中另提到24种，加上經輯录者共有278种，頗为接近原数，作者等拟將大观本草及本草綱目所輯录者加以整理，並在可能范圍內加以註釋，成雷斅炮炙論的新輯本，以供学習祖国古典制葯方法者的参考。

炮炙論一書，明代李中梓曾加輯录，但錯誤及脫漏很多，[1] 1932年四川成都張驥（先識）亦曾輯"雷公炮炙論"[2]，但張氏所輯仅系根据本草綱目，且文字又妄加修改，种类則仅有182种，其中种名亦有錯誤[3]。今以大观本草校之，則面目全非，因为对于炮炙論的引述材料来說，本草綱目是采录自大观本草的，並且本草綱目不是全文引述而系摘录，文字上曾加修飾和删削，且又羼入明代葯品[4]，而大观本草的引述材料則一般是全文照引的，因此为求接近雷氏原作起見，有依大观本草重行輯录的必要，但葯品分类上則因本草綱目已較大观本草进步，故种名次序应依本草綱目同时本文之后亦並附本草綱目的輯文。

炮炙論所列的品种方面，也有一些問題，宋代苏頌云："雷斅虽隋人，观其書乃有言唐以后葯名者，疑为后人有所增損。"的确，这样情况乃历代各种古籍中常見之事，根据大观本草所載者統計之，屬于隋以后的葯品有41种，計引唐本草20种，拾遺1种，蜀本草1种，宋开宝16种，宋嘉祐3种，本草綱目增輯25种中亦誤增有明代葯品1种，其后的著述亦有誤增[5]。

炮炙論一書总結了五世紀以前的中葯生葯加工的方法，雷氏在此总結工作中当然加上了他自己的創造性的發展；因此在这里当作为雷氏的制葯方法来加以論述。

雷氏的制葯方法有一些特点：

（一）雷氏对生葯植物学有深入的研究，和广博的知識，因此書中常有"凡使勿用某某，眞相似……。"而对类似的伪品和眞品的特点加以描述，提到有伪品或类似品的葯种类甚多（植物部分列如表1），可惜这項鑑別的工作，其后很少得到發展，因此很多类似品的名称，对我們是很生疎的。雷氏有这么广泛的植物学知識，可能与山林生活的接近有关。

表 1.　　类 似 品

原葯	类似品	原葯	类似品	原葯	类似品
桔梗	木梗	紫苑	羊鬚草	木瓜	圓子蔓子、土伏子
黃精	鈎吻	葶藶	赤鬚子	半夏	傍簁子
女萎	鈎吻、黃精	蛇含	竟命草	鈎吻	黃精
天麻	御風草	山茱萸	雀兒苏	菟絲子	天碧草子
灰藋	金鎖天	麒麟竭	海母血	茜根	赤柳草
狗脊	透山藤	商陸	赤葛條	防己	木条
前胡	野蒿根	防葵	狼毒	白花藤	菜花藤
杜若	野蝶草	蓍著	蓍冥子	菖蒲	泥菖
苏	薄荷	蓖麻子	黑天、赤利子	蒲黃	松黃、黃蒿

（二）雷氏的制葯法，很多深合化学的原理，如

（1）用蒸、煮、炮、炙、等加热处理的方法可能大部份是破坏酵素，使生葯成分易于保存。

（2）雷氏注意到單寧或黃硷素类等成分对鉄会变色的反应，很多葯物（如知母、商陸、仙茅、玄参、龙胆、芍葯、肉豆蔻、莎草、香附子、熟地、五味子、百部、茜草、菖蒲等）註明忌鉄或註明用銅刀或竹刀处理。

（3）雷氏注意到單寧对蛋白質的作用，用牛乳来除去生葯中所含的單寧（如木瓜），甚至利用牛乳与生葯

共浸时的呈色反应来鑑别生葯的真伪(如莨菪項下記:"若修事十兩,以头醋一鎰,煮尽醋为度,却用黃牛乳汁浸一宿,至明,看牛乳汁黑,即是莨菪子……)。这可以說远在五世紀,我国的葯学家已会用簡單的化学方法作生葯的鑑定了。

(4) 雷氏知到莨菪及吳茱萸用醋处理,会增加功效,拿現代眼光看来含生物硷的生葯經醋酸处理后,即成生物硷的醋酸鹽,能增加在水中的溶解度。

(5) 雷氏注意到含有揮發性物質的植物,不可用火处理,如檳榔、茵蔯蒿等註明"勿近火"。

(三) 雷氏的制葯方法,一部分偏于服食的目的,因而部分因經济上的理由不适于广大人民的使用,如用其他葯汁(如黃精自然汁)处理,用牛乳处理,酥炙等,其后較少应用。

(四) 雷氏極注意葯物的葯用部分,並注意修治,除去有害的部分,書中記明須修治除去有害部分的如:

肉蓯蓉:"劈破中心去白膜一重,如竹絲草样,有此,能隔人心前气不散,令人上气也……"。

甘草:"凡使須去头尾尖处,其头尾吐人……"。

远志:"凡使須去心,否則令人煩悶。……"。

瞿麦:"凡使只用蕊殼,不用莖叶,若一时同使,即空心令人气噎,小便不禁也……"。

(五) 雷氏書不記葯物功效,但于序言中暢論葯物的功效,証明雷氏对葯物特殊功效方面有深入的研究。

以下就雷氏的制葯方法加以分类,並按其类别加以叙述,以便对雷氏的制葯方法作一概括的認識。

一般是將炮、炙、蒸、煮等制葯方法分为以下十七类[6]。

1. 炮:置葯物于火上,以烟起为度。

2. 爁:音胆,普通称燀,即將葯物置鍋中用水加热,使之微热为度(淮南子覽冥訓:火爁焱而不灭,集韻:火焚也。)

3. 煿: 即將葯物置火上炕干的意思(玉篇:灼也,爆落也,广韻:迫于火也。)

4. 炙: 葯物塗蜜或葯汁后,用火燒炙,(博:坑火曰炙;礼:"膾炙处外"言炮肉也。)

5. 煨: 以葯物置火炭中,加热使熟。

6. 炒: 置葯物于鍋上炒,使黃而不焦,法有炒黃炒焦炒黑等。

7. 煅: 置葯物于火中,燒令通紅。

8. 煉: 葯石在鍋上久熬。

9. 制: 葯性之偏猛者制之使就范圍也,如水制,姜汁制,童便制等。

10. 度

11. 飞: 研葯物为細末,置水中攪拌后靜置之,分取其不同时候的沉淀,如飞滑石等。

12. 伏: 將葯物用水或其他种溶媒浸潤后,置密閉器中,經一定时間,使其潤輭,取出切片或作其他的加工。

13. 鎊: 音滂,削也,即用銼銼細。

14. 㕮: 即將葯物搗細之意。

15. 曬: 即曬

16. 曝: 亦曬之意。

17. 露: 將葯物露置戶外任其日晒夜露,后人用水蒸汽蒸溜,集其溜出之芳香水部分,也叫做露。

根据雷斅炮炙論制葯方法的实际内容,拟將雷斅的制葯方法依蒸、煮、炒、炙、炮、煅、水浸或其他液汁浸、酒浸、醋处理、飞、原葯自然汁煎成膏等分类来加以說明:

(一) 蒸:按蒸是指放在木甑(尤其喜用柳木制的甑)中用水蒸汽蒸,把植物蒸熟,然后取出晒干或焙干,植物中含有过氧化酵素,可促进植物所含成分的破坏,加热可破坏此酵素,又好些中葯的有效成分是甙(配糖体),含有甙的植物必伴存有分解此甙的酵素,加热(蒸或煮或炒等)可以破坏这酵素,使所含的甙在以后的貯存中不会再受分解,这样可以把植物的有效成分保留下来,用蒸煮等加热方法並可除去一部分有害的成分,如大黃在新鮮时,除含有主成分蒽醌类等外,並含有蒽酮类成分,如不經加热处理,則服之令人致吐,加热处理可以破坏此有副作用的蒽酮类成分,蒸时並使植物中的淀粉糊化,蛋白質变質,經蒸过的生葯干燥后切开,則呈韌性及角質样,蒸法处理在雷氏的制葯方法中佔有很重要的地位,也許这就是所謂"熟葯"的来源,但可惜以后的制葯業者逐漸減少了"蒸"的处理法,而將好些本来用"蒸"法处理的葯改为陰干儲藏。

雷氏的"蒸"法处理,包括的方法很复杂,有千变万化,其方法再可細分。其中"与他葯伴蒸"一法,在实际使用时,受經济的限制,故以后很少得到發展。

兹將雷氏的"蒸"法再加細分,並举例如下:

1. 單純用水蒸汽蒸者:女萎(萎蕤)、肉蓯蓉、玄参、紫草、苦参、旋复花、白薇、王不留行、大黃(七蒸七晒)、云实、营实、薯蕷、橡实、櫸树皮、白楊树皮、酸棗仁(酸棗叶拌蒸)、补骨脂(酒浸后水浸再蒸)、干地黃(蒸后拌酒再蒸)、商陆(水浸后蒸)、天門冬(水蒸后酒洒蒸)、蒲黃(焙后蒸)。

2. 酒拌蒸:狗脊、仙茅、牡丹皮、刘寄奴、蒺藜子、牛蒡、复盆子、牽牛子、女萎、骨碎补、胡麻、秦椒、蜀椒、畢澄茄、訶藜勒(酒浸后蒸)、蜀漆、楮实(水浸及酒浸后蒸)、貝子(酒及蜜拌蒸)。

用酒拌蒸的方法,其后未得到發展,可能是經济条件的限制,秦椒,蜀椒,畢澄茄等用酒,拌蒸可損失較多的辛辣成分。

3. 与他葯拌蒸

1. 黃精拌蒸:白芷,蒼耳实,升麻(黃精自然汁浸后蒸）。

2. 甘草拌蒸：用甘草拌蒸或其他用甘草汁处理，其目的似在減除原葯的毒性。甘草減除毒性的可能有二、一.是在处理过程中甘草的主成分甘草糖酸鈣鉀可能与葯中的成分結合生成不溶性的化合物（此系估計未加实驗証明）一系处理后葯中已夾杂有甘草成分，此甘草服后生成甘草糖醛酸，在体內有解毒作用（此点經有人用动物实驗証明），漏蘆、敗醬、常山、雷丸（甘草水浸后蒸）、莽草（甘草及水拌蒸）等数种系用甘草拌蒸。

3. 生地黃汁拌蒸：蛇牀子。

4. 生姜汁拌蒸：蒟醬。

5. 海芋叶拌蒸：大戟。

6. 車前草根对蒸：防已。

7. 藍叶幷根对蒸：赤地利。

8. 嫩桑枝条拌蒸：菖蒲。

9. 紫背天葵及生烏豆拌蒸：海藻。

10. 淫羊藿拌蒸：独活。

11. 綠梅子拌蒸：胡葱。

12. 生葱拌蒸：楮木叶。

13. 麻黃对莖蒸：猪苓（水浸后蒸）。

14. 細条梅树枝拌蒸：苏方木。

15. 豌豆枕拌蒸：露蜂房。

（4）黃牛乳拌蒸：木瓜。

按黃牛乳拌蒸可使生葯中的單宁与牛乳中的蛋白結合生成單宁蛋白，單宁蛋白不溶于水，在以后水煎生葯时，單宁的含量可显著減少这种处理法已有化学处理的意义，以現代的眼光看來，也是令人惊異的方法。

（5）小便拌蒸：赤車使者。

（6）酥拌蒸：石斛（酒浸一宿后酥拌蒸）。

（7）蜜水拌蒸：芍葯。

（二）煮：按生葯用水煮，其目的有二，一是將葯煮熟，一是除去一部份水溶性成分（尤其是有毒成分），一般說來，煮法不如蒸法广用，因为蒸法較少損失有效成分，而煮法則常常損失一部分有效成份，因为煮过的生葯，經干燥后仍然用于煎剂，其有效成分量受到相当的損失。

雷氏的煮法处理，仍是常用他葯拌煮，这样，經处理后的生葯，实已夾杂有少量所拌煮的生葯的水溶性成分。

用煮法处理者分列如下：

（1）用水煮：昆布、密陀僧、丹砂、磁石、會青。

（2）鹽湯煮：萆麻子、薏苡仁（一法）、石决明（鹽水煮后与五加皮，地榆，阿膠共煮）。按：鹽湯煮可除去一部分蛋白質，萆麻子含有一种毒性蛋白質，以鹽湯处理以除去这种蛋白質，实为很好的方法。

（3）漿水煮：按漿水为放置發酵已酸敗的淘米水，用本法处理者有辛夷（芭蕉水浸后漿水煮），檳实，海蛤（漿水，地骨皮，柏叶共煮）、甲香（漿水，生茅香皂角共煮），眞珠（漿水及地榆等共煮）。

（4）用烏豆等共煮：杏仁（杏核仁，用白灰石，烏豆共煮）、桃仁（用烏豆白朮共煮）。按：用烏豆共煮可能系取去其毒之意，相傳烏豆有解毒作用，但烏豆是否能解杏仁、桃仁等之毒，目前尙未能解釋，杏仁及桃仁均含有水溶性的苦杏仁甙，苦杏仁甙水解則生成氫氰酸，有劇毒，用水煮可除去一部分苦杏仁甙，此苦杏仁甙或为有毒成分亦为有效成分，如此处理亦屬損失，故今葯舖已不行此法，但用于服食，可如此处理。

（5）麻油幷酒煮：巴豆。

按：巴豆含巴豆油酸，为峻瀉葯，有毒，麻油幷酒煮，可溶出大部分的巴豆油酸，可減輕原葯的峻劇作用：

（6）糯米泔汁煮：藜蘆：（所謂米泔汁即淘米水）。

（7）生甘草水煮：鬼督郵。

（8）木通等共煮：蘗核（湯浸后用芒硝，木通等共煮）。

（9）董竹叶共煮：射干（米泔汁浸后与董竹叶共煮）。

（10）生姜汁煮：凝水石。

（三）炒：按生葯經炒过，其所受的变化与蒸过大致相同，即酵素被破坏，淀粉及蛋白質变質，但炒者質較坚实，較脆，蒸者則較潤韌，及呈角質样，炒法無煮法損失水溶性成分之弊。

雷氏的炒法处理亦常拌他物（如糯米，鹽等）同炒，这拌他物同炒，大多数可認为系控制炒时溫度的办法（很好的办法）。

書中的用炒法处理者如下：

（1）拌糯米同炒（待米黃，去米用）：貝母（經一些其他处理）、蠐螬。

（2）糯米、小麻子伴炒：斑蝥、芫青，葛上亭長。

（3）拌小麦麸共炒：枳实。

（4）与鹽同炒：补骨脂。

（5）用羊脂炒：淫羊藿。

（6）酥炒：衛矛，寀子木。

（7）与他葯共炒：如草豆蔻与茱萸同炒（待茱萸微黃黑去茱萸），天麻用炒焦的蒺藜子复蓋后，分出，再炒，蜈蚣用蜈蚣木末同炒。

类似炒法的有焙及煨，焙因溫度較低，有使葯物干燥的意义，而可能破坏不了酵素，用焙法处理的如葶藶，煨法处理的如肉豆蔻（用糯米粉熟湯搜里豆蔻，于煻灰中煨熟，去粉用）。

（四）炙：

蜜炙：蘗木、徐長卿、紫苑。

酥炙：用酥炙的有甘草、肉蓯蓉、厚朴（一法用自然姜汁炙）、皂荚（水浸后酥炙）、枇杷叶（去細毛后酥炙）、椒鱗（牛酥炙）、白花蛇（酒浸后炙）、烏花蛇（酒浸后炙）。

酥蜜共炙：杜仲。

猪脂炙：阿膠（猪脂中浸后火炙）。

黄精自然汁塗炙：伏翼（肉）。

（五）炮：按即將生葯置火加热至烟起为度，或將生葯用潤滑的麵粉或厚紙包裹，埋热灰中，炮至黃焦爆裂为度，炮系用直接火加热，亦同煮蒸等处理，可將生葯中所含的酵素破坏。

（六）煆：按煆系將生葯置炭上燒令通紅，适用本法制造者，多系無机物的金石类，如自然銅、丹砂、石灰、砒霜、矾石、牡蠣等，牡蠣經煆后所含的炭酸鈣部分变为氧化鈣。

（七）浸：按浸是指生葯用水或鹽水、或蜜水，或米泔汁，或漿水，或小便，或其他生葯的汁浸过后取出使干，或再經其他处理，然后使用的处理方法，在浸的过程中有一部分成分可被浸出，这被浸出的成分有时就是要除去的成分但有时也可能把有效成分除去一部分，用其他生葯汁制，其目的，恐系在于改变原葯的葯效，徐洄溪医学源流論說："其制之义各有不同，或以相反为制，或以相資为制，或以相惡为制，或以相畏为制，或以相喜为制，或制其形，或制其性，或制其味，或制其質。"这里所指的相反，相資，相惡，相畏，相喜，大多是从生理作用上來說的，在化学上是否有作用，則大多数未明，因为兩种植物液汁所起的变化，除了較單純的反应如生物碱与有机酸或單宁，單宁与蛋白或与酵素等反应以外，到今天也还所知甚少，一般是認为植物中所含的兩种有机化合物同浸在水液中是不会有显著变化的。

雷氏書中記用浸法处理的分述如下：

1. 用水浸：細辛、皂荚（浸后酥炙）、楮实（水浸后酒浸并蒸）、猪苓（浸后蒸）。

2. 鹽水浸：吳茱萸（鹽水洗一百轉，制法之一）。

3. 蜜和蜜水浸：紫苑、女萎、杜若、郁李仁（先湯浸削去上尖去皮及蜜浸）、蜜浸有用蜜防腐及調味的意义。

4. 米泔汁浸：按用本法处理者如射干（浸后以堇竹共煮过），用糯米濃泔汁浸者有苦参、白殭蚕、白頸蚯蚓（糯米水浸后酒浸）等。

5. 漿水浸：按漿水即放置發酵已酸敗的米泔水，其中已有其他微生物的生長，並已含有有机酸，用本法处理者有王不留行（浸后蒸）、黃連、安石榴、桑螵蛸（沸漿水浸淘）等。

6. 用小便浸：如青蒿（浸七日夜）。

7. 牛乳浸：槐实（浸后蒸），按槐实中含有鞣宁类物質，牛乳中的蛋白質与之作用成为不溶性的鞣宁蛋白。

8. 用他葯汁浸：

1. 用甘草水浸：款冬花、防葵（浸后以黃精汁炒干）、远志、龙胆、白前、枸子、枸杞根、甘遂（生甘草湯及小荠苨自然汁攪浸后水淘洗熬脆）、雀卵。

2. 黃精自然汁浸：牛膝、升麻（浸后蒸）。

3. 生百合搗膏并水共浸：桔梗。

4. 枸杞子湯浸：巴戟天（枸杞子湯浸后酒浸）。

5. 巴煮水浸：辛夷（浸后漿水煮）。

6. 藍汁浸：蛇床（濃藍汁及百部草根自然汁浸后生地黄汁拌蒸）。

7. 堇竹瀝浸：瞿麦。

8. 甜竹瀝浸：前胡。

（八）酒浸：按生葯用酒浸若干时間，取出，使干，然后使用（多用作煎剂）。本法因酒能溶出相当的成份，对功效頗受損失，但如生葯中含有酒可溶的有毒成分时則可溶出而除去之，嫌功效太峻烈的葯，本法亦可減弱其作用，但本法在經济上受限制，故其后較少应用。

用本法处理的生葯有补骨脂（謂因性燥毒）、当归、續断、常山、百部、澤瀉、巴戟天、腽肭臍等，石斛則酒浸后再用酥拌蒸，狗脊、甘草、肉蓯蓉、訶黎勒及蔓荆子則酒浸后再蒸，蜜蒙花于酒浸后拌蜜蒸，柏实及柏叶于酒浸后共黃精汁煎干，蛤蚧則酒浸后焙干，飞廉則酒拌后使干。

（九）醋处理：按醋处理分为醋浸及醋潤湿后煮干兩类。醋浸像酒浸一样，可除去一部分稀醋酸可溶的成分，尤其是生物碱及蛋白質等，但書中兩例含生物碱的葯（莨菪及茱萸）都是用醋潤湿后煮干的，这是很适当的办法，因为用醋潤湿，可使生物碱变为生物碱醋酸鹽，較原有的生物碱（或原有的生物碱有机酸鹽）更易溶于水，这样在以后作煎剂时，有效成分更容易溶出來，古人能够發現这科学的方法，实足令人惊異，现在科学上也还是用同样的方法。

用醋处理的还有半夏、蕁麦和蓬莪茂、石灰、鹿茸等，半夏含有一种能麻舌的毒性成分，用醋將之洗去是很合理的，書中謂"修事半夏四兩，用白芥子末二兩，釅醋六兩，攪濁，將半夏投于中洗三遍用之，若洗涎不尽，令人气逆，肝气怒滿，"但其后的制葯者多用老姜制，未見用醋制，蕁茇亦含有一种辛味成分"以醋浸一宿，焙干"可將此成分，溶去一部分，蓬莪茂的处理法則較特別："于砂盆中以醋磨令尽，然后于火畔熁干……"，但此法后人亦少应用，石灰用醋处理則可中和一部分碱性及生成一些水溶性的醋酸鈣、鹿茸有一法系醋煮，醋煮时可能溶出一部分有效分。

此外还有紫貝，系用蜜醋相对浸的方法处理，鼈甲用醋煮处理。

（十）飞：按將葯物研成細末，置水中，或共水研，攪拌后靜置之，分取其不同时候的沉淀，謂之飞。

用飞法处理的葯品有銀、伏龙肝、赤石脂、石鍾乳、磁石等。

（十一）生葯自然汁煎成膏：

按用生药自然汁煎成膏已具有现代浸膏制法的雛型，所謂自然汁是指新鮮生药的榨汁，当然这榨汁的量是比較少的，(对如用溶剂浸漬生药所得而言)，但这样做已成为一种制剂了，本法在雷氏書中是值得重視的方法，因为其后的膏丹等制法可能是由本法發展而成的。

書中用本法制剂的有三，一是鉤吻，"絞取自然汁入膏中用"，二是白蘘荷，"只收自然汁煉作膏"，三是蒴藋"取自然汁煎如稀餳"。

結論

以上概述了雷氏的制药方法，这是我国古典的制药方法。这些方法是五世紀以前我国医药学者对药物采集和修治，加工經驗的总結，影响祖国医药垂一千五百余年。雷氏于制药学及生药学曾貢献出不可磨灭的功績，其炮炙論一書值得我們加以鑽研和仔細学習的。

註：1. 李中梓，明代人，著珍珠囊指掌补遺药性賦解六卷。清代王晋三重訂，康熙刊二册，張驥氏曾評李中梓所輯269种为名不符实，且滋脫漏，曾足登神农氏之堂而与桐雷上下其議論哉（按：張氏旣同意李时珍認雷斅为刘宋时人，此处何以又作为黃帝之臣，可笑。）

2. 張驥（先識）輯"雷公炮炙論"，民国壬申（1932年）刊行，四川成都北攙金街义生堂藏板。

3. 張驥輯"雷公炙論"一書，其序頗为自負，謂："搜集神农氏以逮諸家本草之書，凡涉雷公修治之法，靡不悉心考对，蒐輯無余，几历年所，积而成帙"。其实張氏对輯录雷斅原文最多的大观本草尙未見过；又張氏祇輯出182种，其中有二种如石燕，鹿茸膠为清人杜撰者一併輯入；反將車前，鉄，鉛、延胡索，竹瀝，五倍子等雷斅已提到的药作为是別人的，列入附录，張氏輯書还任意修改原文，並且不註明文字来源。

4. 本草綱目濕藍子一药，时珍註明最早記載为綱目，很明显是明代才著录之药，在气味条內又有雷斅曰……，可見时珍之誤書也。

5. 張仲岩（名叡）著修事指南，丙寅仲多杭州城站抱經堂書店印行，輯本草綱目一書，采雷斅121种，又曾誤增石燕一种。

6. 見冉小峯中药的炮炙方法一文（中药通报，一卷二期1955）引述。

包紮术

石筱山

包紮术在我国医書上最早的記載是晋代。这部医書就是葛洪的肘后方。

葛洪是晋代一位常在民間的大名医，他經常很关心民間的疾苦。肘后方就是为了貧苦人家吃不起貴药而采集的。

关于肘后方上所記載的包紮术，可归納为下面几点：

(1) 应用的理由：一方面要使病人很快的減少痛苦；另一方面又要縮短一定的疗程，所以縛起来动作要快，勿讓患者随便轉动。

(2) 需要的材料：旧布和竹片兩种。

(3) 包紮的方法：認为滿意的包紮，用旧布要不寬不緊像系衣帶一样，一重重的把它裹起来。夾裹时要用竹片。旧布和竹片夾裹时，一定要依照受伤的部位大小和面积，用很快的动作將它縛遍。

肘后方的著作年代，据陶弘景的序上說，最迟也不会超过晋元康九年（公元299年），因此，中医伤科的包紮术最迟在公元三世紀已在医学文献上开始有了詳細的記載。

北齐药方

王有生

洛陽龙門石刻中有药方洞一处，洞口說明牌說是北魏正光元年到北齐天保四年的洞，而龙門保管所前的总說明牌說是北魏元年到北齐天保四年和唐垂拱四年（公元553—688），后者考証比較完全。药方洞的洞名不是原洞名，洞內所刻佛像已不詳为何人，据說与药無关，洞口系圓弓式門，門洞厚度頗厚，所謂的"北齐药方"就是刻在厚厚的門洞的南北二壁的下半段上，有一小部分是不規則地横刻在洞門內壁上。碑身文字的粗細大小以及筆風，皆与有大齐年号的碑首不一致，碑首文字中間有方格，碑身文字中間沒有方格，並且碑身文字还越界刻在碑首范圍中，因此，碑身文字很可能不是成于北齐。北齐碑首因唐时加雕洞門的花柱，而被損毁一部分。碑首和碑文平头，且碑首偏居在碑身的左上角一事，很容易引起人們怀疑，沒看到实物之前曾有人怀疑是拓碑者为了利用拓片的空白处，故意把碑首拓在左上角的，而实物确是和拓片是一模一样的。此种情况在龙門石刻的其他地方没有看到过。根据上述各种情况，碑身文字大概是比碑首要晚一些。

英国倫敦不列顛博物館藏——敦煌卷子中的古代医药方文献圖片(二)

王庆菽 搜集 陈邦贤 說明

食疗本草殘卷說明

食疗本草，唐孟詵撰。掌禹錫說："食疗本草，唐同州刺史孟詵撰。張鼎又补其不足者89种，并旧为227条，凡三卷"。明李时珍本草綱目采用17种：草部2种，谷部3种，菜部3种，果部1种，鱗部6种，禽部2种。这書久經亡佚，到明代已不完全。这殘卷虽屬一鱗半爪，也足珍貴，于此可以說明祖国医学中的食物疗法，在唐代已有相当的發展。孟詵在旧唐書本傳中說道："詵年虽晚暮，志力如壯，常謂所亲曰："若能保身养性者，常須善言不离口，良药不离手"。可見孟詵是一位研究本草的人物，並注意到保身养性之学。（續完）

莫斯科医史学会年鑑

原著者 Г. З. Рябов

莫斯科医史学会建立于1949年。

学会任务有：

1. 研究苏联和外国医学史和保健組織史中没有解决的問題；

2. 在馬克思列宁主义学說和先进的自然科学傳統的基础上，揭露資产阶級对医学史的唯心主义观点；

3. 显示祖国和苏維埃医学家在發展医学各学科和医学理論方面所起的作用；

4. 評閱和討論医学史的学术論文、專題論文、講演和文章；

5. 与其他医学科学学会共同討論医学各学科的理論性問題；

6. 举行各种集会，庆祝祖国和外国卓越医学家生平事蹟的紀念日。

医史学会曾与其他莫斯科的医学学会：外科学会、內科学会、衛生学会、生理和病理生理学会、微生物和傳染病学会、精神病学会、以及 Н. А. Семашко 保健組織医学史研究所，和莫斯科医学院医史教研組等举行过联合会議。1952—1954年內最大的一次联合会曾討論了下列有关問題：生理学的进化論問題（И. М.Сеченов, И. П. Павлов, Н. Е. Введенский），"古代俄罗斯流行病史及与之斗爭的历史"，"苏維埃医学中預防方針的發展"，"农村保健組織問題"等等。这段时期內，在联合会議上还听取了有关一些俄国和苏維埃医学优秀活动家的报告，如 И. М. Сеченов, Н. А. Семашко, З. П. Соловьев, Н. Е. Введенский 和 Д. К. Заболотон.

1954年为庆祝烏克蘭和俄罗斯合併300週年曾举行了联合会。会上听取了以下报告："俄罗斯和烏克蘭医学家創造性的合作"，"俄罗斯和烏克蘭临床学家科学上的联系"，"十八世紀傑出的烏克蘭医学家"等等。

1955年內曾举行了兩次联合会，其中一次討論了題为"列宁和历史科学問題"的通报，另一次是紀念第一次俄国革命五十周年。

学会为使祖国医学的傑出代表人物流芳千古，曾积極地进行了各种活动。例如，为了紀念卓越的莫斯科內科学家唯物主义者 И.Е.Дядьковский 在 Пятигорск 市逝世112週年（1841年8月22日逝世），Пятигорск 市市委会接受該市学会的請求，于1953年在 Лермонтовский 大厦內建立了一个紀念匾，匾上題詞为："И. Е. Дядьковский 曾生活在这座大厦內并逝于此地"。除此以外，在 Машук 山的山麓 И. Е. Дядьковский 的公墓上，还建立了一座紀念碑。

大家都熟習莫斯科有几处住宅，这是偉大的俄國外科医师和学者皮罗果夫（Пирогов）生活和居住过的地方（Верхняя Сыромятническая 街7号；Большой Конюшковский 胡同14号；Дружинниковская 街11号等等）。学会理事会曾采取积極措施按原样保存这些住宅的文物。

1956年学会曾召开会議，听取关于"傳染学史及防疫工作的任务和总結"。作者建議要把流行病学像研究社会科学一样来加以研究。討論报告时，曾提出报告所涉及的問題，没有指出某些重要的研究成果，特别是最近时期的研究，如 А.Я. Скороход 及 Саратовский 医学院的研究。

在以后召开的几次会上，討論了 А.И. Лагутяевой 关于苏联助产事業史的重要报告。报告中提出了丰富的档案資料，并做了概括性的結論。作者充分地显示出苏維埃保健制度在組織設施上的成果。这項研究的重要价值还在于从事于研究的人，不仅是医史学家，并且是多年从事于实际工作的助产士和助产工作組織者的專科医师。

学会召开的听取"医学史分期問題"的报告会引起很大的兴趣。报告人指出現在尚没有公認的分期，虽然这是非常迫切需要解决的問題。报告人还指出資产阶級学者的著作中医史分期的原則性缺点（忽視社会經济变化，脫离哲学和自然科学的發展，显明的民族主义傾向，把医学史暗中变换成名医傳），并建議应根据社会物質生活条件的变化及馬克思列宁主义闡述历史过程的原理来进行分期。他曾提出討論三种經他研究过的历史分期方案。

报告引起了热烈的爭辯。有人指出整个科学的發展可以按照社会經济形态来研究，而医学則必須根据每門医学学科的轉折点来分期。無可爭辯大家一致認为决不可脫离社会經济形态来研究医学史，同时必須从远古开始来追究每个医学問題的發展。此外，还应注意某些傑出的医学家，"他們曾經是当时代的公僕（Слуг）"。其他發言虽然贊成医学史应按社会經济形态来分期，但这种分期在細节上遭遇到相反的意見，需要更进一步的分类。主席概括指出：大多数人認为第一种方案是切实可行的。这个方案归結如下：医学通史：（1）原始公社制时期的医学，（2）奴隶社会时期的医学，（3）封建时期的医学，（4）資本主义时期的医学。但国医学史：(1) 东部斯拉夫的医疗，(2) 封建时期的医学，(3)资本主义时期的医学，(4)苏維埃医学。

在学会的一次集会上，曾有效的討論了医学出版社代表"关于1957—1958年医史文献出版問題"的报告。对医学出版社計划內缺少月刊目录，著作提出了批評，这类著述目前感到非常需要，出版社应該更积極地对这类迫切問題实行向作者約稿。也指出决不可以減少"傑出的祖国医学活动家"集叢的出版。应該請人編写有关个別人物史料的評述，因为这可以帮助闡明有关医学問題和医学各科的历史。同时也提出繼續出版苏維埃保健事業活动家集叢的願望。

学会在有一次集会上曾听取了 Е. Д. Ашурков 1956年5月参加第三屆法蘭西和法蘭西联盟医学节(Медицивских дней Франции и Фрацчэского Союза)的国外旅行报告，报导了法国医史学会的活动，并交流了关于参观巴黎医史博物館的观感。这个博物館拥有很珍貴的展品，但佈置在很不合适的房間內，並且缺乏物質經費。报告人提到他所訪問过的法国著名活动家，他們对苏联在医学史方面所出版的書籍感到惊訝，特别是"医学史"(1954年第一卷)的出版，其中充分的反映了法国医学的成就。报告同时展覽了照片和法国版的医学書籍。

去年最后一次集会上听取了 Б. Д. Петров 关于1956年九月所召开的"第十四屆馬德里国际医学史会議"的报告。报告中介紹了大会的工作，簡述了他所听到的最重要的报告。Л. А. Оганесян 教授在会上报导了阿尔明尼亞档案庫里所保存的最古的医学史手稿的来源。会議的报告还闡明了 И. И. Мечников 創作中"关于人本性的短評"一文的意义。

苏联用俄文出版維薩利阿斯(Vesalius)的"人体的構造"(1950—1954)，兩册阿維森納(–Авиценна)的医典(1954—1956)以及 Д. М. Российский 的俄国医学史主要目录学的研究(1950)等，給参加大会的代表留下了很深的印象。报告中順便还提及現代西班牙生活的特点。

为了迎接偉大的十月社会主义革命滿40週年，学会在1957年工作內列入了發行有关苏維埃医学和保健事業發展历史的报告集叢。預計学会三个組的工作(評閱和出版，医学史教学和博物館)將要活躍起来。

(成桂仁譯自 Советское здравоохранение 1957年第5期)

英国保健的一些情况

Случевский, И. И. Некоторые Вопросы Здравоохринения в Англии (Обзор).

1957年英国保健部發表1955年英格蘭和威尔斯共有居民44,441,000人，其中15岁以下者佔23%，15—64岁佔66%，65岁以上者佔11%。男子平均寿命68岁，女子73岁，出生率15.2‰，死亡率11.7‰，主要死于心臟血管系統疾病(37.1%)、惡性腫瘤(17.6%)、中樞神經系統血管疾病(14.3%)及呼吸系疾病(11.2%)。

肺癌死亡率急剧增高，每十万居民达38.9，目前已成为国家性的問題。医学研究委員会認为与吸烟有关；政府已命令加强衛生宣教，並补充撥款进行研究。

結核病死亡率有所下降(14.6/万)，中樞神經系統血管及冠狀血管疾病的死亡率繼續上升，脊髓前角灰白質炎病例急剧增加，用疫苗預防因生产数量不足，效果和安全性留存在着很大問題而有所爭論。

1955年有医師44,506名，(平均每千居民有1名医師)，其中开業医師23,100名，專科医師8,849名，10,057名在医院工作，2,500名在地方保健机構工作，在国家保健系統工作的开業医師的薪金按其所服务的居民数每人每年18先令計算，医師同时仍可自己开業。医師之分佈極不平均，1956年全国有包括一千万居民之地区感到医師不足。

自1946年国家保健法規通过后，"医学自由协会等团体經常反对"医学社会化"，英国医学会要求增加医師工資24%，並且宣称如政府拒絕增加工資，他的成員將退出国家保健系統，目前这一問題尚未得到解决。

医院床位不足，1955年在英格蘭和威尔斯病床总数为481,563張(每千居民6.1張)，而登記等待入院者有453,117人，慢性外科患者在較好的情况下要等待三个月才能入院，老年和殘廢者住院已成为不能解决的問題。

开業医師进行治疗工作，地方保健机構进行預防工作，兩者之脫节是保健工作的最大缺点，医疗預防相結合的希望寄託在建立"保健中心"，計划設立600所这样的机構，但由于政府削減社会措施方面的撥款，到目前为止只开办了个別的"保健中心"。

(金玉煥摘譯自 Здравоохранение Российской Федерации 1958年第3期)

英国的医院工作

——摘于英国医学代表团 麦考雷教授的报告——

英国約在一千年前帶有原始意义的医院就出現了。这些医院是宗教家所建立的，其中有一部份是后来几年中所建立的，至今尙保留着，作为治疗病人的机構。在十六世紀的时候，英国的內部混乱，造成不安及失業，因此無家游民大大地增加了，于是在依丽沙伯第一女皇执政时期(相当于明朝的末世紀)通过一項法律即地方有責任照顧当地的穷人包括患病的穷苦者，在以后的几世紀中，立法促使了行政的变化，但从这一点点开始英国的地方医院就發展起来了。医院用本地的稅欵来建立、来維持；包括几乎所有的傳染病院，大部份的精神病院及一些綜合医院。

約在二百年前，英国又重新考慮照顧貧病的問題，一些非医务人員及医务人員的慈善家联合籌集資金来建立一种"新型"的医院——志願医院——所以这样命名是因为它是用自願捐助的資金来建立、来維持的，这种类型的医院一直在英国建立着的，到兩次世界大战之間的时期，而成为社会生活中的一項主要活动。这些志願医院的高級医务人員免費給人看病，而認为被指任为一个志願医院的高級医务人員是一种特权及崇高的荣誉。有一志願医院扩建了，声誉亦很大，另一些建立了医学学習班，进而發展成为教学医院，与古时施医的僧院联合起来。

当"国家衛生服务"实施时，情况是这样的——存在着兩种完全不同的医院，它們的来源、工作方法、行政制度及用人都各異。在1948年这兩种医院合併成为一种普通的医院制度。

医院管理和專科服务：

在1948年差不多全国所有的医院都是衛生部長的財产，只有个别帶有特别性質的医院除外，仍保留为独立自給的机構。为了管理好这些国立的医院，把全国分为14个地区，每一个地区組織一区医院董事会，根据部長的意圖来管理当地的医院事务，每一董事会由20—30人組成，这些人是由衛生部長与各有关方面商量后指定的，大約四分之一的成員是医生。区医院董事会主要的职能是計划和發展医院及培养專家，使能为全区服务。各个地区又分成医院及門診部組，来执行医院的日常管理工作，区医院董事会每一个組組織一医院管理委員会由15人組成，其中大部份是了解当地情况的本地人，他們一部份是医生，代表本組內医院的高級人員，常常是些开業医生及衛生官員。所有区医院董事会及医院管理委員会的人員都是义务性的。教学医院，不論是大学[illegible]的或[illegible]院的都不由区医院董事会所管理，他們有自己的理事会，是独立的，但是每一个教学医院和它的区医院董事会有密切的联系，以便規划上能一致。

区医院董事会的职能：医院及專科服务的計划換句話說就是計划綜合性医院、專科医院、專科中心站、專家的任命以及某种專科性的服务。

綜合医院：在英国任何区域內最需要的是綜合性医院，能处理普通的專科病——內科、外科、产科及妇科，因此在1947年开始工作的区医院董事会的首先任务之一，就是对本区作一調查，保証每一个地区內都能有这样一些較充足的配备。这次調查，决定了怎样組織区內的医院；一个医院組最常見的形式是一个大的綜合医院，处理極普通的及專門性的病例，領导着一些小的或附屬医院，其中的工作人員尽可能是从大医院来的諮詢医生，可以把小医院的設备不能解决的病例轉到大医院去，这种职員的通用及共同解决問題是建立編組制度的最大利益之一。自第二次世界大战爆發以来，在英国沒有一所医院房屋能永久的保留下来，所以有許多債欵尙未付清。由于国家財政支出情况的不允許，一般講来，不考慮建筑新的医院房屋。从整个国家看起来，床位並不缺乏，但有許多床位安置在質量不好的旧房屋中或分佈得不合适，战爭以来，英国的許多城市遭到很大的破坏，因而人口有着向外迁移的趋向。这样可以減少或者取消几个老的集中在一起的医院，而在周圍建立起新的医院来滿足向外迁移的人民的需要。現在，在英国流行設計一种中等大小(200到600張床位)的医院，帶有扩充到800張床位的潛力以及一切必要輔助实施，所謂可容2,000張床位的大医院在美国很普遍，在英国是無人贊成的。

專科医院：有精神病医院、結核病医院和傳染病医院。在精神病医院方面，建立一个容有2,000張急性和慢性病床位的大規模的机構，已成为一种傳統。我們現在所有的就是如此，並將繼續採用，在英国各个大的綜合医院內，有精神病門診部內有我們精神病医院的高級精神病医生。这样，假使一个人一定要收进精神病医院时，可以保証一貫制的治疗。由于我們精神病医院很大，其服务面积較綜合医院更大。用了以前和現代的治疗法，大部分慢性精神病是可以預防的，所以我們將来不再建立大型的精神病机構，而提議設立的100張床位的小單位，帶有各种門診設备作为我們綜合医院的一部分。在这里，我們希望积極的治疗可促进迅速的痊愈。在加拿大及別处此法已被采用，[illegible]

会 务 消 息

中华医学会北京分会医史学会举行庆祝苏联十月社会主义革命四十周年紀念会

11 月 15 日晚間七时，中华医学会北京分会医史学会举行庆祝苏联十月社會主义革命四十周年紀念会，到会的除本会在京会員外，並有北京中医学会部分会[illegible]院部分同学、中华医学会总会副会長[illegible]長鍾惠瀾、总会医史学会委員兼秘書[illegible]惠勢等均出席，首由分会医史学会主任委員耿鑑庭同志致庆祝詞，並报告中苏医学交流的史实，略謂：“今天是中华医学会北京分会医史学会庆祝苏联十月革命四十周年紀念大会，举行簡單而隆重的紀念”。接着耿同志介紹了苏中兩国文化交流的悠久历史、以及历代医药交流的历史、說明唐本草里記载的鶴虱，是来自塔什干；（根据赵燏黄教授的考証）又說明第十世紀出生在今天烏兹别克和塔吉克兩个共和国接壤地方的阿維森納，在医药交流方面的史实；又介紹了清初中国派医生到雅克薩城为俄兵治風湿病；以及俄籍留学生的来中国学習种痘与接骨；又談到道光間書籍交换里的医書和清代药材交换里的大黄与羚羊角；並引了郭沫若院長苏联記行（1945）里記載的苏联科学院長、世界植物学权威科瑪諾夫同志，重視中国本草的一段談話；及苏联專家来华考察針灸的事实与华格拉立克教授在中华医学会十屆大会上，对于中医理論、和中国医史研究方面的見解。以后由衛生部顧問秦伯未大夫以“旅苏观感”为题介紹了他今年二月和八月兩次到苏联去的一些情况，他在介紹了苏联朋友純摯的兄弟般的友誼之后說：“苏联医家对于中医中药非常重視，而且对待中国医学好像热爱自己祖国医学一样地無分彼此。据我所接触的医家里，几乎大半对于中医中药有过深入的了解，迫切期待我們加以整理和發揚。我曾參观血液病研究所，医务主任杜拉孝教授对我說：‘中国医学具有丰富的內容，它的实际价值必須通过臨床来証实、單靠化驗去衡量其效果是不尽恰当的。’还參观了药物研究所，所里的負責人也說：‘研究药物当从單味药入手，但一种药物的秘密不是一下子能揭發無遺，中医有几千种药草和成千上万的驗方，应当擇要的有步驟地一方面分析成分，一方面重視成效，否則会脫离实际；另一方面，如果不注意复方的組織，也会減低药物的全面疗效，不能發揮它的高度作用。’类似这些簡單扼要而明朗的談話，忠实地指出了今后中医研究的正确方向，可見苏联医药家关心中医中药的一斑了。”以后他又报告了一些最近的事实說：“去年苏联保健部派了德柯孝斯卡婭教授和兩位副博士来我国考察和研究針灸医疗技术。回国后不过一年多时間，已在莫斯科中央医师进修学院和列宁格勒神經精神病学研究院等开办了針灸訓練班，有一百多位神經科医师正在学習，並在这些机構和其它医疗机構里添設了針灸治疗工作。在中苏科学技术合作方面，苏联决定最近期間派遣第二批專家繼續来我国研究設备和药物治疗，已經要求預先給予中医临床实驗資料，包括流行性乙型腦炎，慢性腎炎，糖尿病和高血压病等十三种病例之多。我第二次回国时，血液病研究所所長巴达沙洛夫教授亲自託我說：‘目前有很多病世界医学还缺少良好疗法，中医文献里可能發掘出不少經驗，已向中国有关部門取得联系，盼望中医們組織治疗小組參加合作，愈快愈好。’以上一系列的事实，足够說明苏联对中国医学不仅是思想上給以重視，而且見諸实际行动，在中国医学史上是值得記載的光荣的一頁。”

最后由程之范同志作了“从医学的發展談学習苏联”的报告，他从三方面說明学習苏联的必要性：（一）由世界整个医学的發展来看学習苏联的必要性、（二）由俄国医学史与十月革命后苏联医学的新成就来看学習苏联的必要性、（三）由發揚祖国医学来看学習苏联的必要性。最后並談到医史学的研究方向也必定要学習苏联等等，报告直到晚十时在掌声中結束。

（刘 同）

日本医史、法医專家石川光昭教授应邀来华講学

日本医史学会、法医学会理事長石川光昭教授經日中友好协会松本治一郎先生介紹应我会邀請前来講学及訪問，于 1957 年 10 月 19 日动身来华，22 日抵京。

（邑 沫稿）

医学史与保健組織 1958 年全卷总目录

第 1 号

第 2 号

第 3 号

文　摘

消　息

第 4 号

文　摘

全国医药衛生技术革命展覽会資料彙編

·全国医药衛生技术革命展覽会編·

預計12月下旬出版

1958年9—10月中华人民共和国衛生部在北京举办了全国医药衛生技术革命展覽会。这个展覽会展出了全国27个省市的医药衛生的發明創造和技术革新共4,000多項，这一展出具体生动說明：我国广大医药衛生工作人員通过偉大的　　　和社会主义总路綫的学習，發揮了敢想、敢說、敢作的共产主义精神，正在掀起一个技术革命运动的高潮。

展覽会告訴我們，我国的医药衛生人員一經政治掛帅，解放思想、破除迷信，就能大大提高医药衛生工作的技术水平，就能創造出惊人的奇蹟。为了更广泛地傳播与推广全国医药衛生技术革命的先进思想和先进經驗，展覽会特將展出項目中較完整的資料分門别类編輯出版，总名定为"全国医药衛生技术革命展覽会資料彙編"。

这些册子其中祖国医学估非常主要的地位，如"征服高血压"、"叫恶性腫瘤低头"、"闌尾炎"、"痔瘻"、等書，中医的治疗方法，都創造了奇蹟，而且內容的份量上比重也很大，在其他各册中祖国医学的疗效亦甚惊人，值得我們广大医务人員和一切对祖国医学有兴趣的人学習和參考。

为了便于西医学習中医，适应中西医合流，为創造新医学提供条件，在編輯方法上采取了中西医材料彙集一处的方法，因此这个彙編是我国医药衛生工作大躍进中的良好参考材料。

为了便于讀者选購，玆分册出版：

政治掛帅一切为了伤病員	估計定价 0.70 元	闌尾炎	估計定价 0.18 元
中西医大协作	估計定价 0.25 元	痔　瘻	估計定价 0.25 元
几种傳染病的防治	估計定价 0.60 元	皮膚性病	估計定价 0.22 元
消灭流行性乙型腦炎	估計定价 0.20 元	妇产科	估計定价 1.00 元
消灭痢疾	估計定价 0.25 元	耳鼻喉科	估計定价 0.20 元
消灭寄生虫病	估計定价 0.40 元	眼　科	估計定价 0.45 元
消灭血吸虫病	估計定价 0.75 元	口腔科	估計定价 0.30 元
征服高血压	估計定价 0.18 元	經絡探測的几个問題	估計定价 0.12 元
急性腫瘤	估計定价 0.60 元	針　灸	估計定价 0.35 元
积極防治結核病	估計定价 0.75 元	气功按摩及割治法	估計定价 0.18 元
劳动衛生与職業病	估計定价 0.55 元	驗　方	估計定价 0.55 元
內科	估計定价 0.45 元	临床檢驗	估計定价 0.70 元
神經精神病	估計定价 0.35 元	放射医学与理疗	估計定价 0.85 元
小兒科	估計定价 0.20 元	药　物	估計定价 0.95 元
外科	估計定价 0.75 元	药房工作	估計定价 0.22 元
矯形外科	估計定价 0.75 元	医疗器械（上册）	估計定价 0.80 元
燙　伤	估計定价 0.16 元	医疗器械（下册）	估計定价 0.80 元

宣字76号

·人民衛生出版社出版·新华書店發行·

医学史与保健組织

（季刊）

1958年 第 4 号

（第 2 卷 第 4 期）

规定出版日期：每季第 3 月25日

·編輯者·

中华医学会总会

医学史与保健組織編輯委員会

北京东四猪市大街东口路南

·出版者·

人民衛生出版社

北京崇文区绦子胡同 36 号

·發行者·

郵电部北京郵局

·印刷者·

北京市印刷一厂

北京西便門內南大道一号

本期印数：1,728册

每册定价：0.70 元

上期实際出版日期：1958 年 9 月 23 日

本刊代号：2—168

197　4－